U0115635

# 乌兰察布地名考

## WULANCHABU DIMING KAO

主 编：景利东　达林太

远方出版社

图书在版编目（CIP）数据

乌兰察布地名考：中文、蒙古文 ／ 景利东，达林太
主编. —— 呼和浩特：远方出版社，2019.10
ISBN 978-7-5555-0961-5

Ⅰ. ①乌… Ⅱ. ①景… ②达… Ⅲ. ①地名－考证－
乌兰察布市－汉语、蒙古语(中国少数民族语言) Ⅳ.
① K922.63

中国版本图书馆 CIP 数据核字(2018)第 207519 号

乌兰察布地名考

WULANCHABU DIMING KAO

| | |
|---|---|
| 主　　编 | 景利东　达林太 |
| 策　　划 | 胡丽娟 |
| 责任编辑 | 胡丽娟　张利君　白秉鑫 |
| 责任校对 | 胡丽娟　张利君　白秉鑫 |
| 装帧设计 | 石良先　介　霞 |
| 出版发行 | 远方出版社 |
| 社　　址 | 呼和浩特市乌兰察布东路 666 号 |
| 邮　　编 | 010010 |
| 电　　话 | （0471）2236473（总编室）　2236460（发行部） |
| 经　　销 | 新华书店 |
| 印　　刷 | 乌兰察布市市委机关印刷厂 |
| 开　　本 | 210mm × 285mm　1/16 |
| 字　　数 | 1000 千 |
| 印　　张 | 48 |
| 版　　次 | 2019 年 10 月　第 1 版 |
| 印　　次 | 2019 年 10 月　第 1 次印刷 |
| 印　　数 | 1—3000 册 |
| 标准书号 | ISBN 978-7-5555-0961-5 |
| 定　　价 | 680.00 元 |

如发现印装质量问题，请与出版社联系调换

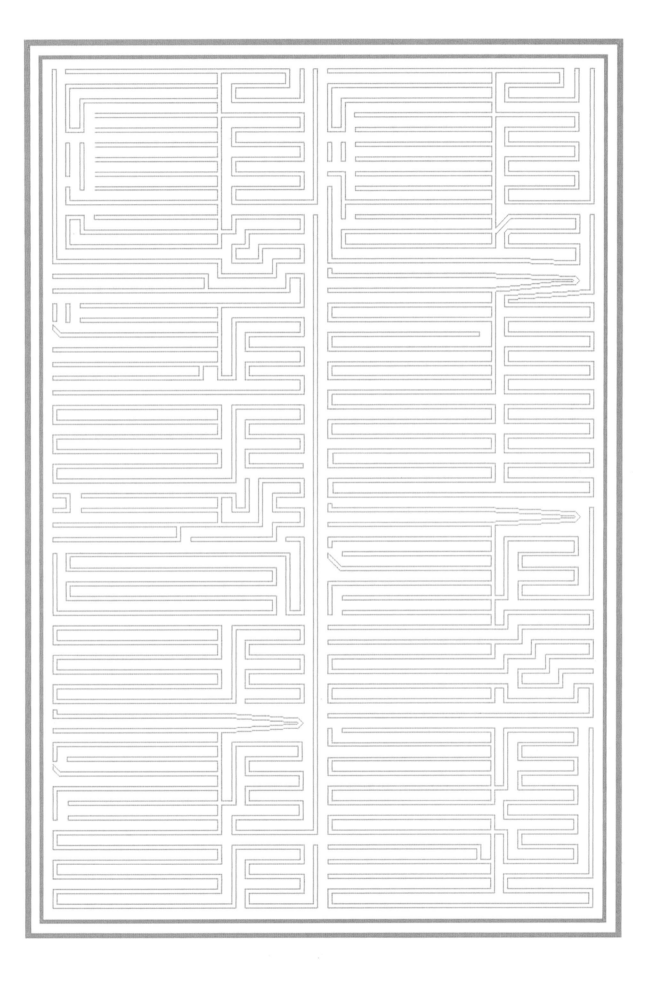

# 编纂委员会名单

二连浩特市恐龙博物馆陈列着距今6500万年以前的恐龙化石

庙子沟古人类聚落遗址（察哈尔右翼前旗境内）

新石器时代老虎山遗址（凉城县境内）

1

察哈尔右翼后旗头道弯古城发掘现场

凉城县老虎山石城复原图

托克托县古云中城西墙遗址

北魏早期盛乐城城址（和林格尔县境内）

敖伦苏木古城遗址（达尔罕茂明安联合旗境内）

秦长城遗址

汉长城遗址

明长城烽火台

3

明长城（凉城县境内）

张北境内古长城

北魏石刻（兴和县境内）

北魏早期祭祖摩崖石刻（兴和县境内）

乌兰察布草原岩画

草原岩画

凉城县元代墓壁画

5

昭君坟（呼和浩特市）

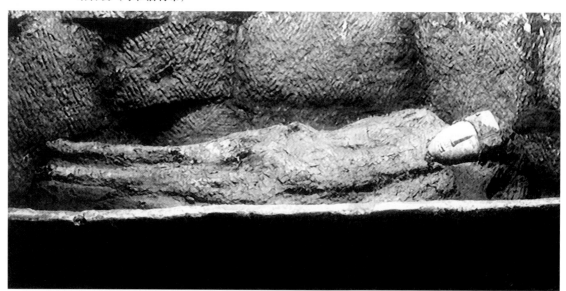

辽墓出土的契丹女尸（察哈尔右翼前旗豪欠营出土）

清代额驸班第陵（兴和县境内）

石人墓（乌兰察布市境内）

四子王旗草原天然青蛙石

北魏时期的石臼

十六国至北魏早期铜佛像

北魏时期的石佛像

晋鲜卑率善中郎将银印（西晋·小坝滩出土）

四子部落旗札萨克印

乌兰察布盟四部六旗王公合影（1936年）。前排左起：乌拉特东公旗管旗章京吉格米德道尔吉，茂明安旗札萨克一等台吉齐木德仁钦豪日劳，乌拉特中公旗札萨克贝子林沁僧格，四子部落旗郡王潘迪贡札布，达尔罕贝勒旗贝子沙日布道尔吉，乌拉特西公旗札萨克镇国公希拉布多尔计，乌拉特东公旗札萨克辅国公额日和斯庆占布勒

四子王旗四子雕像

清末四子王府

民国时期凉城县政府旧址（凉城县永兴镇）

绥远省包头县街道

绥南专署旧址之一（凉城
县厂汉营烧窑贝村）

察哈尔正黄旗人民政府（察哈尔右翼前旗巴音塔拉印北梁村）

察哈尔名寺——阿贵庙（察哈尔右翼后旗境内）

察哈尔八旗旗帜复原图

五当召远景（包头市石拐矿区境内）

美岱召（包头市土默特右旗境内）

喇嘛洞召（广化寺）（土默特左旗境内）

1936年绥远省归绥城北门

百灵庙大殿（达尔罕茂明安联合旗境内）

五塔寺（呼和浩特市旧城）

1912年建成的凉城县教堂——新堂

库库和屯（即呼和浩特）无量寺全景

凉城县关帝庙

察素齐清真寺礼拜大殿内景

1936年绥远省归绥城北的席勒图召

绥东第一大庙——佑安寺（兴和县境内）

库库和屯城北门（即呼和浩特旧城北门）

1936年绥远省陶林县政府大门

原内蒙古博物馆

内蒙古赛马场

13

绥远将军衙署

乌兰察布盟会盟地白音敖包山

凉城县街景一角（1934年）

1936年商都县北城门

平绥铁路线上的集宁县火车站（1936年）（今集宁南站）

1936年土默特旗旗务衙署

1936年绥远省集宁县城远景

托克托县云中集贸市场

大青山生态建设

鸿茅古镇厂汉营

20世纪60年代窑洞（凉城县）

20世纪60年代民居土胚出檐房（凉城县）

20世纪70年代民居蓝砖蓝瓦房（凉城县）

20世纪80年代民居红砖红瓦房（凉城县）

21世纪初山区窑洞（凉城县）

察哈尔右翼后旗火山地质遗迹

察哈尔右翼中旗黄花沟之夏

丰镇饮马河

包头市街心三鹿雕塑

达尔罕茂明安联合旗境内艾不盖河

凉城古道——石匣沟

吉鸿昌题"化险为夷"石刻（武川县）

卓资县石人湾石人

马头山革命老区（凉城县）

白云鄂博铁矿

固阳大仙山

元代集宁路古城遗址出土的公德碑

达尔罕茂明安联合旗吉木斯泰（花果山）

乌拉特后旗梭梭林

美丽富饶的土默川平原一角

察哈尔右翼中旗新城村（土城子乡）

集宁区白泉山公园紫云阁

# 前　言

景引东

　　地名是地理实体符号，是人类对某一地理位置共同约定的一种语言标记。这种语言标记和符号，给大千世界每一个地点以定位，使人类对星罗棋布般分布于整个地球的每个城镇乡村、山川河滩有了一个明确而具体的概念，极大地方便了人们的生活、生产和交流。这种语言标记和符号是历史形成的。人们在社会生产生活实践活动中，为自己所处的城镇乡村以及周围的山川河滩赋予了一定的专指名称，经过统治阶级及其专门机构规范化管理、调整、命名便形成了地名，所以地名具有一定的客观性、规范性、专指性、稳定性和广泛的实用性。地名，关系到人们的生活，关系到国家建设和管理的方方面面，无论任何工作、任何事业或任何人，都离不开地名，没有地名的状况是不可想象的。

　　地名是一种语言文化形态，其文化内涵包括了地名的读音、地名的文字书写形式和它的内在含义，这是地名本身所具有的基本文化内涵。每一个地名都蕴含着语源、语种和命名缘由、更改缘故等内容，这些内容体现了地名的文化内涵。地名文化随着民族文化的形成发展而发展，是中华传统文化的重要组成部分。地名也是信息载体，它具有承载、积淀和传播文化信息的功能，蕴藏着丰富的历史、地理文化知识。研究、探讨、考证民族地区地名的准确含义、来历、文化内涵以及命名、更名、演变过程，对于研究民族地区的历史和挖掘其历史文化、地域文化遗产，对于促进民族地区的改革开放和经济发展有着极其重要的现实意义。

　　《乌兰察布地名考》是一部研究、探讨、挖掘、考证乌兰察布地区地名的历史沿革及现状的专著，是研究包括今乌兰察布市，呼和浩特市，包头市，巴彦淖尔市乌拉特前、中、后三旗（包括磴口县境北部），苏尼特右旗，二连浩特市境地地域名称的专著。古代，乌兰察布地区幅员辽阔，西起内蒙古自治区阿拉善盟东部边界（包括阿拉善盟东境部分地区）；南和西南至今内蒙古自治区巴彦淖尔市的磴口县、杭锦后旗、五原县，鄂尔多斯市的杭锦旗、达拉特旗、准格尔旗，以及山西省的偏关、右玉、左云、大同、阳高、天镇县北部边界；东和东北到河北省张家口地区的怀安、尚义、张北、康保县，锡林郭勒盟的镶白旗、镶黄旗、苏尼特左旗西部边界；北与蒙古国东戈壁省接壤。这一广大地区大约是今乌兰察布市辖域的三倍。其西部绝大部分地区是最早的乌兰察布盟，东南地区属原察哈尔右翼四旗，中部靠南属原土默特地区，东北属锡林郭勒盟。这一广大地区的行政建制和地方名称，经历了一个不断更迭直到现在的行政区划的历史演变过程。

　　本书重点考证乌兰察布地区近现代行政区域名称和苏木、乡、镇以及人民公社名称，同时对该地区山川河滩、庙堂寺召名称和古驿站名称做一些粗浅探考。由于行政村和自然村（浩特）数量大，暂没有列入本书考证范围，只是将已更改过的村名以表格形式列入本书，供大家参考。乌兰察布地区是以蒙古族为主体，以汉族为多数的少数民族聚居区。用蒙古语和其他少数民族语言命名的地名占有相当的比重，同时由于各民族语言文字并行，不同民族语言形成的地名相互交融，使很多用蒙古语或其他少数民族语言命名的地名"走音串意"，失去了原始发音和含义，使人们难以理解和辨明其含义和准确发音，有必要通过考证和研究，揭示这些地名的原本含义。为此，本书还收集了近五千个少数民族语言地名（主要是蒙古语地名），编制了《蒙古语地名汉语音译》，力图恢复蒙古语地名的原本发音和准确含义。

　　在编写《乌兰察布地名考》的过程中，我们始终以尊重历史、实事求是、再现历史原貌为准则，借鉴传统史志资料，结合当代实际制定编纂体例，以大量翔实的档案资料为依据，在近年来地名普查、地名标准化规范化处理的基础上，广泛收集筛选地名资料，深入细致地进行了探讨研究与考证。我们希望《乌兰察布地名考》的出版，对各地各级党政机关、企事业单位以及地名研究和历史研究部门，对广大地名研究爱好者及社会各界，在了解和认识乌兰察布、建设乌兰察布的事业中起到积极的参考作用，为前来乌兰察布地区旅游观光、投资开发以及关心参与乌兰察布地区社会经济发展的仁人志士提供方便。本书的问世，如能对深入系统地研究乌兰察布地名起到抛砖引玉的作用，对促进各民族大团结和民族地区经济大发展、地域文化大繁荣稍尽绵薄之力，将是编著者莫大的慰藉。

　　由于历史知识浅薄，编写、考证水平有限，加上地名研究方面的经验和资料不够充足，《乌兰察布地名考》难免有谬误之处，敬请广大读者批评指正，以便于我们更正和进一步完善。

2018 年春

（作者系乌兰察布市档案局党组书记、局长）

# 序 一

刘俊

　　乌兰察布，中国之正北方。这块镌刻着人类文明的边陲之地，积淀了深厚而辉煌的中华文化。因其特殊的地理位置，形成了特殊的历史文化和鲜明的地域文化。研究乌兰察布区域地名，对于探讨中国北部边疆文化的渊源和内涵有着十分重要的意义。

　　人类创造历史，文化昭示文明。人是文化的载体，地名是文化的符号。《乌兰察布地名考》几经春秋，多方论证，数易其稿，展示了乌兰察布不同历史时代的风貌，揭示了乌兰察布多元文化的内涵。就像一部历史长卷，每一页都打上了深深的历史烙印；又像一首历史长歌，每一个地名如同音符一般，跳动着一个民族又一个民族、一个时代又一个时代的美妙旋律。

　　我们翻开历史的长卷，时空的隧道就会告诉我们，乌兰察布是如此古老而苍茫、遥远而辽阔、神奇而壮美。远古时代，这里就有人类活动。夏商时期便有獯鬻、鬼方等民族在此生息。从先古黄帝"北逐荤粥獯鬻，合符釜山"，到西周北征、北国南战、赵武灵王胡服骑射，再到匈奴崛起、汉匈对峙、神武拓跋、北魏百年、突厥汗国、五代十国、女真占据、金国开朝、蒙古一统、明清王朝乃至民国，久远而沧桑。从唐代安史之乱后，乌兰察布则成为东西方贸易的必经之路与商品集散区。战时则为沙场，贸易则为商道，后世称为"茶丝之路"。从先秦至清，乌兰察布境内发现有七十余座城池。元朝时乌兰察布境内就有四条驿路，其中木怜站道则是元代南北交通的主干线。清康熙年间，在乌兰察布设通商驿站十四台站，由漠南通往漠北及至俄国。

　　草原游牧文明与中原农耕文明在乌兰察布这块神奇的沃土上碰撞、融合，留下了中国北方一个又一个历史的精彩瞬间，共同书写了辉煌灿烂的中华民族文明史。《乌兰察布地名考》作为草原文化的重要组成部分，正在向世人昭示着她特有的灿烂和卓越。她以翔实的资料、丰富的史实，全面系统地反映了乌兰察布区域地名的兴衰、更迭和沿革，探讨了地名发展演变的规律和引发地名变化的原因，并从地名与人类的关系、地名与生产活动的关系、地名与古代的经济活动、地名与移民、地名与古代军事活动等方面揭示了地名的文化内涵；反映了乌兰察布地区历史演变、生存方式、生活习俗、形态观念、宗教信仰及其赖以生存的自然环境特征，她是各民族长期生产生活实践的果实，是广大劳动者智慧与文明的集中体现，也是游牧文明与农耕文明相互碰撞的必然产物。

　　乌兰察布，这个以蒙古族为主体、汉族占多数的边疆少数民族地区，进入 21 世纪后，又如金雕展开腾飞的翅膀，在蓝天白云下翱翔，更似勇往直前的骏马，在古老而神奇的土地上奔驰。山河日新，小康萦绕，新的工业园、新的城镇、新的牧区农村拔地而起，历史老地名和现代新地名交相辉映，乌兰察布市更加充满了生机和活力。

骋驰甲午新途道，跃上云帆龙马台。《乌兰察布地名考》飘逸着油墨清香，伴随着乌兰察布建设文化大市的步伐就要与读者见面了。它必将为草原文化的探寻，为构筑中华民族文化核心价值和整体形象注入正能量，为成就中华民族伟大复兴的"中国梦"添砖加瓦。同时，《乌兰察布地名考》也将为全市的城建规划、行政管理、经济活动、文化教育、外事旅游、交通通讯等事业，提供较为详尽的历史和现实资料，是奉献于广大读者的一部不可多得的实用地名工具书。

我们期望这部地名新著能够成为中国北方少数民族地区地名研究的重要典籍，发挥出其他书籍不可替代的作用，也由衷地祝愿乌兰察布这颗塞外明珠散发出更加炫目的光华。

是为序。

2018 年 3 月 9 日于集宁

（作者系乌兰察布市文化研究促进会会长）

# 序 二

## 地名文化研究艺苑中的一朵奇葩

芒蒂

　　《乌兰察布地名考》终于和大家见面了。这是一部专门研究、考证地名及地名文化的书，也是我们乌兰察布市首次出版发行的一本地名研究专著。它不仅填补了我市地名工作、地名研究领域的空白，更是开拓了我们如何去认识地名、研究地名的先河。

　　人们经常用"第一个吃螃蟹的人"来赞扬创新者，因为创新意味着勇气和智慧，《乌兰察布地名考》就是文化创新的硕果。地名文化研究的创新不是一时的灵感冲动，更不是坐井观天的异想，而是历史文化知识长期积累之后的爆发和升华，是对地名全方位、多元化研究探索后的沉思和总结。可以说，《乌兰察布地名考》是中国地名研究文化艺苑中一朵色彩绚丽的奇葩！

　　为编著《乌兰察布地名考》，工作人员不辞辛苦深入基层，调查摸底，搜集资料，在茫茫的乌兰察布草原、阴山脚下，内蒙古自治区中部以及周边地区的档案馆、文史馆、博物馆等所有可能查到相关资料的文化事业单位都留下了他们的身影和脚印。他们的研究、编写过程记录下了他们辛勤的劳动和对地名文化研究的一片真情。他们起早贪黑、无私无怨、默默无闻地研究那些在他人看来是枯燥无味的地名，为乌兰察布地名文化的传承倾心尽力，做出了重要贡献。地名文化研究工作者不辞辛苦挖掘地名遗产的追求，是民族精神的精髓，是我们乌兰察布人的骄傲和自豪。

　　地名是一种文化，地名的形成命名、更改演变过程，隐喻着浓厚的民族文化和地域文化。地名，即行政区域名称，城镇乡村、庙宇堂寺、山川河滩称谓等，均是广大劳动人民在社会生活和生产实践中形成和创造的文化，它是广大劳动人民聪明智慧的结晶。草原文化和中原农耕文化、长江苗越文化一样，是中华民族传统文化的重要组成部分，是中华三大文化主源之一。研究乌兰察布各民族的形成与发展，研究各民族群众生活、生产和繁衍生息的环境，就离不开研究考证地名的由来、发展及其深刻的内涵。不同历史时期的地名，彰显了北方蒙、汉各民族文化交融的特色与优势，体现了浓厚的民族传统根脉和民族生活气息，有着显著的地域特色。

国家实施地名公共服务工程，可以更好地为社会发展提供便捷、及时、规范的服务。保护好、利用好地名文化，建设优秀传统文化传承体系，让人民群众享有健康的精神文化生活，是全面建成小康社会，实现中华复兴强国之梦的重要内容。我们要用开放的心态、跳跃式的理解，让地名更具活力，使其与经济发展、社会和谐融合在一起，彰显永久魅力。

谨以此献给那些潜心研究地名文化的人们！

2018 年春

（作者系乌兰察布市民政局党组书记、局长）

# 凡 例

一、《乌兰察布地名考》所指乌兰察布地区，包括原乌兰察布盟和曾经归乌兰察布盟管辖地区；呼和浩特市、包头市现管辖区域，因地缘关系都曾属乌兰察布地区；乌拉特前旗、乌拉特中旗、乌拉特后旗、苏尼特右旗、二连浩特市现管辖区域曾归乌兰察布盟管辖，所以被列入本书考证范围。阿拉善盟、巴彦淖尔市磴口县、河北省张北县等地仅有少部分地区曾属乌兰察布盟管辖，故没有被列入本书考证范围。

二、《乌兰察布地名考》主要考证和记述乌兰察布地区的城镇乡村、庙宇寺堂、山川河滩等人文地理、自然地理实体名称及历史沿革，并释义这些地区蒙、满、藏等不同语种地名的原本含义，还原其确切发音。

三、《乌兰察布地名考》以党和国家有关地名工作的方针政策为指导，坚持实事求是、尊重历史、存真求实、详今略古、详考略述原则，力求以新观点、新方法、新体例进行编纂，追求思想性、科学性、史料性、知识性、可持续性相统一，如实揭示乌兰察布地区地名含义及其演变过程。

四、《乌兰察布地名考》纵贯古今，上限尽可能追溯到该地区建制之始，下限到2013年。主要考证探讨旗县级以上行政建制名称和2001年以来大面积调整苏木、乡、镇政区建制（以下简称"撤乡并镇"）后的苏木、乡、镇级行政建制名称。村级名称有选择地编制《已更改村名原名与现名对照表》。例如：原名达子沟/现名解放村/更名时间1951年/原属清水河县王桂窑乡/现属清水河县宏河镇。中华人民共和国成立以后设置的区，均依所在乡、镇名称或以自然数命名，故不另做考证。庙宇堂寺、山川河滩等自然地理实体名称等选其主要的进行探考。

五、《乌兰察布地名考》以考为主，述、记为辅，图、表、录为补，横排竖写，必要时图、表穿插其中。全书含概述、考略、村名更改、蒙古语地名汉语音译（复原）四个主要内容，分为五章、若干节。为使读者阅读方便，书眉标注章名。

六、《乌兰察布地名考》的纪年，以中华人民共和国成立时间为界，以前的采用年号并括注公元纪年，以后的采用公元纪年。例如：元朝至元二年（1265年）；1958年。

七、《乌兰察布地名考》用字均按照国家文字改革委员会编印的《简化字总表》、文化部和文字改革委员会联合发布的《第一批异体字整理表》为准。标点符号的使用执行国家语言文字工作委员会、中华人民共和国新闻出版总署修订发布的《标点符号用法》。

八、《乌兰察布地名考》数字的运用，以1996年《中华人民共和国国家标准出版物数字用法的试行规定》为准。计量单位名称、符号的运用，执行国务院发布的《中华人民共和国法定计量单位》的规定。

九、《乌兰察布地名考》记述中尽量使用全称，在有必要或可以使用简称时，第一次出现的全称后括注，之后使用标准化简称。例如：察哈尔右翼前旗（察右前旗）。

十、《乌兰察布地名考》在研究、考证过程中，主要参考各地各级国家档案馆、博物馆、图书馆、文史馆有关地名考究方面的资料，如地方志、地名志、地名录、地名考、地名词典、地名辞典、地名词源、蒙汉地名对照手册等工具书，以及近几年各地的地名研究成果和历史研究书籍、刊物等，同时参考其他有关资料。

十一、《乌兰察布地名考》中的汉语地名均用汉字标写。蒙古语和其他少数民族语地名，除用汉字标写外，按照国家测绘总局、中国文字改革委员会1976年6月修订的《少数民族语地名汉语拼音字母音译转写法》拼写，同时用方括号括注音译转写的汉语拼音字母地名和蒙古文字地名。例如：板申图【Baixingt】、【ᠪᠠᠶᠢᠰᠢᠩᠲᠤ】；哲日根图音查干敖包【Jeergntiin Qagaan ôbôô】、【ᠵᠢᠷᠤᠬᠠᠨ ᠲᠤ ᠴᠠᠭᠠᠨ ᠣᠪᠣᠭ᠎ᠠ】。少数民族语和汉语合成地名，只括注其少数民族语部分并加以注释，必要时说明少数民族语地名中加入汉语的过程。例如：上敖包、下敖包，为区别两个敖包【ôbôô】村，在其村名前冠以方位词。少数民族语地名中个别词语被译成汉语的恢复原名进行括注。如：希拉莫伦庙括注为【Xiarmoren Sum】。

十二、《乌兰察布地名考》在考证过程中，对带有争议的问题，编者提出自己的见解，同时尽可能地列出不同见解，供读者参考。例如：关于"乌兰察布"这一称谓的含义，史学界有不同解释，有的说是指大青山脚下的"红山口"，还有的说乌兰察布盟首次会盟地在"红螺谷"、"小文公"等等。

十三、乡村建制中的嘎查委员会、村民委员会、自然村，在不同历史时期称谓有所不同，如村公所、大队、行政村、小队、村民小组、自然村等等。本书统一使用"嘎查委员会"、"村民委员会"、"浩特"、"自然村"称谓。城镇街道名称多用现代语，含义清楚，内容明了，故不做考证。

十四、由于种种原因，在现有地名中有很多错字、别字。为了规范地名，在不影响记述地名沿革和地名含义考证的前提下更正错别字。如"王桂夭"改写为"王桂窑"。因特定的原因形成的错字且沿用已久、已成为专名的，保持原资料书写形式。如原本是"桌巴营"写成"呆巴营"，原本是"黄懋营"写成"黄茂营"。

十五、乌兰察布地区地方口语中"儿化"语音比较多，同样，地名中的"儿化"现象也不少。如"巴什"口语中称"巴什儿"，"大滩"口语中称"大滩儿"，"猴山"口语中称"猴儿山"，"三号"口语中称"三号儿"，"忽鸡图"口语中称"忽鸡儿图"等等，形成了地名书面语与地方口语发音不相符的情况。对此类地名，在考略过程中做简要说明。

编　者<br>2018年春

# 目　录

# 政区变更示意图

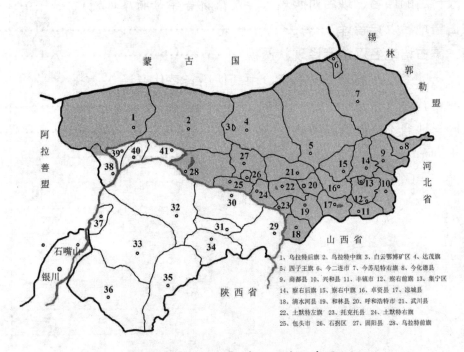

1、乌拉特后旗 2、乌拉特中旗 3、白云鄂博矿区 4、达茂旗
5、四子王旗 6、今二连市 7、今苏尼特右旗 8、今化德县
9、商都县 10、兴和县 11、丰镇市 12、察右前旗 13、集宁区
14、察右后旗 15、察右中旗 16、卓资县 17、凉城县
18、清水河县 19、和林县 20、呼和浩特市 21、武川县
22、土默特左旗 23、托克托县 24、土默特右旗
25、包头市 26、石拐区 27、固阳县 28、乌拉特前旗

《乌兰察布地名考》涉及区域示意图

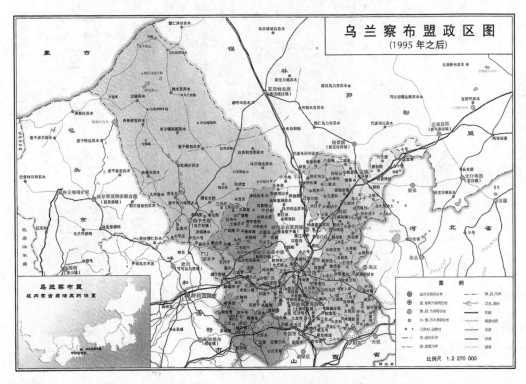

乌兰察布盟政区图（1995—2004年）

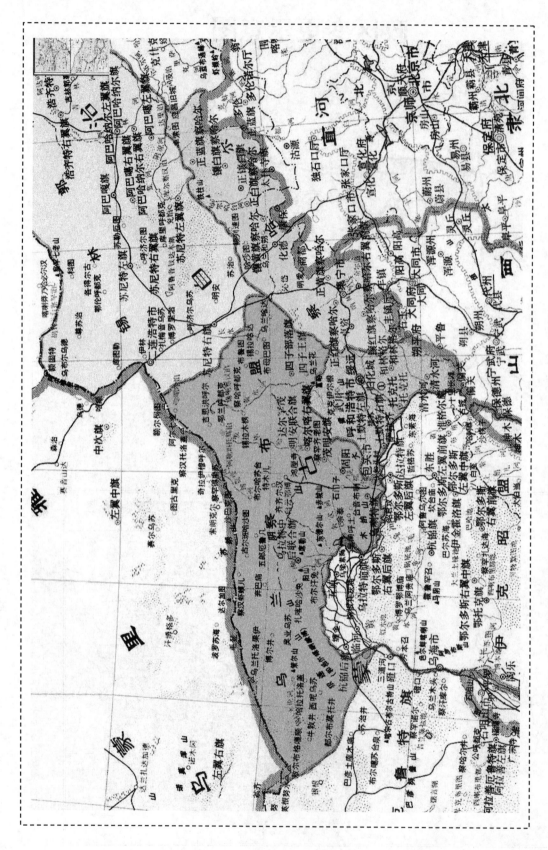

清代乌兰察布地区、土默特地区、苏尼特地区行政区域示意图（1/2800000）

达尔罕贝勒旗辖区示意图（1907年绘制）

茂明安旗辖区示意图（1907年绘制）

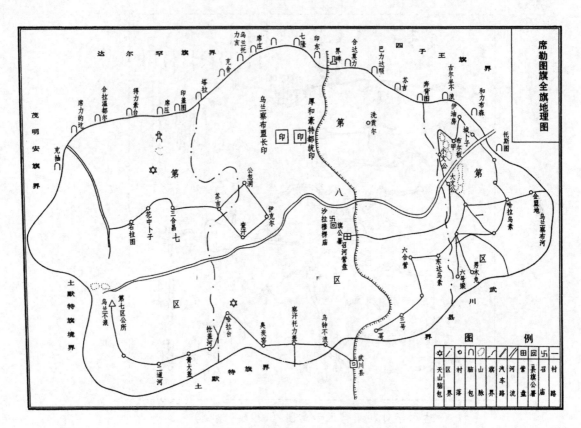

席勒图旗辖区示意图（1941 年绘制）

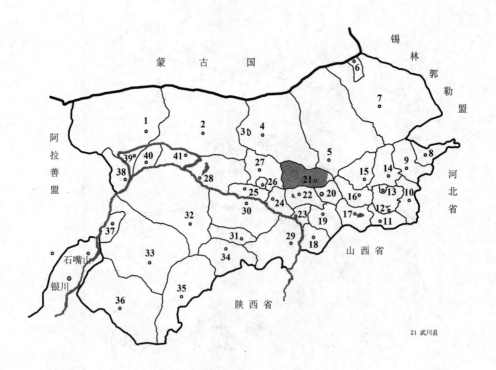

土默特辅国公旗大致方位示意图

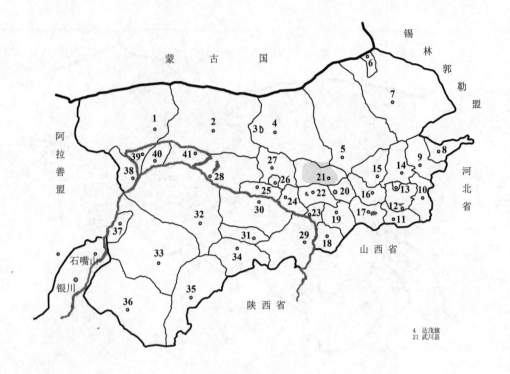

席勒图旗大致方位示意图

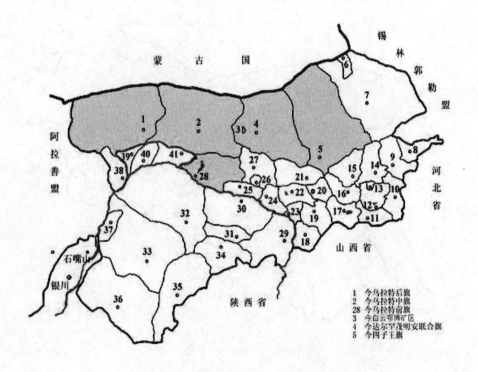

1949年乌兰察布盟行政区划示意图

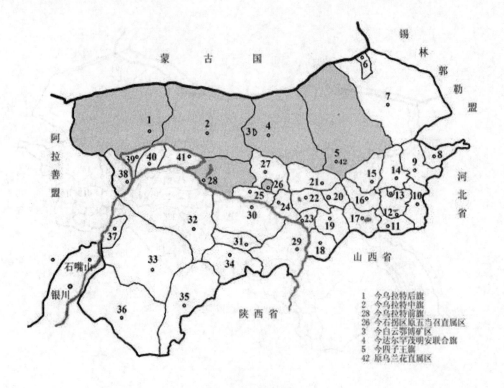

1950—1953 年乌兰察布盟行政区划示意图

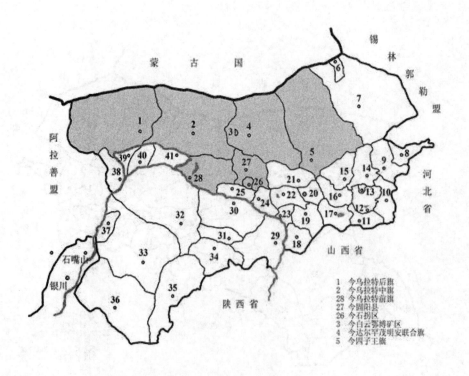

1954—1958 年乌兰察布盟行政区划示意图

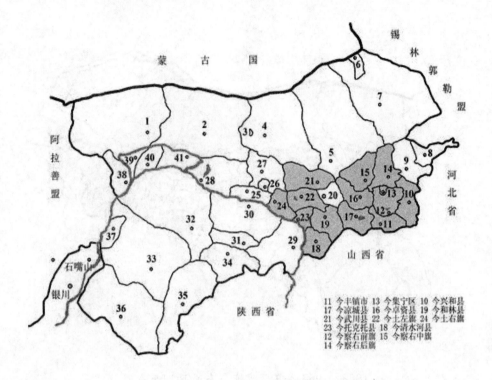

1954—1958 年平地泉行政区划示意图

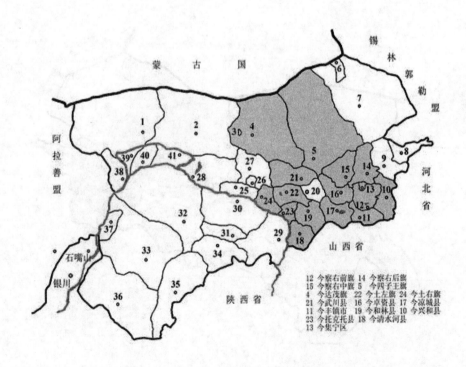

1958—1962 年乌兰察布盟行政区划示意图

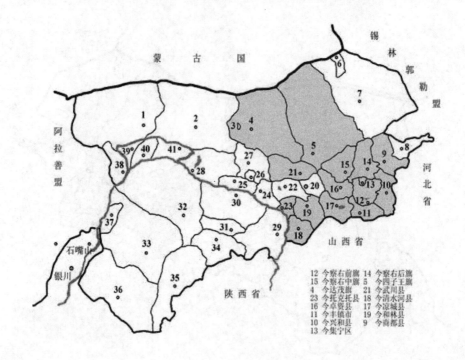

12 今察右前旗 14 今察右后旗
15 今察右中旗 5 今四子王旗
4 今达茂旗 21 今武川县
23 今托克托县 18 今清水河县
16 今卓资县 17 今凉城县
11 今丰镇市 19 今和林县
10 今兴和县 9 今商都县
13 今集宁区

1962—1963年乌兰察布盟行政区划示意图

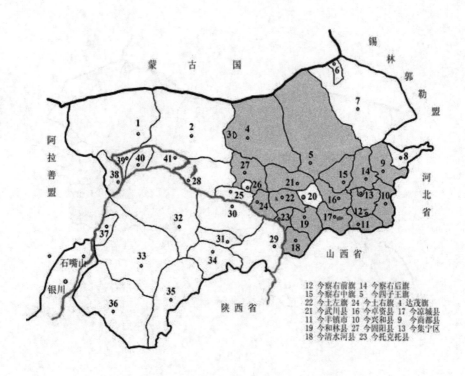

12 今察右前旗 14 今察右后旗
15 今察右中旗 5 今四子王旗
22 今土左旗 4 今达茂旗
21 今武川县 16 今卓资县 17 今凉城县
11 今丰镇市 10 今兴和县 9 今商都县
19 今和林县 27 今固阳县 13 今集宁区
18 今清水河县 23 今托克托县

1963—1969年乌兰察布盟行政区划示意图

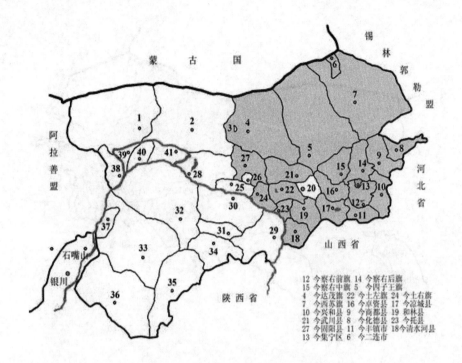

1969—1971 年乌兰察布盟行政区划示意图

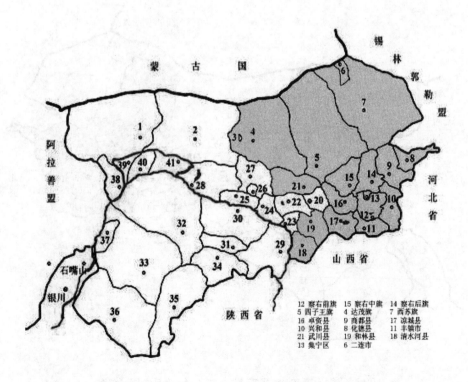

1971—1980 年乌兰察布盟行政区划示意图

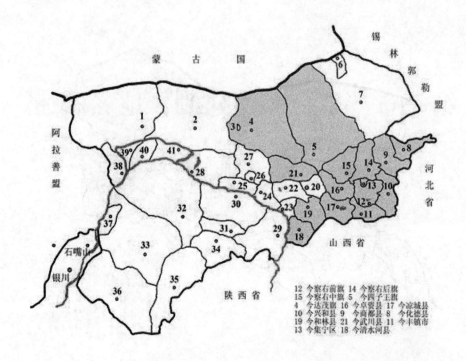

1980—1995 年乌兰察布盟行政区划示意图

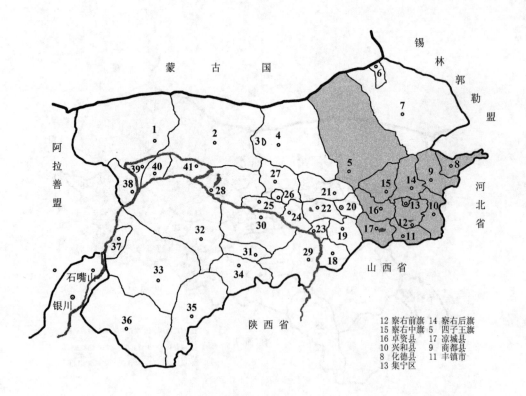

1996—2014 年乌兰察布盟（市）行政区划示意图

# 第一章 古代政区建制、地名概述

## 第一节 史前人类分布

本书所称乌兰察布地区，是指内蒙古自治区现在的乌兰察布市、原乌兰察布盟以及曾经归乌兰察布盟管辖过的旗、县、市、区和相关地区。

普氏羚羊

披毛犀

乌兰察布地区历史悠久。根据考古发现和有关史料记载，这一地区人类活动踪迹可溯源到旧石器时代。早在旧石器时代中晚期，原始人群就在这里繁衍生息。他们选择适宜人类生存和生产的地方，过着采集狩猎、茹毛饮血、穴居野地、冬穴夏巢的原始生活。当原始农业出现后，他们开始筑屋定居。随着生产力的发展和人口的自然繁衍，他们在住所聚落外围挖掘壕沟，垒筑围墙，以防御敌对氏族集团的进攻和野兽的侵害。围墙、聚落的出现，是人类在原始社会状态中的一种进步的标志，也是地名产生的客观基础。经历了漫长的岁月，乌兰察布地区原始人群在与大自然的斗争中不仅繁衍和壮大了自身，而且生存、生活、居住条件也发生了极大变化。他们由最初的"穴居野地、冬穴夏巢"发展到了筑屋定居，渐渐地形成了聚落、村庄，分布不均匀地洒落在乌兰察布大地上，便形成了各自不同的初始地名，创造了光辉灿烂的古代地名文化。

乌兰察布地区地处黄河流域，有着较为优越的自然环境，是古人类最早聚居生活区域之一。全国重点文物保护单位之一的大窑遗址就是一处典型实例，文物界称之为"大窑文化"。大窑遗址位于大青山南麓呼和浩特市东北 33 公里处的保合少镇大窑村南山山里。这一地区既有深山，又有森林和林间灌木，水草丰美，土地肥沃，野生动物种类繁多，大片坡地和平川非常适合当时

大窑遗址

的人类生存。大窑遗址是一处早期石器制造场，距今约有 70 万年。在这里发现的石制品有石核、石片、石球等。其中，龟背形刮削器是典型制品。在考古挖掘中还发现了普氏羚羊、原始羊、赤角鹿、披毛犀等哺乳动物的化石。大窑遗址的发现，说明乌兰察布地区是我国远古文明的摇篮之一。此外，卓资县原福生庄乡孔兑沟村西南约 2 公里处出土了石斧、石夯锤、石片、石镞等大量石器，也是一处旧石器时代古人类石器制造场，距今有 1 万年左右。还有今巴彦淖尔市乌拉特后旗达拉盖山口内有一处排列有序的石棺墓群，据考证为狩猎民族之遗存，距今也有 1 万多年。这些遗址的发现，把乌兰察布地区人类活动的历史推到了旧石器时代中晚期。

乌兰察布地区是最早出现围墙和城郭的区域之一。尤其是到了新石器时代，围绕乌兰察布地区的主要山川、河流、湖泊，如黄河沿岸及环岱海一带的山地，大都有人类居住。其中凉城县永兴镇老虎山遗址就是新石器时代古人类集中生活居住的地方之一。老虎山遗址以石砌或土筑围墙而成，规模比较大，位于北高南低的山坡上。围墙用不规则的石块依山势垒筑，平面呈不规则的簸箕状，上部窄，下部宽，北部和东北部保存较好。西北至东南长 380 米，东北至西南宽 310 米。在围墙内依山势形成的台地上，筑有排房。经发掘、测定考证，老虎山文化遗存是新石器时代遗址。

巴彦淖尔市乌拉特后旗达拉盖山口石棺

凉城县王墓山坡下遗址包括：沙石滩、烂麻窑、狐山子、王墓山坡下、王墓山坡中、王墓山坡上、大坡、东滩、下红台坡、上红台坡、黄土坡、平顶山、砚王沟、乌龙山、

庙子沟遗址

东七号等 15 处，分布于岱海西南两岸及东部。距今已有 6000 年，为仰韶文化庙底沟类型遗存的典型代表。

根据内蒙古自治区第三次全国文物普查工作报告显示，乌兰察布地区的古遗址有 4538 处；古建筑有 232 处；石窟寺及石刻有 198 处；近现代史迹及代表性建筑有 592 处；古墓葬有 621 处，已消失的古遗址、古建筑也有 352 处之多；仅新石器时代遗址就有近 300 多处（以上包括巴彦淖尔市磴口县有关数据）。只要对这些古遗址、古建筑分布点加以胪列、分析，就不难看出新石器时代乌兰察布地区人类分布概貌。如属海生不浪文化早期遗址的凉城县原六苏木乡泉卜村王墓山坡下遗址、商都县章毛勿素遗址、丰镇市原九龙湾乡阎家山遗址、

大青山遗址出土物

属仰韶文化遗址的呼和浩特市回民区攸攸板镇东棚遗址、察哈尔右翼后旗（以下简称察右后旗）白音察干镇木力恩格勒村纳仁格日勒遗址、苏尼特右旗原桑宝拉格苏木吉尔嘎郎图遗址、二连浩特市（以下简称二连市）额热恩达布苏遗址、四子王旗原供济堂乡阿莫乌素遗址、武川县原大青山乡遗址、清水河县原喇嘛湾镇白泥窑子遗址、土默特左旗把什村遗址、包头市东河区转龙藏遗址、固阳县原忽鸡沟乡厂汉门洞遗址、巴彦淖尔市乌拉特前旗小佘太遗址、乌拉特中旗原杭盖戈壁苏木达格图遗址等。这些遗址生动地再现了新石器时代乌兰察布地区古人类的分布状况。

　　乌兰察布地区阴山岩画是我国大型岩画宝库之一，从固阳县往西至阿拉善左旗的大青山、乌拉山、狼山山岩上分布着大大小小近 5 万幅岩画。其中，以乌拉特中旗、乌拉特后旗最为密集。乌兰察布岩画从四子王旗起往西至乌拉特中旗东部，以达尔罕茂明安联合旗（以下简称达茂旗）、乌拉特中旗东北部莫若格其格山一带分布最为密集。还有四子王旗、察右后旗岩画等等。这些岩画均为北方游牧民族岩画，距今均有几千年的历史。新石器时代遗址和草原岩画，不均匀地分布于乌兰察布地区，显示了新石器时代乌兰察布地区人类活动的足迹。

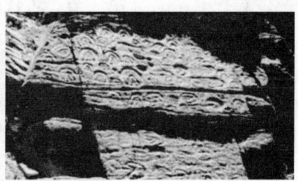

乌兰察布岩画

　　青铜器时代乌兰察布地区人类活动痕迹更多。例如凉城县崞县窑子墓地就是一处青铜器时代晚期北方游牧民族墓地，其年代大约在春秋晚期至战国早期。出土物以青铜器为主，另有马、马鹿、牛、羊等牲畜的头、蹄随葬，具有北方游牧民族典型特点。还有凉城县马鞍桥山遗址、化德县三道沟遗址、巴彦淖尔市乌拉特后旗霍各乞铜矿遗址等等。这些具有典型北方地域特色和民族特点的考古遗址的发现，无可争辩地说明了乌兰察布地区原本是游牧人群繁衍生息之地。

远古时代活动在乌兰察布地区的游牧民族，殷商时期称危方、鬼方等，周时称猃狁（荤鬻、獯鬻，也称赤翟、白翟或统称翟、狄）、昆夷，春秋时期称戎狄（北戎、无终），战国时期称突厥、林胡、楼烦。后来又有丁零、匈奴、东胡、澹褴、契丹、乌桓、鲜卑、回鹘、党项、汪古、刺勒、女贞、蒙古等等。这些称谓或泛指我国古代北方地区的游牧人群或专指其中一部分。据《绥远通志稿》记载："今之绥远西部全为鬼方故地也。"《河套图考》记载："周宣王时，猃狁内侵，

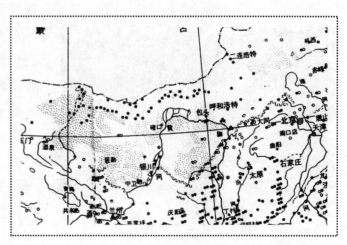

乌兰察布地区原始社会遗址分布示意图
（1/2100000，第二次文物普查资料）

命尹吉甫伐之，乃命南仲筑朔方城。"此时活动在乌兰察布地区的先民已开始定居，并且已经驯化了原生动物，出现了原始家畜驯养业，逐水草迁徙，随畜牧转移，以简单的农业和狩猎而生息，并初步建立了国家政权体系，划分了领辖地域，村镇名称逐步形成。遗憾的是，远古时代，这一地区的地方名称基本上失传，可以说无迹可寻，难以考证。

## 第二节　古代政区建制概况

乌兰察布地区是中国古代北方最早设置行政建制、划分政区的地区之一。对于任何一个政权来说，设立行政建制、划分政区范围是对占领地区实行统治与管理的主要手段之一。在漫长的历史长河中，乌兰察布地区形成了诸多政权建制及其所辖区域和村镇，由此也产生了地名。现就这一地区的政区建制称谓，即历史地名，做一简略介绍。

### 一　战国时期

乌兰察布地区行政建制始于东周战国时期。这一时期，乌兰察布地区主要有林胡、楼烦等部族繁衍生息，他们以打猎、捕鱼为主，过着原始游牧生活。

战国时期，中原诸侯国之间不断发生战争，各诸侯国都力图向外扩张，特别是向北方扩张，蚕食北方部族土地。最先进入乌兰察布地区的是魏国、秦国。魏文侯时（公元前446—前396年）在今鄂尔多斯东南部及陕西省北部设置了上郡。公元前328年，魏国被秦国打败，魏国割让上郡及所辖15个县以求和。秦国势力渐渐地扩张到了乌兰察布中南

部地区，黄河河套地区被划入了秦国版图。当时跨进乌兰察布地区的中原诸侯国还有赵国和燕国。战国中期的赵国"北有燕、东有胡，西有楼烦、秦，南有韩"。（司马光：《资治通鉴》卷三，《周纪》（三），中华书局，1987年版），赵国必须在军事上改进装备和战术才能立于不败之地。公元前325年（赵武灵王元年），赵武灵王继承赵国王位。他"不满于汉人宽袍长袖等服装给行军打仗带来的

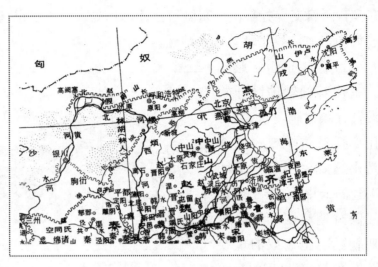

战国时期的乌兰察布地区 （1/21000000）

不便，带头穿胡人服装，学胡人骑马、射箭"（《水经注》上卷41页）。经过"胡服骑射"的军事改革而强盛起来的赵国不断向外扩展，北击游牧部落。游牧民族被迫迁移到今呼和浩特以及南面的山岳地带。公元前306年（赵武灵王二十年），赵国又"西略胡地，至榆中"，迫使林胡、楼烦等部族向西迁入鄂尔多斯地区，有的投降赵国，有的并入匈奴。为了向它的强邻——秦国发动进攻，赵国决定采取绕道胡地南袭秦国的战略方针，以原阳

（约今呼和浩特市东南大黑河左岸）为基地展开战略攻势。《史记·赵家史》记载："赵武灵王二十年，王西略胡地，林胡王献马。"公元前300年（赵武灵王二十六年），打败林胡、楼烦，"攘地北至燕代，西至云中、九原"（司马迁：《史记》卷四三，《赵世家》，中华书局，1959年版）。

赵国势力扩张至乌兰察布地区后，沿阴山修筑了长城，史称赵长城，亦称赵北长城，以防御匈奴的南下。《史记·匈奴传》记载："赵武灵王变胡俗、习骑射，

胡服骑射雕塑

北破林胡、楼烦筑长城，自代并（音傍）阴山下，至高阙为塞……"（司马光：《资治通鉴》卷六，《秦纪（一）》著名的赵长城东起代（今河北省蔚县境内），沿洋河向西，由今兴和县团结乡二十七号村进入乌兰察布地区，由此向西经今察右前旗黄旗海之北、卓资县原三道营乡土城村北和旗下营镇，然后经过呼和浩特市北郊陶卜齐山口，沿大青山南麓至乌素图沟口，再西经土左旗、土右旗水涧沟门一带进入大青山，又经包头市北部、固阳县南部以及乌拉特前旗白彦花等地区一直延伸到高阙（今乌拉特中旗境西南，乌拉特后旗境

东南，两旗交界处狼山口东侧石兰计山口处，一说在今乌拉特前旗原宿荄乡张连喜店附近的大沟口），横贯乌兰察布地区。

为了加强统治，赵武灵王在其领辖地区开始设置行政建制。今内蒙古托克托县古城村古城就是由赵武灵王亲自选址兴建的云中城。云中城是战国时期赵国和秦汉时期朝廷防范匈奴的重要军事据点。秦以后的行政建制也正是在此基础上

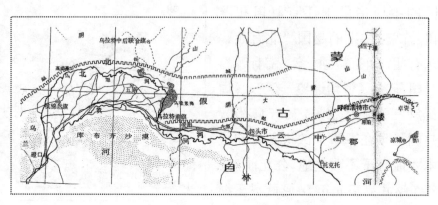

赵、燕长城走向图 (1/3500000)

建立起来的。当时，赵长城以南地区划入了赵国版图，赵长城以北区域仍为匈奴、林胡、楼烦、澹褴等部族游牧地。公元前307年（赵武灵王十九年）前后，赵国在今乌兰察布地区赵长城以南设置了云中、雁门、代、上谷、九原等城、郡、县等。

燕昭王时期（公元前311—278年），燕国成为北方强国之一。为防御胡人南下，燕国修筑了多条长城，在乌兰察布地区的分为南、北两段，均自化德县境向东延伸。南、北两段长城间距40～50公里。燕国在其长城以南设立了上谷、渔阳、右北平、辽西和辽东五郡。战国后期，燕国疆域向北扩展了许多，今化德县部分地区归属燕国上谷郡管辖。

## 二　秦、汉时期

这一时期，从地名考证角度可分为四个阶段，即秦朝（公元前221—前206年）、西汉时期（公元前206—公元8年）、新莽时期（公元9—24年，王莽篡权时期）和东汉时期（公元25—220年）。

秦始皇统一六国，结束了春秋战国以来长期割据的分裂局面，于公元前221年以咸阳（今陕西省咸阳市东）为都建立了我国古代历史上第一个中央集权的多民族封建国家。为了从行政上保证中央集权统治，秦始皇对全国的行政区域进行了重大调整。在政区划分方面，取消了诸侯分封制度，实行中央集权的郡、县制度，"分天下为三十六郡"（司马迁：《史记》卷六，《秦始皇本纪》）。史学界对三十六郡有不同的见解，也有四十、四十六、四十八、四十九或五十一郡之说。秦王朝一方面调兵遣将攻打匈奴，一方面又命蒙恬征调全国的民夫在阴山、燕山山脉的北面修筑长城，作为防御匈奴的重要军事设施。秦长城基本上是新筑的，同时也修缮赵、燕长城，西段多在赵长城以北，东段又多在燕长城以南。秦长城西起临洮（今甘肃省岷县），由宁夏北上，入今阿拉善盟、巴彦淖尔市，从乌兰布

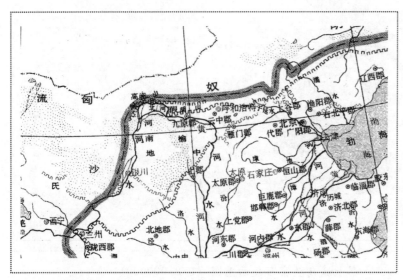

秦时期的乌兰察布地区　(1/21000000)

万里长城

和沙漠北边的古鸡鹿塞（今磴口县西北）逶迤到狼山上，又沿大青山向东延伸，在今呼和浩特市北的大青山南坡与赵长城相连，然后北过集宁区，在今兴和县民族团结乡二十七号村继续向东修筑至今河北省围场县境，再向东延伸至今辽宁省辽阳市东部。秦长城开山填谷，凿石砌城，工程甚为艰巨，东西横亘约3000公里，通称"万里长城"。可以说，秦长城是秦王朝与北方各游牧部族的疆域分界线。今乌兰察布地区黄河流域、察哈尔丘陵大片地段全部纳入了秦王朝版图，并分别归属其若干郡、县。设在今乌兰察布地区的有云中、九原、雁门、上郡、上谷等郡和若干辖县。秦长城以南的这些郡、县大多是承袭先秦时期赵国的郡县，阴山以北区域则仍然由匈奴等游牧民族占据。

战国中、晚期，匈奴崛起于北方，在秦、赵、燕三国的不断侵扰、压迫下顽强地奋起反抗，并发展壮大起来，逐步统一了草原上的各游牧部族，建立起了强大的氏族部落联盟。秦末，匈奴人主要分布于包括乌兰察布地区在内的蒙古高原，东与东胡为邻，西接河西走廊一带的月氏，南面与秦国接壤。匈奴人在与中原地区华夏人长期接触和交往中，促进了自身的发展，并使用华夏文字，开始步入文明社会的门槛，创造了具有民族特色的游牧文化。

匈奴首领冒顿单于统一各部，利用楚汉相争、中原内乱的有利时机，南越长城，占据了包括乌兰察布地区在内的广大地区，势力日渐强大，称雄于大漠南北广大地区，建立起中国历史上第一个控地广阔的游牧政权。匈奴将所控之地分为东、中、西三部分，乌兰察布地区处于中部。匈奴的中部最高政权——中部单于庭就设在后来的四子部落游牧区域。匈奴人的强大使秦王朝惶惶不安，秦始皇于公元前214年，派大将蒙恬率30万大军北击匈奴，占领了今鄂尔多斯地区，次年又北渡黄河占据了匈奴控制的高阙、阳山（今狼山）和北假山（今乌加河河套地区）等地区，迫使匈奴退居阴山以北的草原地带。

在匈奴崛起并日渐强大的过程中，秦王朝对乌兰察布地区的统治趋于瓦解，匈奴重新占据了阴山以南地区。

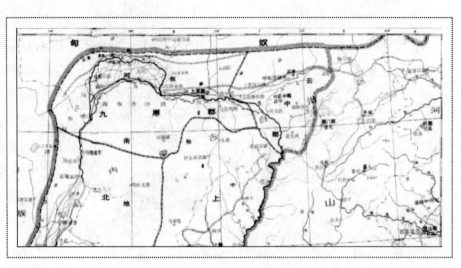

秦长城乌兰察布段示意图（1/21000000）

公元前206年，刘邦称帝建立汉朝。刚刚建立的汉王朝国力薄弱且处于匈奴的威胁之下，所以采取"和亲"政策，每年向匈奴地区奉送大批财物以求和睦，并且将皇帝的女儿嫁给单于，双方约为兄弟。经过几十年的休养生息，汉王朝国力大为增强。汉武帝刘彻即位后乘国力强盛，分别于公元前127、前121和前119年先后3次发兵攻打匈奴。匈奴游牧地丧失殆尽，无奈屯兵于阴山以北守护所剩牧场，从而形成了汉、匈以阴山为界的对峙状态。这种对峙局面一直持续到汉宣帝时期。西汉五凤四年（公元前54年），匈奴呼韩邪单于为了游牧民族的安宁入塞附汉，汉匈停止战争状态，边塞烽火熄灭。汉宣帝甘露三年（公元前51年）正月，呼韩邪单于朝汉，受到汉宣帝隆重款待，二月北归。后呼韩邪单于留居漠南光禄塞长达八年之久（实为人质），于公元前43年返回漠北单于庭。西汉竟宁元年（公元前33年），呼韩邪单于再次朝汉，主动称臣，并请求和亲，以结永久之好。汉元帝遂将以"良家子"身份入选掖庭的王嫱（字昭君）嫁给呼韩邪单于。单于喜出望外，号昭君为"宁胡阏氏"

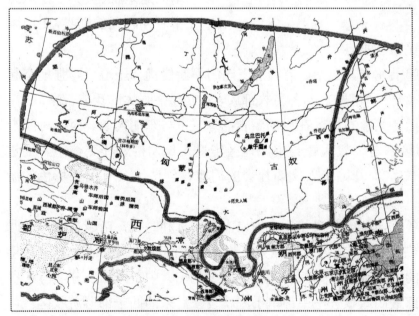

西汉时期匈奴领地（1/21000000）

（阏氏，音烟支，匈奴语妻、妾之意。"宁胡阏氏"意为能够使胡人安宁的王妻）。从此，匈、汉相安长达半个世纪，匈奴与汉和亲成为史上佳话，流传至今。

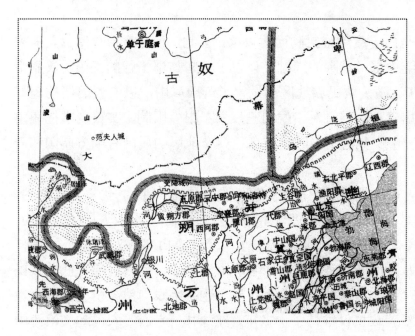

西汉时期的乌兰察布地区（1/21000000）

西汉王朝为了加强统治，曾两次在阴山、燕山北麓修筑长城。一次是汉武帝元朔二年（公元前127年），汉军占领河套河南地以后沿用和改筑秦长城，将东西全部贯通，筑成新的万里长城；一次是汉武帝太初三年（公元前102年），汉武帝派徐自为在阴山北部草原上修筑长城，史称"外城"。外城东起今达茂旗，西经乌拉特中旗、乌拉特后旗伸入蒙古国境内，继续向西，又从阿拉善盟的额济纳旗进入今内蒙古地区。从汉长城的地理走向可以看出，西汉王朝北部疆域已扩展到阴山以北今达茂旗甚至蒙古国境内。

战国时期和秦汉时期，将长城统称为塞或障塞，如《史记·匈奴列传》记载"自代并（音傍）阴山下，至高阙为塞"，秦始皇派遣蒙恬北逐匈奴"因河为塞"；汉武帝派遣苏建"复缮故秦时蒙恬所为塞"等等，都是指长城。长城是一套完整的军事防御工程，主体建筑是一道绵延不断的长墙，也称作塞墙。在长城沿线的山谷口或平川地带每隔数十里兴筑小城称之为障，由侯官驻守，故又称为侯城；在山中兴筑的瞭望和防守据点叫作亭；在重要山谷口兴筑的防守据点叫作塞；在重要交通要道上兴筑的据点有时称为关；在长城沿线及各城障之间，筑有一系列相互可瞭望的烽火台，统称为烽燧或燧。各城、障、塞、关、亭、燧都有自己的固定名称，如遮虏障、望亭、鸡鹿塞等。这些城、塞、障、亭和烽燧，当时只作为屯兵驻守据点，不属于郡、县行政建制，其名称都成了乌兰察布地区历史地名。

在行政建制方面，西汉王朝仍沿用秦始皇时期郡、县制，并在秦郡、县制基础上有所发展创新。汉武帝元封五年（公元前106年），将全国划分为十三个州。因为朝廷派往每个州的行政长官称"刺史"，所以也称十三"刺史部"。这十三个州并不是郡以上的一级政权，而仅仅是个"监察区"，刺史奉汉王之命按期巡察若干个郡、县，回京汇报结果，由汉王处置。刺史的俸禄比各郡长官太守还低。"州"成为郡以上的一级政权建制则是后来的事。西汉末年，全国设有八十三郡、十二国，即所谓"百三郡国"。其中设在凉州、并州、朔方州、幽州等地区的刺史所监辖地区，如云中、定襄、雁门、五原、朔方、代、上谷郡和受降城等政权辖地包括大部分乌兰察布地区。另外还在西北、西南地区设置了一些与县平行的道。

西汉统治者认为秦的速亡是由于废除分封制而改设郡、县制，使王室形单影只，孤立无援所致，所以立国以后，在继承郡、县制的同时又设置了一些与郡平行的王国。汉武帝元狩二年（公元前 121 年），在边疆少数民族地区也设置了若干属国，以安置附汉的匈奴人。这些属国由朝廷派出的都尉管理，同时对诸侯国王权做了很多限制，实权则掌握在由朝廷委派的"相"之手，以巩固中央集权。当时设在乌兰察布地区的属国有朔方属国和云中属国。

公元元年前后，王莽篡权，窃取了汉王朝军政大权，改国号为"新"，仍以长安为都，并更改都城为"常安"。新莽时期的地方政权仍采用郡、县二级制，但更改了大部分郡、县名称。如朔方郡改为沟搜郡，所辖的 10 个县名更改了 7 个；雁门郡改为填狄郡，所辖 14 个县名改了 12 个；代郡改为厌狄郡。而且更改地名所用词语都带有歧视或贬低游牧民族的含意。这里的"填"即是"镇"，"厌"即是"压"。这些字眼当然会引起边疆少数民族地区人民的憎恨与反抗。新莽政权仅维持了十多年，在绿林、赤眉等农民起义浪涛中被推翻。但起义的果实却落入汉王朝同宗的刘秀手中。刘秀以洛阳为都建立政权，历史上称东汉，亦称后汉。

西汉末年，王莽弊政，政局动乱，民众避乱逃亡，郡、县等行政建制名存实亡。史籍所载，东汉初年行政统治的总体情况为"世祖中兴，海内人民可得而数，裁十二三。边陲萧条，靡有孑遗，郭塞破坏，亭队绝灭"（范晔：《后汉书》志第二十三，《郡国》五，中华书局，1965 年版）。北方地区的城镇、要塞等也遭到了毁灭性的破坏。同时，由于王莽篡权后再次攻打匈奴，汉、匈和睦的和亲关系遭到严重破坏，匈奴再次攻入阴山以南，占据五原、朔方、云中、定襄、雁门等郡地。汉光武帝建武十三年（公元 37 年），匈奴在与汉朝的征战中失利，又退回阴山以北，再次形成汉、匈以阴山为界的对峙局面。

东汉王朝大体恢复并进一步完善了西汉旧制。

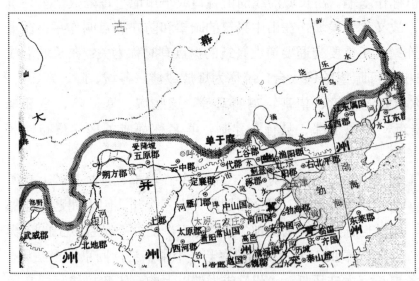

东汉时期的乌兰察布地区（1/21000000）

西汉的 13 个刺史州长官既无固定治所，也不掌握实权，州界辖境不分明，没有形成行政区域，仅仅是监察区。到了东汉，特别是黄巾起义阶段，朝廷不再派遣刺史，而是派遣权位很高的"州牧"去坐镇某地主管并处理政务。这样，"牧"即成了郡以上的一级行政长官。十三州，则成为郡以上的一级行政区，即由郡、县二级政权建制改为州、郡、县三级建制的政权体系。与此同时，由于军事力量薄弱和朝廷财力不足，东汉王朝对北方地区的郡、县进行了局部裁剪合并。当时设在乌兰察布地区的定襄郡内迁后，其原辖成乐、武进、定襄县并入云中郡。

东汉时期，乌兰察布地区的郡、县名称大体上沿袭或恢复了被王莽更改的西汉郡、县名称，治所、辖区也与西汉时期基本相同。直至公元 168 年灵帝继位，东汉王朝政权动荡不安，对北部边郡已无力控制。其北部疆域被匈奴、鲜卑两族分踞，郡、县建制亦荡然无存。东汉末期，鲜卑拓跋部由大兴安岭地区迁来，并大败匈奴，跨入乌兰察布地区，成为中国北方一支举足轻重的集团势力。

# 三 魏、晋、南北朝时期

魏晋南北朝时期，即汉末三国时期（公元 220—265 年）到隋初（公元 589 年）的近 370 年。汉献帝初平元年（190 年）以后，东汉王朝已经分崩离析，在军阀割据与混战中名存实亡。东汉末年至曹魏政权统治北方时期，秦、汉时期设置在北方地区的行政建制基本废弃，乌兰察布地区实为"塞外荒地"。战乱使民众流离失所，城池内外土地荒凉，满目疮痍。直到鲜卑拓跋部迁来，建立"代"政权以及后来的北魏皇朝，这里的行政建制才逐步恢复起来。

东汉末年，袁绍封建地主统治集团拥有青、幽、并三州广大地区。官渡之战以后，曹操势力深入并州，很快占有了支配地位。建安十八年（公元 213 年）三月，曹操扩大冀州辖领范围，将幽州、并州、河东等州、郡全部划归冀州（房玄龄：《晋书》卷一四，《地理志》，中华书局，1974 年版）。但动乱局面并未就此稳定。建安二十年（公元 215 年），曹魏政权在难以对原并州实施有效控制的情况下，迫使汉献帝下诏："省云中、定襄、五

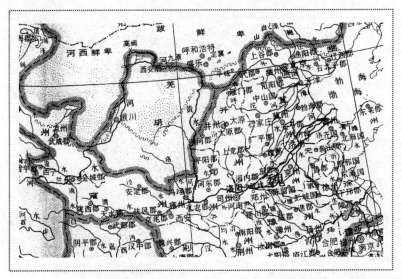

三国时期的乌兰察布地区 （1/21000000）

原、朔方郡，郡置一县领其民，合以为新兴郡。"（陈寿：《三国志》卷二，《魏书二·文帝纪第二》，中华书局，1982年版）此次政区调整，使云中等郡级建制全部降为县级，统归于新兴郡的辖治之下。

赤壁之战以后形成三国鼎立局势。公元220年，曹操的儿子曹丕废汉帝，建立魏王朝；次年，刘备称帝于成都，历史上称为蜀汉；公元222年，孙权又在江东建立吴王朝。三国分立以后，魏的疆域最大，领十二州；吴次之，领三州；蜀则仅领一州。各国政区都沿用州、郡、县三级建制。乌兰察布地区，除东部少部分地区属魏国疆域外，其余绝大部分区域由拓跋鲜卑族占据。

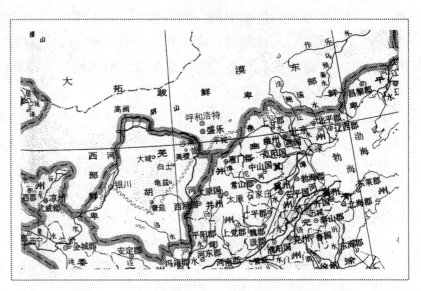

西晋时期的乌兰察布地区 （1/21000000）

公元263年魏灭蜀，公元265年司马炎废掉魏元帝，建立西晋王朝。不久，又出现五胡十六国的纷扰局面，公元304—420年间，黄河流域各少数民族和各种社会势力纷纷崛起，先后建立政权雄霸一方，史称"五胡十六国"。五胡指匈奴、羯、鲜卑、氐、羌等族，先后建立的十六国是：成汉、夏、前赵、后赵、前秦、后秦、西秦、前燕、后燕、南燕、北燕、前凉、后凉、南凉、北凉、西凉，即一成、一夏、二赵、三秦、四燕、五凉等（实际不止十六个）。公元317年，司马睿称帝，建立东晋王朝。东晋灭亡后，先后建立了宋、齐、梁、陈、后梁等政权，统称为南朝（公元420—589年）。在北方及中原地区先后建立的政权，逐步被鲜卑拓跋部建立的北魏所统一（公元386—534年）。北魏后来分裂为东魏（公元534—550年）、西魏（公元535—556年），再后来演变

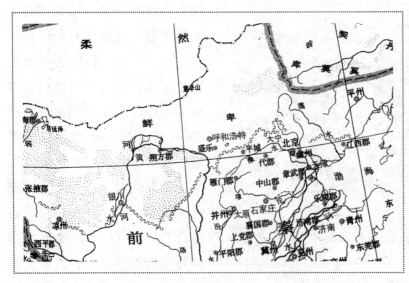

东晋十六国时期的乌兰察布地区 （1/8400000）

为北齐（公元 550—577 年）、北周（公元 557—581 年）等王朝，均称作北朝（公元 386—581 年）。北周王朝最后统一了北方地区，成为后来隋王朝统一全国的前奏。

这些封建王朝虽然仍推行州、郡、县三级行政建制，但政区名称及地名非常混乱。仅从历史资料记载的这个时期政区建制数量上就可以窥见其混乱状况：《宋书·州郡志》记载：州 22、郡 238；《南齐书·州郡志》记载：州 22；《通典·州郡》记载：郡 395；《隋书·地理志》记载：州 53、郡 350；《魏书·地形志》记载：东、西魏合计有州 113 个，到大象二年（公元 580 年）州数增加到 210 个（《北周·地理志》记载 215 个）；到北周时期郡数增加到 552 个。

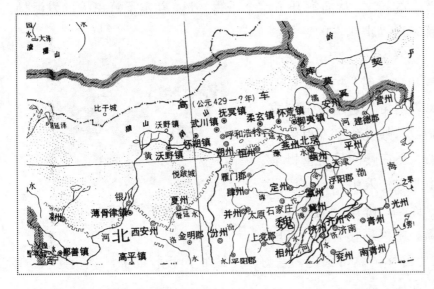

南北朝时期的乌兰察布地区（1/21000000）

在正常情况下，随着社会经济发展和人口增加，地方政区建制由简变繁、由少增多，也是顺理成章的。但是，这一时期争战频繁，社会生产力遭受严重破坏，其政区建制增加并非是社会发展的结果，而是各个王朝为多安插一些官吏来加强对民众的压榨与剥削，并以"广土众民"向别人炫耀自我而已。这种政区建制和地名混乱状况，不仅在南方如此，在北方，在乌兰察布地区也是如此。这一时期的政区划分也是复杂多变的。就拿乌兰察布地区的归属情况来看，东汉末年南半部属汉朝，北半部属鲜卑；三国和西晋时期由鲜卑拓跋部占据，仅东部少部分地区属魏国疆域；东晋十六国时期属前秦，后来今包头市以西乌拉特地区南部归后赵，其余地区属鲜卑；南北朝时期属北魏；西、东魏时期，以今包头市为界，西部归西魏，东部归东魏；北朝时期，仍以今包头市为界，西部归周，东部归齐。

魏晋南北朝时期，鲜卑拓跋部兴起，乌兰察布地区成为鲜卑拓跋部政治、经济、文化活动的中心区域。鲜卑人的先民原称东胡人，秦汉之际在与匈奴人的征战中失利，被匈奴人打得四分五裂，逃入乌桓、鲜卑山区谋生。逃入乌桓山区的

嘎仙洞

后称为乌桓人，逃入鲜卑山区的后称为鲜卑人。"国有大鲜卑山，因以为号"一语道破了鲜卑族名的来历。北魏太武帝拓跋焘太平真君四年（公元443年），"乌洛侯国"的使团来魏国"认本家"，带来丰厚的礼物朝献皇帝，并说本国西北部有国家先帝的旧墟，旧墟有石室，南北90步，东西40步，高70尺，室内有神灵，当地居民多有祈请。得到这一消息，太武帝当下就派遣中书侍郎李敞带领一队人马和物品，不远数千里前往鲜卑旧墟石室祭祖。他们举行了盛大的祭天祭祖仪式，宣读祝文，并把祝文刊刻在石室的石壁之上才返回。然而，自此之后，旧墟石室销声匿迹，直到1980年夏，文物专家在今呼伦贝尔市鄂伦春自治旗阿里河镇西北10公里，大兴安岭东端，嫩江支流甘河北岸发现了嘎仙洞——鲜卑旧墟石室和刊刻在石壁上的祝文，从而解开了这个千古之谜，勘定了鲜卑人的发源地。

经考证，鲜卑一词是鲜卑语"带钩"的意思。带钩即古人束在腰间皮带上的钩子，多用青铜制作，也有铁制的，称作"鲜卑郭洛带"。1982年，在和林格尔县出土的"鲜卑郭洛带"是用黄金制成的，表面雕刻着精美的野猪纹、蛟龙纹和花叶纹，上面还镶嵌了宝石和绿松石，系在腰间显得富贵华丽。带钩，在春秋战国时由北方传入中原，古代史书称此为鲜卑，或作胥纰、犀毗、师比、斯比等。

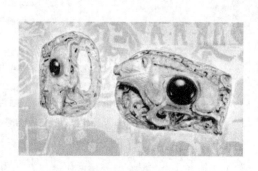

鲜卑郭洛带钩

东汉王逸对《楚辞·大招篇》中"小腰秀颈，若鲜卑只"之句做了如下注释："鲜卑，衮带头也。言好女子之状，腰肢细少，颈锐秀长，靖然而特异，若以鲜卑之带约而束之也。"

汉末，塞外广阔地域先后为匈奴、柔然等游牧民族占据。这些游牧民族为维护游牧领地，与汉王朝常年征战。东汉桓帝（公元147—167年）时，鲜卑拓跋部在首领檀石槐的统领下，趁东汉击走匈奴，率部进入匈奴旧地游牧，并吞并其他部落，全部占据了匈奴政权原有辖区，建立起雄据于蒙古高原上的强大军事政权。于拓跋鲜卑始祖力微在位的第三十九年（公元258年）"迁于定襄之盛乐"（《魏书》卷一，《序纪》。中华书局，1974年版）。西晋怀帝永嘉四年（公元310年），拓跋猗卢被封为代公；西晋建兴三年（公元315年）二月，又被封为代王。东晋

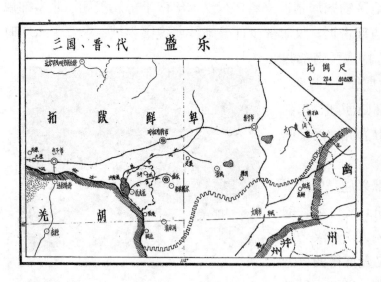

成帝咸和五年（公元330年），拓跋什翼犍建立代国，定都盛乐，并于次年（一说东晋成帝咸康六年）移都于云中盛乐宫。

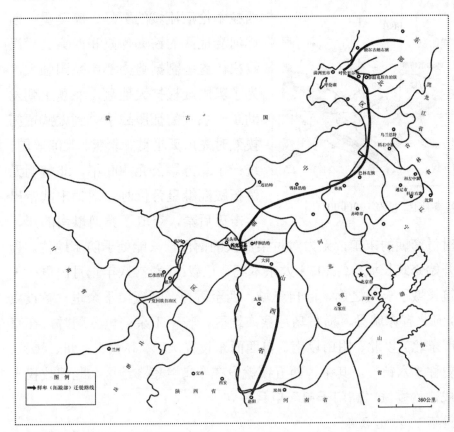

鲜卑拓跋部南迁线路示意图

盛乐古城遗址

东晋孝武帝太元元年（公元376年），前秦苻坚遣大军数路攻击代国，拓跋什翼犍大败，代国灭亡。"牛川事件"后，拓跋鲜卑东山再起，拓跋珪继承代王位，再次建立代国。（《魏书·太祖纪》：北魏登国元年正月，即公元386年，拓跋珪即代王位，"大会于牛川"）同年四月，改国号为"魏"，史称北魏。关于牛川之地理位置，史学界众说不一，有说在今兴和县，有说在今呼和浩特市东南，或说在武川县、黄旗海附近、阴山以北的锡拉木林河、大黑河上游，还有人认为在今凉城县崞县窑、左卫窑一带，也有史学家认为牛川大致指参合陂北部，今呼和浩特市东大黑河流域卓资县、凉城县、察右前旗、集宁区、察右中旗、察右后旗等地。北魏天兴元年（公元398年），拓跋珪又迁都平城（今山西省大同市东北），最终形成了统治中国半壁江山的北魏王朝。从此，东汉末年废弃的行政建制在鲜卑拓跋部统治下得到局部恢复。

北魏初期，拓跋珪势单力薄。其北面有阴山以北的柔然、高车等游牧部落常常侵扰；

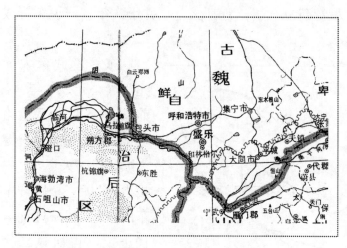

北魏时期的乌兰察布地区 (1/21000000)

东方及南面主要是慕容氏的后燕国与西燕你争我斗，战火正酣；东面还有西拉木伦河流域的契丹、库莫奚；西邻河套地区的铁弗匈奴和西秦、后汉政权。这些割据势力都比魏国强大。为了巩固政权扩大地盘，北魏王朝发动了一系列的征服战争。到太武帝拓拔焘时先后灭了夏、北燕、北凉等国，统一了北方。公元409年，北魏明元帝拓跋嗣继皇帝位时，南朝宋武帝出兵击灭后秦，夺取了黄河以南的州、郡。这时北魏王朝全力对付南朝的宋国，无力对付柔然人的南侵，只能处于防御地位。为了防止柔然南下，北魏开始修筑长城。《魏书·太宗本纪》记载："泰常八年正月丙辰……蠕蠕犯塞，二月戊辰，筑长城于长川之南，起自赤城，西至五原，延袤二千余里，备设戍卫。"这条长城，东起今河北省赤城县，横贯乌兰察布地区，长一千余公里。同时，在京都平城（今山西省大同市东北）以北、阴山以南，自西而东设置沃野、怀朔、武川、抚冥、柔玄、怀荒六个军镇，史称"六镇"。其中，西五镇就设在今乌兰察布地区。北魏政权十分重视对北方地区的镇戍，均委派"高门子弟"屯兵驻守。

北魏孝武帝永熙三年（公元534年），北魏分裂为西魏、东魏。后来高欢之子高洋和宇文泰之子宇文觉分别取代东魏、西魏帝位，建立北齐和北周。魏、齐、周与西晋、东晋及以后的宋、齐、梁、陈等，皆是这一时期建立起来的王朝。可见，魏晋南北朝时期是一个割据势力猖獗、政权更替频繁的动乱时期。东汉末年，废弃的行政建制在这一时期虽然有所恢复，并在此基础上又设置了很多政区建制，但这一时期的政区界限不清楚，行政建制也是比较混乱的。

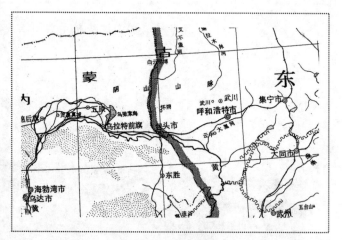

西魏、东魏时期的乌兰察布地区 (1/21000000)

## 四 隋、唐时期

公元577年，北周灭北齐，公元581年，杨坚灭周，建立隋王朝。隋朝的建立，结束了中国古代自东汉末年以来割据混战以及南北朝的分裂局面。

6 世纪中叶，突厥族逐渐强盛。北齐天保三年（公元 552 年），突厥首领土门汗打败柔然阿那瑰建立突厥汗国。隋开皇三年（公元 583 年），突厥分裂为东、西两部；五年（公元 585 年），沙钵略可汗率东突厥向隋朝请和，寄居于白道川（今土默川）；十九年（公元 599 年），沙钵略之子继位为启民可汗（意为智健王），在今和林格尔县土城子筑大利

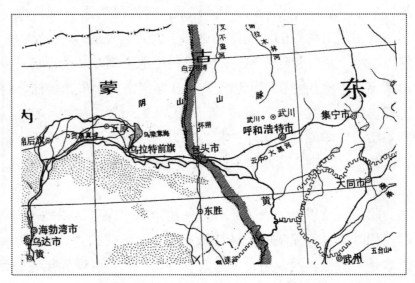

隋朝时期的乌兰察布地区（1/21000000）

城为其官邸；二十年（公元 600 年），隋文帝又为启民可汗在今托克托县哈拉板申古城和今山西省大同市南筑金河、定襄二城，供其管理和居住。随着突厥首领归顺隋王朝，乌兰察布大部分地区归入了隋朝版图。就此，隋王朝控制了大漠南北整个草原。

隋文帝初年，地方政区建制已经混乱不堪，形同虚设，出现了州不管郡、郡不管县的局面。《北齐书》记载：北朝"百户之邑，便立州名；三户之民，空张郡目。"《宋书·州郡志》记载："境土屡分，或一郡一县割成四五，四五之中亟有离合，千回百改。"《南齐书·州郡志》记载：甚至有的郡县"散居无实土，官长无廨舍，寄止民村"。这样的烂摊子如何行政？于是，隋王朝对地方政区建制进行了一系列的改革。

隋开皇三年（公元 583 年），朝廷开始对混乱的行政建制进行整顿，确定了"东南皆至于海，西至且末，北至五原"（令狐棻：《隋书》卷二九，《地理志》〈上〉，中华书局，1973 年）的行政统治格局，并改州、郡、县三级地方政权建制为州、县两级政权建制，以州直接统县。隋炀帝大业二年（公元 606 年），在其边缘游牧民族地区设置总管府。次年（公元 607 年），又改州为郡，以郡领县。 同年，为了防御日益强大的突厥，隋炀帝征发百万民工修筑长城。隋长城西起榆林城（今鄂尔多斯市准格尔旗十二连城），东至紫河（即流经和林格尔、清水河县的红河，蒙古语称乌兰木伦【Ûlaan muren】）东岸。当时，乌兰察布地区除北面、东面少部分区域属东突厥外，其余绝大部分地区纳入了隋朝版图，并设置了若干郡、县。隋王朝在今内蒙古中、西部地区设置的政权有朔方郡、榆林郡、五原郡、定襄郡，管辖范围包括阴山以南的后套地区、鄂尔多斯高原、呼和浩特平原及其以南地带。

隋末，统治阶级内部矛盾激化，使朝廷失去了赖以生存的地主阶级之支持。隋炀帝又

横征暴敛，无限制地压榨劳动人民，引发了大规模的农民起义。隋大业十四年（公元618年）3月，隋朝灭亡；5月李渊称帝，定国号为唐。

唐王朝对腐败的隋朝体制进行了大刀阔斧的改革，承继宰相制，完善和确立三省六部和科举选士制，又推行均田制等等，使社会秩序迅速安定，社会经济得到发展。唐王朝仍然推行二级制行政建制，"罢郡为州"。从此，除唐玄宗天宝年间的十多年改州为郡以外，不再设郡。作为行政建制的"郡"从此消失，州、县成为地方政区建制的主体。

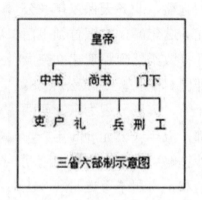

三省六部制示意图

除州、县以外，唐代还有一种建制称"道"。"道"在汉代时为县级建制的一种特殊形式，而唐代的"道"，原本是一种监察区，始设于唐太宗贞观初年。贞观元年（公元627年），"因山川形便，分天下为十道"（欧阳修：《新唐书》卷三七，《地理志》中华书局1975年版；司马光《资治通鉴》卷一九二《唐纪》）。唐玄宗开元二十一年（公元733年）增置五道，共十五道，分别为十五个监察区，由朝廷派员分区监察。唐睿宗景云二年（公元711年）以后，唐王朝逐渐往地方各"道"派遣"节度使"，监察各道政务。节度使，原本是临时派遣的特使，因为随身携带朝廷赐给的旌节，所以权力很大。唐肃宗乾元元年（公元758年）以后，地方军、政、财务、监察等大权逐渐集中于节度使一身，此时的"道"实际上成为唐王朝的一级地方政区。

唐开元、天宝年间（公元713—755年），唐朝统辖"东至安东，西至安西，南至日南，北至单于府"（欧阳修：《新唐书》卷三七，《地理志》）的广大地区。西北部很多少数民族地区也都划入唐朝版图。隋朝时期，乌兰察布地区以阴山山脉为界，北部由东突厥占据，南部归隋王朝，唐初皆归入唐朝版图。

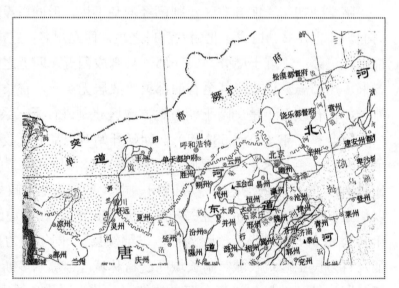

唐朝时期的乌兰察布地区

唐王朝的地方政权建制有两大系统，主要是管领汉人的道、州、县三级政权，其次是增设的羁縻府、州。为了稳定边疆，巩固统治，唐王朝对边疆少数民族地区更加严密控制，除了设置道、州、县三级政区外，在沿边要地少数民族聚居区还增设了一些羁縻府、州。

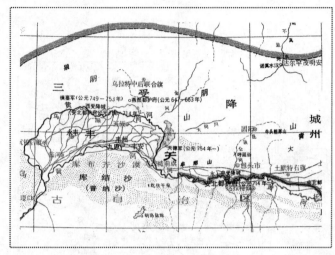

唐京畿地关内道北部 (1/3500000)

设在乌兰察布地区的羁縻府、州均归关内道、河东道辖制。可以说唐王朝采取了较开明的民族政策，一方面"全其部落，顺其土俗"，给突厥贵族以优厚待遇，封官加爵，另一方面在幽州（今北京）至灵州（今宁夏灵武）间置六州，以安置突厥民众，改隋代总管府为都督府和都护府，以安定边疆少数民族地区。

唐代羁縻府有两类，一曰都护府，一曰都督府。"都护"意即总监，管理辖境范围内的边防、行政和各族事务；"都督"则是地方军政长官（唐中晚期以节度使、观察使为地方最高长官，都督遂名存实亡）。二者职责、性质基本相似，级别也一样，管理范围则有所不同。这些都护府、都督府的设置是"平突厥"以后唐朝与突厥暂结友好、恢复地方行政统治的一项暂时性措施。当时，管辖乌兰察布地区的有单于、燕然、瀚海、安北、呼延、狼山、桑干、定襄等都护府或都督府。另外，还设置了一些军队驻防的戍守之地，称"军"或"守捉"等等。

# 五 宋、辽（西夏）、金、元、明（北元）时期

从唐朝末年、五代十国到清初的近六个半世纪，我国北方契丹、党项、女真、蒙古等少数民族先后崛起并各自建立政权。这一时期，乌兰察布地区的政区划分及行政区域名称经历了一个较大的变更过程。

唐朝中叶，突厥族近南者融合于唐，靠北者为躲避侵伐而再度北移。唐末，中央政权衰微、割据势力猖獗，唐王朝对周边地区的行政控制削弱，羁縻北方游牧部族的军政机构或名存实亡，或沦为地方割据首领的势力范围。北宋统一中原地区后，结束了五代十国的纷争局面。然而，辽的兴起和西夏国的建立，使中华大地再度形成三方鼎峙局面。北宋王朝为了强化其统治，也调整了政区建制。但是，宋朝版图并没有包括乌兰察布地区。

10世纪初，世居今赤峰市境内西拉木伦河与老哈河流域的东胡人后裔契丹族迅速强大起来，于公元907年正式建立契丹国，公元916年始建年号，公元938年（一说公元947年）改国号为大辽，公元983年复称契丹，1066年仍称辽。

辽王朝的政区划分与地方行政体系在效仿唐朝政体的同时也有所发展创新，并在辽太祖和太宗年间（公元907—947年）已初具规模，辽圣宗和兴宗之时（982—1055年）更臻完备。大致将全国领土划分为上京、中京、南京、东京、西京五大行政区，称为"五京

道"。道下设府、州、军、县等建制。乌兰察布地区分别属西京道所辖的大同府德州、丰州、云内州、宁边州、东胜州、奉圣州管辖。为了震慑统御周围其他部族和控制西夏，辽王朝还设有若干军司、招讨司等建制。今武川县北部四子王旗、达茂旗等地域则为汪古部领地，由西南招讨司统御。汪古部首领阿剌忽失（赵王）府邸就设在今达茂旗境内艾布

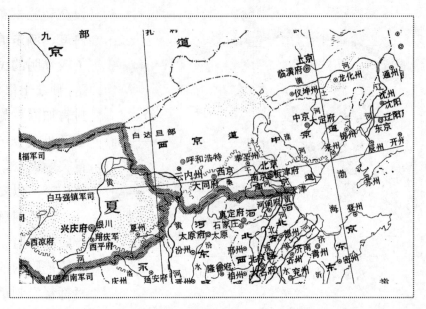

辽，西夏，北宋时期的乌兰察布地区（1/21000000）

盖河畔的阿伦素木古城。苏尼特右旗、二连市时为弘吉剌部领地。

唐朝末年，党项李氏家族割据于今鄂尔多斯市南部和陕北地区。党项原本是西羌族，姓拓跋氏，原居今青海、甘肃一带，唐贞观初年归附唐朝。唐中和三年（公元883年），拓跋思恭因在协助唐王朝镇压黄巢起义，抗击回纥、吐蕃的战争中屡建战功，被封为夏国公，赐姓李氏。五代时期，党项族占据今宁夏、甘肃、陕西省北部和乌兰察布地区西部，建立割据政权。辽重熙七年（1038年），李德明之子李元昊正式称帝，国号称大夏（通称西夏），定都兴庆府（今宁夏银川市）。1227年，在成吉思汗蒙古军打击下西夏王朝灭亡。西夏自建国到消亡共经十代皇帝，历时约190年。西夏的地方行政制度模仿唐、宋政体，以实行州、县制为主，设置了20个州，重要的州也称府，同时还设有若干监军司。西夏最强盛时期，乌兰察布西部大部分地区归西夏的胜州。李元昊时期，曾设置十二个监军司，其中黑山镇威福军司驻兀剌海城，城址可能就是今临河市高油坊古城，辖领区域包括乌兰察布地区乌梁素海以西乌拉特前旗西部少部分地区、乌拉特中旗西部和乌拉特后旗、磴口县等地域。

辽天庆五年（1115年），女真完颜部首领阿骨打在今黑龙江省哈尔滨市南阿什河地区建立国家，国号金。金朝（1115—1234年）拓地东至日本海，东北至鄂霍次克海和外兴安岭，西北控制漠北各部，西与西夏为邻，南隔淮河、秦岭与南宋对峙，占据了北方广阔地域。在政区建制方面，金朝效仿辽制的同时也进行了一些改革。金大定二十九年（1189年），金王朝将全国分为上京、东京、北京、西京、南京五京，后改设十四个总管府，将辖境划分为二十路（一说十九路），形成路、州、县三级地方政区建制。乌兰察布地区乌梁素海以东均属其西京路大同府管辖。

西京路大同府城址在今山西省大同市，辖境包括抚州、丰州、净州、云内州、宁边州、东胜州、德州宣宁县和天成县等。金王朝在北方边疆地区还设置了东北路、西北路、西南路三处招讨司，其中西南路招讨司辖有乌兰察布西部地区。

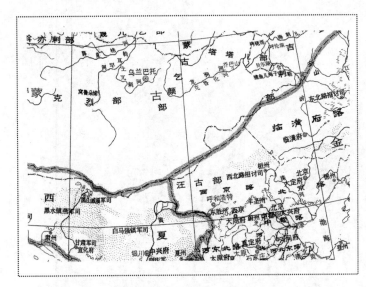

金代乌兰察布地区 (1/2100000)

金王朝为了加强北境防卫，也效仿历代王朝构筑了数千公里长的夯土边墙，同时兴建边堡，屯重兵防守，史称金壕堑、金壕障或金长城，也称金界壕或成吉思汗边墙。金长城东起大兴安岭，向西延伸，从化德县进入乌兰察布地区。乌兰察布地区有两条金界壕，一条干线从化德县向西经商都县、察右后旗、四王子旗、达茂旗折向西南进入武川县境大青山北麓今武川县哈拉合少乡上庙沟村为西段终点。另一条由蒙古国进入四子王旗，在原补力太苏木白音宝力格嘎查一带与主干线相接。金界壕为单墙、单壕，个别地段为双墙、双壕。

在宋、辽、西夏、金鼎立，战乱不断的12世纪末13世纪初，蒙古部崛起于肯特山，以新兴剽悍之势先破塔塔尔部后败克烈、乃蛮等部，统一了大漠南北蒙古部族，并不断西进南扩，占领中亚、东欧，建立了横跨欧亚两洲的蒙古大帝国，在欧亚历史上留下了引人注目的一页。太祖成吉思汗六年（1211年），蒙古军以汪古部首领阿剌兀思剔吉忽里为向导，穿过阴山，破金代抚州以北边堡，占领抚州、净州，又破大同府宣宁县；1205—1227年间，四次攻打并灭了西夏。至此，乌兰察布地区归入了蒙古汗国统辖范围。1260年，忽必烈继位，定国号为元，称帝于开平（今锡林郭勒盟正蓝旗东）。1279年，灭南宋，统一全中国，结束了自唐朝末年以来的分裂割据局面，实现了中国古代历史上的空前大统一。

元朝行政建制与前朝有所不同。元王朝在朝廷设立尚书省，后易名中书省，总理全国行政事务。中书省派省臣到地方执行政务，称为行中书省，简称行省。行省作为固定的官府统辖一定的行政区域。中书省直接管辖黄河以北、太行山东西两侧地区，称为腹里。在全国设置10个行省，行省下设路、府、州、县。府的统属关系不定，或直属于行省，或属于路。行省也可在一些地区设置宣慰司，由宣慰司管领州、县。在少数民族地区还设置招讨司、安抚司或宣抚司、都护府等。总之，依据各地区的不同情况，设置了一系列的地方官府，从而使各地区、各民族都统一于元王朝管领之下。

"省"作为政区名称从元代开始。中书省，原本是设在元代政治、经济、文化中心——大都（今北京）的代表皇帝总揽一切大政要事的官署。将官署名称用来命名地区称谓，

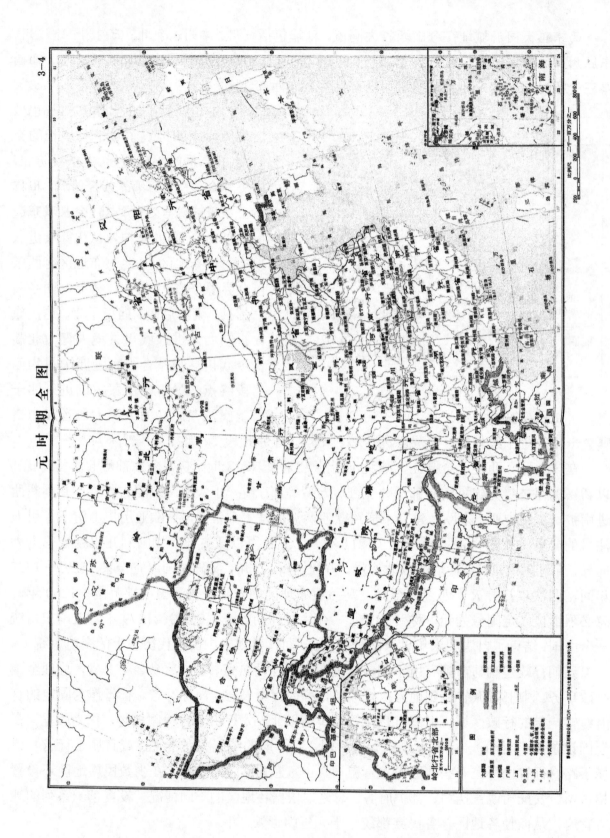

元 时 期 全 图

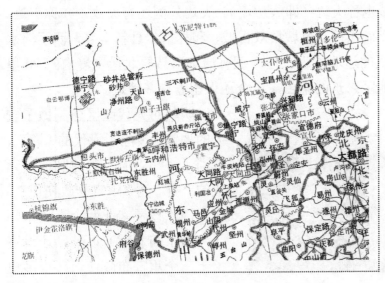

元时期的乌兰察布地区（1/7000000）

是因为这一地区属于皇家直属的重要地区。当时把这些地区称为"腹里"，乌兰察布地区就属腹里。元代设在乌兰察布地区或与乌兰察布地区有关的行政建制有兴和路、大同路、德宁路、净州路、集宁路、砂井总管府、兀剌海路等。这些路、府均由中书省直辖，其中，除兴和路以外，其余各路、府均归属设在今山西省大同市的河东山西道宣慰司管辖。

　　元末，以朱元璋为首的农民起义军占领集庆路治（今南京市），明洪武元年（1368年）建立明王朝。同年八月，明军攻克大都（今北京）夺取全国政权。蒙古贵族退出中原后仍然保持着自己的政权，史称北元。北元政权活动在蒙古高原大漠南北，与明王朝抗衡长达半个多世纪。明初，明军频繁进击北方，占领、控制大漠南北广大地区并设立地方行政建制进行管理。然而蒙古人并不示弱，渐次南下夺回失地，使明朝势力不得不内缩，逐渐形成以双方势力所及之山河关塞之险为界的对峙局面。

　　明王朝为了防御蒙古军队的南下，从太祖朱元璋时就开始在北方地区兴筑长城。经过几朝皇帝的多次补筑、加固和改建，形成了东起鸭绿江，西至嘉峪关，以山川之险绵亘蜿蜒1.27余万里的长城。并设置了辽东、蓟州、宣府、大同、山西、榆林、宁夏、固原、甘肃等九个边镇，分别管理、镇守某段长城。"镇"是军事编制，九个边镇也就是九个边防军事区，习称"九边"。其中，

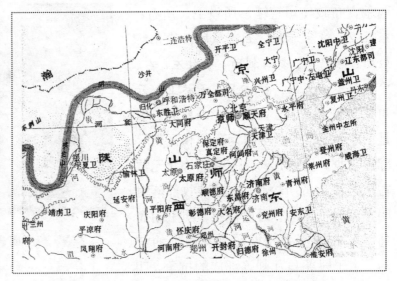

明朝时期的乌兰察布地区（1/21000000）

山西、大同边墙西起今清水河县黄河东岸老牛湾，东至今兴和县南马市口，长达960里的明长城成为乌兰察布地区明、蒙边界的标志，边外为蒙古人所控地区，边内为明地。乌兰

察布地区属其边外地区。该段长城也称大边（即大边墙）。大边外侧还有次边，亦称小边。如东起今兴和县南湾，经丰镇市隆盛庄镇、凉城县双古城、和林格尔县新丰乡，西至清水河县原单台子乡为止，长约800里的边墙称为次边。还有清水河县原北堡乡境内的20里长城也属次边。在边外乌兰察布地区兴筑的墩台，至今还保留着许多遗迹。

明长城（乌兰察布地区与山西省的交界段）

明朝对元代政区建制做了较大的调整。废除了元代的"路"、取消了"州、府"等建制，改元代的"省"为"承宣布政使司"，在全国除设置南北两个直隶京师（今南京和北京）以外，还设置了十三个承宣布政使司（很多史料写作十三省）。朝廷设有"五军都督府"，地方各承宣布政使司设有"都指挥使司"，简称都司。都司下领"卫指挥使司""千户所""百户所"等，简称卫、所。卫、所又有军卫和屯卫之别。此外，还有设在少数民族地区的羁縻卫、所等。五军都督府、都司、卫、所等本为明朝的军事建制，因战事而设置。但是，这些军事机构往往兼管土地和民事，因而逐渐转化为具有行政性质的政权机构。这些都司、卫、所驻地名称后来大多相沿为地名。

明代乌兰察布东南部分地区属山西承宣布政使司管辖，所设卫、所有：东胜卫，失宝赤所，五花城所，斡鲁忽奴所，燕只所，翁吉剌所，东胜左、右、中、前、后五卫，镇虏卫，玉林卫，云川卫，宣宁卫，官山卫，官山所等。但是，乌兰察布地区实则为鞑靼和瓦剌等部族占据，由达延汗、俺答汗等北元蒙古上层统治者所控制。这些游牧部落对明王朝时而臣服，时而侵扰，明王朝对乌兰察布地区并没能实施实质性的统治。由于鞑靼与瓦剌等部族的抗争，明

明代头道边瞭望碉楼

王朝设在乌兰察布地区的司、卫、所等政区建制没有维持多久。

北元蒙古贵族一方面与明朝对抗，另一方面为争夺王位互相征战，内讧不断。由于受频繁的内外战争所影响，北元政府一直没有形成稳定的中央政权，统领权限松散，部落兴衰频迭，迁徙流动频繁。虽有过几次暂短的统一，例如瓦剌部（卫拉特）相臣也先的统一，

察哈尔部达延汗、俺达汗的统一，林丹汗的局部统一等，但大漠南北仍处于封建割据状态。

明代二道边烽火台

北元时期，乌兰察布地区的社会组织与其他蒙古地区一样，原来以血缘关系为主组成的千户、万户制被以地缘关系为主的兀鲁思、鄂托克、爱玛克所代替。15世纪末，满都鲁汗的小夫人满都海彻辰夫人扶持成吉思汗裔孙巴图蒙克登上汗位，称大元大可汗，即达延汗。达延汗即位初期，漠南蒙古仍处于权臣各自为政的分裂、混乱局面。明武宗正德五年（1510年），达延汗统一了蒙古诸部后为了巩固汗权，将部众重新划分为左、右翼各三万户。左翼三万户：察哈尔万户，居今锡林郭勒盟及北部；兀良哈万户，居今赤峰市一带；喀尔喀万户，居今蒙古国喀拉喀河流域。右翼三万户：鄂尔多斯万户，居今鄂尔多斯市一带；土默特万户，居今呼和浩特市一带；永谢布万户，居今锡林郭勒盟南部及张家口以北地区。乌兰察布地区大部分归属于右翼三万户之一的土默特万户辖区，仅东北和东南少部分地区属察哈尔万户和永谢布万户。达延汗去世后，其三子巴尔斯博罗特将右翼三万户划分为若干封建领地分封予诸子。在这一时期的封建割据中，势力最强大，对蒙古地区的政治、经济和文化有较大影响的是占据土默特之大部的领主巴尔斯博罗特之子俺达汗（即阿勒坦汗）。俺达汗所占据和活动的主要地区正是乌兰察布地区。

俺达汗以后，成吉思汗黄金家族后代们各自驻牧于所分封的领地：阿尔苏博罗特（达延汗之子，俺达汗叔父）及其子孙不只吉儿台吉、多罗土蛮把都儿黄台吉先后领有多伦土默特部（多罗土蛮【Dôlôôn Tumed】），驻牧于今达茂旗东北部至包头市以西乌拉山西北一带（参阅晓克：《蒙古土默特万户的部落构成及其驻地分布》。以下关于各部驻地的叙述均参照该文）。

拉布克台吉及其子孙兀慎阿害兔台吉、兀慎歹成打儿汗打儿麻台吉先后统领兀慎【Uguxin】部，驻牧于北起今察右前旗，南至今丰镇市东南境接于长城，东至今兴和县南部，西至岱海一带。

俺达汗长子辛爱都隆黄台吉及其子孙扯力克、晁兔等先后领有畏兀儿沁部【Ôigûrjin】。此外，俺达汗第四子丙兔台吉以及达延汗第七子纳勒博罗特（那力不赖台吉）之孙着力兔台吉、满克赛台吉、旭胡弄台吉、褚叱把都台吉也是该部的领主，领有不同的部落分支。该部的驻地大约南起大青山，向北包括今四子王旗及其以北地区，向西接于当时的多伦土默特部驻牧地。

俺达汗次子不彦把都儿台吉及其子摆腰把都儿台吉先后统领巴岳特部（摆腰、叭要

【Bayagûd】），该部驻地大约从今察右后旗中部起，向东南直抵今兴和县中部和商都县南部一带。

辛爱都隆黄台吉的次子五路把都儿台吉及其子敖卜言台吉先后领有兀鲁部（五路，【Ûrûûd】），驻牧于西起今镶黄旗北部，东北至阿巴嘎旗南境之查干诺尔周围一带，向西南接于当时的巴岳特部驻地北境。

俺达汗长子辛爱都隆黄台吉三子青把都补儿哈兔台吉领有弘吉剌部（王吉喇，【Hônggirt】），驻牧于今张北县以东和崇礼县西部一带，往西北接于当时兀鲁部牧地。

俺达汗五子把林台吉及其子补儿哈兔台吉先后领有巴林部（把林【Bairin】），驻牧于大约今苏尼特右旗东南部和镶黄旗西北部，向西接于当时畏兀儿部驻牧地，向南与巴岳特部毗邻，向东则与兀鲁部驻地相连。

俺达汗之孙把汉那吉统领蒙古勒津部（满官真【Môngôljin】）。该部落有内、外之分，是一个人多势众的强大部落。把汉那吉死后，其夫人把汉比吉领有该部。把汉比吉与不他失礼成婚后，不他失礼成为该部首领。此后，不他失礼之弟沙赤星又成为该部首领。后，该部由把汉那吉之孙及不他失礼之子素囊台吉领有。驻牧于阴山山脉中段大青山以南、呼和浩特市以西、黄河以北，西至穆那山（乌拉山）一带。

俺达汗第六子哥力各台吉及其子打喇阿拜台吉先后领有打喇特部（打喇【Dalad】），驻牧于北至今察右后旗北部，南到岱海、凉城县中部。

俺达汗长孙扯力克之子毛明暗台吉（又称明暗台吉）领有毛明暗【Mûû Minggan】部，在东起今河北省张北县北部，西迄尚义县治以东，向北至康保县治以南一带驻牧。

俺达汗长子辛爱都隆黄台吉之子松木儿台吉统领不格勒斯部【Bukeres】，其驻牧地范围北起今商都县东南境至察汗淖儿，南迄今兴和县东南明长城脚下，东南包括今河北省尚义县以东、以南一带。

俺达汗长子辛爱都隆黄台吉第九子安兔台吉和他的几个弟弟统领兀爱营。该部是土默特万户向东扩张，吞并部分朵颜卫兀良哈人之后形成的。其部众除了部分蒙古勒津人外，主要是兀良哈人。驻牧于今丰宁县以及延庆县北部一带。以上是北元时期部分土默特万户驻牧地情况。事实上，当时乌兰察布地区这种地域领有关系是经常变化的。

北元时期，蒙古社会中的一项基本社会制度就是部众领地分封制。封建领主通过继承、战争和征服得到分地，再将其作为私有财产分封给自己的子孙。达延汗重新统一蒙古分封诸子后，在"六万户"蒙古社会中，这样的部众领地分封主要是在达延汗子孙一系"黄金家族"中进行。"随着黄金氏族的繁衍，分地也就无限地增多起来"（弗拉基米尔佐夫著，刘荣焌译：《蒙古社会制度史》，第243页）。在这种分封制的作用下，蒙古各个万户、各个部落出现了越来越多、越来越小的"分地"。这些驻牧地的名称多以山川河滩地理实体名称命名，也有很多是以领主们的名字命名的。

# 第三节 古代政区及城镇名称简介

自从赵武灵王在乌兰察布地区大青山以南首次设置政区建制到明末清初，历代封建王朝均设置过级别不同、形式各异、辖域不一、职能有别的诸多行政机构和政区建制，同时还建筑了很多城镇。这些建制大致有国、州、省、郡、道、府、路、庭、属国、司、县、城、镇、邑、卫、所、军、塞、障、戍、台、殿、关、榷场等等。现就乌兰察布地区和与乌兰察布地区有关的古代政区建制、城镇名称做一简要介绍。

## 一　古国名称

**燕**　古国专名。西周分封的诸侯国之一，亦作"匽"或"郾"。都城在今北京城西南隅。战国七雄之一。又以武阳（在今河北省易县南）为下都。燕昭王时，曾联合诸国以乐毅为上将统率燕、秦、韩、赵、魏五国联军伐齐，攻破齐国，占领齐国七十余城池。同时北击匈奴，向东北扩展，设立了上谷、渔阳、右北平、辽东、辽西等郡。燕昭王去世后，国力大减，被齐国打败。秦始皇二十一年（公元前226年），齐军攻破燕都，燕王西迁至辽东。秦始皇二十五年（公元前222年）燕国灭亡。战国时期，今化德县、商都县等地，秦朝时期今化德县、苏尼特右旗、二连市部分地域属燕国上谷郡。

**赵**　古国专名。西周分封的诸侯国之一，也是战国七雄之一。公元前453年，赵、魏、韩三家瓜分晋国。赵烈侯六年（公元前403年），周威烈王任赵烈侯为诸侯，赵氏正式建立赵国，建都晋阳（今山西省太原市西南）。赵敬侯元年（公元前386年），徙都邯郸（今河北省邯郸市）。疆域相当今山西省中部、陕西省东北角、河北省西南部。赵武灵王实行"胡服骑射"的军事改革之后，攻灭中山，打败林胡、楼烦，占有今河北省西北、山西省北部赵长城以南广大地区，建立云中、雁门、代郡。乌兰察布地区中南部归赵国领辖。战国后期，赵国在"长平之战"中大败于秦后国势衰落，于公元前222年为秦所灭。

胡服骑射图

**代**　古国专名。我国北方曾有两个代国：一是春秋时期建立的代国，在今河北省蔚县东北。战国初被赵襄子所灭。后襄子以其地封其侄赵周，称代成君。秦王政十九年（公元前228年），秦攻灭赵。赵公子嘉率其宗族数百人奔代，自立为代王，后被秦所灭。乌兰察布地区东部边缘区域属之管辖。另一个代国是鲜卑拓跋部所建政权。西晋怀帝永嘉四年（公元 310 年），拓跋猗卢被封为代公，永嘉六年（公元 312 年）后又被封为代王并建立代国。到拓跋什翼犍时，定年号建国，定都于盛乐（今和林格尔县土城子村）。次年，一说东晋咸康六年（公元 340 年），移都于云中之盛乐宫（今托克托县东北土城子村）。东晋孝武帝太元元年（公元 376 年），代国被前秦大军攻败，遂灭亡。北魏道武帝登国元年（公元 386 年），拓跋珪继承代王位，再次建立代国。

拓跋珪塑像

**魏** 古国专名。我国古代曾有三个魏国：一是西周分封的诸侯国之一，战国七雄之一。公元前 453 年，魏、赵、韩三家瓜分晋国，魏国得到今河南省东部，山西省南部，陕西省东部一些土地。公元前 403 年，周威烈王任魏烈侯为诸侯，正式建立诸侯国。初都安邑（今山西夏县西北），至魏惠王时迁都大梁（今河南开封），故又称梁国。著名的"马陵之战"后，魏国与齐国均分东方霸权地位，后来，魏国逐渐衰弱。二是三国鼎立之曹魏。东汉末年，曹魏、蜀汉、东吴三个政权，于公元 208 年，即著名的赤壁之战后，形成三国鼎立局势。上述两个魏国北部疆域均包括乌兰察布部分地区。三是北魏道武帝登国元年（公元 386 年）4 月，拓跋珪将代国改国号为魏。按北魏黄门侍郎崔玄伯解释，"魏"是一个含有美好伟大之意的名称，也曾经是北方很强的大国。因此，道武帝拓跋珪取国名为魏，史称"北魏"。乌兰察布大部分地域属北魏王朝。

## 二　古州名称

**并州** 古州专名。西汉武帝所置十三刺史部之一。辖境相当于今山西省大部，河北省及乌兰察布地区部分区域。东汉时期，治景阳县（隋改太原，在今山西太原市西南），辖境扩大，包括今山西省大部、陕西省北部与内蒙古河套地区。汉献帝建安十八年（公元 213 年）并入冀州。三国魏黄初元年（公元 220 年）复置并州，相比汉代并州辖境缩小许多。

**幽州** 古州专名。西汉武帝所置十三刺史部之一，后废。魏、晋、南北朝时期复置。《晋书·地理志·并州》记载："魏黄初元年复置并州，至陉岭以北并弃之，至晋因而不改。"陉岭即雁门山。《集宁县志》称，集宁在东汉时属幽州代郡。《乌拉特前旗志》称：5 世纪今乌拉特前旗地域为幽州北境。

**冀州**　古州专名。西汉武帝所置十三刺史部之一，辖境相当于今河北省中南部，山东省西端及河南省北端。东汉治高邑县（今河北省柏乡县北），其辖境与乌兰察布地区无关。但是，东汉建安十八年（公元213年）三月，曹操扩大冀州辖领范围，将幽、并、河东等州、郡全部划归冀州。乌兰察布地区东南边缘部分地区曾一度归属冀州。

**司州**　古州专名。北魏天兴年间（公元398—403年）置司州，治平城（今山西省大同市东北），领8郡，其中善无、雁门、梁（凉）城三郡辖境包括乌兰察布地区东部。太和十七年（公元493年）改为恒州。

**恒州**　古州专名。北魏太和十七年（公元493年）以司州改置，治平城（今山西省大同市东北），领8郡。辖境约今山西省北部内长城以北和乌兰察布地区与山西省邻近的南部地区。北魏孝昌年间（公元525—527年），被六镇起义军攻克。东魏天平二年（535年），寄治肆州秀容郡（今山西省忻州市西北）。北齐天保年间（公元550—559年），复还故地，移治今大同市。北周大象二年（公元580年）废。

**朔州**　古州专名。北魏时期，与乌兰察布地区有关的朔州有两个，一是太武帝约于公元424年所置朔州，治盛乐城，即今和林格尔县土城子。辖境约今呼和浩特市及和林格尔、清水河、托克托，鄂尔多斯市东胜区、准格尔旗、达拉特旗、杭锦旗等地，后北魏正光五年（公元524年）改为云州。一是北魏正光五年（公元524年），改怀朔镇置，治今固阳县西南，也称北朔州。辖境约今包头市和固阳县、乌拉特前旗等地。北魏孝昌中（约公元527年），因六镇起义军占领怀朔镇而寄治于今山西省境内。北周废。

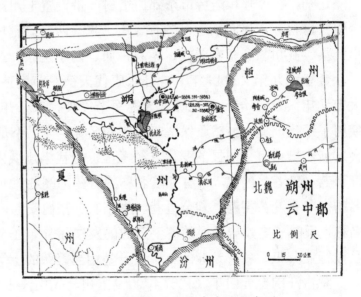

公元424年北魏太武帝所置朔州

**云州**　古州专名。北魏和隋唐时期曾在今内蒙古自治区、江苏省、陕西省、山西省设置若干云州。其中与乌兰察布地区有关的有：北魏正光五年（公元524年）改朔州置云州，治盛乐城，后寄治并州界（今山西省祁县西），北周年间（公元557—581年）废，乌兰察布东南部分地区时属云州管辖；隋开皇五年（公元585年）所置云州，治大利县，即今和林格尔县西北土城子，辖境相当于阴山以南、和林格尔县浑河以北地区，隋大业元年（公元605年）废；唐贞观三年（公元629年）置云州，治河滨县（今鄂尔多斯市准格尔旗东北黄河西岸），次年改为威州；唐贞观十四年（公元640年）以原北恒州所置云州，治定襄县（后改名云中县，即今山西省大同市），辖境包括今丰镇市、兴和县南部、察右前旗南部、凉城县东南部等地域，《中国古今地名大词典》称"辖境约今山西省长城以南、桑干河以北地"。唐高宗永淳元年（公元 682 年）废，唐玄宗开元二十年（公元 732 年）复置。天宝元年（公元 742 年）曾一度改为云中郡，唐肃宗乾元元年（公元 758 年）复为云州。乌兰察布东南部分地区仍属云州管辖。

**丰州** 古州专名。乌兰察布地区历史上曾设置几个丰州。隋开皇五年（公元 585 年）升北周永丰镇置，属关内道，治九原县，在今杭锦后旗东北，辖境约今河套西北部及其以北一带，隋大业三年（公元 607 年）改为五原郡，后废。

唐贞观四年（公元 630 年），以突厥降户复置丰州；二十一年（公元 647 年）废，入灵州；二十三年（公元 649 年）再次复置，领九原、永丰、安化三县和东、中、西三受降城，辖境约西套地区。唐天宝、至德年间（公元 742—757 年）曾一度改为九原郡；唐乾元元年（公元 758 年）复为丰州。唐末以后地属党项。

辽初，在今呼和浩特市东郊白塔村一带设置丰州，治富民县（今呼和浩特市东郊保合少镇白塔村）。属西京道，领有富民、振武两县。辖境约今呼和浩特市区、和林格尔县、卓资县、武川县和察右前旗、察右中旗、四子王旗、达茂旗、察右后旗、集宁区等地。

金皇统九年（1149 年），升原唐代天德军节度使为天德总管府，置西南路招讨司。大定元年（1161 年），又降为天德军节度使，兼丰州管内观察使。金代的丰州城，沿袭使用了辽代旧城，虽然还保留着辽代的名称，但已不是封闭式的城市。随着人口增长和社会发展，城市有了明显的变化。经考证，金代丰州城内的街巷带有行业名称的有牛市巷、麻市巷、染巷、酪巷，带有寺院名称的有药师阁巷、北禅院巷、太师殿巷，用居民姓氏取名的街巷有斐公裕巷、刘公进巷、康家巷、张德安巷、刘大卿巷、张居柔巷等。这些街巷名称，反映了丰州居民已随着手工业的发展而分布在全城内各个坊区，商业有了发展，而且按行业分工，各有专业的集市，已是相当繁荣的上等城市。

蒙古汗国至元四年（1267 年）设丰州，先由汪古部管辖。元延祐五年（1318 年），改隶大同路。主要管辖今呼和浩特市周围地区，当时人们习惯称天德军。元代的丰州城是一处相当繁荣的城市，是通往漠北的交通枢纽。早在成吉思汗时代，长春真人邱处机到中亚觐见成吉思汗后东返，就是经过丰州进入内地的。元大都（今北京市）至哈喇和林（今蒙古国乌兰巴托附近）之间的三条主要驿路均经过丰州。明洪武中期，丰州废。明宣德元年（1426 年），复置。明正统中废。

辽、金、元、明代，丰州均为一地，所以今呼和浩特市周围滩川素有"丰州滩"之称。

**胜州** 古州专名。隋开皇二十年（公元 600 年），析云州榆林、富昌、金河三县置，治榆林县（今黄河西岸鄂尔多斯市准格尔旗境东北）。辖境约今鄂尔多斯市准格尔旗、达拉特旗、东胜区及黄河东岸托克托、清水河等县地。《中国古今地名大词典（1931 年版）》记载："领今绥远托克托、萨拉齐二县，内蒙古鄂尔多斯左翼及茂明安之地。"唐代专辖西岸地（黄河西岸）。五代初废。西夏又置，后废。

**郁射州** 古州专名。唐代羁縻州之一。唐贞观二十三年（公元 649 年），在今凉城县境以突厥郁射施部置（一说在今锡林郭勒盟境内）。属桑乾都督府。后侨治夏州朔方县（今陕西省靖边县北白城子）。

**艺失州** 古州专名。唐代羁縻州之一。唐贞观二十三年（公元 649 年），在今凉城县境以突厥多地艺失部置（一说在今锡林郭勒盟境内）。属桑乾都督府。后侨治夏州朔方县（今陕西靖边县北白城子）。

**卑失州** 古州专名。"卑"又作"毕"。唐代羁縻州之一。唐贞观二十三年（公元 649 年），在今凉城县境以突厥卑失部置（一说在今锡林郭勒盟境内）。属桑乾都督府。后侨治夏州朔方县（今陕西省靖边县北白城子）。

**叱（音 chì）略州** 古州专名。唐代羁縻州之一。唐贞观二十三年（公元 649 年），在今凉城县境置（一说在今锡林郭勒盟境内）。属桑乾都督府。后侨治夏州朔方县（今陕西省靖边县北白城子）。

**居延州** 古州专名。"居延"本是西汉武帝时期所置居延县的专名，也是西汉太初三年（公元前 102 年），路博德在今阿拉善盟额济纳旗北境所筑居延塞（至今遗址犹存）和额济纳旗境内的居延海（也称居延泽）之专名。居延地区距乌拉特后旗尚有近三百公里，可见，从地缘上看与乌兰察布地区并没有关系。然而，《中国古今地名大词典》（1931 年版）却记载，居延州"唐置羁縻州，当在绥远乌拉特境"。

**奉圣州** 古州专名。辽太天显十一年（公元 936 年），升戚寨军置，治永兴县（今河北省涿鹿县）。属西京道。辖境相当今河北省涿鹿、宣化、怀来、沽源县，北京市延庆县以西，内蒙古自治区商都县、察右前旗以东、兴和县以及锡林郭勒盟镶黄旗、正蓝旗、多伦县以南地区。金大安元年（1209 年），升为德兴府。蒙古汗国至元三年（1266 年），又降为奉圣州。辖境缩小，仅有今涿鹿、怀来、延庆三县地。元至元三年（1337 年），改为保安州。

**宣德州** 古州专名。金大定八年（1168 年），改宣化州置，治文德县（后改名宣德县，即今河北宣化县），辖境相当今河北省沽源、崇礼、张家口、宣化、万全、张北、尚义县，内蒙古自治区兴和县、商都县、化德县、察右前旗、镶黄旗等地。元初升为宣宁府。

**德州** 古州专名。辽圣宗开泰八年（1019 年）置，治宣德县，即今凉城县岱海东麦胡图镇淤泥滩村。辖境约长城以北岱海周围凉城县、卓资县大部、丰镇市、察右前旗部分地域。金时废。

**云内州** 古州专名。辽清宁初（约 1055 年）升代北云朔招讨司置，治柔服县（今托克托县东北白塔古城）。属西京道，辖境约当今托克托县东北部及土默特左旗、土默特右旗、固阳县一带。金为西京路云内州，领云川、柔服二县。蒙古汗国至元四年（1267 年）降为下州。元时不辖县，属大同路。明洪武五年（1372 年）废。《中国古今地名大词典》

（1931年版）记载，辖境"即今绥远境内内蒙古乌拉特旗"。《乌拉特前旗志》记载：辽、金时期乌拉特前旗属云内州西部地。

**宁边州** 古州专名。辽置宁边州镇西军，属西南招讨司，州治唐隆镇，故址在今清水河县原窑沟乡下城湾古城，辖今清水河县地。金因之，领宁边一县。蒙古汗国至元二年（1265年）分别并入武州、东胜州东胜县。

**东胜州** 古州专名。辽太祖神册元年（公元916年），辽太祖率军亲征党项族，擒获了振武节度使李嗣本，将胜州城（黄河西岸十二连城）百姓强行迁移到黄河东岸，安置在唐东受降城，重新修缮了城垣，并命名为东胜州。因位于旧胜州城东而得名。属西京道，治今托克托县城中的大皇城。辖境约今托克托县大部及鄂尔多斯市准格尔旗东北部。这座经辽代补筑修缮的城垣，南北长约620米，东西宽约500

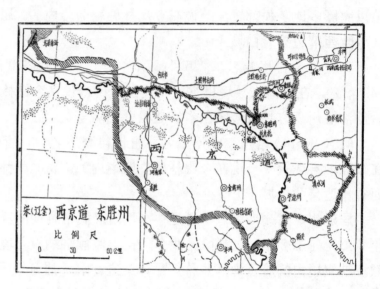

西京道东胜州

米。这是一座规模很小的城郭，由于人口少且属于辽王朝的西南边境小城而定为下等州，成为西京路下属的西三州之一。金代沿袭辽制，仍在此设置了东胜州，辖今托克托县南半部、和林格尔县境。蒙古汗国至元二年（1265年）废。元代沿袭东胜州城，并置东胜县。明洪武四年（1371年）改置东胜卫。《土默特右旗志》记载：旗境南半部为东胜州西部地。《达尔罕茂明安联合旗志》、《白云鄂博矿区志》记载：辽、金时期地属东胜州。

**净州** 古州专名。金大定十八年（1178年），升天山榷场置，治天山县，今四子王旗吉生太镇城卜子古城，属西京路。辖境约今大青山以北，金界壕以南，四子王旗南部、武川县、达茂旗东南边缘等地，领天山一县。元成宗元贞初年（约1295年）改为净州路。

**抚州** 古州专名。金明昌三年（1192年），以原辽泰国大长公主所建头下州地置抚州，治柔远县，即今河北省张北县喀喇巴尔哈孙古城。也称"燕子城"，女真语称"吉甫鲁湾城"。金人诗文中多称"燕赐城"，即"宴赐"的谐音。因宴赐蒙古、鞑靼等部头领于此而得名。抚州属西京路，辖境相当今河北省张北县以西、乌兰察布市集宁区以东地区。领四县，在乌兰察布地区的有：柔远县、集宁县、威宁县。蒙古汗国宪宗四年（1254年），复置抚州，蒙古汗国中统三年（1262年）升为隆兴府。元初城破州废，其辖地归属宣德府。

**源州** 古州专名。元武宗至大元年（1308年）以隆兴路降置，隶中都留守司。至大四年（1311年），仁宗即位，罢留守司，同时复置隆兴路并更名为兴和路。

**舍利州**  古州专名，唐羁縻州之一。唐贞观二十三年（公元649年）以突厥舍利吐利部置，属云中都督府，确址有待考证。后侨治夏州朔方县（今陕西靖边县北白城子）界。后废。

**绰州**  古州专名，又作绰部州，唐羁縻州之一。唐贞观二十三年（公元649年）以突厥绰部置，属云中都督府，确址有待考证。后侨治夏州朔方县（今陕西靖边县）界。后废。

**白登州**  古州专名，唐羁縻州之一。唐贞观二十三年（649年）以突厥部置，确址有待考证，属云中都督府。后侨治夏州朔方县（今陕西靖边县北白城子）界。后废。

**阿德州**  古州专名，唐羁縻州之一。唐贞观二十三年（公元649年）以突厥阿史德部置，确址有待考证，属定襄都督府。后侨治宁朔县（今陕西靖边县东北）界。后废。

**执失州**  古州专名，唐羁縻州之一。唐贞观二十三年（公元649年）以突厥执失部置，确址有待考证，属定襄都督府。后侨治宁朔县（今陕西靖边县东北）界。后废。

**苏农州**  古州专名，唐羁縻州之一。唐贞观二十三年（公元649年）以突厥苏农部置，确址有待考证，属定襄都督府。后侨治宁朔县（今陕西靖边县东北）界。后废。

**拔延州**  古州专名，唐羁縻州之一。唐贞观二十三年（公元649年）以突厥部置，确址有待考证，属定襄都督府。后侨治宁朔县（今陕西靖边县东北）界。后废。

**西三州**  古代数州俗称。指辽、金时期的云内州、丰州、东胜州。该三州城三足鼎立，构成了辽王朝西南边境地带的威慑力量，当时统称为西三州。西三州以丰州为主，丰州城内驻有西南招讨司。辽王朝为了加强对西夏的控制，于重熙十三年（1044年），将云州大同军节度升格为西京大同府，将丰州等西三州划归西京大同府管辖。

## 三  古郡名称

**代郡**  古郡专名。北魏天兴元年（公元398年）置，治平城，在今山西省大同市东北。辖境约今山西省外长城以南的大同、左云等市县地，孝昌中废。孝文帝迁都洛阳之前为京都所在。天兴元年设置代郡时定今凉城县为代郡畿内田。

**云中郡**  古郡专名。战国赵武灵王十九年（公元前307年）置，治云中城，在今托克托县境东北古城村古城。辖境在赵长城以南（大青山以南），土默特右旗以东，卓资县和察右中旗南部以西，黄河南岸及明长城以北广大地区。据《水经注·虞氏记》记载：赵武灵王曾"于河西造大城一厢，崩不就，乃改卜阴山河

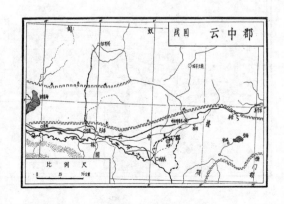

战国  云中郡

曲而祷焉。昼见群鹊游于云中，徘徊经日，见大（火）光在其下，武侯（赵武灵王）曰：'此为城乎！'乃即于其处筑城，今云中城是也"。说的是赵武灵王白天见有一群天鹅在云中飞翔，整天都在同一个地方上空来回盘旋，鸟群下方的地面上放射出耀眼的光芒。赵武灵王看到这个景象认为是吉祥之兆，便决定在这里筑城，并命名为云中城。这个美丽的传说说明了地名"云中"的来历和含义。

然而，北魏郦道元所著《水经注》中引用《虞氏记》，将赵武灵王所筑云中城记载为赵武侯兴筑。一字之差，竟将建城时间提前一百多年。实际上赵武侯时期，赵国势力还不可能扩张到这个地方。有学者引用《史记》中一些追述赵国历史的议论来证明，认为赵武侯时曾一度占领过这片地区。但考古资料却证明当时此地确属林胡、楼烦等少数民族居住的地方。云中城究竟是何时所筑，是赵武侯还是赵武灵王建造，有待进一步考证。但是这些珍贵的历史资料清楚地告诉了我们"云中"一名命名的时代背景、原委和确切含义。

秦始皇十三年（公元前234年），秦国夺取了云中郡，并沿用原云中郡建制。《元和郡县志》记载："赵云中城，秦云中郡也。" 辖境相当于今土默特右旗以东，大青山以南，卓资县以西，黄河南岸及长城以北地域。《中国古今地名大词典（1931年版）》记载："统阴山以南，今自山西之怀仁、左云、右玉以北，喀尔喀右翼、四子部落各旗，皆其地。"《汉书·地理志》记载："云中郡，秦置，莽曰受降郡，属并州，户三万八千三百

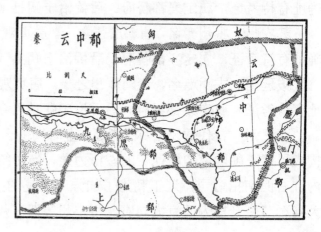

秦 云中郡

三，口十七万三千二百七十，县十一。云中，莽曰远服。咸阳，莽曰贲武。陶林，东部都尉治。桢陵，缘胡山在西北，西部都尉治，莽曰桢陆。犊和，沙陵，莽曰希恩。原阳，沙南，北舆，中部都尉治。武泉，莽曰顺泉。阳寿，莽曰常得。"云中郡所辖县城遗址多数分布在乌兰察布地区，其中北舆、武泉、原阳分布在呼和浩特市的玉泉区、赛罕区和新城区。陶林在呼和浩特市与乌兰察布市交界处。

西汉时期，将云中郡划分为云中、定襄二郡。云中郡治仍在云中城，管领有云中、咸阳、陶林、桢陵、犊和、沙陵、原

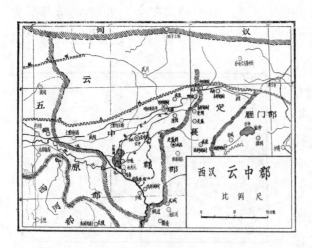

西汉 云中郡

阳、沙南、北舆、武泉、阳寿等十一个县，约分布在今大青山以南，东至卓资县西境，西至包头市古城湾，沿大黑河流域南至清水河县喇嘛湾这一片地域内。

新莽时期改云中郡为"受降郡"。

东汉时期，云中郡恢复原名，管领有云中、成阳、箕陵、沙陵、沙南、北舆、武泉、原阳、定襄、成乐、武进等11座县城。后三座县城划属定襄郡。东汉时期云中郡管辖区域向南伸延，扩展到什拉乌素河和宝贝河流域，放弃了陶林、犊和、阳寿三县地。时属并州管辖，东汉末年，云中郡废。

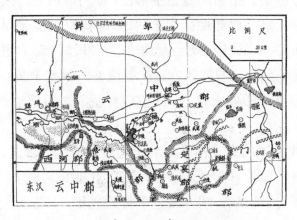

东汉 云中郡

公元398年七月，北魏道武帝拓跋珪从盛乐迁都平城后在盛乐置云中郡（今和林格尔县西北土城子），后移治延民县（今托克托县东北古城），辖境约今托克托县地，隋初废。唐天宝年间（公元742—756年），曾一度改云州为云中郡，乾元元年（公元758年），又复为云州。

**受降郡** 古郡专名。原赵国云中郡，新莽时期改名为"受降郡"，东汉恢复原名。

**雁门郡** 古郡专名。战国赵武灵王置，治善无。故城址在今山西省右玉县南，辖境包括乌兰察布东南部分地区。秦汉时期，乌兰察布地区丰镇市西部、集宁区、卓资县、黄旗海、岱海以南凉城县大部分地域属雁门郡管辖。《察哈尔右翼后旗志》记载："秦始皇时期察哈尔右翼后旗地属雁门郡。"《察哈尔右翼中旗志》记载："秦始皇时期察哈尔右翼中旗部分地区属雁门郡。"曹魏时期移治广武（今山西省代县西十五里）。辖境包括今凉城县大部。北魏移治古上馆城（今山西省代县治）。隋开皇五年（公元585年）改后周肆州为代州。大业初（7世纪初）又改代州为雁门郡。治雁门县（今山西省代县）。辖境包括今乌兰察布地区的兴和县、丰镇市等地。唐武德元年（公元618年），复改为代州，天宝初（约公元743年）又改为雁门郡，乾元初（公元758年）又复改为代州。

**填狄郡** 古郡专名。原赵国雁门郡，新莽时期改称"填狄郡"。东汉移治阴馆县（今山西省朔州市东南）。

**上谷郡** 古郡专名。战国时期燕国置，秦汉沿袭。治沮阳，在今河北省怀来县东南。其辖域北境包括今化德县、商都县、苏尼特右旗、二连市部分地域，实为匈奴所占据。

**定襄**（音xiāng）**郡** 古郡专名。西汉高祖十一年（公元前196年），分云中郡东北部置，隶并州，辖有成乐、桐过、都武、武进、襄阴、武皋、骆、安陶、武城、武要、定襄、复陆等十二县。治盛乐城，在今和林格尔县西北土城村。定襄郡的辖境为秦代云中郡的东部和南部，约今清水河、和林格尔、卓资县、察右中旗西南地区。新莽时期改称"得降郡"。东汉建武十年（公元 34 年）移治善无，即今山西省右玉县南，并恢复原名。西北辖境缩小，仅留今清水河县地，东南扩展，包括今山西省右玉县及旧平鲁城一带。移治善无后部分辖县并入云中郡。东汉灵帝末年（约公元 188 年）废。隋开皇十九年（公元599 年），突厥启民可汗率众归附，隋王朝将启民可汗安置在盛乐城旧址并修筑大利城，隋大业元年（公元 605 年）在大利城设立定襄郡，后废弃。

"定襄"一名的起源，可以追溯到公元前 1200 年左右。据古文献记载，商代的北方有土方、鬼方、巧方、御方、狄等古代游牧民族分布。对这些游牧民族的称谓古文献对应记载有薰允、严允、鬼方、犬戎、畎夷、翟等称谓。据郭沫若先生考证，其中的土方、鬼方的活动地域正是今陕西省北部、山西省西部、乌兰察布地区南部阴山、河套一带。而土方就是古文献记载的"严允"，也写作"猃狁"。《诗经小雅·出车》第三段写到："王命南仲，往城于方。出车彭彭、旗方央央。天子命我，城彼朔方。赫赫南仲，猃狁于襄。"说的是西周宣帝时期大将南仲接受王命筑城朔方（即盛乐城），在打败猃狁人之后把他们安置在这个地方农耕或驻牧。

司马迁所著《史记》对《诗经》中的一些描述的真实性不止一次地做了肯定。就此，我们可以认定，《出车》一诗描述的内容具有一定的真实性。于是，有学者推断这里所谓的"襄"就是襄地。根据《竹书纪年·毛诗正义》记载，朔方城建于帝乙三年，即公元前1099 年。另据《绥远志· 疆域沿革表》记载：唐虞夏时期今绥远地区属朔方幽都地。据此，我们可以大胆推断"定襄"一名与"猃狁于襄"的诗句必有联系，也可以证实定襄郡的命名并不是随意的，而是遵循了这一地名的历史缘源，就是说这一地区很早以前就有"襄地"或"定襄"之称。（关于"襄地"见"朔方城"考）。

**得降郡** 古郡专名。原西汉定襄郡，新莽时期改称得降郡，东汉恢复原名。

**九原郡** 古郡专名。秦始皇三十三年（公元前 214 年），取匈奴河南地后升九原县置，治九原城，地处乌拉山以南、黄河以北，其西侧是黄河南北两条支流的汇合口。有资料称在今包头市西麻池古城，还有一说在今乌拉特前旗原哈业胡同乡三顶帐房村西，当地有一古城，应为九原古城遗址。九原郡所辖区域甚广，今乌拉特地区阴山南段后套地区、固阳县秦长城以南、包头市南半部及黄河南岸的鄂尔多斯市北部地域均属九原郡。秦末废后属地归匈奴。

**五原郡** 古郡专名。由于原九原是匈奴南下的要冲，为了加强防御，西汉王朝于元朔二年（公元前 127 年），以原九原郡东部地域置五原郡。"收河南地，置朔方、五原郡"（班固：《汉书》卷六，《武帝纪》）。五原郡治仍在故九原，隶并州，乌梁素海至云中郡西界为五原郡地，即原乌兰察布地区后套东部地区。辖领 10 县，其中 8 县在乌兰察布地区。一说辖有九原、固陵、五原、临沃、文国、固阳、西安阳、河目、成宜、莫黯、河阴、蒲泽、南兴、武都、宜梁、曼柏等 16 县。新莽时期改称"获降郡"。东汉初年，五原等五郡一度为卢芳所据，建武十六年（公元 40 年）卢芳投降东汉王朝。公元 51 年又复置五原郡，领有 10 县。东汉末年五原郡废弃。隋炀帝大业三年（公元 607 年），改丰州置五原郡，治九原县。故址在今乌拉特前旗境内西小召镇东土城，一说在今巴彦淖尔市五原县西南。领九原、永丰、安化三县。辖境约为今狼山、阴山以南至库布齐沙漠、乌加河流域、河套地区。隋末废。

**获降郡**　古郡专名。原西汉五原郡，新莽时期改称"获降郡"，东汉复置并恢复原名。

**代郡**　古郡专名。战国时期赵武灵王以故代国地置代郡，治今河北省蔚县。其辖境包括今兴和县南部、察右前旗东部、丰镇市东北部等地域。秦和西汉时期治代县，即今河北蔚县东北代王城；一说治桑干，即今河北省阳原县东。属幽州。西汉时辖境相当于今山西省阳高、浑源县以东，河北省怀安、涞源县以西的内外长城之间及乌兰察布地区今兴和县、商都县、丰镇市部分地区。

**厌狄郡**　古郡专名。原代郡，新莽时改称"厌狄郡"。东汉徙治高柳县（今山西阳高县），并恢复原名。《中国古今地名大词典（1931 年版）》记载："东汉永嘉（公元 145 年）后废。"

**朔方郡**　古郡专名。为防御匈奴南下，西汉王朝于元朔二年（公元前 127 年），以九原郡西部地设置朔方郡，治三封县城，即今巴彦淖尔市磴口县西北原哈腾套海苏木驻地西南四公里处麻迷图庙古城；一说治朔方县，即今鄂尔多斯市杭锦旗东北什拉召附近。隶并州。朔方郡位于汉王朝都城长安正北方，因此取《诗经》中"城彼朔方"之意命名为朔方郡。管领有三封、朔方、修都、临河、呼道、窳浑（窳音宇）、渠搜、沃野、广牧、临戎等十县。今乌梁素海至阿拉善盟东界（包括今鄂尔多斯市部分地区），河套西北及后套地区归朔方郡。

关于朔方郡治，李逸友所著《内蒙古历史名城》记载：东汉时期，朔方郡治搬迁到了临戎县，撤销了窳浑等县，境内农业人口大减。公元 140 年，南匈奴左部句龙王吾斯、车纽等逃叛，杀死了朔方长史。随后，南匈奴又引乌桓、羌胡南下，于是朔方郡治又被迫从临戎迁到了五原郡。从此，朔方郡及所属县城全部沦为废墟。朔方郡从设置到废弃，共经历二百六十余年。这一带草原上出现了垦殖，经历了短暂的繁荣之后，土地沙漠化的速度与日俱增，以至沦为现今的乌兰布和大沙漠。

**沟搜郡**　古郡专名。原西汉朔方郡，新莽时期改称"沟搜郡"。东汉时期移治临戎（今巴彦淖尔市磴口县布隆淖古城），东汉末废。《蒙古游牧记》记载："汉朔方郡初治窳浑，后徙治临戎。"

**神武郡**　古郡专名。原北魏武川镇，故址在今武川县西乌兰布浪镇土城梁古城。北魏武泰元年（公元 528 年），以武川镇改置神武郡，属朔州。一说治今和林格尔县境内。

**善无郡**　古郡专名。北魏置。治善无县（今山西右玉县南）。拓跋珪称帝时东至代郡西及善无皆为畿内。辖境包括今山西省右玉县及乌兰察布地区凉城县南半部分地区。北齐废。

**梁（凉）城郡** 古郡专名。北魏置，治今凉城县东北岱海北七里处（有资料记载，梁城郡治在今山西省左云县境北）。辖境约为今丰镇市和凉城县一带。北魏天兴年间（公元398—403年）隶属司州，太和年间（公元477—499年）隶属恒州。关于设置梁（凉）城郡的时间，史籍说法不尽相同。《水经注》记载：池（即今岱海）北七里，即凉城郡治。池西有旧城，俗谓之凉城也，郡取名焉。然而，《水经注》是北魏人郦道元给《水经》所做的注。郦道元约生于北魏献文帝天安元年（公元466年），于北魏孝明帝孝昌三年（公元527年）出任关右大使去解决萧宝夤叛乱事件时被杀害。而北魏王朝则是在公元534年和公元535年间被东魏、西魏所取代。说明在北魏时期确有梁（凉）城郡。另有《魏书·地形志》记载：恒州，领郡八，县十四。其中"梁城郡（即凉城郡），天平二年（即公元535年）置。领县二：参合，旋鸿。关于梁（凉）城郡的设置时间，两种说法相差数十年。郦道元于公元527年被杀害怎么可能在《水经注》中记述公元535年设置的梁（凉）城郡呢？可能是《魏书·地形志》记载有误。

**高柳郡** 古郡专名。北魏置，治高柳县，即今山西省阳高县，隶属恒州。辖境相当于今山西省天镇、阳高及河北省阳原等县地。南北朝时期今丰镇市、察右前旗部分地区属高柳郡管辖。后废。

**广宁郡** 古郡专名。北魏置，治石门障，在今包头市西北。孝昌中（约公元525年）废。

**榆林郡** 古郡专名。隋炀帝大业三年（公元607年），改胜州为榆林郡。郡治榆林县，今鄂尔多斯市准格尔旗十二连城古城。辖今准格尔旗及黄河东岸托克托县、和林格尔县，黄河北岸土左旗、土右旗等地区。隋代先后辖有榆林、阳寿、金河、富昌等县。唐代领辖榆林、河滨两县。唐贞观三年（公元629年），唐王朝派兵平定了地方割据势力梁师都，次年又重新设置胜州。因正逢柴沉、刘兰等率部击败东突厥汗国，便改榆林郡为胜州，表示取得胜利。天宝、至德时又改胜州为榆林郡。

**马邑（音 yì）郡** 古郡专名。隋大业三年（公元607年）改朔州置，治善阳，即今山西省朔州市。辖境包括今清水河县、凉城县、丰镇市、察右前旗、察右后旗、集宁区等部分地区。唐武德四年（公元621年）复改朔州。天宝元年（公元742年）又改为马邑郡。辖境东北部有所缩小。乾元元年（公元758年）复改朔州。

隋 榆林郡 金河县

## 四 古道、府、路、庭、宫名称

**关内道** 古道专名。唐贞观元年（公元 627 年）置，治长安县，即今陕西省西安市，唐乾元元年（公元 758 年）废。乌兰察布地区大部属关内道。

**河东道** 古道专名。唐贞观元年（公元 627 年）置，开元（约公元 713 年）以后治蒲州，即今山西省永济市西南蒲州镇。辖境约今山西省及河北省西北部内外长城之间地。唐乾元元年（公元 758 年）废。今乌兰察布部分南缘地区属河东道。

**西京道** 古道专名。辽五京道之一。辽重熙十三年（1044 年）升唐代云州置，治大同府，即今山西省大同市。辖境约今河北省张家口地区、山西省大同市和内蒙古自治区乌加河、东胜区以东，多伦县以西地区。金改为路。

**度辽将军府（营）** 古府专名。"度辽将军"原本是西汉末年中郎将范明友出征匈奴的官职。东汉建武二十七年（公元 51 年），耿国曾建议光武帝"置度辽将军、左右校尉，屯五原以防逃亡"（范晔：《后汉书》志第二十八，《百官》五卷）。但由于种种原因未能付诸实施。至东汉明帝永平八年（公元 65 年），正式设置度辽营，与匈奴中郎将形成掎角之势。其管辖的主要地区有今准格尔旗以北土默特右旗、包头市等地。度辽营实际上是不同于地方行政建制的军政建制。其主要职责是配合匈奴中郎将加强对民族地区的统治和军事防护。同时，也协同北方各郡、县行政，加强对整个北方地区的政治统治和军事控制。

**榆林关总管府** 古府专名。隋文帝开皇三年（公元 583 年）置，治盛乐，后改为云州总管府。下辖四县，其中阳寿、油云二县在今和林格尔、托克托县境内。

**云州总管府** 古府专名。公元 585 年（一说公元 609 年）改榆林总管府置云州总管府，管理大青山以南地区。

**燕然都护府** 古府专名。唐代羁縻都护府之一。唐太宗李世民时期（公元 627—649年）置，统辖铁勒、回纥诸部各羁縻府、州。治西受降城，在今乌拉特中旗西南乌加河北岸。辖境约今河套以北，俄罗斯叶尼塞河上游和贝加尔湖周围地区以及蒙古国，不久移治漠北回纥牙帐并更名为瀚海都护府。

**瀚海都护府** 古府专名。唐代羁縻都护府之一。统领突厥诸部各羁縻府州。治于郁督军山，即蒙古国杭爱山，不久迁治于盛乐城（今和林格尔县土城子）并更名云中都护府。

**云中都督府** 古府专名。唐代羁縻都督府之一。唐贞观四年（公元 630 年）析突厥颉利右部置，治所在今陕西省横山县境内，辖境包括今阴山河套一带乌拉特中旗、乌拉特后旗及达茂旗西部。唐龙朔三年（公元 663 年），云中都督府迁于北魏故都盛乐（今和林格尔县土城子古城），改称云中都护府。

**定襄（音 xiāng）都督府** 古府专名。唐代羁縻都督府之一。唐贞观四年（公元 630

年）析突厥颉利左部置，侨治宁朔（今陕西靖边东），统阿德州、执失州、苏农州、拔延州，辖境相当于今集宁、二连以东，苏尼特左旗、太卜寺旗以西。《新唐书·地理志》载：定襄都督府（贞观四年析颉利部为二，以左部置，侨治宁朔）领州四，阿德州（以阿史德部置）、执失州（以执失部置）、苏农州（以苏农部置）、拔延州，隶夏州都督府、云中都督府（贞观四年析颉利右部置，侨治朔方境）。

**云中都护府**　古府专名。唐代羁縻都护府之一。唐龙朔三年（公元663年）二月改瀚海都护府为云中都护府，次年更名为单于大都护府。治云中城，今和林格尔县西北土城子。统辖云中、定襄二都督府。辖境约今黄河以北，西拉木伦河源以西与宁夏回族自治区交界处的贺兰山西北地区。

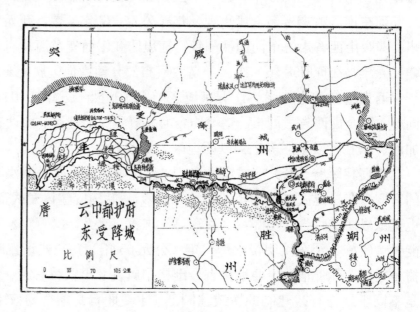

唐　云中都护府、东受降城

**单于都护府**　古府专名。唐代羁縻都护府之一。唐高宗麟德元年（公元664年）改云中都护府为单于都护府，治云中古城，即今和林格尔县西北土城子。统辖大漠以南诸羁縻府、州，辖境约今黄河以北与宁夏回族自治区交界处的贺兰山西北地区。乌兰察布地区除东南丰镇市、兴和县部分区域外均属之。"单于"是匈奴最高首领称号，匈奴语全称"撑犁孤涂单于"。"撑犁"是"天"，"孤涂"是"子"，"单于"是"广大"之意。突厥阿史德认为："单于者，天上之天。"所以在更改云中都护府名称时提出：请如胡（这里指匈奴）法立亲王为可汗。并曰："今之可汗，古之单于也，故更名为单于都护府。"这种提法，对于唐朝皇帝来说是难以接受的。但是，为了推行"羁縻"政策，协调与突厥人的关系，唐高宗即以"朕与卿为天上之天，可乎？"（王溥：《唐会要》卷七三，《单于都护府》）试探阿史德氏，看其对唐朝皇帝的态度。阿史德明知突厥想单独为"天上之天"是绝不会得到唐高宗允许的，只有双方同为"天上之天"才能达成协议。于是，云中大都护府正式改称单于大都护府。突厥人要求如胡法立亲王为可汗，是希望唐朝尊重北方游牧民族的习俗。唐王朝同意改"云中"为"单于"，是为了推行其"羁縻"政策。唐永昌元年（公元689年），单于都护曾改称"镇守使"。

**安北都护府**　古府专名。唐代羁縻都护府之一。唐高宗总章二年（公元669年）置。治今蒙古国鄂尔浑河下游西岸哈刺巴刺哈孙。统领漠北铁勒诸部各羁縻府、州。辖境约今俄罗斯叶尼塞河上游和贝加尔湖周围地区及蒙古国。约唐垂拱三年（公元687年）侨治于居延海南之同城，即今阿拉善盟额济纳旗东南哈拉浩特古城。后又移治西安城，即今甘肃省民乐县西北（一说山丹县西南99里处）。唐武周圣历元年（公元698年）又移治盛乐城，即今和林格尔县西北土城子，管辖河套东北及套内突厥、铁勒诸部羁縻府、州。唐景龙二年（公元708年）又移治中受降城，在今乌拉特中旗西南乌加河北岸（一说治大安军）。天宝八年（公元749年）再次移治横塞军，在今乌拉特中旗西南、乌拉特后旗东南阴山南麓。十四年徙治天德军，即今乌拉特前旗东北阿拉奔北古城。唐至德二年（公元757年）更名为镇北都护府。

**镇北都护府**　古府专名。唐代羁縻都护府之一。唐至德二年（公元757年）改安北都护府为镇北都护府，大历年间（公元766—779年）复名"安北"。唐乾元元年（公元758年）后移治于西受降城。西受降城被河水冲毁后，复治大同城西旧城。辖境相当今河套地区。

**桑乾都督府**　古府专名。唐代羁縻都督府之一。《凉城县志》记载：唐分定襄都督府于今凉城县境内置桑乾都督府。《中国古今地名大辞典》记载：唐龙朔三年（公元663年），分定襄都督府置，属云中都护府。约在今内蒙古自治区苏尼特左旗、苏尼特右旗、阿巴嘎旗和锡林浩特市南部。后侨治夏州朔方县（今陕西靖边北白城子）界。开元初属单于都护府。

**呼延都督府**　古府专名。唐代羁縻都督府之一。唐贞观二十年（公元646年）以突厥部置。属单于都护府。约在今阿拉善盟及蒙古国南戈壁省南部。后侨治夏州朔方县，即今陕西省靖边县北白城子。一说故址在今呼和浩特市附近。

**代州都督府**　古府专名。唐武德元年（公元618年）于代州设总管府，五年废，六年复置。管代、蔚、忻、朔四州。七年改直都督府。辖境相当今山西省忻州市、五寨县以北和河北省阳原、蔚县、尚义及乌兰察布地区兴和县、察右前旗、丰镇市等地区。

**大同府**　古府专名。辽重熙十三年（1044年）升云州为大同府并建为西京，治大同县（今山西省大同市）。辖境包括今凉城、卓资县等地。元改为路，明洪武七年（1374年）复为大同府。辖境约当今山西省桑干河流域及灵丘等地。

**砂井总管府**　古府专名。也作沙井总管府，简称为沙城。元延祐三年（1316年）以前置，建制相当于路，治砂井县，即今四子王旗乌兰花镇西北62公里处的红格尔苏木锡拉木伦庙（也称大庙）西南一公里处，锡拉木伦河东岸。辖今四子王旗、达茂旗、乌拉特三旗部分地区，领砂井一县。《中国古今地名大词典》记载：辖境约今四子王旗北部。明初废。砂井总管府古城呈正方形，轮廓清晰可见，南北590米，东

*砂井总管府遗址*

西 600 米，城墙为土筑，宽 15 米，高 1～3 米，夯层厚为 5～10 厘米。城墙四角都建有角楼，角楼高 3 米，宽 7 米，长 12 米，夯筑。在四墙中部均建有城门，城门为瓮城建筑，呈正方形，边长 20 米，高 1 米，除南门和西门不太清楚外，其余二门清楚可见，城门宽 17 米。在东边的城墙上有马面 5 个，各马面之间距离为 60～80 米，马面宽 11 米，长 7 米，为夯土筑，夯层为 5～10 厘米。南城墙上有 4 个马面，马面间距 80 米。城内建有"十"字形的街道，把整个城区分为相等的 4 部分，南北大道两侧均有土墙与城区相隔。在东西大道的西部中央距西城门约 100 米处有一圆形建筑台基，周长 50 米，高 1 米。东北角有一建筑台基。可能是当时的居住遗址。古城内遗物较少，只有少量的陶器和瓷器，为金、元时期常见遗物。这座城址显然是边防重镇，其北 15 公里处有金界壕。据史书记载和考古发掘，此城被认定为元朝砂井总管府所在。在成吉思汗和窝阔台汗时期"砂井"一名已常见于史籍。金、元两期砂井始终是漠南通向漠北的交通枢纽，元世祖时期还是木怜站道上的一个重要驿站。

**兴和府** 古府专名。明洪武三年（1370 年）以兴和路改置，治高原县（今河北张北县）。属北平布政司，辖境小于兴和路。明洪武三十年（1397 年），改置兴和守御千户所。

**匈奴中郎将府** 古府专名。西汉置美稷县，治今鄂尔多斯市准格尔旗纳林村古城。为西河郡属国都尉治。东汉建武二十六年（公元 50 年），南匈奴单于徙居于此，成为南匈奴中郎将所在地。匈奴中郎将府是一个特殊的军政建制，直属东汉中央皇朝管辖。其职责主要是配合西汉时设置在这里的属国都尉管理匈奴等北方民族有关事务。在政治和军事方面，中心任务是"主护南单于"（范晔：《后汉书》志第二十八，《百官》五卷），监护、管理土默特地区有关民族、民政事务。东汉以后这个建制逐步从历史记载中消失。

**大同路** 古路专名。元至元二十五年（1288 年），改大同府置，治今大同县（今山西省大同市）。辖境约今山西省宁武县以北、阳高县以西、乌兰察布地区南部及包头市以东地区。明洪武七年（1374年）复为大同府。

**西京路** 古路专名。又称大同路。金以西京道改置，治大同府（今山西省大同市）。辖有 5 县 8 州。在乌兰察布地区的有：宣宁县、平地县、丰

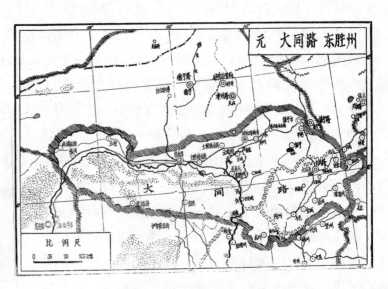

元　大同路 东胜州

州城、云内州、东胜州、红城。辖境与金代西京道辖境大致相同。蒙古汗国时废。

**净州路**　古路专名。净州路又作静州路或靖州路。元成宗初年（约 1295 年）升净州置，治天山县，在今四子王旗吉生太镇城卜子古城，属中书省。辖境约今四子王旗附近一带，领天山一县。明洪武中（约 1382 年）废。净州路古城四面环山，塔布河由南山流入。古城大致为正方形，另在西南接出南北约 100 米、东西宽 50 米一块，地势较高。其东、北两墙长 800 米，西墙 900 米，南墙曲折长度 900 米。城墙残高约 6 米。城内有两处建筑遗址，

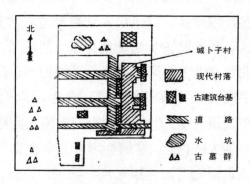

净州古城遗址示意图

南北长各约 30 米，东西宽各 15 米。古城南北和东西大街，建筑台基有十余处，并堆有大量的砖和瓷片，出土有钱币。当地居民捐赠文物中，有带"净州"字样的石刻。根据出土遗物和史书记载分析，古城被认定为金朝天山县、元朝净州路遗址，为自治区级重点文物保护单位。1959 年，在四子王旗城卜子村发现"元净州路加封孔子庙学碑"，碑文中有"净州路总管府"等字样。

**隆兴路**　古路专名。蒙古汗国中统三年（1262 年）升抚州置，治高原县，即今河北省张北县喀喇巴尔哈孙古城。辖境相当今河北省万全、张北县，山西省广灵、天镇县及乌兰察布地区兴和县。蒙古汗国至元四年（1267 年）自成一路。元武宗至大元年（1308 年）降为源州，四年（1311 年）四月复置隆兴路总管府。

**兴和路**　古路专名。元皇庆元年（1312 年）改隆兴路为兴和路。治高原县，即今河北省张北县喀喇巴尔哈孙古城。辖境相当于今河北省张北、怀安县，山西省天镇县以及乌兰察布市集宁区到锡林郭勒盟太卜寺旗之间地域，辖四县一州。《苏尼特右旗志》记载：元初苏尼特右旗地属中书省兴和路。明洪武三年（1370 年）改为兴和府。

**静安路**　古路专名。原金代边堡，元大德九年（1305 年）以黑水新城置，治静安县（今达茂旗北鄂伦苏木古城）。辖境约今内蒙古包头市达茂旗、固阳县等地。元延祐五年（1318 年）改为德宁路。

**德宁路**　古路专名。元延祐五年（1318 年）改静安路置，治德宁县（今内蒙古达茂旗北鄂伦苏木古城）。辖境约今内蒙古包头市达茂旗、固阳县及阴山以北乌拉特地区。明洪武（1368—1398 年）中废。

**集宁路**　古路专名。集宁路原为金抚州所属集宁县。元成宗至武宗年间（1295—1311 年），升集宁县为集宁路，直隶中书省，治今集宁区东南察右前旗巴音塔拉镇土城子村北古城，领集宁县。辖境约今集宁区和察右前旗东部地。明洪武（1368—1398 年）中废。集宁路遗址北依环山，南邻黄旗海，当时为漠南草原与中原汉地结合地带，处于农耕文化与游牧文化的碰撞、结合、交融的重要地理位置。该遗址出土了大量的瓷器、陶器、铜器、

铁器和铜钱等。发现了房址、道路、灰坑、十字街道等重要遗址。最重要的发现是出土了大量的金、元时期种类繁多的陶瓷、瓷器，现在可以确定的有景德镇、钧窑、定窑、磁州窑、耀州窑、龙泉窑、建窑等七大窑系，集宁路的商贸繁荣景象可见一斑。

集宁路古城遗址现存东、北城墙，残高 2～3 米，宽 5～6 米。古城东西宽 640 米，南北长 970 米。东西墙各设一城门。东门位于东城墙北段，外置方形瓮城；西门位于西城墙中段，外置马蹄形瓮城。城内道路六纵七横，将城分割为 31 个单元。城内北部正中有大型建筑台基。城外西侧有一条南北向的道路与西门瓮城内相连。明朝洪武元年（1368 年），明朝大将徐达、常遇春率军北上攻克大都，继而又攻克集宁路，集宁路古城毁于战火之中。该古城为自治区级重点文物保护单位。

**太原路** 古路专名。蒙古太祖十三年（1218 年）改太原府置，治阳曲县（今山西省太原市）。蒙古太宗初年（1229 年）以后属中书省。辖境约为今山西省宁武以北，内蒙古呼和浩特市以南及包头市、鄂尔多斯市以东地。元大德九年（1305 年）辖境缩小。

**兀剌海路** 古路专名。元改西夏黑山戚福军置，治兀剌海城。兀剌海也作兀剌孩或斡罗孩。辖境约今内蒙古自治区贺兰山以西、巴丹吉林沙漠东南部、河套以北和蒙古国阿尔泰山东南麓一带，明初废。

关于兀剌海城（路）所处地理位置多有争议。《元史·地理志》仅载路名，下注"阙"。《中国通史》记载："太祖四年，由黑水城北兀剌海西关口入河西，获西夏将高令公，克兀剌海城。"《蒙古族简史》记载："成吉思汗 1209 年，第三次对西夏用兵，再克兀剌海城，屡败西夏军，俘获其将帅，并进围西夏都城中兴府（今宁夏银川市），迫使西夏主李安全纳女求和。"根据这些记载，兀剌海路当在今甘肃省文县和四川省松潘县一带。还有一种意见认为兀剌海路在河套北狼山隘口附近。还有资料记载元代兀剌海路与西夏兀剌孩城并非同一地点，元代兀剌海路故城址应在今乌拉特中旗新忽热古城。《元史》卷一六四郭守敬传记载："舟自中兴（应该是今宁夏银川市）沿河四昼夜至东胜（应该是今托克托县）可通漕运，及见查泊、兀郎海古渠甚多，宜加修理。"《经世大典》记载："兀郎海山在河套。"并认为兀剌海路可能是因为兀郎海山而得名。如果第二种意见成立，兀剌海路应该是元朝设在乌兰察布地区的政区之一。

**上都路** 古路专名。蒙古中统四年（1263 年）置于开平府，治开平县，今内蒙古正蓝旗东北闪电河北岸。辖境约东至今河北省承德市、内蒙古赤峰市，西至山西省广灵、灵丘县，河北省万全县，内蒙古苏尼特右旗、二连市，南至河北涞源及长城，北至内蒙古苏尼特左旗，其辖境包括部分乌兰察布地区。明洪武二年（1369 年）改置开平府。

**匈奴单于庭** 古庭专名。西汉时期匈奴将所控之地分为东、中、西三部分，乌兰察布地区处于其中部。匈奴中部单于庭就设在后来的四子部落游牧地。东汉时期匈奴分裂后设南北两个单于庭。东汉建安二十二年（217 年），匈奴左贤王蒲奴自立为单于，单于庭设在漠北（今蒙古国境），是为北庭。东汉末，再设单于庭于今乌拉特前旗东北 80 里处，后徙居西河美稷县，今准格尔旗西北纳林镇古城，是为南庭。

**云中宫** 北魏时期在今和林格尔县岱州窑村修建了云中宫，为北魏皇帝北巡驻跸休息的地方。

**云中盛乐宫** 北魏时期在今托克托县云中古城修建云中盛乐宫，为北魏皇帝北巡驻跸休息的地方。

# 五 古属国、司、省名称

**朔方属国** 汉朝属国专名。为安置附汉的匈奴人，汉武帝元狩二年（公元前121年）设置朔方属国，都尉治所在西河郡美稷县，今准格尔旗境内，辖境包括乌兰察布西部地域。

**云中属国** 汉朝属国专名。为安置附汉的匈奴人，汉武帝元狩二年（公元前121年）设置云中属国，都尉治所在五原郡浦泽县。

**西北路招讨司** 古招讨司专名。金初设置，金世宗大定年间（1161—1189年）迁至界墙附近置桓州（今锡林郭勒盟正蓝旗西北四郎城），管辖范围约桓、昌、抚三州界外各部族。

**西南路招讨司** 古招讨司专名。金代高级军政机构之一，设在丰州天德军，即今呼和浩特市东白塔村。其主要职责是控制西夏，指挥和处理天德军、开远军、镇西军、武兴军、和清军的兵事，管理丰、净、云内、东胜、宁边等州外各部族。

**代北云朔招讨司** 古招讨司专名。辽契丹神册元年（公元916年）十一月置，治柔服县，今托克托县古城镇东北五公里处的白塔古城。辽清宁初（约1055年）升为云内州。

**录事司** 古代行政建制专名。蒙古太祖末年（约1221—1227年），废云川县置录事司。治今托克托县大皇城古城，至元四年（1267年）撤销。

**黑山威福军司** 古代行政建制专名。西夏所置十二监军司之一。治今乌拉特中旗西南狼山隘口（一说在今甘肃山丹县北龙首山）。元改置兀剌海路。

**山西布政使司** 古代行政建制专名。元建大都（今北京市）以后，称太行山以西为山西，设河东山西道宣慰司，属中书省。明洪武二年（1369年）设山西行中书省，九年（1376年）改行中书省为山西布政使司，领大同、太原、汾州、潞安、平阳五府。乌兰察布地区时属大同府管辖。

**中书省** 元代政区建制专名。蒙古中统元年（1260年）置，除总理全国政务外直辖腹里地区。治开平（五年改为上都路，治今内蒙古正蓝旗东闪电河北岸）。至元四年（1267年），移治中都（九年改为大都，今北京城西北隅）。至顺初（1330年），辖境相当今河北、山东、山西三省及内蒙古从河套以东至通辽市，吉林省白城市、通榆县、长怜县以西，河南省黄河以北（原阳、延津、封丘县除外）虞城县，江苏省丰县、沛县，安徽省砀山县等，通称腹里。明洪武元年（1368年）废。辖境分属河南、山东两行省。

**德宁分司** 元代政区建制专名，全称河东山西道宣慰司德宁分司。元延祐年间（1314—1320年），河东山西道宣慰司曾在今内蒙古达茂旗北鄂伦苏木古城设立军事上由朝廷直接控制的分司。因该古城当时为德宁路治，故称河东山西道宣慰司德宁分司。

**天山分司** 元代政区建制专名，全称河东山西道宣慰司天山分司。元延祐年间（1314—1320年），河东山西道宣慰司曾在今四子王旗原吉生太乡城卜子古城设立军事上由朝廷直接控制的分司。因该古城当时为天山县治，故称河东山西道宣慰司天山分司。

# 六　古县名称

**且如县** 古县专名。亦作沮洳城或沮洳县（沮洳指沼泽地带），建于战国中期约公元前258年。《中国古今地名对照表》记载：西汉置，治今兴和县店子镇后河北岸南湾古城，属代郡，为代郡中部都尉治。辖境包括今兴和县、察右前旗部分地区。东汉末废。

**云中县** 古县专名。秦以战国时代云中城置，治今托克托县东北古城，为云中郡治。东汉建安年间（公元196—219年）移治今山西省原平市西南，改属新兴郡。北魏太平真君七年（公元446年）废，入定襄县。北周建德六年（公元577年）改大同西十五公里处的太平县置云中县，治今山西省大同市西，属长宁郡。隋开皇初年（公元581年）改为云内县。《旧唐书》卷三十九记载：云州，隋马邑郡之云内县界恒安镇也。唐开元十八年（公元730年）再置云中县，治今山西大同市，为云州治。五代时仍称云中县，为云州治。辽重熙十七年（1048年），析云内县东部置大同县，为西京大同府治。蒙古汗国至元二年（1265年）废，并入云中。这一地名在今托克托县使用5个世纪，在今山西省大同地区使用了近18个世纪。无论是今山西省大同地区的云中还是今托克托县的云中，均辖有乌兰察布部分地域。

**远服县** 古县专名。原秦汉云中县，新莽时期改称远服县，东汉恢复原名。

**云内县** 古县专名。隋文帝开皇元年（公元581年），杨坚以"云中"一名讳其父杨忠之名为由改云中县为云内县。辖境包括今兴和县、丰镇市等乌兰察布地区东南地域。隋末废。

**武泉县** 古县专名。西汉高祖七年（公元前200年），周勃、灌婴击败匈奴于武泉北，置武泉县，属云中郡，东汉末废。治今呼和浩特市东北塔布陀罗海古城，一说今卓资县西北三道营村。《托克托县志》记载：武泉县，今托克托县黑水泉村，一说在呼和浩特市东郊塔利村古城。

**顺泉县** 古县专名。原西汉武泉县，新莽时期改称顺泉县。东汉恢复原名。汉末废。

**桢陵县** 古县专名。西汉置桢陵县，属云中郡，治今清水河县喇嘛湾镇缘胡山东南黄河东岸拐上村东山坡处。一说在今托克托县章盖营村南。为云中郡西部都尉治。

**桢陆县** 古县专名。原桢陵县，新莽时期改称桢陆县。《水经注》写作"楨陆县"。

**箕（音 jī）陵县** 古县专名。东汉改桢陆县置，属云中郡。汉末废，县驻地后变为聚落（村镇）。

**沙陵县** 古县专名。西汉置沙陵县，治今托克托县北哈拉板申古城，属云中郡，东汉末废。

**西恩县** 古县专名。原西汉沙陵县，新莽时期改称西恩县，东汉恢复原名，东汉末废。

**常德县** 古县专名。西汉置常德县，治今托克托县七星湖附近哈拉板申村西葡萄拐，属云中郡。

**阳寿县** 古县专名。原西汉常德县，新莽时期改称阳寿县，东汉初废。隋开皇三年（公元583年）复置，治今鄂尔多斯市准格尔旗十二连城，沿用汉代阳寿县名称。属云州榆林郡。

**金河县** 古县专名。原隋阳寿县，隋开皇十八年（公元598年）更名为金河县。《中国古今地名对照表》记载，唐武德四年（公元621年）置。《隋书·地理志》记载："金河县初曰阳寿，盖相近故取名"，仍归榆林郡管辖。二十年（公元600年）筑金河城，同年金河县废。隋仁寿二年（公元602年）复置，后废。唐天宝四年（公元745年）再置金河县，并移治今和林格尔县西北土城子，为单于都护府治，唐末废。今呼和浩特大黑河古称金河，因金河绕城而过，故命名为"金河县"。据考，金河县有西、中、东三个，西边的是指今鄂尔多斯市准格尔旗十二连城，即隋朝金河县，中部的是指今托克托县七星湖（现已干涸）一带的隋代金河城，东边的是指今和林格尔县土城子古城的唐时金河县。

**陶陵（林）县** 古县专名。西汉置，云中郡属县，位于云中郡东北境，治今呼和浩特市东北大黑河西岸，为云中郡东部都尉治。东汉末废。

**咸阳县** 古县专名。西汉置咸阳县，属云中郡，治今土默特右旗原苏波盖乡东老藏营村北。

**贲武县** 古县专名。原西汉咸阳县，新莽时期更名为贲武县，东汉恢复原名。东汉末废。

**犊和县** 古县专名。西汉置，云中郡属县，治今土默特右旗水涧沟门附近。《中国古今地名大词典》记载：治今内蒙古自治区固阳县东南。东汉末废。

**原阳县** 古县专名。西汉以战国赵邑原阳置，属云中郡，治今呼和浩特市东南二十家子古城（一说八拜古城），是赵国训练骑兵，学习游牧民族骑马射箭本领的基地。一说原阳县位于今萨拉齐县（今土默特右旗）境。东汉末废。

**沙南县** 古县专名。汉代设置，云中郡所辖县。沙南县城址在今鄂尔多斯市准格尔旗十二连城。其西南为库布其沙漠地带，因与西河郡之间交通不便，这座位于黄河西岸的城郭，在汉代划归云中郡管领，而不属于西河郡管领。

**北舆县** 古县专名。西汉太始元年（公元前96年）置，属云中郡，治在今呼和浩特市区塔布陀罗海古城，一说在今武川县境。为云中郡中部都尉治。东汉末废。

**定襄县** 古县专名。西汉高帝年间（公元前 206—前 195 年）置定襄县，属定襄郡，治今呼和浩特市赛罕区黄合少镇城墙村古城，一说治今和林格尔县原公喇嘛乡古力半村，还有一说治今呼和浩特市东南美岱二十家子古城。唐贞观十四年（公元 640 年），定襄县移治今山西省大同市北置定襄县，兼为云州治，后废。唐开元十八年（公元 730 年）改定襄县为云中县。

**着武县** 古县专名。原西汉定襄县，新莽时期改称着武县。定襄郡移治后，东汉建武二十六年（公元 50 年）改属云中郡，东汉建安年间（公元 196—219 年）废。

**成乐县** 古县专名。西汉高帝年间（公元前 206—前 195 年）置盛乐县，属定襄郡，也称"盛乐县"或"石卢城"。治今和林格尔县盛乐镇土城村，为定襄郡治所。东汉定襄郡移治后并入云中郡。东汉末废。《中国古今地名大词典（1931 年版）》记载："《胡三省注》盛乐《前汉书》作成乐，属定襄；《后汉书》作盛乐，属云中。疑定襄之成乐，即云中之盛乐也。"

**桐过县** 古县专名。西汉高帝年间（公元前 206—前 195 年）置桐过县，属定襄郡，治今清水河县原小缸房乡城嘴子山。一说在清水河县上城湾古城。

**椅桐县** 古县专名。原西汉桐过县，新莽时期改称椅桐县，东汉建武十年（公元 34 年），定襄郡移治后并入云中郡。东汉末废。

**骆县** 古县专名。西汉高帝年间（公元前 206—前 195 年）置骆县，属定襄郡，治今清水河县城北古城坡。一说在清水河县窑沟乡下城湾一带。《清一统志》记载：骆县故城在今山西省平鲁县西北塞外归化城界内。

**遮（音 zhē）要县** 古县专名。原西汉骆县，新莽时期改称遮要县。东汉末废。

**武成县** 古县专名。西汉高帝年间（公元前 206—前 195 年）置武成县，也作武城县，治今清水河县城北，一说在今和林格尔县新店子乡榆林城。一说：后汉置武成县，故治在今山西平鲁县西北。

**桓（音 huān）就县** 古县专名。原西汉武成县，新莽时期改称桓就县，东汉恢复原名。东汉建安二十年（公元 215 年），因匈奴侵扰而弃废。

**武要县** 古县专名。西汉高帝年间（公元前 206—前 195 年）置武要县，属定襄郡，为定襄郡东部都尉治，治今卓资县梨花镇三道营南约 4 公里处的土城子村北。武要县城分东西二城，西城东西宽 480 米，南北长 690 米，城墙残高 5～8 米，宽 8～12 米，均为夯筑。

**厌胡县** 古县专名。原西汉武要县，新莽时期改称厌胡县，东汉初废。

**都武县** 古县专名。《土默特史》记载：都武县位于土默川平原，西汉属定襄郡。

**通德县** 古县专名。原西汉都武县，新莽时期改称通德县。东汉初废。

**武进县** 古县专名。西汉高帝年间（公元前 206—前 195 年）置武进县，属定襄郡，治今和林格尔县原黑老窑乡古城窑村，为定襄郡西部都尉治。

**伐蛮县** 古县专名。原西汉武进县，新莽时期改称伐蛮县，东汉恢复原名。定襄郡移治后东汉建武二十六年（公元 50 年）改属云中郡。东汉建安二十年（公元 215 年）废。

**安陶县** 古县专名。西汉高帝年间（公元前 206—前 195 年）置安陶县，属定襄郡，治今和林格尔县原公喇嘛乡古力半村。一说在今呼和浩特市东南原黄合少乡城墙村古城或在今呼和浩特市二十家子村。

**迎符县** 古县专名。原西汉安陶县，新莽时期改称迎符县，东汉末废。

**武皋县** 古县专名。西汉高帝年间（公元前 206—前 195 年）置武皋县，为定襄郡中部都尉治。故城在今武川县境，一说在今和林格尔县塔布秃村。

**固阴县** 古县专名。原西汉武皋县，新莽时期改称固阴县。《中国古今地名大词典（1931 年版）》记载："治今内蒙古卓资县西北。为定襄郡中部都尉治。"

**复陆县** 古县专名。西汉高帝年间（公元前 206—前 195 年）置复陆县，应在今山西省境内，一说在今乌兰察布市境内。

**闻武县** 古县专名。原西汉复陆县，新莽时期改称闻武县。东汉末废。

**襄（音 xiāng）阴县** 古县专名。西汉置襄阴县，治今呼和浩特市附近，后废。《中国古今地名大词典》（1931 年版）记载："汉置。今阙，当在绥远归绥县境。金置，元废，即今察哈尔阳原县治。"

**沃阳县** 古县专名。西汉置沃阳县，属雁门郡，一说属善无郡。为雁门郡西部都尉治，故址在今凉城县六苏木镇双古城村东南约 1 公里处，东汉末废，北魏复置。辖今黄旗海、岱海一带地区，北齐又废。沃阳县城呈长方形，东西宽 327 米，南北长 494 米，古城总面积 16 万平方米。中有一墙将城分为南北两城（南城略大），所以俗称双古城。隔墙中部开门，夯筑城墙，城墙外有护城河。《水经注》记载："参合县西去沃阳故城二十里，县北十里，有都尉城。"又载："一水东北流，谓之沃水，又东经沃阳县故城南，北俗谓之可不塈城，王莽之敬阳也。"又云："沃水又东北流，注盐池。《地理志》曰：盐泽在东北者也。今盐池西去沃阳故城六十五里，池水澄淳，渊而不流，东西三十里，南北二十里。"沃水即今凉城县境内的弓坝河。根据上述资料记载，沃阳县故城在弓坝河北岸。"盐泽"即岱海，距双古城遗址恰好 65 里。

**中陵县** 古县专名。西汉置中陵县。《水经注》记载：善无县南七十五里有中陵县。东汉建武二十五年（公元 49 年）又置中陵县。治今山西省朔州市平鲁区西北。属雁门郡。东汉建安末废。辖境包括今清水河县南缘部分地区。

**成平县** 古县专名。原战国赵邑，秦置成平县，为九原郡治所，与九原郡同治。秦末废后属地归匈奴。

**九原县** 古县专名。原秦始皇时期成平县，西汉元朔二年（公元前 127 年）复置并更名为九原县，属五原郡，为五原郡治。新莽时期改称"成平县"，东汉建安时废。隋再置九原县，属五原郡，治丰州。

**五原县** 古县专名。西汉置，地处乌拉山以南、黄河以北。其西侧是黄河南北两条支流的汇合口。有资料称在今包头市西麻池古城，还有一说在今乌拉特前旗原哈业胡同乡三顶帐房村西，当地有一古城，应为九原古城遗址。

**填河亭县** 古县专名。原西汉五原县，新莽时期改称填河亭县，东汉建安废。《水经注》记载：成平县西北接对一城，盖五原县之故城也，王莽之填河亭也。

**成宜县** 古县专名。西汉置成宜县，后汉因之，五原郡属县。故城在今乌拉特前旗东南黄河北岸故九原城西。

**艾虏县** 古县专名。原西汉成宜县，新莽时期改称艾虏县，东汉末年废。

**临沃县** 古县专名。西汉置临沃县，属五原郡，治今包头市西麻池镇古城。该古城是西汉设在今包头市的规模最大、保存最好的城郭遗址。古城呈双菱形，分南北二城，南城略大。占地约90公顷，周围有大量汉代墓葬，墓中发现有"单于天降""单于和亲"等文字瓦当。1964年定为自治区级文物保护单位。

**振武县** 古县专名。原西汉临沃县，新莽时期改称振武县，东汉恢复原名，东汉末废。辽神册元年（916年），辽太祖置振武县，属丰州，治盛乐城，即今和林格尔县西北十公里处土城子古城。原本唐振武节度使驻地，即金河县。金废，改置振武镇。

**西安阳县** 古县专名。西汉置西安阳县，属五原郡，故城在阴山以南今乌拉特前旗境东南公庙沟口古城。

**鄣安县** 古县专名。原西汉西安阳县，新莽时期改称鄣安县。《水经注》中写作"漳安县"。东汉恢复原名，东汉末废。《后汉书·蔡邕传》记载：邕与家属，"居五原安阳县"即此。

**尖山县** 古县专名。北魏置尖山县，属朔州神武郡，治今清水河县北堡乡尖山村。县名依境内尖山命名。《中国古今地名大辞典》（1931年版）有不同记载："后魏置尖山县，故城在今山西省神池县。"

**树颓县** 古县专名。北魏置树颓县，朔州神武郡属县，故城在今清水河县原杨家窑乡境内。县名依境内树颓水命名。

**曼柏县** 古县专名。西汉置曼柏县，后汉因之。五原郡属县，故城在今乌拉特前旗境黄河北，一说在鄂尔多斯市东北榆树壕古城。东汉永元六年（公元94年），南匈奴单于安国欲诛其左贤王师子，师子率部遁入曼柏，即此。

**延柏县** 古县专名。原西汉曼柏县，新莽时期改称延柏县，东汉末废。

**稒阳县** 古县专名。原战国稒阳邑，西汉改置稒阳县，治今包头市东古城湾古城。《中国古今地名对照表》记载：治今包头市南，属五原郡。东汉初废。汉代为北边交通要地。《汉书·地理志》记载：稒阳县"北出石门障得光禄城，又西北得支就城，又西北得头曼城，又西北得虏河城，又西得宿虏城"，由此途经光禄等城，通往塞北和匈奴。

**莫䴙（音dàn）县** 古县专名。西汉置莫䴙县，属五原郡。故城在阴山以南今乌拉特前旗境内，东汉末废。

**河目县** 古县专名。西汉置，属五原郡，故城在今乌拉特前旗东北乌梁素海东岸。东汉末废。

**浦泽县** 古县专名。西汉置，属五原郡，约在今乌拉特前旗、包头市至准格尔旗一带。

**朔方县** 古县专名。西汉元朔二年（公元前127年）置朔方县，东汉因之，属朔方郡，朔方郡治所在地，一说朔方县城址在今鄂托克旗西北部。东汉末废。4世纪上叶，十六国后赵复置，治沿用东汉旧址，4世纪下叶前秦以后又废。

**武符县** 古县专名。原西汉朔方县，新莽时改称武符县，东汉恢复原名，东汉末废。

**三封县** 古县专名。西汉元狩三年（公元前120年）置三封县，属朔方郡，为朔方郡治。治今巴彦淖尔市磴口县西北原哈腾套海苏木驻地西南四公里处麻迷图庙古城，古临戎县西70公里处，东汉末废。辖今磴口县北半部地域。该县地域清朝时期归乌兰察布地区。三封县城址南面有一座藏传佛教废墟，庙名麻弥图，因此又称为麻弥图庙古城。这座古城是一座内外两重城相套的城垣。外城呈不规则的长方形；内城也就是子城，位于外城的西北隅。这种筑有子城的城垣，是西汉初年在北边设郡县时出现的一种新的城市形式。现今内蒙古境内所见的汉代城址中，有不少都筑有子城。三封城为郡治所在地，建筑子城做郡守的官府，也是政治军事上的需要。

**临戎县** 古县专名。西汉置临戎县，属朔方郡，治今巴彦淖尔市磴口县原补隆淖乡河拐子村，古三封县东70公里处。《中国古今地名大词典》记载：在磴口县北补隆淖村。黄河主流原流经临戎县城西，现今改道流经古城东北方。临戎县城以西的广阔地带，原是一片可灌溉种植的沃土，黄河洪水溢出，积成一个大湖，名叫屠申泽，又名窳浑泽。

**推武县** 古县专名。原西汉临戎县，新莽时期改称推武县，东汉恢复原名，并为朔方郡治，东汉末年废。

**沃野县** 古县专名。西汉元狩三年（公元前120年）置沃野县，属朔方郡，治今磴口县东北补隆淖东北巴拉亥。一说在今乌海市蓝城子。《中国古今地名大词典》（1931年版）记载："故城在今绥远境内蒙古鄂尔多斯右翼，黄河西岸白塔之东，腾格里泊之南。"

**绥武县** 古县专名。原西汉沃野县，新莽时期改称绥武县，东汉恢复原名，东汉末废。

**广牧县** 古县专名。朔方郡属县，为朔方郡中部都尉治。故城址在今乌拉特前旗西小召镇东土城古城。《中国古今地名大词典》记载：治今五原县西南土城子，东汉末废。

**极武县** 古县专名。西汉元朔二年（公元前127年）置极武县，属朔方郡，为朔方郡西部都尉治。治今巴彦淖尔市磴口县原沙金套海苏木驻地西南三公里处保尔浩特土城。

**窳（音yǔ）浑县** 古县专名。原西汉极武县，新莽时期改称窳浑县，因具体方位在窳浑泽西近边处，故更名窳浑县。东汉时期朔方郡治搬迁到临戎县后，撤销了窳浑县。

**延陵县** 古县专名。秦始皇时期以原赵国延陵城置延陵县，属代郡，治今兴和县张皋镇大同窑村南约200米处沙河沟地。东汉末年，经卢芳之乱后废。延陵县城历时500多年。

该城分大小两城，大城城墙周长约 4000 米；小城南墙长 650 米，现残高约 2 米。《中国古今地名大词典》记载：本战国赵延陵邑。西汉置县，治今山西省天镇县北。属代郡。东汉初废。

**威宁县** 古县专名。金承安二年（1197 年），以新城镇升置威宁县，属抚州，治今兴和县西北 20 公里处的民族团结乡台基庙村南 1 公里处的城卜子古城。元初在其废址上重建并更名为咸宁县，隶宣德府。蒙古汗国中统三年（1262 年）归隆兴府，后属兴和路。辖境包括今乌兰察布市兴和县东南部分地域。故城呈长方形，周长约 2 公里。现东城墙遗迹明显，残高 1 米。古城背坡面川，后河水从西北流向东南。明洪武年间（1368—1398 年）废。

**咸宁县** 古县专名。原金代威宁县，元更名为咸宁县。地名含义为全部安定安宁。

**武皋县** 古县专名。西汉置，治今卓资县境西北，东汉废。

**高柳县** 古县专名。西汉以高柳邑置，属代郡，治今山西省阳高县西北，为代郡西部都尉治。辖境包括今乌兰察布地区东南地域。东汉为代郡治，东汉末废。北魏复置，为高柳郡治。《魏书·太祖纪》记载：北魏登国元年（公元 386 年），帝"出代谷，会贺麟于高柳"，即此。北齐年间（公元 550—577 年）废。

**马邑县** 古县专名。秦始皇时期置马邑县，汉代沿袭，属雁门郡。治今山西省朔州市。其辖境包括今丰镇市、察右前旗部分地区。西晋沿袭。辖境包括乌兰察布地区东南部分地域。西晋永嘉中（约公元 310 年）废。

**延民县** 古县专名。北魏置延民县，属云中郡，为云中郡治，故址在托克托县东北古城村。《中国古今地名大词典》（1931 年版）有不同记载：后魏置，在今山西省祁县境东。

**武都县** 古县专名。西汉置武都县，后汉因之，五原郡属县，故址在今乌拉特前旗境。东汉末废。《中国古今地名大词典》记载：治今准格尔旗西北、达拉特旗东南交界处。

**宜梁县** 古县专名。西汉置宜梁县，属五原郡。治今乌拉特前旗东南三顶帐房古城。东汉末废。

**参合县** 古县专名。北魏置参合县，梁（凉）城郡所领县，按照《清一统志》记载，治今凉城县西南。北齐年间（公元 550—577 年）废。

**旋鸿县** 古县专名。北魏置旋鸿县，属梁（凉）城郡，一说在今凉城县岱海东南岸。治今丰镇市西北。境内有旋鸿池，原址应在丰镇市正西饮马河上游一带，辖境包括今凉城县部分地域。北齐年间（公元 550—577 年）废。

**裋鸿县** 古县专名。北魏置裋鸿县，治今山西省大同县北，辖境包括凉城县、丰镇市南部地域。《土默特史》记载：裋鸿县约位于岱海以东，今内蒙古丰镇市以北地区。

**彊阴县** 古县专名。西汉置彊阴县，也称伏阴县，《中国古今地名对照表》写作"强阴县"，属雁门郡。治今凉城县境岱海东南，一说在丰镇市。东汉末废。

**永固县**　古县专名。北魏太和中（约公元486年）置永固县，治今山西省大同市西北，属代郡。南北朝时期今丰镇市部分地区属永固县。北齐年间（公元550—577年）废。

**石门县**　古县专名。北魏置石门县，属广宁郡，治今包头市附近。今土默特右旗西北部分地区属石门县。北魏孝昌初年（约公元525年）废。

**中川县**　古县专名。北魏置中川县，属广宁郡，治今土默特左旗境内。今土默特左旗西部，土默特右旗东部地属中川县。孝昌初年（约公元525年）废。

**油云县**　古县专名。隋开皇四年（公元584年）在今土默特右旗境内置油云县，属云州管辖。云州东徙大利城后（约隋开皇二十年）油云县并入金河县。

**大利县**　古县专名。隋大业初年（约公元605年）隋炀帝置大利县，治今和林格尔县境西北。属定襄郡大利城，为定襄郡治。隋末废。《隋书·高祖纪》记载："开皇十九年，以突利可汗为启民可汗，筑大利城，处其部落。"《中国古今地名词典》（1931年版）有不同记载："隋置，唐废，故城在今绥远清水河县境。"

**榆林县**　古县专名。乌兰察布地区曾三次设置榆林县；一是隋王朝在胜州即今准格尔旗十二连城设置；二是唐置榆林县，故址在今兴和县城关镇南25公里处的白家营村东南2.5公里处。后废。三是明宣德年间（1426—1435年）复置榆林县，明正统年间（1436—1449年）毁废。

**富昌县**　古县专名。隋置，在今鄂尔多斯市准格尔旗十二连城东面的天顺圪梁，属关内道胜州榆林郡。

**河滨县**　古县专名。唐贞观三年（公元629年）置河滨县，治今鄂尔多斯市准格尔旗原十二连城乡东境，属关内道胜州榆林郡。因位于黄河西岸得名"河滨"。辽属东胜州，金废。辖境包括今清水河县地域。

**安化县**　古县专名。隋开皇十一年（公元591年）置安化县，属五原郡。在今乌拉特前旗西小召镇境。《中国古代地名词典》记载：故址在今绥远鄂尔多斯境。

**永丰县**　古县专名。隋开皇五年（公元585年）升永丰镇置永丰县，治今内蒙古自治区杭锦后旗东北，属五原郡。唐武德六年（公元623年）废，永徽元年（公元650年）复置。属丰州。唐末废。

**丰安县**　古县专名。唐麟德元年（公元664年），析永丰县置丰安县，治今乌拉特前旗西北。属丰州，唐天宝末废。

**奉义县**　古县专名。辽析云中县置奉义县，治今山西省大同市东北，属大同府。辖境包括今乌兰察布地区东南部分地域。金废。

**长青县**　古县专名。辽置长青县，治今山西省阳高县东南大白登镇。属大同府。辖境包括乌兰察布地区东南部分地域。金大定七年（1167年）改为白登县。

**白登县**　古县专名。金大定七年（1167年）改长青县置白登县，治今山西省阳高县东南大白登镇。属大同府。蒙古汗国至元二年（1265年）降为镇，后复置。属大同路。

辖境包括今乌兰察布地区东南部分地域。明洪武元年（1368 年）废。

**宣德县**  古县专名。辽开泰八年（1019 年）置宣德县，治今凉城县岱海东北麦胡图镇淤泥滩城卜子村。属德州并为德州治。古城为长方形，东西 504 米，南北 323 米。四面城墙中间开门，各门均有瓮城，四周有角楼遗迹。金大定八年（1168 年）改名为宣宁。辖今凉城县、卓资县等地。

**宣宁县**  古县专名。金大定八年（1168 年）改宣德县置宣宁县，县治、辖境基本没有变化。元代沿袭，明洪武二十六年（1393 年）废后改置宣德卫。

**天成县**  古县专名。辽析云中县置天成县，治今山西省天镇县，属德州。金属大同府，元属兴和路。明洪武四年（1371 年）改属大同府。辖境包括乌兰察布地区东南部分地域。

**富民县**  古县专名。辽置富民县，金因之，丰州倚郭县，治丰州城，即今呼和浩特市东白塔村西南五路村。辖境包括今呼和浩特市、卓资县、察右中旗和察右后旗部分地区。蒙古汗国至元四年（1267 年）废入丰州。

**裕民县**  古县专名。金初置裕民县，治今托克托县东北大黑河北岸。《中国古今地名对照表》记载：治今土默特左旗境东，后改为云川县。属云内州。金皇统元年（1141 年）废。

**云川县**  古县专名。原名曷董馆，后升为裕民县，金皇统元年（1141 年）又废为曷董馆。金大定二十九年（1189 年），又升为县并更名为云川县。治今呼和浩特市托克托县东北大黑河北岸。属云内州。元初废，改置录事司。《土默特右旗志》有不同记载：大定十九年（1179 年），裕民县改为云川县，为西京路云内州之西部地。

**柔服县**  古县专名。辽置柔服县，金因之，治今托克托县东北五公里西白塔古城。为云内州治。金大定年间（约 1190 年）废为镇。蒙古汗国至元四年（1267 年）归入云内州。《中国古今地名大词典（1931 年版）》有不同记载：辽置，金因之。今阙，当在山西朔平府境。

**宁仁县**  古县专名。宁仁县属云内州，在今山西省旧朔平府境。辖境包括今清水河、托克托县部分地域。金大定年间废县为镇。

**宁人县**  古县专名，又作宁仁县。《中国古今地名对照表》记载：辽置，治今托克托县境，金代废。

**东胜县**  古县专名。金代置，治今托克托县城关镇，为东胜州治，蒙古至元四年（1267 年）年废。

**宁边县**  古县专名。金正隆三年（1158 年）置宁边县，治今清水河县境西。为宁边州倚郭县，宁边州治。蒙古汗国至元四年（1267 年）并入武州。一说贞祐三年（1215 年）改隶岚州节度使，次年升为防御州。

**天山县**  古县专名。金大定十八年（1178 年）置天山县。原为丰州属县，后为丰州支郡净州所领。治今四子王旗吉生太镇城卜子古城，为净州治。辖境约今四子王旗、达茂旗、武川县境。元代，天山县为净州路倚郭县，净州路治。辖境同金代。金末，汪古部首领阿剌兀思剔吉忽里与成吉思汗结为"安达"（好友），其子孛要合时为北平王，娶成吉思汗女阿剌海别吉公主为妻。成吉思汗灭金后，将此地封给孛要合为其食邑。孛要合死后追称为"赵王"。所以，天山县地也称驸马赵王封地。明洪武年间（1368—1398 年）废。

**柔远县**　古县专名。柔远县系抚州倚郭县，金大定十年（1170 年）置柔远镇，后升为县，当时属宣德州。金明昌三年（1192 年）归抚州，辖境约今锡林郭勒盟以南，河北省张北县、沽源县、乌兰察布市兴和县等地区。《中国古今地名大词典》记载：属奉圣州，蒙古中统四年（1263 年）改称高原县。

**高原县**　古县专名。原兴和路倚郭柔远县，蒙古汗国中统四年（1263 年）改为高原县，治今河北省张北县，为兴和路治。明洪武三年（1370 年）为兴和府治。后废。辖境北靠今兴和县东北境。

**集宁县**　古县专名。金明昌三年（1192 年）置集宁县，治今乌兰察布市集宁区东南，察右前旗巴音塔拉镇土城子村，属西京路。辖境约包括今察右前旗、察右后旗、兴和县、商都县、集宁区等地。元为集宁路治。明洪武年间（1368—1398 年）废。

**丰利县**　古县专名。金明昌四年（1193 年）以泥泺（元代蒙古名失八儿秃【Xabart】）置丰利县，治约今兴和县北、商都县东南一带。属抚州。一说治今河北省沽源县南石头城。元代废。

**平地县**　古县专名。蒙古汗国至元三年（1266 年）于平地袠置平地县，治今察右前旗境西北平地泉镇原三号地乡苏集村南（一说在大土城村）。属大同路。明洪武（1368—1398 年）中期废。元朝时期，在和林格尔县榆林城村北也曾置平地县，隶大同路。

**静安县**　古县专名。元大德九年（1305 年）置静安县，治黑水新城，今达茂旗北鄂伦苏木古城。为静安路治。元延祐五年（1318 年）改名为德宁县。

**德宁县**　古县专名。元延祐五年（1318 年）改静安县置德宁县，治今达茂旗北鄂伦苏木古城，为德宁路治。明洪武（1368—1398 年）中期废。

**砂井县**　古县专名。也作沙井县。元置砂井县，砂井总管府倚郭县，为砂井总管府治。明初废。

# 七　古城、镇、邑名称

**云中城**　古城专名。战国赵武灵王筑云中城，城址在今托克托县东北古城村，为云中郡治。云中城经历秦、汉、北魏等王朝的延续使用，历时长达 9 个世纪。城垣也经过多次修缮和改造。现今地表城墙已基本塌毁，南城墙尚保存较好，残高约 5 米。现存城墙每面长约 2000 米，周长约 8000 米。城内西南隅建有一座子城，长宽各约 130 米。早年考古工作者曾在城内采集到各个时代的瓦当，城内出土过北魏鎏金铜佛像、石刻佛像等遗物。城内分布有战国至北魏时期的墓葬数量很多。1956年曾在城外西南方的什尔登村清理了一座，为西汉闵氏壁画墓，对于研究古城的历史和汉代的社会生活，具有一定的参考价值。云中城是战国时代北部边疆政治军事重地，是乌兰察布地区建立最早、规模最大的城池之一。

**双古城** 古城专名。战国晚期赵武灵王修筑双古城，为沃阳县治，位于凉城县六苏木镇双古城东南约2公里处。城池呈方形，边长80米。城墙夯筑，基宽6米，残高2~5米。南墙中部开门，门宽5米。

**延陵城** 古城专名。公元前453年筑延陵城，为后来的延陵县治，属赵国。古城址在今兴和县张皋镇大同窑村南约200米处沙河沟地。"延陵城在大同府东北塞外，是战国时赵国的一个县。"《方舆纪要》记述，当时延陵城建制完善，实力雄厚，是乌兰察布地区最早的古城之一。古城建在延乡水旁（今银子河上游），故称延陵城。又因城墙沿着弯弯曲曲的古延乡水而建，所以，俗称琦川城（琦川，弯弯曲曲的城）。延陵古城垣内有大城和小城相互迭压，现只存小城城墙650米，残高2米。根据从城内出土的大量秦、汉纹式瓦当、板瓦、筒瓦考证，小城可能经历再次修筑。大城城垣周长约2000米，城墙遗迹大部分被洪水冲走，部分深埋地下约1米。

**琦川城** 古城专名。古延陵城别称，古延陵城西城墙随着弯弯曲曲的古延水河床而筑，远处望去弯弯曲曲，所以当地人又称琦川城。

**田辟城** 古城专名。田辟城位于古西安阳县东，今乌拉特前旗境东南公庙沟口古城，为朔方郡故西部都尉治。

**石崖城** 古城专名。位于今乌拉特前旗东南三顶帐房古城南。《水经注》卷三记载：河水（黄河）又东迳宜梁县之故城南，阚骃曰：五原西南60里，今世谓之石崖城。

**原亭城** 古城专名。位于今乌拉特前旗东南黄河北岸故成宜县东。《水经注》卷三记载：河水（黄河）又东迳原亭城南。阚骃《十三州志》曰：中部都尉治。

**梼（音táo）阳城** 古城专名。位于今乌拉特前旗东南三顶帐房古城东南，故石崖城东南。《水经注》卷三记载：河水（黄河）又东迳梼阳城南，东部都尉治。

**塞泉城** 古城专名。塞泉城故城在今萨拉齐镇附近，古临沃县东35公里处。《水经注》卷三记述："……河水（黄河）又东迳塞泉城南而东注。"

**光禄城** 古城障专指名称。西汉武帝太初三年（公元前102年），汉使光禄勋徐自为在原五原郡长城边塞外，阴山石门水峡谷（昆都仑沟）口修筑光禄城作为军事城障，以控扼汉、匈之间南北重要交通的石门水谷道。城址在今乌拉特前旗小召门梁古城。是当时的要塞，号为绝塞。《汉书·地理志》："北出石门障，得光禄城。"因光禄城由光禄勋徐自为所筑，且南邻长城边，故又称"光禄塞"。

**头曼城** 古城专名。西汉初年，匈奴冒顿单于将氏族部落联盟改为世袭的国家政权，建立雄据于蒙古高原的强大单于国。单于庭设在头曼城，作为政治军事的中心。其位置约在今乌拉特中旗境内的狼山中。"头曼"是人名（？—公元前209年），当时的匈奴单于因头曼驻扎于此而取名头曼城。

**虖（音 hū）河城** 古城专名。故址在今乌拉特前旗境内，古头曼城西北。

**宿虏城** 古城专名。故址在今乌拉特前旗境内，古虖河城西北。

**支就城** 古城专名。故址在今乌拉特前旗境内，古光禄城西北。

**白道城** 古城专名。白道城是北魏王朝为扼控南北交通要塞，在大青山南麓兴筑的一座军事城堡，城址在今呼和浩特市北郊原攸攸板乡坝口子村。《水经注》记载："芒干水（大黑河）……又西南至白道南，谷口有城，侧带长城，背山面泽，谓之白道；自城北出高阪，谓之白道岭。"《魏书·太宗纪》：泰常四年（公元419年）"西巡至云中，逾白道"即此。现今在山谷附近有秦汉长城，谷口南有战国长城遗迹，城址北面约8公里就是著名的古白道城。城址正位于山谷口外的坝口子村，古城兴筑于汉代，北魏时期将汉代城垣予以改造，新筑城堡位于汉城南部，东墙全长190米，其余三面城墙都已夷为平地。在城址中发现有银币和北魏石刻残佛像等遗物。

**昆新城** 古城专名。昆新城故址在今清水河县宏河镇原王桂窑乡小火盘村南。

**阿养城** 古城专名。阿养城系沃阳县治。故址在今凉城县六苏木镇双古城村东南约一公里处。《地理志》记载："沃阳县西部都尉治者也，北俗谓之阿养城。"

**可不塈城** 古城专名。可不塈城在今凉城县六苏木镇双古城村南，即古沃阳县故城南。《水经注》记载："一水东北流，谓之沃水，又东经沃阳县故城南，北俗谓之可不塈城，王莽之敬阳也。"

**敬阳城** 古城专名。原西汉可不塈城，新莽时期称敬阳城。

**盛乐城** 古城专名。原西汉成乐县城，也是鲜卑拓跋部所建"代"政权及北魏王朝早期的都城。位于今和林格尔县盛乐镇盛乐园区。关于代国都城盛乐，史书记载十分有限，根据现有资料考证，古代国曾3次修筑盛乐城作为都城。公元258年拓跋力微迁居成乐（西汉成乐，即北魏盛乐），至公元313年拓跋部一直以盛乐为基地东攻西掠不断发展壮大，均以盛乐为都。《魏书》记载："六年（公元313年），城盛乐以为北都……"这是拓跋猗卢修筑的第一座盛乐城。西晋王朝封拓跋猗卢代王后，猗卢正式将盛乐定为都城。这座古城于2001年6月15日被国务院公布为全国重点文物保护单位。

古盛乐城西邻黄河水道，东傍蛮汗山，东南扼杀虎口直通关内，北隔土默川平原与大青山遥望，战略位置优越，进可通过杀虎口直逼中原，退可通过白道岭翻越阴山进入茫茫草原。自古以来就是一处重要的战略要地。盛乐城附近土地平坦，水草丰美，十分有利于农耕及畜牧业生产，是发展生产、积蓄国力的好地方。对于当时还十分弱小的鲜卑拓跋人来讲，是建都创业最为理想的地方。

拓跋鲜卑部在第一座盛乐城历七帝，即穆帝猗卢、普根父子、平文帝郁律、惠帝贺傉（音 nù）、炀帝纥那、烈帝翳槐，共24年。其间，代国内部因争夺帝位而发生内讧，穆帝猗卢被太子六修所杀；普根杀六修，月余而亡；平文帝郁律即位，祁皇后干政，杀死郁律而扶其子贺傉、纥那先后即位；后拓跋诸部拥立拓跋翳槐为代王（烈帝）。"烈帝复立……城新盛乐城，在故城东南十里。"这是《魏书》记载的由烈帝拓跋翳槐修筑的第二座盛乐城。烈帝拓跋翳槐率领部众回到盛乐城一看，满目疮痍，城垣破败，杂草丛生，人烟稀少，一片荒凉。于公元337年，先把国都临时迁往云中盛乐宫，然后征调民工，又在故城南10里修筑了一座盛乐城，然后才将国都回归到盛乐。

"四年（公元341年）秋九月，筑盛乐城于故城南八里。"这是昭成帝拓跋什翼犍修筑的第三座盛乐城。什翼犍是平文帝的次子，烈帝翳槐的弟弟。公元339年，拓跋什翼犍要定都于垒源川，便召集诸部大人到参合陂（今凉城县永兴乡一带）商议定都事宜。太后王氏说："国自上世，迁徙为业。今事难之后，基业未固。若城郭而居，一旦寇来，难卒迁动。"于是迁都之事作罢。什翼犍不愿回到前两座已遭破坏的盛乐城居住，于公元341年修筑了第三座盛乐城作为都城。

目前，经过考古在今和林格尔县土城子古城这一区域内只找到一座盛乐故城。至于东南10里的盛乐城、南8里的盛乐城究竟在什么地方，或者说三座城池原本就是一座城，还有待于进一步深入考证。

这座古城自西汉初年正式建城至元末废弃为止，经历了1500余年，是乌兰察布地区存在时间最长的历史名城之一。经考古界考证，古城原址可分为南城、北城和中城三部分。

南城位于全城的东南角，呈长方形，城墙残高约2米，南北长535米，东西残宽505米，是一处战国晚期的聚落，出土有刀币及陶器等典型的战国

盛乐古城遗址图

时期遗物。城墙初建于西汉初年，后来经过增筑和补修，证实为西汉时期的成乐城。鲜卑拓跋部移居此城后予以加固和修缮。北城现存遗迹比较明显，城墙残高约五米，全城呈斜长方形，东西宽1400米，南北长2450米。四面城墙上都有城门，并筑有瓮城，城外还加筑有马面。城垣的东南角呈锐角形，叠压在南城的北墙上，并打破了南城的东北角。通过考古发掘证实北城为唐代所筑，即单于大都护府和振武节度使驻守的城垣。中城位于全城中部偏南，东南角叠压在南城的西北隅。城垣呈长方形，南北长670米，东西宽380米，从河水冲刷的断面可以看出城墙建筑于唐代文化层之上的是辽、金、元代的振武城。

**长川城** 古城专名。拓跋鲜卑神元帝拓跋力微率部北迁到长川后，于力微元年（公元219年）兴建长川城。位于今兴和县境内团结乡土城子。长川城是鲜卑拓跋部落大联盟的活动中心，也是北魏建政后历代皇帝经常巡视的战略要城。长川城古城遗址呈正方形，周

长约 2000 米。现东城垣残存 200 米，北城垣残存 300 米，残存高 2~4 米。墙体质地坚硬、厚实牢固，未发现角楼、马面和瓮城建筑。城的西南角和东北角靠近东垣处各有一高大的土台。这两个土台居高临下，视野开阔，具有重要军事用途。

**牛川城**　古城专名。关于牛川城之地理位置，史学界众说不一，有的说在今兴和县，有的说在今呼和浩特市东南大黑河一带，或说在武川县、黄旗海附近、阴山以北的锡拉木林河、大黑河上游，也有人认为在今凉城县崞县窑、左卫窑一带。还有资料显示克里孟古城遗址就是牛川。还有学者认为"长川即牛川也"。《中国古今地名大词典》记载：牛川在今兴和县西北后河源一带。《魏书·太祖纪》记载：登国元年（公元 386 年），"帝自弩山迁居牛川，屯于延水南"。《山海经·北山经》记载：于延水又称脩水，即今兴和县之后河。根据上述记载"牛川"应该在今兴和县西北后河源一带。

然而，按照《魏书》记载，拓跋氏一度居住在大宁（在今河北省怀安县）之宁川。后来，拓跋力微又从宁川迁居到长川（在今内蒙古兴和县）。从长川再往西北进入阴山以南的荒干水流域。荒干水就是大黑河的中上游。《水经注》记载："又有荒干水出塞外，南迳钟山，山即阴山。"可见，卓资县的大黑河流域和呼和浩特平原东，就是古代的牛川。《魏书》的两处记载也不相一致，且并没有说明牛川的确切位置。拓跋力微从长川再度西迁，是在于延水还是在荒干水流域落脚，有待于进一步考证。

**且（音 jū）如城**　古城专名。也作沮洳城，即汉代且如县治，位于兴和县东南部，原南湾子乡古城村。建于战国中期，约公元前 258 年。因该城地处滩川、潮湿地带，时人俗称为"沮洳城"（潮湿地）。

**大洛城**　古城专名。大洛城在今清水河县。《魏书·太宗纪》记载："北魏永兴三年（411 年），诏尉古真统兵五千镇西境大洛城。"

**屋窦城**　古城专名。屋窦城在今土默特左旗南。北魏泰常七年（公元 422 年），拓跋嗣西巡时曾至屋窦城。

**黑城**　古城专名。黑城在今呼和浩特市西北。北魏登国五年（公元 390 年），刘卫辰遣其子直力鞮出稒阳塞，攻黑城。

**金河城**　古城专名。东突厥归附隋朝廷之后，为安置启民可汗，隋王朝于开皇十九年（公元 599 年）修建了金河城，在今托克托县七星湖一带。七星湖当时称作"金河泊"，金河城因此得名。一说在今清水河县。

**大利城**　古城专名。关于大利城的具体城址，一说是汉时的定襄郡治，即北魏时期的盛乐古城；另一说是在盛乐古城南新修的一座城池。理由是古城之内有云州总管府，如再安置启民可汗，一城难容二主；还有一说是《托克托县志》（旧县志）记载，大利城在本县古城乡白塔村后的云内州古城；此外，《清一统志》记载大利城在今归化城南界，但没有明确指定确切的位置。《中国历史地图集》隋河东诸郡标定大利城在今和林格尔西北土城子。还有一种说法称大利城在今清水河县境内。多数学者认为《和林格尔县志》记载更为确切，即大利城在盛乐城南五公里今南园子村北。

**大同城**　古城专名。隋朝为防御突厥，于6世纪初筑大同城。唐代称"永济栅"，亦称"永清栅"。故址在今乌拉特前旗东北乌梁素海东南岸阿拉奔北古城，唐乾元元年（公元758年），镇北都护府曾权居于此。

**受降城**　古城专名。乌兰察布地区曾筑有四座受降城：早在西汉太初元年（公元前104年），为应接匈奴奴隶主贵族投降，汉武帝令将军公孙敖在今乌拉特中旗东部阴山北，原新呼热苏木筑受降城；唐景龙二年（公元708年），中宗命朔方总管张仁愿于黄河以北筑中、东、西三座受降城，用以防御突厥人的侵扰。西受降城位于乌加河（古黄河）北岸，今乌拉特中旗乌加河镇库伦补隆村（乌加河镇）东（一说在今临河市东丰收村古城）。开元初被黄河冲毁，后于城东另筑新城。乾元后迁移到天德军。唐元和八年（公元813年），城西南隅又被河水所毁，次年随天德军移于大同城西旧城；中受降城又名拂云堆祠，位于今包头市西南黄河北岸（一说在今包头市南敖陶窑子古城，一说在今乌拉特前旗黑柳子乡境内），距西受降城150公里；东受降城位于今托克托县旧城南黄河北大黑河东岸（一说今托克托县城东北哈拉板申村西）。唐宝历元年（公元825年）徙东受降城于今呼和浩特市南大黑河沿岸。唐代三座受降城先后为燕然、安北都护府辖领。

**大板升城**　古城专名。明嘉靖四十四年（1565年）兴筑大板升城。城墙周长约五里，城内建有七座宫殿，包括有朝殿和寝殿。城中建有大厅、东南角建起仓房，并建有东蟾宫、北凤阁。城门两座，大门上题"石青开化府"，二门上题"威震华夷"。城门上建有城楼，城楼上题有"沧海蛟龙"四个大字。大板升城的建筑上，都有工笔重彩描绘的龙凤图象，丹青金碧辉煌，绚丽夺目。这座著名的大板升城址，一说在今土默特右旗萨拉齐以东，一说就是归化城的前身，至今尚未证实，有待于进一步考证。

**归化城**　古城专名。见《旗县级以上政区名称考证》之"呼和浩特"。

**绥远城**　古城专名。见《旗县级以上政区名称考证》之"呼和浩特"。

**大皇城**　古城专名。今托克托城内的"大皇城"。唐王朝在此设置东受降城，辽、金、元王朝易名为东胜州，为西京路下属的西三州之一。明洪武四年（1371年）在此设置东胜卫。其古城墙全用土夯筑，平面为长方形，南北长2410米，东西宽1930米，周长约8.6公里，城墙残高9～12米，基宽14米，顶宽约6.5米。四面城墙正中开设城门，并筑有长方形瓮城。城外东、南、北三面掘有城壕，宽约20米。是目前内蒙古地区保存最好、最大的明代古城。

**小皇城**　古城专名。金代在今托克托城内的大皇城东面扩筑了一座小城。这座小城城墙残高仅4米，东墙长310米、南墙长370米、北墙长350米。墙上筑有马面，有南、北二门。城内发现有金代建筑基址，地面遗存有金代的瓦件，可以确定是金代所筑，现今称为"小皇城"。

**榆林城**　古城专名。榆林城故址在今兴和县城关镇南25公里处的白家营村东南2.5

公里处。现在城垣虽已废毁，但残基尚存。当地人称这一带滩地为榆林滩、黑榆林或榆林县滩。

**九原城**　古城专名。为九原郡治，地处乌拉山以南、黄河以北，其西侧是黄河南北两条支流的汇合口。

**可敦城**　古城专名。可敦城在今乌拉特中旗西阴山北麓，属云内州。

**兀剌孩城**　古城专名。也作斡罗孩城。西夏置，故址在今乌拉特中旗境内。

**红城**　古城专名。今和林格尔县有两个红城，一曰大红城。《乌兰察布盟地名志》记载：大红城系和林格尔县原大红城乡人民政府驻地，为汉代古城，方圆1.5公里，与黑城、榆林城为三座联城，每隔30公里一城。在此曾设置"云中尉"，是古代军事重镇之一。据传，花木兰从军戍边就在这里。唐代樊梨花曾重新整建此城，从那时起就称大红城。另一个是小红城，在大红城东北约2公里处，原北齐、唐代紫河镇，因靠近大红城，故称小红城。

**安答堡子**　古城专名。金界壕沿线上的一座边堡，地址在今达茂旗东部鄂伦苏木古城。因成吉思汗与汪古部首领在此结为"安答"故名安答堡子。"安答"系蒙古语【And】之汉语音译，意为朋友、结拜兄弟。

**黑水新城**　古城专名。静安路、德宁路治。"黑水"即艾不盖河。元世祖忽必烈时在黑水岸边另筑新城，故称黑水新城。

**赵王城**　古城专名。即黑水新城，元代汪古部首领世居之地。汪古部，也称阴山白达旦。女真人势力进入阴山地带后，汪古部依附于女真人。1211年，蒙古大军南下时，汪古部首领阿剌兀思剔吉忽里为其向导，引导蒙古军南逾界墙，攻占金国西京路各州，立下大功。成吉思汗鉴于阿剌兀思诚心协助其征战有功，便将三女儿阿剌海别吉下嫁给他，结成姻亲关系。元世祖忽必烈至元年间（1264—1296年），在黑水岸边另筑新城。元武宗（约1308年）以后，共有8位汪古部首领被封为赵王，常驻黑水新城，故通称黑水新城为赵王城。

赵王城古城平面呈长方形，城墙用土夯筑，东墙残高约3米，其余三面城墙只剩下断断续续的残壁，东墙长951米，南墙长582米，西城墙长970米，北墙长565米；在西、南、东三墙正中开设城门，并加筑瓮城。四角有角台。城内有院落遗迹17处，建筑台基多达99处，城内街道宽阔，布局整齐。在中部偏东靠近南墙有一处大院落，建筑台基高达3米，著名的《王傅德风堂碑记》石碑就发现于此。

**东胜城**　古城专名。东胜城即今托克托县双河镇城圐圙。明洪武二十五年（1392年），明朝为了扼守黄河水道在东胜卫城外围扩建的一座大城。东胜城也是迄今为止乌兰察布地区保存最好，规模较大的明代古城之一。

**云川城**　古城专名。云川城位于今呼和浩特市西南，系明代云川卫治。《中国古今地名大词典》（1931年版）记载：云川城"在绥远归绥县西南，明初设卫，永乐初内迁，宣德元年初复于丰州西南筑城，置云川卫，设官军。后徙云川卫官军于大同左卫城内。"

**紫河城** 古城专名。北齐紫河镇，后被突厥人焚毁，位于今和林格尔县原大红城乡小红城村北。

**沃野镇** 古军镇专名。北魏六镇之一。为镇戍和统辖今乌加河一带后套地区，北魏统治者在西汉沃野县，即今磴口县东北布隆淖东北巴拉亥附近置沃野镇（一说在五原县东北）。北魏孝文帝太和十年（公元486年），镇戍官兵迁于西汉朔方县（今杭锦旗西北黄河南岸），北魏宣武帝正始元年（公元504年）后，又移于今乌拉特前旗原苏独仑乡根场古城（一说故址在乌加河北），北魏孝明帝正光四年（公元523年）"六镇起义"首先爆发于此，孝昌元年(公元525年)被起义军攻克。

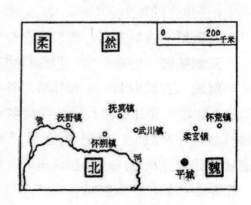

北魏六镇大致方位

**怀朔镇** 古军镇专名。北魏六镇之一，原名失载，后改名怀朔。为镇戍和统辖今乌兰察布高原西部地区，北魏统治者于延和二年（公元433年）置怀朔镇，故址在今固阳县西南梅令山古城，一说在今固阳县城关镇东北原百灵淖尔乡城库伦古城。怀朔镇是阴山南北的重要军事重镇，北魏与柔然间的军事活动经常取道于此。北魏正光六年（公元525年），被起义军攻陷。

**武川镇** 古军镇专名。北魏六镇之一，又名"黑城"。为镇戍和统辖今乌兰察布中、西部地区，北魏统治者置武川镇，故址在今武川县西乌兰布浪镇土城梁古城。《乌兰察布市志》记载："武川镇，治今武川县原二份子乡二份子古城。"北魏正光五年（公元524年）被起义军攻陷。

**黑城镇** 古军镇专名。北魏六镇之一，武川镇前身。

**抚冥镇** 古镇专名。北魏六镇之一。为镇戍和统辖今乌兰察布高原中、东部和锡林郭勒高原西部地区，北魏统治者置抚冥镇，故址在今四子王旗乌兰花镇土城子古城。北魏后期废。

**柔玄镇** 古军镇专名。北魏六镇之一。为镇戍和统辖今乌兰察布东部和锡林郭勒高原西部地区，北魏统治者于公元432—434年间置柔玄镇。"柔"为怀柔，"玄"指北方，"柔玄"寓意怀柔北方。关于柔玄镇故址确切位置有五说：1．位于今四子王旗库仑图镇城卜子古城；2．今察右中旗塔布胡同乡古城；3．位于今察右后旗白音查干古城；4．《中国历史地图集》标注位于今兴和县，《中国古今地名大词典》（1931年版）记载：……故城在今正黄旗察哈尔牧地东南，即今察哈尔兴和县地方；5．今察右前旗境内。几种说法哪个为准尚待考证。根据北魏六镇间的距离，柔玄镇应在今兴和县台基庙东北。

**怀荒镇** 古军镇专名。北魏六镇之一。位于今河北省张北县。地处蒙古高原东部入塞要冲。北魏正光四年（公元 523 年），被起义军攻陷，北魏武泰元年（公元 528 年）改镇为州。

**新城镇** 古镇专名。新城镇古城址在今兴和县城东北 20 公里处的民族团结乡台基庙村南 1 公里处的城卜子古城，属抚州。金承安二年（1197 年）升为威宁县。

**原阳镇** 古镇专名。隋置原阳镇，故址在今呼和浩特市东南二十家子古城，后废。

**下水镇** 古镇专名。也称"夏水镇"，属宣宁县。元代称今岱海为下水或夏水，因该镇坐落于岱海边而得名。

**振武镇** 古镇专名。振武镇系唐代方镇名。唐景龙二年（公元 665 年）置，隶朔方总管府，后置朔方节度使，治所在东受降城，即今托克托县城以南的古城。唐天宝四年（公元 745 年），振武治所移至单于大都护府，又置金河县，置节度使，管辖单于大都护府、东受降城及麟、胜二州。辖境于今呼和浩特市、乌兰察布地区中南部、鄂尔多斯市及陕西神木、府谷二县之地以及乌加河、黄河以北乌拉特后旗、四子王旗等地。唐广德二年（公元 764 年）并入朔方节度使管辖。唐大历十四年（公元 779 年）复置，增领绥、银两州及东、中二受降城。唐贞元十二年（公元 796 年）后，东、中二受降城划归天德军，辖境缩小，五代后废。

**振武镇** 古镇专名。金代改辽振武县置振武镇，治盛乐城，即今和林格尔县土城子古城。属丰州管辖。后升为州。

**宁仁镇** 古镇专名。金大定年间（1161—1189 年）废宁仁县置宁仁镇。属云内州，在今山西省旧朔平府境。

**宁化镇** 古镇专名。金置宁化镇，属东胜县。故址在原归绥县境，今呼和浩特市郊。

**盛乐镇** 古镇专名。即盛乐城，北魏道武帝拓跋珪时期为盛乐郡，拓跋焘时期改郡为镇，为朔州治。

**原阳邑**（音 yì） 古邑专名。战国时期赵国原阳邑，位于今呼和浩特市东南二十家子古城。一说在今萨拉齐县境。

**稒阳邑**（音 yì） 古邑专名。战国时期魏国稒阳邑，治今包头市东北，今固阳县城附近（与今固阳县城并非一地）。

## 八 古卫、所、军、塞、障、戍、台、殿、关名称

**东胜卫** 明代卫指挥使司专名。明洪武四年（1371 年），明军攻克东胜州置东胜卫，治东胜城，即今托克托县城。辖境包括今乌兰察布西部地区。隶属大同都卫，后改隶山西布政使司。明洪武二十五年（1392 年）分置左、右、中、前、后五卫。次年废中、前、后三卫，原东胜卫改为东胜左卫，原东胜左卫改为镇房卫。明英宗正统三年（1438 年），复置东胜卫，历时仅十余年卫城遂废。

**东胜左卫** 明代卫指挥使司专名。明洪武二十五年（1392年）徙东胜卫置东胜左卫，治今托克托县境，隶山西布政使司，明永乐元年（1403年）内迁至今河北省卢龙县，后废。明正统三年（1438年）曾再度复置，不久再废。

东胜卫遗址

**东胜右卫** 明代卫指挥使司专名。明洪武二十五年（1392年）徙东胜卫置东胜右卫，治今托克托县境。隶山西布政使司，明永乐元年（1403年）内迁，后废。明正统三年（1438年）曾再度复置，不久再废。

**东胜中卫** 明代卫指挥使司专名。明洪武二十五年（1392年）徙东胜卫设东胜中卫，治今托克托县境。隶山西布政使司，次年废。明正统三年（1438年）曾再度复置，不久再废。

**东胜前卫** 明代卫指挥使司专名。洪武二十五年（1392年）徙东胜卫设东胜前卫，治今托克托县境。隶山西布政使司，次年废。正统三年（1438年）曾再度复置，不久再废。

**东胜后卫** 明代卫指挥使司专名。明洪武二十五年（1392年）徙东胜卫设东胜后卫，治今托克托县境。一说在今清水河县境。隶山西布政使司，次年废。明正统三年（1438年）曾再度复置，不久再废。一说永乐元年（1403年）废，明正统三年（1438年）九月复置，十四年又废。

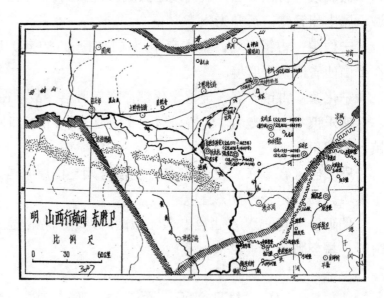

东胜卫

**怀远所** 清代千户所专名。清雍正十二年（1734年）后，在今凉城县后营村设立怀远所，清乾隆十五年（1750年）裁汰后并入宁远厅。

**宁朔卫** 清代卫指挥使司专名。清雍正十二年（1734年），在今凉城县永兴镇设置宁朔卫，清乾隆十五年（1750年）裁汰后并入宁远厅。

**丰川卫** 清代卫指挥使司专名。清雍正十三年（1735年），在今兴和县高庙子村设置丰川卫，清乾隆十五年（1750年）裁汰后并入丰镇厅。

**镇宁所** 清代千户所专名。清雍正十三年（1735 年），在衙门口（今丰镇市）设置镇宁所，清乾隆十五年（1750 年）裁汰后并入丰镇厅。

**宣德卫** 明代卫指挥使司专名。明洪武二十六年（1393 年）于原宣宁县故地置宣德卫，治今凉城县麦胡图镇淤泥滩古城，辖今凉城县、丰镇市等地，后废。

**云川卫** 明代卫指挥使司专名。明洪武二十六年（1393 年）置云川卫，治今和林格尔县大红城。属山西行都司。明建文四年（1402 年）内迁，明宣德元年（1426 年）复还旧治。明正统十四年（1449 年）迁治旧镇朔卫城（今山西左云县），与大同左卫同治。清顺治七年（1650 年）并入大同左卫。

**镇虏卫** 明代卫指挥使司专名。明洪武二十六年（1393 年）置镇虏卫，治今托克托县城东之黑城，一说今和林格尔县大红城乡。明永乐元年（1403 年）内迁。明正统三年（1438 年）复旧治，十四年（1449 年）又内迁至天成卫城（今山西天镇县），与天成卫同治。清顺治七年（1650 年）并入天成卫，改名天镇卫，清雍正五年（1725 年）改置天镇县。

**玉林卫** 明代卫指挥使司专名。也写作榆林卫。明洪武二十六年（1393 年）置玉林卫，治今和林格尔县东南新店子。明永乐元年（1403 年）迁至北直隶定州（今河北定州市）。明宣德元年（1426 年）复还旧治。明正统十四年（1449 年）迁至旧定边卫城（今山西省右玉县西北右玉城），与大同右卫同治。

**宣宁卫** 明代卫指挥使司专名。城址即今凉城县淤泥滩古城。

**官山卫** 明代卫指挥使司专名。明洪武八年（1375 年）为安置归附的蒙古首领不颜朵儿只（又名乃儿不花）部众而置官山卫，治今卓资县三道营古城，隶大同都卫，不久不颜朵儿只北迁，卫废。

**失宝赤千户所** 明代千户所专名。明洪武四年（1371 年），明军攻克东胜州设置东胜卫的同时，在东胜卫附近又置失宝赤千户所。

**五花城千户所** 明代千户所专名。明洪武四年（1371 年），明军攻克东胜州设置东胜卫的同时，在东胜卫附近又置五花城千户所。

**斡鲁忽奴千户所** 明代千户所专名。明洪武四年（1371 年），明军攻克东胜州设置东胜卫的同时，在东胜卫附近又置斡鲁忽奴千户所。

**燕只斤千户所** 明代千户所专名。明洪武四年（1371 年），明军攻克东胜州设置东胜卫的同时，在东胜卫附近又置燕只斤千户所。

**瓮吉剌千户所** 明代千户所专名。明洪武四年（1371 年），明军攻克东胜州设置东胜卫的同时，在东胜卫附近又置瓮吉剌千户所。

**兴和守御千户所** 明代千户所专名。明洪武三十年（1397 年），在元朝兴和路故地置兴和守御千户所，治今河北省张北县，隶属北平都司。辖境今兴和县、丰镇市、察右前旗等地。明永乐元年（1403 年）隶后军都督府，十二年（1414 年）被蒙古军攻破，卫治内迁至宣府（今河北省张家口市宣化区）。清废。

**官山军民千户所**　明代千户所专名。明洪武三年（1370年），为安置归附的蒙古宗王扎木赤而置官山军民千户所，治今卓资县境，管理巴都千户，不久废。

**忙忽军民千户所**　明代千户所专名。明洪武三年（1370年），脱火赤等自忙忽滩归附明朝。明朝廷为安置其部众在今河套黄河东段一带置忙忽军民千户所，隶属绥德卫。

**振武军**　古代军事建制专名。唐景龙二年（公元708年）置振武军，一说唐乾元初置。属关内道，治东受降城，在今托克托县西南。辖境包括今乌兰察布大部分地区。唐天宝四年（公元745年）移治金河县（今和林格尔县西北土城子），后又移治今山西省朔州市。

**朔方军**　古代军事建制专名。唐开元九年（公元721年），为防御突厥侵扰置朔方节度使，后改称灵盐节度使，又改称灵武节度使，为唐玄宗时期边防十节度经略使之一，俗称朔方军。治灵州，在今宁夏灵武市西南。初领单于都护府和夏、盐、绥、银、丰、川、胜七州、定远、丰安两军及东、中、西三受降城。辖境包括乌兰察布地区中、西部地域，北宋时划入西夏国后废。

**大安军**　古代军事建制专名。唐天宝十三年（公元754），于大同城东北约1.5公里处筑城置大安军，故址在今乌拉特前旗东北乌梁素海东南岸阿拉奔古城北。次年改名天德军。

**天德军**　古代军事建制专名。唐天宝十四年（公元755年）改大安军为天德军，为安北都护府治所。唐至德二年（公元757年）又改称镇北都护府。唐乾元元年（公元758年）移治西受降城（今乌拉特中旗西南乌加河北岸）。唐元和八年（公元813年），西受降城被河水冲毁后复治大同川西旧城。现已淹没于乌梁素海。

**应天军**　古代军事建制专名。原唐代天德军，唐末被党项族占领。契丹神册五年（公元920年），党项族诸部叛离契丹统治，辽太祖率部亲自征讨，由皇太子挂帅进兵云内和天德军。天德军节度使宋瑶便宣布投降，于是改天德军为应天军，划归丰州，随即撤军东归。当契丹兵马撤退后宋瑶立即反叛，于是契丹兵马立即返回攻入城内，擒获了宋瑶及其家属。契丹统治者鉴于天德军城地处乌拉山后（今乌拉特前旗乌梁素海东南角的阿拉奔），不便于直接管领，便将应天军城和丰州城（今乌拉特前旗东土城）的人口强行东迁，在大青山南面另筑新城安置，命名为丰州天德军。金代废。

**横塞军**　古代军事建制专名。唐天宝八年（公元749年）于木刺山置横塞军，在今乌拉特中旗西南、乌拉特后旗东南阴山南麓，十二年废。

**黑山威福军**　古代军事建制专名。西夏所置十二监军司之一。治今乌拉特中旗西南狼山隘口（一说在今甘肃山丹县北龙首山）。元改置兀刺海路。

**镇西军**　古代军事建制专名。辽置宁边州镇西军，属西南招讨司，故址在今清水河县原窑沟乡下城弯古城。

**开远军**　古代军事建制专名。在云内州境内置开远军，由西南路招讨司统辖。

**武兴军** 古代军事建制专名。在东胜州境内置武兴军,由西南路招讨司统辖。

**戚寨军** 古代军事建制专名。辽戚寨军,太宗天显十一年(公元936年),升为奉圣州。

**稒阳塞** 古塞专名。汉、魏时期称稒阳城至昆都仑沟沿岸(今包头市昆都仑沟)地区为稒阳塞。

**榆柳塞** 古代军事建制专名,也称五原塞。在今乌拉特前旗境。

**鸡鹿塞** 古代军事建制专名。西汉置鸡鹿塞,属朔方郡,故址在窳浑县西北,今巴彦淖尔市磴口县原沙金套海苏木巴音乌拉嘎查哈隆格乃山谷入口处。鸡鹿塞为朔方郡西部都尉治所。是窳浑县西北方的一座军事小城。小城全用石块垒砌,用大石块垒砌城墙外侧,外表垒砌整齐,中间填充较小的石块和砂子。城墙顶部厚约3米,基部厚5.3米,一般残高7米左右,最高处有8米,因此非常坚固,至今基本保存完好。小城平面呈正方形,周长2740米,南面城墙正中开设城门,宽约3米,并加筑有方形瓮城,城墙的四角还筑有外向突出的角台。

**榆溪塞** 古代军事建制专名。也称榆林塞,故址在今河套黄河东北岸,托克托县、土默特右旗一带。秦始皇时期蒙恬北伐匈奴,取今河套地,以河为界,垒石为城,榆树为塞,故名。

**五原塞** 古障塞专指名称。西汉武帝太初三年(公元前102年)前,西汉王朝为防御匈奴南下骚扰,在今内蒙古自治区巴彦淖尔市乌拉特前旗、固阳县一带所筑的五原郡边塞。后又在边塞之外修筑光禄塞。

**朝鲁库伦障城** 古代障城专名。系光禄塞上障城之一。位于乌拉特后旗原乌力吉苏木驻地西北约50公里处,是该旗境内光禄塞南线上最西端的一座障城。朝鲁库伦是蒙古语【Qōlōōn Huree】之汉语音译,意为石头城。障城城墙用大石板垒砌,构筑坚固,平面呈方形,城墙东西长约126.8米,南北宽约124.6米。南墙基宽1.5米,顶宽2.6米,残高2.7米。城墙四角有向外突出的方形角台。东墙中部开设城门,并筑有方形瓮城。

**石门障** 古代障城专名。西汉筑石门障,故址在今包头市西北。另在赵长城内侧每隔一定的距离就有一座小型的供当时的军队驻扎的障城。这类障城紧依长城墙体而筑,多数呈长方形,最小的40多平方米,大的有1万多平方米。

**高阙(音què)戍** 古戍专指名称。战国时期就有高阙之地,在今巴彦淖尔市狼山口处。战国时,赵武灵王北破林胡、楼烦,所修筑长城西段至此。北魏置戍,隶沃野镇。关于高阙之确切地理位置,史学界颇有争议,有的说在今乌拉特中旗境西南狼山口东侧石兰计山口处;有的说在今乌拉特后旗境西南黄河流向由北转向东流之转弯处;也有说在今乌拉特前旗原宿荄乡张连喜店附近的大沟口处;还有人认为在杭锦后旗东北狼山口处。《水经注•河水》比较详细地描述了高阙所在地理位置:河水又屈而东流,为北河。……东经高阙南。赵武灵王即袭胡服，自代并（音傍）阴山下至高阙为塞。山下有长城。长城之际，连山刺天，其山中断，两岸双阙，善能云举，望若阙焉。即状表目，故有高阙之名也。自阙北出荒中，阙口有城，跨山结局，謂之高阙戍。自古迄今，常置重捍，以防塞道。

**万寿戍**　古戍专指名称。隋朝末年改云中称云内，置万寿戍，为屯兵之地。故址在今托克托县古城村。

**阿计头殿**　古殿专名。北魏皇帝行宫，在今呼和浩特市附近。《水经注》：魏帝行宫，世谓之阿计头殿，宫城在白道邻北阜上。其城圆角而不方，四门列观，城内惟台殿而已。

**广德殿**　古殿专指名称。广德殿故址在今呼和浩特市东南。《水经注》记载：太和十八年（公元494年），从高祖北巡，届于阴山之讲武台。台之东，有高祖《讲武碑》，碑文是中书郎高聪之辞也。自台西出，南山上，山无树木，惟童阜耳。即广德殿所在也。

**河滨关**　古关专指名称。唐贞观七年（公元633年），于河滨县东北黄河君子津处置河滨关，在今准格尔旗原十二连城乡东北黄河上。一说在今清水河县喇嘛湾镇拐上村。

# 九　其　他

**新秦中**　地区专名。西汉元狩二年（公元前127年），汉武帝派遣卫青、李息率兵出击匈奴，自云中出兵，西经高阙，再向西直到符离（今甘肃北部），收复了河套以南地区。该地区通称"新秦中"。

**白道与白道川**　道路与滩川专指名称。白道为阴山南北重要通道之一。因当地有石灰色土壤而得名。隋、唐时期称今呼和浩特市北坝口子村一带即今土默川为白道川。

**丰州滩**　滩川专指名称。自辽初在今呼和浩特市东郊白塔村一带（今呼和浩特市飞机场附近）设置重镇丰州之后，白道川渐渐地改称为丰州滩。

**北假**　地区专指名称。秦、汉时期称今河套黄河以北、阴山以南夹山带河地区为北假。

**参合陂（音 bei）**　地区专名。北魏时期称今凉城县岱海东原东十号乡小坝子滩一带为参合陂。《魏书·序纪》记载：北魏道武帝登国十年（公元395年），北魏拓跋珪大败后燕慕容垂子宝于参合陂，即此。也有学者认为由山西省杀虎口至内蒙古和林格尔西沟门八十里的地带为参合陂，陂以西为和林格尔县界。

**参合陉（音 xíng）**　峡谷要隘专名。俗称苍鹤陉，又名参合口陉。在今和林格尔县东北西沟门。魏晋时期为平城（今山西省大同市东北）通往盛乐城（今和林格尔县西北土城子）的交通要隘。据苏西恒同志所著《拓跋珪传》记载：参合陉也称石匣沟，在今凉城县境内，呼和浩特到凉城县（走南路）经过石匣沟。

**黑漠、白漠**　地区专指名称。约在今兴和县北部与商都县交界处一带。《资治通鉴》胡三省注："长川有白、黑二漠，黑在东，白在西。"北魏始光二年（公元425年），太武帝拓跋焘北伐蠕蠕，五道并进，长孙翰等从东道出黑漠，即此。

**春市场**　古代通商交易场地专名。金代称蒙古、西夏与中原人互市场所为榷场。春市场就是金代设置的榷场之一，属丰州，所以也称丰州春市场。故址在今察右前旗东北原巴音塔拉之土城子。金明昌三年（1192年）在此设置集宁县。

**天山榷场**　古代通商交易场地专名。金代称蒙古、西夏与中原人互市所为榷场。天山榷场就是设在边疆地区的互市榷场之一，在今四子王旗原吉生太乡城卜子古城。金大定十八年（1178年），在此设置天山县和净州。

**腹里**　地区专指名称。元代对中书省直辖地区的统称。《元史·地理志》："中书省统山东、山西、河北之地，谓之腹里。"相当今山西、河北、山东省及内蒙古大部、河南省部分地区。

# 第二章　清代以后政区建制概况

## 第一节　清朝时期

16 世纪后期，满族崛起于我国东北地区。满族是女真族的后裔。金王朝灭亡后，在黑龙江、松花江流域世居的女真族分为建州、海西、野人三部。建州部在明初居住在牡丹江上游、长白山东南一带，15 世纪中期定居在赫图乌拉（今辽宁新宾县）一带。到 16 世纪的中、晚期，建州部势力逐渐强大，统领了女真三部。明万历四十四年（1616 年），建州部首领努尔哈赤在赫图乌拉建立政权，国号金（后金）。1627 年，皇太极即帝位，改元天聪，自称为满族。明崇祯九年（1636 年），皇太极在盛京（今辽宁省沈阳市）改国号为大清，改元崇德。1644 年，清军进军北京，取代了李自成农民军政权，建立了中国最后一个封建王朝——清王朝。

后金王朝建政之时，其东、北、西三面有蒙古各部，南面有明王朝的对峙，新生的后金政权处于四面包围之境地。努尔哈赤知道要想统治全中国就必须推翻明王朝。然而，其周围的蒙古各部虎视眈眈，直接威胁着后金政权的稳定与巩固。尤其是林丹汗发起的抗金战争，使后金统治者心惊胆战。林丹汗于 1619 年在给努尔哈赤的一封书信中写到：我乃四十万蒙古人之共主英雄成吉思汗，尔等不过是女真头人。从战略形势上看，后金王朝要想统治全中国就必须扫清阻挡其入关的各个蒙古部落。鉴于时局与自身的处境，后金统治者选择了联蒙抗明策略，通过拉拢、劝归、联姻、修好、打击、迫降等办法，迫使蒙古各部落归附。

后金天命九年（1624 年），后金王朝与科尔沁部结盟；天聪六年（1632 年），皇太极率军征伐察哈尔部，林丹汗大败，随后土默特部归降；天聪九年（1635 年），鄂尔多斯部归附。清崇德元年（1636 年），漠南十六部 49 个蒙古部落王公聚会于盛京，表示归附后金王朝。后金王朝对率部归附的蒙古王公一律封官赐爵，保留其原有的封建特权，同时取消蒙古地区原有的乌鲁苏、土绵、爱玛克、鄂托克等传统体制及其领属关系，建立了一种军、政合为一体的政权建制——固山，并确立会盟制度，若干旗组成一个楚古拉干【Qûgûlgaan】，每隔若干年举行一次会盟，渐渐地形成了一种独特的盟旗制度。

"固山"系满语【Hûxan】之汉语音译，蒙古语称和硕【Hûxûû】，汉语称"旗"。蒙古人最早称千名兵丁为一个和硕，后金王朝在蒙古地区建政时沿用了"和硕"这一名称。后

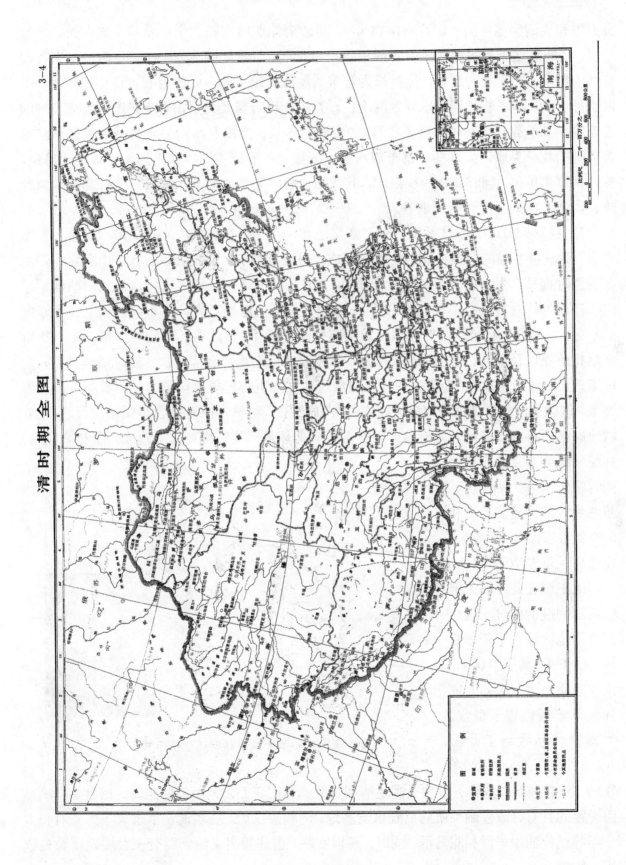

清时期全图

金天聪和大清崇德年间（1627—1643年），清政府派遣内宏院大学士希福，蒙古衙门承政尼堪、塔布囊达雅齐等前往蒙古各部稽查户口，开始组建札萨克旗。札萨克旗以原来各部首领为旗长。初设蒙古旗时，称旗长为管事贝勒或执政贝勒，后改用蒙古语称札萨克，可以子孙世袭。清王朝时期的旗分为两类：一类是清政府委派大臣、都统或将军直接节制的总管旗、都统旗，统称"内藩蒙古"，如察哈尔八旗、土默特旗；另一类是清朝理藩院监督节制的札萨克旗，如原乌兰察布盟六旗，统称"外藩蒙古"。"旗"为军、政合一单位，首先是军事单位，同时又是政权组织，其职能是战时动员本旗兵丁出征，平时总揽本旗行政、司法、民政、税收等项事务。

楚古拉干【Qûûlgaan】系蒙古语，聚集之意，后改称【爱玛克 Aimag】，汉语称"盟"。"盟"为札萨克旗的会盟组织，合数旗而成。每盟设盟长、副盟长各一人，由各旗札萨克在会盟时推举产生，后改由清朝皇帝赐封。"盟"并不是一级行政机构，盟长由朝廷赐印信，任期为终身制，但不得世袭。"盟"不设盟长衙门以及官吏，也不准盟长干预各旗内部事务，只是在职权范围内对各旗札萨克实行监督管理。清政府还规定各盟每三年召集所辖旗札萨克以及贝勒、贝子、管旗章京、参领等在指定地点会盟一次。届时清理刑名，编审丁籍，商讨重大事宜。会盟时清廷还要派遣钦差大臣与理藩院司员会同盟长验审该盟旗要事。这就是清代所谓的盟旗制度，是满"八旗制度"与蒙古原有社会组织相结合的产物。清政府先后将四子部落、乌喇特部、喀尔喀右翼部落、茂明安部落组建成六个札萨克旗，并统一编为乌兰察布盟。

同时将土默特、察哈尔、苏尼特等部组建成若干札萨克旗、总管旗、都统旗，设在乌兰察布地区。

清王朝在蒙古地区推行盟旗制度的同时，还在察哈尔地区设置了若干牧场（牧群）。清王朝认为，宣（宣化）大（大同）塞外水草丰沃，宜于畜牧，"遂置公私牧场于此"（《口外三厅志》卷六《考牧》）。

清代察哈尔十二旗群大致方位示意图

组建牧场（牧群）是为了满足清朝军队、皇室、王公大臣们的坐骑、肉食、乳制品而设置的具有行政建制性质的后勤供给基地。清顺治以后，陆续设立了隶属于内务府和太仆寺等机构的牛羊群和驼马群。同时，还以赏赐、借住等名义给一部分王公圈定了数处牧场（牧群）。

北元时期，俺答汗建造归化城，促成明蒙通商，不少内地汉民涌入乌兰察布大草原。清末，塞北地区水草肥美，大片宜于耕种的土地极大地吸引了明长城以南常年煎熬于饥寒交迫之中的汉族平民。在清朝官府允许乃至鼓励下，成千上万的晋、冀、陕地区饥民涌入归化城、土默特、察哈尔和鄂尔多斯、包头等地区谋生。这是一次与"闯关东""下南洋"齐名的人口大迁徙。因为绝大部分移民是经过杀虎口越过明长城而涌入口外即乌兰察布地区从事耕商活动的，所以史称这一移民潮为"走西口"。

这一移民潮大大改变了蒙古地区的社会结构、民族结构、经济结构和生活方式，同时也引发了诸多社会矛盾。清政府解决不了民族地区的诸多社会矛盾，便实施了一种蒙汉分治的畸形体制。所谓"蒙汉分治"，就是在实施盟旗制度的同时，派遣同知或通判等官员常驻某地，设置一种叫"厅"的建制来专门管理汉民事务。清雍正元年（1723年），清政府在乌兰察布地区首次设置归化城理事同知厅，开始实行厅管汉，旗管蒙，旗厅并存、蒙汉分治制度。此后陆续设置萨拉齐、托

清末走西口示意图

克托、和林格尔、清水河、善岱、昆独仑等协理通判厅。后裁撤善岱、昆独仑协理通判，曾置宁远理事同知厅、丰镇理事同知厅，统称"口外七厅"。这种畸形体制不仅没有解决任何社会矛盾，反而加剧了民族矛盾。

为管理这些同知或通判，清乾隆六年（1741年），又在归化城设置归绥道，为当时山西省所辖四道（冀宁道、河东道、雁平道、归绥道）之一。从此，乌兰察布地区成为山西省辖地。在此之前，清王朝为了对大漠南北蒙古地区实施政治、军事统治，巩固西北边疆稳定，于清乾隆四年（1739年）建成绥远城后，调遣驻扎山西省右卫城（今山西省右玉县旧县城）的建威将军及所辖八旗官兵驻防绥远城，后改建威将军称绥远城将军。绥远城将军属清廷一品封疆大吏，拥有广泛的实权，除统率绥远城的驻防八旗官兵，管理内蒙古西二盟（伊克昭盟、乌兰察布盟）及归化城土默特旗外，遇有战事还具有调遣宣化、大同二镇（总兵），节制沿边道、厅等权力。很显然，归绥道与绥远城将军的并存，也是"蒙汉分制"制度的异样形式。

"厅"并非是固定的政区单位，而是同知或通判等受派官员们的临时办公处所。同知与通判则是知府的佐官，同知为正五品，通判为正六品，都高于一般知县品第。由知府派遣同知与通判常驻某一地区管理地方事务。这些官员们的临时办公处所即称之为厅。久而久之，"厅"演变为一级固定的行政单位。

清光绪八年（1882年），清末著名洋务派领袖张之洞就任山西巡抚时，提出对口外七厅进行改制。首先改理事厅为抚民厅。于清光绪十年（1884年），改口外七厅即归化城理事同知厅和萨拉齐、托克托、清水河、和林格尔、宁远、丰镇理事通判厅为抚民同知厅，并提升宁远、丰镇抚民同知厅为直隶厅。抚民厅与理事厅的最大区别在于，理事厅的主要职责与权限是处理汉民之间出现的诉讼与纠纷，无事则不理，并不涉及日常事务；而抚民厅则与内地州县长官一样，全面负责对汉民的管理。

张之洞改制的第二步是增置新厅。统辖疆域过大，对于任何政权机构来说必然导致控制力度的减弱。口外七厅全部集中在大青山以南狭小地带，却统辖整个塞北地区，显然鞭长莫及，根本谈不上有效管理。张之洞清醒地认识到了这一点。另外，清朝政府"开放蒙荒"政策招引来了更多的汉族平民来到口外谋生，使得口外行政上混乱无序的状态愈演愈烈，到了难以维持正常社会秩序的境地。因而，口外改制势在必行。清光绪二十九年（1902年），山西巡抚吴廷斌在呈递朝廷的奏折中，对设厅一事做了详细的说明："分厅一案系为边外地广民繁，非设官分治无以为绥边弭患之谋、长治久安之计，加以各处蒙汉错居，民教杂处，垦务议创，百废待兴。"（垦务档案）此奏一方面道出了增置新厅的根本原因，另一方面也说明当时口外地区行政改革的另一重要背景，即开放蒙荒，垦田种地，安置口里饥民。于是在塞北地区又增置了五原、东胜、武川、陶林、兴和5个厅，加原来的7七个厅就形成了史料所指的口外十二厅。

# 第二节　民国时期

清宣统三年（1911年），中国资产阶级民主革命形势迅速发展，10月10日武昌起义爆发。1912年元旦，中华民国临时政府在南京成立。2月，清朝皇帝颁布退位诏书，清王朝统治宣告结束。3月，袁世凯窃取辛亥革命胜利果实，就任中华民国临时大总统，中国历史进入中华民国时期。

中华民国虽然时间短，却是一段动荡不安的历史时期。不仅战乱不断，而且政权更替频繁。不足38年的时间经历了北洋政府时期（1912—1928年）、南京政府统治时期（1928—1937年）、抗战时期（1937—1945年）和解放战争时期（1945—1949年）四个阶段。这四个历史阶段中地方政区建制变化十分频繁，如北洋政府时期废除了顺天府名称，依汉、唐古制改称京兆（北京市）；简化地方政区，废除府、州、厅等建制，实行省、县二级制；后又在省以下县以上设置旧制"道"，民国十七年（1928年）又废除道，再次实行省、县二级制。在少数民族地区设立特别行政区，即绥远、热河、察哈尔、川边特别行政区。

民国初年，由于山西、陕西、河北省等地汉民源源不断地涌入塞北地区，肆无忌惮地开荒种地，"垦务"便成了当时的一项重要社会事务。于是，设立了一种具有政区建制性质的垦务办事机构——垦务局，后改垦务局为设治局，不久又改为县。抗战时期，又成立若干伪政府。在解放战争时期，中国共产党在解放区也设立了不少县级人民政府。

袁世凯就任中华民国临时大总统后不久公布的《蒙古待遇条例》规定："各蒙古王公原有之管辖治理权，一律照旧。"于是，清王朝在乌兰察布地区设立的盟、旗建制基本上原封不动地被保留了下来。但是，与其他省区一样，各盟、厅、旗、县等的隶属关系及其区域划分变动频繁，地方名称、政区称谓更替多变。如道的设置与裁撤；垦务局、设治局的设置；置厅改县；设置察哈尔特别行政区等等。可以说，中华民国时期是一个地名称谓极不稳定、政区隶属关系十分混乱的时期。

民国时期，乌兰察布地区县级以上建制大致如下：按照《蒙古待遇条例》的规定，乌兰察布盟及其所辖六旗基本上原封不动地被保留了下来；沿袭旧制，仍设绥远城将军衙署和口外十二厅，仍由绥远城将军（后改为绥远将军）衙署监督节制，但行政管辖权仍属山西省归绥道；道衙改观察使公署，厅改县；保留原察哈尔都统，察哈尔右翼正黄、正红，镶红、镶蓝 4 旗归其统辖；设立绥远特别行政区、察哈尔特别行政区和兴和道，统辖原绥远城将军衙署监督节制区域、察哈尔右翼四旗和丰镇、兴和、凉城、陶林等绥东四县；设置

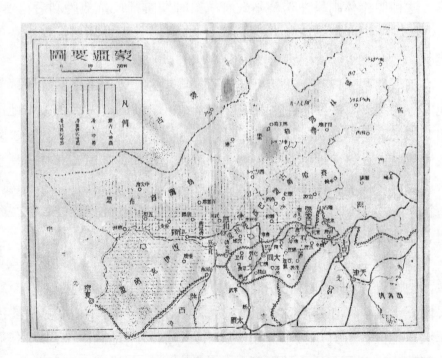

蒙疆辖域示意图

设治局；撤销特别行政区以及兴和道，改设绥远省、察哈尔省；在今达茂旗百灵庙镇成立蒙古地方自治政务委员会（简称百灵庙蒙政会）；在今呼和浩特市另立绥远省境内蒙古各盟旗地方自治政务委员会（简称绥境蒙政会）；成立伪蒙古联盟自治政府，新设巴彦塔拉盟，乌兰察布地区东南部归其管辖。民国二十八年（1939年）9月后，乌兰察布、巴彦塔

拉二盟归设在张家口的伪蒙疆联合自治政府（简称伪蒙疆政府）管辖；民国二十九年（1940年），伪蒙疆政府设置政教合一的席勒图旗，隶属伪乌兰察布盟公署，民国三十四年（1945年）撤销；民国三十年（1941年）8月，伪蒙疆政府改为伪蒙古自治邦政府；同时成立伪乌兰察布盟公署。

伪蒙疆政府时期，确定盟为一级地方建制，设立了盟公署。从此，盟公署有了固定的办公场所和较完善的办事机构。民国二十七年（1938年），《盟公署官制》规定，盟长不仅管辖境内的蒙旗，还管辖境内的县、市，改变了旗县并存地区蒙管旗、厅管汉体制。当时，乌兰察布地区盟属各旗仍实行札萨克世袭制，而察哈尔八旗和土默特特别旗则实行总管制。民国三十年（1941年），伪察哈尔盟公布《察哈尔盟旗组织暂行条例》，以法规形式确定了盟旗机构、官制和职员权限。两年后，伪蒙古自治邦政府又公布了《暂行旗官制》，改变了清代盟旗建制的职权、职责。清代的盟长没有实权，仅仅是在职权范围内对各旗札萨克实行监督，伪蒙疆政府统治时期的盟长有了实权；清代的札萨克和总管不仅是本旗的行政长官，还是军事长官，有权指挥旗属武装力量，伪蒙疆政府统治时期的札萨克和总管则变成了单纯的行政长官。同时还实行顾问制，由日本人担任顾问，实际掌管旗的各项要事。这种盟旗体制只在伪蒙疆政府统治时期实行，抗战胜利后自然消失。

民国三十四年（1945年）8月，日本帝国主义投降后，乌兰察布地区恢复抗战以前的建制。

抗战期间（1931—1945年），八路军大青山支队建立了抗日游击根据地，将乌兰察布地区分为绥中、绥西、绥南、绥东4个地区。期间，先后在绥中地区建立归武、陶林、武川、集宁、丰集县人民政府；在绥西地区建立武归、萨固、萨托、萨拉齐、固阳、武固县人民政府；在绥南地区建立丰集、归凉、托和清、丰凉、和林、清水河、托克托、凉城县人民政府；在绥东地区于民国二十八年（1939年）建立兴丰、归凉、托和清县人民政府。4个地区先后属晋察绥边区工作委员会、晋绥游击区行政公署驻绥察办事处、绥察行政公署、塞北行政公署和绥蒙人民政府管辖。

解放战争时期，仍保留绥南、绥东、绥中、绥西四个地区，均归绥蒙人民政府管辖。绥南地区辖凉城、和林格尔、清水河三县；绥东地区辖集宁、丰镇、兴和、陶林四县。民国三十四年（1945年）12月，析凉城、丰镇、陶林、集宁四县各一部分设置龙胜县，属绥东地区；析武川县东部设置武东县，属绥中地区；绥西地区辖固阳、萨拉齐二县和土默特旗。此外，这些地区还有一些临时性建制设置，如陶集县、集宁市、丰镇市、丰凉县、托和清县、武西县；还有绥南专署与丰凉县合并组成的丰凉中心县（专区级）。民国三十五年（1946年）3月，绥蒙人民政府成立绥东蒙旗办事处，管理察哈尔右翼四旗政务，同年9月撤销。民国三十八年（1949年）3月，绥蒙人民政府成立绥东四旗办事处，管理察哈尔右翼四旗政务。

总之，民国时期是党派林立，政局动荡，政区多变，地名更替频繁的年代。

# 第三节　中华人民共和国时期

　　1949年10月1日中华人民共和国成立，废除了一切封建体制，各地建立了新型的人民政权。新中国成立初期百业待兴，为了适应社会主义建设的需要，国家在政区建制方面进行了多方面调整。半个多世纪以来，乌兰察布地区也与全国、全区一样，在政区建制、地名管理方面进行了多次调整改革。

　　一是将延续了三百多年的仅对札萨克旗进行监督管理的乌兰察布盟改为乌兰察布盟自治区，设置自治区人民政府、人民委员会。后改为乌兰察布盟，设置乌兰察布盟行政公署，作为内蒙古自治区人民政府派出机构。2004年撤销原乌兰察布盟，设置乌兰察布市，建立了市人民政府。

　　二是将原属乌兰察布盟的达尔罕旗、茂明安旗（后合并为达尔罕茂明安联合旗，简称达茂旗）划归包头市。原属乌兰察布盟的乌拉特前旗、乌拉特中旗、乌拉特后旗（俗称乌拉特东公旗、乌拉特中公旗、乌拉特西公旗）划归巴彦淖尔盟。原属察哈尔盟、锡林郭勒盟或绥东专区、平地泉行政区的察哈尔右翼四旗（后改设为察右前旗、察右中旗、察右后旗）、丰镇县（后撤县设市）、凉城县、兴和县、商都县、化德县、卓资县、集宁区划归乌兰察布盟（市），形成了如今管辖5县4旗2市的乌兰察布市。

　　三是60多年来在数次行政区划调整过程中有多个旗、县、市、区划入又划出乌兰察布盟，现归呼和浩特市管辖的清水河县、和林格尔县、托克托县、武川县、土默特左旗，现归包头市管辖的达茂旗、土默特右旗、固阳县、石拐区、白云鄂博矿区，现归巴彦淖尔市管辖的乌拉特前旗、乌拉特中旗、乌拉特后旗，现归锡林郭勒盟管辖的苏尼特右旗、二连浩特市等旗、县、市、区都曾先后归乌兰察布盟管辖。

　　四是撤销了曾在乌兰察布地区设置过的部分旗、县级以上政区。如乌兰花直属区、五当召直属区、武东县、陶林县、达尔罕旗、茂明安旗、察哈尔右翼正红旗、察哈尔右翼正黄旗、察哈尔右翼镶红旗、察哈尔右翼镶蓝旗、镶蓝镶红联合旗、商都镶黄旗、集宁县、集宁市、丰镇县、丰镇市、平地泉镇、归绥县、归绥市、包头县、包头市建华矿区、固阳区、白云鄂博办事处、萨拉齐县、土默特旗、土默特特别旗、乌拉特中后联合旗、潮格旗、安北县、平地泉行政区、乌兰察布盟自治区、绥东专区、集宁专区、绥南专区、绥中专区、绥西专区、萨县专区、包头专区、察哈尔东四旗中心旗等等。

　　五是中华人民共和国建立之初设置区（努图格），作为各旗县市区人民政府派出机构，管理若干苏木、乡、镇，后全部撤销。

　　六是中华人民共和国建立之初，在农村牧区组建农牧业生产合作社，在此基础上建立苏木、乡、镇级人民政府，后全部改为人民公社，1984年又改为苏木、乡、镇。2000年以后，进行大面积的撤乡并镇，合并苏木、乡、镇。乌兰察布地区苏木、乡、镇总数减少近三分之二，同时多数苏木、乡改为镇。

七是在各人民公社组建农牧业生产大队、小队（生产队），对广大农村牧区进行有效管理。后农牧业生产大队、小队（生产队）改称行政村、自然村，后又改称村民委员会（嘎查）、村民小组（都贵楞）。

八是呼和浩特市、包头市建立旗县级一、二、三、四区，后更改以数字命名的市辖区名，重新命名市辖区。如呼和浩特市赛罕区、回民区，包头市昆都仑区、建华矿区（后撤销）等等。在集宁市和各旗、县、市、区人民政府所在地建立苏木、乡、镇级街道办事处。2000 年以来，各地又建立了级别不同、形式各异的工业园区和开发区。

九是中华人民共和国成立以来，统一进行过几次地名更改。如新中国成立，更改了一大批内容不健康、不利于国家建设、不利于民族团结或以地主、资本家姓名命名的村、镇名称。"四清运动"和"无产阶级文化大革命运动"期间，以所谓的"革命化"为目的也更改了很多村、镇名称。这些被更改的村、镇名称有的恢复了原名，有的沿用至今。另外，在历次行政区划调整过程中也更改了部分村、镇名称和行政区域名称。

# 第三章　乌兰察布地区地名考略

## 第一节　地名形成及命名特点

地名是人类社会历史发展过程中的必然产物。早期人类在共同生活和交往中，为了对有关地理方位、地理实体进行区别和指称，给这些地理实体取个代号，于是，地理名称应运而生，这就是最初的地名。可以说，地名是对大自然地理方位、地理实体的专门指代。

地名，有自然地理实体名称，也有人文地理实体名称。自然地理实体名称如山、川、河、滩、洞、谷、礁、湾、海、岛、泉、洲、瀑、泽、角、沙等等。人文地理实体名称是在人类政治、经济、文化生活活动中形成的专指名称。如省、县、市、乡、镇等行政区域名称，居民驻地名称，各专业部门使用的台、站、港、场、渠、道、风景区、纪念地、名胜古迹等实体的专指名称。

地名又是语言词汇的组成部分，是一种语言文化形态，地名文化也属于语言文化范畴。每一个地名都因他所指代的实体而得名，所以地名语词的文化内涵，首先揭示了它所指代的地理实体方位和范围，其次展示了地名的命名缘由，即命名理据。地理环境和乡土风情等地域文化是地名语词形成和生存的环境与土壤，同时又影响着该地域名称的形成和演变。地名文化不单纯是语言文化，同时又是历史文化、地理文化和乡土文化的重要组成部分，是一个综合性的文化范畴，是地域文化的无形化石。

乌兰察布地区历史悠久，幅员辽阔，地名存储量大，地名文化内涵十分丰富。一个地区的民族结构、民族文化和语言环境决定着这一地区地名的语种属性。乌兰察布地区，远古时期是荤粥、鬼方、猃狁、北狄、匈奴、鲜卑、契丹、女真等游牧民族繁衍生息之地。这些游牧民族都曾是乌兰察布地区不同时期的主体民族，他们有自己的语言，有些民族还有文字，这里的地名自然是以民族语言命名的。

12世纪末13世纪初，成吉思汗统一大漠南北蒙古各部族，建立蒙古大汗国。太祖成吉思汗六年（1211年），蒙古军以汪古部首领阿剌兀思剔吉忽里为向导，穿过阴山攻破金国抚州以北诸边堡，占领抚州、净州，又破大同府宣宁县。至此，乌兰察布地区便归入蒙古大汗国统辖范围，蒙古民族成为这里的主体民族。当时这一地区通行蒙古语，绝大部分地名也是以蒙古语命名的。北元时期，阿勒坦汗提倡与明朝通商，发展农耕经济，起房盖屋，建造库库和屯城（即呼和浩特市），大批内地汉民来到蒙古草原定居。清末，通过三大著名移民潮之一的"走西口"，成千上万的晋、陕、冀等地区老百姓涌入乌兰察布地区。

随着汉族人口的增多，汉族语言范围迅速扩大，汉语地名渐渐地多了起来，原有的蒙古语或其他少数民族语地名语音也渐渐地受到了汉语语音的影响。

如上所述，乌兰察布地区自古以来就是蒙古族、汉族和其他少数民族共同生息之地，普遍通行蒙古语和汉语，所以蒙古语和汉语地名占绝大多数。自16世纪藏传佛教传入，乌兰察布地区的蒙古民族在信仰萨满教的同时更多地信仰藏传佛教，喇嘛庙一度成为这里的文化中心，藏族语言文字在蒙古人生活中占据了一定的比重，因而，形成了很多藏语地名。清初期，八旗重兵驻扎今呼和浩特。由于受清王朝统治，乌兰察布地区也形成不少满语地名。此外，乌兰察布地区还有少量达斡尔族、鄂伦春族、鄂温克族和其他少数民族语地名。由于蒙、汉语以及其他少数民族语同时并行，乌兰察布地区地名中还有一些蒙、汉语合成，蒙、藏语合成，汉、藏语合成，甚至还有蒙、汉、藏语合成等多种语言混合的合成地名。同时，乌兰察布地区的地名有其形成原因和命名特点。现将乌兰察布地区地名的形成原因、命名特点简要概括介绍如下。

# 一　地名命名依据

地名命名依据即地名的命名原委。任何一个地名的命名总有一个原因，如"乌兰察布盟"的命名是因该盟首次会盟于乌兰察布河畔而得名，"土城子"村的命名是因该地方曾经有古城而得名。研究探讨地名命名依据，正是挖掘地名文化内涵的主要途径之一。乌兰察布地区地名命名依据大致可以归纳如下：

以蒙古族古代部落名称命名。如【〇〇〇〇〇　Durbed】"杜尔伯特"，汉语译作四子部落；【〇〇〇〇　Halah】"喀尔喀"，原本是自然河名，后指漠北地区；【〇〇〇〇　Ûred】"乌拉特"，意为能工巧匠们；【〇〇〇〇〇　Tumed】"土默特"，意为数字"万"；【〇〇〇〇〇　Sunid】"苏尼特"是以人名命名的部落名称。这些地名是清王朝推行盟旗制度，设置札萨克旗和都统旗时以蒙古部落名称命名的政区名称。还有【〇〇〇〇〇　of 〇〇〇　Tumediin Tal】"土默川"、【〇〇〇〇　Ôngûd nabaa】"蜈蚣坝"、【〇〇〇〇〇　Harqin】"哈拉沁"、【〇〇〇〇〇　Hôjid】"浩齐德"等等也是以蒙古古老部落名称命名的自然滩川名称。

以人名或对人的称谓、官衔命名。如【〇〇〇（〇〇〇〇）〇〇〇　Bôineg】"白乃庙"，以人名命名，意为福庙；【〇〇〇　Adiyaa】"阿德雅"，藏语人名，意为七曜之一——日；【〇〇〇〇〇　Dôngrôb】"刀刀布"，藏语人名，意为圣经；【〇〇〇〇　Sengee】"僧盖"，藏语人名，意为狮子；【〇〇〇〇　Abgai】"阿布盖"，意为男士；【〇〇〇〇〇　〇〇〇〇　Biderqin Ôbôô】"巴达日庆敖包"，意为化缘敖包；【〇〇〇〇　Bôr Huu】"保尔号"，意为灰小子；【〇〇〇〇　Ûûgan】"敖根"，意为老大；【〇〇〇〇　Dahara】"打花儿"，意为信使；还有李先生地、主席哇、野鬼房等。

以职业命名。如【〇〇〇〇〇　Ysgeiq】"雨施格气"，意为制毡匠；【〇〇〇〇〇　Harûûl】"哈乐"，意为岗哨；【〇〇〇〇〇　Qaaseq】"察素齐"，意为造纸人；【〇〇〇〇〇　Tulegqin】"斗林沁"，意为占卜者；【ᠠᠷᠭᠠᠯᠴᠢ　Argalq】"阿尔嘎力奇"，意为拾粪者；【ᠴᠣᠷᠵᠢ　Qôrj】"朝日吉"，藏语，意为主管教义的喇嘛。还有鼓匠湾、银匠卜子、油匠渠等等。

以行政、军事建制、文秘词语命名。如【ᠪᠢᠴᠢᠭᠲᠦ Biqigt】"北只图"，意为有文字之地；【ᠵᠠᠯᠠᠨ ᠠᠢᠯ　Jalan Ail】"甲勒营"，满、蒙语合成，意为佐领营；【ᠲᠠᠢᠵᠢ ᠶᠢᠨ ᠰᠦᠮᠡ　Taijiin Sum】"台基庙"，意为贵族庙；【ᠴᠠᠭᠠᠨ ᠣᠷᠳᠣᠨ　Qagaan Oroo】"察干额尔果"，意为白色府邸；【ᠬᠣᠱᠣᠭᠤ　Hûxûû】"呼霄"，意为山角。还有将军尧、大蓝旗、文字壕等等。

以自然地理实体、日月星空命名。如【ᠠᠮᠠᠨ ᠬᠣᠭᠣᠯᠠᠢ　Aman Hôôlôi】"阿满浩赖"，意为口子谷；【ᠪᠠᠶᠠᠨ ᠵᠢᠯᠠᠭ᠎ᠠ　Bayan Jalag】"巴彦吉拉嘎"，意为富饶的山沟；【ᠬᠦᠷᠡᠮᠲᠦ　Huremt】"呼日木图"，意为玄武岩地；【ᠯᠠᠮ ᠠ ᠶᠢᠨ ᠠᠭᠤᠯᠠ　Lamiin Ûûl】"喇嘛乌拉"，藏、蒙语合成，意为僧侣山；【ᠣᠳᠣ　Ôd】"敖都"，意为星星；【ᠳᠠᠸᠠ᠎ᠠ　Dauaa】"达瓦"，藏语，意为月亮；【ᠨᠠᠷᠠᠨ ᠬᠤᠳᠳᠤᠭ　Naran Hûdag】"纳仁忽洞"，意为向阳井；【ᠣᠷᠴᠢᠯᠠᠩ　Ôrqlông】"敖日其楞"，意为宇宙。还有刀棱山、前河、牛川、黑榆林滩等等。

以动物肢体器官命名。如【ᠬᠠᠮᠠᠷ ᠵᠠᠮ　Hamer Jam】"哈玛日扎木"，意为鼻梁道；【ᠬᠠᠪᠢᠷᠭ᠎ᠠ　Habireg】"哈北嘎"，意为肋条；【ᠬᠠᠮᠠᠷ ᠪᠤᠯᠤᠩ　Hamer Bûlang】"哈马日布郎"，意为鼻梁湾；【ᠣᠯᠭᠣᠢ　Ôlgôi】"敖劳盖"，意为盲肠；【ᠬᠦᠢᠰᠦ　Huis】"奎素"，意为肚脐；【ᠴᠠᠭᠠᠨ ᠮᠠᠩᠨᠠᠢ　Qagaan Mangnai】"查干芒乃"，意为白额；【ᠢᠳᠠᠮ　Idam】"伊德木"，藏语，意为无名指。还有白眉毛营、脐带沟、牛角湾等等。

以劳动生产工具、自然资源命名。如【ᠪᠦᠷᠦᠨᠲᠡᠭ　Bûrûnteg】"布仁图格"，指连接骆驼鼻豢（juàn）与缰绳的一段儿小皮绳；【ᠪᠠᠶᠠᠨ ᠲᠠᠯ᠎ᠠ　Bayin Tal】"巴彦塔拉"，意为富饶草原；【ᠮᠤᠤ ᠬᠤᠵᠢᠷ　Mûû Hûjir】"毛忽庆"，意为赖碱滩；【ᠡᠷᠭᠦᠭᠦᠯᠡᠭ　Erguuleg】"埃力棍"，意为旋钮；【ᠪᠢᠯᠠᠭᠤᠲᠤ　Biluut】"北流图"，意为磨石地；【ᠵᠡᠰ ᠦᠨ ᠤᠤᠷᠬᠠᠢ　Jesiin Ûûrhai】"吉斯音乌日海"，意为红铜矿；【ᠲᠠᠲᠠᠭᠤᠷ　Tatûûr】"达塔古日"，意为拉手；【ᠲᠤᠯᠤᠮᠲᠤ　Tûlamt】"独龙图"，意为有皮囊之地。还有云母矿、六颗碌碡、压地房、十八顷、跑青牛犋等。

以植物、动物名称命名。如【ᠪᠦᠳᠦᠷᠭᠡᠨ᠎ᠠ　Bûdergana】"宝德日根"，意为万年蒿；【ᠵᠡᠭᠡᠷᠭᠡᠨᠲᠦ　Jeergent】"哲日根台"，意为麻黄滩；【ᠬᠠᠯᠭᠠᠢ ᠪᠤᠯᠤᠩ　Halgai Bûlûng】"哈拉盖布隆"，意为荨麻湾；【ᠵᠤᠯᠭᠡᠨᠲᠡᠢ　julgentai】"朱根岱"，意为草坪地；【ᠪᠢᠯᠵᠤᠤᠬᠠᠢ　Biljûûhai】"兵州亥"，意为麻雀；【ᠪᠢᠷᠠᠭᠤᠲᠤ　Birûûet】"必如图"，意为有二岁小牛之地；【ᠬᠠᠷᠭᠠᠨᠠᠲᠤ　Hargant】"哈尔图"，意为锦鸡儿地。还有狼窝沟、黄羊城、蛤蟆洼等等。

以日常生活用品、食品名称、装饰品名称命名。如【ᠬᠠᠪᠬᠠᠭᠠᠰᠤᠲᠠᠢ　Habhaastai】"格化司台"，意为有锅盖；【ᠬᠣᠪᠣᠩ ᠬᠣᠩᠬᠣᠷ　Hôôbông Hônghôr】"好奔洪浩尔"，意为火盆洼地；【ᠠᠪᠳᠠᠷ　Abder】"阿布达日"，意为躺柜；【ᠴᠠᠭᠠᠨ ᠰᠢᠪᠡᠭᠡ　Qagaan Xibee】"厂汗席片"，意为白栅栏；【ᠶᠡᠬᠡ ᠤᠨᠢ　Yeh Ûni】"大乌尼"，意为大椽子；【ᠪᠤᠮᠪᠠᠲᠤ　Bûmbtai】"奔巴台"，藏语，意为甘露瓶；【ᠠᠢᠷᠠᠭ　Airag】"艾日格"，意为酸奶；【ᠪᠣᠱᠣᠭ　Bôxôg】"包扫格"意门槛儿；【ᠬᠠᠰ　Has】"哈斯"意为玉；【ᠭᠣᠶᠣᠣᠬᠠᠢ　Gôyôôhai】"高腰海"，意为槟榔；【ᠬᠠᠪᠠᠭᠲᠤ　Qabagt】"查

布格图"，意为有枣之地；【ᠡᠩᠭᠡᠰᠡᠭ Enggseg】"恩克斯克"，意为胭脂；【ᠡᠸᠮᠡᠭᠲᠦ Eeemegt】"鄂莫格图"，意为有耳坠子之地；【ᠪᠥᠭᠡᠵᠢ Bogej】"博格吉"，意为有戒指之地等等。北元时期大量中原人涌入土默川，形成很多以房屋命名的村庄。《读史方舆纪要》记载："中国（指中原明朝）叛人逃出边（长城）者，升板筑墙，盖屋以居，乃呼板升，有众十余万。""升板筑墙"是当时内地建造房屋的一种主要方法，即以木板夹土，以杵或锤将土夯实，次第升高。这样筑成的房屋比帐篷、蒙古包要厚实，坚固且温暖。北元时期从内地迁来的汉人用这种方法起房盖屋，蒙古人称之为【ᠪᠠᠶᠢᠰᠢᠩ Baixing】"板升"。于是，乌兰察布地区就出现了许多以"板升"命名的村庄，如"大板升、板申气、阿莫尔板升、捣拉板申、黑麻尔板申、哈拉板申、善友板申、麻花板、牌楼板、色肯板、公布板、姑子板"。还有大豆铺、斗梁洼、韭菜庄、碌碡坪等。

以某种行为动态、型态、状态、色泽命名。如【ᠠᠪᠤᠷᠠᠬᠤ Abrah】"阿布日呼"，意为拯救；【ᠲᠣᠰᠬᠤ Tôsh】"讨吃号"，意为迎接；【ᠬᠠᠮᠵᠢᠶ᠎ᠠ Hamjaa】"哈木扎"，意为协作；【ᠬᠡᠪᠲᠡᠬᠦ Hebtee】"和布特"，意为躺卧；【ᠬᠠᠯᠲᠠᠷ Halter】"哈拉特尔"，意为黑花脸；【ᠡᠷᠢᠶᠡᠨ Ereen】"二连"，意为色彩斑斓；【ᠭᠤᠷᠪᠠᠯᠵᠢ Gûrbolj】"固尔巴勒齐"，意为三角形；【ᠠᠩᠭᠠᠷᠬᠠᠢ Anggarhai】"昂嘎日海"，意为张开状；【ᠦᠨᠭᠬᠦᠷ Ûnghûr】"温浩尔"，意为凹形；【ᠭᠠᠱᠤᠭᠤᠨ Gaxûun】"嘎少"，意为苦；【ᠬᠠᠯᠠᠭᠤᠨ Halûun】"寒露"，意为热或辣。还有马鞍山、圪洼、黑榆林等等。

以方位和数量词命名。如【ᠡᠮᠦᠨᠡᠲᠦ ᠪᠤᠯᠠᠭ Dôôr Bûleg】"到日补力格"，意为南泉；【ᠵᠡᠭᠦᠨ ᠬᠠᠭᠤᠴᠢᠨ Juun Hûûqin】"中耗庆"，意为东旧营子；【ᠳᠣᠷᠣᠭᠰᠢ ᠤᠰᠤ Dôôr Ûs】"道日乌素"，意为下游水；【ᠳᠠᠯᠳᠠ ᠪᠤᠯᠠᠭ Dald Bûleg】"达拉达布拉格"，意为暗泉；【ᠭᠠᠩ ᠬᠤᠳᠳᠤᠭ Ganq Hûdeg】"干丈胡洞"，意为一口井；【ᠣᠯᠠᠨ ᠬᠠᠶᠠᠭ Ôlôn Hûa】"敖楞花"，意为众多山丘；【ᠲᠠᠪᠤᠨ ᠰᠠᠯᠠᠭ᠎ᠠ Taben Salaa】"塔班沙拉"，意为五支岔。还有大滩、东沟、下湿壕、五股泉、三号地等等。

以表示愿望、祈求等用语命名。如【ᠥᠯᠵᠡᠶᠢᠲᠦ Oljit】"耳居图"，意为吉祥地；【ᠪᠠᠳᠠᠷᠠᠩᠭᠤᠢ Badranggûi】"巴都来"，意为兴盛；【ᠴᠣᠭ ᠳᠡᠯᠭᠡᠷ Qôg Delger】"朝格德勒格尔"，意为生机盎然；【ᠪᠠᠶᠠᠰᠬᠤᠯᠠᠩ Bayasgûlang】"白只户"，意为喜悦；【ᠪᠦᠲᠦᠮᠵᠢ Butumj】"布图木吉"，意为成就。还有聚锦号、复兴营、福生庄、胜利、财神营、福满堂等等。

以宗教、祭祀等用语命名。如【ᠡᠷᠭᠦᠭᠰᠡᠨ Orogsen】"袄尔圪逊"，意为供奉的；【ᠲᠠᠬᠢᠯ ᠴᠠᠭᠠᠨ ᠣᠪᠣᠭ᠎ᠠ Tahil Qagaan Ôbôô】"他黑拉查干敖包"，意为白色祭祀敖包；【ᠨᠢᠷᠪᠠ ᠶᠢᠨ ᠬᠣᠲᠠ Nirbiin Hôt】"尼尔巴营"，藏、汉语合成，意为管家喇嘛营子；【ᠰᠠᠩ ᠲᠦᠯᠡᠬᠦ Sang Tul】"桑都勒"藏、蒙语合成，意为焚香；【ᠤᠪᠠᠰᠢ Ûbaxi】"伍把什"藏语，意为受戒人；【ᠪᠠᠨᠳᠢ ᠶᠢᠨ ᠪᠠᠶᠢᠰᠢᠩ Bandiin Baixing】"班第房"，藏、蒙语合成，意为小喇嘛房子；【ᠮᠠᠨᠢᠲᠤ Maanit】"满替"，藏、蒙语合成，意为佛珠地。还有香火地、教堂、礼拜寺等等。

以崇拜物命名。灵物崇拜是早期人类常见的一种心理现象，人们常常以某种动物或自然物为崇拜物，现代人称之为"图腾"。乌兰察布地区地名也反映了人们的这种心理。例如【ᠪᠣᠭᠳᠠ　Bôgd】"宝格达"是蒙古语"圣山"之意，因人们信奉山神而得名。又如【ᠲᠡᠩᠭᠡᠷ　Tenger】"腾额日"，意为天；【ᠳᠣᠯᠣᠭᠠᠨ ᠰᠡᠷᠪᠡ　Dôlôôn Serbee】汉语称"七层山"；【ᠪᠠᠶᠠᠨ ᠣᠪᠣᠭᠠ　Bayinôbôô】"白音敖包"，意为富饶的敖包。还有关公庙、河神湾、神女峰等等。

以历史传说命名。例如，相传很早以前在草原深山峻岭中有一个凶狠而奸诈的魔鬼，常年骚扰百姓生活，残害牧民牲畜。魔鬼神出鬼没，来无踪去无影。足智多谋的成吉思汗征战金国路过此地，听说了魔鬼残害牧民的事儿，夜深人静时在小山包上点了一盏灯，又让射箭能手二弟哈布图哈萨尔准备好弓箭等待魔鬼出现。三更时分，魔鬼睡醒一觉看见小山包上的灯，以为又为它准备好了美味佳肴，欣喜若狂地走向那盏灯。结果中了哈萨尔的神箭一命呜呼。后人为了纪念足智多谋的成吉思汗和百发百中的哈萨尔，将此地命名为【ᠳᠡᠩ ᠬᠠᠷᠪᠠᠭ　Deng Harbaaq】"登哈日巴其"。此地名系蒙古语，意为射灯能手。又如传说康熙皇帝西征路经今凉城县营盘梁村，并在此安营扎寨，故命名该村为营盘梁。

以历史事件命名。如【ᠬᠣᠷᠢᠨ ᠭᠡᠷ　Hôrin Ger】"和林格尔"，意为二十家子，因清初新设驿站有二十间房子而得名，反映了清代设置驿站的历史。又如【ᠣᠪᠣᠯᠵᠣᠭ　Oboljoo】"沃博勒者"，意为冬盘营，这类地名反映了蒙古民族逐水草而居的游牧生活。还有屯垦队、三顷地、头号等地名反应了清朝和民国时期，晋、冀、陕等地区汉民涌入乌兰察布地区开垦屯田的历史。1916年，察哈尔都统组织了10个亦军亦农的屯垦队来今商都县开垦土地100顷。后来，屯垦队集体转业务农，屯垦队地名由此而来。三顷地、头号等地名也都是开垦土地的数量或地号。另外，1949年以后一些地名的命名带有鲜明的时代色彩，如"乌兰格日乐"意为红光，"胡毕斯哈拉图"意为革命。还有跃进、文革、援朝等等。

以自然风貌、地形特点命名。古老的蒙古民族是游牧民族，他们逐水草而居，生活、生产离不开大自然的山山水水。以地形特点命名村镇名称往往能给人留下深刻的印象。如【ᠠᠯᠲᠠᠨ ᠡᠮᠡᠭᠡᠯ　Altan Emeel】"阿拉特腾额莫勒"，意为金马鞍形山，因马鞍形山而得名。又如【ᠬᠦᠢᠰ　Huis】"慧寺"，意为肚脐；【ᠬᠣᠨᠳᠡᠢ　Hondei】"宏队"，意为空旷地带；【ᠬᠦᠢᠲᠡᠨ ᠰᠢᠯᠢ　Huiten Xil】"辉腾锡勒"，因位于乌兰察布市察右中旗南部阴山高寒地区而得名，意为"寒冷的高原"。这里早晚温差很大，即使在鲜花怒放的夏季，清晨日出时仍然要穿毛衣，故名辉腾锡勒。包头市石拐区原蒙古名称【ᠰᠢᠭᠦᠢᠲᠦ　Xûgûit】"喜贵图"，森林之意，因此地树木多得名。还有白道梁、头道沟、周家岭、阳崖、北水泉等等。

值得一提的是，以自然生态命名的地名，随着自然生态的变化有些地名已与现在的情况不符了。如著名的草原钢城包头，北靠阴山，南临黄河，曾经是水草丰美的草原，晨昏之际常有鹿群出没，所以命名为【ᠪᠤᠭᠤᠲᠤ　Bûgt】"博克图"（后转音为包头），意为有鹿的地方。然而，现在已不见鹿群的踪影，"包头"之称只作为历史踪迹留存下来。

原地名前后加方位词产生新地名。这种情况多为建村时以附近的村名前后加方位词产生的新地名。例如【ᠳᠡᠭᠡᠷ᠎ᠡ ᠣᠪᠣᠭᠠ　Deer Ôbôô】"德仁敖包"，意为上脑包；【ᠵᠡᠭᠦᠨ ᠳᠦᠺᠰ　Juun Dux】"中都西"，意为东平顶山；【ᠳᠦᠷᠡᠩᠭᠡᠢ ᠶᠢᠨ ᠠᠷᠤ　Duurenggiin Ar】"斗林盖阿鲁"，意为斗林盖村后；【ᠳᠤᠨᠳᠠ ᠲᠠᠯᠠ Dûnd Tal】"东塔拉"，意为中部草滩；【ᠪᠠᠷᠠᠭᠤᠨ ᠡᠩᠭᠡᠷ Barûûn Engger】"巴容恩格儿"，意为西坡；【ᠰᠢᠯᠢ ᠶᠢᠨ ᠡᠮᠦᠨᠡ Xiliin Omene】"西里欧门"，意为山梁前。还有左圪泵、右大井、大沟低、召滩西等等。

地名儿化也是乌兰察布地区地名称谓的一种显著特点。这种情况往往是地名书写时并不儿化，称呼时却带儿化。例如"井滩"称"井滩儿"、"蒙格寺【Munk Ûs】"称"蒙格寺儿"、"张家村"称"张家村儿"、"浑迪"【Hongdei】称"浑迪儿"；【Enggseg】"恩格斯格"称"恩格斯儿"；【Habqil】"哈布其勒"称"哈布其儿"；"锦鸡湖"称"锦鸡儿湖"，"山嘴"称"山嘴儿"等等。

## 二 地名重复

乌兰察布地区地名重复有以下几种状况：一是完全重复。例如乌兰察布地区名为土城子的村庄就有 30 多个。另外，在开垦蒙地、安置汉民的过程中，以土地编号形成的地名重复现象更多。如"东八号"、"三号地"等等。蒙古语地名中以水草、山川和富裕、丰满等词语命名的地名重复现象也很普遍。如【ᠬᠤᠳᠤᠭ Hûdag】"忽都格"，意为水井；【ᠲᠠᠯᠠ Tal】"塔拉"，意为草原；【ᠤᠰᠤ Ûs】"乌素"，意为水；【ᠭᠣᠣᠯ Gôl】"郭勒"，意为河；【ᠣᠪᠣᠭᠠ Ôbôô】含义为敖包或山丘；【ᠪᠠᠶᠠᠨ Bayan】"巴音、巴彦"，意为富裕等等。

二是文字书写一样，含义却不同。例如两个蒙古语地名【ᠰᠢᠷᠡᠭᠡᠲᠦ Xireet】都音译为"席勒图"，其含义一是指桌形山梁，另一个却指坐床（喇嘛教用语）。两个蒙古语地名【ᠣᠩᠭᠣᠴᠠ Ônggôq】都音译为"温格其"，其含义一是指槽，另一个却指船。两个蒙古语地名【ᠬᠠᠪᠠᠭᠠᠨᠴᠠ Qabganq】都音译为"察补干齐"，其含义一是指尼姑，另一个却指老妇人。两个蒙古语地名【ᠠᠷᠠᠯ ᠲᠣᠬᠠᠢ 】都音译为"阿热勒托海"，其含义一是指岛湾，另一个却指车辕湾。两个蒙古语地名【ᠠᠯᠲᠠᠨ ᠭᠠᠳᠠᠰᠤ 】都音译为"阿拉腾嘎达苏"，其含义一是指金钉，另一个却指北极星。同样两个"王盖营"，一个是蒙古语地名【ᠸᠠᠩ ᠤᠨ ᠠᠢᠯ Uanggiin Ail】，意王爷营子，另一个却是以人名命名的村名。另外，在蒙古语地名汉语音译过程中多形成这种地名重复现象。如【ᠠᠯᠠᠭ Alag】意花斑，【ᠠᠷ ᠭᠦᠦ Ar Gûû】意后沟，都音译为"阿拉沟"。【ᠠᠯᠲᠠᠨ ᠠᠭᠤᠯᠠ Altan Ûûl】意金山，【ᠠᠷᠴᠠ ᠠᠭᠤᠯᠠ Arq Ûûl】意柏树山，都音译为"阿尔金山"。【ᠠᠯᠲᠠᠨ ᠴᠢᠯᠠᠭᠤ Altan Qûlûû】意含金石，【ᠡᠷᠳᠡᠨᠢ ᠵᠤᠯᠠ Erdeni Jûl 】意宝灯，都音译为"阿尔登朝勒"。【ᠠᠲᠠᠨ ᠭᠣᠣᠯ Atan Gôl】意骟驼河，【ᠠᠳᠠᠭᠤᠨ ᠭᠣᠣᠯ Adûûn Gôl】意马群河，都音译为"阿登高勒"。【ᠠᠳᠠᠭᠤᠬᠠᠢ Adûûhai】意马群地，【ᠠᠷ ᠲᠣᠬᠠᠢ Ar Tôhôi】意后湾，都音译为"阿刀亥"等等。从以上实例看，这种地名重复现象是蒙古语地名汉语音译工作不够规范所致。

三是书写和含义一样，读音却不同。例如【ᠬᠥᠬᠡᠬᠣᠲᠠ Huhhôt】"呼和浩特"和【ᠬᠠᠪᠬᠠᠰᠲᠠᠢ Habhaastai】"格化斯台"，察哈尔蒙古语却称【Guhhôt】和【Gabhaastai】。又如【ᠵᠢᠷ

Qengker】"青科尔"，意为蓝，【〔蒙古文〕 Hadaas】"哈达苏"，意为钉子，东部地区口音却称蓝为【Xengker】、称钉子为【Gades】。

四是读音相同，书写和含义却不同。如【〔蒙古文〕 Suuder】和【〔蒙古文〕 Suuder】口语读音完全相同，书写和含义却不同。前者指露水，后者指阴面无阳光之处。又如【〔蒙古文〕Hadiin Nûrûû 】和【〔蒙古文〕 Hadiin Nûrûû】读音完全相同，书写和含义却不同，前者指岩石山梁，后者指汗王所居山梁。

五是读音、含义一样，文字书写却不同。例如"嶂县窑"与"嶂县夭"，"忽都嘎"与"忽洞"，"壕庆"与"壕堑"，"朝克温都"与"朝公都儿"，"三元井"与"三眼井"，"呼和浩特"与"库库和屯"、"厚和浩特"，"三滩"与"善旦"等。以上每组地名虽文字书写不同，含义却完全一样。

六是书写和读音虽不同，含义却一样。如【〔蒙古文〕 Balga 巴拉嘎、〔蒙古文〕 Balgai 巴拉盖、〔蒙古文〕 Balgaas 巴拉嘎斯】三个地名的书写和读音虽不同，含义却一样，均指镇。【〔蒙古文〕Balga 巴拉嘎】和【〔蒙古文〕 Balgai 巴拉盖】是【〔蒙古文〕 Balgaas 巴拉嘎斯】一词的古时书写形式。

乌兰察布地区地名重复形式各异，特别是通行蒙汉两种语言、文字的地方，地名重复更是"五花八门"。这种重复影响了地名的专指性和规范性。

## 三　地名中的错别字与不实之词

例如，今察右后旗原八号地乡人民政府驻地"呆坝营"村，原本是藏语名称【〔蒙古文〕Nirab】"桌儿坝"，汉意管家喇嘛，因该村曾居住过一位喇嘛庙管家而得名。汉族人口增多后叫成"尼尔巴营"，现当地老乡称该村为"南坝营"。然而，在行政文件材料中都写作"呆坝营"。据查访当地人，"南坝营"原写作"桌坝营"，后误写成"呆坝营"，久而久之形成了当地方言称"南坝营"，文字却写作"呆坝营"的状况。再如，今察右前旗原黄茂营乡人民政府驻地黄茂营，原本是蒙古人名【〔蒙古文〕 Heimôr】"红懋尔"，意运气。1951年刻公章时误刻为"黄茂营"，从此"黄茂营"就成为该村、区、乡之专名一直沿用至今。

历史上的统治阶级多用带有贬低、歧视甚至侮辱弱小部落或少数民族的词语命名边疆少数民族地区的一些村、镇。如西汉末王莽篡政时期改"云中郡"为"受降郡"，改"雁门郡"为"填狄郡"，改"朔方郡"为"沟搜郡"，改"武进县"为"伐蛮县"等等。又如明朝皇帝为草原名城库库和屯（今呼和浩特市）赐名"归化"；清政府赐名库库和屯城东五里处的新城为"绥远"。还有一些村、镇名称，如杀达子、死达子等等，更是赤裸裸地侮辱少数民族的词语。

## 四　地名的更改

任何事物都是发展变化的，同样，地名也并非是一成不变的。清代以前，乌兰察布地区的地名绝大部分是蒙古语或藏语地名。明末清初，大批汉族饥民走西口来到乌兰察布地区，改变了这一地区的民族结构和语言环境，也引发了地名的大批更改和汉化，形成了诸多汉语地名。例如，以立村人姓名命名的村庄有张三洼、康家卜子等；以土地编号、亩数命名的村庄有东八号、四十顷地等；在原蒙古语地名前后加汉语方位词或汉语山川沟洼等词语形成蒙汉合成地名的，如前忽洞、上脑包、哈达山、萨奇庙、生盖营、丁吉梁等等。

中华人民共和国成立初期，由地名管理部门统一安排，更改了一大批有碍于民族团结，不利于国家建设和以旧社会地主、资本家等姓名或商号名称命名的村镇名称。例如：四子王旗原吉生太乡"郝六古营村"更名为"上古营"，乌拉特中旗原乌兰苏木的"萨木岱"【ᠰᠠᠮᠲᠠᠢ　Samtai】更名为【ᠪᠠᠶᠠᠨ ᠣᠪᠣᠭ᠎ᠠ　Bayanôbôô】"巴音敖包"，察右中旗原布连河乡"五福堂"更名为"西湾子"，土默特左旗原沙尔营乡"花狗营"更名为"西华营"，土默特右旗原毛岱乡"河神庙"更名为"河森茂"，凉城县原"香火地"改成"厢黄地"，清水河县原桦树墕乡"三王墓"更名为"三台子"，乌拉特中旗原石兰计乡"邢寡妇圪旦"更名为"荣丰"，兴和县原大同窑乡"逍遥庙"更名为"小窑子"等等。

在"文革"时期，受"左"倾思想路线的影响更改了大批地名，形成了诸多"红色"地名。后在拨乱反正与恢复整顿过程中很多地名恢复了原名，也有一部分更改地名没有恢复就此保留了下来。如"五一"、"团结"、"庆丰"，大多是这一时期形成的名称。

## 第二节　旗县市区级以上政区名称考略

### 一　旧政区名称考略

**归化**　故城、厅、县专名。明万历三年（1575 年），库库和屯城建成后明朝皇帝赐名"归化"。"归化"一词本是"入籍"一词的旧称，也是佛教用语，意为"回归融化……出于土，埋于土"；同时，在法律上，"归化"是指某自然人在出生国籍以外，自愿取得其他国籍的行为；在翻译工作界，"归化"是指把源语（文）本土化。很显然，明王朝赐名"归化"带有歧视少数民族的用意。

库库和屯城又称"三娘子城"，是北元俺答汗（即阿勒坦汗）在其王妃三娘子大力协助和积极参与下建成的，至今已有 430 多年的历史。三娘子（1550—1612 年）本名诺延楚，是顺义王俺答汗的王妃。三娘子不但貌美而且性格豪爽，擅长歌舞骑射，具有卓越的政治远见和军事指挥才能。她协助俺答汗与明王朝建立互市关系，积极维护与明王朝的友好往来和互市，在俺答汗促成蒙汉人民和睦相处的过程中发挥了重要作用。明隆庆五年（1571 年）三月，明王朝封阿勒坦汗为顺义王，同时封三娘子为"忠顺夫人"。后人为了纪念这位贤惠而又杰出的忠顺夫人，也称库库和屯城为"三娘子城"。明王朝将库库和屯城赐名"归化"之后，当地群众继续沿用"库库和屯城"名称之外，民间百姓普遍把"归化"城读作"岢化城"。

该城是藏传佛教传入漠南蒙古地区以后最先建庙供佛的城池之一，因建召庙甚多，素有"召城"之称。"七大召，八小召，七十二个绵绵召（免名召）"，这是当地广为流传的形容该城召庙众多的一句俗语。清末，喇嘛教衰竭，民国时期，大多数召庙被破坏，现存的仅有大召、小召、席力图召、五塔寺等为数不多的几座。其中，大召寺的银佛像、壁画、经卷、供器等是国内藏传佛教艺术珍宝，其正殿露明柱上的"二龙戏珠"雕塑艺术超群，实属稀世佳作。席力图召喇嘛教覆钵式汉白玉石塔华美瑰丽。清康熙皇帝征讨噶尔丹时特立的两座蒙汉文"纪功碑"也是珍贵文物。五塔寺（金刚座舍利宝塔）的五塔宝座雕刻有数千尊小佛像和法轮，尤以蒙文《天象图》更为稀世珍宝，是我国建筑艺术的精品。

归化城旧址坐落在今呼和浩特市玉泉区大北街。归化城规模很小，正方形，城周长 1200 米，总面积不足 1 平方公里，城墙高 8 米。因原城的规模小，防御能力差，清康熙三十年(1691 年)，在归化城东、南、西三面又建一道外城墙，并增建了东、南、西三个城门，依次叫承恩、归化、柔远门。每个城门都筑有瓮城，原南门改建为城中心鼓楼。扩建后，东西宽 500 米，南北长 420 多米，

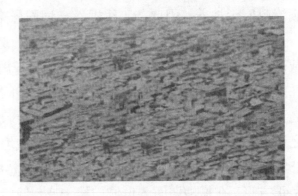

归化城鸟瞰图

周长 1900 米，扩大了 1 倍多。新建的外城城墙高 2 丈左右，外垣的形状是一个缺少西北角的矩形。清同治七年(1868 年)，又在该城外围按照已形成的居民区增筑了一道蜿蜒曲折的土围墙，全长约 1.5 万米，大部均在今玉泉区境内，现已无迹可寻。

清代和民国时期，归化城一直是封建王朝权力机关驻地。其北门在今大北街北口处，原称建威门，城内路西就是顺义王府。清天聪八年(1634 年)，俄木布的顺义王封号被废，顺义王府被都统丹津所占，人们称之为"丹府"。路东有议事厅大院，是土默特十二参领集体办公地。废除都统以后，土默特旗总管衙署又设在该院，称"总管衙门"。丹府靠南偏西为右翼都统府，后改成镇守归化城的副都统衙门。丹府西跨院是清代税务管理总局的办公处。后来，土默特左、右两翼旗府也设于该城。清雍正元年(1723 年)，清政府在归化城设置专管汉民事务的归化城厅理事同知，清乾隆六年（1741 年），清政府又在归化城设置山西省派出机构归绥兵备道道署衙门，管理口外各厅，形成了旗管蒙民，道、厅管

汉、回等民族事务的蒙汉分治局面。民国元年（1912 年），归化城厅更名为归化县。中华人民共和国建国之初，归绥市人民政府也设在归化城内。

随着社会经济的发展，归化城原有的狭窄街道已不能适应城市交通的需要，民国十三年（1924 年），先后拆除了北门瓮城和东、南、西三城门，城墙随之报废。1953 年，拆除了旧城北门楼。1973、1978 年，先后拆除顺义王府（丹府）。

昔日的归化城凭借优越的地理位置成为明、清时期西北边疆地区的商业贸易枢纽。南方的茶叶、中药材、丝绸等商品源源不断地流入归化城，再由此经终年不歇的驼队运往蒙古、新疆等地。驰名中外的旅蒙商业垄断集团——大盛魁总部就设在归化城。久负盛名的大南街、大北街商业店铺林立，成为周边地区的商贸集散地，现在这里仍然是呼和浩特地区的商贸中心区域之一。

**绥远**　故城、厅、道、市、省、县、区专名。清乾隆四年（1739 年），在归化城东北约五华里处筑新城，取名绥远城，并调遣山西右卫"建威将军"王常率八旗军来此驻防。后改建威将军为绥远城将军。绥远城建成后，人们称归化城为旧城，绥远城为新城。"绥"，指古代轿车门框上的一截绳索，供人们上轿车时拉拽。"绥远"一名的含意就是绥远城由满清政府牵拽着，因此，"绥远"一词同样带有民族歧视之意。

清政府筑绥远城，旨在绥靖西北边疆，造就塞外第一军事重镇。正如《绥远旗志》所载："绥，～城也，而疆界最远；绥官，～属也，而公署最多。何者？一城之外，至于十二厅、十三旗之地，东暨于察哈尔，西迄于阿拉善之界，皆将军所辖，即垦务所界，盖延袤至数千里之遥已……"这座满清八旗官兵驻防城，城垣周长 6533 米，城墙高 9.8 米，底基宽 13 米，顶宽 8 米，呈正方形。在城池四面各设城门楼一座，城门由乾隆皇帝赐名，东、南、西、北四门依次称迎旭门、承薰门、阜安门、镇宁门。城之四周环以 17 米宽的护城河，四门均建有跨河桥以通内外。城门均建有瓮城箭楼，城垣四角各设角楼一座，四周城墙上置有炮台 44 个。城内还建有将军衙署等官府衙门。

绥远城鼓楼

绥远城的中心建有一座钟鼓楼，高 32 米，分 3 层：底层四面中央开有高 6 米、宽 4 米的石券门洞，与城中东、南、西、北四条大街相通。四门洞相汇之中央有一块青马牙圆形巨石，上刻一精美八卦图。二层上面左右各建一小亭，左亭悬铁钟一口，右亭架巨鼓一面。三层南、西、北三面檐下中间各有一木质巨匾，依次刻有"帝城云裹"、"震鼓惊钟"、"玉宇澄清"字样，东面无匾。三楼之上为玉皇弥罗阁，楼檐下悬有"弥罗阁"巨匾一块。楼上供有一尊檀香木雕刻的玉皇大帝像。楼顶，插檐飞挑，青瓦覆盖，为鹊鸦燕雀之乐土。后因为鼓楼影响市内交通而被拆除。

自清代一直到中华人民共和国成立初期，绥远城都是绥远城将军衙署、绥远都统署和绥远省政府、内蒙古自治区人民政府驻地。1914年7月，改归绥道为绥远道，治归化城，属绥远特别区管辖。辖归绥、萨拉齐、清水河、托克托、和林格尔、五原、武川、东胜地区和西二盟（乌兰察布、伊克昭）以及土默特左右翼二旗，辖区约相当于今内蒙古自治区乌拉特后旗、磴口县、明长城以北，察哈尔以西，中蒙边界以南地区。民国十七年（1928年），绥远特别行政区改设为绥远省，省政府就设在绥远城。1949年9月19日，董其武将军率部起义，绥远省和平解放，省人民政府仍然设在绥远城内。1954年，内蒙古自治政府与绥远省合并，成立内蒙古自治区人民政府，政府机关就设在绥远城。民国时期的绥远厅、绥远道、绥远市、绥远县、绥远区等政区政府机关都设在这里。

**归绥**　故道、城、市、县专名。清乾隆六年(1741年)，清政府设立归绥道，道署衙门设在归化城内，隶属山西管辖，管理口外各厅。道名"归绥"，取归化、绥远二城名首字而成，全称为分巡归绥等处地方兵备道。"道"本为省之下分管某一方面或某一地区的官职名称，按其职权范围，前加"分巡""分守""分备"等衔，虽不是正式的地方行政单位，事实上却是一级地方行政机关。民国元年（1912年），改归绥道为归绥观察使公署，管辖由原12厅改置的12县；次年，将归化、绥远两城合并为归绥县；三年（1914年），设置绥远特别行政区，与山西省分治。民国二十六年（1937年），抗日战争全面爆发后，原归化城、绥远城并称"归绥市"后又改称"厚和豪特"市，归巴彦塔拉盟管辖，归绥县改为巴彦县，不久并入厚和豪特市。民国三十四年（1945年）8月，国民政府恢复绥远省政府及"归绥市"名称，民间称归绥城。根据绥远省人民代表会议的建议，1950年初成立归绥市人民政府，管辖原归绥市及其周边地区。1954年2月，经中央人民政府政务院批准，将绥远省与内蒙古自治政府合并，成立内蒙古自治区人民政府，同时，废除了"归绥"这个带有民族歧视意味的名称，恢复了呼和浩特市称谓。取缔归绥县名称，标志着旗县并存、蒙汉分治的局面结束。1953年11月，绥远城正式更名为呼和浩特市新城区。

**巴彦塔拉**　日伪地方政府专名。民国二十六年（1937年）10月，归绥沦陷，伪蒙古联盟自治政府建立"巴彦塔拉盟"。巴彦塔拉盟行政公署设在原绥远城将军衙署，管辖土默特和察哈尔、正黄、正红、镶红、镶蓝五旗，归绥、萨拉齐、丰镇、凉城、兴和、集宁、陶林、武川、固阳、和林格尔、清水河、托克托十二县，包

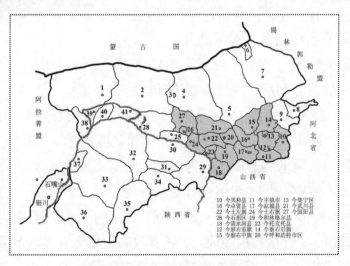

巴彦塔拉盟管辖地域示意图

头、厚和豪特（今呼和浩特）二市。民国二十八年（1939 年）9 月，巴彦塔拉盟归设在张家口的伪蒙疆联合自治政府管辖。民国三十年（1941 年）8 月，改属伪蒙古自治邦政府。民国三十四年（1945 年），抗日战争胜利后巴彦塔拉盟自然消失。"巴彦塔拉"系蒙古语【Bayintal】之汉语音译，富饶草原之意。

**巴彦** 故县专名。民国二十六年（1937 年）10 月，归绥沦陷。次年初，改"归绥县"为"巴彦县"。同年 8 月 1 日，伪蒙古联盟自治政府合并巴彦县、厚和豪特市，升格为"厚和特别市"。"巴彦"系蒙古语【Bayin】之汉语音译，意为富饶。该名称源于巴彦塔拉盟名称。

**将军衙署** 官府专名。清雍正十三年（1735 年），清廷在归化城东北 5 里处勘定一处城址，作为屯兵之用。清乾隆二年（1737 年）2 月，驻守在山西右卫的建威将军王常奉旨北移，率八旗军来此驻防屯兵。同年开始筑城，4 年告竣，清廷赐名"绥远城"。同时修建了将军衙署。绥远城将军衙署的营建，是清王朝为巩固西北边陲的稳定，奉行对大漠南北蒙古地区实施政治、军事统治的产物。

将军衙署是绥远城将军的办公场所。从建威将军王常奉旨率八旗军来此驻防起到清末最后一任将军堃岫历时 172 年，清廷正式授封的绥远城将军共 78 任，均在此办公。民国三年（1914 年），改将军为都统，随之将军衙署改为"都统公署"。民国十八年（1929 年），成为绥远省政府住所。民国二十六年（1937 年）10 月，将军衙署一度为伪政权属下巴彦塔拉盟公署占用，后又为伪蒙疆联合政府所占据。1945 年抗日战争胜利后，绥远省政府迁回将军衙署。

绥远城将军衙署南大门

将军衙署位于呼和浩特市新城区，衙署建筑风格严谨对称，均按一品封疆大吏规格建成，砖木构制，占地约 3 万平方米，共有 132 间房屋。在衙署大院内相应地建有隔墙与通道。大院前为公廨，后为内宅。有官吏办公场所、议事大厅。大厅东面建有花园、亭榭，东南建有马号，西南建有更房，为卫戍官兵住所。门前有高大的影壁，上有"屏藩朔漠"匾额，大门两侧立有石狮一对，显得十分威严壮观。民国时期，先后有 2 任将军、14 任都统、1 任区政府主席、2 任省政府主席入住这座官邸（不包括日伪时期）。中华人民共和国成立后，将军衙署先后为绥远省人民政府、内蒙古自治区人民政府办公地。1985 年，将军衙署交由内蒙古自治区文化厅管理，为内蒙古文物考古部门使用。2006 年 5 月，被确定为全国重点文物保护单位。

**绥察**　地区、行政公署专名。民国二十九年（1940 年），绥察人民代表会议在土默特旗小西梁村召开。会议决定撤销"动委会"，成立"晋绥第二游击区行政公署驻绥察办事处"，简称"绥察行政办事处"。次年 4 月 15 日，成立绥察行政公署。该名称由原绥远省和察哈尔省名称首字组成，泛指当时的绥远省、察哈尔省地区。

**塞北**　地区、行政公署专名。民国三十一年（1942 年），绥远沦陷区抗日斗争形势十分严峻，中共绥察区党政机关和主力部队被迫转移到晋西北偏关地区。中共中央绥察分局将绥察边区党委和雁北地区党委合并成立"中共塞北区工作委员会"（后成立塞北区行政公署），统一领导绥远地区和雁北地区抗日斗争。"塞北"一词指明长城以北地区。

**察北**　地区专名。1949 年元月恢复的察哈尔省辖二市七区，其中察北专区管辖张北、崇礼、化德、商都、沽源、康保、尚义、多伦 8 县。"察北"即察哈尔地区北部。

**绥蒙**　地区和地方政府专名。民国三十四年（1945 年），中共中央将塞北行政公署改为"绥蒙边区委员会"，后改称"绥蒙政府"，统一领导绥察地区工作，隶属中共晋绥分局，下辖中共绥西、绥中、绥南和雁北地方工作委员会。作为地区专名，"绥蒙"主要指当时的雁北地区北部和绥远地区。

**绥东**　专员公署、地区、办事处专名。民国二十八年（1939 年），八路军大青山支队在今兴和、丰镇、凉城、和林、清水河、托克托、归绥县等地建立兴丰县、归凉县、托和清县抗日民主县政府，成立绥东专员公署领导上述地区抗日斗争。专员公署驻今呼和浩特市旧城，先后属晋察绥边区工作委员会、晋绥游击区行政公署驻绥察办事处、绥察行政公署、塞北行政公署和绥蒙政府管辖。专员公署辖领地区俗称绥东地区。自此，绥东成为上述地区及行政专员公署专指名称。解放战争时期，仍保留绥东地区，集宁县、丰镇县、兴和县、陶林县、龙胜县、陶集县、集宁市、丰镇市属绥东地区。

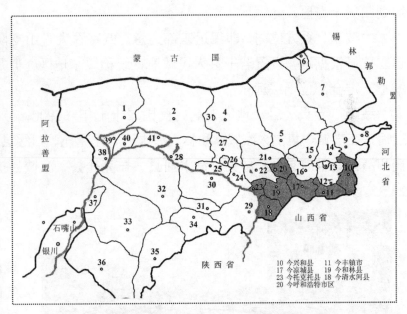

1939 年成立的绥东地区示意图区

民国三十五年（1946 年）3 月，绥蒙人民政府成立绥东蒙旗办事处，管理察哈尔右翼四旗政务，同年 9 月撤销。民国三十八年（1949 年）3 月，绥蒙人民政府再次在集宁成立绥东四旗办事处，管理察哈尔右翼四旗政务，1950年1月撤销。所以绥东又是上述两个办事处专指名称。1949年11月，依绥东专区设置集宁专区，专员公署驻集宁县城关镇。集宁县、兴和县、丰镇县、陶林县、龙胜县、武东县属集宁专区。1950年8月，和林专区撤销后，凉城县划归集宁专区。1950年9月，集宁专区改称绥东专区，11月，又改称集宁专区。1952年11月，萨县专区撤销后，所属各县、旗均划归集宁专区。

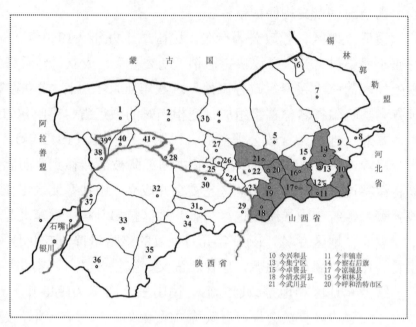

解放战争时期的绥东地区示意图

"绥东"系方位词，即绥远东部之意。八路军大青山支队挺进绥远后在绥远东部地区建立抗日根据地，设置若干县人民政府，统称绥东地区。但是，以后的绥东地区管辖的区域不一定全部位于绥远东部。

**绥南**　专员公署、地区专名。民国二十七年（1938年），八路军大青山支队挺进绥远后，在丰镇、集宁、凉城、和林、清水河、托克托、归绥县等地区建立丰集县、归凉县、托和清县、丰凉县、和林县、清水河县、托克托县、凉城县抗日民主县政府，成立绥南专员公署，领导上述地区抗日斗争，专员公署驻今呼和浩特市旧城（解放战争时期曾驻今凉城县境内）。专员公署辖领地区俗称绥南地区。自此，绥南成为上述地区及行政专员公署专指名称。至民国三十四年（1945年）抗日战争胜利，绥南地区先后属晋察绥边区工作委员会、晋绥游击区行政公署驻绥察办事处、绥察行政公署、塞北行政公署和绥蒙政府管辖。

凉城县境内绥南专署旧址之一

解放战争时期，仍保留绥南地区，凉城县、和林县、清水河县、丰凉县、托和清县、丰凉中心县（专区级，绥南专署与丰凉县合并组成）属绥南地区，归绥蒙政府管辖。1949 年 11 月，绥南专员公署在和林格尔县城成立，时辖托、和、清、凉四县。1950 年 8 月，撤销绥南专署，原辖域分别划归绥东、绥西专署。

"绥南"系方位词，即绥远南部之意。但是，绥南地区以及绥南地区管辖的区域不一定全部位于绥远南部。

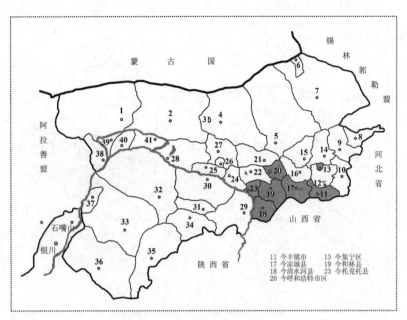

抗日战争时期的绥南地区示意图

**绥中**　专员公署、地区专名。民国二十七年（1938 年），八路军大青山支队挺进绥远后开辟了绥中游击区，建立了归武县、陶林县、武川县、集宁县、丰集县抗日民主县政府，成立绥中专员公署，领导上述地区抗日斗争，专员公署驻今呼和浩特市旧城。专员公署辖领地区俗称绥中地区，主要指归绥至武川公路以东、平（北平）绥（今呼和浩特）铁路以北，集宁至土木尔台一线以西地区，包括武川、陶林、归武、集宁、丰镇、察右后旗、察右前旗等旗县地区。自此，绥中成为上述地区及行政专员公署专指名称。至民国三十四年（1945 年）抗日战争胜利，绥中地区先后属晋察绥边区工作委员会、晋绥游击区行政公署驻绥察办事处、绥察行政公署、塞北行政公署和绥蒙人民政府管辖。

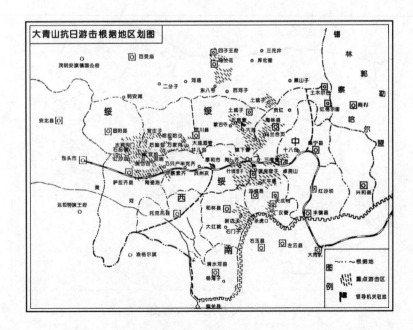

解放战争时期，仍保留绥中地区，民国三十四年（1945 年）9 月，析武川县东部设置的武东县，属绥中

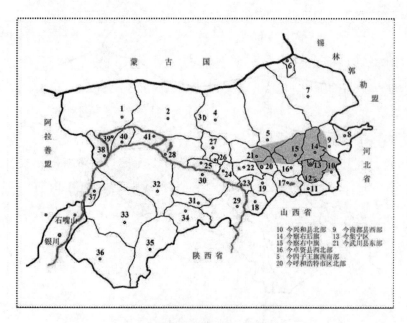

1938 年绥中地区示意图

地区，归绥蒙人民政府管辖。1949 年 11 月，建立包头专区；1950 年 9 月，改称绥中专区；11 月，又改称萨县专区；1952 年 11 月撤销，所属各县、旗均划归集宁专区。

"绥中"系方位词，即绥远地区中部之意。但是，绥中地区管辖的区域不一定全部位于绥远中部。

**绥西** 专员公署、地区专名。民国二十七年（1938 年），八路军大青山支队挺进绥远后，建立武归县、萨固县、萨托县、萨拉齐县、固阳县、武固县抗日民主县政府，成立绥西专员公署，领导上述地区抗日斗争，专员公署辖领地区俗称绥西地区。自此，"绥西"成为上述地区及行政专员公署专指名称。至民国三十四年（1945 年）抗日战争胜利，绥西地区先后属晋察绥边区工作委员会、晋绥游击区行政公署驻绥察办事处、绥察行政公署、塞北行政公署和绥蒙人民政府管辖。

解放战争时期，仍保留绥西地区，固阳县、萨拉齐县、武西县、土默特旗属绥西地区，隶属绥蒙人民政府管辖。1950 年 3 月，绥西专员公署（也称包头专员公署、萨县专员公署）成立，隶绥远省人民政府。1952 年撤销，所辖各县划归集宁专员公署。

"绥西"系方位词，即绥远地区西南部之意。这里需要说明绥西地区管

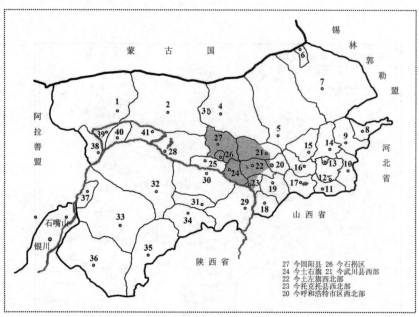

1938 年绥西地区示意图

的区域不一定全部位于绥远西部。

自民国二十七年（1938 年），八路军大青山支队挺进绥远地区建立若干抗日民主县政府起，就以这些抗日民主县政府管辖地区所处方位称其为绥东、绥南、绥中、绥西地区，并设有若干行政专员公署。中华人民共和国建立到 1958 年，仍保留这些行政专员公署，辖领绥远地区东部、南部、中部、西北地区。当时，绥东、绥南、绥中、绥西就成为这些地区的专指名称，大致指绥远地区的不同方位。

**兴丰**　抗日民主县政府专名。民国二十八年（1939 年），绥东专署建立兴丰抗日民主县政府。县政府驻今呼和浩特市旧城，先后属晋察绥边区工作委员会、晋绥游击区行政公署驻绥察办事处、绥察行政公署、塞北行政公署和绥蒙人民政府管辖。该名称由今兴和县和丰镇市名称首字组成，当时泛指今乌兰察布地区兴和县、丰镇市部分地区。

**归凉**　抗日民主县政府专名。民国二十八年（1939 年），绥东专署建立归凉抗日民主县政府。县政府驻今呼和浩特市旧城，先后属晋察绥边区工作委员会、晋绥游击区行政公署驻绥察办事处、绥察行政公署、塞北行政公署和绥蒙人民政府管辖。绥南专署在抗日战争期间也曾建立归凉抗日民主县政府。该名称由归绥市和凉城县名称首字组成，当时泛指今呼和浩特市东南和乌兰察布市凉城县西部部分地区。

**陶集**　抗日民主县政府专名。抗日战争期间中国共产党绥东区委员会依察哈尔正红旗、正黄旗、集宁县、陶林县、商都县部分地区组建陶集县，县政府驻今察右后旗红格尔图，当时泛指今乌兰察布市察哈尔右翼前、中、后三旗和集宁区、商都县部分地区。

**凉和清、托和清**　抗日民主县政府、工作委员会专名。民国二十八年（1939 年），绥东专署建立凉和清抗日民主县政府。民国三十年（1941 年）6 月，绥南专署将凉和清县改为托和清县。民国三十五年（1946 年）3 月，中国共产党托和清县委改称托和清县工作委员会，划归右玉中心县委。凉和清一名由凉城、和林格尔、清水河三县名称首字组成，托和清一名由托克托、和林格尔、清水河三县名称首字组成，当时泛指今乌兰察布市凉城县，呼和浩特市和林格尔县、清水河县、托克托县部分地区。

**丰集**　抗日民主县政府专名。抗日战争期间，绥中专署在今丰镇市、集宁区、察右前旗部分地区建立丰集抗日民主县政府。绥南专署在抗日战争期间也曾建立丰集抗日民主县政府。该名称由当时的丰镇、集宁二县名称首字组成，当时泛指今乌兰察布市丰镇市和今集宁区及其周围部分地区。

**丰凉**　抗日民主县政府专名。抗日战争期间，绥南专署在今丰镇市、凉城县部分地区建立丰凉抗日民主县政府。该名称由当时的丰镇、凉城二县名称首字组成，泛指今乌兰察布市丰镇市、凉城县部分地区。

**和右清**　抗日民主县政府专名。民国二十六年（1937 年）末，绥南专署建立中国共产党和右清工作委员会，归晋绥边区特委领导。民国二十九年（1940 年）4 月，成立和右清抗日民主县政府，同年 11 月撤销。该名称由和林格尔、清水河和山西省右玉县三县名称首字组成，当时泛指今内蒙古和林格尔县、清水河县和山西省右玉县部分地区。

**清平云** 抗日民主县政府专名。抗日战争爆发后绥南专署建立清平云抗日民主联合县政府，归晋绥边区领导。该名称由清水河县和山西省平鲁县、左云县名称中的清、平、云三字组成，当时泛指今呼和浩特市清水河县和山西省平鲁县、左云县部分地区。

**归武、武归** 抗日民主县政府专名。民国二十八年（1939年），绥中专署在归绥县（今呼和浩特市）北郊、武川县部分地区建立抗日民主县政府。该名称由归绥县和武川县名称之首字组成，当时泛指呼和浩特市市区北部和武川县部分地区。

**萨拉齐** 旧厅、县和镇之专名。清乾隆四年（1739年），在今土默特右旗萨拉齐镇设协理通判，清末置萨拉齐厅。民国元年（1912年）改萨拉齐厅置萨拉齐县（一说1916年改为县）；1958年撤销，并入土默特旗。1969年以并入土默特旗的行政区域设置土默特右旗（1965年下发设置土默特右旗的批准文件），从此，"萨拉齐"不再是厅、县指职名称，而作为土默特右旗政府所在镇之专名沿用至今。

**萨托** 抗日民主县政府专名。民国二十八年（1939年）12月，绥西专署建立萨托抗日民主县政府。次年3月，分设为萨县、托县抗日民主县政府。该名称由萨拉齐县和托克托县名称首字组成，当时泛指今呼和浩特市托克托县和包头市土默特右旗部分地区。

**萨县** 抗日民主县政府专名。民国二十九年（1940年）3月，萨托抗日民主县政府分设为萨县、托县两个抗日民主县政府。萨县抗日民主政府驻地一前晌村（今土默特左旗境西北大青山山区），属绥西专署领导。

**萨固** 抗日民主县政府专名。民国二十七年（1938年），绥西专署在萨拉齐县、固阳县部分地区建立抗日民主县政府。该名称由萨拉齐县和固阳县名称首字组成，当时泛指今包头市土默特右旗、固阳县部分地区。

**武固** 抗日民主县政府专名。民国二十八年（1939年），绥中专署在今武川、固阳县部分地区建立抗日民主县政府。该名称由武川、固阳二县名称首字组成，当时泛指今呼和浩特市武川县、包头市固阳县部分地区。

**武西** 抗日民主县政府专名。1948年，绥中专署以武川县西境建立武西县政府，故名武西县，1949年撤销。"武西"名称，顾名思义指武川县境西部地区。

**土默特辅国公旗** 故旗专名。清乾隆二十一年（1756年）置土默特辅国公旗，隶属乌兰察布盟。该旗地域西界至今固阳县，东至今武川县哈乐镇，北接今四子王旗和达茂旗，南抵大青山中部。清乾隆二十五年（1760年）撤销后原辖地域划归土默特旗。

**兴和道** 旧建制专名。民国初置兴和道，归察哈尔特别区管辖，是明、清时期蒙汉分治的延续或变相形式。置道尹，驻兴和城，今河北省张北县政府所在地，先后管辖张北、沽源、多伦、丰镇、凉城、兴和、陶林、商都、集宁、康保、宝昌十一县。察哈尔特别区改设为察哈尔省的同时废除兴和道。

**归绥道** 见"归绥名称考"。

**席勒图**　故旗专名。民国二十九年（1940 年），伪蒙疆政府在今达茂旗希拉穆仁苏木（召河）设置政教合一的席勒图旗，隶属乌兰察布盟。民国三十四年（1945 年）撤销。席勒图系蒙古语【Xireet】之汉语音译，意为喇嘛教用语"坐床"。因该旗辖地系原呼和浩特市西北"席勒图召"属地而命名。

**商都旗**　故旗专名。民国二十五年（1936 年）10 月，商都牧群改建为商都旗，归察哈尔盟管辖。

**满都拉**　旗县级专设机构和人民公社、苏木、村专名。1963 年 2 月，在达茂旗满都拉成立中国共产党达茂旗边境牧区工作委员会，与达茂旗人民政府同级，管辖白音花、满都拉、巴音塔拉三个地区，后设人民公社和苏木。满都拉系蒙古语【Mandel】之汉语音译，意为兴旺，以满都拉村名命名。

**狼山**　故县专名。民国初年，设置狼山设治局。民国三十一年（1942 年），绥远省府在后套实行"新县制"，狼山设治局改为狼山县，治永安堡（今巴彦淖尔市临河区北狼山镇）。先后隶属绥远省、内蒙古自治区。1958 年撤销，辖区分别划入杭锦后旗和临河县。

**晏江**　故县专名。民国初年，设置晏江设治局。民国三十一年（1942 年）绥远省府在后套实行"新县制"，改晏江设治局为晏江县，治塔尔湖（今内蒙古自治区五原县西塔尔湖镇）。1953 年裁撤后设立达拉特后旗；1958 年撤销后原辖区域划入五原县。

**米仓**　故县专名。民国初年，设置米仓设治局，民国三十一年（1942 年）绥远省府在后套实行"新县制"，改米仓设治局为米仓县。1949 年米仓县和平解放，隶属绥西行政公署管辖。1953 年 9 月米仓县改称杭锦后旗。

**陕坝**　故行政专区和市、镇专名。民国末年，以今巴彦淖尔市南部地区置陕坝专区，隶属绥远省，治陕坝镇，1954 年改置河套行政区。"陕坝"系藏语，多用于佛名、人名或地名。清同治年间，善巴老人定居在今陕坝镇，故取名善巴，后转音为陕坝。

**河套**　行政区和自然滩川专名。作为滩川专名指贺兰山以东、狼山和大青山以南、黄河沿岸地区。因黄河在此处流成一个大弯曲而名。以乌拉山为界东为前套，西为后套。曾经以黄河为界，南为前套，北为后套。作为政区指 1954 年以原绥远省陕坝专区改置的河套行政区，属内蒙古自治区管辖，1958 年撤销，辖区划归巴彦淖尔盟。

**大佘太**　乡、镇、人民公社和故设治局专名。民国十四年（1925 年），在今乌拉特前旗境内乌拉山北部及后套地区置大佘太设治局；1958 年，乌拉特前旗成立佘太超英公社，社名依人民公社驻地村名命名；1966 年更名为大佘太人民公社。1984 年改社为乡，次年又改为大佘太镇，镇政府驻地位于今乌拉特前旗政府驻地东北 60 公里处，北靠查石泰山，南眺乌拉山，西邻今乌拉特中旗德岭山镇，东接草原钢城包头。"大佘太"名称来历含义见"乌拉特前旗大佘太镇名称考略"。

**安北**　故县、设治局专名。民国二十年（1931 年）改大佘太设治局为安北设治局，治今大佘太镇。民国二十六年（1937 年）10 月，日军侵占大佘太与中滩地区，并在大佘太成立伪安北县公署，归伪巴彦塔拉盟管辖。安北设治局后移至扒子补隆村。1942年，绥远省在后套实行新县制，扒子补隆为安北县政府所在地。抗日战争胜利后，仍延续安北县建制。中华人民共和国成立后，安北县隶属绥西行政公署，后改隶陕坝专员公署。1954年6月改隶河套行政区。1958年4月25日撤销安北县，

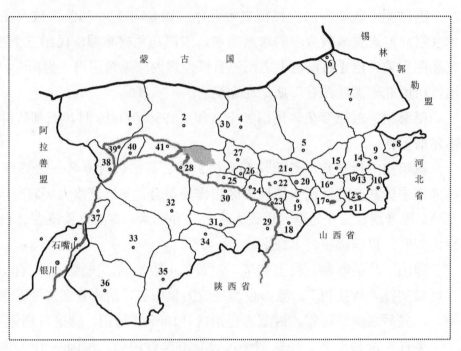

安北县大致方位示意图

属地并入乌拉特前旗。"安北"名称来历含义有待考证。

**潮格**　故旗专名。1970年10月，划出乌拉特中后联合旗西部8个人民公杜、2个公私合营牧场（今乌拉特后旗地），另设潮格旗。1981年10月，潮格旗更名为乌拉特后旗。"潮克"系蒙古语【Qôg】之汉语音译，是指燃尽但还没有熄灭的牛马驼羊粪火，即带火的灰。这种火灰虽然燃尽，但还能保持很长时间的热量，古老的蒙古民族把这种火灰撑在一种特制的叫作杭翁【Hôôbôn】的器皿中用来取暖，有时可保持一宿热源。火灰的这种特性表现了自强不息、坚忍不拔的自然现象。所以，"潮克"一词的引申含意是指自强不息、精神充沛。

**喀尔喀**　故旗专名。清顺治十年（1653年）清置喀尔喀右翼旗，俗称达尔罕贝勒旗，即后来的达尔罕旗，治今达茂旗北境。1949年改为达尔罕旗。1952年并入达茂旗。

**茂明安**　故旗专名。清康熙三年（1664年）置茂明安旗，治今固阳县境东北，后迁至今达茂旗境西北，1952年并入达茂旗。

**龙胜**　故县专名。民国三十四年（1945年）10月，贺龙同志率领的晋察冀部队在卓资山痛歼胡宗南、何文定部取得胜利，卓资山地区首次获得解放。同年12月绥远省人民政府决定在今卓资山地区设置县级建制，为纪念贺龙同志领导人民军队解放卓资山地区的重大胜利，也因今卓资山镇西北有一山，名曰"龙山"，故命名新县为"龙胜县"。县政府设在今卓资山镇。龙胜县四界东至原十八台乡，南及原大榆树、羊圈湾二乡，西达原三道营乡，北到原白银厂汗乡。

民国三十五年（1946年）7月蒋介石发动内战。8月13日，驻绥远地区的傅作义部队自三道营沿京包铁路线向东发动战事。贺龙同志领导的一二〇师在卓资山与傅作义部队激战之后于9月5日撤出卓资山。卓资山被国民党军队占领，并恢复了旧制。民国三十七年（1948年）9月，绥远省人民政府恢复龙胜县建制，划归绥远省集宁专署管辖。中华人民共和国成立后，因县名与当时广西省龙胜县名称重复，于1952年5月1日决定改龙胜县为卓资县。

**新明**　故县专名。民国三十五年（1946年）10月，国民党军队占领今化德县城，翌年1月将县名改为"新明县"。1949年初恢复"化德县"名称。

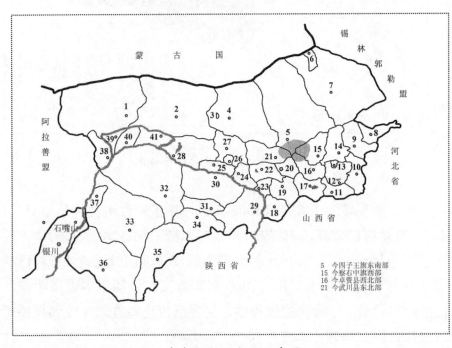

武东县大致方位示意图

5　今四子王旗东南部
15　今察右中旗西部
16　今卓资县西北部
21　今武川县东北部

**武东**　故县专名。民国三十四年（1945年）9月，析武川县东部设置的武东县。《中国古今地名对照表》记载1948年由武川县析置。属绥中地区，归绥蒙人民政府管辖。中华人民共和国初期先后归平地泉行政区、乌兰察布盟管辖。1958年5月撤销武东县，原武东县辖域分别划归察哈尔右翼中旗、四子王旗和武川县。武东县辖域因为析武川县境东部部分地区而设置，故名武东县。

**口外十二厅**　清代设置在内蒙古中部地区即乌兰察布地区的12个协理通判直隶厅之俗称。明末清初，山西省、陕西省、河北省、甘肃省等地区大批汉民通过杀虎口涌入乌兰察布地区开荒种地，激化了这一地区的社会矛盾和民族矛盾。清政府为了管理从内地迁入的汉民，推行蒙汉分治制度，在汉族聚集的地方先后设置了12个协理通判直隶厅，处理所辖地区汉民事务和垦务事宜，以调解蒙汉之间的矛盾。因12个厅均设在山西省右玉县杀虎口外，故俗称口外十二厅。清雍正元年（1723年），置归化城理事同知，驻西河，这是设在今呼和浩特地区的第一个理事厅。清雍正十二年（1734年）12月，在今和林格尔、昆都仑（包头市）、托克托、萨拉齐4处各添笔帖式一员驻扎，这是和林格尔、托克托、萨拉齐通判直隶厅的雏形。清乾隆初年，清政府在归化城设置山西省派出机构归绥兵

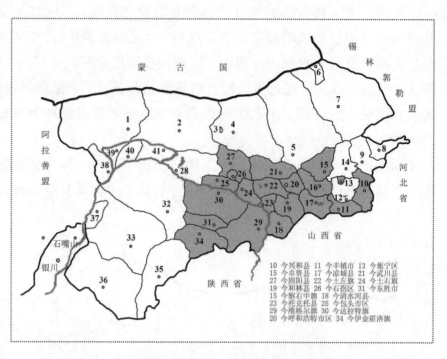

口外十二厅大致方位示意图

备道，并置归化、绥远两同知和归化、萨拉齐、托克托、和林格尔、清水河、善岱、昆独仑7个协理通判厅。不久裁撤善岱，昆独仑二协理通判，保留归、萨、托、和、清5厅。清乾隆十五年（1750年），丰川卫、镇宁所合并为丰镇厅，隶山西大同府；宁朔卫、怀远所合并为宁远厅，隶山西大同府。清光绪十年（1884年），丰镇、宁远二厅升为直隶厅，并改隶归绥兵备道管辖，与上述归、萨、托、和、清5厅合称口外七厅。清光绪二十九年（1903年），由于归绥道辖境垦地日广，人口不断增多，为了加强对口外地区的管理，清政府以丰镇厅东部一部分地区设置兴和厅；以宁远厅北部一部分地区设置陶林厅；以归化厅北部大青山后部分地区设置武川厅；以萨拉齐厅以西后套地区设置五原厅。光绪三十二年（1906年），又在今鄂尔多斯市中部一带设置东胜厅。清政府在推行旗管蒙、厅管汉的过程中，又先后将这些直隶厅改为抚民理事厅。这就是口外十二直隶厅，即"口外十二厅"。

清代口外十二厅的管辖范围，并不十分清楚，关于归化城厅的管辖范围，《归化城厅志·疆域》记载："东西广七百一十里，南北袤四百九十里。东至直隶张家口界五百一十里，西至鄂尔多斯左翼后旗界黄河岸二百里，南至朔平府右玉县界三百里，北至喀尔喀右翼界一百九十里，东南到大同府天镇县界五百里，西南到宁武府偏关县界黄河岸三百五十里，东北到四子部落界一百六十里，西北到乌拉特东公旗二百二十里。"

关于归和林格尔厅的管辖范围，《山西通志·府州厅县考》记载："东西广一百七十里，南北袤一百八十里。东至宁远厅界一百里，西至托克托厅界七十里，南至杀虎口外右玉县界一百里，北至归化城厅界三十里，东南到宁远厅界九十里，西南到清水河厅界六五十里，东北到归化城厅界七十里，西北到托克托厅界五十里。"

关于托克托厅的管辖范围，《山西通志·府州厅县考》记载："东西广八十五里，南北袤一百三十里。东至和林格尔厅界七十里，西至黄河岸鄂尔多斯左翼后旗界五里，北至归化城厅界八十里，东南到和林格尔、清水河厅界并七十里，西南到清水河厅界六十里，东北到西白塔儿归化城厅界七十里，西北到善岱村萨拉齐厅界四十里，兼辖鄂尔多斯左翼后旗地。"

关于萨拉齐厅的管辖范围，《山西通志·府州厅县考》记载："东西广二百五十里，南北袤一百里。东至归化城厅界一百二十里，西至鄂博口乌拉特旗界一百里，南至黄河岸鄂尔多斯左翼后旗界二十里，北至鄂博茂明安旗界八十里，东南至善岱村托克托厅界一百一十里，西南到黄河岸鄂尔多斯左翼后旗界九十里，东北到白衡戛尔山茂明安旗界一百二十里，西北到乌拉特旗界七十里，兼辖鄂尔多斯左翼后旗地东西广四百三十里，南北袤二百三十里。"

关于清水河厅的管辖范围，《新修清水河厅志》记载："在归化城西南二百六十里，东西广一百四十里，南北袤一百五十里。……东至平鲁边墙界七十里，西至鄂尔多斯界八十里，南至偏关县边墙界九十里，北至和林格尔古力板计河界六十里。"

关于宁远厅的管辖范围，《山西通志》记载："东西广一百八十里，南北袤二百九十里。东至永兴梁丰镇厅一百九十里，西至和林格尔厅界三十里，南至宁鲁堡边墙左云县界三十里，北至镶蓝旗察哈尔界二百六十里，东到南马家库伦丰镇厅界一百四十里，西南到和林格尔厅界三十里，到右玉县杀虎口六十里，东北到牧场正蓝旗界一百五十里，西北至到倒拉苏木和林格尔厅界六十里。宁远厅驻今凉城县永兴镇（蒿儿兔西街）。"

关于丰镇厅的管辖范围，《山西通志》记载："深入大同县北部地区。"

关于五原厅的管辖范围，《五原厅志》记载："在山西太原府北一千六百一十里，东南至东胜厅界五百五十里，南至鄂尔多斯右翼前旗界二百四十里。西南至鄂尔多斯右翼中旗界五百二十里，西至阿拉善王旗界二百七十里，西北至土谢图汗墨尔根王旗界九百里，北至土谢图汗墨尔根王旗界三百里，东北至武川厅界三百一十里。"

关于武川厅的管辖范围《清史稿》记载："南距省治千百七十里。至京师千二百九十里。广袤阙。北：托克图山。西北：克寿。东有乌兰察布源泉，厅治。"

关于陶林厅的管辖范围，《清史稿》记载："西南距省治千三百里。至京师千四百五十里。广袤阙。北：伊马图山。南：回头梁。大黑河南源黄水河，古白渠水，出大东沟，西南径五坝，入宁远。"

关于兴和厅的管辖范围，《清史稿》记载："西南距省治八百九十里。至京师千七十里。广袤阙。北：大青山。东南：水泉入。西北：东洋河自察哈尔入。二源合，东西径厅北，入直隶张家口。"

关于东胜厅的管辖范围，《清史稿卷》记载："光绪三十二年（1906年），以鄂尔多斯左翼中旗、右翼前旗垦地置，治羊厂壕，寄治萨拉齐之包头镇。北极高四十度四十九分。京师偏西四度四十八分。西北：河水自鄂尔多斯循五原入厅北，折东南入萨拉齐。边墙西自陕西榆林入。"

**善岱**　协理通判厅专名。清乾隆四年（1739年）清廷设善岱协理通判，管理土默特旗及附近的汉民。清乾隆二十五年（1760 年），裁减善岱协理通判并入萨拉齐理事通判厅。"善岱"系蒙古语，在蒙文历史档案中有【ᠱᠠᠩᠳᠠ·ᠱᠠᠩᠳᠠ】等写法，含义有待考证。

**昆独仑**  协理通判厅和自然河专名。清乾隆四年（1739 年），清廷设昆独仑协理通判，管理包头村附近的汉民，隶属归绥道。清乾隆二十五年（1760 年），裁减昆独仑协理通判并入萨拉齐理事通判厅。昆独仑系蒙古语【Hondlen】之音译，横向之意，依昆独仑河名命名。

**包头州**  民国元年（1912 年）元月 12 日，在辛亥革命的影响下，山西革命军经伊克昭盟进入包头，成立管辖包头、后套地区和伊克昭盟地区的临时性政权机构包头州。元月 26 日，山西革命军东进归绥失败，退回山西，包头州建制解体。

**丰川**  卫指挥使司专名。清雍正十二年（1734 年），在今兴和县城关镇高庙子村（原高庙子乡人民政府驻地）设立丰川卫，设守备一员，隶大同府管辖。清乾隆十五年（1750 年）裁减。卫名"丰川"含义为"丰美川原"。

**镇宁**  千户所专名。清雍正十二年（1734 年），在衙门口村（今丰镇市城关镇，一说在得胜路边外）设立镇宁所，设千总一员，隶大同府管辖。清乾隆十五年（1750 年）裁减。所名"镇宁"含义为"镇之使宁"。

**宁朔**  千户所专名。清雍正十二年(1734 年)置宁朔卫，治亦不汉架(今内蒙古凉城县西南田家镇)。清乾隆十五年(1750 年)裁减。卫名"宁朔"含义有待考证。

**怀远**  千户所专名。清雍正十二年（1734 年）置怀远所，清乾隆十五年（1750 年）撤销。所名"怀远"即怀柔远人之意。

**宁远**  故厅、县专名。清乾隆十五年（1750 年），撤销宁朔卫和怀远所，卫、所合并为宁远厅，治今内蒙古凉城县西南田家镇，归朔平府管辖。"宁远"一名由原宁朔卫和怀远所名称中的"宁""远"二字组成。民国元年（1912 年），宁远厅改为宁远县。民国三年（1914 年）因县名与湖南、奉天（今辽宁省）、甘肃、新疆四省宁远县名重复，遂取魏晋南北朝时期的凉城郡名，改宁远县为凉城县。

**陶林**  故厅、县专名。西汉置陶林县，治今呼和浩特市东北大黑河西岸，为云中郡东部都尉

宁远厅、宁远县府遗址

治。东汉废。清光绪二十九年（1903 年），以宁远厅治东北 360 里之处的科布尔析置陶

林厅，初设抚民通判，加理事衔。民国元年（1912 年），改陶林抚民通判厅为陶林县，设知事。民国三年（1914 年），归属察哈尔特别行政区。民国十八年（1929 年）归绥远省管辖。民国二十六年（1937 年）10 月，归巴音塔拉盟管辖。抗日战争胜利后，陶林县复归绥远省管辖。1946 年10 月，陶林地区获得解放，成立县人民政府。1949 年12 月，陶林县划归集宁专员公署管辖。1954 年3 月，撤销陶林县建制。陶林一名含义尚待考证。

**平地泉**　故行政区、镇专名。1954 年 3 月 6 日，撤销集宁专员公署，设置平地泉行政区，为内蒙古人民政府领导下的一级政权。辖丰镇、集宁、兴和、凉城、卓资山、和林格尔、托克托、武东、武川、清水河、萨拉齐县、土默特旗、察右前旗、察右中旗、察右后旗和平地泉镇，共 11 县、4 旗、1镇。行政区人民政府驻地平地泉镇（今集宁区）。1956 年，以今集宁区城

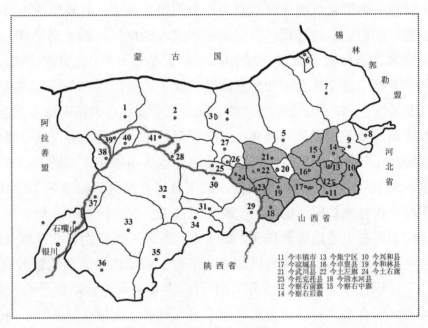

平地泉行政区划示意

区设置集宁市，仍属平地泉行政区管辖。1957 年，撤销集宁县，其辖地并入集宁市、兴和县、察右后旗、察右前旗。1958 年，撤销平地泉行政区，平地泉行政区原辖区域划归乌兰察布盟。

## 二　现代政区名称考略

**内蒙古**　内蒙古自治区专名，也指蒙古高原大漠以南地区。内蒙古，作为地区概念形成于清朝时期。从 16 世纪末开始，整个蒙古地区习惯上被分为三大部分，即阿鲁蒙古勒（今蒙古国，亦称喀尔喀蒙古或外蒙古）、斡倔日蒙古勒（今内蒙古）和噢日德蒙古勒（卫拉特蒙古）。清王朝将蒙古地区划分为漠北蒙古、漠南蒙古，即外蒙古、内蒙古。清崇德元年（1636 年），在漠南蒙古地区设置 49 个札萨克旗，编为 6 个盟，即【Obor Doq yisen hûxûû】内蒙古 49 旗。从此，"内蒙古"一词始为区域名称沿用至今，大致指今内蒙古自治区。清朝档案文献中一般称内札萨克 6 盟 24 部 49 旗、归化城土默特、察哈尔 12 旗群

及西套蒙古地区为内蒙古；称大漠以北的蒙古地区为外蒙古，以别于大漠以南的内蒙古地区。所谓的内札萨克 6 盟：一、科尔沁、郭尔罗斯、杜尔伯特、札赉特 4 部 10 旗会盟的哲里木楚古拉干，其牧场约现今兴安盟、通辽市东部，黑龙江省齐齐哈尔市南部、通肯河以西、松花江以北，吉林省松花江、伊通河以西，辽宁省彰武、法库、昌困县以北地区；二、扎鲁特、喀尔喀左翼、奈曼、敖汉、翁牛特、阿鲁特科尔沁、巴林、克什克腾 8 部 11 旗会盟的昭乌达楚古拉干，其牧场约今赤峰市与所辖北部县、旗及通辽市西部；三、土默特、喀喇沁 2 部 5 旗会盟的卓索图楚古拉干，其牧场约今喀喇沁旗、宁城县，辽宁省建昌、朝阳、阜新等市、县以北和彰武以西地区；四、乌珠穆沁、浩齐特、阿巴哈纳尔、阿巴噶、苏尼特 5 部 10 旗会盟的锡林郭勒楚古拉干，其牧场约今锡林郭勒盟大部；五、鄂尔多斯 1 部 7 旗会盟的伊克昭楚古拉干，其牧场约今鄂尔多斯市、乌海市及陕西省长城以北地区；六、四子部、喀尔喀右翼、茂明安、乌喇特 4 部 6 旗会盟的乌兰察布楚古拉干，其牧场约明长城和黄河以北、阿拉善盟以东、中蒙边界以南、锡林郭勒盟和八旗察哈尔以西地区。归化城土默特 2 旗牧场约当今包头市以东土默特左、右旗、呼和浩特市及和林格尔、清水河、托克托和凉城县，武川县部分地区。察哈尔 12 旗群牧场约现今乌兰察布市东部，锡林郭勒盟西南地区。西套蒙古地区约今阿拉善左旗、阿拉善右旗、额济纳旗。民国时期，在上述地区置热河、察哈尔、绥远三个特别行政区或省。东北沦陷时期，东部地区并入伪满洲国，西部地区归察哈尔盟、察哈尔省、伪蒙疆政府等所辖。

民国三十四年（1945 年）11 月，内蒙古自治运动联合会在张家口成立，选举乌兰夫同志为联合会执行委员会主席兼军事部部长。次年 4 月 3 日，内蒙古自治运动联合会召开自治运动统一会议，确定了中国共产党领导下的民族自治方针。民国三十六年（1947 年）4 月 23 日至 5 月 3 日，内蒙古人民代表会议在乌兰浩特市召开。5 月 1 日，内蒙古自治政府正式宣告成立，乌兰夫当选为政府主席。当时辖呼伦贝尔、纳文慕仁、兴安、锡林郭勒、察哈尔 5 个盟，32 个旗，1 个县，3 个县级市。辖境总面积 54 万平方公里。自治政府驻乌兰浩特市。

民国三十八年（1949 年）4 月，呼伦贝尔、纳文慕仁二盟合并设立呼纳盟。5 月，热河省的昭乌达盟、辽北省的哲里木盟划归内蒙古自治政府。1949 年 11 月，内蒙古自治政府由乌兰浩特市迁至张家口市。

1950 年，察哈尔省的宝昌、化德（除第三区外）、多伦（除 2 个区外）3 县和沽源县的后新地房子村、诺治村（即太仆寺左旗南部毗连地区）划归察哈尔盟。1954 年，绥远省并入内蒙古自治区。同年，自治区首府迁至呼和浩特市。1955 年 7 月，原热河省的赤峰、乌丹、宁城 3 县，敖汉、喀喇沁 2 旗及翁牛特蒙古族自治旗划归昭乌达盟。1956 年，甘肃省巴音浩特蒙古族自治州和额济纳自治旗划归内蒙古自治区。同年，撤销巴彦浩特蒙古族自治州，设立巴彦淖尔盟，辖巴彦浩特市、阿拉善旗、额济纳旗、磴口县。1969 年 7 月，呼伦贝尔盟（由呼纳盟改称）、哲里木盟、昭乌达盟和阿拉善左旗、阿拉善右旗、额济纳旗分别划归黑龙江、吉林、辽宁 3 省和宁夏回族自治区、甘肃省，1979 年又划回内蒙古自治区。1975 年，撤销乌达市、海勃湾市，设立乌海市（地级市）。同年，设立阿拉善盟，辖阿拉善右旗、阿拉善左旗、额济纳旗，盟公署驻阿拉善左旗巴彦浩特镇。次年，设立兴安盟，辖原呼伦贝尔盟的突泉县、扎赉特旗、喀尔沁右翼前旗和原哲里木盟的喀尔沁右翼中旗。

现在的内蒙古自治区亘于祖国北部边疆，北与俄罗斯、蒙古国交界，边境线长达 4221 公里。东、南、西三面依次与黑龙江、吉林、辽宁、河北、山西、陕西、宁夏和甘肃八省区毗邻。东西长 2500 多公里，南北宽 1700 多公里，总面积 118.3 万平方公里。辖呼和浩特市、包头市、呼伦贝尔市、通辽市、赤峰市、乌兰察布市、鄂尔多斯市、巴彦淖尔市、乌海市、兴安盟、锡林郭勒盟、阿拉善盟 12 个盟市，另设满洲里、二连浩特两个计划单列市，共辖 101 个旗、县、市、区。经过数百年的历史变迁，"内蒙古"一词如今已经成为上述 100 多万平方公里广阔土地的专指称谓。

**乌兰察布**　盟、市和地区专名。现为内蒙古自治区乌兰察布市专指名称，曾经是清王朝会盟制度下的"楚古拉干"和中华人民共和国成立以来的地级乌兰察布盟和乌兰察布盟自治政府、乌兰察布盟人民政府专指名称。"乌兰察布"这一地方政区称谓已有近 400 年的历史。数百年来，乌兰察布地区的行政建制以及政区划分有过多次变更。从清王朝会盟制度下的盟，到民国时期的盟，以及中华人民共和国成立以来内蒙古自治区人民政府派出机构的盟行政公署、人民政府、蒙古族自治政府、人民委员会、革命委员会、市人民政府，始终沿用了"乌兰察布"这样一个名称。

关于"乌兰察布"这一称谓的含义，史学界有不同解释。有的说，清王朝会盟制度下的乌兰察布盟首次会盟于今呼和浩特市东北 25 华里处大青山脚下的"红山口"；还有的说，首次会盟地在"红螺谷""小文公"等等，认为"红山口、红螺谷"皆为蒙古语"乌兰察布"一词的汉语音译名称。为弄清"乌兰察布"一名的确切含义和来历，我们有必要简要地探讨一下原乌兰察布盟的设置过程。

北元时期，达延汗再次实现蒙古统一后，将蒙古部落重新划分为六个万户。乌兰察布地区属其右翼土默特万户和永谢布万户。17 世纪初，女真兴起于辽东并建立后金王朝。当时蒙古诸部内讧不断，群龙无首，东部蒙古各部纷纷归顺后金。到后金崇德元年（1636 年），漠南蒙古 16 部 49 个封建主聚会于默格敦（后金盛京，今辽宁省沈阳市）宣布归附后金。同年，后金统治者为了强化其统治，取消蒙古地区原有的乌鲁苏、土绵、爱玛克、鄂托克等传统体制及其领属关系，在蒙古地区开始推行盟旗制度，建立一种军政合一的政权建制——"固山"（即旗），并建立会盟制度，在若干"固山"之上形成一个虚设机构——"楚古拉干"。

"固山"系满语【Hûxan】之汉语音译，即蒙古语中的【Hûxûû】"和硕"，汉语称"旗"。"楚古拉干"系蒙古语【Qûgalgaan】之汉语音译，聚集之意，后改称【Aimag】"爱玛克"，汉语称"盟"。后金天命年间（1616—1626 年），后金统治者为分化蒙古，控制其上层贵族，按照"满八旗"组织形式在蒙古原有社会制度基础上开始设置盟、旗。旗分为两类：一类是清政府委派大臣、都统或将军直接节制的总管旗，属清廷的直属领地，其王公被夺爵削权，"官不得世袭，政不得自传"，这一类旗统称"内藩蒙古"，如察哈尔八旗、土默特旗均属总管旗；另一类是清朝理藩院监督节制下的札萨克旗，如原乌兰察布盟六旗，统称"外藩蒙古"。"旗"既是政权组织，又是军事单位。由清政府赐封札萨克或都统为行政长官，其职责是战时动员本旗兵丁出征，平时总揽本旗行政、司法、税收等项事务。札萨克是一旗之主，又称执政王公（俗称王爷），可以世袭，下设协理台吉(札萨克之副职)、管旗章京(次于台吉之管旗章京)等僚属，协助札萨克治事。清政府委派的总管旗都统或总管则不可世袭。

"盟"为札萨克旗的会盟组织，合数旗而成。每盟设盟长、副盟长各一人，由各旗札萨克在会盟时推举产生，后改由清朝皇帝赐封。盟长由朝廷赐印信，任期为终身制，但不得世袭。"盟"并不是一级行政机构，不设盟长衙门以及官吏，也不准盟长干预各旗内部事务，只是在职权范围内对各旗札萨克实行监督、管理。清政府还规定，各盟长每三年召集所辖旗札萨克以及贝勒、贝子、管旗章京、参领等在指定地点会盟一次。会盟的主要任务是"简稽军实，巡阅边际，清理刑名，编审丁册"，即检阅核查军备和会审、商讨重大事宜。会盟时，清廷还要派遣钦差大臣与理藩院司员会同盟长验审该盟旗要事。这就是清代会盟制度。

后金天聪、崇德年间（1627—1643 年），清政府内宏院大学士希福，蒙古衙门承政尼堪、塔布囊达雅齐等奉命前往蒙古各部稽查户口，始建札萨克旗。到清雍正三年（1725 年）共置 20 个盟，196 个旗。其中，原游牧于漠南呼伦贝尔草原的四子部落，于后金崇德元年（1636 年）被改设为四子部落札萨克旗，顺治六年（1649 年）迁徙到清廷所赐的大青山以北锡拉木伦河流域锡拉查干淖尔一带草原驻牧；原游牧于呼伦贝尔草原沁查干朝鲁、钦达穆尼额尔德尼查呼日台那林高勒一带（今俄罗斯境内，1690 年通过《中俄尼布楚条约》将此地划归沙俄）的茂明安部落首领僧格，于清康熙三年（1664 年）被清廷授于札萨克一等台吉（至此该部落是为茂明安札萨克旗），后迁徙到清廷所赐的大青山以北艾布哈河源一带草原驻牧；原游牧于漠北喀尔喀河流域的喀尔喀右翼部落首领本塔尔，于清顺治十年（1653 年），被清廷授于札萨克和硕达尔罕亲王（至此该部落是为喀尔喀右翼旗，后改称达尔罕贝勒旗，即后来的达尔罕旗），同年迁徙到清廷所赐的大青山以北艾布哈河与塔里珲河流域草原驻牧；原游牧于漠南呼伦贝尔草原额尔古纳河与石勒喀河之间的乌喇特部，于清顺治五年（1648 年）被设为三个札萨克旗，翌年（一说顺治九年）迁到清廷所赐的黄河以北乌拉山、狼山一带草原驻牧。因三旗札萨克被封为辅国公或镇国公，故俗称"三公旗"，并按其驻牧方位称东公旗、中公旗和西公旗。

后金统治者又将上述六旗归为一个盟，取名为乌兰察布。

乌兰察布盟会盟铁铸纪念塔遗址

为什么取"乌兰察布"这样一个称谓呢？据《蒙古族通史》记载："清康熙九年，内蒙古札萨克增加到四十九旗，分为六盟，四子部落旗、茂明安旗、喀尔喀右翼旗、乌喇特三公旗，共6个札萨克旗，在四子部境内的乌兰察布会盟，称乌兰察布盟"。另据清嘉庆朝《钦定大清会典》卷五十《理藩院》第十五页记载："凡内札萨克之盟六，各定其所会之地'一曰哲里木……二曰卓索图……三曰昭乌达……四曰锡林郭勒……五曰乌兰察布，乌兰察布盟地在四子部落旗境内'。同盟之旗六：四子部落一旗、茂明安一旗、乌喇特三旗、喀尔喀右翼一旗。　六曰伊克昭……"。还有清嘉庆朝《钦定大清会典事例》卷746记载："四子部落旗、乌喇特三旗、茂明安旗、喀尔喀右翼旗，共六旗，于乌兰察布地方为一会。"据《大清一统志》记载："乌兰察布在呼和浩特北一百二十里，这就是乌兰察布。"另据《绥远通志稿》记载："四子王旗、喀尔喀右翼旗、茂明安旗、乌喇特三公旗等六旗共组一盟，由清廷指定以乌兰察布为会盟之地。盖其地有河，名乌兰察布，因以河名呼其地，以地名呼其盟。"以上资料清楚地记载了乌兰察布盟首次会盟地所在及其名称之来由。

经考察，"乌兰察布河"系指今四子王旗东八号乡白彦敖包行政村白彦敖包自然村前由东南流向西北方向的一条泉水河，现名叫白彦敖包河。据白彦敖包行政村党支部书记张铁牛，以及70多岁的闫占成和张兴旺等老人介绍，白彦敖包从立村至今已有145年。以前是蒙古人的营地，最早叫"陈卜子"，也叫"楚古拉干白彦敖包"。村前有条河，最早名"乌兰察布河"，也叫"小河"。因该村东南方向马莲渠村一带红胶泥颇多，每当下暴雨，顺流而下的山洪是黑红色的，所以称乌兰察布河。"乌兰察布"系蒙古语【Ûlaanqab】之汉语音译，"乌兰"指红色，因山洪颜色而命名，"察布"一词含意很多，有指两边有山、中间一块儿平坦开阔地的地形之意。白彦敖包自然村正是坐落于前后有山丘的一块儿平坦开阔地之中。另据该村老人们介绍：在白彦敖包自然村东二华里处曾有一个仅有四户人家的小村，叫塔底村（亦作塔地）。该村遗迹现在仍然清晰可见，一个石质磨和碾盘埋于土中，见证着塔底村的过去。这个村子之所以叫塔底，是因为在其北面一华里处曾有一座铁铸塔，据说是为纪念乌兰察布盟首次会盟而铸。1952 年，在土地改革运动中铁铸塔被当地农会捣毁后打造成农具。

经诸多历史资料证实和白彦敖包村知情人的介绍，说明这里确实是乌兰察布盟首次会盟地的确切地理位置。白彦敖包自然村距呼和浩特市恰好 120 华里，与《一统志》的记载相吻合。乌兰察布盟因其首次会盟于乌兰察布河畔而得名，"以河名呼其地，以地名呼其盟"一语道出了该地名的确切含义和来历。

据查，"乌兰察布盟首次会盟于红山口"之说认为：乌兰察布盟得名于蒙古语"乌兰察布"一词，即为红山口。似乎是对"红山口"这一名称的蒙古语翻译。显然，这一说法与《蒙古族通史》、清嘉庆朝《钦定大清会典》、《大清一统志》、《绥远通志稿》等档案、史料的佐证相去甚远。红山口原系土默特属地，乌兰察布盟人怎么可能背井离乡到他人之地会盟呢？再者，按照蒙古族古老习俗，在举行大型活动之前往往要先行祭敖包。白彦敖包村西北山上的敖包至今尚存，现在的白彦敖包村得名于该敖包山。红山口处不曾有敖包，可见，"乌兰察布盟首次会盟于红山口"之说有误。

**四子王**　政区专名，现为乌兰察布市四子王旗专指名称。名称中的"四子"是古代蒙古族部落专指名称。据《大清一统志》记载，四子部落形成初期称为"四驹子部"，即"杜尔本呼和德因爱玛克"，蒙古语"四个孩子的部落"之意，汉语称四子部落。清代依该部落设置四子部落札萨克旗，现称四子王旗。

四子王旗历史悠久。四子部落系元太祖成吉思汗胞弟

四子王旗东八号乡白彦敖包村西北白音敖包山远景

哈布图哈萨尔后裔所建立。蒙古汗国元年（1206 年），成吉思汗统一蒙古各部，建立也客·忙豁仑·兀鲁思【Yeh　Môngôl ûlas 大蒙古国】，将所有蒙古部众划分为土绵【ᠲᠦᠮᠡᠨ Tumen】"万户"，明岸【ᠮᠢᠩᠭᠠᠨ Mianggan】"千户"等若干个军政合一的组织，分配给开国有功的臣僚和自己的母亲以及诸子诸弟。其二弟哈布图哈萨尔分得四千余户。自此，哈布图哈萨尔家族及其部众游牧于呼伦贝尔草原额尔古纳河流域。

哈布图哈萨尔家族及其部众跟随成吉思汗在统一中国和横跨欧亚大陆的远征中转战南北，冲锋陷阵，功勋卓越。战后，一部分留住于欧、亚两洲，一部分返回故地。返回故地的即后来的四子部、科尔沁部、乌喇特部、茂明安部的先民。据《大清一统志》记载，

四子部形成于哈布图哈萨尔第十五世孙诺颜泰奥特根（部落首领）时期。诺颜泰奥特根生有四子，长子僧格，号墨尔根和硕齐；次子索诺木，号达尔罕台吉；三子鄂木布，号布库台吉；四子伊尔扎木，号墨尔根台吉。四兄弟皆聪慧机敏，智勇双全。四兄弟虽各有各的领地和属民，但兄弟间仍亲密无隙，和睦相处，受到部族人众的尊重和拥戴。随着部众的增多，后发展为爱玛克（部落），所部由"四驹子部"易称"四子部落"。

后金天聪四年（1630年），四子部落向后金朝廷敬献驼、马、貂皮等贡物表示归附。后金崇德元年（1636年），因对明作战有功，后金王朝赐哈布图哈萨尔第十六世孙鄂木布"达尔汗卓哩克图"尊号，同时，四子部落被编为一旗，授鄂木布为札萨克。自此四子部落改称为四子部落札萨克旗。清顺治六年（1649年），清政府将该旗西迁，赐大青山以北锡拉木伦河流域锡拉查干淖尔一带草原为该旗驻牧地，即现四子王旗辖域，旗札萨克驻乌兰额尔格（Ûlaa Ergi，原址在今四子王旗乌兰花镇西30华里处。注：四子王旗札萨克驻地名称，多数资料写作乌兰额尔济坡），时辖28个苏木。

四子部四子塑像

清朝后期，四子王旗仍实行会盟制度，由札萨克管理旗属事务。清同治四年（1865年）后，缩减为20个苏木。旗王府于1905年移至今查干宝力格。民国元年（1912年），外蒙古"大蒙古帝国日光皇帝"哲布尊丹巴呼图克图封四子部落旗札萨克勒旺诺尔布为亲王。同年，袁世凯政府的蒙藏事务局也封勒旺诺尔布为亲王。这就是外蒙古哲布尊丹巴与袁世凯为了争取四子部落勒旺诺尔布而演出的"双亲王"闹剧。至此，民间将四子部落旗改称为"四子部落双亲王旗"。

关于"四子"，贾敬颜先生在《阿鲁蒙古考》一书中写道："四子分牧而处，后遂为所部名称……"《大清一统志》也有如下记载："……后分与诸子，号曰'对因驹子'。"贾敬颜先生对此解释道："'对因'即满语'四'也，'驹子'满语'诸子'也。"这里的"四驹子"是蒙古语【ᠳᠥᠷᠪᠡᠨ ᠬᠥᠬᠡᠳ Durben Huhed】的满译词，就是指哈布图哈萨尔第十五世孙诺颜泰奥特根所生四子。"四子部落"是蒙古语部落名称的汉译名称。清代推行盟旗制度所设"杜尔本呼和德因爱玛克因和硕"【ᠳᠥᠷᠪᠡᠨ ᠬᠥᠬᠡᠳ ᠦᠨ ᠠᠶᠢᠮᠠᠭ ᠦᠨ ᠬᠣᠰᠢᠭᠤ Durben Huuhdiin aimgiin hûxûû】，汉译为"四子部落旗"。也有史学家认为"四驹子"是蒙古语【ᠳᠥᠷᠪᠡᠨ ᠤᠨᠠᠭ Durben Ûnag】之汉译，是牧人们对上述四兄弟的一种爱称。

1950 年，四子王旗人民政府成立，该旗正式命名为"四子王旗"，民间仍然称作"都日布德和硕"【⟨蒙文⟩ ⟨蒙文⟩ Dorbed hûxûû 】。在很长一段时间内的机关公文中，有时写作"四子王旗"，有时写作"都日布德旗或杜尔伯特旗"。1965 年，以该名称"带有封建王公统治性质，有危害民族团结的含义"为由拟改旗名为"乌兰白彦左旗"。1966 年，又以"表示富有含义的'白彦'一词与无产阶级格格不入"为由拟改"乌兰左旗"，均未决。久而久之，"四子王旗"【Dorbed Hûxûû】就成为该旗专指名称一直被沿用至今。

元朝时期，今四子王旗隶属净州路，直属中书省。由汪古部赵王管辖。明朝时期，净州路废弃，旗境属蒙古瓦剌部首领也先游牧地。北元时期，属右翼三万户之土默特万户属地。阴山北麓部分地区由土默特部首领俺答汗统辖。清初设置的四子部落札萨克旗疆界为：东至什吉冈图山，南至伊克拜山，西至巴颜鄂博，北至沙巴格图，东北至额尔柯图鄂博，西北至查尔山，东南至托克托瓦佗罗海，西南至察汗和硕。札萨克驻地——乌兰额尔格。

民国三年（1914 年），绥远与山西分治后，四子部落旗隶绥远特别行政区。民国十七年（1928 年），绥远特别行政区改为绥远省，旗地属绥远省乌兰察布盟管辖。1950 年 4 月 1 日，四子王旗人民政府成立，隶属乌兰察布盟人民自治政府。旗政府驻查干补力格。1952 年，旗政府迁至乌兰花镇。从此，四子王旗一直归乌兰察布盟（市）管辖。

**察哈尔** 蒙古族古老部落、旗、牧群、行政区、省、盟等政区专指名称，同时也是一个地域概念。关于"察哈尔"一词的含义，史学界一直争论不休。一说"察哈尔"是蒙古语【⟨蒙文⟩ Jah】"札哈"之转音，意为"邻近或边缘"，认为蒙古语"Jah 扎哈"又有"边界""边境"之意。明嘉靖三十五年（1556 年），达赉逊库登汗率部徙牧于辽东边外，故称"察哈尔"。一说"察哈尔"由蒙古语【⟨蒙文⟩ Qagaan】"察罕"（白色之意）演变而来。一说"察哈尔"是指大汗宫廷周围居住的牧民、仆人或工匠。一说"察哈尔"是蒙古语"孩儿"之意，此说源于《蒙古秘史》第 68 节"察哈"旁译为"孩儿"。最近出版的《蒙古史百科全书（古代史）》将察哈尔解释为"兵丁"。又说"察哈尔"一语源于波斯语或突厥蒙古语等等解释。其实，"察哈尔"原本就是蒙古语，指大汗宫廷周围居住的牧民，后指大汗护卫军、卫士。

关于"察哈尔"名称的来历，史学界基本上有共识，都认为"察哈尔"是蒙古族一古老部落名称。既然如此，只要我们对这个部落的形成与发展进行一番研究探讨，就不难领略到"察哈尔"一名的确切含义。

察哈尔部落的前身或起源，当从成吉思汗幼子托雷之妻唆鲁禾帖尼（《蒙古族通史》中写作"莎尔合黑塔尼"）说起。《黄金史》记载着这样一件事：一次（约 1232 年），蒙古汗国太宗窝阔台汗与其四弟托雷同时患病。占卜者说，一人痊愈，另一人必将难逃厄运。也就是说只有其中一人的厄运才能换取另一人的生存。唆鲁禾帖尼夫人得知这一情况后说："如果汗主死去，全蒙古都将成为孤儿，如是托雷死去，只我一人成为寡妇。"于是她天天为汗主的健康祈祷。她的祈祷果然应验，托雷死了，汗主痊愈了。窝阔台汗得知此事后很受感动，嘉奖弟媳以放弃丈夫的安危而敬重汗兄生存的贤德，并给予重奖，赐给弟媳唆鲁禾帖尼夫人八鄂托克察哈尔万户。《黄金史》所称察哈尔万户正是后来察哈尔部落的原型。《黄金史》的记载说明，察哈尔万户不仅仅是明代达延汗时期才出现的社会组织，而是早在窝阔台汗时就已经存在。

察哈尔部落的形成，当从成吉思汗组建护卫军说起。南宋淳熙十六年（1189 年），铁木真任蒙古部汗位时，曾委派斡哥来、忽必来等那可儿（好友、伴当）充当侍卫，并组建护卫军。南宋嘉泰四年（1204 年），他进一步整顿护卫军组织，并加以制度化。据《蒙古秘史》记载，1206 年建立蒙古大汗国后，成吉思汗对开国功臣、创业操劳者完成种种赏赐之后说道："之前，我只有八十人做客卜帖兀勒【ᠭᠡᠪᠲᠦᠯ gebtuul】宿卫，七十人做秃儿哈黑【ᠲᠦᠷᠬᠠᠭ Tûrhag】（日哨、散班）为客失克田秃【ᠬᠡᠰᠢᠭᠲᠡᠨ Hexigten 贺喜克腾】，即护卫。如今，上天命众百姓都属我管，我的护卫应从各万户、千户、百户中精选一万人做近卫。"于是，将原有护卫军扩编为一支由万人组成的常备武装，称为贺喜克腾——"怯薛"（很多资料都写作"克什克腾"，准确译音应为 Hexigten 贺喜克腾）。可见，"怯薛"由护卫军、近卫演变而来，并逐渐发展成为一个势力非常强盛的部落集团。

这支常备武装由大汗直接指挥，平时驻扎在成吉思汗大帐周围日夜警戒汗帐内外，还兼管汗帐中的兵器、车马、文书、饮食、府库等事务，战时由大汗亲领作战。护卫军的选拔极为严格，按照成吉思汗的指令从万户、千户、百户、十户诺颜或自由民子弟中精选其智聪体健者担此任。这一由万人组成的常备武装就成了成吉思汗封分的诸万户中的"中军万户"。成吉思汗十分注重"中军万户"长官的选任。《蒙古秘史》记载，选拔对汗主极其忠诚的纳牙阿将军任"中军万户"长官。成吉思汗非常重视护卫军并给护卫军以很高的待遇。可见，护卫军是成吉思汗最信任和依赖的僚佐或僚属。从成吉思汗时到北元时期，这支护卫军一直存在，并跟随历任大汗转战南北，屡建战功。在《成吉思汗箴言》中曾将"察哈尔"赞喻为大汗的护身"宝剑"和"盔甲"；《黄金史》中亦云："为利剑之锋刃，为盔甲之侧面……乃察哈尔万户是也。"正是这支由"怯薛"演变而来的常备武装，渐渐地发展成为后来的察哈尔部落。

元代的"怯薛"是没有封地的大汗亲军，其职责主要是履行护卫任务。明代的"察哈尔"则是作为具有军事、行政、生产三方面职能的部族称谓。不同于其他蒙古部落的是，察哈尔在北元时期一直居于宗主地位，有学者认为察哈尔部形成于明代。在蒙古文文献中，"察哈尔"作为部落名称最早出现于额森哈汗执政时期，即达延汗之父巴音孟克出生的那一年（1452 年）。在汉籍史料中，"察哈尔"称谓最早出现于明景泰年间（1450—1457 年），即明人称乌轲克图汗为察哈尔小王子之始，认为乌轲克图汗是第一代察哈尔小王子。其实，以上记载只是说明了"察哈尔"称谓最早见于史料的时间。从察哈尔部的形成过程看，察哈尔部形成于蒙古汗国时期。

据文献记载，明时，察哈尔八部由八个鄂托克（部）组成，分别是察哈尔呼拉巴特鄂托克、察哈尔克什克腾鄂托克、察哈尔浩齐鄂托克、察哈尔敖罕鄂托克、察哈尔察罕塔塔尔、察哈尔奈曼鄂托克、察哈尔扎固特鄂托克、察哈尔克木齐古特。上述八鄂托克也正是窝阔台汗赐予托雷之妻唆鲁禾帖尼的八鄂托克察哈尔万户的后人。到明末，乌珠穆沁、苏尼特也成了察哈尔八鄂托克之成员。

《蒙古源流校注》按语云：长城外蒙古兵众分为六图们（万户）：第一亲军为察哈尔族派；第二西军为而哈尔（喀尔喀）族派；第三右军五良旱（乌梁海）族派；第四倭拉都（鄂尔多斯）族派；第五东军土默特族派；第六军哈拉（喀喇沁）族派。可见，当达延汗统一蒙古各部，继元代遗业建立蒙古鞑靼国时，察哈尔部族是六图们之一，而且以大汗"亲军"见于史册。达延汗主政后为了巩固汗权，重新划分了六个万户：左翼三万户为察哈尔万户（今锡林郭勒盟北部）、兀良哈万户（今赤峰市一带）、喀尔喀万户（哈拉哈河流域）；右翼三万户为鄂尔多斯万户（今鄂尔多斯市一带）、土默特万户（今呼和浩特一带）、永谢布万户（锡林郭勒盟南部及张家口以北地区）。达延汗派其三子巴尔斯博罗特为右翼济农（有的资料写作"济囊"），驻鄂尔多斯，统治右翼三万户。自己驻察哈尔统领全蒙古，为各部之共主。自达延汗驻帐察哈尔到林丹汗抗清失败察哈尔附清，共经历六任大汗，均是察哈尔领主世袭汗位。察哈尔部就这样由大汗的亲军、直属部队发展成为居正统地位的宗主部。

按照"察哈尔部形成于明代"这一多数学者之共识，察哈尔部的具体形成过程需从元惠宗（顺帝）妥懽帖睦尔退往元上都说起。史学家屠寄在《蒙兀儿史记》中记载："八月庚午日（1368 年农历八月），明军攻入大都（今北京）城，蒙古人大败于明军，得脱者六万人，其三十有四万人被围而陷。"这里所说"得脱者六万人"主要是守卫皇都和大汗的"怯薛"以及部分宫廷人员。所谓"万"是组织单位名称。正是这得脱的六万户为达延汗后来组建六"图门"（万户）奠定了基础，而其中的一部分在漫长的历史长河中逐渐演变成了察哈尔部族。察哈尔部作为大汗的亲军跟随元顺帝退往上都，又迁驻应昌，而后在历任北元大汗的统领下，为统一蒙古、守护汗庭转战南北，直到乌轲克图汗之前的 100 多年，可谓是察哈尔部的形成阶段。

察哈尔之首领，从达延汗到林丹汗均是元之嫡系后裔。但其部族成员的姓氏较杂，并非全是成吉思汗"黄金家族"。从察哈尔部落的组成情况看，主要以地缘或职业关系，由不同部族的部众混合而成，所以察哈尔部并非是以血缘关系为纽带组成的氏族部落。首先，护卫军的组建是从万户、千户、百户、十户诺颜或自由民子弟中精选其智聪体健、堪当此任者组建的，这就是说，其成员并非是同一个族源；其次，14 世纪 60 年代末，元惠宗（顺帝）妥懽帖睦尔退回大草原时跟随大汗撤退的人员，既有护卫军，又有文武官员，也有宫廷内勤、外勤工作人员及其家眷等。这些人全都是后来的察哈尔部众，他们也不是同一个族源；再次，从妥懽帖睦尔退回大草原到达延汗再次统一蒙古的 100 多年间，是蒙古民族历史上最为黑暗的一个世纪。除了备受明人的欺压，蒙古族内部争权割据，广大穷苦百姓深受战争煎熬，生活在水深火热之中。在这一个世纪中，察哈尔部跟随大汗转战南北，浴血奋战，经受着血与火的考验。在这个过程中，察哈尔部众已经更换了几代人。特别是组建察哈尔八旗后，清政府推行反动的"以蒙治蒙"政策，调防察哈尔兵丁参与平叛战争，又先后四次发配大批察哈尔兵丁到河南、新疆边境等地；以"掺沙子"为由调遣新疆的伊犁人和卫拉特人、青海的呼和诺德部族人、兴安岭的兴安人、卓索图盟的女真人、呼伦贝尔草原的巴尔虎人、漠北的喀尔喀人，还有科尔沁、克什克腾等部族，到察哈尔八旗各个苏木驻牧，几乎调整、调换了近三分之二的察哈尔部众。这是察哈尔部落不同于其他部落的鲜明特点。这一点恰好从另一个侧面印证了察哈尔部落主要由原"怯薛"演变而来的史实。

　　早期的察哈尔八部与北元中期兴起的察哈尔万户并非是一个社会组织的两种称谓，前者正是蒙古汗国窝阔台汗赐予唆鲁禾帖尼夫人的八鄂托克察哈尔万户。后者则是在早期察哈尔八鄂托克基础上，由若干鄂托克重新组合而成的部落群体。而察哈尔部落与清代察哈尔八旗也不是一回事。

　　15世纪中叶，察哈尔部驻牧于宣化、大同边外，到达来逊汗时东迁至辽东地区，与喀尔喀万户的内喀尔喀五部联手，吞并了泰宁卫故地，成为当时与明朝、女真鼎足而立的蒙古族政体势力。17世纪初，东北地区女真崛起，1616年建立后金王朝。后金统治者将其相邻的蒙古各部也作为吞并对象。但是，努尔哈赤深知曾经征服世界的蒙古人并非等闲之辈，于是采取武力打击与政治拉拢相结合的手段，对蒙古诸部进行分化瓦解。17世纪20—30年代，东北地区部分蒙古贵族纷纷投靠后金王朝。面对蒙古诸部渐趋分裂和被瓦解的局面，当时的蒙古共主林丹汗（1592—1634年，本名里格丹巴图尔，孛尔只斤氏，察哈尔部达延汗后裔，系成吉思汗第二十二代世孙，也是成吉思汗之后最后一任蒙古大汗）奋起反抗，展开了长期的抗金斗争。但终因势孤力单，寡不敌众，于后金天聪六年（1632年）被皇太极所灭。之后，蒙古各部纷纷归附后金王朝。后金天聪九年（1635年），林丹汗之妻苏台哈屯（皇后）带领其子孔果尔·额哲、阿布奈和部分兵丁归降后金，受到以皇太极为首的后金王朝盛情款待，并封孔果尔·额哲为亲王。

　　清朝皇帝唯恐察哈尔部东山再起，将察哈尔部众安置在辽东义州边外（今辽东地区）。后金崇德元年（1636年），皇太极命内宏院大学士希福、蒙古衙门承政尼堪塔布囊达雅齐前往察哈尔部稽查户口，编制牛录（满语佐），建立旗制。清王朝仿照满洲八旗制把蒙古察哈尔部改编为8个札萨克旗，并分左右两翼。左翼：镶黄、正白、镶白、正蓝；右翼：正黄、正红、镶红、镶蓝，称察哈尔八旗。察哈尔蒙古首领归降清朝之后，一直对亡国称臣耿耿于怀。康熙十四年（1675年）三月，林丹汗之孙布尔尼、罗卜藏兄弟二人乘南方"三藩之乱"（三藩指吴三桂、尚可喜、耿精忠）联合奈曼旗王扎木山起义反清，被康熙皇帝镇压。布尔尼战死，罗卜藏率1.6万兵丁二次降清。经过这次战乱，康熙皇帝对察哈尔部甚为担心，便收回察哈尔部8个札萨克旗驻牧地，"犁其牧地为牧场，归内务府太仆寺管辖，移其余众到宣化、大同边外驻牧"。于是将其部众从辽东义州边外迁至宣化、大同边外，"东南距京师四百三十里，东界克什克腾；西界归化城土默特；南界直隶独石口、张家口及山西大同、朔平；北界苏尼特及四子部落，袤延千里"的广大草原。同时废止了察哈尔八旗的札萨克制，改为总管制，设置正蓝、正白、镶白三旗为左翼，镶黄、正黄、正红、镶红四旗为右翼，后又设置镶蓝旗驻牧于最西段，将镶黄旗划归左翼，镶蓝旗划归右翼。这就是众所周知的察哈尔八旗，也称察哈尔游牧八旗。这一建制从清初一直延续到中华人民共和国建国初期。今乌兰察布市的察哈尔右翼前、中、后三旗，卓资、商都、化德、丰镇、凉城、兴和六县和集宁区，锡林郭勒盟的正蓝、正镶白、镶黄、太仆寺四旗和多伦县，以及河北省张北、康保、尚义、沽源县的部分地区当时均属察哈尔八旗地。

清朝时期，宣化、大同边外虽地处偏僻，交通不便，但地域辽阔，水草肥美，实属天然优良牧场。《绥远通志稿》记载："蒙古地区，牧畜最宜，遍野青苍，牛羊散放，生机既畅，滋殖弥蕃。"《清史稿·兵志》"马政"一节中记载："牧马唯口外最善，水草肥美，不糜饷而孳生甚多。"清政府为了保障军需和朝廷及王公大臣们的奶食品、肉食等生活用品的供给，于清顺治年间（1644—1661 年）在察哈尔地区开始建立四牧群（牧厂）。四牧群分别是隶属朝廷上驷院的商都牧群（初叫大马群）、隶属内务府的明安牧群（初叫牛羊群）、隶属太仆寺的左翼牧群和右翼牧群。四牧群主要是为清廷牧养牛羊马群，其地位稍逊于八旗。民国初期仍承袭清代牧群建制，并设置衙署，最高长官称总管。民国十五年（1926 年），察哈尔四牧群改为旗制，商都牧群改建为商都旗，明安牧群改建为明安旗，左翼牧群和右翼牧群分别改建为太仆寺左翼旗和太仆寺右翼旗，归察哈尔盟管辖。四牧群加察哈尔八旗就是史籍所指的察哈尔十二旗群。

"察哈尔"一词在蒙古民间文学中屡见不鲜。如宝音和西格、托·巴达玛搜集整理的《江格尔》一书中将圣主江格尔汗帐周围的护卫兵丁称作察哈尔；新疆卫拉特蒙古人现在称达官贵人周围的人们为察哈尔；清代将西蒙土尔扈特汗帐周围的护卫兵丁，以其驻防方位称作左、右（东、西）察哈尔；扎鲁特蒙古人称"附近、周围或跟前"为扎哈尔【ᠵᠠᠬᠠᠷ Jahaar】（由察哈尔演变而来）；苏尼特蒙古语地方语言中称王公贵族周围的工勤人员为扎哈因弘【ᠵᠠᠬᠢᠨ ᠬᠦᠨ Jahin hǔn】（周围的人们之意，由察哈尔演变而来）。上述不同地区不同时代蒙古语言中的察哈尔一词，有一个共同的含意就是指汗主、王公、达官贵人周围的护卫、侍从。由此可以推断，现在的政区名称察哈尔由"怯薛"演化而来是显而易见的。

综上所述，从 13 世纪初组建万人护卫军，窝阔台汗赏赐八鄂托克察哈尔万户于托雷家族为其领地；14 世纪 60 年代末，元惠宗（顺帝）妥懽帖睦尔退回大草原后以八鄂托克察哈尔万户为后盾维持北元政府，在长达 100 多年的护驾征战过程中，察哈尔部逐渐形成了具有军事、生产双功能的部落整体。这一演化过程足以表明"察哈尔"一词的来历和含义：察哈尔源于成吉思汗护卫军，"察哈尔"一词的含义就是护卫。

从"察哈尔"一词的产生、察哈尔部落的形成以及后来多少个政区建制以察哈尔命名的过程中，我们可以清楚地看到"察哈尔"最初是指蒙古大汗护卫军或卫士，后来演化为居于蒙古宗主部地位的部落名称和诸多政区建制名称。同时也成为一个地域概念，专指清代察哈尔八旗兵丁驻牧的广大草原。

近现代，以"察哈尔"命名的行政建制很多，有区、省、盟、旗等等，还有很多街道、广场、宾馆，餐饮业等服务行业也用察哈尔来命名。现对乌兰察布地区用察哈尔命名的政区建制简要介绍如下：

**察哈尔特别行政区**　清代设察哈尔都统管理西口外各盟、旗和明长城以南 10 余县的重大事务。民国三年（1914 年）6 月，北洋政府设置察哈尔特别行政区，统领锡林郭勒盟 10 旗、察哈尔 12 旗群和多伦、沽源、张北、丰镇、凉城、兴和、陶林 7 县。后又划入商都、宝昌、康保、集宁 4 县。察哈尔特别行政区设都统为最高军政、民政长官，都统署设在今河北省张北县，下设兴和道。道置道尹，管辖上述地区。民国十七年（1928 年），察哈尔特别行政区改为察哈尔省。

**察哈尔省**　民国十七年（1928 年），国民党南京政府将察哈尔特别行政区改建为察哈尔省，并对其所辖区域进行了调整。原兴和道所辖之丰镇、凉城、兴和、陶林、集宁 5 县划归绥远省。察哈尔省辖多伦、宝昌、康保、沽源、商都、张北、赤城、龙关、宣化、万全、怀安、怀来、延庆、逐鹿、蔚县、阳原 16 县，后又划入锡林郭勒盟 10 旗和察哈尔 12 旗群。同时撤销兴和道建制，成立察哈尔省政府，置省主席为最高军政长官，省会驻张家口。抗日战争胜利后，解放军收复张家口，宣布成立察哈尔省，省会仍驻张家口。民国三十五年（1946 年）10 月 10 日，解放军撤出张家口后，于次年初撤销察哈尔省建制。民国三十七年（1948 年）12 月，张家口再次获得解放。1949 年元月，恢复察哈尔省建制，时辖张家口、大同二市和建平、易水、雁北、察北、察南、平西、冀察 7 个专区，1952年撤销。

**察哈尔盟**　民国二十三年（1934 年）2 月，国民党中央政治会议讨论通过并正式公布的《蒙古自治办法原则》规定：察哈尔部改称察哈尔盟。但是由于时局动乱，察哈尔部改盟之事一直未能实施。民国二十四年（1935 年）年底，日伪军占领宝昌、康保、沽源、商都、张北、化德县。次年 2 月，以百灵庙蒙政会名誉将察哈尔部改建为察哈尔盟，盟公署设在今河北省张北县城，下辖正蓝、正白、镶白、镶黄、明安（由牛羊牧群改建）、商都（由商都牧群改建）、太仆寺左（由太仆寺左翼牧群改建）、太仆寺右（由太仆寺右翼牧群改建）8 旗和多伦、宝源（宝昌县和沽源县合并成立）、商都、张北、康保、德化（由1934 年设的化德设治局改建）、尚义（由 1934 年设的尚义设治局改建）、崇礼（由 1934年设的崇礼设治局改建）8 县。察哈尔右翼 4 旗则归绥境蒙政会管辖。察哈尔盟公署设在今河北省张北县城，隶属伪蒙古军政府。

抗日战争胜利后，所有的伪政权消失，察哈尔地区隶属察哈尔省管辖。民国三十五年（1946 年）4 月，察哈尔盟政府在明安旗多恩海拉汗（原察哈尔盟女子中学校址，亦称女子部）正式成立。同年 7 月，将察哈尔盟改设为察哈尔自治区，归内蒙古自治运动联合会直接管辖。1947 年 5 月以后，隶内蒙古自治政府。中华人民共和国成立前夕，察哈尔盟下辖正蓝旗、太仆寺左旗、明安太右联合旗、商都镶黄联合旗、正镶白联合旗 5 旗。1954年，绥远省并入内蒙古自治区后，原察哈尔盟辖域分别划归锡林郭勒盟和平地泉行政区。

**察右前旗** 1950 年 1 月，撤销绥东四旗办事处，依察哈尔右翼正红旗设立东四旗中心旗（地级建制）。1954 年 3 月，以察哈尔正黄旗为基础设置察右前旗，归平地泉行政区管辖。1958 年以来，察右前旗属内蒙古自治区乌兰察布盟（市）管辖至今。

**镶蓝镶红联合旗** 1950 年初，合并察哈尔右翼镶蓝旗和镶红旗，成立镶蓝镶红联合旗，旗政府驻今卓资山镇。隶属平地泉行政区管辖，1954 年 3 月撤销。

正黄旗旗帜

**察右中旗** 1954 年 3 月 17 日，由原镶蓝镶红联合旗的第一区和第三区大南沟乡、转山子乡、十一苏木的东西营子、原陶林县的一至五区、卓资县北部的金盆乡、转经召乡、三道沟乡及东胜乡的半个乡组成察右中旗。1958 年 5 月，撤销武东县，划入察右中旗 6个半乡（大滩乡、义合隆乡、麻迷图乡、蒙古寺乡、广益隆乡、明旺泉乡、口子乡的一半即前苏勒图）。1954 年，察右中旗属平地泉行政区，1958 年以来属乌兰察布盟（市）管辖。

**察右后旗** 1954 年，以原察哈尔正红、正黄旗部分地区设置察右后旗，旗政府驻平地泉镇（今集宁区），1955 年 9 月迁至土牧尔台镇。隶平地泉行政区领导。1958 年以来，属乌兰察布盟（市）管辖。1971 年 3 月，察右后旗革命委员会从土牧尔台镇迁往白音察干镇。

**察哈尔右翼四旗** 即察哈尔八旗之右翼四旗，亦称西四旗或绥东四旗。西四旗由东至西顺序为正黄旗、正红旗、镶红旗、镶蓝旗。每个旗的辖域地形为东西窄、南北长的条形状。民国二十五年（1936 年），绥东四旗总管衙门改称旗公署，设总务科、民教科、警务科。民国三十四年（1945 年）8 月以后，绥东四旗相继成立了内蒙古自治运动联合会支会。民国三十八年（1949 年）3 月 15 日，绥蒙政府在集宁成立绥东四旗办事处。

**集宁** 县、市、区、垦务局、招垦设置局专名。乌兰察布市人民政府驻地集宁最早称

"查干哈达"。地名系蒙古语【ᠴᠠᠭᠠᠨ ᠬᠠᠳᠠ　Qagaan Had】"白石头"之意，也曾名"塔拉宝力格"，也是蒙古语【ᠲᠠᠯ ᠪᠤᠯᠠᠭ　Tal Bûlg】，"滩地泉"之意。清朝末年形成聚落，人们根据这个地方峡谷延伸、山环水抱的轮廓形貌，改称此地为"老凹嘴"，按当地口语也称老哇嘴、老鸹嘴、老鸦嘴、老窝嘴或狼窝嘴。也有传说，集宁这个地方乌鸦颇多，故称老哇嘴（当地人称乌鸦为黑老哇。就是现在，特别是春季，常常有庞大的乌鸦鸟群光顾集宁）。修筑平（北平）绥（绥远）铁路之前，集宁还曾叫"赵家店"。这个地方是当时牧区后大滩与内地往来的必经之路，牧区后大滩的农畜产品运往内地或内地的布麻鞋帽、烟酒糖茶、火柴、煤油等生活用品、生产资料运往牧区后大滩，都要路经这里打尖住店。据《集宁文史资料》记载："好年景秋冬季节，每日过往或住宿的牛板车少则几十辆，多则上百辆。赵姓人家在集宁开设车马店，生意十分红火，所以人们又把集宁叫作赵家店。"

民国八年（1919年），平（北平）绥（绥远）铁路修至平地泉镇（位于今集宁区南10公里处），准备建二等车站并取名平地泉火车站。但是，由于当时平地泉天主教堂外国神父煽动当地教民阻挠平绥铁路途经平地泉，更不允许建火车站，不得不将建站地点移到位于平地泉北面10公里处的老凹嘴，即现在的集宁南站。但是站名已经备案不得更改，便以原备案的名称命名为平地泉火车站。从此，村名"老凹嘴"逐渐易名为"平地泉"。

民国九年（1920年）11月，丰镇垦务局移驻于平地泉（今集宁区）。次年10月8日，析丰镇、凉城、兴和三县部分地区与移驻平地泉的丰镇垦务局设置平地泉设治局，后又易名为集宁招垦设治局。民国十一年（1922年），原准备在此设县并拟取名平泉县，但因与当时的热河省平泉县同名而未果。恰好这时在老凹嘴东南25公里处，现在的乌兰察布市察右前旗巴音塔拉乡土城子村，发现一座古城遗址，该遗址中有一尊刻有"集宁"字样的石碑（该碑曾经立于集宁区老虎山）。经考证，今察右前旗巴音塔拉乡土城子古城遗址在金代是一处春市场（交易市场），蒙古人、金人和契丹人在此互市交易，所以也称"马市儿"，后来人们也称老凹嘴为"马市儿"。该春市场也曾叫作新城镇。金朝明昌三年（1192年），设置集宁县于此。元朝仁宗时，升集宁县为集宁路。所以，"集宁"既是金代县名也是元代路名。《金史》记载：西京路大同府抚州辖有柔远、集宁、丰利、威宁四个县。说明当时集宁县隶属抚州。又载："（集宁）明昌三年（1192年）以春市场置，北至界二百七十里。"清楚地记录了集宁县的设置时间和地理位置。"北至界二百七十里"是说当时的集宁县治北距金界壕二百七十华里，与现今实际距离相吻合。《至元通制条格》记载：在蒙哥汗时期就把集宁、净州等地封给赵王为世袭地，赵王将集宁县升格为集宁路。《元史》记载："唐以前以郡领县而已，元则有路、府、州、县四等。"又载，"元时有德宁路、净州路、泰宁路、集宁路、全宁路……"。

从上述史料可知，早在金代就在今察右前旗巴音塔拉乡土城子村设置了县并取名"集宁"。然而，金代设置的集宁县并非是历史上最早称作"集宁"的县级建制。据《锦州府志》（清康熙时期旧志）和《辽宁省锦州市志》记载，前燕慕容皝时期（公元337—348

年间）在今辽宁省兴城市境西部渤海西岸京（北京）哈（哈尔滨）大通道路经处，曾设置集宁县。从前燕慕容皝时期设置集宁县到现在，"集宁"作为一个政区名称出现于世已经历经 17 个世纪。《揭秘集宁的前世今生》（王永生著）认为："难以否认，前燕和金代设置的两个'集宁县'在人文、记忆、文化和名称方面的传承关系。"现载录《揭秘集宁的前世今生》一书部分内容：

今日集宁地域和昔日前燕国之集宁县旧地虽相去几千里，但在当时却有着极其错综复杂的人脉关系……"五胡乱华"时期，发迹于东北的鲜卑族慕容氏和扎根于今内蒙古中西部的鲜卑族拓跋氏先后称雄于中国北方和中原地区，成为五胡十六国时期最为耀眼的两大家族。

这两大家族有亲缘关系吗?有。拓跋珪的爷爷——老代王拓跋什翼犍，先后迎娶慕容皝的妹妹和女儿为妻，所以，拓跋珪应该管慕容皝的妹妹和女儿都叫奶奶。

前燕国亡国后，慕容皝的儿子慕容垂建立后燕国，称雄于北方。但他的掘墓人却正是他的外甥——北魏开国皇帝拓跋珪。公元 386 年，拓跋珪恢复代国政权，后改国号为魏，史称北魏。北魏刚开始定都云中（今内蒙古托克托县境内），后改在盛乐（今内蒙古和林格尔县境内），公元 398 年又迁都于平城，即（今大同）。

公元 395 年，北魏拓跋珪和后燕太子慕容宝之间发生过一次大战，史称参合陂之战。北魏大胜。后燕从此一蹶不振，公元 407 年被北燕所灭。

参合陂在哪呢?近年来据专家们考证，部分人认为参合陂正是今凉城县岱海滩。凉城在秦汉属代郡参合县，这一建制一直延续到北魏置凉城郡，郡下置参合、旋鸿二县。参合县治所就在今凉城永兴板城一带。其时，与参合县齐名的就有参合口、参合陉（北魏时俗称"苍鹤陉"）。据考，"参合陉"为古道，参合口是参合陉的出入口处，是内地通往北地的重要通道，也是一处战略要地。《燕书》所谓"太子宝自河东还师参合，三军奔溃，即是处也"。这条通道就是今凉城通往呼市的石匣子沟。无疑，这个参合陉是因参合县而得名的。参合陂就是参合县的陂池、陂泽，参合陂与参合县的关系，就如同今凉城县与岱海滩一样，参合陂就是参合县的岱海滩。

所以，昔日前燕国之集宁县旧地军民，联姻也好，迁徙也好，征战也好，在民族大冲撞大融合的过程中，他们把许许多多的血脉、风俗、文化、记忆留在了今日集宁周边这块地域上。

公元 439 年，拓跋珪的孙子、北魏太武皇帝拓跋焘统一北方，结束了五胡十六国的历史，中国进入了南北朝时期。

800 多年后，同样是起源于东北的女金[真]人在参合陂的东北边再设集宁县，纯粹是历史的巧合，还是有着人文的传承呢？

老凹嘴原为山地荒原，气候寒冷，人迹罕至，系察哈尔游牧地。清朝政府实施开垦政策以后，外地农民开始来此开荒种地。平绥铁路建成开通并在此建站，丰镇垦务局迁此使老凹嘴商贸得以繁荣，来此定居的各方人士剧增。平地泉招垦设置局成立后开始在老凹嘴筑城浚壕、设立衙署、规划街道、开辟商场、建立学堂。民国十一年（1922 年），在老凹嘴设县时依考古挖掘的金代集宁县、元代集宁路取名"集宁"。同时，平地泉招垦设置局也更名为集宁招垦设置局。民国十三年（1924 年）2 月 15 日正式建二等县，隶属察哈尔特别行政区管辖。民国十八年（1929 年）元月，改归绥远省。当时的集宁县辖今丰镇市、凉城县、察右前旗、察右中旗、兴和县的部分地区。民国二十六年（1937 年）9 月 21 日，日军侵占集宁后建立集宁县公署。抗战胜利后，国民党和共产党都曾在此建立集宁县政权机构。民国三十四年（1945 年）8 月 20 日，集宁获解放。9 月 3 日，国民党傅作义部队抢占集宁。10 月 24 日，中国人民解放军再次收复集宁，恢复集宁县政权。12 月，中国共产党集宁县工作委员会和集宁县人民政府成立。民国三十五年（1946 年）12 月，成立了中国共产党集宁市委员会和集宁市人民政府。此时，集宁

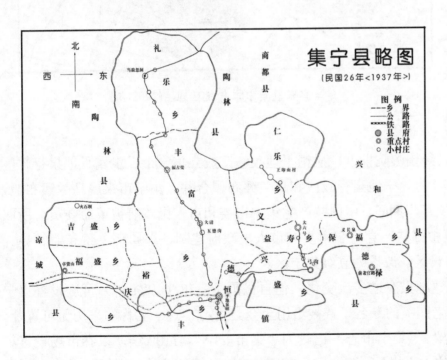

县和集宁市同时并存，县主管农村，市主管城内。次年 9 月集宁战役后，集宁又成为国民党统治区。随后国民党在此建立了集宁县政权。民国三十七年（1948 年）10 月 5 日，集宁最后一次获得解放，并于 10 月建立县、市政权，隶属绥蒙区党委、政府领导。民国三

十八年（1949年）末，改隶于中国共产党绥远省委和省人民政府领导。

1949年12月，统一行政区划时撤销集宁市建制，改市为集宁县城关区，中国共产党集宁市委和市人民政府随之撤销，组建了中国共产党集宁县城关区委和城关区人民政府，隶属集宁县委和县人民政府领导。随着城关区人口增加和工商业的发展，为加强对城市工作的领导，1951年8月，将集宁县城关区改为平地泉镇（县级），隶属集宁专员公署（地委）领导。1954年3月，集宁专署撤销后划归平地泉行政区人民政府领导。

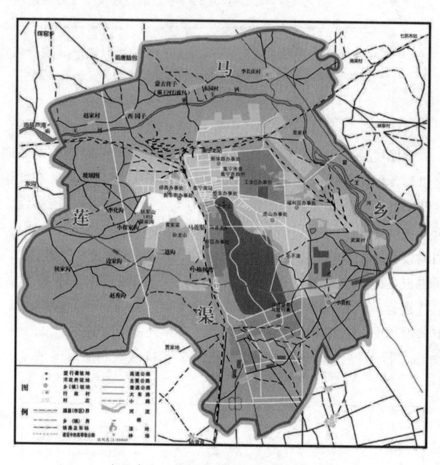

乌兰察布盟集宁市行政区划图(2002年)

1956年4月10日，经国务院批准，撤销平地泉镇，成立集宁市，隶属平地泉行政区人民政府领导。1958年4月，平地泉行政区和乌兰察布盟合并，集宁市隶属乌兰察布盟，为盟行政公署驻地。"文革"期间，中国共产党集宁市委和市人民政府被革命委员会所取代。1981年5月，恢复中国共产党集宁市委和市人民政府建制，隶属乌兰察布盟领导。2003年末，集宁市撤市设区，改设为县级集宁区。

近百年来，集宁的建制虽有过多次变化，但自民国十三年（1924年）再次设置集宁县以来，"集宁"作为原老凹嘴的专名一直被沿用至今。"集宁"这一名称的来历无可置疑。关于"集宁"一名的含义，《集宁市志》记载为"集市安宁"。1192年，以春市场设置集宁县之时，是大漠南北的太平岁月，除一些小范围的冲突之外没有大的战事，此时为新置县取名，人们向往集市安宁，故取名"集宁"是完全有可能的。

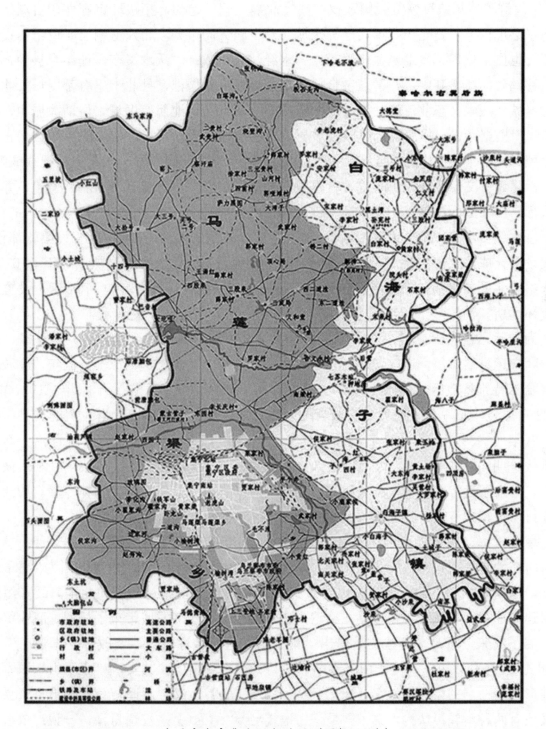

乌兰察布市集宁区行政区划图(2006 年)

**凉城**　故郡、城、县、抗日民主县政府专名，现为乌兰察布市凉城县专指名称。公元386年，鲜卑族拓跋珪恢复代国政权，建立北魏王朝。起初，拓跋珪定都盛乐古城（今和林格尔县境内），公元398年又迁都平城（今山西大同市）。北魏王朝于4世纪初设置凉城郡（也作梁城郡），隶属恒州管辖。《水经注》记载："沃水又东，迳参合县南，北俗谓之苍鹤陉，道出其中，亦谓之参合口，魏立县以隶凉城郡，县北十里有都尉城，北俗谓之阿养城，沃水又东北流注盐池，池北十里即凉城郡治，池西有旧城，俗谓凉城也，郡取名焉。"根据考古，岱海西北岸榆树坡村一带的古城，名曰梁城。如今的凉城县名正是源于北魏时期盐池（今岱海）西北岸的旧城名称。"凉城"一词的含义未见史料记载或解释。相传，北魏孝文帝拓跋宏每年夏、秋季节都要来蛮汉山、岱海滩一带游猎、避暑，并在此构筑行宫，命名为凉城，由此推断"凉城"之含义是凉爽的城之意。

自北魏在今凉城地区设置凉城郡、参合县等行政建制以后，唐朝在此曾设桑乾都督府；辽代设置天成、宣德二县；元朝设置宣宁县；明朝设置宣德卫。清康熙十四年（1675年）迁入察哈尔蒙古人后，凉城县归属镶红、镶蓝二旗；清雍正十二年（1734年）设置宁朔卫和怀远所。清乾隆十五年（1750年）卫、所合并为宁远厅。民国元年（1912年）宁远厅改为宁远县；民国三年（1914年），因县名与湖南、奉天（今辽宁省）、甘肃、新疆四省区宁远县名重复，遂取魏晋南北朝时期的凉城郡名，改宁远为凉城，同年，凉城县改隶察哈尔特别行政区；民国十八年（1929年），隶绥远省。民国二十六年（1937年）9月22日，侵华日军攻占凉城，凉城县沦为伪蒙疆联合自治政府巴彦塔拉盟的属县；民国二十八年（1939年）11月，在日本人的策划下成立了凉城县协和公署，并迁治于新堂。抗日战争期间，绥南专署在今凉城县部分地区建立抗日民主政府；抗日战争胜利后恢复凉城县，仍隶绥远省。中华人民共和国成立后，仍沿袭凉城县建制，隶和林专署。1950年8月5日，隶集宁专署。1958年后，隶乌兰察布盟（市）至今。

**卓资**　镇、县专名，现为乌兰察布市卓资县专指名称。据《卓资县志》记载：卓资县政府所在地卓资山镇东面一座平顶山，从远处望去形似"桌子"，人们称此山为"桌子山"。因此，坐落于山脚下的小镇也被称为"桌子山镇"。20世纪初，平（北平）绥（绥远）铁路建成通车并在桌子山镇建站，给这个小镇的社会、经济发展带来了机遇，商业贸易迅速发展了起来。于是，有些文人提出"桌子山"这一名称俗气，要改称"卓资山"。自20世纪30年代以来，"桌子山"逐渐被改写为"卓资山"。其实，"桌子山"原本就是依地形地貌命名的蒙古语地名【ᠱᠢᠷᠡ ᠠᠭᠤᠯᠠ　Xree Ûûl】之汉字意译转写。关于卓资县名称含义还有两种解释：认为"桌子"是蒙古语【ᠵᠤᠰᠲ　Jûst】之汉语意译，一说：依自然界赭石命名，蒙古语称赭石为"ᠵᠤᠰ　Jûs"；另一说：这里是夏季营牧好场所，所以，牧人们称之为【ᠵᠤᠰᠲ　Jûst】，地名含义为"夏营地"。

现在的卓资县，位于乌兰察布市西南部，处于内蒙古高原阴山山脉东南麓，全县东西长92.6公里，南北宽67.7公里，总面积3119平方公里。清朝时期，今卓资县辖域属察哈尔正红旗、镶红旗、镶蓝旗和四子部落旗。民国十八年（1929年），此地归属绥远省丰镇、集宁、凉城、陶林、武川县和察哈尔省正红、镶红、镶蓝旗、四子王旗属地。民国三十四年（1945年）12月，绥远省人民政府决定在卓资山地区设置县级建制，并为纪念贺龙同志领导人民军队解放卓资山地区的丰功伟绩将新县命名为"龙胜县"，县人民政府设在今卓资山镇。

民国三十五年（1946年）7月，蒋介石发动内战。8月13日，驻绥远地区的傅作义部队自三道营沿京包铁路线向东发动战事。贺龙同志领导的一二〇师在龙胜县与傅作义部队激战之后于9月5日撤出龙胜县。龙胜县随即被国民党军队占领，并恢复了旧制。民国三十七年（1948年）9月28日，卓资山再次获得解放，绥远省人民政府恢复龙胜县，建制仍由丰镇、凉城、集宁、陶林四县和四子王旗析置，划归绥远省集宁专署管辖。当时，境内旗县并存，蒙汉分治。正红旗旗府由八苏木印山湾迁至集宁；镶红旗旗府由印堂子迁至今卓资山镇东街；镶蓝旗旗府由六苏木蓝旗衙门营迁至今卓资山镇新民街。其后，以正红旗为中心，建立了中心旗（专署级）；镶红、镶蓝旗合并为镶红镶蓝联合旗，联合旗人民政府驻今卓资山镇新民街。

中华人民共和国成立后，因龙胜县县名与当时的广西省龙胜县县名重复，绥远省人民政府根据中央内务部批示，于1952年5月1日决定改龙胜县为"卓资县"。自此，卓资县一直归乌兰察布盟（市）管辖。

**丰镇**　厅、县、市专名，现为内蒙古自治区直辖的丰镇市专指名称。丰镇，从正式建制至今已有260多年的历史。清康熙年间，丰镇为察哈尔正黄、正红旗及太仆寺牧场属地。清雍正三年（1725年）隶属张家口厅管辖，雍正十二年（1734年）改隶山西省大同府。雍正年间，曾在今兴和县高庙子村设立丰川卫，设守备一员，在衙门口村（今丰镇市城关镇）设立镇宁所，设千总一员，隶大同府管辖。清乾隆十五年（1750年），因"种地民人生齿日繁，事务较多"，经山西巡抚奏请朝廷，裁去丰川卫与镇宁所，改设厅。厅的名称取丰川卫的"丰"和镇宁所的"镇"字，称"丰镇厅"，仍归大同府管辖。厅治设在衙门口村，自此，"丰镇"作为该地专名

丰镇市南阁

一直被沿用至今。

民国元年（1912年），丰镇厅改为丰镇县，隶属绥远特别行政区；民国三年（1914年），丰镇县改归察哈尔特别行政区；民国十八年（1929年），划归绥远省管辖；民国二十六年（1937年）9月被日军侵占；民国二十七年（1938年），归伪蒙疆联合自治政府巴彦塔拉盟管辖；抗日战争胜利后，丰镇光复，复属绥远省管辖。民国三十七年（1948年）9月，丰镇城区设立丰镇市，直属绥蒙区政府管辖；县境农村仍设丰镇县。民国三十八年（1949年）6月，丰镇县、市改归绥远省；同年9月，撤销丰镇市。

中华人民共和国成立后，丰镇县属绥远省集宁专员公署管辖。1954 年 3 月，归内蒙古自治区平地泉行政区管辖。1958 年 4 月，改属乌兰察布盟管辖。1990 年 11 月 15 日，经国务院批准，丰镇撤县设市（县级），直属内蒙古自治区人民政府，由乌兰察布市管理。

**兴和**　城、路、府、所、厅、道、镇、县专名，如今是乌兰察布市兴和县专指名称。兴和历史悠久，历代王朝在此曾多次设置政区建制。据有关史料记载，春秋战国时期兴和归代国。后来赵国吞并代国，并在此设延陵城（又称琦川城）。战国时期，曾在此设置延陵县。延陵古城在今兴和县境内原大同窑乡政府所在地。可以说"延陵"是今兴和地区最早的称谓。

秦时，今兴和地区为代郡北部地。汉朝在此置延陵县、且（沮）如县。且如又称不拘城，县城设在今兴和县古城村，时为中部都尉治所。东汉县废。《汉书·地理志》记载："且如县有于延水。"又载："于延水东南流，经且如县故城南。"根据《中国历史地图集》，古于延水发源于今兴和县原五股泉乡一带，流经台基庙乡。西汉以高柳邑置高柳县，治今山西省阳高县西北，为代郡西部都尉治，今兴和县境属之。北魏太和中（约488年）置柔玄镇、长川城。按《中国历史地图集》标记，柔玄镇在今兴和县与河北省尚义县交界处的平顶山西南一带（一说在台基庙村南小土城）。长川城在今兴和县城西北15公里处的原民族团结乡土城子村。

唐代，在今兴和县店子镇与白家营之间建黑榆林城，为屯戍之地。当地人称这一带为榆林城滩或黑榆林，也称榆林县滩。辽代置长青县，治今山西省阳高县东南大白登镇，辖境包括今兴和县境大部分地域。金朝时期今兴和县境有一个古城叫新城镇，古城址在今兴和县境西北原台基庙乡城卜子遗址。金承安二年(1197 年)升新城镇置威宁县；又在今河北省张北县喀喇巴尔哈孙古城即兴和城置柔远县，其辖境包括今兴和县部分地区。《兴和县志》记载：元朝复置咸宁县，治所在原金代威宁县址处重建，当地人在遗址处曾多次挖出元代器皿。明宣德元年（1426 年），在今兴和县境置榆林县。清朝初年，今兴和县地属察哈尔正黄、正红旗。清雍正十二年（1734 年），在今兴和县原高庙子乡设丰川卫。清光绪二十九年（1903 年），析丰镇厅东境在今二道河小镇设置兴和厅，自此，此地有了"兴和"之称。根据上述资料可以说，延陵（琦川）、且（沮）如、柔玄、长川、榆林、长青、新城、威宁、咸宁、丰川等称谓，都是今兴和地区不同历史时期的名称。

民国元年（1912 年），改兴和厅为兴和县，治今二道河镇，先后隶属绥远特别行政区、察哈尔特别区、察哈尔特别区兴和道管辖。民国十八年（1929 年），隶绥远省，为绥远省最东部的一个县。"七七"事变后兴和沦陷，时归伪蒙疆联合自治政府巴彦塔拉盟管辖。抗日战争胜利后，兴和隶晋察冀边区察北专区。民国三十五年（1946 年）4 月，归察南专区。此后 3 年，兴和县被国民党占据。民国三十七年（1948 年）9 月，再隶绥远省管辖。1954 年，兴和县划入内蒙古自治区平地泉行政区，1958 年划归乌兰察布盟（市）管理至今。

"兴和"原本是河北省张北县城之旧称。河北省《张北县志》记载：蒙古汗国宪宗八年（1258 年），在今河北省张北县复立抚州；元朝中统三年（1262 年），升金代抚州为隆兴府；元至元四年（1267 年），析上都路隆兴府为隆兴路；元至大元年（1308 年），还隆兴路为府。《新元史·地理志》记载：元仁宗皇庆元年（1312 年），改隆兴路为兴和路。根据上述资料，元代兴和路治所在今河北省张北县，至此，今河北省张北县城有了"兴和"之称。当时的兴和路辖一州四县，即宝昌州，高原、咸宁、天成、怀安四县。元至正十八年（1358 年）九月，红巾军出塞，经大同攻上都，途经兴和路中都，野蛮地将兴和城焚毁。

明初，残元势力退回塞外，在古兴和城设重兵拒守。明洪武三年（1370 年），朱元璋遣右副将军李文忠出野狐岭进驻兴和，置兴和府。洪武四年（1371 年），残元再据兴和。洪武七年（1374 年），大将军蓝玉再克兴和，生擒国公里密赤以及下属要臣 59 人。此后，古兴和城又为明朝领地。明洪武三十年（1397 年），在此设置兴和守御千户所。永乐初，蒙古鞑靼、兀良哈等部不断袭击兴和，杀死都指挥王祥。明永乐二十年（1422 年），蒙古阿鲁台袭陷兴和，城邑遂废。次年，守御千户所移到宣府（今河北省宣化市）。经过数次较大的战火，古兴和城销声匿迹，"兴和"之称随着古城的淹没不再是这个地区的名称，只是在很长一段时间民间仍然称张北县城为兴和。明永乐末年以后，今张北县名为明朝管辖地，实为蒙古鞑靼部落驻牧地。

清初，边墙内外一统，所谓"圣朝不划长城界，一道平岗是九边"，张北这个地方不再扎营驻兵，而成为少见人烟的清宫牧场及王公大臣马场地。偶尔有"北京帮""山西帮"等商队旱板车走向库仑路经此地，俄国商团骆驼队南下或者军台驿站的快马信使经过，才能给这里带来几缕人间烟火。清康熙十四年（1675 年），迁察哈尔蒙古镶黄旗驻牧于张北。清雍正二年（1724 年），置张家口理事同知厅，隶直隶省口北道，领张北县境局部。清咸丰三年（1853 年），清政府在坝上招民垦殖，古兴和城居民渐渐多了起来。清光绪八年（1882 年），垦殖事务日见繁杂，清政府将理事同知厅改为理事抚民厅。民国元年（1912 年），改厅为县，因古兴和城位于张家口北而称为张北县，从此张北不再称作兴和。

通过以上考究，我们了解了兴和县名称的演化过程。那么"兴和"一词出于何方？翻开《中国历史纪年表》我们可以看到，"兴和"是东魏孝静帝（元善见）的一个年号（兴和历四年，即公元 539—542 年）。一个半世纪以前的东魏年号与金、元、明代的兴和城名及如今的兴和县名称是不是有某种联系呢？

北魏孝武帝永熙三年（公元 534 年），北魏王朝分裂为东魏和西魏。同年 10 月，权臣高欢扶植年仅 11 岁的拓跋氏后裔，孝文帝拓跋宏（元宏）之曾孙元善见于邺城北（今河北省邯郸市正南偏西）登基，改元孝静帝天平，东魏正式建立。孝静帝年幼，由权臣高欢辅政。高欢权倾朝野，死死地把握着东魏朝政。孝静帝无所事事，整天玩耍或打猎。在元善见

位于河北省邯郸市的古邺城遗址

十六岁那年（公元 538 年）正月，在东魏的砀郡（今安徽省砀山县）发现了一头大象。这种热带动物跑到中原可谓是件稀罕事儿，人们认为这是天降吉祥，于是孝静帝元善见大赦天下，并改年号为"元象"。次年，东魏征调京畿内十万人修筑邺城，40 天完工。11 月 14 日，为了庆祝新宫落成，孝静帝又下令大赦天下，再改年号为"兴和"。

《兴和县志》编辑常谦同志认为：东魏孝静帝元善见身为一名傀儡皇帝，出于内心的苦闷，于公元 539 年末将年号元象改为兴和，企盼东魏王朝兴旺发达，安定人和，"兴和"一词由此而来。当时，今乌兰察布地区黄河以北包头市、白云鄂博铁矿以东地区均属东魏辖境。今兴和县、张北县均位于东魏辖境腹地偏西北，距东魏朝都邺城正北直线距离 500 多公里。从东魏改年号为"兴和"到元代改隆兴府为"兴和路"，相隔 773 年，且两地相隔 500 多公里，"兴和"这一名称的使用不是一种历史的巧合便是有一定的历史、文化传承关系。

**化德** 设治局、县、市专名，现为乌兰察布市化德县专指名称。化德县建县时间较晚，但历史悠久。早在新石器时代，化德地区就有人类活动，从远古的匈奴、鲜卑、柔然、突厥、契丹到后来的蒙、汉等多个民族都曾在这里繁衍生息。秦汉时期，化德属匈奴之漠南，历经晋、隋、唐三代，或隶鲜卑，或属突厥，或附契丹，至元、明时代为蒙古族游牧地。清初设八旗时，其西部、中东部分属正黄旗、镶黄旗管辖。民国元年（1912 年），属张家口理事同知厅管辖；民国三年（1914 年），属察哈尔特别区兴和县；民国十七年（1928 年），属察哈尔省。民国二十三年（1934 年），察哈尔省政府决定，析河北省康保县的一

区、四区和商都县的五区、十区设置化德设治局。民国二十五年（1936年），化德沦陷于日寇之手后，化德设治局易名为"新明设治局"，是年5月，蒙古王爷德穆楚克栋鲁普又将新明设治局改为德化市，暗含德王可以"逢凶化吉，普渡众生"之意。民国二十六年（1937年），日寇二次占领德化，将德化市改名为德化县。在此期间，化德县先后为伪蒙古军政府察哈尔盟、伪蒙古联盟自治政府、伪蒙疆联合自治政府管理。1945年7月，中国共产党冀察区党委批准在张北成立察北区分委（辖德化县），德化出现国共两党两套政权并存的局面。同年8月，苏蒙联军解放德化县，中国共产党察北地委接管德化县，并更其名为"化德县"。 民国三十五年（1946年）10月，国民党军队占领化德县城，翌年1月将县名改为"新明县"。1949年1月，化德第二次解放，恢复"化德县"名称。新中国成立后的1950年8

化德县中心广场百德碑

月，划归察哈尔盟管辖。1958年，察哈尔盟建制撤销，化德县划归锡林郭勒盟；1960年9月，并入镶黄旗，旗人民政府驻原化德县城关镇，仍归锡林郭勒盟管辖；1963年，恢复化德县原建制；1969年12月，归乌兰察布盟（市）管辖至今。

"化德"作为地方名称已沿用70多年。最早作为地名使用是1934年，察哈尔省政府决定在"嘉卜寺"设置化德设治局，开始有了"化德"这一地名。其蕴含的意义可以解释为"以德化民、德政化民"。朱熹《论语集注》："无为而治者，圣人德盛民化，不待其有所作为。"民国十一年（1922年），设置康保设置局；民国十四年（1925年），改为康保县；民国二十三年（1934年），设置崇礼、尚义设治局；民国二十五年（1936年），改为崇礼、尚义县。化德县名称与崇礼、尚义、康保三县名称均反映了崇尚礼义、康乐富裕、以德化民、德政化民之含义，四县联称"崇、尚、康、德"。

**商都**　牧群、垦务局、旗、市、县专名，现为乌兰察布市商都县专指名称。商都县位于今乌兰察布市东北部，辖地面积4353平方公里。清末，在今商都县城一带设置驿站。驿站，也叫台站，蒙古语称【Ortoo】"乌日特"，是清代蒙古地区重要的通讯、交通机构。以今张家口为界，以南的驿站叫汉站，以北的叫阿尔泰军台。由张家口通往外蒙古乌里雅苏台的阿尔泰军台共有 44 台，商都县境内有 5 台，其中第七台就设在今商都县城一带，蒙古人称之为【〔蒙文〕 Minggan Baixin ortee】"明安白兴乌日特"，意为"千间房军台"。因为是第七个军台，所以人们也称"七台"。

仿古式牌坊

"商都"一名源于上都牧群，上都牧群名称源于上都河，上都河名称源于元上都。上都河即滦河，《蓟门考》记载"滦河夷名商都"，因为蒙古人依元上都称滦河为上都河。清朝内务府上驷院在察哈尔地区有两处牧场，一是上都牧群，在今正蓝旗南上都河岸黑城子一带，一是达布逊诺尔牧群，大约在今内蒙古商都、化德和河北省张北、康保等县交界地带。二牧群合称上都达布逊牧场。

因该牧场曾隶属御马监，又称御马场，俗称大马群。上都（清乾隆后写作商都）、达布逊诺尔合称多年，清嘉庆以后，今商都县境的达布逊诺尔牧场逐渐省称为商都牧群。商都建制时，依商都牧群定名商都设治局，1918 年正式组建商都县。可见，"商都"一名源于元上都，后转音为商都。有学者认为"商都"一名并非源于元上都，而是蒙古语【〔蒙文〕 Xangdiin Gôl】之汉语音译，上都河也称闪电河，意为泉水河。如果此说成立，"商都"一名就是蒙古语【〔蒙文〕】之汉语音译，意为小泉眼。

民国四年（1915 年），经内务总长准复察哈尔特别区垦务总办龙骧呈文之请，在七台设立商都垦务行局兼设治局，专司这一地区的放荒招垦事务。民国六年（1917 年），又改称商都招垦设治局。民国七年（1918 年），经察哈尔特别区都统田中玉报请国民政府批准，撤销商都招垦设治局，改为县制，商都正式建县，归察哈尔特别区兴和道管辖。民国十七年（1928 年）9 月，改归察哈尔省管辖。同年 11 月 8 日，县公署改为县政府，次年实行区域自治。民国二十三年（1934 年）4 月，取消区域自治，改行县制。民国二十五年（1936 年）初，商都被日本侵略军占领，仍维持县级建制，组建了伪县政府。抗日战争胜利后，商都县获得解放，中国共产党领导建立了新政权。民国三十五年（1946 年）8 月 22 日，商都县实行了军事管制，改商都县为商都市。一个月后，撤销军事管制，改市为县。民国三十六年（1947 年）初，为适应敌后斗争形势，中国共产党将商都与化德县合并成立商化联合县；9 月，商化联合县又纳入康保，成立了商化康联合县；12 月，联合县建制撤销。民国三十八年（1949 年）元月 5 日，中国共产党领导的商化康联合支队进驻商都，国民党政权土崩瓦解，商都县获得最后解放。

中华人民共和国成立之初，商都县属察北地区，归察哈尔省管辖。1951 年年末，划归河北省张家口专区管辖。1958 年 10 月，坝上五县即商都、张北、尚义、康保、沽源合并成立张北县，县人民政府改称人民委员会。1960 年 1 月，商都和尚义从张北县划出，合并成立商都县。1961 年 5 月 1 日，尚义县从商都县划出，商都县恢复了原来的建制。1962 年 7 月，商都县划归内蒙古自治区，属乌兰察布盟管辖。从此，商都县一直归乌兰察布盟（市）管辖。自清顺治年间设置商都牧群以来，无论行政建制如何变化，"商都"作为该地区名称一直被沿用至今。

**乌拉特**　部落、地区专名，现为巴彦淖尔市乌拉特前、中、后三旗专指名称。乌拉特部与四子部、茂明安部一样，也是元太祖成吉思汗胞弟哈布图哈萨尔后裔。以布尔海为首领的乌拉特部曾游牧于额尔古纳河与石勒喀河之间。后金天聪七年（1633 年），乌拉特部首领携带大量驼、马和珍奇贵重兽皮前往后金朝廷纳贡，正式归附后金。皇太极为了有效控制蒙古部族，诏令蒙古各部向内迁移，乌拉特部被迫离开故土迁徙到呼伦贝尔草原的呼布图乃曼查干、图门乌力吉一带草原。为防其他部族进犯，清廷又诏令乌拉特部出兵镇守中西边关隘口。乌拉特部再西迁到今河套地区木纳山（今乌拉山）、狼山一带镇守边关隘口。当时，乌拉特之一部镇守昆都仑沟、五当沟，把守黄河的大树湾渡口；一部镇守哈达莫勒口子；一部镇守毛尼胡硕（西山嘴），把守黄河坦盖木独渡口。因乌拉特部镇守边关隘口有功，清廷封爵加官，编乌拉特部为三个旗。《蒙古游牧记》记载："后金天聪七年（1633 年），成吉思汗之弟哈布图哈萨尔十八世孙鄂木布、图巴和十九世孙色楞三人从呼伦贝尔率乌拉特部迁此（今河套地区）驻牧。顺治五年（1648 年），叙从征功，封爵，设乌拉特前、中、后三个旗。"乌拉特部三旗札萨克同驻哈达玛尔，即今包头市九原区哈业胡同镇境内乌拉山前哈达门口。三旗分民不分地，即不划分旗界也不划分苏木界限，只是依据三旗札萨克驻地由北向南所处地理位置，也根据各札萨克衙门镇守隘口的方位，称为左、中、右三翼。左翼札萨克被清廷封为辅国公，中翼、右翼札萨克被清廷封为镇国公，诏世袭罔替，故俗称三公旗。旗札萨克驻于北面的左翼为东公旗，时任札萨克名喇什那木济勒多尔济，故也称喇公旗；旗札萨克驻于中间的中翼为中公旗（东达公旗），时任札萨克名巴宝多尔济，故也称巴公旗；旗札萨克驻于南面的右翼为西公旗，时任札萨克名克什克德力格尔，故也称克公旗（注：按照蒙古族生活习惯，以蒙古包开门方向（东）为南，以此类推以北为东，以南为西）。从此，"乌拉特"这个部落名称就成了乌拉特三旗地方的专指名称。

**乌拉特前旗**　亦称西公旗或克公旗，为乌兰察布盟会盟旗之一。清朝中后期，设道置厅实行蒙汉分治时，旗境曾隶归绥道萨拉齐厅、五原厅。民国元年（1912 年），五原厅改为县，旗境亦属之。民国十四年（1925 年），在今乌拉特前旗境内乌拉山北部及后套地区置大余太设治局,民国二十年(1931 年)改为安北设治局。民国二十六年(1937 年)10 月,日军侵占大余太与中滩地区,并在大余太成立伪安北县公署,归伪巴彦塔拉盟管辖。抗日战争胜利后,仍延续安北县建制,乌拉特西公旗仍辖原封领地。

中华人民共和国成立后,恢复乌拉特西公旗,后改称乌拉特前旗,隶属绥远省乌兰察布盟。安北县隶属绥西行政公署,后改隶陕坝专员公署,1954 年 6 月改隶河套行政区。1958 年 4 月 25 日撤销安北县,属地并入乌拉特前旗,旗府驻地定在西山嘴,并改隶河套行政区,后改隶巴彦淖尔盟。1960 年 3 月,乌拉特前旗划归包头市。1963 年 11 月,又划归巴彦淖尔盟(市)至今。

**乌拉特中旗** 亦称中公旗或巴公旗,为乌兰察布盟会盟旗之一。民国二十三年(1934 年)4 月,由蒙古地方自治政务委员会(百灵庙蒙政会)管辖。民国二十五年(1936 年)2 月,改隶绥远省境内蒙古盟旗地方自治政务委员会。次年 10 月,隶伪蒙古联盟自治政府辖领。1949 年 9 月 19 日,隶绥远省乌兰察布盟。1950 年 7 月 18 日,乌拉特中旗人民政府成立,驻地本巴台庙(今乌拉特中旗呼勒斯太苏木乌珠尔嘎查北部,杭盖戈壁、川井、温根三苏木交界处)。1951 年 11 月,驻地东迁至海流图。1952 年 10 月 15 日,乌拉特中旗、乌拉特后旗合并为乌拉特中后联合旗,驻地海流图。1970 年 10 月,划出西部 8 个人民公社、2 个合营牧场另设潮格旗。1981 年 9 月,乌拉特中后联合旗更名乌拉特中旗。

**乌拉特后旗** 也称东公旗或喇公旗,为乌兰察布盟会盟旗之一。1950 年,乌拉特后旗人民政府成立。1952 年 10 月 15 日,与乌拉特中旗合并,1958 年 5 月,乌拉特中后联合旗由乌兰察布盟划归河套行政区。7 月河套行政区与巴彦淖尔盟合并,乌拉特中后联合旗改隶巴彦淖尔盟。1970 年 10 月,划出乌拉特中后联合旗西部 8 个人民公社、两个公私合营牧场另设潮格旗。1981 年 10 月,潮格旗更名为乌拉特后旗。

关于"乌拉特"名称来历、含义,民间有两种说法,一说源于人名"Ûra 乌拉"。以 Ûra 乌拉为首的人众形成部族部落之后人们称之为"Ûrgûûd 乌拉古德",后异音为"Ûrûûd 乌如德",又渐渐地异音为"Ûred 乌拉特"。又一说因乌拉特部族精于手工技艺,在蒙古汗国荣获"斡冉"头衔,被称为"Ûred Aimg 斡冉德部"。"斡冉德"在史籍中又有"乌喇特、乌拉忒、吴拉忒、吴喇忒、乌拉特"等不同写法。《蒙古源流》译写为"斡冉德"。"斡冉"系蒙古语【Ûren】之汉语音译,后置表示多数的(d),组成的蒙古语词【Ûred】之汉语音译。经过多少年的演变,现在已经不再使用以前的译称"斡冉德",而译作"乌拉特"。

**苏尼特** 部落或旗专名,现为锡林郭勒盟苏尼特左、右二旗专指名称。苏尼特右旗历史悠久,秦汉时期,今苏尼特右旗地为上谷、代郡之北境;汉代归属匈奴单于庭直辖;晋为拓跋氏地;隋唐为突厥所居;辽属抚州;金属西京路,元归兴和路;清王朝和民国时期一直归锡林郭勒盟管辖。1969 年,苏尼特右旗曾归乌兰察布盟;1980 年,又划回锡林郭勒盟至今。

关于"苏尼特"一词的来历和含义，民间有以下几种说法。一说，根据《蒙古游牧记》记载，元太祖成吉思汗第十七世孙库克其图墨尔根台吉率部从漠北（今蒙古国）日行夜宿向南迁徙，最终落脚于今苏尼特草原。"苏尼"系蒙古语【ᠰᠥᠨᠢ Xuni】之转音，意思是"夜"。因该部落南迁日行夜宿，故取【ᠰᠥᠨᠢ Xuni】为部落名，并在【ᠰᠥᠨᠢ Xuni】一词之后加上表示多数的后置词"d"，泛指该部落民众，后渐渐地成为部落名称。二说，"苏尼特"一词是古蒙古语【Sô'ningûûd】之汉语音译，意为"好奇者们"。据说此部落的人好奇心很强，故取【Sô'ningûûd】为部落名称，后演变为"苏尼特"。 三说，该部落曾为成吉思汗担任大帐侍卫，并主要负责夜间安全防范，故有"大汗侍卫"部落——"苏尼特"之称。四说，苏尼特部落有一名孛儿只斤氏格鲁根巴特尔，为成吉思汗统一蒙古的事业立过汗马功劳，因而划地给他并赐名"苏尼特"，此人后裔逐渐成为苏尼特部落。

"苏尼特"实际上是古代蒙古民族氏族部落名称。据《蒙古秘史》记载：阿阑豁阿之子孛端察儿第五世孙海图汗，生有三子，长子贝匈胡尔，次子齐尔海林胡，三子抄真斡儿帖该。抄真斡儿帖该生有六子，第四子名曰苏尼特（有些史料写作雪尼惕）。苏尼特的子孙们在漫长的历史长河中逐渐形成了苏尼特部落。13 世纪初，铁木真统一蒙古建立大蒙古汗国时，苏尼特部落跟随成吉思汗东征西战几十年，为统一大业立下汗马功劳。

蒙古汗国时期，苏尼特部落从漠北南迁，落脚于今张家口以北地带，归属于察哈尔八部。明成化十六年（1480年），巴图孟克达延汗统一漠南、漠北蒙古诸部，分封诸子，设六万户，苏尼特部被划归永谢布万户，居于今阿巴嘎旗和四子王旗之间的广阔草原。后来宝迪阿拉克汗次子呼和楚台统领苏尼特部。后金天聪元年（1627年），苏尼特部分为左、右两翼，由宝尔海楚胡之子达布海胡舒其和宝音之子朝尔洪台吉分别统领苏尼特左、右两翼。后金天聪八年（1634年），林丹汗抗清斗争失败后，苏尼特部归附清朝。清崇德七年（1642年），正式设置右翼苏尼特旗。

**二连** 镇、市和自然湖泊专名。二连位于今内蒙古自治区正中略偏西，北连蒙古国，东临苏尼特左旗，南、西与苏尼特右旗接壤，东距锡林浩特市 350 公里。1956 年，在此设置二连镇，隶属苏尼特右旗；1957 年，升格为准县级镇，并更名为二连浩特镇，隶属锡林郭勒盟；1966 年 11 月，撤销二连浩特镇，设置二连浩特市；1969 年 11 月，划归乌兰察布盟管辖；1980 年 5 月 8 日，又划归锡林郭勒盟；1985 年，升格为准地级市，现为内蒙古自治区计划单列市。

二连浩特系蒙古语【ᠡᠷᠢᠶᠡᠨ ᠬᠣᠲᠠ Ereen Hot】之汉语音译，意为色彩斑斓的城市。该地名源于地理自然实体。在今二连浩特市东北 9 公里处有一盐池，名【ᠡᠷᠢᠶᠡᠨ ᠳᠠᠪᠰᠠᠨ ᠨᠠᠭᠤᠷ Ereen dabsen Nûûr】"额热达布森淖尔"，因此地水草丰美，气候湿润，常有海市蜃楼显现，因而人们称盐池为【Ereen dabsan Nûûr】，意为色彩斑斓的盐池。【Eree】一名在不同历史阶段有过不同汉语音译形式。例如元朝时期，由大都、上都、哈喇合林和阿尔泰等地通往欧洲的通道在此曾设有驿站，当时称玉龙栈。这里的"玉龙"一词是【Eree】之转音；

清朝末年、民国初年，架通了库伦（乌兰巴托）至张家口的电话线，又设电报局，并将该地名标入了当时出版的地图集，名曰"二连"；民国七年（1918 年），张家口旅蒙商景学钤等开办大成张库汽车公司，开通了张家口至库伦的汽车运输线，二连盐池成为这条运输线上的重要站点之一，因站点设在额热达布森淖尔北面，故取名滂北，民国三十二年（1943 年）后，这条运输线因战乱停止运行，滂北小站也渐渐地随之湮没，这里的"滂北"一名，是以蒙古语【ᠡᠷᠢᠶᠡᠨ ᠳᠠᠪᠰᠠᠨ ᠨᠠᠭᠤᠷ Ereen Dabsen nûûr】"额热达布森淖尔"翻译命名的站名，"滂"就是指色彩斑斓的二连盐池。

现在的二连市，最早因建设通往蒙古国乌兰巴托的国际铁路线而设置。1953 年，国际铁路线集宁—二连段正式动工修建，在选择线路和站点时，为避开盐池低洼地形，从张库汽车运输交通线向西南移 9 公里，中蒙边境线以里 6.463 公里处修建火车站，依额热达布森淖尔名称取站名【Eree】，用汉字写作"二连"。1956 年，在此设镇时也命名为二连，就此确定了该地方名称并沿用至今。

阿勒坦汗像

**呼和浩特**　城、市专名，曾名库库和屯、厚和豪特、归化、绥远、归绥，察哈尔蒙古语称郭和浩特，民间曾称三娘子城，现为内蒙古自治区首府呼和浩特市专指名称。该城始建于明朝。北元阿勒坦汗为了发展经济，促进互市贸易，提倡开荒种地、修筑房屋。不久在今土默川平原"开云田丰州地万顷，连村数百"（瞿九思：《万历武功录》卷八，《俺答列传》〈下〉）。农业和手工业的发展，必然导致城镇建设步伐的加快。明隆庆六年（1572 年），阿勒坦汗开始大规模建城，于明万历三年（1575 年）建成并命名为"库库和屯"。明朝皇帝赐名"归化"，但蒙古人仍然按照自己的习惯称之为库库和屯。以上库库和屯、厚和豪特、郭和浩特、呼和浩特皆为蒙古语【ᠬᠥᠬᠡᠬᠣᠲᠠ Hoh hôt】之汉语音译，意为青城。

随着社会的不断发展，呼和浩特的城区规模也不断扩展。明朝万历三年（1575 年），刚建成的库库和屯城只是今呼和浩特市旧城的一小部分。清乾隆四年（1739 年），又在归化城东北约五华里处筑绥远城，即今呼和浩特市将军衙署周围。后归化、绥远联为一城，形成如今呼和浩特市之规模。民国元年（1912 年），改原归绥道为归绥观察使公署。次年，以归化、绥远两城为中心设置归绥县，直属绥远特别行政区管辖。抗日战争爆发后，归绥县改为巴彦县，归巴彦塔拉盟管辖，不久并入厚和豪特市。民国三十四年（1945 年）8 月，国民党绥远省政府将厚和豪特市改名为归绥市，市内设置 6 个区，将旧城划分为一区、二区、三区、四区，将新城划为五区，今火车西站一带划为六区。中华人民共和国建国初，归绥市成为绥远省人民政府下属的地级行政区域之一。1954 年 2 月，废除了"归绥"这个带有民族歧视和封建统治意味的名称，改称呼和浩特，并确定为内蒙古自治区首府。

现在，呼和浩特市共设回民、新城、赛罕、玉泉四个区；土默特左旗一个旗；托克托、和林格尔、清水河、武川 4 个县等 9 个旗县级建制。始建于 1992 年的国家级经济技术开发区（如意、金川两个区域）也属呼和浩特市管辖。现如今，呼和浩特市全市总面积 1.7 万平方公里，其中城区面积 2157 平方公里，总人口 253 万，其中市区人口 140 多万。

新城区位于呼和浩特市城区东北部，东、南接赛罕区，西连回民区，北与武川县相连。全区总占地面积 699.6 平方公里，其中城区 34.5 平方公里。中华人民共和国初期，为归绥市第五区。1951 年，第五区、第六区合并为第一区，改区公所为人民政府。1953 年 11 月 8 日，第一区改名为新城区。"文革"期间，新城区更名为"东风区"，1979 年恢复原名。现全区辖保合少 1 镇及 31 个行政村、100 个自然村和迎新路、东风路、新城东街、新城西街、中山东路、锡林北路、海拉尔东路、成吉思汗大街 8 个街道办事处及 60 个社区居民委员会。

回民区位于呼和浩特市城区西北部，南与玉泉区相邻，北与武川县相连，西与土默特左旗接壤，东至锡林南路与新城区毗邻。1950 年 12 月 19 日，成立回民自治区；1956 年 1 月，改为回民区。"文化大革命"期间曾易名为"红旗区"，1980 年又恢复原称谓。该区名称因聚居回族民众偏多而命名。回民区总面积 175 平方公里，辖 1 个攸攸板镇及 19 个行政村、31 个自然村和通道街、环河街、中山西路、新华西街、海西路、光明路、钢铁路 8 个街道办事处及 65 个社区居民委员会。

赛罕区位于呼和浩特市城区东南部。1953 年，成立归绥市郊区工作委员会；1956 年 9 月 20 日，撤销归绥市郊区工作委员会，成立呼和浩特市郊区人民委员会，时辖 22 个乡 304 个自然村。全区总面积 1013 平方公里。2000 年 6 月 14 日，郊区正式易名为"赛罕区"。"赛罕"系蒙古语【Saihan】之汉语音译，意为美好或美丽。赛罕区北依新城区，东邻蛮汉山与乌兰察布市卓资、凉城二县，南与和林格尔县接壤，西与玉泉区相连。境内有大、小黑河及什拉乌素河等多条季节性河流。地势多为山地、丘陵。2006 年，赛罕区乡、镇行政区划调整后，辖黄合少、金河、榆林 3 个镇及 122 个行政村、160 个自然村和昭乌达路、敕勒川路、人民路、大学东路、大学西路、乌兰察布东路、中专路、巴彦 8 个街道办事处及 63 个社区居民委员会。

玉泉区位于呼和浩特市城区西南部，东与赛罕区相邻，西、南与土默特左旗、托克托县接壤，北与回民区毗邻。全区总面积 270 平方公里，总人口 22 万。全区辖 1 乡、1 镇、53 个行政村、59 个自然村、7 个街道办事处、45 个社区居民委员会。1954 年 2 月，撤销归绥县；同年6月1日，原第三区改名为"玉泉区"。"文化大革命"期间，玉泉区更名为向阳区，1978年恢复原名。玉泉区得名于清朝康熙皇帝西征噶尔丹途经此地留下"御马刨泉"的美丽传说。

**土默特** 蒙古族古老部落、地区、滩川、旗专名，现为呼和浩特市土默特左旗和包头市土默特右旗专指名称。作为地区概念指今包头市以东一直到卓资县旗下营，从大青山到黄河、明长城，包括清水河、和林格尔、托克托、凉城县部分区域在内的广阔地区。这一地区名称的演变过程如下：春秋战国时期，赵武灵王在这里设置云中郡；秦始皇统一中国以后，云中郡被列为全国三十六郡之一；汉时也置有云中郡。所以，这一地区特别是呼和浩特市、托克托县一带地区曾名"云中"。汉代，在今土默特旗腹地曾设北舆县，因而这个地区当时被称作"北舆"。5世纪前叶，北魏王朝迁徙大量敕勒人到阴山以南游牧。敕勒族亦称丁零或高车，他们在此生息一个多世纪，故大青山以南平原遂有"敕勒川"之称。隋唐时期，因白道岭而称大青山以南平原为白道川。"白道"之名最早见于郦道元《水经注》："芒干水又西南，迳白道南谷口，有城在右，谓之白道城。自城北出有高阪谓之白道岭。"辽、金、元三代，土默特地区均设置丰州，州城在今呼和浩特市东郊罗家营，因而亦称大青山以南平原为丰州滩或丰州川。明代榆林卫、云川卫等称谓也是指这一地区。北元达延汗时期，大青山前后广阔土地为右翼三万户之一的土默特万户驻牧地。自此，土默特部一直生息于此。所以，大青山以南平原遂改称土默川。

关于"土默特"一名的起源、来历和含义，史学界有不同解释。其中具有代表性的主要有"秃别干"和"秃马惕"两说。"秃别干"之说认为，土默特即成吉思汗统一蒙古以前的克烈部之六大支系之一的秃马兀惕（也写作秃马亦惕，在《蒙古秘史》中写作土别干或土绵土别干）。"秃马惕"之说提出最早，影响也最大，主要以《蒙古秘史》为依据，比较具体且有理有据地论述了"土默特"一名的来历：公元12世纪到13世纪初，蒙古高原各部族按其经济文化特点大体上分为"林木中百姓"和"毛毡帐百姓"。"林木中百姓"主要游牧于贝加尔湖东、西两侧。秃马惕人正是游牧于贝加尔湖附近的"林木中百姓"。他们有左、右翼两部之分，其左翼属于豁里部落，故称豁里秃马惕，右翼称秃马惕。13世纪初，成吉思汗派其"四杰"之一的孛罗忽勒征讨豁里秃马惕部，征战中孛罗忽勒被杀。成吉思汗后又遣长子术赤征伐。豁里秃马惕部被征服后，成吉思汗将百户秃马惕民众赐予孛罗忽勒家为奴。若干年后，孛罗忽勒次子塔察儿携其属民和所赐百户秃马惕民众移营官山（今大青山）。随后，又有很多秃马惕人也南迁至官山一带，成为官山周围的居民。正是这些南迁的秃马惕人保留了自己的部落名称。

据《寰宇通志》记载："官山，在府城（大同）西北五百余里古丰州境，山上有九十九泉流入黑河。黑河，在府城（大同）西北四百里丰州界，源出官山，溪流入云内州界，又至东胜州入黄河。"根据上述记载，官山，即阴山山脉中段的大青山。如此说来，土默特的前身，或者说土默特的先人，是800多年之前游牧于贝加尔湖周围的"秃马惕"人。后"秃马惕"演变为"土默特"，只是蒙古语词汉语音译时的标识或者说发音不同而已，"秃马惕"与"土默特"均是蒙古语【ᠲᠦᠮᠡᠳ　Tumed】一词在不同时期的汉语音译。

北元达延汗时期，土默特地区被划分为察哈尔六万户之一的右翼土默特万户。清朝初期，在土默特地区设置土默特都统旗。后金天聪六年（1632年），后金大军征伐察哈尔部，移师归化城（今呼和浩特市旧城），俺答汗五世孙俄木布不得不率部归顺。俄木布虽然归顺后金，但内心不服，在暗地里联络喀尔喀右翼部谋反。事泄后，被后金王朝收缴了世传"顺义王"印（有资料记载，谋反之事属误传，后获平反）。崇德元年（1636年），清政府推行盟旗制度时，在土默特地区没有设置札萨克旗，而是编土默特3300余丁为左、右两翼，每翼一旗，以古禄格和杭高为都统设置土默特左、右翼两个都统旗。都统旗是不设札萨克的内属旗，与札萨克旗相比内属旗为朝廷直辖领地，不设札萨克（旗长）而设都统，都统不得在境内"君国子民"。起初，每翼各置都统1名、副都统1名（康熙年间曾增为2名），由土默特部头领充任，后以"在京旗员补授"为由改为由清廷赐封。当时，土默特所辖地区"广四百五十里，袤四百三十五里"，东至察哈尔镶蓝旗，南至边墙，西至乌拉特三公旗（今包头市东河区西界），北至喀尔喀右翼旗，东南至杀虎口，西南至鄂尔多斯，西北至茂明安并沙尔沁河岸，东北至四子部落旗。

清乾隆四年（1739年），满八旗驻防绥远城后，绥远城将军兼管土默特两翼事务。明、清时期，先后在土默特两翼境内设置归化城、清水河、和林格尔、托克托、萨拉齐五厅，均隶属山西省归绥道管辖，从此拉开了"旗县并存，蒙汉分治"的序幕。民国初年，土默特左、右两翼合为一旗，民国二十三年（1934年）末更名为土默特特别旗。1954年3月，撤销归绥县，土默特特别旗改由平地泉行政区管辖，结束了"旗县并存，蒙汉分治"局面。1958年，撤销萨拉齐县建制，所辖区域大部划归土默特旗。1960年，土默特旗划归呼和浩特市管辖，1963年又划归乌兰察布盟领导。1965年3月，土默特旗分设为土默特左、右二旗。1969年元月，二旗正式分开办公。1971年，二旗分别划归呼和浩特市、包头市至今。

"土默特"这一地方名称之来历及演变过程如上所述。至于"豁里秃马惕"一名的含义，"豁里"是部落名称。《土默特左旗志》记载："豁里有释为'老'、'两'或'狩猎'的，与巴尔忽歹相错。"对于"秃马惕"或"土默特"，多数学者解释为蒙古语数词【ᠲᠦᠮ　Tum】"万"字后置表示多数之意的"D"，组成新名词【ᠲᠦᠮᠡᠳ　Tumed】，确切地说，泛指号称"豁里"的部落民众，后来渐渐地演化为部落名称。

**和林格尔**　驿站、厅、县专名，现为呼和浩特市和林格尔县专指名称，最早是清康熙年间古驿道上的一个台站名称，后来是和林格尔理事通判厅、协理通判厅、抚民通判厅专名。今和林格尔县位于内蒙古自治区中南部，全境南北90公里，东西85公里，总面积约3436平方公里。县境东邻凉城县和山西右玉县，南接清水河县和山西平鲁县，西毗托克托县，北连呼和浩特市赛罕区和土默特左旗。县人民政府所在地二十家子，北距呼和浩特市 50 公里。

和林格尔县境春秋时期为北狄所居；战国和秦时属赵国云中郡管辖；西汉属定襄郡；东汉县境隶定襄、云中两郡管辖；唐属定襄都护府，云中都护府，单于大都护府，镇守使，金河县，关内道，麟、胜二州管辖；辽改金河县为振武县，隶属丰州；金时，将振武县改为振武镇，和富民县同属丰州；元时，置平地县(今榆林城村北)，隶大同路。富民县仍属丰州，亦隶大同路；明归玉林(今榆林城)，云川(今大红城)二卫，隶大同都司。明嘉靖年间，和林格尔地区为

盛乐博物馆关于"和林格尔"一名的解释

蒙古西土默特驻牧（后来，部分土默特人东迁，故有"东土默特"、"西土默特"之称）。

清王朝在此设和林格尔厅，先后隶山西朔平府、归绥道。民国元年（1912 年），改和林格尔厅为和林格尔县，隶归绥观察使公署，二年改隶归绥道。1949 年，绥远"九一九"起义，和林格尔随之获得解放，成立了和林格尔县人民政府。中华人民共和国成立后，先后隶属绥南专署、萨县专署、平地泉行政区、乌兰察布盟行政公署管辖。1995 年末，和林格尔县划归呼和浩特市至今。

清康熙年间，在此设置驿站，并派驻诸多清兵，其中有 20 户随军家属同居于此，所以把驿站命名为二十家子。二十家子是蒙古语【ᠬᠣᠷᠢᠨ ᠭᠡᠷ Hôrin ger】之汉译名称。据考：清王朝为了巩固边陲和加强对各民族人民的统治，由北京、大同经杀虎口到归化城(今呼和浩特市旧城)开辟了一条驿道，并沿途筑墩建台，设置驿站，以便随时传递军事命令、行政文书，及时掌握边疆情报。今和林格尔县人民政府所在地就是这条古驿道上的一个重要台站。

**清水河**　厅、县专名，现为呼和浩特市清水河县专称，曾经是清水河协理通判厅、抚民通判厅专名。清水河原蒙古语名称"库格乌苏 Huhôs，汉译为"青水河"。后因境内有自然河流，地名"库格乌苏"渐渐地演变为清水河。今清水河县位于内蒙古自治区中南部，东南以明长城为界与山西省右玉、平鲁、偏关 3 县毗邻，西与鄂尔多斯市准格尔旗隔黄河相望，北邻和林格尔、托克托 2 县。县境南北长85 公里，东西宽80 公里。

明朝时期，今清水河县境属东胜卫管辖。明崇祯九年(1636 年)，归化城土默特部编为一部两翼，分左右两旗，今清水河县属左翼。清乾隆元年(1736 年)，设清水河协理通判厅，乾隆二十五年（1760 年）改为理事通判厅。清光绪十年(1884 年)，改理事通判厅为抚民通判厅。民国元年(1912 年)，改厅为县。民国三年（1914 年），隶绥远特别行政

区。民国十八年（1919 年），归属绥远省政府管辖。抗日战争期间，清水河县属绥南专署。民国三十四年(1945 年)3 月，成立中国共产党清水河县政府，侨居偏关水泉堡。次年10 月，中国共产党托和清县委改为工作委员会，划归右玉中心县委。民国三十八年（1949年）6 月 13 日，清水河县全境解放。1950 年，隶属绥远省萨县专区。1952 年，萨县专员公署撤销后，清水河县改隶集宁专员公署。1954 年，改隶平地泉行政区人民政府。1958年 4 月，划归乌兰察布盟。1995 年 12 月，归呼和浩特市至今。自清乾隆元年设清水河协理通判厅，"清水河"作为该地区专名一直被沿用至今。

**托克托**　厅、县专名，现为呼和浩特市托克托县专指名称，曾经是托克托协理通判厅、理事厅、抚民通判厅专指名称。今托克托县位于呼和浩特市西南，东和东南与和林格尔县、清水河县相邻，西南与鄂尔多斯市准格尔旗隔黄河相望，西北与土默特右旗、北与呼和浩特市玉泉区及土默特左旗相邻。东西 37.9 公里，南北 52.35公里，辖地面积 1398.7 平方公里。

妥妥城城墙西南角

托克托县历史悠久，早在 6000多年前就有古人类在此生存。公元前300 年，赵武灵王（赵武侯五代世孙）在古云中城设置云中郡，此乃乌兰察布地区最早的行政建制。"云中"作为这个地区的地方政区名称经历了战国时期、秦、汉、魏晋南北朝1000 多年的改朝换制、更迭变迁，一直是这个地区的名称。

自隋朝开始，这个地区的政区名称有了变化。隋开皇三年（公元 583 年），在今托克托城北哈拉板申东梁复置寿阳县；开皇二十年（公元 600 年）置胜州，州治在今鄂尔多斯市准格尔旗十二连城，州治虽不在今托克托县境内，但今托克托县境当时归胜州；隋末，在今托克托县城北古城曾置云内州、云中城、万寿戌；唐龙朔三年（公元 663 年），在今托克托县城北古城置云中都护府，次年（即麟德元年）更名为单于都护府；唐景龙二年（公元 708 年），朔方总管张仁愿在今哈拉板申村筑东受降城，唐元和七年（公元 812 年）东受降城毁于水灾，唐宝历元年（公元 825 年）徙东受降城于今托克托县城中小皇城；辽太祖神册元年（公元 916 年）置东胜州，州治在今托克托县城中小皇城；金代在今托克托县城中大皇城又置东胜州、东胜县，又在今托克托县城北古城置云内州、柔服县。明洪武四年（1371 年），改东胜州为东胜卫，洪武二十五年（1392 年），又改称东胜左卫并筑东胜城（今托克托城）。次年，在今托克托县城东面的黑城置镇虏卫。这些称谓均可以说是今托克托地区的历史名称。

　　明洪武、永乐时，明王朝为解除蒙古在北方的威胁，曾多次出兵征伐蒙古各部。北元达延汗、俺答汗也常常率兵入边"散掠内地"。双方的争战破坏了蒙汉民族人民正当的经济来往。后来，由于经济上和政治上的种种原因，在明隆庆五年(1571年)双方言和互市，明朝"封俺答汗为顺义王，并封其部下各有差事"。当时在今托克托县驻牧的恰台吉被封为百户长。恰台吉是俺答汗的义子，名陶克陶乎。清代文书均称其为"⌇ Tôgt"，多数史料中写作"脱脱""托托"或"托克托"。此人颇为能干，经常跟随俺答汗左右，深得俺答汗信任。蒙古与明朝间诸如和平往来、互不侵暴、开辟马市、互通有无等涉及双方利害关系以及俺答汗所辖蒙古内部关系等重大问题的协调和解决过程中，陶克陶乎所起的作用很大，为百姓办了很多实事，因此陶克陶乎深得民心，人称"托王"，并称东胜城为陶克陶乎城。脱脱或妥妥皆是蒙古语【⌇ Tôhtôh】之汉语音译。陶克陶乎后来被明朝封为指挥佥事(四品) 名声大振。久而久之"陶克陶乎"便成了这个地区的专指名称。

　　清崇德元年(1636年)，编土默特3300余丁为左、右两翼都统旗，每旗6个甲浪(旗以下的基层建制)。今托克托县东部为土默特左翼五甲地，北面为右翼三甲、四甲地。清雍正十二年(1734年)，清廷开始在托克托城设协理笔帖式，办理该处蒙汉事务。清乾隆元年(1736年)，清廷设托克托协理通判厅，隶山西省管辖，由归化城副都统统管境内汉民与回民事宜。乾隆二十五年(1760年)，改协理通判厅

清代托克托镇

为理事厅。清光绪十年(1884年)又改理事厅为抚民通判厅。

　　民国元年(1912年)，改托克托抚民通判厅为托克托县，隶属山西省归绥观察使公署；民国三年(1914年)，归绥远特别行政区管辖；民国十七年(1928年)后，隶绥远省第三区管辖；在日军侵占前夕，国民党托克托县政府撤退到黄河对岸的二区蛮汗壕，在塔并召建立了国民党游击县政府。民国二十七年(1938年)元月，日本侵略军占领托克托县，成立了伪县公署，归伪蒙古联盟自治政府巴彦塔拉盟管辖。

　　民国二十八年(1939年)12月，中国共产党领导下的萨(萨拉齐)托(托克托)抗日民主县政府成立，属绥西动委会领导；民国二十九年(1940年)3月，萨托抗日民主政

府分设为托县抗日民主政府和萨县抗日民主政府，均属绥西专员公署领导；同年夏，托和清抗日民主政府成立，属绥南专员公署领导；民国三十四年（1945年）5月，绥南专员公署又设立托县政府。8月15日，日军无条件投降，国民党托克托县政府、县党部和参议会成立。民国三十七年（1948年）9月下旬，中国人民解放军晋察冀第三兵团和晋绥警卫团向绥远省进军，解放了托克托县，成立了中国共产党托克托县委、县人民政府。11月15日，中国共产党托克托县委、县人民政府随人民解放军东进，国民党又恢复了县政府建制。

"九一九"起义后，托克托县和平解放。1950年3月，托克托县人民政府正式成立，隶属于绥远省和林格尔专员公署；不久，划归包头专员公署；9月，隶属于绥中专员公署；11月27日，隶属于萨拉齐专员公署；1952年11月27日，萨拉齐专员公署撤销，托克托县改隶集宁专员公署；1954年3月5日，托克托县改隶平地泉行政区人民政府；1958年4月2日，撤销平地泉行政区，托克托县划归乌兰察布盟领导；1970年10月，划归呼和浩特市管辖（次年7月1日正式接管）至今。

从以上托克托地区政区沿革看，"托克托"一词是由人名"陶克陶乎"演变而来。"陶克陶乎"或"托克托"均系蒙古语人名【ᠲᠣᠺᠲᠣᠬ　Tôhtôh】之汉语音译。【ᠲᠣᠺᠲᠣᠬ　Tôhtôh】一词在蒙古语不同的语言环境中表达"定、形成、留、停"等含义。据民间传说：陶克陶乎曾有一个哥哥，不满一周岁因病死亡。陶克陶乎出生后，其父母为祈求神灵保佑，保住他们的儿子传宗接代，便取名"陶克陶乎"。后来，因陶克陶乎其人的为人处世及其一生的业绩广受称赞，陶克陶乎的名字逐渐演变为其驻牧地的地名，并在数百年的历史长河中渐渐地转音为脱脱、托托和如今的托克托。

关于"托克托"一名的来历还有两种说法，一是今托克托县城古城是《元史》中记载的元惠宗（顺帝）时期的中书右丞相脱脱（原蒙古名：陶克陶乎）的后方军事基地，故命名该城为脱脱城。另一说认为明朝时期河南省驻土默特大使脱脱（原蒙古名：陶克陶乎）常驻此城，故以大使的名字命名该城。关于"托克托"一名的来历上述几种说法的共同点是地名"托克托"依人名命名，不同的是当事人所处年代、社会职务不同。

**武川**　镇、厅、县专名，现为呼和浩特市武川县专指名称，曾经是北魏六镇之一的武川镇、清代口外十二厅之一的武川抚民同知厅专指名称。今武川县位于内蒙古自治区中部、大青山北麓。县境东西约110公里，南北约60公里，总面积4885平方公里。县境的东南部和南部与呼和浩特市区、土默特左旗相连；西南和西部与土默特左旗、土默特右旗、固阳县毗邻；北部与达茂旗、四子王旗接壤；东与卓资县交界。县人民政府所在地可可以力更镇位于呼和浩特市正北43公里处。

"武川"一词，在浩繁的史志卷帙、方舆地理专著及近现代文论中时有所见。据考，"武川"一名源于北魏六镇，且因地处滩川地而得名。北魏建国之初，为了防御柔然、高车等部族的袭扰，沿北部边界设置沃野、怀朔、武川、抚冥、怀荒、柔玄6个军事重镇。

北魏天兴初(约公元 398 年)，道武帝拓跋珪将其东部地区的高门弟子及豪杰 2000 户迁到武川，以镇守边塞。关于设置 6 镇的确切时间及武川镇镇址众说不一。北魏设置武川镇之前就有过名为"武川"的村落。《北史》记载：宇文陵"随例徙居武川"。《魏书·来大千传》记道："延和初……诏大千巡抚六镇，以抗寇虏。"据此可知，6 镇至迟建于公元 432 年以前。《周书·纪》中载：宇文泰"字黑獭，代武川人也。……天兴初，徙豪杰于代矣，陵随例武川焉"。文中"代"即代郡，是说武川属代郡管辖，"陵"指宇文泰的四世祖宇文陵，"天兴初"约指公元 398 年。这是关于武川归属的最早记载。据此可以推测，隶属于代郡的武川得名于公元 4 世纪末，当时可能已形成一个较大的村落。5 世纪 20—30 年代建镇后，"武川镇"一词则多见于《北史》《魏书》《周书》，有时不加"镇"字，但与沃野、怀朔、抚冥等边镇相提并称时，亦可认定确指武川镇而言。关于武川镇镇址，史学界也有不同见解。1979 年版《辞海》解释："武川镇"在今武川县西土城。《中国古今地名大辞典》记载："武川镇"在今武川县境内的西乌兰不浪东土城梁古城。虽说有些争议，但可以肯定的是，北魏武川镇确在今武川县境内。

北魏孝昌元年(525 年)，起义军占领武川镇。孝昌四年(公元 528 年)，以镇为神武郡，属朔州。北朝后期，武川先后属东魏、北周等。后来，武川镇荒弃。《北史》记载：西魏保定三年（563 年），杨忠"出武川，过故宅，祭先人，飨将士，席卷二十余镇"。杨忠是隋文帝杨坚之父，其四世祖杨元寿"魏初为武川镇司马"。几世相传，历时 140 余年，到杨忠这一辈时，记得武川有他先人的"故宅"，于是身为元帅的杨忠，停下军旅来举行祭祀仪式。这是对于北朝时期武川镇的记载。

明朝时期，今武川县地为西土默特牧场。清朝中期，属归化厅、土默特及喀尔喀右翼旗。清康熙、乾隆年间，汉人迁入渐多，租垦日众，聚居点渐增。于是，清光绪二十九年（1903 年），置武川直隶厅管理垦务。原拟定在翁衮城设治，因地点偏远先寄治于归化城，为口外十二厅之一，属山西布政使、归绥兵备道管辖。置厅时，勘界委员华凤章等人在拟定厅治和厅名的报告中写到："魏置六镇于白道川，武川其一也。仍名武川厅，于义不谬。"遂定厅名为武川。民国元年（1912 年），改厅为县。民国三年（1914 年），绥远与山西分治后，武川县属绥远特别行政区。次年，县府由归化城迁到今可可以力更镇。民国十七年（1928 年），绥远特别行政区改为绥远省，武川县隶属于绥远省。民国二十六年（1937 年）10 月，日伪军进占县城，11 月 14 日成立伪县公署，属巴彦塔拉盟管辖，为二等县。民国二十七年（1938 年）9 月，八路军挺进大青山，次年将武川县一分为四，即归武县、武归县、武川县、武固县。抗日战争时期，共产党与国民党在本县均设游击县政府随军转移。抗日战争胜利后，武川县恢复原辖地，属绥北行政区。"九一九"和平起义后，武川县获得解放，当时归属绥远省萨拉齐专区管辖。1954 年 10 月，改归集宁专区；1956 年 8 月，归平地泉行政区；1958 年 3 月，划归乌兰察布盟；1996 年元月，划归呼和浩特市至今。

以下载录诸史籍关于"武川"的记载，供参考：

一、赵国武川塞。《辽史·志》载："武川，宣威军，下，刺史，赵惠王置武川塞，魏置神武县，唐末置武川。后唐改毅州，重熙九年复武川，号宣威军。统县一：神武县，魏置。晋改新城。后唐太祖生神武川之新城即此。"由此可知，战国时，赵惠文王所设之武川塞，即辽代武川。考上述之武川，又指两地：其一治所在宣化，辖境相当于今河北省张家口市、万全县地。后改名为毅州，后晋割与契丹，改名归化州；其二即辽重熙九年（1014 年）所置，治所在山西神武（今山西神池东北），辖境有神池、五寨等县地，至明初废。

二、北魏武川县与武川镇。《隋书·地理志》第七卷载："荆州，领郡八，县四十八。北清郡，领县二：武川，有湟城、鹿鸣山、农山。"此一县与武川镇并存于北魏，其区别有二：一是归属不同，县属荆州北清郡，镇属朔州代郡；二是方位不同，县近长江，镇在黄河、阴山之北，两地相距千里之余。

三、隋朝武川县。《隋书·地理志》载："淯阳郡，统县三，户一万七千九百。武川，带郡。有雏衡山。有淯水、滍水、沣水。"缘淯水考，该县地域在今河南省白河。

四、金、元时武川。金代刘祁《归潜志》载："由铜壶过燕山，入武川。几一载，始得还乡里。""末帝宝符李氏，国亡，从太后、皇后北迁。至宣德州，居摩诃院。……甲午岁，余家武川，观其遗迹。""僧德普武川人，自号胜静老人。"其书附录《游龙山记》中记："今年夏，因赴试武川，归道浑水，修谒于玉峰先生……"刘祁历金末元初两朝，他所记之武川，属宣德州，有摩诃院。元中书令耶律楚材的《湛然居士文集》中，《和武川严亚之见寄五首》、《武川摩诃院请为功德主》等诗，即指此地。其遗址在今河北省宣化市。《绥远通志稿》失之考辨，认为指内蒙古武川县，因而收录其诗，实属误解误书。当时，本内蒙古武川县境地属汪古部，称天山县，《湛然居士文集》中的《过天山周敬之席上和人韵二首》等诗正是写于本地。

五、当代武川。除本县外，甘肃省兰州市皋兰县有一地名武川（乡级）；上海市南京路旁有"武川路"。其归属辖地迥异，无须赘述。

**包头**　村、镇、设治局、县、市专名，现为内蒙古自治区包头市专指名称。今包头市地处河套平原黄河北岸，靠山面河，水草肥美，野生动物种类繁多，实属发展畜牧业的理想之地。公元前 5 世纪至前 3 世纪，今包头市区先后是北方游牧部落生息之地；公元前 300 年为赵国云中郡辖地；秦始皇时期属九原郡管辖；秦末为匈奴游牧地；西汉为九原郡或五原郡稠阳县辖地；新莽时期属获降郡管辖；东汉初年（公元 25—39 年），被地方割据势力卢芳所控制，东汉后期仍属五原郡管辖；三国魏正始九年（公元 248 年），为鲜卑部落集团酋长拓跋力微所控制；东晋太元元年（公元 376 年），属前秦政权设置的五原郡九原县管辖；公元 534—557 年间，属东魏、北齐两个政权分别控制；隋开皇二十年（公元 600 年），属胜州榆林县管辖；隋大业五年（公元 609 年），属榆林郡管辖；唐贞观三年（公元 629 年）后属胜州管辖；唐贞观二十三年（公元 649 年）后归丰州管辖；辽重熙十三年（1044 年）后属西京道；西夏元德八年（1126 年）、金天会七年（1129 年）后分别归西夏和云内州管辖。

蒙古汗国二十二年（1227 年），蒙古军进攻西夏的过程中占领了黄河以北广大地区，今包头市为蒙古军所控制；元至元二十五年（1288 年），今包头市归中书省大同路云内州管辖；明洪武四年（1371 年）后改属东胜卫，东胜诸卫内迁后今包头市为土默特蒙古部落的游牧地，属于右翼土默特万户管辖；清顺治五年（1648 年），乌拉特三旗受命镇守昆都仑沟、哈达玛尔（今之哈达门沟）、木纳忽少（今乌拉特前旗政府驻地西山嘴，也作毛尼胡硕)3 个战略要口，今包头市区改属乌拉特中公旗驻牧地。

包头市自形成村镇到今不足 300 年。清康熙年间，东起萨拉齐、美岱召、沙尔沁，西到麻池、哈德门沟，出现了很多牧民居住点和农业村落。清雍正七年（1729 年），昆都仑召建成。昆都仑召所辖地（包括今包头市区）称为膳召地，亦称南排地。清乾隆二年(1737 年），今包头市东河区形成 70 多户 350 多人的村落，其时名为包头村。从清乾隆四年（1739 年)起，包头村先后属萨拉齐和善岱二协理通判、归绥道、萨拉齐协理理事通判厅、抚民同知厅管辖。清乾隆二十八年(1763 年），绥远城将军兼司土默特蒙古事务，开始实行旗、厅并存、蒙汉分治制，包头村由土默特右旗和萨拉齐厅分别管理蒙、汉事务。清嘉庆十四年(1809 年），包头村改为包头镇，设置巡检。清光绪二十九年（1903 年）设五原厅，后以今东河区西脑包为界，东部地为土默特右翼旗和萨拉齐厅管辖，西部地为乌拉特三公旗、五原厅管辖。清光绪三十二年（1906 年）设东胜厅，包头镇也归其管辖。

民国十二年(1923 年），包头镇改设包头设治局；民国十五年（1926 年）元月，包头设治局改为包头县，隶属绥远特别行政区；民国二十六年(1937 年)10 月 17 日，侵华日军侵占包头。次年 11 月，伪蒙古联盟自治政府撤销包头县建制，改设包头特别市，后改为普通市。抗日战争胜利后，恢复包头县建制，市、县并存。"九一九"和平起义后，包头市区全境获得解放。

1950 年 2 月 23 日，包头县人民政府成立，隶绥远省。1953 年 10 月，撤销包头县，改设包头市。次年，包头市成为内蒙古自治区直辖市。1953 年 10 月，始设包头市郊区建制，1960 年 4 月撤销，1963 年 5 月恢复郊区建制。2000 年初，沿用秦始皇时期九原郡故名，郊区易名为九原区。九原区位于包头市区西南部，东和东北邻东河区、青山区、昆都仑区，南隔黄河与鄂尔多斯市达拉特旗相望，西与巴彦淖尔市乌拉特前旗接壤，北连达茂旗，区政府驻地沙河镇地处二道沙河西岸。九原区总面积 850 平方公里，全区辖阿嘎如泰苏木和哈林格尔、麻池、万水泉、哈业胡同 4 个镇及沙河、赛罕、萨如拉 3 个街道办事处。

1953 年始建青山区。1955 年，成立新市区办事处。次年 9 月，正式成立县级青山区政府。青山区位于包头市区中部靠北边缘，因背靠巍峨连绵的大青山而得名。北靠固阳县，东以建设路 6 公里里程碑为界与东河区、郊区相连，南与九原区接壤，西以包头市民族东路中心线为界与昆都仑区毗邻。全区面积约 56 平方公里，辖青福镇和幸福路、自由路、青山路、先锋道、富强路、万青路、乌素图、科学路街道办事处。

1955 年，成立新市区办事处。次年 9 月，正式成立县级昆都仑区政府。流经大青山、乌拉山之间的昆都仑河通过境内向南注入黄河，故取名昆都仑区。昆都仑区位于包头市区中部腹地，东邻青山区，南、西、北三面连九原区。昆都仑系蒙古语自然河名【ᠬᠣᠨᠳᠯᠠᠨ Hondlen】之汉语音译，语意为横向。全区辖昆河镇和前进、团结、鞍山、阿尔丁、白云、友谊、林荫、少先、沼潭、昆工路、市府东路、张家营子、黄河西路街道办事处。

1953 年初，在城内东北部回民聚居区设置回民自治区。1956 年 8 月，改设为东河区。区人民政府驻巴彦塔拉大街 1 号，总面积 85 平方公里。区名依流经本区辖域的东河命名。东河区是原包头村，位于包头市区东南部，西距昆都仑区 15 公里，北靠石拐区，东邻土默特右旗，南与鄂尔多斯市达拉特旗隔黄河相望，西与九原区接壤。现辖河东、沙尔沁两个镇和二里半、南圪洞、南门外、回民、河东、东站、财神庙、东兴、杨圪塄、和平路、西脑包、铁西 12 个街道办事处。

1956 年 11 月，石拐沟矿区划归包头市管辖，2008 年更名为石拐区。1958 年，白云鄂博设镇，同年划归包头市管辖，改称白云鄂博矿区。

1971 年，土默特右旗固阳县划入包头市。1995 年末，达茂旗由乌兰察布盟划入包头市。至此，包头市辖 6 区、2 旗、1 县，即昆都仑区、青山区、东河区、九原区、石拐区、白云鄂博矿区、土默特右旗、达茂旗、固阳县。行政区域调整后，包头市北靠蒙古国东戈壁省，东邻乌兰察布市、呼和浩特市，南与鄂尔多斯市隔黄河相望，西与巴彦淖尔市交界。1984 年，被国务院确定为较大城市。

关于"包头"一名的来历、含义有多种说法，其中具有考究价值的有两种：一说"包头"源于汉语"泊头"（也作箔头）之转音，指的是早年位于今包头市黄河段的南海子水运码头。康熙末年，为设置从山西右玉杀虎口到乌里雅苏台的兵站路线，清廷派范昭逵勘察兵站路线。这位范昭逵将沿途风土人情、山川地理做了较详细的记载，并于康熙五十八年（1719 年）写成了《从西纪略》。书中较详细地记载了他 4 次行抵箔头，3 次住宿经过，说明"箔头"就是今天的包头。另外，山西省人民银行出版的《全国票号史》记载：清道光时期票号分支机构,除张家口、兴和、库伦、丰镇、凉城等地外,还有"箔头",说明"箔头"就是如今的包头。再有,著名学者张曾编纂的《归绥识略》(1861年)一书记载:"归化城西至箔头镇(俗作包头)三百四十里,又萨拉齐西至箔头(俗作包头)镇,一百里。"由此看来,"包头"一名源于"泊头"的说法,史料依据显得比较充实。至于为什么"泊头"演变为"包头",有学者认为,是因为方言或蒙古人称"泊"为"包"所致。

包头市街心三鹿雕塑

另一种说法是:"包头"来源于蒙古语或者是梵语"包克图"的谐音。有学者考证,这种说法最早来源于刘澍的记述。刘澍(1878—1946年),字泽霖,山西偏关县人,清朝末期的举人,民国时期曾担任山西省议员。民国十七年(1928年)5月,任包头县知事;8月,包头县公署改为包头县政府后继任县长;民国二十六年(1937年)10月,日军占领包头,刘澍被公推为县长以维持秩序;12月1日,包头改置为包头特别市,刘澍任伪市长,但他以年老多病为由请辞,仅在任17天。次年,刘澍奉命编纂《包头市志》,他聘请孙斌任主编,还为该志写了《汉族旅包开始及进展考》等多篇文章。民国二十六年(1937年),刘澍整理过一篇没有发表的《包头名称考》,对包头地名的来历含义进行了探讨。他在文章中写到:"包头……山中群鹿每晨来饮于此,梵语谓鹿为包克图。相沿日久,省呼为包头,此包头名称之由来也。"不论文中的"包克图"是否为梵语,蒙古语中【ᠪᠤᠭᠲᠤ Bûgt】(包克图)正是指有鹿的地方。"包克图"作为包头地名的来源,也就众望所归了。因此,1982年末,包头市人民政府依照党和国家的民族政策,根据约定俗成的原则,确定包头地名源于"包克图"的谐音,正式认定了这个说法,"鹿城"便作为包头的代称。包头市徽标志的设计就源于此说,市徽图案的中央就是一个昂首嘶鸣、锐意奔腾的"鹿"的造型。

**白云鄂博**　包头市白云鄂博矿区专指名称,曾写作"白银脑包"或"白音敖包"。白云鄂博矿区是随着白云鄂博铁矿的勘探、开发而建设起来的新型工业矿区。地处包头市正北149公里处。境内地势东北部以山地为主,西南部属高平原台地,中部城区地带呈盆地形,矿区南北最长33公里,东西最宽18.8公里,区域面积303.14平方公里,街镇面积52平方公里,全区设有1个街道办事处、17个居民委员会。

历史上,白云鄂博一带是北方少数民族游牧之地,唐朝时期曾名"铁山"。唐贞观四年(公元630年),李靖率李绩等五路大军征讨东突厥,在白道岭(今呼和浩特北)一带大败东突厥颉利可汗,在铁山一带消灭其主力。颉利北窜,又遭李绩伏击被虏。这一战事史称"铁山大战"。东突厥灭亡后，白云鄂博地区先后有不同归属，唐代属单于大都护府，辽金属东胜州，元属德宁路，明朝中叶属土默特万户北境。清初，成吉思汗弟哈布图哈萨尔十六世孙车根率所属茂明安部降清，清王朝赐牧于艾不盖河流域。当时，境地依当地山名称白云宝格达（Bayin bûgd）。相传，车根之叔父固穆巴特（约1668年，时任茂明安旗辅国公）去世后，当地牧民在白云宝格达山上为其筑一衣冠冢以示纪念，牧人们奉之为"圣山"。每年农历五六月间，周围牧民均前来祭祀，祈求神灵保佑，草原平安、五畜兴旺。从此，白云宝格达改称白云脑包（Bayan Ôbôô）。

　　民国十六年（1927年）7月，丁道衡随中国西北科学考察团考察时途经白云脑包，首次发现白云脑包主峰铁矿体，并于民国二十二年（1933年）在《地质汇报》刊物上公开发表了《绥远白云鄂博铁矿报告》。在此报告中，由于方言语音的差异将白云脑包译写成白云鄂博，使白云鄂博这一称谓首次见诸官方文书。次年夏，何作霖研究丁氏采集的矿石标本时，发现白云鄂博矿物中含有两种稀土矿物，分别以"白云矿"和"鄂博矿"予以命名。从此，白云鄂博逐渐被世界所关注。

　　新中国成立后，党和国家十分重视白云鄂博矿藏资源的开发利用。对白云鄂博展开了大规模的地质普查和开采、建设。随着矿山建设的迅猛发展，进驻单位和流入人口大量增多，白云鄂博很快形成了一个具有一定规模的矿山小集镇。1955年5月15日，乌兰察布盟人民委员会在此设立驻白云鄂博办事处（县级），1958年3月改设为县级镇。在确定镇名时，乌兰察布盟人民委员会认为内蒙古地区以"白云脑包"

上世纪末白云鄂博矿区

取名的地区很多，容易混淆，且"白云鄂博"这一特定称谓在国内外已颇有影响，故报请内蒙古自治区人民政府并呈国务院批准取名"白云鄂博镇"。1958年5月，白云鄂博镇划归包头市管辖，8月改称包头市白云鄂博矿区。

　　"白云鄂博"这一地名由清初的白云宝格达演变而来。"白云宝格达"系蒙古语【ᠪᠠᠶᠠᠨ ᠪᠤᠭᠳᠠ Bayan Bûgd】之汉语音译，意为神圣富饶之山。后来的白云脑包也是蒙古语【ᠪᠠᠶᠠᠨ ᠣᠪᠤᠭᠠ Bayan Ôbôô】之汉语音译，意为富饶的敖包山。1958年更改的白云鄂博与白云脑包均是蒙语地名汉语的不同音译，地名含义是一样的。

　　**石拐**　包头市石拐区专指名称。曾写作"石桂图"，系蒙古语地名。石拐区位于内蒙古高原西部阴山山脉大青山西段。四周环山，中部为沟壑相间的黄土山丘。北与固阳县相连，东、南两面与包头市土默特右旗相邻，西与包头市九原区接壤。石拐境内沟壑纵横，山峰重叠，地势北缓南陡，最高海拔1860米，平均海拔为1450米。

石拐区原名石拐矿区，1999年8月，经国务院批准石拐矿区更名为石拐区。1998年9月，包头市郊区国庆乡、固阳县吉忽伦图苏木划归石拐矿区；2006年2月，国庆乡、吉忽伦图苏木合并为五当召镇；2008年8月，固阳县金山镇甲浪沟的明安坝、甲浪沟、杨家沟3个村民小组划入五当召镇，该区竹拉沟划归固阳县银号镇。2012年初，从五当召镇划出部分区域设置吉忽伦图苏木。行政区划调整后，石拐区总面积618平方公里，总人口4.48万余，辖石拐、大发、大磁、五当沟、白狐沟、大德恒6个街道办事处和五当召镇、吉忽伦图苏木。

石拐区的历史与大青山煤田开发史紧密相连。清乾隆二年（1737年），当地居民掘煤燃火，揭开了石拐地区煤田开采史。清光绪年间，土默特煤厘局设卡征税，石拐煤炭开始批量交易，煤炭产业形成。民国二年（1913年），晋西镇守使国民军第九师师长孙庚在包头创办漠南矿业有限公司；同年，石拐沟喇嘛坝煤厂局成立。民国二十一到二十五年（1932—1936年），石拐地区已有10余处煤窑。民国二十八年（1939年），侵华日军侵占了石拐地区所有煤窑，设立大青山煤炭株式会社。民国三十四年（1945年），国民党绥远省政府在大发窑设石拐沟炭矿管理所。民国三十八年（1949年），绥远省和平解放，省人民政府撤销石拐沟炭矿管理所，年底，设立石拐煤炭产销管理委员会。

随着煤炭产业的发展，石拐地区行政建制也得以逐步健全。1950年7月，乌兰察布盟人民委员会设置五当召直属区，次年改称"石拐沟矿区"，区人民政府由五当召迁至大发窑。1954年1月，包头煤炭筹备处成立。作为与包钢配套建设的国家"一五"计划重点项目——大青山煤田开发建设如火如荼地拉开了序幕，石拐矿区成为包头钢铁厂重要的煤炭能源基地。随着地下宝藏开发和煤炭产业机构相继成立，人烟稀少的石拐沟人口剧增，村镇林立，呈现出一派繁荣景象，名驰塞北。

1956年11月1日，石拐沟矿区划归包头市管辖。一年后，矿区人民政府由大发迁至石拐镇（旧石拐河北村）。1958年6月，包头矿务局成立。8月，特大山洪冲毁石拐镇，区人民政府迁至石拐镇对面土山上，开始兴建新的石拐镇。10月，撤销石拐镇、长汉沟乡、白草沟乡农业合作社，合并成立国庆人民公社。12月，原固阳县的吉忽伦图公社划归石拐矿区。1960年4月，石拐矿区与包头矿务局合并成立石拐矿区人民公社联社。翌年6月，撤销联社，恢复石拐矿区人民委员会及包头矿务局。1963年12月，国庆乡、吉忽伦图苏木分别划归包头市郊区和固阳县，石拐矿区成为单一的工业矿区。1998年9月，国庆乡、吉忽伦图苏木再次划归石拐矿区。2008年，再次调整政区后，形成石拐区如今的行政区划格局。

关于"石拐"这一名称来源有几种说法：一是以当地地貌特征命名。原国庆乡人民政府所在地以西的西沟与正沟交汇处(原石拐矿区蔬菜商店院内)有一巨大的尖锥状山石，阻挡顺沟流来的山水拐向正东与正沟河水汇合南流，故得名"石拐"。一说"石拐"系蒙古语【Salaa】"沙拉"之汉语音译，山壑、山谷之意。因石拐境内五当沟呈枝杈状，故名【Salaa】。《石拐区志》认为，依当地自然植物命名，说："石拐"曾写作"石桂图"或"什桂图"，系蒙古语【Xûgûait】之汉语音译，意为有森林的地方。这一地区历史上确有森林，现在的五当召仍然柳树成荫，景色优美。后来"石桂图"演变为如今的"石拐"。

**达尔罕、茂明安**　蒙古部落和旗之专名。现为达茂旗专指名称，曾经是达尔罕与茂明安两个部落，后来成了两个札萨克旗的专指名称。原达尔罕旗的前身是元太祖成吉思汗第十五世孙巴图孟和（达延汗）后裔本塔尔及其兄弟本巴什希、扎木素、额璘沁和其侄子衮布等千余户蒙古部族组成的喀尔喀右翼部落。该部落原驻牧于漠北喀尔喀河流域。清顺治十年(1653年)2月，本塔尔率部千余户归附清王朝。3月，清廷诏封本塔尔为札萨克和硕达尔罕亲王，统领所部，并赐漠南大青山以北塔尔浑河及艾不盖河流域草原为其驻牧地，时称喀尔喀右翼旗，为乌兰察布盟会盟旗之一。旗札萨克驻帐于艾不盖河畔，今达茂旗境内黄花滩水库南敖包附近。清康熙九年（1670年），本塔尔第四子诺乃接替亲王爵位，康熙四十一年（1702年），诺乃亲王主持修建塞外名刹"广福寺"，后来旗札萨克迁至"广福寺"处，即今百灵庙镇。康熙四十七年（1708年），喀尔喀右翼旗札萨克传位于詹达固密（诺乃第八子）时，其爵位由亲王降袭为札萨克多罗达尔罕贝勒。从此，喀尔喀右翼旗依札萨克爵位命名为"达尔罕贝勒旗"，简称"达尔罕旗"。

原茂明安部众同四子部一样，也是元太祖成吉思汗胞弟哈布图哈萨尔后裔。1206年，铁木真胞弟哈布图哈萨尔获赐大小兴安岭以北额尔古纳、海拉尔河一带广袤肥沃的呼伦贝尔草原和4000户居民。这4000户逐渐繁衍生息，发展壮大成阿鲁科尔沁、乌拉特、杜尔伯特、巴尔虎、茂明安等8个部落。北元时期，哈布图哈萨尔十六世孙车根嗣为茂明安部首领，率部众游牧于呼伦贝尔草原的沁查干朝鲁、钦达穆尼额尔德尼、查呼日台那林高勒一带（今俄罗斯境内，1690年因《中俄尼布楚条约》将此地划归沙俄）。后金天聪七年（1633年），车根偕其叔父固穆巴图鲁、台吉达尔玛岱衮、乌巴什等携千余户部众归附后金。清顺治五年（1648年），清廷封车根和固穆巴图鲁为辅国公，顺治七年（1650年）又晋封固穆巴图鲁为多罗贝勒。清康熙三年（1664年），车根卒，其子僧格嗣为茂明安部首领，清廷授僧格为札萨克一等台吉俾统其众。至此，茂明安部为茂明安旗。茂明安部落归附后金以后，为清王朝平定叛乱、实现统一转战南北，几乎没有稳定的牧场或居住环境。清雍正十三年（1735年），皇帝诏谕茂明安旗，指定张家口外800里，京师西北2240里大青山北艾不盖河源一带草原为其游牧地，札萨克驻地牧彻特里。从此，茂明安旗成为乌兰察布盟会盟旗之一，这块儿草原便成了茂明安旗部众繁衍生息的摇篮。

1952年10月，根据绥远省人民政府民政字第127号令，达尔罕贝勒旗和茂明安旗合并为达茂旗，旗人民政府驻百灵庙镇，仍然归乌兰察布盟管辖。1965年，以达茂旗的达尔罕"带有封建王公统治性质，有危害民族团结的含意"为由拟改旗名为"明安旗"；1966

年，又拟改为"乌兰右旗"，均未决。1996年，达茂旗划归包头市管辖。

"喀尔喀"系蒙古语【Halah】之汉语音译，是自然河名，也指漠北蒙古，即今外蒙古地区，同时也是部落名称。喀尔喀右翼旗正是以部落名称命名。"达尔罕"也是蒙古语【Darhan】之汉语音译。作为名词，意为匠人、工匠、匠师、手艺人；作为形容词，其含义是神圣的或荣誉的之意。"贝勒"系满语【Bôil】之汉语音译，是清代爵名，指亲王、郡王、贝勒、贝子四爵之第三爵位名称。从清廷封詹达固密为札萨克多罗达尔罕贝勒以后，喀尔喀右翼旗改称达尔罕贝勒旗。关于"茂明安"一名的语种、含义众说不一。有一些传说与史实不符，如说，茂明安部首领车根携千余户部族归附后金王朝时，皇太极问道："你部有多少人马？"车根未假思索答道：【mao tai sain tai mingaad orh】"好赖共计一千多户。"皇太极便道："那你部就叫茂明安部吧。"于是"茂明安"便成了该旗的名称。有史为证，茂明安部的形成远在后金王朝成立之前，可见，皇太极赐名之说仅仅是个传说而已。据考，"茂明安"系蒙古语，意为："千户大部落"。

**固阳**　设治局、县之专指名称。2000多年前，约在今固阳县金山镇东南设置稒阳县，为汉代五原郡东部都尉治，当时的县名写作"稒阳"。《汉书·地理志》记载："五原郡，秦九原郡，武帝元朔二年更名，东部都尉治稒阳，属并州……"这是关于地名"稒阳"的最早记载。民国元年（1912年），今固阳县境东部属武川县，西部属五原厅安北县，南部属萨拉齐县，北部属茂明安旗。民国八年（1919年），析茂明安旗南部、中公旗东部地区设立固阳设治局，直属绥远特别行政区。民国二十六年（1937年）末，成立固阳县伪公署，隶属于伪蒙疆政府巴彦塔拉盟管辖。民国二十八年（1939年）元月，组建中国共产党领导的包（头）固（阳）工作委员会。抗日战争胜利后恢复固阳县建制。

"九一九"起义后，绥远和平解放，固阳县划归包头专员公署管辖。1950年3月23日，成立固阳县人民政府，同时建立中国共产党基层组织，后属绥中专员公署、萨县专员公署管辖。1951年11月，乌兰察布盟盟直机关迁到固阳城关镇。1952年11月，固阳又改归集宁专员公署管辖。自1954年1月11日，起归乌兰察布盟自治区政府管辖。1958年5月，固阳县划归包头市管辖。同年7月，固阳县改为固阳区；1961年9月，复改县。1963年2月，固阳县又归乌兰察布盟管辖；1971年，又将固阳县划归包头市管辖至今。

"固阳"作为地名，早在汉代就已有之，只是当时写作"稒阳"。据考，稒阳原址在今固阳县金山镇东南。1919年，设立固阳设治局时又复用故名。至于"稒阳"或"固阳"一词的含义还有待于进一步考证。

## 第三节　苏木、乡、镇名称考略

2000 年以来，乌兰察布地区各旗县市先后调整了所辖苏木、乡、镇，主要是撤销合并苏木、乡、镇，即所谓的"撤乡并镇"。经过"撤乡并镇"以后，苏木、乡、镇数量压缩了 60%多，新设的苏木、乡、镇管辖范围增大了两三倍，是建国以来一次较大范围的调整。2012 年，对个别苏木、乡、镇再次进行调整，形成了目前乌兰察布地区农牧区政区建制格局。本节将以旗县市区为单元，重点介绍苏木、乡、镇名称来历及含义。

### 一　乌兰察布地区现属乌兰察布市苏木、乡、镇名称考略

#### （一）四子王旗各苏木、乡、镇名称考略

**乌兰花**　乡、镇、区、人民公社、村民委员会和自然山丘专名。乌兰花镇位于大青山北，四子王旗境腹地偏南，乌兰察布市人民政府所在地集宁区西北 176 公里处，是四子王旗人民政府驻地。乌兰花镇北靠查干补力格苏木，东邻库伦图镇、忽鸡图乡，南和西南接东八号乡、吉生太镇。镇人民政府设在乌兰花镇体育西路，地理坐标约北纬 41°31′32.52″，东经 111°41′27.49″。"乌兰花"系蒙古语【 Ûlaanhûa】之汉语音译，红色山丘之意，依镇东红色山丘取名。1950 年，设置乌兰花区，后改为乌兰花镇。撤乡并镇后的乌兰花镇总面积 484 平方公里，总人口 6.3 万，辖 12 个居民委员会和东湖、土城子、六犋牛、郑家滩、生盖营、巨巾号、阿力善图、大南坡 8 个村民委员会。

原乌兰花镇位于新设乌兰花镇辖境包围之中，辖境总面积 44 平方公里。中华人民共和国建国初期，该镇曾为乌兰察布盟人民自治政府所在地，后改为乌兰察布盟所辖直属区。1952 年，划归四子王旗，并改称乌兰花镇。1958 年，改称乌兰花镇人民公社。1984 年，改镇人民公社为乌兰花镇。2006 年，并入新设乌兰花镇。

原乌兰花乡位于新设乌兰花镇南部，乡人民政府驻地生盖营村，地处乌兰花镇西 2.5 公里处。约 1782 年，名曰生盖的蒙古人从大黑河生盖营村来此居住营牧，沿用故乡名称。"生盖"是藏语【 Senggee】之汉语音译，狮子之意。1952 年，属四子王旗第八区乌兰花镇管辖。1964 年，单设乌兰花人民公社，因人民公社驻乌兰花镇而得名。1977 年，人民公社迁至生盖营村。2006 年，整建制并入新设乌兰花镇。

**巨巾号**　人民公社、乡、村民委员会、自然村专名。原巨巾号乡位于新设乌兰花镇辖域北部。乡人民政府驻地巨巾号村地处乌兰花镇正北偏东 16 公里处。约 1872 年，名曰王富的人来此开地建村，因盼望肥沃的土地能为他带来财富而取村名为"聚锦号"，后为书写简便改写成"巨巾号"。中华人民共和国建国以来，该乡辖域先后属本旗第六区、巨巾

号人民公社管辖。1984 年，改社为乡。2006 年，撤销后原辖行政区域分别划归乌兰花镇、吉生太镇和忽鸡图乡。

**白音朝克图**　人民公社、苏木、镇、嘎查委员会和自然山专名。白音朝克图镇位于四子王旗境东部边缘，东北邻锡林郭勒盟苏尼特右旗白银朱日和苏木，南连察右后旗土木尔台镇和本旗供济堂镇，西和西北接查干补力格、脑木更二苏木。辖区地形北高南低，丘陵起伏，植被稀疏，属荒漠草原。镇人民政府驻地白乃庙，地处乌兰花镇东北 140 公里处。村名系蒙古语【 Bûain Sum 】之汉语音译，意为"福庙"。约 17 世纪中叶，藏传佛教延伸到这里，决定在此建庙。当选址喇嘛走到【 Bûainag 】老人家时，【 Bûainag 】老人的老伴正在挤奶，牧羊犬见生人走来忽然"汪汪"叫了起来。奶牛受惊将奶桶踢翻，洁白的鲜奶洒在了地上。选址喇嘛认为此景预示吉祥满堂，寓意福禄盈溢，便决定在此建庙，并以【 Bûainag 】老人的名字命名庙名。喇嘛庙建成之后，蒙古人称之为【 Bûainag Sum 】，后易音为【 Bûain Sum 】，汉人称之为白乃庙，该苏木人民政府驻地村名由此而来。2006 年，白音朝克图、乌兰哈达二苏木合并设置白音朝克图镇，镇名沿用原白音朝克图苏木名称。撤乡并镇后的白音朝克图镇辖境总面积 3433 平方公里，总人口近 0.85 万，辖巴音希勒、白音朝克图、新尼淖尔、伊克吾素、白彦敖包、乌兰哈达、白音朱日和、山丹、太吉敖包 9 个嘎查委员会。

原白音朝克图苏木位于新设白音朝克图镇北半部，苏木人民政府驻白乃庙。1950 年，属本旗第二努图克管辖。1958 年，设置白音朝克图人民公社，社名依境内白音朝克图山名命名。白音朝克图系蒙古语山名【 Bayan Qôkt】之汉语音译，形容白音朝克图山峰富饶且雄伟。1984 年，改社为苏木。2006 年，并入新设置的白音朝克图镇。

**乌兰哈达**　人民公社、苏木、嘎查委员会、浩特专名。原乌兰哈达苏木位于新设白音朝克图镇南半部，苏木人民政府驻地哈布其勒村地处乌兰花镇东北 110 公里处。哈布其勒系蒙古语【 Habqil 】之汉语音译，意为峡谷。因该村四面环山，地处峡谷之间而得名。1950 年，属本旗第三努图克。1956 年，设置哈布其勒苏木。1958 年，成立人民公社时依人民公社驻地东南 10 公里处的乌兰哈达村名取名为乌兰哈达人民公社。"乌兰哈达"系蒙古语【 Ûlaan Had】之汉语音译，红岩之意。1984 年改社为苏木，2006 并入新设置的白音朝克图镇。

**吉生太**　人民公社、乡、镇、村民委员会、自然村专名。吉生太镇位于四子王旗境西南边缘，北靠红格尔苏木，东邻乌兰花镇和查干补力格苏木，南连东八号乡，西南与包头市达茂旗乌克忽洞镇接壤。辖区地形南低北高，属丘陵地带，平均海拔 1500 米。镇人民政府驻地吉生太村地处乌兰花镇西北约 32 公里处。约 1902 年，内地天义成商号名曰孙文元的人在此开办"德生太"商铺，村名从商铺名，后易名"吉生太"。2006 年，原吉生太、大井坡二乡合并设立吉生太镇。撤乡并镇后的吉生太镇辖境总面积 1022 平方公里，总人口近 2.52 万，辖公合成、中号、吉生太、前古营、糖坊卜子、席边河、本坝、于家壕、哈彦忽洞、白林地、老圈滩、温都花、海卜子13个村民委员会。

原吉生太乡位于新设吉生太镇北部，乡人民政府驻吉生太村。1950年，境地属本旗第七区。1958年，与原大井坡乡合并为一个人民公社。1961年，单设吉生太人民公社，社名从人民公社驻地村名。1984年，改社为乡，原查干补力格人民公社的东地方子村民委员会划入吉太乡。2006年，撤销后整建制并入新设置的吉生太镇。

**大井坡**　人民公社、乡、自然山坡专名。原大井坡乡位于吉生太镇东北部，乡人民政府驻地大井坡村，地处乌兰花镇西北约45公里处。约1930年建村时，建村地正前方山坡上有一眼大井，故名大井坡村。1950年，属本旗第七区。1958年，与吉生太乡合并为大井坡人民公社，社名从人民公社驻地村名。1962年，单设大井坡人民公社。1984年，改社为乡，并划入原白音花人民公社的官牛犋、海卜子、小白林地、托城卜子4个村民委员会。2006年，整建制并入新设置的吉生太镇。

**供济堂**　人民公社、乡、镇、村民委员会、自然村和天主教堂专名。供济堂镇位于四子王旗境东部边缘，东北靠白音朝克图镇，东南邻察右中旗铁沙盖镇、广益隆乡，西接库伦图镇和查干补力格苏木。辖区地形南北高，中部低，南部沟壑纵横，北部沙丘荒滩连绵，平均海拔1500米。镇人民政府驻地供济堂村地处乌兰花镇东北70公里处。这里原是天主教堂的股份地。约1937年建村时，曾有几户农民耕种天主教堂股份地并合计股份，故命名村名"共计堂"，后来用其谐音字写作"供济堂"。2001年，原吉生太乡并入供济堂乡。撤乡并镇后的供济堂镇辖地总面积487平方公里，辖柯梅、吉庆、双井、乌兰淖、大清河、阿莫勿素、供济堂、三股、六股、陆合堂、厂汉此老、黄羊城12个村民委员会。

原供济堂乡位于供济堂镇北半部，乡人民政府驻供济堂村。1950年，属武东县第四区管辖。1952年，划归四子王旗第九区。1958年，成立供济堂人民公社，社名从人民公社驻地村名。1984年，改社为乡。2001年，与吉庆乡合并新设置供济堂乡。

**吉庆**　乡、人民公社、村民委员会、自然村专名。原吉庆乡位于供济堂镇南半部，乡人民政府驻地吉庆村地处乌兰花镇东北60公里处。"吉庆"系蒙古语【ᠬᠠᠭᠠᠷ Qaqar】之汉语音译，大帐篷之意。1950年，属武东县第四区管辖。1952年，划归四子王旗第九区。1958年，划归供济堂人民公社管辖。1962年，单设吉庆人民公社，社名从人民公社驻地村名。1984年，改社为乡。2001年，整建制并入供济堂乡。

**库伦图**　乡、镇、人民公社、村民委员会、自然村专名。库伦图镇位于四子王旗境东部边缘，北靠供济堂镇，东邻察右中旗铁沙盖镇、广益隆乡，南连忽鸡图乡，西南接乌兰花镇，西北与查干补力格苏木和乌兰牧场接壤。辖区地形属丘陵区，山地连绵，植被稀疏，平均海拔1500米。镇人民政府驻地库伦图村地处乌兰花镇东北30公里处。约1905年建村时，因此地有一座土围子而得名。"库伦图"系蒙古语【ᠬᠦᠷᠢᠶᠡᠲᠦ Hureet】之汉语音译，意为围墙地。镇名从驻地村名。2001年，原三元井、朝克温都二乡整建制并入库伦图乡。2006年，撤乡设镇，新设置的库伦图镇辖域总面积470平方公里，总人口近2.52万。辖苏木加力格、红盘、朝克温都、韭菜滩、东玻璃、大新地、库伦图、后卜洞、富贵、高台、头股、三元井、马安桥 13 个村民委员会。

原库伦图乡位于新设库伦图镇中南部，乡人民政府驻库伦图村。1950 年，属武东县第三区管辖。1958 年 3 月，划归四子王旗并设置库伦图人民公社，社名从人民公社驻地村名。1984 年，改社为乡。2006 年，撤乡设镇。

**三元井**　人民公社、乡、村民委员会、自然村专名。原三元井乡位于库伦图镇东部，乡人民政府驻地三元井村，地处乌兰花镇东北 40 公里处。约 1882 年建村时，因村中有三眼井而得名"三眼井"，后来改写为"三元井"。1950 年，属武东县三区管辖。1958 年 3 月，划归四子王旗库伦图人民公社。1962 年，单设三元井人民公社，社名从人民公社驻地村名。1984 年，改社为乡。2001 年，整建制并入新设库伦图镇。

**朝克温都**　人民公社、乡、村民委员会、自然村和自然山丘专名。原朝克温都乡位于库伦图镇辖域西北部，乡人民政府驻地朝克温都村地处乌兰花镇东北 30 公里处。村名系蒙古语【 Qôg Ondor】之汉语音译，其中，【 Qôg】是指燃尽但还没有熄灭的牛马驼羊粪火，即带火的灰。这种火灰虽然燃尽，但还能保持很长时间的热量。古老的蒙古民族把这种火灰盛在一种特制的叫作【 Hôôbong】（火盆）的器皿中用来取暖，有时可保持一宿热源。【 Ondor】意为高。二词合为一个地名，表示高大、挺拔、雄伟之意。因该村坐落在高大挺拔的朝克温都山脚下而得名。1950 年，属本旗第五区。1958 年，划归库伦图人民公社管辖。1962 年，单设朝克温都人民公社，社名从人民公社驻地村名。1984 年，改社为乡。2001 年，整建制并入新设库伦图镇。

**乌兰**　牧场、种羊繁殖场专名。乌兰牧场位于四子王旗境腹地偏东南，北、东两面靠供济堂镇，南邻库伦图镇，西接查干补力格苏木。地形属丘陵地区半荒漠草原。场部地处乌兰花镇东北 45 公里处。"乌兰"系蒙古语【 Ûlaan】之汉语音译，意为红色。1953 年建场，隶属四子王旗人民政府领导，后转交内蒙古生物制药厂、北京军区装甲兵部队后勤管理处、呼和浩特市农林局等部门管理。1975 年，交归四子王旗，并更名为"乌兰种羊繁殖场"。1978 年后，曾由乌兰察布盟农牧场管理局、内蒙古农牧场管理总局管理。1984 年，又交回四子王旗，仍属内蒙古自治区农垦系统国营牧场。后又改称"乌兰牧场"。牧场辖境总面积 87 平方公里，总人口 450 多人。

**脑木更**　人民公社、苏木专名。脑木更苏木位于四子王旗境东北边缘，东北靠锡林郭勒盟苏尼特右旗额仁淖尔苏木，南邻白音朝克图镇和查干补力格、红格尔二苏木，西、北两面连江岸苏木。辖区地形属戈壁丘陵荒漠草原。苏木人民政府驻地阿莫乌苏村地处乌兰花镇正北偏西约 172 公里处。"阿莫乌苏"系蒙古语【 Aman Ûs】之汉语音译，水量很少的饮水井之意。苏木名称脑木更也是蒙古语【 Nômgon】之汉语音译，依境内脑木更山命名。有学者解释脑木更一名为【 Nômiin Han】"书圣"或【 Nômhan】"温顺"等等。2006 年，原吉尔嘎郎图苏木和查干敖包苏木山达来嘎查并入脑木更苏木。合并后的脑木更苏木辖境总面积 4311 平方公里，总人口 0.29 万，辖宝日花、乌兰希热、哈沙图、阿莫吾素、丁吉、山达来 6 个嘎查委员会。

原脑木更苏木位于新设脑木更苏木辖域北部大半，苏木人民政府驻阿莫乌苏村。抗战时期，脑木更为四子王旗第五苏木。1950 年，划属第一努图克萨如拉嘎查委员会。1956 年，设立脑木更苏木，苏木人民政府驻卫境村。1958 年，单设脑木更人民公社。1962 年，人民公社驻地由卫井迁至阿莫乌苏村。1984 年，改社为苏木。2006 年，撤销后原辖境分别划归新成立的脑木更苏木和江岸苏木。

**吉尔嘎朗图** 人民公社、苏木专名。原吉尔嘎朗图苏木位于脑木更苏木南部，苏木人民政府驻地伊和乌素村地处乌兰花镇西北 98 公里处。"伊和吾素"系蒙古语【ᠶᠡᠬᠡ ᠤᠰᠤ Yeh Ûs】之汉语音译，意为大水井。苏木名称"吉尔格朗图"也是蒙古语【ᠵᠢᠷᠭᠠᠯᠠᠩᠲᠤ Jargalangt】之汉语音译，幸福之意。1960 年，在伊和吾素村建公私合营牧场，取名阿木古楞牧场。"阿木古楞"系蒙古语【ᠠᠮᠤᠭᠤᠯᠠᠩ Amgûleng】之汉语音译，平安之意。1980 年，牧场体制转为人民公社制，并以人民公社所在地西 10 公里处的吉尔格朗图村名命名社名。1984 年，改社为苏木。2006 年，撤销后整建制并入新设脑木更苏木。

**江岸** 苏木、种牛场、开发区、牧场、嘎查委员会专名。江岸苏木位于四子王旗境北部边缘，东邻苏尼特右旗额仁淖尔苏木，东南连脑木更苏木，南接红格尔苏木，西与达茂旗满都拉苏木交界，北与蒙古国东戈壁省接壤。辖境地势低洼，以戈壁、丘陵为主。苏木人民政府驻地白兴图村地处乌兰花镇西北偏东约 160 公里处。村名系蒙古语【ᠪᠠᠶᠢᠰᠢᠩᠲᠤ Baixingt】之汉语音译，房子之意。因该村坐落在旧建筑物废墟旁而得名。苏木名称因境内江岸河而得名。江岸河系塔奔汗高勒河下游。"江岸"系藏语，意为恩赐福禄经（藏传佛教经书名称），一说馈劳物品名称，又说褓褓或摇篮之意。2002 年，原江岸开发区改设为江岸苏木。2006 年，原卫境苏木和原白银敖包苏木的达赖、夏布格二嘎查委员会、原脑木更苏木的江岸嘎查委员会并入江岸苏木。2012 年，又划出达赖、夏布格二嘎查委员会。撤乡并镇后的江岸苏木辖境总面积 6313 平方公里，总人口 0.61 万，辖卫境、乌拉、额尔登、布楞、江岸、白兴图、赛点力吾素、艾勒格 8 个嘎查委员会。

原江岸苏木政区分散在 3 处，西区、南区位于原卫境苏木西北和南部，东区位于原脑木更苏木北面。苏木人民政府驻白兴图村。1958 年，设公私合营牧场，命名江岸牧场。1960 年，转为国营种牛场，称江岸河种牛场，简称江岸牧场。1994 年底，改设为江岸开发区。2002 年，改为江岸苏木。2006 年，并入新设置的江岸苏木。

**卫境** 人民公社、苏木、嘎查委员会和自然山丘专名。原卫境苏木位于四子王旗境北部边缘，苏木人民政府驻地图格木村地处乌兰花镇正北偏西 173 公里处。"图格木"系蒙古语【ᠲᠣᠬᠣᠮ Tohom】之汉语音译，洼地之意，因该村坐落于低洼之处而得名。1950 年，苏木辖境属第一努图克图格木嘎查委员会。1958 年，划归脑木更人民公社。1961 年，单设哈达古日本卫井人民公社，依境内山名命名。社名系蒙古语【ᠬᠠᠳᠠ ᠭᠤᠷᠪᠠᠨ ᠲᠣᠬᠣᠮ Had gûrbn

Ueijn】之汉语音译,【ᠬᠠᠳ ᠭᠤᠷᠪᠠᠨ Had gûrbn】三块岩石之意,【ᠦᠶᠡᠵᠢᠨ Ueijn】是诺颜泰奥特根二子索诺木的荣誉称号,也是四子部落二十八苏木之一的名称。"文革"期间,将"卫井"改写成"卫境"。1984 年,改社为苏木。2006 年,并入新设江岸苏木。

**白音敖包** 人民公社、苏木和自然山丘专名。白音敖包苏木位于四子王旗境西北边缘,东和东南邻脑木更、红格尔二苏木,西南接原白音花苏木,西与包头市达茂旗满都拉苏木交界,北与蒙古国东戈壁省库布苏勒苏木接壤。苏木人民政府驻地巴楞少村地处乌兰花镇西北 70 公里处。"巴楞少"系蒙古语【ᠪᠠᠷᠠᠭᠤᠨ ᠰᠤᠤ Barûûn Sûû】之汉语音译,右腋窝之意。因该村坐落在形如人体右腋窝的巴楞少敖包山西侧而得名。1950 年,苏木境地属第一努图克。1958 年,设白音敖包人民公社。1984 年,改社为苏木。2006 年撤销后,原辖境分别划归新设置的卫境、红格尔二苏木。2012 年初,从江岸苏木划出 1960 平方公里,人口 1892 人;红格尔苏木划出 840 平方公里,人口 651 人,再次设立巴音敖包苏木。巴音敖包苏木面积 2800 平方公里,人口 2543 人,辖补力格、嘎少、夏不嘎、达赖 4 个嘎查委员会。

**红格尔** 人民公社、苏木、嘎查委员会专名。红格尔苏木位于四子王旗境西部边缘,北靠江岸、脑木更二苏木,东邻查干补力格苏木,南接吉生太镇,西与达茂旗达尔汗苏木接壤,辖境地形属低山丘陵区。苏木人民政府驻地锡拉木伦村地处乌兰花镇正北偏西 63 公里处。村名系蒙古语河名【ᠰᠢᠷ᠎ᠠ ᠮᠦᠷᠡᠨ Xar Muren】之汉语音译,黄色江河之意。因该村坐落在锡拉木伦河东岸而得名。2002 年,原红格尔苏木、白音花苏木和原白音敖包苏木的补力格嘎查委员会合并成立新的红格尔苏木。2012 年,又划出补力格嘎查委员会。调整后的红格尔苏木辖境总面积 3077 平方公里,总人口 5923 人,辖翰勿拉、红格尔、打忽拉、乌布里吾素、阿日点力素、白音花、脑木更、海卜子 8 个嘎查委员会。

原红格尔苏木位于新设红格尔苏木辖域东南部,苏木人民政府驻锡拉木伦村。1950 年,属本旗第一努图克锡拉木伦嘎查委员会。1956 年,更名为红格尔。"红格尔"系蒙古语【ᠬᠣᠩᠭᠣᠷ Honggor】之汉语音译,本意是形容可爱、柔和的性格或指马匹淡黄毛色,作为名词指恋人。1958 年,设立红格尔人民公社。1984 年,改社为苏木。2002 年,并入新成立的红格尔苏木。

**白音花** 人民公社、苏木、嘎查委员会、浩特专名。原白音花苏木位于新设红格尔苏木西部,苏木人民政府驻地嘎顺村地处乌兰花镇正北偏西 65 公里处。村名系蒙古语【ᠭᠠᠰᠢᠭᠤᠨ Gaxûûn】之汉语音译,意为苦,因村中有苦水井而得名。1950 年,属本旗第一努图克察其嘎查委员会。1956 年,划入白音敖包苏木。1962 年,单设白音花人民公社,社名依人民公社驻地西北 9.5 公里处的白音花村名命名。"白音花"系蒙古语【ᠪᠠᠶᠠᠨ ᠠᠭᠤᠯᠠ Bayanhûa】之汉语音译,富饶的山丘之意。1974 年,人民公社从察其庙迁到嘎顺村。"察其"系藏语【Saqi】之转音,指藏传佛教镇妖辟邪物。1984 年,改社为苏木。2002 年,整建制并入新设红格尔苏木。

**查干补力格** 人民公社、苏木、嘎查委员会和自然泉专名。查干补力格苏木位于四子王旗境腹地偏南,北靠脑木更苏木,东邻白音朝克图、供济堂二镇,南连库伦图、乌兰花二镇，西接吉生太镇，西北与红格尔苏木接壤。辖境地形南高北低，丘陵起伏，山丘平原相间，平坦开阔，属于典型的低山丘陵干旱草原。苏木人民政府驻地查干补力格村，地处乌兰花镇正北偏东约 20 公里处。村名系蒙古语【ᠴᠠᠭᠠᠨᠪᠤᠯᠠᠭ Qagaan Bûlag】之汉语音译，圣洁泉眼之意。该村西南 1 公里处有一水泉，人称查干补力格，村名从泉名。2006 年，撤销查干敖包苏木后将其原辖白音补力格、白音乌拉、敖包图 3 嘎查委员会并入查干补力格苏木。合并后的查干补力格苏木辖境总面积 3186 平方公里，总人口近 0.4 万，辖巴音、格日乐图雅、山滩、查干补力格、准额和、白音补力格、敖包图、白音勿拉 8 个嘎查委员会。

原查干补力格苏木位于新设查干补力格苏木南部，苏木人民政府驻查干补力格村。中华人民共和国建国初期，属本旗第三努图克。1958 年，成立查干补力格人民公社。1984 年，改社为苏木，同时将东地方子行政村拨给吉生太乡。2006 年，并入新设置的查干补力格苏木。

**查干敖包**　人民公社、苏木和自然山丘专名。原查干敖包苏木位于新设查干补力格苏木辖域北部，苏木人民政府驻地补力太村地处乌兰花镇正北偏东 93 公里处。村名系蒙古语【ᠪᠦᠯᠲᠠᠢ Bûltai】之汉语音译，碌碡地之意。因村中曾有一碌碡形圆滚石头而得名。1950 年，属本旗第三努图克希日哈达嘎查委员会。1958 年，设置查干敖包人民公社，人民公社驻补力太村，社名依补力太村东南的查干敖包山名命名。"查干敖包"系蒙古语【ᠴᠠᠭᠠᠨᠥᠪᠥᠭᠥ Qagaanôbôô】之汉语音译，白色敖包之意。1984 年，改社为苏木。2006 年，撤销后原辖境分别划归查干补力格、脑木更二苏木。

**忽鸡图**　人民公社、乡、自然村专名。忽鸡图乡位于四子王旗境东南边缘，东北靠库伦图镇，东南邻察右中旗大滩乡，西南连东八号乡，西与乌兰花镇接壤。辖境地形属山区丘陵地带，地势东南高、西北低，东部高山耸立、深沟纵横、地势陡峭，西部丘陵延绵、碱滩遍布、地势平缓。乡人民政府驻地庙后村地处乌兰花镇东北约 18 公里处。约 1820 年建村，因村前曾有过一座庙而得名。"忽鸡图"系蒙古语【ᠬᠤᠵᠢᠷᠲᠤ Hûjirt】之汉语音译，意为盐碱滩。1962 年初，设置忽鸡图人民公社，因人民公社驻忽鸡图滩而得名。2006 年，原活福滩乡和原巨巾号乡所辖小东营、大清河、麻黄洼 3 个村民委员会并入忽鸡图乡。合并后的忽鸡图乡总面积 788 平方公里，总人口近 2.3 万，辖庙后、闪丹、哈拉圪那、堂村、麻黄洼、大青河、小东营、活福滩、三合泉、东卜子、腮忽洞、英土 12 个村民委员会。

原忽鸡图乡位于新设忽鸡图乡辖域东北部，乡人民政府驻庙后村。1950 年，归武东县第三区管辖。1958 年，划归本旗库伦图人民公社。1962 年，单设忽鸡图人民公社，社名从乡人民政府驻地村名。1984 年，改社为乡。2006 年，整建制并入新设忽鸡图乡。

**活福滩**　人民公社、乡、村民委员会专名。原活福滩乡位于新设忽鸡图乡辖境南部，乡人民政府驻地活福滩村地处乌兰花镇东南 22 公里处，约 1882 年开地建村。19 世纪 30 年代，红召（卓资县红召）活佛每年往返于红召与满都拉庙（四子王旗查干补力格苏木境内）之间，常在此住宿，故得名【ᠭᠡᠭᠡᠨ ᠲᠠᠯ Ggeen Tal】。地名系蒙古语，"活佛滩"之意。后易名"活福滩"。1958 年前，隶武东县，后划归四子王旗并设活福滩公社，社名从公社驻地村名。1984 年，改社为乡。2006 年，整建制并入忽鸡图乡。

**东八号**　人民公社、乡、村民委员会专名。东八号乡位于四子王旗境南部边缘，北靠忽鸡图乡和乌兰花、吉生太二镇，东邻察右中旗大滩乡、卓资县红召乡，南接武川县哈乐镇和卓资县红召乡，西与包头市达茂旗锡拉穆仁镇接壤。辖境地形由东南向西北倾斜，东部山区丘陵起伏，北部丘陵平原相间。乡人民政府驻地东八号村地处乌兰花镇正南 20 公里处。清同治元年（1862 年）建村时，开荒种地以号畔为界，该村按顺序排列为东第八号，且位于绥远城通往大青山北部草原之路东，故名东八号。2001 年，原太平庄乡并入大黑河乡。2006 年，大黑河乡、西河子二乡并入东八号乡。2012 年，又划出大黑河乡。调整后的东八号乡辖境总面积 585 平方公里，总人口近 3.66 万，辖白彦敖包、梁底、东八号、石庄子、高家沟、西河子、韭菜沟、天顺永、栽生沟、北库伦、海宽堂 11 个村民委员会。

原东八号乡位于新设东八号乡辖域中南部，乡人民政府驻东八号村。1950 年，属武东县第五区管辖。1958 年，划归四子王旗西河子人民公社。1962 年，单设东八号人民公社，社名从人民公社驻地村名。1984 年，改社为乡。2006 年，并入新设置的东八号乡。

**太平庄**　人民公社、乡、自然村专名。原太平庄乡位于新设东八号乡辖域西南部，乡人民政府驻地太平庄村地处乌兰花镇西南 30 公里处。约 1919 年建村，人们盼望太平盛世便取名太平庄。1949 年 10 月以后，该乡辖境先后属本旗第八区、大黑河人民公社管辖。1963 年，单设太平庄人民公社。1984 年，改社为乡。2001 年，重新划归大黑河乡。

**西河子**　人民公社、乡、村民委员会和自然河专名。原西河子乡位于新设东八号乡境东部，乡人民政府驻地西河子村地处乌兰花镇正南偏东 25 公里处。约 1730 年建村时，因村西有条河流而得名。中华人民共和国建国初期，先后属武东县第二区、五区管辖。1958 年，划归四子王旗并设置西河子人民公社。1984 年，改社为乡。2006 年，并入新设置的东八号乡。

**大黑河**　人民公社、乡、村民委员会和自然河专名。大黑河乡位于东八号乡辖域西北部，乡人民政府驻地巨龙太村地处乌兰花镇东南 15 公里处。约 1830 年，和林格尔县巧什营村巨龙太商号派人来此开地建村，故名巨龙太。中华人民共和国建国以来，该乡辖境先后属本旗第八区、吉生太人民公社管辖。1962 年，单设大黑河人民公社，社名依境内大黑河名命名。1984 年，改社为乡。2001 年，原太平庄乡并入原大黑河乡。2006 年，整建制并入新设东八号乡。2012 年，从东八号乡划出 200 平方公里设立大黑河乡。现辖大黑河、巨龙太、羊油房、土格木、窑滩、大设进、罗罗图、四十顷地、毛独亥 9 个村民委员会。

## （二）察右前旗各乡、镇名称考略

**土贵乌拉**　人民公社、乡、镇和自然山丘专名。土贵乌拉镇位于察右前旗境南部边缘，北靠赛汉塔拉、三岔口二乡和平地泉镇及黄旗海，东邻乌拉哈乡，南连丰镇市红沙坝、三义泉二镇。镇人民政府驻镇内解放路，地处乌兰察布市政府所在地集宁区南 20 公里处，地理坐标约北纬 40°47′01.18″，东经 113°12′03.76″，系察右前旗政府驻地。2001
年，原老圈沟乡并入呼和乌素乡。2006 年，土贵乌拉、呼和乌素二乡整建制并入土贵乌
拉镇。2012 年从土贵乌拉镇划出 153.51 平方公里设立老圈沟乡。调整后的土贵乌拉镇总
面积 200.73 平方公里，总人口 51422 人。辖 8 个居民委员会和呼和乌素、口子村、种地
槽、南河渠、新建、南营子、东胜利、西胜利、小纳令、大纳令、天皮山、七股半、沟子
村 13 个村民委员会。

原土贵乌拉镇位于新设土贵乌拉镇辖境包围之中。土贵乌拉系蒙语【ᠲᠤᠭᠢᠶᠢᠨ ᠠᠭᠤᠯᠠ
Tûgiin Ûûl】之汉语音译，旗子山之意，依镇北土贵乌拉山名命名。关于"土贵乌拉"名
称含意还有一种解释：系蒙古语【ᠲᠤᠭᠤᠷᠢᠭ ᠠᠭᠤᠯᠠ　Tugrig Ûûl】之汉语音译，意为圆山。土
贵乌拉镇原名"官村"，清朝时期，属察哈尔正黄旗十五苏木。清光绪二十八年（1902
年），清政府为"庚子赔款"明令正黄旗头苏木、十五苏木拨地 500 顷给天主教教会，作
为向列强的赔偿。天主教教会遂派传教士招租教民到十五苏木垦牧务农，此地即形成村落。
因这里是正黄旗十五苏木的赔款官地，故取名为官村。清宣统二年（1910 年），随着天
主教势力的发展，教民增多，官村设立了天主教堂。民国八年（1919 年），京绥铁路（北
京—呼和浩特）修至官村，并设立官村火车站，使官村逐渐成为一个交通发达的小集镇，
户数增至 400 户左右，时有店铺作坊 40 余家。

民国初年，官村属丰镇县三区（老平地泉区）管辖，时称"复活庄"。民国十四年（1925
年），国民党统治区丰镇县三区公所由老平地泉移至官村，官村时称"博爱乡"。民国三
十七年（1948 年）9 月，丰镇县、正黄旗、集宁县等地获得解放，官村属丰镇县三区管辖，
为区公所驻地。1953 年 3 月，丰镇县三区整建制划归正黄旗管辖，官村为正黄旗四区区
公所驻地。1954 年 3 月，察右前旗成立，旗政府由巴音塔拉印北梁村迁至官村。同时，
官村划属察右前旗一区，并为区公所驻地。1957 年，官村更名为土贵乌拉。1959 年，土
贵乌拉镇、土贵乌拉人民公社和呼和乌素人民公社合并成立胜天人民公社。1961 年，胜
天人民公社改为城镇人民公社。1962 年，土贵乌拉人民公社、土贵乌拉镇合并成立土贵
乌拉人民公社，土贵乌拉镇仍称城镇人民公社。1964 年 10 月，分设土贵乌拉镇、土贵乌
拉人民公社。2006 年，并入土贵乌拉、呼和乌素二乡设置新的土贵乌拉镇。

原土贵乌拉乡位于察右前旗境南部边缘，乡人民政府驻土贵乌拉镇。1949 年以前，系
丰镇县第三区官村乡所在地。1958 年，与土贵乌拉镇、呼和乌素乡合并为胜天人民公社。
1962 年，分设土贵乌拉人民公社。1984 年，改社为乡。2006 年，并入新设土贵乌拉镇。

**呼和乌素**　人民公社、乡、村民委员会、自然村专名。原呼和乌素乡位于土贵乌拉镇
辖域西南部，辖境属典型的山滩混合区，山地以丘陵为主，草原为低温带草甸植被。乡人
民政府驻地小北店村地处土贵乌拉镇正西偏南 7 公里处。约 1882 年，有一姓武名太平嘎
的人在此开店（旅店），在店南 3 公里处也有一店，人称大南店，故称该村为小北店。1958
年，属胜天人民公社管辖。1962 年，分设呼和乌素人民公社。社名系蒙古语【ᠬᠥᠬᠡ ᠤᠰᠤ　Hoh

Ûs】之汉语音译，清水之意。因当地有一股黑沟河水，可用于灌溉草地，人称此地为呼和乌素滩，社名从滩名。1984年，改社为乡。2006年，整建制并入新设土贵乌拉镇。

**老圈沟**　人民公社、乡专名。老圈沟乡位于察右前旗境西南边缘，北靠原礼拜寺、三号地、固尔班布拉格三乡，东南邻土贵乌拉镇，南和西南与丰镇市三义泉镇接壤。全境属起伏不平的丘陵地带。乡人民政府驻地老圈沟村地处土贵乌拉镇正西偏北19.5公里处。此地四面环山，中间是山沟，形成天然羊圈形，故称老羊圈。后来，村名渐渐地演变为老圈沟。1958年，属固尔班布拉格人民公社。1962年，分设老圈沟人民公社。"文革"期间，更名为东胜人民公社，后恢复原名。1984年，改社为乡。2001年，整建制并入呼和乌素乡。2006年，随呼和乌素乡并入新设土贵乌拉镇。2012年，从土贵乌拉镇和平地泉镇划275.5平方公里再次设立老圈沟乡。全乡人口1.42万人，辖沙渠、吉丰、富河、三股泉、民生、庙沟、毛虎沟、察汉贵贵、乌尔图、大卜子、乌兰忽洞11个村民委员会。

**平地泉**　人民公社、乡、镇、村民委员会专名。平地泉镇位于察右前旗境中西部边缘，北靠三岔口乡和集宁区马莲渠乡，东和东北邻巴音塔拉镇和集宁区白海子镇，南接土贵乌拉镇和老圈沟乡，西与卓资县十八台镇接壤。镇人民政府驻地平地泉镇地处土贵乌拉镇正北偏西12.5公里处。因镇东有一眼较大温泉，泉水出自滩地，故名平地泉。2001年，三号地乡整建制并入平地泉镇。2006年，又并入原三岔口乡的沙渠、吉丰、民生、浩齐德、富河、布宏岱、三股泉7个村民委员会。2012年，又划出121.99平方公里并入老圈沟乡。调整后的平地泉镇行政区域总面积150.1平方公里，总人口2.13万人。辖平一、平二、平三、花村、南村、八印滩、土城、郝家村、来家地、苏集、红房子、沈家村、泉脑子13个村民委员会。

原平地泉镇位于新设平地泉镇辖域东南部，镇人民政府南距土贵乌拉镇12.5公里。平地泉镇辖境历史上多有变革，清代为正黄旗驻牧地。民国时期，国民政府实行内地移民垦牧政策，曾在此设置垦务局，平地泉镇渐渐形成村落。民国初年，属丰镇县三区。民国八年（1919年），修建京绥铁路时原设计在此修建火车站，但因天主教会的干预火车站移至集宁，因站名已备案，不便更改，站名依然称平地泉车站，而平地泉村则称为老平地泉以示区别。1948年9月以来，在此曾设集宁县第四区、老平地泉乡、东方红人民公社、平地泉人民公社、三号地人民公社、白海子人民公社。1964年7月1日，划归察右前旗管辖。1984年，改社为乡。1994年7月，撤乡建镇。

**三号地**　人民公社、乡专名。原三号地乡位于新设平地泉镇辖域中部，辖境属浅山丘陵区。乡人民政府驻地三号地村地处土贵乌拉镇西北12.75公里处。1902年，赵、黄、高三家买了放地商人孙宪的第三号土地在此开地建村，村名由此而来。1948年9月以来，归集宁县管辖，在此曾设苏集乡、泉脑乡、三号地乡、东方红人民公社、三号地人民公社。1964年7月1日，划归察右前旗管辖。1968年，改称红卫人民公社，后恢复原名。1984年，改社为乡。2001年，整建制并入新设平地泉镇。

**玫瑰营** 人民公社、乡、镇、村民委员会、自然村专名。玫瑰营镇位于察右前旗境东北边缘，北靠察右后旗贲红镇、兴和县鄂尔栋镇，东邻黄茂营乡，南连巴音塔拉镇，西与集宁区白海子镇接壤。镇人民政府驻地玫瑰营村地处土贵乌拉镇东北 39.5 公里处。1994年 8 月，原玫瑰营乡撤乡建镇。2004 年、2006 年，弓沟、高宏店二乡先后整建制并入玫瑰营镇（赵家、富贵、泉脑、麻盖、章毛村除外）。新设置的玫瑰营镇辖境总面积 421.82平方公里，辖十二股、古盘营、红旗、庞家村、圣家营、玫瑰营、王贵沟、马莲渠、头道沟、望爱、弓沟、哈拉沟、全胜局、高宏店、袈裟庙、天和永、六号村、赵油房、老官路、九股泉、张山沟 21 个村民委员会。

原玫瑰营乡位于新设玫瑰营镇辖域东部偏南，乡人民政府驻玫瑰营村。100 多年前，此地芦草茂盛，故名【ᠵᠡᠭᠡᠰᠦᠨ ᠠᠶᠢᠯ Jegsn Ail】，"芦草营子"之意，后改称"芦草卜子"。19世纪末20世纪初，天主教在此大发展，1887年修建圣土堂，1904年修建天主教堂，1907年再次扩建天主教堂并以天主教堂为中心相继建立了修道院、修女院等附属院所，成为华北地区最大的天主教堂之一。芦草卜子随之以天主教的《玫瑰经》为典更名为"玫瑰营"。民国时期，玫瑰营归丰镇县第三区管辖。1946年，划归集宁县第五区。1957年，划归察右前旗。1958年4月，设置玫瑰营乡；11月，与原高宏店乡合并成立灯塔人民公社。1962年，单设玫瑰营人民公社。1965年，更名为东风人民公社。1981年，恢复原名。1984年，改社为乡。1994年8月，撤乡建镇。

**弓沟** 人民公社、乡、村民委员会专名。原弓沟乡位于新设玫瑰营镇辖域西部偏北，乡人民政府驻地弓沟村地处土贵乌拉镇正北偏东 46.75 公里处。100 多年前建村时起名"楚鲁温格齐"，村名系蒙古语【ᠴᠤᠯᠤᠭᠤᠨ ᠣᠩᠭᠤᠴᠠ Qûlûûn Ôngûq】之汉语音译，石槽之意。1907年，外国传教士在此修建教堂传教，并将原名改为"望爱村"，意为希望心爱天主。若干年后恢复原名称，但习惯上人们仍叫望爱村。民国初年，该乡辖域属集宁县二区管辖，为区公所所在地。1949 年 9 月，集宁县获得解放，弓沟归集宁县第二区管辖。1956 年 5 月，划归察右前旗并成立望爱乡。1957 年 8 月，与黄家村乡合并成立弓沟乡，因该村东有弓状沟渠而得名。1958 年，建立弓沟人民公社。1962 年，分出西半部地域，设置黄家村人民公社。1984 年，改社为乡。2001 年，整建制划入黄家村乡。2004 年，又从黄家村乡划出并入玫瑰营镇。

**高宏店** 人民公社、乡、村民委员会专名。原高宏店乡位于新设玫瑰营镇辖域中部偏北，乡人民政府驻地高宏店村地处土贵乌拉镇东北 49.5 公里处。高宏店建村于清光绪年间，原名"老官路"，因村西曾有一条南通隆盛庄、北达大圐圙（蒙古国乌兰巴托）的官道而得名。后来，有一名叫高宏的人在路旁开了一家车马店，村名渐渐地改为高宏店。1949年，归集宁县第六区（黄茂营区）管辖。1957 年底，划归察右前旗并建高宏店乡。1958年，归属灯塔人民公社管辖（即原玫瑰营乡）。1962 年，单设高宏店人民公社。1968 年，更名为红山人民公社；1979 年，恢复原名。1984 年，改社为乡。2006 年，整建制并入玫瑰营镇。

**巴音塔拉** 人民公社、乡、镇专名。巴音塔拉镇位于察右前旗境正中，北靠玫瑰营、黄旗海二镇，东邻黄茂营、乌拉哈乌拉二乡，南接黄旗海，西和西北与平地泉镇接壤。镇人民政府驻地印北梁村，地处土贵乌拉镇东北 28.25 公里处。清末，该村是察哈尔右翼正黄旗总管衙门所在地，时称"印上"，后有几户人家在印上村北梁开地耕种，故改称印北梁。2001、2006 年，原小淖尔乡整建制和原赛汉塔拉乡的红富、赛汉塔拉、水泉、大喇嘛营、谷力脑包、碱滩、南店、礼拜寺、脑包沟、哈毕格 10 个村民委员会并入原巴音塔拉乡，同时撤乡设镇。全镇行政区域面积 270.54 平方公里。辖红富、赛汉塔拉、水泉、大喇嘛营、谷力脑包、碱滩、南店、礼拜寺、脑包沟、哈毕格、八苏木、土城、吉庆梁、李英、大哈拉、老泉 16 个村民委员会。

原巴音塔拉乡位于新设巴音塔拉镇辖域中部，镇人民政府驻印北梁村。民国时期归丰镇县管辖。1952 年 7 月，建立巴音塔拉区，归正黄旗管辖。巴音塔拉系蒙古语【ᠪᠠᠶᠠᠨᠲᠠᠯ᠎ᠠ Bayntal】之汉语音译，富饶草滩之意。1954 年 3 月，巴音塔拉区改属察右后前旗第三区，时辖民胜、土布栋营、碱滩、吉庆、新民、脑包沟、八苏木、土城子 8 个小乡。1958 年 4 月，成立巴音塔拉乡；11 月撤乡建社，成立巴音塔拉人民公社。社、乡名称从驻地村名。1984 年，改社为乡。2001 年，并入新设巴音塔拉镇。

**小淖尔** 人民公社、乡专名。原小淖尔乡位于新设巴音塔拉镇辖域东部。乡人民政府驻地贾家村，地处土贵乌拉镇东北 37 公里处。20 世纪初，此地为蒙古族牧场，当时水草丰美，牧业兴旺。1927 年，贾三罗等人来此开地立村，故名贾家村。1951 年，属正黄旗第四区（巴嘎淖尔区）管辖。1954 年 3 月，改为察右前旗第四区。1957 年，四区境内设置巴嘎淖、伊和淖二乡。巴嘎淖、伊和淖系蒙古语【ᠪᠠᠭ᠎ᠠ ᠨᠠᠭᠤᠷ Bag Nûûr】、【ᠶᠡᠬᠡ ᠨᠠᠭᠤᠷ Yih Nûûr】之汉语音译，小海子、大海子之意。1958 年 4 月，成立巴嘎淖乡；11 月，成立巴嘎淖人民公社。1984 年，改社为乡。2001 年，整建制并入新设巴音塔拉镇。

**赛汉塔拉** 人民公社、乡专名。原赛汉塔拉乡位于新设巴音塔拉镇辖域西部，乡人民政府驻地梁旺村地处土贵乌拉镇正北 15.5 公里处。1910 年，一名叫梁旺的农民来此开地立村，故名梁旺村。该乡辖境原属察哈尔右翼正黄旗；中华人民共和国建国后属集宁县、察右前旗；1958 年，组建火箭人民公社；1962 年，分设为赛汉塔拉、赛汉乌素两个人民公社。赛汉塔拉系蒙古语【ᠰᠠᠶᠢᠬᠠᠨᠲᠠᠯ᠎ᠠ Saihantal】之汉语音译，美丽草滩之意。2001 年，原礼拜寺乡整建制并入赛汉塔拉乡，同时将乡人民政府迁到梁旺村附近的九间窑村。2006 年，撤销后原辖行政区域分别划归新设巴音塔拉、黄旗海二镇。

**礼拜寺** 人民公社、乡专名。原礼拜寺乡位于新设巴音塔拉镇辖域西南部，乡人民政府驻地礼拜寺村地处土贵乌拉镇西北 12 公里处。1912 年，开地建村时回族群众在村北修建清真寺院一处，故名"礼拜寺"。该乡辖境原属正黄旗；1958 年组建火箭人民公社（也称礼拜寺人民公社）；1962 年分属赛汉塔拉、赛汉乌素两个人民公社，赛汉乌素人民公社驻礼拜寺村。赛汉乌素系蒙古语【ᠰᠠᠶᠢᠨ ᠤᠰᠤ Sain Ûs】之汉语音译，好水之意。1984 年，改社为乡。2001 年，整建制并入新设赛汉塔拉乡。

**黄旗海**　镇和自然湖泊专名。黄旗海镇位于察右前旗境正中，南以集张铁路（集宁—张家口）为界与巴音塔拉镇相连，东与集宁区白海子镇隔霸王河相望，西以达尔罕大道为界与平地泉镇相连，北隔 110 国道与集宁区新区相望。镇人民政府驻地梁旺村，地处土贵乌拉镇正北偏东 26 公里处，村名依人名命名。2006 年，划原赛汉塔拉乡的六苏木、沙泉村民委员会，玫瑰营镇的赵家村、富贵村、泉脑、麻盖、章毛村民委员会和平地泉镇的四号卜村民委员会组成黄旗海镇。"黄旗海"系蒙古语自然湖泊【ᠬᠢᠬᠢᠷ ᠨᠠᠭᠤᠷ　Hihir Nûûr】之汉译名称，意为旗海。该镇辖境地形平坦，行政区域总面积 38.5 平方公里。现辖六苏木、沙泉、赵家村、富贵村、泉脑、麻盖、章毛、四号卜 8 个村民委员会。

**三岔口**　人民公社、乡、村民委员会专名。三岔口乡位于察右前旗境西部边缘，北靠察右后旗锡勒乡，东邻集宁区马莲渠乡，南和东南连平地泉镇，西与卓资县巴音锡勒、十八台二镇接壤。乡人民政府驻地三岔口村，地处 110 国道 378 公里处，距集宁区 5 公里。因村周围有 3 条山沟，沟口均面对该村，故名。2001、2006 年，原固尔班布拉格乡和煤窑乡先后整建制并入三岔口乡。撤乡并镇后辖境总面积 371.11 平方公里，辖白石头、沙帽营、十八台、益元兴、察汗营、三岔口、阿拉善、煤窑、李家村、喇嘛、十四号、小土城、五里坡、大土城、南六洲、十二洲、东南河、西南河 18 个村民委员会。

原三岔口乡位于新设三岔口乡辖域中部，境地处于阴山山脉东端、南缘的低山丘陵区，地形以低山丘陵为主，南高北低，平均海拔 1430 米。乡人民政府驻地白石头村，地处土贵乌拉镇西北 27 公里处。该村原名"白石头圐圙"，因此地白石头多，人们常用白石头垒圐圙、圈牲畜，故名，后简称白石头。"白石头圐圙"系蒙汉语结合地名，"圐圙"系蒙古语【ᠬᠦᠷᠢᠶ᠎ᠡ　Huree】之汉语音译，意为圈（quān）牲畜的圈（juàn）。1958 年，属希拉居力格人民公社，归集宁市管辖。希拉居力格系蒙古语【ᠰᠢᠷ᠎ᠠ ᠵᠢᠯᠭ᠎ᠠ　Xar Juleg】之汉语音译，黄色寸草滩之意。1964 年 7 月 1 日，划归察右前旗管辖，后设置三岔口人民公社，社名从驻地村名。1984 年，改社为乡。

**固尔班布拉格**　人民公社、乡专名。原固尔班布拉格乡位于新设三岔口乡辖域南部，乡人民政府驻地吉典布拉格村，地处土贵乌拉镇西北 28 公里处。村名系蒙古语【ᠵᠢᠳᠢᠨ ᠪᠤᠯᠠᠭ　Jdiin Bûlag】之汉语音译，山泉之意。中华人民共和国建国初期，设置固尔班布拉格乡。乡名系蒙古语【ᠭᠤᠷᠪᠠᠨ ᠪᠤᠯᠠᠭ　Gûrban Bûlag】之汉语音译，三股泉之意。1958 年，与原老圈沟乡合并成立固尔班布拉格人民公社；1962 年，分设两个人民公社。1967 年，乡名简称为"固尔班"；1980 年，又恢复全称。1984 年，改社为乡。2006 年，整建制并入新设三岔口乡。

**煤窑**　人民公社、乡、村民委员会专名。原煤窑乡位于新设三岔口乡辖域北部，乡人民政府驻地煤窑村，地处土贵乌拉镇西北 45 公里处。1910 年前后，山西省雁北地区汉族农民迁来购买张家口、丰镇等地放地商人孙宪、张启式的荒地，拓荒建村。随后人们发现，此处山上有臭煤，遂开窑挖煤，"煤窑"地名由此而来。中华人民共和国建国初，该乡属于集宁县第一区。1958年，属集宁郊区人民公社。1964年7月，划归察右后旗并设置煤窑人民公社，社名从人民公社驻地村名；同年9月，划归察右前旗。1984年，改社为乡。2001年，原大土城、三成局二乡划入煤窑乡。2006年，整建制并入新设三岔口乡。

**大土城** 人民公社、乡、村民委员会专名。原大土城乡位于新设三岔口乡辖域西北部，乡人民政府驻地大土城村，地处土贵乌拉镇西北53公里处。因该村围有土城墙而得名。1949年，属集宁县第一区。1955年，归集宁郊区管辖。1964年7月，划归察右后旗并设置大土城人民公社，社名从人民公社驻地村名；同年9月，划归察右前旗。1984年，改社为乡。2001年，整建制并入煤窑乡。

**黄茂营** 人民公社、乡专名。黄茂营乡位于察右前旗境东北边缘，东邻兴和县赛乌素镇，南连乌拉哈乡，西与巴音塔拉、玫瑰营二镇接壤。乡人民政府驻地古营盘村，地处土贵乌拉镇东北60公里处的小贝山脚下。2006年，原小淖尔乡的西营子、小淖尔、大淖尔、查干、南窑、岱青、井沟子7个村民委员会划入黄茂营乡。调整后的黄茂营乡行政区域面积345.77平方公里，辖西营子、小淖尔、大淖尔、查干、南窑、岱青、井子沟、红胜、南号、甘草忽洞、壕堑、五号、西河13个村民委员会。

原黄茂营乡位于新设黄茂营乡辖域北部，乡人民政府驻地黄茂营村，地处土贵乌拉镇东北53.5公里处。19世纪中上叶，该地区为蒙古族放牧场所。当时有一名叫红懋尔的人在此居住、营牧，故名红懋营。1951年，此处设区，区政府刻公章时误刻为黄茂营，从此，该村就命名黄茂营。中华人民共和国建国初，该乡辖境分别归兴和县、丰镇县、集宁县管辖。1951年，划归集宁县第六区。1957年，划归察右前旗第四区（巴嘎淖尔区）。1958年，划归小淖尔人民公社。1962年，单设黄茂营人民公社，社名从人民公社驻地村名。1984年，改社为乡。2006年，并入新设黄茂营乡。

**乌拉哈** 人民公社、乡专名。全称"乌拉哈乌拉"乡，位于察右前旗境东南边缘，西北、正北和东北靠巴音塔拉镇，东邻兴和县张皋镇，南连丰镇市原隆盛庄镇，西接土贵乌拉、巴音塔拉二镇和黄旗海。乡人民政府驻地河东村地处土贵乌拉镇东南22.5公里处，因位于清水河东岸而得名。乡名系蒙古语山名【ᠤᠯᠠᠭᠠᠨ ᠠᠭᠤᠯᠠ Ôlgôi Ûûl】之汉语音译，意盲肠山。关于"乌拉哈乌拉"之称的含义还有两种解释，一说"孤山"之意，一说是"微红色山丘"之意。2001年，原新风乡整建制并入乌拉哈乡。合并后的乌拉哈乡辖境总面积317.33平方公里，辖大九号、郝家村、庆丰、海丰、保丰、牧业、联丰、青山、十三号、八台沟、东小河11个村民委员会。

原乌拉哈乡位于新设乌拉哈乌拉乡辖域东北部，乡人民政府驻河东村。该乡辖境原属察哈尔正黄旗。中华人民共和国建国后分别属丰镇县、正黄旗、集宁县管辖。1953年，分别设置西河子、十七苏木、东洼子、麻地卜子4个小乡。1954年，全境划归察哈尔右翼前旗第三区管辖。1957年，与原新风乡合并设置乌拉哈乌拉。1958年末，改设人民公社。1962年，单设乌拉哈乌拉人民公社。1984年又改社为乡。2001年整建制并入新设乌拉哈乌拉乡。

**新风** 人民公社、乡专名。原新风乡（原名郝家村）乡位于新设乌拉哈乌拉乡辖域北部，乡人民政府驻地郝家村，地处土贵乌拉镇东南 14.25 公里处。清光绪二十八年（1902年），清朝皇帝降旨，让宫女温太太到此放地。郝老大买了温太太所放土地在此耕种居住，故名郝家村。民国元年（1912 年），此地属丰镇县管辖，名"宁进庄"；1937 年改称"丰利乡"；1945 年后属丰镇县管辖。1953 年，划归正黄旗第一区；1954 年，划归察右前旗；1956 年单设郝家村乡；1957 年，与海扶合并为德力生塔拉乡。乡名系蒙古语【 ᠳᠡᠷᠰᠡᠨ ᠲᠠᠯ Dersen Tal】之汉语音译，芨芨滩之意。1958 年，并入乌拉哈乌拉人民公社；1962 年，分设郝家村人民公社；1964 年 8 月改称新风人民公社。1984 年，改社为乡。2001 年，整建制并入新设乌拉哈乡。

### （三）察右中旗各苏木、乡、镇名称考略

**科布尔** 人民公社、镇专名。科布尔镇位于察右中旗境东南边缘，西和西南连乌兰哈页苏木，北邻宏盘乡，东南接察右后旗席勒乡，南与卓资县复兴乡、梨花镇接壤。镇人民政府驻科布尔镇内四合村，地理坐标约北纬 41°16′20.16″，东经 112°37′48.96″。科布尔镇同时也是察右中旗旗政府驻地。清康熙十四年（1675 年）后，这里属镶红旗管辖。清乾隆五十二年（1787 年）左右，科布尔初步形成村落，当时称"永顺庄"。清咸丰八年（1858 年），开始称科布尔。科布尔系蒙古语【ᠬᠣᠪᠣᠷ Hoobor】之汉语音译。据《察右中旗志》记载：这里地形凹下，四面隆起，在明朝以前是一片湖泊，于清顺治年间湖水干涸，后形成一处水草丰盛、树木成荫、适合发展畜牧业的好地方。

关于科布尔一名的含义，民间还有一种解说：清朝时期，民地（农业人口集中的地方，主要指山西、河北省及内蒙古中南部大青山以南地区）买卖人到大牧区做买卖，经山西省杀虎口、老凹嘴（今集宁）等地到科布尔。这些买卖人有的肩挑货郎担徒步而来，有的组织驼队、马队或赶着牛板车而来。他们每次到科布尔都要住宿或歇脚，然后从科布尔奔向各个牧业点儿经商做买卖。牧民们只知道他们从科布尔来，而不知道他们是何方人士，认为科布尔这个地方是流动商人的集散地。根据他们流动经商的特点称他们打尖住店之地为【ᠬᠣᠪᠣᠷ ᠤᠨ ᠮᠠᠢᠮᠠ Hooboriin maimaqin】，意为流动商人集散地的买卖人。久而久之，当地蒙古人称民地买卖人住宿、歇脚的这个地方为【ᠬᠣᠪᠣᠷ Hoobor】。蒙古语【ᠬᠣᠪᠣᠷ Hoobor】一词有流动、行程或赶路之意。

2006 年，撤销元山子、得胜二乡，将元山子乡的永和庆、元山子、六间房、东壕堑、阿令朝、大马库伦、东方红、乳泉 8 个村民委员会和得胜乡的得胜、南口、西壕堑、义圣和、厂汉营、南水泉、大营子、大东沟、华丰 9 个村民委员会并入科布尔镇。合并后的科布尔镇总面积 272 平方公里，总人口 4.4 万人，辖科一、科二、科三、永和庆、元山子、

六间房、东壕堑、阿令朝、大马库伦、东方红、乳泉、得胜、南口、西壕堑、义圣和、厂汉营、南水泉、大营子、大东沟、华丰 20 个村民委员会。

原科布尔镇位于新设科布尔镇辖域西南，原得胜乡辖域包围之中。清光绪二十九年（1903 年），清政府在科布尔设置陶林厅，民国元年（1912 年），改厅为县，县治仍在科布尔镇。1937 年，"七七"事变后，科布尔镇更名为"复兴镇"，1945 年恢复原名。1948 年 10 月，陶林县人民政府在科布尔成立。1954 年 2 月，设立察右中旗，旗政府驻科布尔。1958 年，成立科布尔镇人民公社。1980 年，改为科布尔镇。

**元山子**　人民公社、乡、村民委员会、自然村专名。原元山子乡位于新置科布尔镇辖境东北部，乡人民政府驻地元山子村，地处科布尔镇东北 5 公里处。因村西有圆形土山丘而得名。1958 年，属科布尔镇人民公社管辖。1960 年，单设元山子人民公社。1984 年，改社为乡。2006 年，撤销后原辖域分别划归宏盘乡和科布尔镇。

**得胜**　人民公社、乡、村民委员会专名。原得胜乡位于新置科布尔镇辖境西南部，乡人民政府驻地得胜村，地处科布尔镇西南 4.5 公里处。1745 年前后，李氏兄弟二人在此经商，店名得胜，村名从店名沿用至今。原属科布尔镇人民公社管辖。1965 年，单设得胜人民公社，社名从驻地村名。1966 年，人民公社驻地迁至科布尔镇内三义兴村。1984 年，改社为乡。2006 年，撤销后原辖域，分别划归乌兰哈页苏木和科布尔镇。

**黄羊城**　人民公社、乡、镇、村民委员会、自然村专名。黄羊城镇位于察右中旗境内腹地偏西南，北靠广益隆、铁沙盖二镇，东邻乌素图镇和宏盘乡，南连科布尔镇和乌兰哈页苏木，西接大滩乡。镇人民政府驻地黄羊城村，地处科布尔镇西北 30 公里处。1914 年，形成村落，因该地区黄羊颇多，人们曾经常常垒起围墙捕捉黄羊，故名。2001、2006 年，原广昌隆、米粮局二乡整建制和原头号乡的德太炉村并入，同时，黄羊城乡撤乡设镇。新设立的黄羊城镇总面积 399 平方公里，总人口 2.4 万人，辖黄羊城、大北村、于家口、杨家店、广昌隆、毛吾素、本卜、东油房、大井、大营子、德哈泉、德太炉、半沟子、老圈、勿兰岱、甘草、二号地、三号地、米粮局、大东卜、小东卜、永胜、新胜、常胜、胜利 25 个村民委员会。

原黄羊城乡位于新设黄羊城镇辖境东部，镇人民政府驻黄羊城村。1953 年，设置黄羊城乡；1956 年，设巴音陶亥乡；1958 年，设卫星人民公社；1959 年，改称黄羊城人民公社。1984 年，改社为乡。2006 年，整建制并入新设黄羊城镇。

**广昌隆**　人民公社、乡、村民委员会、自然村专名。原广昌隆乡位于黄羊城镇辖境西部，乡人民政府驻地广昌隆村地处科布尔镇西北 33 公里处。村名源于商号，清道光二十二年（1842 年），有一商人来此经商，商号以其原籍村名命名，村名从商号名。1958 年以前，属武东县；之后划归察右中旗黄羊城人民公社。1966 年，单设广昌隆人民公社。1984 年，改社为乡。2001 年，整建制并入黄羊城镇。

**米粮局**　人民公社、乡、村民委员会、自然村专名。原米粮局乡位于黄羊城镇辖境东部，乡人民政府驻地米粮局村，地处科布尔镇正西偏北 15 公里处。村名系蒙古语【ᠮᠢᠷᠠᠯᠵᠤᠤᠷ Miraljûûr】之汉语音译，意为形容霭气动荡态。1900 年前后，形成村落，因村东曾经有湖泊，当地人经常看到海市蜃楼，故名。1958 年，属二号地人民公社管辖。1961 年单设米粮局人民公社，社名从驻地村名。1984 年，改社为乡。2001 年，与二号地乡合并。2006 年，整建制并入新设黄羊城镇。

**二号地**　人民公社、乡、村民委员会专名。原二号地乡位于黄羊城镇辖境中东部，乡人民政府驻地二号地村地处科布尔镇正西偏北 5 公里处。地名源于垦地排列顺序。1958 年，成立二号地人民公社，因人民公社驻二号地村而得名。1984 年，改社为乡。2001 年，整建制并入米粮局乡。

**头号**　人民公社、乡、村民委员会、自然村专名。原头号乡位于新设黄羊城镇辖域西部，乡人民政府驻地头号村，地处科布尔镇西 30 公里处。约 1850 年左右形成村落，村名源于清朝放地开垦土地的排序编号。1958 年，地属二号地、黄羊城、大滩 3 个人民公社管辖。1962 年，单设壕堑人民公社，因人民公社驻壕堑村而得名。壕堑系蒙古语【ᠬᠠᠭᠤᠴᠢᠨ Hûûqn】之汉语音译，意为旧或原。1964 年，人民公社迁到头号村，随即更名为头号人民公社。1984 年，改社为乡。2006 年，撤销后原辖政区分别划归新设黄羊城镇和大滩乡。

**广益隆**　人民公社、乡、镇、村民委员会、自然村专名。广益隆镇位于察右中旗境西北边缘，西、北两面与四子王旗库伦图镇接壤，东南邻铁沙盖、黄羊城二镇，南接大滩乡。镇人民政府驻地广益隆村，地处科布尔镇西北 54 公里处。村名因 1922 年崔自如在此开办广益隆商铺而得名。2001 年，原华山子乡整建制并入广益隆乡。2006 年，与原五号乡合并设立广益隆镇。新设立的广益隆镇总面积 524.4 平方公里，总人口约 2 万人，辖 1 个中升拉嘎查委员会和纳令、卧狼卜子、华山子、西河子、偏关卜子、西梁、东房子、广益隆、下地、安图、红山子、土城子、南营子、脑包图、范家房、南三道沟、三号、井沟子、五号、乌尔图不浪、麻迷图、后卜子 22 个村民委员会。

原广益隆乡位于新设广益隆镇辖境中西部，乡人民政府驻广益隆村。该乡辖域原属武东县。1958 年，划入察右中旗并成立广益隆乡；同年改设为红源人民公社。次年，以人民公社驻地村名改为广益隆人民公社。1984 年，改社为乡。2001 年，原华山子乡整建制并入广益隆乡。2006 年，与五号乡合并设立广益隆镇。

**华山子**　人民公社、乡、镇、村民委员会、自然村专名。原华山子乡位于广益隆镇辖域北部，乡人民政府驻地上西河村，地处科布尔镇西北 65 公里处。村名取自地形地貌。该乡辖域 1958 年属广益隆人民公社管辖。1965 年，单设华山子人民公社，社名因人民公社驻华山子村而得名，后人民公社迁驻上西河村。1984 年，改社为乡。2001 年，整建制并入广益隆乡。

**五号**　人民公社、乡、村民委员会、自然村专名。原五号乡位于广益隆镇辖域南部，乡人民政府驻地围子五号村，地处科布尔镇西北 60 公里处。清同治十二年（1873 年），放地商人将土地按顺序编号，该村编为第五号，而且村庄坐落在一个旧土围子之中，故名围子五号。该乡辖域 1958 年属广益隆人民公社管辖。1962 年，单设五号人民公社。1984 年，改社为乡。2006 年，整建制并入新设广益隆镇。

**铁沙盖** 人民公社、乡、镇、村民委员会、自然村专名。铁沙盖镇位于察哈尔右翼中旗境东北边缘，北靠库伦苏木，东北邻巴音乡，东连乌素图镇，东南接宏盘乡，西南与黄羊城镇接壤，西北与广益隆镇和四子王旗供济堂镇交界。镇人民政府驻地下沙盖村，地处科布尔镇正北偏西 40 公里处。约 1918 年建村时，依地形命村名为【ᠲᠠᠱᠭᠠᠢ Taxgai】，村名系蒙古语"斜坡"之意。又一说村名系蒙古语【ᠲᠡᠰᠭ Tesg】，"优若藜"之意。后形成东、西二村，原铁沙盖乡成立时乡人民政府设在东村，习惯上称下沙盖。2001 年，原布连河、铁沙盖二乡合并设置铁沙盖镇。2006 年，原土城子、义发泉二乡整建制并入铁沙盖镇。合并后的铁沙盖镇总面积 468.2 平方公里，总人口 3.55 万人，辖红土圪塔、新地房、西湾子、新义、天兴隆、苏计沟、上沙盖、下沙盖、红旗庙、红一村、点力宿太、义发泉、东滩、西梁、西圪楞、学田地、黄羊城、向阳、补盖、塔布忽洞、正南房子、元山子、土城子、半梁、西山湾子、黑山、三层店 27 个村民委员会。

原铁沙盖乡位于新设铁沙盖镇辖域东北部，乡人民政府驻下沙盖村。1958 年，成立红旗人民公社；次年更名为铁沙盖人民公社。1984 年，改社为乡。2001 年，并入铁沙盖镇。

**布连河** 人民公社、乡专名。原布连河乡位于新设铁沙盖镇辖域东南部，乡人民政府驻地红土圪塔村，地处科布尔镇正北偏西 30 公里处。约 1893 年，清水河县张成宝来此定居建村，因住在红土崖上，故名红土圪塔。该乡辖域，1958 年属铁沙盖人民公社；1962 年单设布连河人民公社。社名系蒙古语河名【ᠪᠣᠯᠢᠶᠡᠨ Bolieen】之转音，温热之意。因境内有布连河而得名。1984 年，改社为乡。2001 年，整建制并入铁沙盖镇。

**义发泉** 人民公社、乡、村民委员会、自然村专名。原义发泉乡位于新设铁沙盖镇辖域西北部，乡人民政府驻地义发泉村，地处科布尔镇正北偏西 50 公里处。约 1927 年贾姓商人迁此居住形成村落，命村名为玉发泉，意为财源像泉水源源不断。1952 年，更名为义发泉。1958 年，地属铁沙盖人民公社管辖。1975 年，单设义发泉人民公社。1984 年，改社为乡。2006 年，整建制并入新设铁沙盖镇。

**土城子** 人民公社、乡、村民委员会、自然村专名。原土城子乡位于新设铁沙盖镇辖域西部，乡人民政府驻地董家村，地处科布尔镇西北 40 公里处。约 1905 年董姓人家来此定居，故名。该乡辖域，1966 年以前属塔布忽洞人民公社，之后单设土城子人民公社，因人民公社驻地土城子村而得名。1972 年，乡人民政府迁到董家村。1984 年，改社为乡。2006 年，整建制并入新设铁沙盖镇。

**塔布忽洞** 人民公社、乡、村民委员会、自然村专名。原塔布忽洞乡位于新设铁沙盖镇辖域中南部，乡人民政府驻地塔布忽洞村，地处科布尔镇西北 38 公里处。村名系蒙古语【ᠲᠠᠪᠤᠨ ᠬᠤᠳᠠᠭ Taban Hûdag】之汉语音译，意为五口井。约 1919 年蒙古族牧民居住时命名。该乡辖域，1958年属黄羊城人民公社管辖，1962年单设塔布忽洞人民公社。1984年，改社为乡。2001年，撤销后整建制并入土城子乡。

**乌素图**　人民公社、乡、镇、村民委员会、自然村专名。乌素图镇位于察右中旗境东北边缘，北连库伦苏木，东邻察右后旗当郎忽洞苏木，南接宏盘乡，西与巴音乡和铁沙盖镇接壤。镇人民政府驻地堂地村，地处科布尔镇东北60公里处。约1923年形成村落，当时村里人租种天主教堂的土地，故名堂地。该乡辖域，1958年属巴音人民公社管辖，1965年单设乌素图人民公社。社名系蒙古语【 Ûst】之汉语音译，意为有水的地方。1984年，改社为乡。2001年，撤乡设镇。2006年，铁沙盖镇的九股泉村并入乌素图镇。乌素图镇现辖行政区域总面积179.4平方公里，总人口1.03万人，辖大房子、红土湾、二元海、羊房子、赛吾素、乌素图、东大脑包、北苑、九股泉9个村民委员会。

**库伦**　人民公社、苏木专名。库伦苏木位于察右中旗境北部边缘，西、北两面与四子王旗供济堂、白音朝克图二镇接壤，东邻察右后旗当郎忽洞苏木，南与乌素图镇、巴音乡、铁沙盖镇交界。苏木人民政府驻地库联村，地处科布尔镇正北65公里处。1958年，地属巴音人民公社管辖。1962年单设圐圙人民公社。社名系蒙古语【 Huree】之汉语音译，意为围墙。1928年，蒙古族牧民居此，因村西北曾有古城墙遗迹，故名圐圙，社名从人民公社驻地村名。1979年，译写为"库联"。1984年，改社为苏木。2006年，内蒙古自治区民政厅批复乌兰察布市撤乡并镇文件中将"库联苏木"改写为"库伦苏木"。"库联、圐圙、库伦"均是蒙古语【Huree】一词的不同书写形式。现苏木人民政府驻地迁至"忽少"村（第一嘎查委员会所在地），地处原苏木驻地圐圙村东南2公里处。"忽少"系蒙古语【 Hûxûû】之汉语音译。该村名依地形地貌命名。【Hûxûû】一词本来是指菱形物体或自然物的锐角部分。如"山脚"、"五角"、"犁铧"等词，在蒙古语中均可译作【Hûxûû】，既生动又形象地表示物体形态。该村就坐落在一座山的末端处，故名【Hûxûû】。现全苏木辖境总面积358平方公里，辖有第一、第二、第三、第四4个嘎查委员会。

**乌兰哈页**　人民公社、苏木、自然山专名。乌兰哈页苏木位于察右中旗境南边缘，北靠大滩乡和黄羊城镇，东邻科布尔镇，南、西南和东南三面与卓资县巴音锡勒镇接壤。苏木人民政府驻地乌兰哈页村，地处科布尔镇西南30公里处。村名系蒙古语【 Ûlaan Hayaa】之汉语音译，意为"红山脚下"。因该村坐落在乌兰哈页山脚处，故名。2001年，七苏木乡整建制并入乌兰哈页苏木。2006年，金盆乡整建制和得胜乡的羊山沟村、大滩乡的点红岱村并入乌兰哈页苏木。行政区域调整后，乌兰哈页苏木总面积660.8平方公里，总人口2.84万人，辖乌兰、那日、黄花、察汉、八日5个嘎查委员会；阳湾、苏力图、七苏木、千二营、白银、宿尼、转经召、羊场沟、金盆、大珠莫太、二架子、羊山沟、点红岱13个村民委员会和1个种马场。

原乌兰哈页苏木位于新设乌兰哈页苏木辖域中西部，苏木人民政府驻乌兰哈页村。1954年，设置乌兰哈页乡，乡名依乡人民政府驻地村名命名。1958年，改建为乌兰哈页人民公社。1984年，改社为苏木。2001、2006年，先后并入七苏木乡、金盆乡和得胜乡的羊山沟村、大滩乡的点红岱村，成立新的乌兰哈页苏木。

**七苏木**  人民公社、乡、村民委员会、自然村专名。原七苏木乡位于新设乌兰哈页苏木辖域北部，乡人民政府驻地七苏木村，地处科布尔镇西南15公里处。村名是相当于乡镇级的清代行政建制名称，汉语称"佐"。是当时镶蓝旗第七苏木驻地，故名。该乡原属乌兰哈页人民公社管辖，1962年单设七苏木人民公社。1984年，改社为乡。2001年，整建制并入新设乌兰哈页苏木。

**金盆**  人民公社、乡、村民委员会、自然村专名。原金盆乡位于新设乌兰哈页苏木辖域南部，乡人民政府驻地金盆村，地处科布尔镇西南45公里处。1958年，在此成立火箭人民公社；次年更名为金盆人民公社。1984年，改社为乡。2006年，整建制并入新设乌兰哈页苏木。

金盆村名原本是"经棚"，与现用名"金盆"音同字不同。清康熙年间，清政府设置察哈尔八旗，察哈尔部西迁到张家口、大同以北地区驻牧。其中，镶蓝旗十二苏木的兵丁从东北地区迁徙到今察右中旗原金盆乡一带驻牧。金盆村西北10公里处的【  Bûrgaastai】（包日嘎师太，也称转山子）和东南方向10公里处的【  Xarhad】夏日哈达村一带驻牧。当时在【Xarhad】村兴建了一座召庙，取名【Hurt sum】胡若顶苏木，同时在召庙旁边修建起一座六棱木塔，塔内装有利用水流动力可以转动的经轮，所以人们也称夏日哈达村或胡若顶苏木为"转经召"。当时十二苏木的牛录章京（佐领）常住【Bûrgaastai】（包日嘎斯太）村。该苏木每年一次的祭祀盛会都要在夏日哈达村转经召庙举行。届时，将诵经拜佛、上香祭祀，举行盛大的佛事活动。牛录章京前往转经召主持祭祀盛会，兵丁们要背着沉重的经卷，从巴日嘎斯太到转经召，祭祀活动结束后还得把经卷背回来。往返40公里的路程，兵丁们很是辛苦。清乾隆年间，为了减轻兵丁们背负沉重的经卷赶路之劳累，在巴日嘎斯太到转经召的路程中段，即今金盆乡人民政府所在地建立了一个驿站，专门用来存放经卷。从此，人们称这个地方为"经棚"。1943年，陶林县在这个地方设置警察署时，机关门牌上书写的还是"陶林县经棚警察署"。

自设置驿站后，经棚的人口逐渐增多，清光绪年间（1890年前后）形成了村落。呼和浩特—大同的公路建成通车并经过经棚，使经棚的社会经济很快发展了起来。因经棚四面环山，地形似盆，又因这个地方有沙金矿，人们在文字表述时有意识地将"经棚"改写成"金盆"。很长一段时间"经棚"与"金盆"同时混合使用，直到中华人民共和国建立初期，才以"金盆"取代了"经棚"。

**大滩**  人民公社、乡、村民委员会、自然村专名。大滩乡位于察右中旗境西南边缘，西、北两面邻四子王旗忽鸡图乡和本旗广益隆镇，东连黄羊城镇和乌兰哈页苏木，西南与卓资县红召乡接壤。乡人民政府驻地大滩村，地处科布尔镇西43公里处。村名依地形地貌命名。约1600年形成村落，因四面群山环抱，中间有一片沙滩，故名。2001年，蒙古寺乡整建制并入大滩乡。2006年，头号乡的头号、石烂哈达、小坝子、白道梁、韩庆沟、财务营、兴隆泉、土城子、庙村、巴圪那、口圪庆 11 个村民委员会并入大滩乡。合并后的大滩乡总面积 654 平方公里，总人口 2 万余人，辖大营子、大西坡、花圪台、大滩、东湾子、蒙古寺、八号、二合义、十号、铁圪旦、石槽子、丰产房子、头号、石烂哈达、小坝子、白道梁、韩庆沟、财务营、兴隆泉、土城子、庙村、八圪那、口圪庆 23 个村民委员会。

原大滩乡位于新设大滩乡辖域中部，乡人民政府驻大滩村。该村为武东县政府驻地。1958 年，撤销武东县后划归察右中旗成立大滩乡；次年，改设为大滩人民公社。1984 年，改社为乡。2001、2006 年，先后并入蒙古寺乡和头号乡的 11 个村民委员会成立新的大滩乡。

**蒙古寺**　人民公社、乡、村民委员会专名。原蒙古寺乡位于新设大滩乡辖域西部，乡人民政府驻地蒙古寺村，地处科布尔镇西 57 公里处。村名系蒙古语【 Munggun Ûs】之汉语音译，意为银水。关于"蒙古寺"村名还有一种解释："蒙古寺"系蒙古语【 Mungkur Ûs】之汉语音译，意为永恒的水。约 1780 年，蒙古族牧民居此时命名。该乡辖域，1958—1962 年属大滩人民公社管辖。1962 年，单设蒙古寺人民公社。1984 年，改社为乡。2001 年，整建制并入大滩乡。

**宏盘**　人民公社、乡、村民委员会、自然村专名。宏盘乡位于察右中旗境东部边缘，北靠乌素图真，东邻察右后旗乌兰哈达苏木、席勒乡，南连科布尔镇，西接黄羊城镇，西北与铁沙盖镇接壤。乡人民政府驻地宏盘村，地处科布尔镇东北 20 公里处。民国初年，村南小圆山上有一处因羊群站盘形成不毛之地，从远处看去像个红色大营盘，故名红盘，后改写成"宏盘"。2006 年，原三道沟乡整建制和元山子乡的海流图村民委员会并入宏盘乡。合并后的宏盘乡总面积 509 平方公里，总人口 2.18 万人，辖宏盘、胜利、旱海子、哈达忽洞、二道岔、八道沟、阿麻忽洞、枳机（炭炭）渠、海流图、民乐、头道沟、永茂泉、四义和、厂汉营、合义、三道沟、二道沟、四兴庄、贲红、大庙 20 个村民委员会。

原宏盘乡位于新设宏盘乡辖域东北部，乡人民政府驻宏盘村。该乡辖域，1958 年属三道沟人民公社管辖。1962 年，单设宏盘人民公社，社名从人民公社驻地村名。1984 年，改社为乡。2006 年，整建制并入新设宏盘乡。

**三道沟**　人民公社、乡、村民委员会专名。原三道沟乡位于新设宏盘乡辖域西部，乡人民政府驻地三道沟村，地处科布尔镇正北偏东 14 公里处。约 1782 年前后形成村落，因地处二道沟东，以山沟排列顺序取名。1958 年，成立三道沟人民公社，社名从人民公社驻地村名。1984 年，改社为乡。2006 年，撤销后整建制并入新设宏盘乡。

**巴音**　人民公社、乡、村民委员会专名。巴音乡位于察右中旗境腹地偏东北，北靠库伦苏木，东邻乌素图镇，南、西两面与铁沙盖镇接壤。乡人民政府驻地西水泉村，地处科布尔镇东北 50 公里处。约 1935 年形成村落，原名巴音保勒格，因村西有泉水而名。1956 年设置巴音保勒格乡，乡名依村西自然泉命名。1958 年，改建巴音人民公社。"巴音保勒格"系蒙古语【 Bayinbûlag】之汉语音译，富泉之意。1984 年，改社为乡，下辖西水泉、西不浪、蒙独脑包、八棋牛、中不浪、小海子、大北公司 7 个村民委员会。

## （四）察右后旗各苏木、乡、镇名称考略

**白音察干**　人民公社、乡、镇专名。白音察干镇位于察右后旗境东部偏南边缘，北靠乌兰哈达苏木，东邻商都县七台镇，南连贲红镇，西与锡勒乡接壤。镇人民政府驻白音察干镇白音路西侧，地理坐标约北纬 41°27′，东经 113°27′。镇名系蒙古语【 ᠪᠠᠶᠢᠨᠴᠠᠭᠠᠨ Bayinqagaan】之汉语音译，白音即富饶，察干意为白色。1953 年，兴建集二铁路（集宁—二连）时在此建站，命站名白音察干。此名称源于这里的两座山，一座山名曰【Bayin tôlgai】（白音陶勒盖），系蒙古语，富饶的山头之意，另一座山名曰【Cagaan Ôbôô】（察干敖包），也是蒙古语，白色山包之意。站名取两座山名中的白音和察干二词组成白音察干火车站名，白音察干镇名从火车站名。2001、2006 年，白音察干乡整建制和哈彦忽洞苏木、贲红镇、石窑沟乡的牧业、大井子、西泉子、建设、芦家村、大九号、建和、红胜、红丰、大丹岱、霞江河共 11 个村民委员会先后并入白音察干镇。合并后的白音察干镇总面积 587.8 平方公里，总人口 5.35 万人，辖白音淖尔、那仁格日勒、哈彦忽洞、阿麻忽洞 4 个嘎查委员会；红水房、白山子、古六洲、土城、高家地、丹岱、三义村、枳芨（芨芨）卜、芦家村、大九号、建和、红胜、红丰、大丹岱、霞江河、建设、西泉、大井、绿洲 19 个村民委员会和 9 个居民委员会。

原白音察干镇是察右后旗政府驻地，位于察右后旗境腹地偏东南，原白音察干乡辖境包围之中，政区总面积 7.5 平方公里。1971 年元月，察右后旗革命委员会从土牧尔台镇迁到白音察干人民公社。同年，从白音察干人民公社分设白音察干镇人民公社。1984 年，改镇人民公社为镇。2006 年，设置新的白音察干镇。

原白音察干乡位于察右后旗境腹地靠东南部，乡人民政府驻地芨芨卜子村，地处白音察干镇西 1 公里处，因该村周围多长芨芨草而得名。白音察干乡辖境北部原属察哈尔正黄旗，1954 年 3 月划入察右后旗第四区；南部原属集宁县，1957 年 11 月划归察右后旗。1958 年 3 月设置白音察干乡；同年 10 月，改设为白音察干人民公社。1984 年，改社为乡。2001 年，整建制并入新设白音察干镇。

**石窑沟**　人民公社、乡专名。原石窑沟乡位于白音察干镇辖域西南部和锡勒乡辖域东部，乡人民政府驻地石窑沟村，地处白音察干镇西南 28 公里处。约 1917 年，冯、王两户农民来此开地建村，命村名"王德沟"，后发现村西山脚下有一个自然石窑，改村名为石窑沟。该乡辖域原属集宁县管辖，1954 年 3 月划入察右后旗锡勒区。1958 年 3 月，设置石层坝、苏计不浪二乡。1962 年，单设石窑沟人民公社，社名依人民公社驻地村名命名。1984 年，改社为乡。2006 年，撤销后原管辖区域分别划归新设锡勒乡和白音察干镇。

**哈彦忽洞**　人民公社、苏木、嘎查委员会专名。原哈彦忽洞苏木位于新设白音察干镇

辖域东部，苏木人民政府驻地哈彦忽洞村，地处白音察干镇正东偏南 10 公里处。村名系蒙古语【ᠬᠣᠶᠢᠷ ᠬᠤᠳᠤᠭ Hôyir Hûdag】之汉语音译，意为两口井。该苏木原属察哈尔右翼正黄旗，1954 年 3 月划入察右后旗乌兰哈达区，1958 年 3 月成立哈彦忽洞乡，同年 10 月划归白音察干人民公社管辖。1962 年，单设哈彦忽洞人民公社。社、乡名称从驻地村名。1984 年，改社为苏木。2006 年，撤销后原辖政区分别划归新设白音察干镇和乌兰哈达苏木。

**土牧尔台** 人民公社、苏木、镇专名。土牧尔台镇位于察右后旗境北部边缘，北邻锡林郭勒盟苏尼特右旗朱日和镇，东连商都县西井子镇，南接红格尔图镇、乌兰哈达苏木，西和西北与察右中旗库伦苏木、四子王旗白音朝格图镇接壤。镇人民政府驻土牧尔台镇繁荣街中部路南，地处白音察干镇正北 48 公里处。关于"土牧尔台"之称及其来历、含义有以下几种解释：一是蒙古语【ᠲᠦᠮᠦᠷ Tumr】加汉语"台"。【Tumer】即铁，"台"指军台。因此地距张家口至大库伦（今蒙古国乌兰巴托）的阿尔泰军台第九台——沁岱（今柴四房子村）仅 5 公里，且是口外十八台站来往车辆间歇的好地方，故名"九台滩"，后更改为【ᠲᠦᠮᠦᠷᠲᠠᠢ Tumertai】；二是依人名命名；三是此地曾有一位铁匠，蒙古语称铁匠为土牧尔沁【ᠲᠦᠮᠦᠷᠴᠢᠨ Tumrqin】，且因地处"军台"，遂得名【Tumertai】。 2001、2006 年，原土牧尔台乡、八号地乡整建制和原阿贵图乡的长胜湾村民委员会并入土牧尔台镇。合并后的土牧尔台镇辖境总面积 560 平方公里，总人口 3.84 万人，辖东方红、大青沟、新建、段些、大南坊、白小、双胜、于家洼、东团结、东西滩、八号地、西团结、五宝山、西山湾、金坝地、东宝山、西城子、大西村、三井泉、东些营、长胜湾 21 个村民委员会和 5 个居民委员会。

原土牧尔台镇（乡）位于新设土牧尔台镇辖域东南部，镇人民政府设在繁荣街中部路南。土牧尔台一名原指现在的新建村，位于今土牧尔台镇西北 7.5 公里处，俗称老土牧尔台，仅有 13 户人家。1953 年修筑集—二铁路线并在黄家村建站。因车站西北 7.5 公里处的老土牧尔台在这一带颇有名气，故站名从土牧尔台村名。此后，车站周围很快形成集镇。土牧尔台镇原属陶林县。1954 年，察右后旗建制，次年，旗人民委员会机关由集宁迁至黄家村，同时改黄家村为土牧尔台，改老土牧尔台为新建村。1954 年以来，曾在这里设置土牧尔台区、新建乡、土牧尔台镇、五星人民公社、土牧尔台乡、土牧尔台镇人民公社等建制。2006 年，经过撤乡并镇整建制并入新设置的土牧尔台镇。

**八号地** 人民公社、乡、村民委员会、自然村专名。原八号地乡位于新设土牧尔台镇辖域中北部，乡人民政府驻地呆坝营村，地处白音察干镇正北偏西 69 公里处。村名"呆坝营"原本是"尼尔巴营"，因村内曾居住过一位喇嘛庙管家而名。"尼尔巴"是藏语【Nirab】之汉语音译，管家喇嘛之意。当地老乡称该村为"南坝营子"。然而，在行政文件材料中都写作"呆坝营"。据查访当地人，"南坝营"原写作"枭坝营"，后误写成"呆坝营"，久而久之成了该村专名。中华人民共和国成立前，这一地区属武东县管辖，1949 年后划归四子王旗第一区、第四区，1957 年划归察右后旗并设置第四区，1958 年划归土牧尔台人民公社。1962 年，单设八号地人民公社，社名依人民公社驻地村名命名。1976 年，人民公社驻地迁到呆坝营村。1984 年，改社为乡。2001 年，与三井泉乡合并。2006 年，整建制并入新设土牧尔台镇。

**三井泉** 人民公社、乡、村民委员会、自然村专名。原三井泉乡位于新设土牧尔台镇辖域西南部，乡人民政府驻地小西村，地处白音察干镇西北 77 公里处。1934 年建村时只有 3 户人家，且距大西村很近，故名小西村。该乡辖域，1949 年属四子王旗第四区管辖，1958 年 6 月划归察右后旗土牧尔台人民公社。1962 年，单设三井泉人民公社，社名依人民公社驻地村名命名。1965 年，人民公社迁至小西村。1984 年，改社为乡。2001 年，整建制并入八号地乡。

**红格尔图** 人民公社、乡、村民委员会专名。红格尔图镇位于察右后旗境东部靠北边缘，北靠土牧尔台镇，东邻商都县大拉子乡，南连乌兰哈达苏木，西与当郎忽洞苏木接壤。镇人民政府驻地南二海村，地处白音察干镇正北偏西 28 公里处。2001 年，原红格尔图乡撤乡设镇。2006 年原阿贵图乡的王丙、向阳、生产、喇嘛圐圙 4 个村民委员会并入红格尔图镇。合并后的红格尔图镇辖境总面积 216 平方公里，总人口 2.17 万人，辖爱国、大小井、新民、光明、联合、红格尔图、光荣村、王丙、向阳、生产、喇嘛圐圙11 个村民委员会。

原红格尔图乡位于新设红格尔图镇南部，乡人民政府驻地张俊沟村，地处白音察干镇正北偏西 26.5 公里处。1916 年前后，放地商人在此建村时依地形特征取名红格尔图。"红格尔图"系蒙古语【ᠬᠣᠩᠬᠣᠷᠲᠤ Hôngkôrt】之汉语音译，意为小盆地。该地区处于原绥远省和察哈尔省交界之处，分别为商都县、陶林县和正黄旗所辖地。红格尔图曾经是震惊中外的"红格尔图战役"（1936 年 11 月）的主战场，也曾是中国共产党陶集县委（1945 年成立）所在地。1954 年 3 月，划归察右后旗，建立红格尔图区。1956 年末，撤销红格尔图区，成立爱国乡。1962 年 5 月，单设红格尔图人民公社，社名依人民公社驻地村名命名。1976 年，人民公社驻地迁至张俊沟村。1984 年，改社为乡。2001 年，撤乡设镇。

**阿贵图** 人民公社、乡专名。原阿贵图乡位于察右后旗境东北偏北边缘，北靠原土牧尔台镇，东连商都县西井子镇，南连原红格尔图乡、当郎忽洞苏木，西与原吉棍特拉乡接壤。乡人民政府驻地王丙村，地处白音察干镇正北 39 公里处。1923 年，一位王姓饼匠来此定居营销面饼，故名王饼村，后改写成王丙村。阿贵图乡原属陶林县管辖，1954 年划入察右后旗红格尔图区，1958 年 3 月设置阿贵图乡，同年 10 月改属土牧尔台人民公社。1962 年 5 月，单设阿贵图人民公社。社名系蒙古语【Agûit】之汉语音译，有山洞之意，依附近山洞命名。1984 年，改社为乡。2006 年，撤销后原辖行政区域分别划归新设土牧尔台、红格尔图二镇。

**贲红** 人民公社、乡、镇、村民委员会、自然村专名。贲红镇位于察右后旗境东南边缘，北靠白音察干镇，东邻商都七台镇、兴和县赛乌素镇，南接集宁区，西与锡勒乡接壤。乡人民政府驻地贲红村，地处白音察干镇正南偏东 19 公里处。贲红村南山梁上有【ᠪᠥᠩᠬᠥᠨ

〖ᠪᠣᠩᠬᠤᠨ　ᠣᠪᠣᠭᠠ　Bônghûn Ôbôô】，汉字转写为"贲红敖包"，意为"圣洁敖包"。清末，内地农民迁此开地建村时，依南山"贲红敖包"命村名，从此，"贲红"村名沿用至今。2001 年，原霞江河乡的 5 个村民委员会并入贲红乡，同时撤乡设镇。2006 年，原大六号、石门口二乡整建制并入贲红镇（划入白音察干镇的 5 个村除外）。合并后的贲红镇辖境总面积618.2 平方公里，总人口 4.09 万人，辖玉印山、西大渠、黄羊城、温家村、哈毛不浪、贲红村、大六号、庙湾、东风、羊盘洼、恒义隆、北号、晨阳、大西沟、丰裕、南梁、何家地、三木匠、曹不罕、石门口、陈仕村、董家村、高玉梁、卓子山、希拉图 25 个村民委员会。

原贲红乡位于贲红镇辖域西南部，乡人民政府驻贲红村。中华人民共和国成立之初，这里是集宁县第三区政府驻地。1957 年末，划归察右后旗，曾先后属大六号区、贲红乡、黄羊城乡、高玉梁乡、高茂乡、贲红乡、贲红人民公社管辖。1984 年，改社为乡。2006年，并入新设贲红镇。

**霞江河**　人民公社、乡、自然河流专名。原霞江河乡位于贲红镇辖域西北部，乡人民政府驻地芦家村，地处白音察干镇南 7.5 公里处。约 1880 年前后，芦文兄弟二人在此开地建村，故名芦家村。该乡辖域，中华人民共和国成立后属集宁县第三区高茂乡，1957年划归察右后旗大六号区，1958 年 10 月改属贲红人民公社管辖。1962 年，单设虾江河等4 个人民公社。虾江河人民公社驻地最初设在四王柱村，1972 年迁至芦家村。虾江河一名依流经这里的虾虹河而得名，1966 年改名为霞虹河。1984 年，改社为乡。2001 年，撤销后原辖行政区域分别划归新设贲红镇和石窑沟乡。

**石门口**　人民公社、乡、村民委员会专名。原石门口乡位于贲红镇辖域东北部，乡人民政府驻地杨上山村，地处白音察干镇东南 15 公里处。约 1882 年，姓杨名上山的农民来此开地建村，故名。该乡辖域，1949 年后属集宁县第三区管辖，1957 年划归察哈尔右翼后旗大六号区，1958 年 3 月归高玉梁乡，同年 10 月改归贲红人民公社管辖。1962 年，单设石门口人民公社，社名依石门口水库名称命名。1984 年，改社为乡。2006 年，撤销后整建制并入新设贲红镇。

**大六号**　人民公社、乡、镇、村民委员会、自然村专名。原大六号镇位于贲红镇辖域东南部，镇人民政府驻地大六号村，地处白音察干镇东南 27 公里处。清康熙年间，有一庞姓农民来此开地建村，命村名"黄羊滩"。后又迁来五户人家，新开了第六号地，故将村名改为大六号。该乡辖域，1949 年前属集宁县管辖，1957 年划归察右后旗并建立大六号区，1958 年初改设为大六号乡。同年末，单设大六号人民公社。1984 年，改社为乡。2001 年，撤乡设镇。2006 年，整建制并入新设贲红镇。

**当郎忽洞**　人民公社、苏木、村民委员会、自然村专名。当郎忽洞苏木位于察右后旗境西部偏北边缘，北靠土牧尔台镇，东邻红格尔图镇，南连乌兰哈达苏木，西与察右中旗乌苏图镇接壤。苏木人民政府驻地当郎忽洞村，地处白音察干镇西北 55 公里处。村名系蒙古语【ᠳᠣᠯᠣᠭᠠᠨ　ᠬᠤᠳᠳᠤᠭ　Dôlôôn Hûdag】之汉语音译，意为七眼井。1910 年前后，有贺希格、嘎日玛和苏格计宁布 3 户蒙古族牧民迁居此地，挖了 7 眼井，故名当郎呼都格。2001、2006 年，原吉棍特拉乡整建制和原韩勿拉苏木的察汗淖、后洼、宿黑蟆、格少 4 个村民委员会并入当郎忽洞苏木。合并后全苏木总面积 448 平方公里，总人口 1.88 万人，辖黄羊城、察汗不浪两个嘎查委员会和海卜子、甲力汉营、八间房、补力图、三道湾、任家村、二道湾、察汗淖、后洼、宿黑蟆、格少 11 个村民委员会。

原当郎忽洞苏木位于新设当郎忽洞苏木辖域中部，苏木人民政府驻当郎忽洞村。该苏木原属绥东中心旗。1954 年 3 月，划归察右后旗建立当郎忽洞区。1958 年 10 月，单设当郎忽洞人民公社。1984 年，改社为苏木。

**吉棍特拉**　人民公社、苏木、自然滩川专名。原吉棍特拉乡位于新设当郎忽洞苏木辖域北部，乡人民政府驻地三道湾村，地处白音察干镇西北 67 公里处。约 1920 年建村，因村庄坐落在平顶山脚下第三道山湾里，故名三道湾。该乡辖域，中华人民共和国成立后属察哈尔右翼正红旗、正黄旗和陶林县管辖；1951 年归中心旗管辖；1954 年 3 月划入察右后旗红格尔图区，1958、1962 年先后建立吉棍特拉乡和人民公社。吉棍特拉（亦称均特拉）系蒙古语【ᠵᠡᠭᠦᠨ ᠲᠠᠯ᠎ᠠ　Juun　Tal】之转音，意为东滩，因人民公社驻地东面的平滩而得名。1984 年，改社为乡。2001 年，整建制并入新设当郎忽洞苏木。

**韩勿拉**　人民公社、苏木和自然山专名。原韩勿拉苏木位于新设当郎忽洞苏木辖域南部和乌兰哈达苏木辖域西部，苏木人民政府驻地韩勿拉村，地处白音察干镇西北 33 公里处。村名系蒙古语【ᠬᠠᠨ ᠠᠭᠤᠯᠠ　Han　Ûûl】之汉语音译。引申意为最高大的山，因村东有韩勿拉山而得名。韩勿拉乡原属绥东中心旗，1954 年 3 月划入察右后旗当郎忽洞区。1958 年 3 月，建立石灰图乡；同年 10 月，划归当郎忽洞人民公社。石灰图系蒙古语【ᠱᠣᠬᠣᠢᠲᠤ　Xûgait】之汉语音译，意为林地。1962 年，单设韩勿拉人民公社。1984 年，改社为苏木。2006 年，撤销后，所辖政区分别划归新设当郎忽洞苏木和乌兰哈达苏木。

**察汗淖**　人民公社、乡、村民委员会、自然村专名。原察汗淖乡位于新设当郎忽洞苏木辖域中西部，乡人民政府驻地察汗淖村，地处白音察干镇西北 45 公里处。约 1924 年，蒙古族牧民更生在此居住，因村东水潭无水时呈现出盐碱色，故名察汗淖。村名系蒙古语【ᠴᠠᠭᠠᠨ ᠨᠠᠭᠤᠷ　Qagaan Nûûr】之汉语音译，意为白色的湖。察汗淖乡原属绥东中心旗，1954 年 3 月划入察右后旗当郎忽洞区。1958 年，成立察汗淖乡。1962 年，单设察汗淖人民公社。1984 年，改社为乡。2001 年，整建制并入韩勿拉苏木。

**乌兰哈达**　人民公社、苏木专名。乌兰哈达苏木位于察右后旗境中部，北靠当郎忽洞苏木和红格尔图镇，东邻商都县大拉子乡，南连白音察干镇和锡勒乡，西与察右中旗原乌苏图镇接壤。辖境地质结构复杂，地表大面积多被火山熔岩所覆盖，岩石裸露，地形属低山丘陵区。苏木人民政府驻地后明村，地处白音察干镇北 20 公里处。"后明"即"后明地"。"明地"是内蒙古中部地区方言，指农业区或汉族聚集的地方。因该村汉族居多而得名。该苏木辖域原属察哈尔正黄旗，1954 年 3 月划归察右后旗建立乌兰哈达区。因此地有一火山，火山口周围的岩石多为黑红色，故得名乌兰哈达。乌兰哈达系蒙古语【ᠤᠯᠠᠭᠠᠨ ᠬᠠᠳᠠ Ûlaan Had】之汉语音译，意为红色岩石。1958 年初，设置乌兰哈达乡，年末成立乌兰哈达人民公社。1984 年，改社为苏木。2002 年，并入原哈彦忽洞苏木的顶木其沟嘎查委员会和韩勿拉苏木的巴音高勒、亢家、后房、石灰图 4 个嘎查、村民委员会。合并后的乌兰哈达苏木辖境总面积 653 平方公里，总人口 1.28 万人，辖巴音高勒、阿达日嘎、哈必力格、顶木其沟、乌兰格日勒 5 个嘎查委员会和前进、奎树、陈家村、亢家村、后房、石灰图 6 个村民委员会。

**锡勒**　人民公社、乡专名。锡勒乡位于察右后旗境西南边缘，北靠乌兰哈达苏木，东邻白音察干、贲红二镇，南连察右前旗玫瑰营镇和卓资县巴音锡勒镇，西与察右中旗宏盘乡接壤。乡人民政府驻地袁家房村，地处白音察干镇西南 40 公里处。约 1935 年，袁姓农民在此居住，故名袁家房。乡名"锡勒"系蒙古语【ᠰᠢᠯᠢ Xil】之汉语音译，山梁之意。因该乡地处大青山山脉辉腾锡勒（辉腾梁）东部而得名。2001 年，原胜利、锡勒二乡合并，设置锡勒苏木，苏木人民政府设在袁家房村。2006 年，锡勒苏木整建制和韩勿拉苏木的哈拉沟嘎查委员会，石窑沟乡的红格尔图、苏计不浪、石窑沟、赵家房、石层坝 5 个嘎查、村民委员会合并，设立锡勒乡。新设立的锡勒乡总面积为 827 平方公里，总人口 1.86 万人，辖红旗庙、红格尔图、巴音、哈拉沟 4 个嘎查委员会和西泉子、白音不浪、前兵图、胜利房、忽来报、大房子、五忽浪、苏计不浪、石窑沟、赵家房、石层坝 11 个村民委员会。

原锡勒苏木位于新设锡勒乡辖域西北部，辖境多山富水，山水纵横，沟泉交错，属高山丘陵区，平均海拔 1850 米。乡人民政府驻袁家房村。锡勒乡原属察哈尔正黄旗，1950 年划归绥东中心旗，1954 年划入察右后旗三区。1956 年，建立锡勒区。1958 年，撤区改乡；同年 10 月，设置锡勒人民公社。1984 年，改社为乡。2001 年，与原胜利乡合并为新的锡勒苏木。

**胜利**　人民公社、乡专名。原胜利乡位于新设锡勒乡辖域南部。辖境处于辉腾梁高寒地带，沟壑交错，山峦重叠，属高山丘陵区，平均海拔 1900 米。乡人民政府驻地董义坊村，地处白音察干镇西南 60 公里处。1949 年前，一名叫董义的人在此放地（出租、买卖土地），村从人名。1952 年，经过土改农民分得土地，便命村名为"胜利坊子"，乡名由此而来。胜利乡原属集宁县和绥东中心旗，1954 年划入察右后旗锡勒区，1958 年 10 月，划属锡勒人民公社管辖。1962 年，单设董义坊人民公社。1984 年，社改乡时更名为胜利乡。2001 年，与原锡勒乡合并成立锡勒苏木。

## （五）化德县各乡、镇名称考略

**长顺**　镇之专名。长顺镇位于化德县境西部靠北边缘，北靠公腊胡洞、德包图二乡和锡林郭勒盟镶黄旗新宝拉格苏木，东邻白音特拉乡和河北省张北县原李家地乡，南连朝阳镇，西与商都县玻璃忽镜乡接壤。镇人民政府驻长顺镇长青大街，地处乌兰察布市政府驻地集宁区东北约 140 公里处，地理坐标约北纬 41°54′00.78″，东经 114°00′12.09″。长顺镇原名"嘉卜寺"【ᠵᠠᠪᠰᠠᠷ Jabsar】，意为"峡谷"，也称"准察巴庙"【ᠵᠡᠭᠦᠨ ᠴᠠᠪᠢ ᠶᠢᠨ ᠰᠦᠮᠡ Juun qabiin Sum】，"东峡谷庙"之意，均是蒙古语地名之汉语音译。此地还曾名化德、德化、新明、城关区、一区、嘉卜寺区、化德镇、卫星人民公社、城关人民公社、城关镇等等。元至元年间（1264—1294 年），上都（今正蓝旗境内）至和林（今蒙古国境内）的驿路在此设立驿站，从此，长顺镇形成村落。清康熙年间（1662—1722 年），也曾在此设置驿站。民国二十三年（1934 年）3 月，在这里置化德设治局，始有化德之称；民国二十五年（1936 年）元月，改称德化市；民国三十四年（1945 年）8 月恢复原名；民国三十五年（1946 年），设置新明县；1949 年，改称城关区，后又改称一区、嘉卜寺区。1957 年，改称化德镇。1958 年，设置卫星人民公社。1960 年，改称城关人民公社。1984 年，改称城关镇。2001 年，正式命名为长顺镇。2006 年，原德善、白土卜子、白音特拉、德包图 4 乡和朝阳镇的 19 个村民委员会并入长顺镇。2012 年初，划出 145 平方公里，人口 9840 人，重新设置白音特拉乡。行政区划调整后的长顺镇总面积 391 平方公里，总人口 5.37 万人，辖 8 个居民委员会和繁荣、星光、永胜、新富、二登图、德善、向阳、三道沟、德义、刀拉胡洞、德胜、和平、昔尼乌素、三胜、录义 15 个村民委员会。

**德善** 人民公社、乡、村民委员会、自然村专名。原德善乡位于长顺镇辖域西北部，乡人民政府驻地德善村，地处长顺镇正西偏北 10 公里处。该村原名古绿畔淖，原属蒙古族牧民游牧地。"古绿畔淖"系蒙古语【ᠭᠤᠷᠪᠠᠨ ᠨᠠᠭᠤᠷ Gûrban Nûur】之汉语音译，三个海子之意。1923 年，兴和县人王宝购买放地商郭振礼土地在此开地建村。1935 年，原察哈尔省主席兼国民革命军二十九军军长宋哲元在此建立移民围子。因王宝的蒙名叫柴四楞，故此地又称"柴四楞"。1951 年，取德政、和善之意更名为德善。中华人民共和国成立之初，曾在此设置德隆区、五区、德善乡、刀拉胡洞乡、火炬人民公社、巴音尔计人民公社、德善人民公社。1984 年，改社为乡。2006 年撤销后，政区划归新设长顺镇和公腊胡洞乡。

**白土卜子** 人民公社、乡、村民委员会专名。原白土卜子乡位于长顺镇辖域西南部，乡人民政府驻地牛家房子村，地处长顺镇西南 15 公里处。1920 年，牛姓农民在此开地建村，故名牛家房子。中华人民共和国成立以来，该乡辖境先后属霍家梁区、四区、光明区、白土卜子乡、东光人民公社、南林人民公社、朝阳人民公社管辖。1961 年 8 月，设置白土卜子人民公社，社名源于白土洼地。1984 年，改社为乡。2006 年，撤销后原辖行政区域分别划归新设长顺镇和朝阳镇。

**朝阳** 人民公社、乡、镇专名。朝阳镇位于化德县境西南边缘，北靠长顺镇和白音特拉乡，东南连河北省张北县原李家地乡和商都县原大黑沙土乡，南和西南与商都县原大黑沙土乡接壤。辖境地势比较平坦，西南部有低缓丘陵。镇人民政府驻地朝阳村，地处长顺镇东南7.5公里处。1937年前，蒙古族牧民在此游牧，此后汉族农民相继来此开地建村。1944年，原察哈尔省主席兼国民革命军二十九军军长宋哲元在此修盖主席府，同时命村名为朝阳镇至今。中华人民共和国成立以来，朝阳镇辖境先后设置霍家营区、二区、欣荣区、欣荣乡、民乐乡、张木勿素乡、永胜乡、新社乡、土城子乡、红旗人民公社、东光人民公社、欣荣人民公社、朝阳人民公社、朝阳乡。2000年，原土城子乡整建制和白土卜子、白音特拉二乡原辖的尔力格图、太平、大恒城、建国、永乐、二道沟、白土卜子、赛不冷8个村民委员会并入新置朝阳镇，改制后的朝阳镇总面积541.8平方公里，总人口近3.8万，辖卫东、土城子、新社、特布勿拉、民乐、南林、沙河湾、八岱脑包、十大股、利民、章毛勿素、补龙湾、欣荣、尔力格图、太平、大恒城、建国、永乐、二道沟、白土卜子、赛不冷21个村民委员会。

**土城子**　人民公社、乡、村民委员会、自然村专名。原土城子乡位于朝阳镇辖域南部，乡人民政府驻地土城子村，地处长顺镇正南偏东21公里处。1921年，该村建在蒙古汗国年间的古城遗址处，故名土城子。1958年，设立土城子乡，同年划归东光人民公社。1964年12月，单设土城子人民公社，社名依人民公社驻地村名命名，1984年，改社为乡。2001年，整建制并入新设朝阳镇。

**白音特拉**　人民公社、乡、村民委员会专名。2012年初，从长顺镇划出145平方公里、人口9840人，七号镇划出141平方公里、人口8447人，德包图乡划出131平方公里、人口8965人，设立白音特拉乡。白音特拉乡面积417平方公里，人口2.73万人，乡人民政府驻地白音特拉。辖小西沟、新民、色庆沟、十顷地、大西沟、白头山、八十顷、丰满、二台、通顺、南顺、毡房沟子、民建、永红、白音特拉、农场、民生、卜拉乌素、兴无19个村民委员会。

原白音特拉乡位于化德县境东南边缘，北和东两面靠原德包图、六十顷二乡，东南邻河北省康保县原芦家营乡，南和西两面与原城关镇、朝阳镇接壤。辖境地形西南、东北低，西南部居朝阳盆地边缘，属浅山丘陵区，平均海拔1441米。乡人民政府驻地农场村，地处长顺镇正东偏北20公里处。1959年，在此建朝阳农场，故名农场。1949年，属霍家营区。1955年，属欣荣区。1957年2月，单设巴音塔拉乡。1958年9月，划归红旗人民公社（后改为朝阳人民公社）。1964年12月，成立巴音塔拉人民公社。1984年，改社为乡。2006年，撤销后原辖行政区域分别划归朝阳镇、德包图乡和公腊胡洞乡。

**七号**　人民公社、乡、镇、村民委员会、自然村专名。七号镇位于化德县境东部边缘，西、北、东三面与德包图乡和锡林郭勒盟镶黄旗、正白旗、太仆寺旗接壤，南邻河北省康保县原照阳河乡。辖境地形西北高、中部低、南部略显高，属浅山丘陵区。镇人民政府驻地七号村，地处长顺镇东北60公里处。中华人民共和国成立前，此地属蒙民租营地，"七号"一名是以自然序数命名的区域名称。2000年，原七号乡改为七号镇。2001、2006年，原达盖滩、六十顷二乡的黑沙图、毕力克、达盖滩、德胜、小西沟、新民、色庆沟、十顷地、大西沟、白头10个村民委员会先后并入七号镇。2012年初，划出141平方公里、人口8447人，设立白音特拉乡。调整后，七号镇总面积423平方公里，总人口2.05万人，辖苏计、林场、小公乌素、崩红、安业、七号、九号、达拉盖、白音不拉、团结、黑沙图、达盖滩、德胜、毕力克14个村民委员会。

原七号乡位于七号镇辖域东部，乡人民政府驻七号村。该乡辖域 1950 年 10 月从河北省划归化德县三区管辖。1955 年以来，先后属民盛区、七号乡、东风人民公社、七号人民公社管辖。1984 年，改社建乡。2000 年，撤乡设镇。

**达盖滩**　人民公社、乡、村民委员会、自然村专名。原达盖滩乡位于七号镇辖域中部，乡人民政府驻地达盖滩村，地处长顺镇东北45公里处。村名系蒙古语【ᠲᠠᠭᠢᠶᠠᠨ ᠲᠠᠯ Daagiin Tal】之汉语音译，意为二岁马驹滩。原达盖滩乡辖境，1949年属东家滩区管辖，1956年设立达盖滩乡。1958年，分属火箭人民公社和东风人民公社。1964年12月，组建达盖滩人民公社。1984年，改社为乡。2001年，撤销后原辖行政区域分别划归新设七号镇和六十顷乡。

**六十顷**　人民公社、乡专名。原六十顷乡位于七号镇辖域西部和巴音塔拉乡辖域东部，乡人民政府驻地六十顷村，地处长顺镇东北32公里处。此地原为蒙古族羊奶公司。1942年，王珍、张有等人来此开地60顷，并立村，故名六十顷。原六十顷乡辖境1950年10月以来先后属六区、团结区、六十顷乡、火箭人民公社、六支箭人民公社、六十顷人民公社管辖。1984年，改社为乡。2001年，划入原达盖滩乡的小西沟、解放、新民3个村民委员会。2006年，撤销后原辖行政区域分别划归新设七号镇和德包图乡。

**德包图**　人民公社、乡、村民委员会、自然村专名。德包图乡位于化德县境北部边缘，西北、正北、东北面与锡林郭勒盟镶黄旗洪格尔乌拉苏木接壤，东邻七号镇，南连长顺镇和河北省康保县原满德堂乡。辖境地形由南向北逐渐隆起，属浅山丘陵区。乡人民政府驻地德包图村，地处长顺镇东北 20 公里处。村名"德包图"系蒙古语【ᠳᠡᠪᠡᠭᠲᠦ Debeet】之汉语音译。1924 年，蒙古族牧民在此居住营牧。此处有一慢平坡，形似扣着一个大簸箕，故取名【Debee】。中华人民共和国成立以来，德包图乡辖境先后属本县崔家营子区、六区、团结区、德包图乡、红旗人民公社、欣荣人民公社、朝阳人民公社、德包图人民公社管辖。1984 年，改社为乡。当时的德包图乡位于新设德包图乡辖域西部，乡人民政府驻德包图村。2006 年，原六支箭乡整建制和六十顷、白音特拉二乡原辖丰满、二台、通顺、八十顷、南顺、毡毛沟 6 个村民委员会并入德包图乡。2012 年初，又从德包图乡划出 131 平方公里、人口 8965 人，设立白音特拉乡。调整后，德包图乡总面积 367 平方公里，总人口 1.78 万人，辖多罗庆、德包图、长春、庆乐、崩巴图、建林、十顷地、勿兰胡洞、黄花、黑沙图、六支箭 11 个村民委员会。

**六支箭**　人民公社、乡、村民委员会、自然村专名。原六支箭乡位于新设德包图乡辖域东部，乡人民政府驻地六支箭村，地处长顺镇东北43公里处。此地原属察哈尔镶黄旗第六苏木（佐）。蒙古语村名原本是【ᠵᠢᠷᠭᠤᠭᠠᠳᠤᠭᠠᠷ Jûrgaadûgaar Sûm】，即第六苏木。在蒙古语中【Sûm】还指"箭"，因而，1901年汉族人来此定居建村后将村名误译为第六支箭，简称六支箭。该地区原属察哈尔盟行政处四区。1949年以来，先后属归化德县六区、团结区、六支箭乡、建林乡、黑沙图乡、十顷地乡、乌兰胡洞乡、跃光人民公社、六支箭人民公社管辖。1984 年，改社为乡。2006 年，撤销后整建制并入新设德包图乡。

**公腊胡洞**　人民公社、乡、村民委员会专名。公腊胡洞乡位于化德县境西北边缘，东和北两面靠锡林郭勒盟镶黄旗新宝拉格苏木，南邻长顺镇，西南与商都县原卯都乡接壤。辖境地形北部多山、南部较平坦，属浅山丘陵区。乡人民政府原驻公腊胡洞村，1999 年迁至牧场村。牧场村地处长顺镇西北约 22 公里处，因 1960 年在此建立牧场而得名。1949年 10 月以后，该乡辖境先后归德隆区、五区、睦邻、公腊胡洞、巴音尔计乡、二道河乡、同乐乡、火箭人民公社、巴音尔计人民公社、公腊胡洞人民公社管辖。1984 年，改社为乡。社、乡名称依政府驻地村名命名。"公腊胡洞"系蒙古语【ᠭᠦᠨ ᠬᠤᠳᠳᠤᠭ　Gun Hûdag】之汉语音译，深井之意。2001、2006 年，原二道河乡整建制和原德善乡的农建、莫龙图、和胜、前进 4 个村民委员会先后并入公腊胡洞乡。合并后的公腊胡洞乡总面积 386.8 平方公里，总人口近 1.8 万，辖兴牧、三道沟、二道河、联合、民主、公腊胡洞、挺进、白音尔计、丰旺、农建、莫龙图、和胜、前进 13 个村民委员会。

**二道河**　人民公社、乡、村民委员会、自然村专名。原二道河乡位于新设公腊胡洞乡辖域西北部，乡人民政府驻地二道河村，地处长顺镇西北 30 公里处。1942 年，兴和县二道河村部分农民迁此开荒建村，命名村名二道河房子，后简称二道河。原二道河乡辖境，1949 年以来先后属德隆区、二道河乡、火箭人民公社、公腊胡洞人民公社、二道河人民公社管辖。1984 年，改社为乡。2001 年，整建制并入新设公腊胡洞乡。

## （六）兴和县各乡、镇名称考略

**城关**　人民公社、城关镇专名。兴和县城关镇位于县境东部靠南边缘，北靠民族团结乡，东与河北省尚义县南壕堑镇相邻，南连张皋、店子二镇，西接鄂尔栋镇。镇人民政府设在通政街，地理坐标约北纬 113°53′02.23″，东经 40°52′26.76″。2006 年，壕堑镇和原二台子镇的东十号、西官、八十三号、南官、曹四窑、二十三号、二台子、四美号 8 个村民委员会并入城关镇。2012 年初，从城关镇划出 151 平方公里、7395 人，设立大同窑乡。行政区划调整后城关镇面积为 430 平方公里，总人口 7.79 万人，辖 9 个居民委员会和蔬菜、东梁、福瑞、马桥、东十号、西官、八十三号、曹四窑、南官、二十三号、二台子、四美号、旋窑洼、壕堑、北官、十号、阳坡、大哈拉沟、杏花沟 19 个村民委员会。

原城关镇位于原壕堑乡辖境包围之中，大青山西南 10 公里前河、后河合流处，系兴和县政府驻地。清朝中期形成村落，名为"丰盛堡"。丰盛堡由 3 个小村落组成，一曰小二道河村，在前后河交汇处；一曰永遥庄，泛指今福瑞街、兴隆街大部；一曰丰盛庄，即今马桥街庙坡一带。清光绪十二年(1886 年)，丰镇厅在今兴和县城关镇设立二道河巡检司，丰盛堡更名为"二道河"。光绪二十九年（1903 年），清政府在此设兴和厅。民国元年（1912 年），改厅为县。民国三十四年(1945 年)，二道河改名为城关镇。1953 年，设置城关区。1957 年，恢复城关镇。1958 年，改设城关镇人民公社。1984 年,改为城关镇。

**壕堑** 人民公社、乡、镇、村民委员会、自然村专名。原壕堑乡位于新设城关镇辖域北部，兴和县城关镇外围，乡人民政府驻地小八甲窑村，地处城关镇东北 1 公里处。乾隆四十七年（1782 年）左右，放地商人把土地按头甲、二甲、三甲等顺序排列，该村建于第八甲土地处，且村民多住窑洞故名八甲窑。后来在该村东南又形成一个村落，也叫八甲窑，所以在村名前冠以大、小以示区别。该乡辖境，民国时期先后属该县第一区、二道河镇、壕堑乡。1949 年后，属城关镇人民公社、壕欠人民公社管辖。壕欠村在小八甲窑村西南 3 公里处。按照《兴和县地名志》解释：因村中有一壕沟，故名壕堑渠子，后演变为壕堑。此解释恐怕有误。"壕堑"应该是蒙古语【ᠬᠠᠭᠤᠴᠢᠨ Hûû Qin】之汉语音译，意为旧址或原址。1984 年，壕欠人民公社改乡。2001 年 8 月，与高庙子乡合并成立壕堑镇，镇人民政府驻兴和县城关镇。2006 年，整建制并入城关镇。

**高庙子** 人民公社、乡和庙宇专名。原高庙子乡位于新设城关镇辖域南部，乡人民政府驻地高庙子村，地处城关镇南 13.75 公里处。该村原名"丰川营"，清乾隆四十三年(1778 年)改称丰川守备营。后因在村旁高埠处修建奶奶庙、龙王庙、老爷庙等 4 座庙，高庙子渐渐成为该村专名。清雍正十二年（1734 年），清政府在此设丰川卫。民国十一年(1922 年)初，设置高庙子区（三区）。1958 年 4 月，设置高庙子乡。1962 年，改为高庙子人民公社。1984 年，改社为乡。2001 年 8 月，与壕堑乡合并后新设壕堑镇。

**张皋** 人民公社、乡、镇、村民委员会、自然村专名。张皋镇位于兴和县境西南边缘，北连鄂尔栋镇，东靠店子镇，南与丰镇市浑源窑乡毗邻，西与察右前旗乌拉哈乡交界。镇人民政府驻地张皋村，地处城关镇西南 25 公里处。张皋镇是兴和县古老的集镇之一，明嘉靖年间(1522—1566 年)建村，距今已有至少 450 年的历史。张皋北街有个窑头店，人们在这里拓辟街道时挖出一通石碑，碑上刻有"张皋"两个大字，大约是一个古人的名字。从此人们把这个地方叫作张皋。明朝时期，张皋集镇规模初具雏形。清乾隆四十年(1775 年)，清政府正式命名为张皋镇。1949 年 10 月，张皋镇归丰镇县管辖。1950 年元月，划归兴和县，1953 年，建镇。1958 年，改设张皋人民公社；1959 年，更名火箭人民公社；1961 年，恢复原名。1984 年，撤社建镇。2006 年，原大同窑乡整建制并入张皋镇。2012 年初，从张皋镇划出 193 平方公里，13510 人，重新设立大同窑乡。行政区划调整后，张皋镇总面积 261 平方公里，人口 2.06 万人，辖四十八号、南水泉、头号、七道沟、十二号、冯字号、芦窑子、张皋、榆树窑、官屯堡 10 个村民委员会。

**大同窑** 人民公社、乡、村民委员会、自然村专名。大同窑乡位于兴和县境西南边缘，北靠鄂尔栋镇和城关镇，东邻原高庙子、白家营二乡，南连丰镇县原浑源窑乡，西接原张皋镇。乡人民政府驻地大同窑村，地处城关镇西南 23 公里处。大同窑一名源于清朝同治年间（1861—1875 年），一高姓人氏从山西大同迁来此地，建了几间土窑居住，开荒种地，故取名大同窑。1958 年，此处成立卫星人民公社；1960 年，改称大同窑人民公社。1984 年，改社为乡。2006 年，整建制并入张皋镇。2012 年初，从张皋镇划出 193 平方公里、13510 人，从城关镇划出 151 平方公里、7395 人，设立大同窑乡。新设立的大同窑乡总面积 344 平方公里，总人口 2.09 万人，辖陶卜窑、银子河、兴胜庄、大同窑、小窑子、三道沟、花家窑、小梁子、西沟掌、秦家窑、高庙子、七家营、三道沟、长胜坝、一间窑 15 个村民委员会。

**赛乌素**　人民公社、乡、镇、村民委员会、自然村专名。赛乌素镇位于兴和县境北部边缘，东南与五股泉乡相连，南与察右前旗黄茂营乡接壤，东北与商都县小海子镇毗邻，西北与察右后旗贲红镇交界。镇人民政府驻地段家村，地处城关镇西北75公里处。1882 年，段姓大户人家在此居住，因而得名段家村。2001 年8月，原赛乌素、钦宝营二乡合并设立赛乌素镇。2006 年，原五一乡整建制并入赛乌素镇。镇名系蒙古族语【 ᠰᠠᠶᠢᠨ ᠤᠰᠤ Sain Ûs】之汉语音译，好水之意。合并后的赛乌素镇辖境总面积469.8平方公里，总人口4.18 万人，辖赛乌素、魏家村、河渠子、田家营、杨发地、长胜、七大顷、大西坡、合兴公、李茂村、石家村、后沟子、高家村、钦宝营、兴隆堡、三股水、老圈子、东河子、西坊子、双井子、北胜、五一、韩家村、天城梁、林古地25个村民委员会。

原赛乌素乡位于新设赛乌素镇辖域西北部，乡人民政府驻段家村。1949 年10月以后，该地区先后为第七区、段家村人民公社、赛乌素人民公社管辖地。1984 年，改社为乡。2001 年8月，撤销后并入新设赛乌素镇。

**钦宝营**　人民公社、乡、村民委员会、自然村专名。原钦宝营乡位于赛乌素镇辖域西南部，乡人民政府驻地钦宝营村，地处城关镇西北53公里处。1872年左右，蒙古族牧民钦宝居此牧马，故名钦宝营。1954年，设置钦宝营乡。1958年，归属段家村人民公社（后改为赛乌素人民公社）管辖。1962年，单设钦宝营人民公社。1984年，改社为乡。2001年整建制并入新设赛乌素镇。

**五一**　人民公社、乡、村民委员会、自然村专名。原五一乡位于赛乌素镇辖域东部，乡人民政府驻地五一村，地处城关镇西北 60 公里处。五一村原名"杨万四"，也叫"赵卜金"。民国初年，农民杨万四从河北省柴沟堡来此开荒种地建村，故名杨万四。后来，有位名叫赵卜金的人从山西省阳高县来此居住。因此人在村中很有威望，故渐渐地改村名为赵卜金。1962 年，因本村邻近五一水库改名五一村。中华人民共和国建立初期，该地区先后属段家村乡、赛乌素人民公社管辖。1962 年，单设五一人民公社。1984 年，改社为乡。2006 年，整建制并入新设赛乌素镇。

**店子**　人民公社、乡、镇、村民委员会、自然村专名。店子镇位于兴和县境东南边缘，北靠城关镇，东、南和西南三面与山西省天镇县原谷前堡乡隔长城相望，西连丰镇市浑源窑乡和本县张皋镇。辖境地势西高东低，南、北、西三面环山，中间低洼，属于丘陵山区，平均海拔1711米。镇人民政府驻地店子村，地处城关镇东南40公里处。清康熙元年（1662

年）前后，店子镇为蒙古族游牧地。当时十营称为一店，此地为一店，村名由此而来。2001年原南湾、店子、白家营3乡合并设置店子镇。新设置的店子镇辖境总面积466.1平方公里，总人口2.6万人，辖店子、白家营、王家营、卢家营、牙岱营、葛胡窑、三道边、喇嘛营、朱家营、东营子、石窑沟、二道梁、二道营、西湾、芦苇沟、北沙滩、旧马屯、南口、南湾、古城20个村民委员会。

原店子乡位于店子镇辖域中部，乡人民政府驻店子村。1959年，在此设民族团结人民公社；1961年，改为"艮子川"（习惯叫银子川）人民公社；1964年，分设白家营、店子、南湾3个人民公社。1984年，改社为乡。2001年，整建制并入新设店子镇。

**白家营**　人民公社、乡、村民委员会、自然村专名。原白家营乡位于店子镇辖域西部，乡人民政府驻地白家营村，地处城关镇南27公里处。1782年前后，白世贵等5户农民从山西省忻县迁此开荒种地，故名。1949年10月以后，该乡辖境先后属艮子川人民公社、白家营人民公社管辖。1984年，改社为乡。2001年，整建制并入新设店子镇。

**南湾**　人民公社、乡、村民委员会专名。原南湾乡位于店子镇辖域东部，乡人民政府驻地南湾二道营村，地处城关镇东南约30公里处。蒙古族聚居的村子称"营子"，各村按顺序起名，该村坐落于一个山湾的西南部，故名南湾二道营。1949年10月以后，该乡辖境先后属艮子川人民公社、南湾二道营人民公社管辖。人民公社名称从驻地村名。1984年，改社为乡。2001年，整建制并入新设店子镇。

**鄂尔栋**　乡、镇专名。鄂尔栋镇位于兴和县境西部边缘，东与城关镇接壤，北靠民族团结乡，西与察右前旗乌拉哈乡毗邻，南与张皋镇相连。镇人民政府驻地木栋村，地处城关镇正西偏北22.5公里处。木栋村全名木栋艾拉，系蒙古语【ᠮᠣᠳᠣᠨ ᠠᠢᠯ　Môdôn Ail】之汉语音译，意为有树的营子。2006年，原鄂尔栋乡整建制和原二台子镇的三十八号、四十八号、九十二号、南圙圄、四铺、大五号、庆云、三瑞里、脑包、十五号、四十号11个村民委员会合并设立鄂尔栋镇。新设立的鄂尔栋镇总面积449.7平方公里，辖皂火口、大坡底、木栋、小河子、店子、海窝子、头号村、旧营子、鄂卜坪、北水泉、三十八号、四十八号、九十二号、南圙圄、四铺、大五号、庆云、三瑞里、脑包、十五号、四十号21个村民委员会。"鄂尔栋"系蒙古语【ᠡᠷᠳᠡᠨᠢ　Erdeni】之汉语音译，意为宝贝。

原鄂尔栋乡位于鄂尔栋镇辖域西北部，乡人民政府驻木栋村。2001年，原鄂卜坪、木栋艾拉二乡合并设置鄂尔栋乡。合并后的鄂尔栋乡辖10个村民委员会、73个村民小组。辖境总面积224.1平方公里。总人口为1.54万人。2006年，整建制并入新设鄂尔栋镇。

**鄂卜坪**　人民公社、乡、村民委员会专名。原鄂卜坪乡位于鄂尔栋镇辖域西南部，乡人民政府驻地鄂卜坪村。曾名"哈巴泉沟【ᠬᠠᠪᠴᠢᠯ ᠭᠣᠣ　Habqil Gûû】"，地名系蒙古语，含义为峡沟。1936年以前，属太仆寺马场。鄂卜坪乡初建于1953年，乡名系蒙古语【ᠨᠣᠮᠤᠭᠠᠨ　Nômgn】之汉语音译，碧绿草原之意，一说是敖包之汉语音译。1957年，更名为"宝和乡"。1958年，划归庆瑞人民公社。1962年，单设鄂卜坪人民公社。1984年，改社为乡。2001

年，整建制并入新设鄂尔栋乡。

**木栋艾拉**　人民公社、乡、村民委员会专名。原木栋艾拉乡位于鄂尔栋镇辖域西北部，乡人民政府驻地杨树营村，地处城关镇正西偏北 24 公里处。村名系蒙古语地名【 Môdôn Ail】之汉译名称。该乡辖地 1973 年前属察右前旗四苏木人民公社管辖，1974 年划归兴和县后更名为木栋艾拉人民公社。1984 年，改社为乡。2001 年，整建制并入新设鄂尔栋乡。

**二台子**　人民公社、乡、镇专名。原二台子镇位于兴和县境腹地靠南，东北与原鄂尔栋乡、壕堑镇相连，南连原大同窑乡、张皋镇，西南、正西、西北与张皋镇、三瑞里乡、鄂卜坪乡交界。镇人民政府驻地二台子村，地处城关镇西南 13 公里处。台子即古代传递军情急报所建的台墩，每十里为一铺，每铺建一个台墩。二台子位于二铺，即第二个台墩，故名。2001 年，原二台子、三瑞里二乡合并设置二台子镇。2006 年，撤销后原辖行政区域分别划归新设鄂尔栋镇和城关镇。

原二台子乡位于兴和县境腹地靠南，北靠原台基庙、民族团结二乡，东邻原壕堑、高庙子二乡，南连大同窑乡和张皋镇，西接鄂卜坪乡。乡人民政府驻二台子村。1949 年 10 月以后，该乡辖地先后属第三区、二台子乡、二台子人民公社、五星人民公社、二台子人民公社管辖。1984 年，改社为乡。2001 年，整建制并入二台子镇。

**三瑞里**　人民公社、乡、村民委员会、自然村专名。原三瑞里乡位于兴和县境西部边缘，北靠原鄂卜坪乡，东和东南邻原二台子乡和张皋镇，西与察右前旗原乌拉哈乌拉乡接壤。乡人民政府驻地三瑞里村，地处城关镇西南 27.5 公里处。乾隆四十七年（1782 年）前后，山西省定襄县人来此开荒种地并建村，因村南是山，村北有河，故命村名"山水岭"。后恒太良来此经商，更改村名为三瑞里。1954 年，在此设置庆瑞乡，乡人民政府驻地庆云村。1957 年，迁至三瑞里，随即更改乡名为三瑞里。1958 年，成立三瑞里人民公社。1984 年，改社为乡。2001 年，整建制并入新设二台子镇。

**民族团结**　人民公社、乡、村民委员会专名。民族团结乡位于兴和县境中部，北靠大库联乡，东邻河北省尚义县南壕堑镇，南连鄂尔栋镇和城关镇，西与察右前旗黄茂营乡接壤。乡人民政府驻地黄土村，地处城关镇东北 16.3 公里处。道光十四年（1834 年）前后，农民黄同来此开荒种地并建村，村名"黄同村"。1952 年，更改为黄土村。2006 年，原台基庙乡整建制并入民族团结乡。2012 年初，民族团结乡划出 97 平方公里、7150 人，设立五股泉乡。行政区划调整后，民族团结乡面积 383 平方公里，总人口 3.9 万人，辖十四苏木、西壕堑、兴胜、友谊、黄土村、二号、大五号、二十七号、窑子沟、西三号、十六号、官六号、大海旺、张家村、乔龙沟、八报梁、台基庙、打拉基庙、八号、东七号、十二号、四十号 22 个村民委员会。

原民族团结乡位于新设民族团结乡辖域东部，乡人民政府驻黄土村。1953 年，建黄土村乡，乡名从乡人民政府驻地村名。1956 年，更名为民族团结乡。1958 年，改设民族团结人民公社。1984 年，又改社为乡。2006 年，并入新设民族团结乡。

**台基庙**　人民公社、乡、村民委员会专名。原台基庙乡位于新设民族团结乡辖域西南部，乡人民政府驻地台基庙村，地处城关镇西北25公里处。村名源于明朝时期俺答汗的长子辛爱黄台吉，他曾统领今兴和县境地。辛爱黄台吉在此地建庙1座，推广藏传佛教之黄教，人称此庙为台吉庙（又称太子庙）。20世纪30年代，黄教在此蔓延，喇嘛僧人多达200多人。1958年，拆除喇嘛庙后地名由太子庙、台吉庙逐渐演变为现今的台基庙。台基系蒙古语【Taij】之汉语音译，即台吉。中华人民共和国成立初期，原台基庙乡辖境先后属第四区、八豹梁乡、台基庙乡、台基庙人民公社管辖。1984年，改社为乡。2001年，原石湾子乡并入台基庙乡。2006年，台基庙乡整建制并入民族团结乡。

**石湾子**　人民公社、乡专名。原石湾子乡位于新设民族团结乡辖域西北部，乡人民政府驻地西营子村，地处城关镇西北27公里处。1958年至1961年，属团结人民公社管辖。1961年，单设石湾子人民公社。因当时人民公社驻地在石湾子村得名。1974年，人民公社驻地迁至西营子村。1984年，改社为乡。2001年，整建制并入原台基庙乡。

**大库联**　人民公社、乡、村民委员会、自然村专名。大库联乡位于兴和县境东北边缘，北邻商都县高勿素乡，东北、正东和东南与河北省尚义县原七甲乡、八道沟乡郊界，南连民族团结乡，西接赛乌素镇和商都县高勿素乡。乡人民政府驻地大库联村，地处城关镇东北45公里处。村名系蒙古语【ᠬᠦᠷᠢᠶ᠎ᠡ Huree】之汉语音译，意为围墙。道光十二年（1832年）前后，蒙古族人在此居住，并建有畜圈，故名圐圙，后改称大库联。2006年，原五股泉、曹四窑二乡整建制并入大库联乡。2012年，从大库联乡划出179平方公里、10388人再设置五股泉乡。行政区划调整后，大库联乡面积为437平方公里，总人口3.5万人，辖哈少营、边家村、海卜子、一堵墙、大库联、铁匠沟、幸福、杨树湾、康卜诺、曹四窑、大黑沟、李东梁、三海洼、五号、西号、大二道洼、羊场沟17个村民委员会。

原大库联乡位新设大库联乡辖域西部，乡人民政府驻大库联村。1958年，成立大库联人民公社。1984年，改社为乡。2006年，原五股泉、曹四窑二乡整建制并入新设大库联乡。

**曹四窑**　人民公社、乡、村民委员会、自然村专名。原曹四窑乡位于新设大库联乡辖域东部，乡人民政府驻地李东梁村，地处城关镇正北偏东45公里处。清朝年间，农民李东梁来此开地建村，故名李东梁村。中华人民共和国成立初期，该乡辖境先后属杨合洼乡、大黑沟乡、康卜诺乡。康卜诺系蒙古语【ᠲᠠᠪᠤᠨ ᠨᠠᠭᠤᠷ Taban Nûûr】之汉语音译，意为5个水泡子。1958年，杨合洼、大黑沟、康卜诺3个乡合并成立曹四窑人民公社，乡名因人民公社驻曹四窑村而得名。1972年，人民公社驻地从曹四窑迁往李东梁村。1984年，改社为乡。2006年，整建制并入新设大库联乡。

**五股泉**　人民公社、乡、村民委员会、自然村专名。五股泉乡位于兴和县境北部边缘，南与原台基庙乡相连，东北与原大库联乡、商都县原高勿素乡接壤，西与察右前旗高宏店乡和本县赛乌素镇交界。乡人民政府驻地五股泉村，地处城关镇西北57公里处。村名源于村西五股泉眼喷涌的清水池。传说一股泉眼一种味道，酸、甜、苦、辣、咸五味俱全，故取名五股泉。1953年，建五股泉乡。1958年，与原大库联乡合并成立星火人民公社。1961年，单设五股泉人民公社。1984年，改社为乡。2006年，撤销后整建制并入大库联乡。2012年，从大库联乡划出179平方公里、10388人，民族团结乡划出97平方公里、7150人，重新设立五股泉乡。新设立的五股泉乡总面积276平方公里，总人口1.75万人，辖壕堑、小井子、五股泉、白脑包、穆家湾、蝠沟、薛家洼、西营、头号、石湾子、宏图湾、官子店12个村民委员会。乡人民政府驻地白脑包村。村名系蒙古语【ᠴᠠᠭᠠᠨ ᠣᠪᠣᠭ Qagaan Ôbôô】之汉语音译，意为白色敖包。

## （七）商都县各乡、镇名称考略

**七台** 古驿站、镇之专名。七台镇位于商都县境西南边缘，正南邻兴和县赛乌素镇，西南与三大顷乡交界，西北、正北、东北三面与西井子镇、屯垦队镇、玻璃忽镜乡相连，东连十八顷镇，东南接小海子镇。镇人民政府驻七台镇鹿王大街，地理坐标约北纬41°32′36.50″，东经113°35′11.00″。清朝时期，源起张家口、终抵科布多的诸多驿站均称阿尔泰军台。阿尔泰军台共设29个大站、15个腰站（小站）。今商都县境内设有3个大站、3个腰站。其中第七台就设在今七台镇附近，故名"七台"。现在的七台镇于2006年由原商都镇、三虎地、西坊子一镇二乡合并而成。2012年，从七台镇划出182平方公里、人口11915人设立三大顷乡。行政区划调整后的七台镇面积329平方公里，总人口8.05万人。辖18个居民委员会和北大村、喇嘛版、二号、杨家村、西坊子、马鞍桥、不冻河、骆驼盘、三个井、北大井、荬荬卜、永顺堡、东坊子、房家村、五喇嘛沟15个村民委员会。

原商都镇位于七台镇辖域中部偏北，系商都县政府所在地。"商都"一名系元"上都"之易音，源于上都马厂，后改称商都牧厂。商都建县时沿用了商都牧厂名称。民国七年（1918年），商都镇即为商都县公署驻地。民国三十四年（1945年），将商都镇设为商都县第一区。1949年，改称城关镇。1959年，成立商都镇人民公社，属河北省张北县管辖。1964年，划归乌兰察布盟。1984年，改社为镇。2001年，更名为七台镇。2006年，并入新设七台镇。

**三虎地** 人民公社、乡、村民委员会、自然村专名。原三虎地乡位于七台镇辖域南部，乡人民政府驻地三虎地村，地处七台镇正南15公里处。1902年，有一名叫三虎的人居此开地建村，故名三虎地。中华人民共和国成立初期，三虎地乡辖境先后属商都县第二区、西坊子人民公社、三虎地人民公社管辖。1984年，改社为乡。2001年，原十大顷乡整建制并入三虎地乡。2006年，三虎地乡整建制并入新设七台镇。

**十大顷** 人民公社、乡、村民委员会、自然村专名。原十大顷乡位于七台镇辖域西部，乡人民政府驻地十大顷村，地处七台镇正西偏南10公里处。1920年，有10户人家来此购置土地10顷开垦建村，故名十大顷。1949年10月以后，十大顷乡辖境先后属红旗人民公社、十大顷国营牧场、十大顷人民公社管辖。1984年，改社为乡。2001年，整建制并入三虎地乡。

**西坊子** 人民公社、乡、村民委员会、自然村专名。原西坊子乡位于七台镇辖域东部，乡人民政府驻地西坊子村，地处七台镇正东偏南7.5公里处。1902年建村时名"二十号地"，1949年更名为西坊子。1949年10月以后，西坊子乡辖境先后属商都县第二区、西坊子乡、红旗人民公社、西坊子人民公社管辖。1984年，改社为乡。2006年，整建制并入新设七台镇。

**三大顷** 乡之专名。三大顷乡位于商都县境西南边缘，南和东南接兴和县原赛乌苏乡，西邻察右后旗白音查干镇，北接西井子镇，东北与七台镇交界。乡人民政府驻原十大顷乡人民政府驻地十大顷村。2012年，从七台镇划出182平方公里、人口1.2万人，西井子镇划出56平方公里、人口2936人设立三大顷乡。新设的三大顷乡面积238平方公里，总人口1.49万人，辖三虎地、田家卜子、陈家村、谢家房子、十大顷、董家村、新海子、苏木、长青沟（新增）9个村民委员会。

**西井子** 人民公社、乡、镇、村民委员会、自然村专名。西井子镇位于商都县境西部边缘，西和西北邻察右后旗土牧尔台镇和苏尼特右旗朱日和镇，东连大库伦乡和屯垦队镇，南接七台镇。镇人民政府驻地西井子村，地处七台镇西北45公里处。1921年建村时，此地东、西各有一眼水井，该村居西，故名西井子。1949年10月以后，西井子乡辖境先后属商都县第三区、西井子乡、东升人民公社管辖。1984年，改社为乡。2001年，撤乡设镇。2006年，原大拉子乡整建制和格化司台乡的元宝山、大西沟、七号地、芦草沟、牌楼、新建6个村民委员会并入西井子镇。2012年，西井子镇划出56平方公里、人口2936人，设立三大顷乡。行政区划调整后的西井子镇面积551平方公里，总人口4.71万人。辖四号地、兴寨、东井子、后土城子、韩元沟、朝阳、三股地、前土城子、北渠子、大拉子、营图、赛乌素、大南坊、七股地、牌楼、格化、大西沟、七邓营、西井子、四顷湾、张家坊、黑沙土、元宝山、芦草沟、七号地、新建、灰菜沟、青石脑包、根市井、新井子、苏集31个村民委员会。

**大拉子** 人民公社、乡、村民委员会、自然村专名。原大拉子乡位于西井子镇辖域南部，乡人民政府驻地大拉子村，地处七台镇西北25公里处。1918年，有一个名叫大拉子的农民来此开地建村，故名大拉子。1949年10月以后，大拉子乡辖境先后属北渠子乡、东升人民公社、大拉子人民公社管辖。1984年，改社为乡。2006年，整建制并入新设西井子镇。

**格化司台** 人民公社、乡、自然村专名。原格化司台乡位于西井子镇辖域西北部，乡人民政府驻地格化司台村，地处七台镇西北66公里处。村名系蒙古语【ᠬᠠᠪᠬᠠᠠᠰᠲᠠᠢ Habhaastai】之汉语音译，意为形如锅盖的山梁。1912年建村。1949年10月以后，该乡辖域先后属商都县第五区、格化司台乡、青山人民公社、格化司台人民公社管辖。1984年，改社为乡。2001年，原章毛乌素乡整建制并入格化司台乡。2006年，撤销后原辖行政区域分别划归新设大库伦乡和西井子镇。

**章毛乌素** 人民公社、乡、自然村专名。原章毛乌素乡位于新设西井子镇辖域北部，乡人民政府驻地章毛乌素村，地处七台镇正北76公里处。村名系蒙古语【ᠵᠠᠮᠢᠢᠨ ᠣᠣᠰ Jamiin Ûs】

之转音，意为路边水井。1949 年 10 月以后，该乡辖域先后属第五区、格化司台人民公社管辖。1961 年，成立章毛乌素人民公社。1984 年，改社为乡。2001 年，整建制并入原格化司台乡。

**屯垦队**　人民公社、乡、镇、村民委员会、自然村专名。屯垦队镇位于商都县境腹地靠西北，北靠大库伦乡，西连西井子镇，南接七台镇，东邻玻璃忽镜乡，辖域滩川丘陵相间。镇人民政府设驻地屯垦队村，地处七台镇正北偏西 24 公里处。1916 年，察哈尔都统组织了 10 个亦军亦农的屯垦队来此开垦土地 100 顷。后来，屯垦队集体转业务农，屯垦队一名由此而来。2001 年，原二道洼、屯垦队二乡合并设置屯垦队镇。2006 年，原大南坊子乡整建制并入屯垦队镇。合并后的屯垦队镇总面积 589 平方公里，总人口 4.13 万人，辖屯垦队、前海子、大陆公司、阮家村、东伙房、六台坊子、泉子沟、梁家村、刘家坊子、大六盆地、二盆地、二道洼、北井子、人头山、大补龙、大乌彦沟、黄家梁、大五号、顺成公司、全家村、立本公司、豪欠、池家村、泉卜子、二号、卯都图、米家村27 个村民委员会。

原屯垦队乡位于新设屯垦队镇辖域中部，乡人民政府驻屯垦队村。1949 年 10 月以后，该乡辖域先后属商都县第四区、屯垦队乡、曙光人民公社、屯垦队人民公社管辖。1984 年，改社为乡。2001 年，整建制并入新设屯垦队镇。

**二道洼**　人民公社、乡、村民委员会、自然村专名。原二道洼乡位于新设屯垦队镇辖域北部，乡人民政府驻地二道洼村地处七台镇北 37 公里处。1922 年，兴和县二道洼村的姜老四迁此开地建村，沿用原籍村名二道洼。1949 年 10 月以后，该乡辖域先后属商都县第四区、二道洼乡、屯垦队人民公社东风大队管辖。1962 年，单设二道洼人民公社。1984 年，改社为乡。2001 年，整建制并入新设屯垦队镇。

**大南坊子**　人民公社、乡、自然村专名。原大南坊子乡位于新设屯垦队镇辖域南部，辖域属滩川丘陵区。乡人民政府驻地大南坊子村，地处七台镇西北 16 公里处。约 1919 年，有人在顺城开垦公司村南建伙房，供开地人就餐，故名南坊子村。1920 年，为了与村东南的小南坊子村名相区别，改称大南坊村。1949 年 10 月以后，该乡辖域先后属商都县第四区、清河乡、曙光人民公社管辖。1961 年，单独设清河人民公社。1962 年，改名为大南坊子人民公社。1984 年，改社为乡。2006 年，整建制并入新设屯垦队镇。

**小海子**　人民公社、乡、镇、村民委员会、自然村专名。小海子镇位于商都县南部边缘，南、西两面与兴和县大库联乡为邻，东与河北省尚义县原哈拉沟、大营盘乡相连，东北靠十八顷镇，西北接七台镇，是商都县、兴和县、河北省尚义三县的交汇点。镇人民政府驻地小海子村，地处七台镇东南 17.5 公里处。1908 年建村，因村前有一水泉，常年流水聚成小水泡而名小海子。2001 年，原小海子、高勿素二乡合并设置小海子镇。合并后的小海子镇总面积 537 平方公里，总人口 3.4 万人，辖小海子、向阳、丰韩村、张家村、田家村、八号、任家村、郭家村、刘家村、麻尼卜、宋家村、梁红村、河柳、李家村、二道洼、南梁、水泉梁、高勿素、杜管营、董家村、八十五号、三十四号、西大井、三太昌、单坝营、头号、下井、六号地28 个村民委员会。

原小海子乡位于新设小海子镇北部，乡人民政府驻小海子村。1949 年 10 月以后，该乡辖域先后属商都县第九区、小海子乡管辖。1958 年，建立小海子人民公社（小社），属高勿素人民公社管辖。1961 年，单设小海子人民公社。1984 年，改社为乡。2001 年，整建制并入新设小海子镇。

**高勿素**  人民公社、乡、村民委员会、自然村专名。原高勿素乡位于新设小海子镇南部，乡人民政府驻地高勿素村，地处七台镇东南 32 公里处。村名系蒙古语【ᠭᠠᠱᠤᠨ ᠤᠰᠤ Gaxûn Ûs】之转音，意为苦水。1949 年 10 月以后，该乡辖域先后属商都县第九区、高勿素乡、小海子人民公社管辖。1961 年，单设高勿素人民公社。1984 年，改社为乡。2001 年，整建制并入新设小海子镇。

**十八顷**  人民公社、乡、镇、村民委员会、自然村专名。十八顷镇位于商都县境东南边缘，北靠玻璃忽镜乡，东邻大黑沙土镇和化德县长顺镇，南和西南连小海子镇，西接七台镇。辖域属平原和丘陵区。镇人民政府驻地十八顷村，地处七台镇东 27 公里处。1919 年有几户农民来此租种小庙子喇嘛庙土地十八顷，故名十八顷。2001 年，原十八顷、范家村二乡合并新建十八顷镇。全镇总面积 394 平方公里，总人口 3 万人，辖一个小庙子嘎查委员会和渠家村、十八顷、谢家村、三十顷、八家村、后海子、胡家村、袁家村、梁家村、东营子、大五号、小城子、前海子、泉脑子、范家村、二号、新胜、板申图、脑营、二忽赛、大洼、二洼、三洼、汉淖堡、侯家 25 个村民委员会。

原十八顷乡位于新设十八顷镇辖域南部，乡人民政府驻十八顷村。1945 年，十八顷现境属商都县第八区管辖。1953 年，成立十八顷乡。1958 年，成立十八顷人民公社。1984 年，改社为乡。2001 年，整建制并入新设十八顷镇。

**范家村**  人民公社、乡、村民委员会、自然村专名。原范家村乡位于新设十八顷镇辖域南部，辖域属山地丘陵区。乡人民政府驻地范家村，地处七台镇东北 30 公里处。1919 年，农民范卓来此垦地建村，故名范家村。该乡辖域 1950 年属商都县第八区，1953 年属二号乡管辖，1958 年划归十八顷人民公社。1961 年，单设范家村人民公社。1984 年，改社为乡。2001 年，整建制并入新设十八顷镇。

**大黑沙土**  人民公社、乡、镇、村民委员会、自然村专名。大黑沙土镇位于商都县境东部边缘，西接十八顷镇，北连化德县朝阳镇，东、南两面与河北省尚义、康保二县原二号卜、大苏计乡交界。辖域属于山前冲击平原，地势低平，土地肥沃。镇人民政府驻地大营子村，地处七台镇正东偏南 60 公里处。1922 年，张天祥在此垦地建村，故名"张天祥村"。1968 年，因本村比其他村子大，故改名为"大营子"。2001 年，原四台坊子、大黑沙土二乡合并设置大黑沙土镇。全镇辖地总面积 441 平方公里，总人口 3.15 万人，辖大营子、朝阳河、新民、大黑沙土、小黑沙土、察卜淖、八音察汗、西十大股、磨石山、西水泉子、大青沟、哈报沟、四台坊子、哈北嘎、东风、东升、红卫、二喇嘛、八角淖、南大勿邓、杨柳湾、潭家营、积茇（茇茇）滩、古庙滩、东十大股、头号、十一号、十二号、毛忽庆

29 个村民委员会。

原大黑沙土乡位于新设大黑沙土镇东部，乡人民政府驻大营子村。1950 年，归属商都县第十区。1956 年，设置大黑沙土乡。乡名系蒙古语【ᠶᠡᡍᡥ ᠬᠠᠱᠠᠭᠠᡐ Yih Haxaat】之转音，意为大圈圐。1958 年，更名为星火人民公社；1961 年，恢复原名。1984 年，改社为乡。2001 年，整建制并入新设大黑沙土镇。

**四台坊子**　人民公社、乡、村民委员会、自然村专名。原四台坊子乡位于新设大黑沙土镇西部，乡人民政府驻地四台坊子村，地处七台镇东 40 公里处。1913 年，河北省尚义县四台坊子村几户农民迁来开地建村，沿用原籍村名四台坊子。民国末年，四台坊子辖域分属商都县十区、八区的头号乡和公主城乡。1958 年，属大黑沙土、十八顷人民公社管辖。1961 年，成立了四台坊子人民公社。1984 年，改社为乡。2001 年，整建制并入新设大黑沙土镇。

**大库伦**　人民公社、乡、村民委员会、自然村专名。大库伦乡位于商都县境北部边缘，北连锡林郭勒盟镶黄旗巴彦朱日和苏木，东邻化德县公腊胡洞乡，南接屯垦队镇，西与西井子镇交界。乡人民政府驻地大库伦村，地处七台镇正北偏东 45 公里处。1939 年，该地周围的 7 个自然村合为一体，四面打起围墙以资防护，当地人称其为大圆圐。2001 年，原八股地乡整建制并入大库伦乡。2006 年，大库伦乡的泉子沟村民委员会划入卯都乡，原格化司台乡的三喇嘛营子、一卜树、赛书记、章毛乌素、太平堡、南沟子、郭明 7 个村民委员会并入大库伦乡。行政区域调整后的大库伦乡总面积为 557.3 平方公里，总人口 3.03 万人，辖大库伦、十二顷、三胜地、大井子、平地泉、勇进、二股地、滑家村、古城子、八股地、新立村、库伦图、三喇嘛营、一卜树、塞书记、章毛乌素、太平堡、南沟子、郭朋 19 个村民委员会。

原大库伦乡位于新设大库伦乡辖域中部，乡人民政府驻大库伦村。1949 年 10 月以后，该乡辖域先后属商都县第五区、大库伦乡、青山人民公社管辖。1961 年，单设大库伦人民公社。1984 年，改社为乡。2001 年，与八股地乡合并设置大库伦乡。

**八股地**　人民公社、乡、村民委员会、自然村专名。原八股地乡位于新设大库伦乡辖域东北部，辖域属丘陵滩川区。乡人民政府驻地八股地村，地处七台镇正北偏东 70 公里处。1939 年，农民李剌等 4 户居此，并分成 4 股开地。1941 年，又将 4 股分为 8 股，故名八股地。1949 年 10 月以后，该乡辖域先后属商都县第六区、八股地乡、卯都人民公社管辖。1961 年，分设八股地人民公社。1984 年，改社为乡。2001 年，整建制并入新设大库伦乡。

**玻璃忽镜**　人民公社、乡、村民委员会、自然村专名。玻璃忽镜乡位于商都县境东北部边缘，北靠卯都乡，东连化德县长顺镇，南接十八顷镇，西南邻七台镇，西与屯垦队镇交界，辖域属山地丘陵区。乡人民政府驻地玻璃忽镜村，地处七台镇东北 28 公里处。村名系蒙古语【ᠪᠣᠷ ᠬᠤᠵᠢᠷ Bôr Hûjir】之汉语音译，意为盐碱，因土地盐碱化严重而得名。2006 年，原三面井乡整建制并入玻璃忽镜乡。合并后的玻璃忽镜乡总面积 409 平方公里，总人口 2.81 万人。全乡辖玻璃忽镜、贯红沟、元山子、喇嘛勿拉、二吉淖、超格敖包、头号、阳高、沃图、乌泥圪其、瓜坊子、单坝沟、押地房、三号 14 个村民委员会。

原玻璃忽镜乡位于新设玻璃忽镜乡辖域北部，乡人民政府驻玻璃忽镜村。1949 年 10 月以后，该乡辖域先后属商都县第七区、玻璃忽镜乡、红心人民公社管辖。1961 年，成立玻璃忽镜人民公社。1984 年，改社为乡。2006 年，并入新设置的玻璃忽镜乡。

**三面井**  人民公社、乡、自然村专名。原三面井乡位于新设玻璃忽镜乡辖域南部，辖域属山地丘陵区。乡人民政府驻地三营图村，地处七台镇东北 23 公里处。村名系蒙古语【 ᠰᠠᠶᠢᠨ Saint】，意为好。1912 年，一位名叫赛音图的蒙古人在此设营放牧，遂以其人名命村名。1949 年 10 月以后，该乡辖域先后属商都县第七区、玻璃忽镜乡、红心人民公社管辖。1961 年，单设人民公社。1984 年，改社为乡。2006 年，整建制并入新设玻璃忽镜乡。

**卯都**  人民公社、乡、自然村专名。卯都乡位于商都县境东北边缘，东邻化德县长顺镇，西北连大库伦乡，西南接屯垦队镇，南与玻璃忽镜乡交界。乡人民政府驻地卯都村，地处七台镇东北 55 公里处。村名系蒙古语【 ᠮᠣᠳᠣ Môd】之汉语音译，意为树，依当地自然树木命名。1949 年 10 月以后，该乡辖域先后属商都县第六区、卯都乡、登高人民公社、卯都人民公社管辖。1984 年，改社为乡。2006 年，原大库伦乡的泉子沟村民委员会并入卯都乡。合并后的卯都乡总面积 293.3 平方公里，总人口 0.97 人，辖新胜、清水沟、清水泉、团结、卯都房、三面井、新井子、卯都、二道渠、十二顷、泉子沟、西水泉 12 个村民委员会。

## （八）凉城县各乡、镇名称考略

**岱海**  自然湖泊、镇之专名。岱海镇位于凉城县北境中部，岱海西北岸，北与卓资县十八台镇接壤，东邻麦胡图镇，东南与六苏木镇和岱海相连，西接蛮汉镇。镇人民政府设在凉城县城关镇东环路，地理坐标约东经 112° 29′ 16.18″，北纬 40° 32′ 08.32″。辖境地形北山南川，平均海拔 1250 米。2001 年，原东十号乡并入厢黄地乡。2006 年，原城关镇、三苏木乡整建制和厢黄地乡的马坊滩、安子山、西厢、弓沟沿、杏树贝、井沟子、九股泉、小召、圪臭沟、白银 10 个村民委员会合并设立岱海镇。新设立的岱海镇镇名依当地自然湖泊名称命名。总面积 368.9 平方公里，总人口 7.8 万人，辖 8 个居民委员会和海城、三营、旧堂、苏义、五苏木、三苏木、园子沟、西营、元山子、松树沟、兵坝营、马坊滩、鞍子山、西厢、弓沟沿、杏树贝、井沟子、九股泉、小召、圪臭沟、白银 21 个村民委员会。

原城关镇位于凉城县境中部偏西，东南与原六苏木乡为邻，其余三面在原厢黄地乡境包围之中，系凉城县政府驻地。道光二十三年（1843 年）前后，比利时国天主教传教士先后在这一带建造了两座天主教堂，先建的俗称"旧堂"，后造的俗称"新堂"。因该镇是在新堂周围逐渐发展起来的，故又名"新堂"。1964 年，正式设镇，命名为城关镇。

2001 年，将厢黄地乡的旧堂、三营两个村民委员会划入城关镇。2006 年，撤销后整建制并入新设岱海镇。

**厢黄地** 人民公社、乡、自然村专名。原厢黄地乡位于岱海镇辖域中部，乡人民政府驻地厢黄地村，地处凉城县城西北 1.5 公里处。原名"香火地"。约乾隆四十七年（1782 年）前后，该村农户租种七甲庙土地，每年要向七甲庙交香火钱，故名香火地。1958 年，归新堂人民公社管辖。1964 年，单独成立厢黄地人民公社，社名称从驻地村名。1984 年，改社为乡。2001 年，原东十号乡整建制并入厢黄地乡。2006 年，撤销后原辖区域分别划归新设岱海、蛮汉二镇。

民护堤举印（厢黄地出土）

**东十号** 人民公社、乡、自然村专名。原东十号乡位于岱海镇辖域西部。全乡总面积 143.1 平方公里，属山地丘陵区，平均海拔 1562 米。乡人民政府驻地沙乎村，地处凉城县城西北 15 公里处。约乾隆四十七年（1782 年）建村，当时有个年仅 18 岁却长着白沙胡须的青年，故称该村"十八沙胡"，后简称"沙乎"。1949 年 10 月以后，该乡先后属凉城县二区、宁安乡、田家镇管辖。1958 年成立东十号人民公社，社名依人民公社驻地村名命名。1966 年后，易名为东风人民公社；1974 年，恢复原名。1984 年，改社为乡。2001 年，撤销后整建制并入厢黄地乡。

**三苏木** 人民公社、乡、自然村专名。原三苏木乡位于岱海镇辖域东部，乡人民政府驻地三苏木村，地处凉城县城东北 15 公里处。村名是蒙古语【ᠭᠤᠷᠠᠪᠳᠤᠭᠠᠷ ᠰᠤᠮ Gûrabdûgaar Sûm】的汉译形式，意为第三苏木（佐），故有三苏木之称。1937 年前后，该乡辖域曾有金海、福海、东海仁、西海仁 4 个小乡建制，属察哈尔右翼镶红旗管辖。1949 年 10 月以后，为绥东四旗所辖的一个苏木。1954 年，归属凉城县第二区。1958 年，成立三苏木人民公社。1984 年，改社为乡。2006 年，撤销后整建制并入新设岱海镇。

**六苏木** 人民公社、乡、镇、村民委员会、自然村专名。六苏木镇位于凉城县境正中偏西南，北邻岱海，东南连天成乡、曹碾满族乡，南与山西省右玉县原李达窑乡、杀虎口隔长城相望，西南接和林格尔县原新丰乡，西北与岱海、永兴二镇交界，镇人民政府驻地新农村（也称六苏木），地处凉城县城西南 9 公里处。六苏木是蒙古语地名【ᠵᠢᠷᠭᠠᠳᠤᠭᠠᠷ ᠰᠤᠮ Jûrgaadûgaar Sûm】的汉译形式。意为第六佐。2006 年，原六苏木乡、双古城乡整建制和原十九号乡的新窑子、拉贵沟、庙卜子 3 个村民委员会合并设置六苏木镇。新设立的六苏木镇总面积 588.5 平方公里，总人口 4.1 万人，辖南房子、毫欠、马莲滩、大圪塄、和胜庄、六苏木、八苏木、四道嘴、泉子沟、刘家窑、五旗窑、厂圪洞、九旗牛沟、红旗马场、贺洲湾、双古城、小窑沟、官牛旗、将军梁、三道沟、拉贵沟、庙卜子22 个村民委员会。

原六苏木乡位于新设六苏木镇辖域北部，乡人民政府驻六苏木村。1949 年 10 月以后，该乡辖域先后属六苏木乡、新堂人民公社、厢黄地人民公社管辖。1984 年，改社为乡。2001 年，刘家窑乡整建制并入六苏木乡。2006 年，六苏木乡整建制并入新设六苏木镇。

**刘家窑**　人民公社、乡、村民委员会、自然村专名。原刘家窑乡位于六苏木镇辖域中部，乡人民政府驻地蓝旗窑村，地处凉城县城南 14.5 公里处。村名因原属察哈尔镶蓝旗而得名。1949 年 10 月以后，该乡辖域先后属凉城县第六区、厂圪洞人民公社、双古城人民公社、刘家窑人民公社管辖。社名依人民公社驻地村名命名。1984 年，改社为乡。2001 年，撤销后整建制并入新设六苏木乡。

**双古城**　人民公社、乡、村民委员会、自然村专名。原双古城乡位于六苏木镇辖域西南部，乡人民政府原驻地双古城村，后迁至村北台梁处，故名台梁村。该村地处凉城县城西南 24 公里处。据考，西汉沃阳县城就在双古城村东南约 1 公里处。西汉沃阳县城中有一墙，将该城一分为二（南城略大），约乾隆四十七年（1782 年），放地商在此建村时以此命名"双古城"。上世纪 50 年代末，该乡曾出土"晋乌丸归义侯"金印一枚。1958 年，成立双古城人民公社。1984 年，改社为乡。2006 年，整建制并入新设六苏木镇。

**十九号**　人民公社、乡、自然村专名。原十九号乡位于新设六苏木镇辖域东南部，乡人民政府驻地十九号村，地处凉城县城东南 25.5 公里处。清朝末年，放地商把营盘梁划分为 1 至 24 号地，该村周围为第十九号地，故名十九号。1949 年 10 月以后，该乡辖域先后属凉城县第五区、十九号人民公社管辖。1984 年，改社为乡。2006 年，撤销后原辖域分别划归新设六苏木镇、天成乡、曹碾满族乡。

**蛮汉**　自然山、镇之专名。蛮汉镇位于凉城县西北边缘，东北与卓资县大榆树乡相连，西北、西南和正西与呼和浩特市赛罕区黄合少乡、和林格尔县西沟门乡为邻，南接永兴镇，东南与岱海镇交界。镇人民政府驻地崞县窑村地处凉城县城西北 33 公里处。乾隆元年（1736 年）前后，山西省崞县农民迁来开地建村，住土窑洞，故名崞县窑。2006 年，原崞县窑、程家营二乡整建制和厢黄地乡的小坝滩、坝底、东十号、沙乎 4 个村民委员会合并设立蛮汉镇，镇名依蛮

晋乌丸归义侯金印出土地——蛮汉镇小坝滩

汉山名命名。新设立的蛮汉镇总面积 607.8 平方公里，总人口 2.48 万人，辖中沟、太平寨、前德胜、崞县窑、盂县窑、豆腐房、岱洲窑、程家营、大元山、大兴窑、东沟门、兰家窑、菜园子、左卫窑、小坝滩、坝底、东十号、沙乎 18 个村民委员会。

**崞县窑**　人民公社、乡、村民委员会、自然村专名。原崞县窑乡位于蛮汉镇辖域东北部，全乡处于蛮汉山区。镇人民政府驻崞县窑村。1937 年后，日寇侵占凉城地区，伪县长李九成将此地命名"九成乡"；1948 年后，恢复原名。1958 年，成立崞县窑人民公社，社名依人民公社驻地村名命名。1984 年，改社为乡。2006 年，整建制并入新设蛮汉镇。

**程家营**　人民公社、乡、村民委员会、自然村专名。原程家营乡位于蛮汉镇辖域西北部。境域东部属蛮汉山区，西部属土默川区。乡人民政府驻地程家营村，地处凉城县城西北 38 公里处。乾隆四十一年（1780 年）前后，由山西省忻县迁来一陈姓农民，取村名陈家营，后陈姓居民搬走，又迁来一程姓人家，故易名程家营。1949 年 10 月以后，该乡辖域先后属凉城县第三区、崞县窑人民公社管辖。1962 年，单设程家营人民公社，社名依人民公社驻地村名命名。1984 年，改社为乡。2006 年，整建制并入新设蛮汉镇。

**永兴**　人民公社、乡、镇、村民委员会、自然村专名。永兴镇位于凉城县境西南边缘，西接和林格尔县西沟门乡，北靠崞县窑镇，东和东北与岱海镇为邻，东南与六苏木镇交界，处于蛮汉山区。镇人民政府驻地永兴村，地处凉城县城西南 21 公里处。该村历史悠久，原名"蒿儿兔"，也写作"哈尔图"村。北魏时期是凉城郡治所在。清雍正十二年（1734 年），在此村设立宁朔卫。清乾隆十五年（1750 年），设置宁远厅。清宣统三年（1911 年），改设宁远县。民国二年（1913 年），改名为凉城县。民国二十六年（1937 年）后，县政府迁至新堂（现城关镇），原蒿儿兔村依多数村民姓氏改名为"田家镇"。1964 年，又取永久兴盛之意更名为永兴。2001 年，原三庆乡、多纳苏乡和永兴乡合并设置永兴镇。新设立的永兴镇总面积 362.6 平方公里，总人口 2.06 万人。辖永兴、水泉、韩家棚、花家窑、板城、北棚、缸房窑、石咀子、兰麻窑、多纳苏、三庆 11 个村民委员会。

原永兴乡位于新设永兴镇辖域东南部，乡人民政府驻永兴村。1964 年，在此设置永兴人民公社。1984 年，改社为乡。2001 年，整建制并入新设永兴镇。

**三庆**　人民公社、乡、村民委员会、自然村专名。原三庆乡位于新设永兴镇辖域北部，乡人民政府驻地巨林功村，地处凉城县城西 21.5 公里处。村名系蒙古语【ᠵᠦᠯᠡᠭ　Juleg】之汉语音译，意为寸草或草皮。道光十年（1830 年）前后，此地建有庆丰、庆宇和庆和 3 座大庙，乡名"三庆"由此而来。1949 年 10 月以后，该乡辖域先后属凉城县第二区、田家镇人民公社管辖。1960 年，单设三庆人民公社。1984 年，改社为乡。2001 年，整建制并入新设永兴镇。

**多纳苏**　人民公社、乡、村民委员会、自然村专名。原多纳苏乡位于新设永兴镇辖域西北部，乡人民政府驻地多纳苏村，地处凉城县城正西偏南 29 公里处。清康熙二十一年（1682 年）前后，仅几户蒙古族人居此放牧。牧人们希望延年益寿，岁岁平安，故名多纳苏。村名系蒙古语【ᠵᠠᠭᠤᠨ　ᠨᠠᠰᠤᠨ　Jûûn Nasan】之汉语音译，意为百岁。关于多纳苏村的含义还有一说，认为多纳苏系蒙古语【ᠵᠠᠭᠤᠨ ᠨᠠᠷᠠᠰᠤᠲᠤ Jûûn Narset】之汉语音译，意为百棵松树，引申意为多松树。1949 年 10 月以后，该乡辖域先后属凉城县第二区、田家镇人民公社管辖。1961 年，单设多纳苏人民公社。1984 年，改社为乡。2001 年，整建制并入新设永兴镇。

**麦胡图**　人民公社、乡、镇、自然村专名。麦胡图镇位于凉城县东北边缘，北、东两面分别与卓资县十八台镇、丰镇县三义泉镇相接，西邻岱海镇和自然湖泊岱海，南连天成乡。辖域以滩川为主，北部兼有丘陵区。镇人民政府驻地麦胡图村，地处凉城县城东北 25 公里处。村名系蒙古语【ᠮᠠᠶᠢᠬᠠᠨᠲᠤ Maihant】之汉语音译，帐篷地之意。1949 年 10 月以后，该乡辖域先后属丰镇县第二区、凉城县第四区管辖。1958 年，成立麦胡图人民公社。1984 年，改社为乡。1999 年，撤乡建镇。全镇总面积 226.5 平方公里，总人口 3.06 万 3人。辖麦胜、金星、庆丰、陈永、陈合、陈胜、胜利、东胜、前益、三合、三胜、首花、首胜 13 个村民委员会。

**天成**　人民公社、乡、村民委员会、自然村专名。天成乡位于凉城县东部边境，东、北两面与丰镇县巨宝庄镇相接，西北靠麦胡图镇，西南连六苏木镇和曹碾满族乡，东南与山西省左云县原东胜庄乡交界。辖境属马头山区，平均海拔 1471 米。乡人民政府驻地天成村，地处凉城县城东 30 公里处。2001、2006 年，原十三号、后营二乡整建制和原十九号乡的十五号村民委员会并入天成乡。合并后的天成乡总面积 527.5 平方公里，总人口2.27 万人，辖天成、土城、狮子村、向阳、二十三号、丁七号、元山、马王庙、樊家圐圙、庆乐庄、三道营、甘草忽洞、水泉庄、全胜店、八号、十四号、永兴梁、庄头窑、七号、后营、双山、帽尔山、冀家圐圙、井尔、十五号、二号 26 个村民委员会。

原天成乡位于新设天成乡辖域中部，乡人民政府驻天成村。早在辽代，在此设置天成县（古遗址在今天成村西），天成一名由此而来。1949 年 10 月以后，该乡先后属凉城县第五区、天成乡、天成人民公社管辖。1984 年，改社为乡。2006 年，并入新置天成乡。

**十三号**　人民公社、乡、自然村专名。原十三号乡位于新设天成乡辖域东北部，乡人民政府驻地十三号村，地处凉城县城东 30 公里处。村名因清末放地编号而得名。1949 年10 月以后，该乡辖域先后属凉城县第五区、七号乡、天成人民公社、七号人民公社、十三号人民公社管辖。1984 年，改社为乡。2001 年，整建制并入新设天成乡。

**后营**　人民公社、乡、村民委员会、自然村专名。原后营乡位于新设天成乡辖域南部。地处马头山区，平均海拔 1338 米。乡人民政府驻地后滩村，地处凉城县城东南 38 公里处。后金天聪二年（1628 年）前后，这里是富饶的草原，蒙古族牧民在此放牧生息，分别居住在前、中、后 3 个营子。清雍正十二年（1734 年），清政府在后营和永兴分别设立怀远所和宁朔卫，后营一时名声大振，渐渐地成了这个村的专指名称。抗日战争时期，后营一直是老革命根据地，后归丰凉县管辖。1949 年 10 月以后，该乡辖域先后属凉城县第五区、天成人民公社管辖。1962 年，单设后营子人民公社。1968 年，人民公社机关迁至后滩村。1984 年，改社为乡。2006 年，整建制并入新设天成乡。

曹碾 人民公社、乡、民族自治乡、村民委员会、自然村专名。曹碾满族自治乡位于凉城县东南边缘，南与山西省左云县原管家堡、威鲁堡二乡隔长城相望，西连永兴镇，西北接六苏木镇，东北与天成乡交界。地处马头山区，平均海拔1656.6米。乡人民政府驻地曹碾村，地处凉城县城东南44公里处。清初，该村有一草纸作坊，他们用石槽碾压纸浆，故名槽碾，后又将"槽"字写作"曹"，曹碾便成了该村专名。1949年10月以后，该乡辖域先后属凉城县第七区、大圈乡、圈圙乡管辖。1958年，成立曹碾人民公社，社名依人民公社驻地村名命名。1984年7月，成立满族民族自治乡。该乡是一个满、回、汉杂居，以满族为主体的民族自治乡。2006年，原曹碾满族自治乡、厂汉营乡整建制和原十九号乡的十七号、十九号、大洼3个村民委员会合并成立新的曹碾满族自治乡。2012年，从曹碾满族自治乡划出502平方公里、人口2.28万人，设立厂汉营乡。行政区划调整后的曹碾满族自治乡总面积106平方公里，总人口3200人，辖曹碾、周泉、大泉、九号4个村民委员会。

厂汉营 人民公社、乡、村民委员会、自然村专名。厂汉营乡位于凉城县南部边缘，西南与山西省右玉县原李达窑乡、左云县原破虎堡乡隔明长城相望，西邻原双古城乡，西北接原刘家窑乡，东北连原十九号乡，东与原北水泉乡交界。地处马头山区，平均海拔1641米。乡人民政府驻地厂汉营村，地处凉城县城东南26公里处。关于"厂汉营"一名的来历含义有两种解释：一、厂汉营是蒙古语【Qagaan】之汉语音译，意为白颜色。二、元朝时，蒙古族牧民在此定居放牧，定名为【Qahariin Ail】，意为察哈尔营，后转音为"厂汉营"。清末，实行"移民实边"，从山西省崞县、阳高等地到此开垦、经商、定居者逐渐增多，于是从两县县名中各取一字，将地名改为"崞阳庄"。民国初年，在崞阳庄设凉城县第三区。"七七事变"后，日寇占据这一地区，将崞阳庄易名并设立厂汉营公所。民国三十六年（1947年），国民党抢占厂汉营后又由当时的凉城县县长乔汉魁更名为"魁定乡"。1948年后，恢复厂汉营原名，并设凉城县第七区公所于此。1958年，成立厂汉营人民公社。1984年，改社为乡。2001年，原北水泉乡整建制并入厂汉营乡。2006年，整建制并入曹碾满族自治乡。2012年，从曹碾满族自治乡划出另设厂汉营乡。行政区划调整后厂汉营乡总面积502平方公里，总人口2.28万人，辖脑包平、厂汉营、大圈圙、头号、十一号、保全庄、四号、二蛮沟、铁铺、王三顺、北水泉、省城窑、东厂汉营、中水泉、十七号、十九号、大洼17个村民委员会。

北水泉 人民公社、乡、村民委员会、自然村专名。原北水泉乡位于凉城县东南边缘，南与山西省左云县隔明长城相望，西邻原厂汉营乡，北和东北接原十九号乡，东连原曹碾满族自治乡。地处马头山区，平均海拔1900米。乡人民政府原驻北水泉村，后迁到北胜村。北水泉村地处凉城县城东南31.5公里处。乾隆元年（1736年）前后，蒙古族牧民居此，村名北增胜。后根据该村居于南水泉、中水泉两条河流之北，故易名北水泉。该乡辖域先后属凉城县三区、七区、厂汉营乡或人民公社管辖。1963年，单独成立北水泉人民公社。1979

年，乡人民公社迁到北胜村。1984年，改社为乡。2001年，整建制并入新设厂汉营乡。

## （九）卓资县各乡、镇名称考略

**卓资山**　乡、镇、县和自然山专名。卓资山镇位于卓资县辖域中东部，南邻大榆树乡，西和西北靠梨花镇，北和东北与巴音锡勒镇相连，东接十八台镇。辖境属丘陵山区，北部为阴山东延山脉，龙山和桌子山坐北向南气势雄伟，平均海拔1456米。镇人民政府所在地地理坐标约东经112°33′04.06″，北纬40°53′00.66″。"卓资"系蒙古语【ᠵᠤᠰᠤᠮ Jûst】之汉语音译，夏营盘之意。此地原是察哈尔镶红旗牧业生产夏营地，又因此地有形似桌子的平顶山而汉语写作"桌子山"，后来改写为"卓资山"。原卓资山镇系卓资县政府驻地，位于卓资县中部偏东，北靠原白银厂汉乡，东北连原马盖图乡，正东、正南、西南邻六苏木乡，西北与原福生庄乡接壤。1958年，属上游人民公社。1962年，单设城关镇人民公社。1984年，改城关镇人民公社为卓资山镇。2001、2006年，原福生庄乡、六苏木乡整建制和巴音锡勒镇的和平村、原马盖图乡的头号、东滩、大海、温都花、五星5个村民委员会，原印堂子乡的和平村、南山顶、印堂子、广兴城、岱青、奎元6个村民委员会先后并入卓资山镇。合并后的卓资山镇总面积105平方公里，辖新民街、温都花、马盖图、苏计、张家卜、岱青、印堂子、广兴城、中营子、麻迷图、兰旗、坝底、南山顶、奎元、和平15个村民委员会。

**六苏木**　人民公社、乡、自然村专名。原六苏木乡位于新设卓资山镇辖域西南部，总面积193.66平方公里。乡人民政府驻地六苏木村，地处卓资山镇正南偏西3公里处。清嘉庆五年（1800年），为察哈尔右翼镶蓝旗的第六苏木，因此而得名，六苏木系蒙汉合成地名，意为第六苏木。1958年至1962年，属上游人民公社管辖。1962年，单设六苏木人民公社。1984年，改社为乡。2001年，原刘家窑乡整建制并入六苏木乡。2006年，六苏木乡整建制并入新设卓资山镇。

**马盖图**　人民公社、乡、村民委员会、自然村专名。原马盖图乡位于新设卓资山镇辖域东北部，乡人民政府驻地马盖图村，地处卓资山镇正东偏南8.5公里处。村名系蒙古语【ᠮᠣᠭᠠᠢᠲᠤ Môgôit】之汉语音译，意为有蛇的地方。民国九年（1920年）后，平（北平）绥（绥远）铁路建成通车时在此建站，名为马盖图东站。1958年成立五星人民公社。1962年，依马盖图车站的名称更名为马盖图人民公社。1984年，改社为乡。2001年，撤销马盖图乡，原管辖行政区域分别划归新设十八台镇、巴音锡勒镇和卓资山镇。

**印堂子**　人民公社、乡、村民委员会、自然村专名。原印堂子乡位于县境中东部边缘，北靠原卓资山镇，西邻原后房子乡，南与凉城县原厢黄地、三苏木乡交界，东连原十八台镇，总面积221.16平方公里。乡人民政府驻地印堂子村，地处卓资山镇东南10公里处。清光绪二十七年（1901年）前后，此地是察哈尔右翼镶红旗衙门所在地。有衙门就有大印和断事的殿堂，村名由此而来。1958 年，成立印堂子人民公社。1984 年，改社为乡。2001 年，原羊圈湾乡整建制并入印堂子乡。2006 年，撤销印堂子乡，原管辖行政区域分别并入新设卓资山镇、十八台镇和大榆树乡。

**羊圈湾**　人民公社、乡、自然村专名。原羊圈湾乡位于卓资县境东南边缘，北靠原印堂子乡，东、南两面与凉城县原麦胡图、三苏木乡为邻，西接原后房子乡。辖境属山区，平均海拔 1600 米。乡人民政府驻地羊圈湾村，位于卓资山镇东南 19.5 公里处。19 世纪末，此地为蒙古族放牧地，有南营、北营二村，并各有一个大羊盘。20 世纪初，迁来汉族农民居住在山湾处，故命村名羊圈湾。该乡辖域从 1958 年至 1962 年属红旗人民公社管辖。1962 年，单设羊圈湾人民公社，社名从驻地村名。1984 年，社为乡。2001 年，整建制并入原印堂子乡。

**福生庄**　人民公社、乡、自然村专名。原福生庄乡位于卓资县境中部北境，北面与察右中旗金盆乡交界，西和西南与原梨花镇相连，东南邻原卓资山镇，东与巴音锡勒镇接壤，总面积133.77平方公里。乡人民政府驻地福生庄村，地处卓资山镇西北11公里处。1958 年，成立幸福人民公社。1962年，易名为福生庄人民公社。1984年，改社为乡。2006年，撤销后原辖行政区域分别并入新设卓资山镇和梨花镇。

**旗下营**　人民公社、乡、镇专名。旗下营镇位于卓资县境西部，东北与察右中旗原乌兰合页乡交界，西北连红召乡，西南与呼和浩特市原郊区榆林乡为邻，东和东南与大榆树乡、梨花镇接壤。辖境属丘陵山区，平均海拔 1400 米。镇人民政府驻地旗下营（自然镇），地处卓资山镇正西偏北 36 公里处。关于"旗下营"一名的来历含义有如下几种解释：一说，山西省清源地区杨姓等几户农民相继来此地开荒建村，因村中古庙院内有一较高的旗杆，几户农民在旗杆下安营扎寨，故名旗下营；又一说，旗下营是蒙古语【ᠵᠠᠬᠢᠶᠠᠨ　Jaxiaan】之转音，意为当班者或护卫。2001、2006 年原碌碡坪、复兴二乡整建制并入旗下营镇。2012 年，从旗下营镇划出 271 平方公里、人口 1.3 万人，重新设立复兴乡。调整后的旗下营镇总面积 326 平方公里，总人口 2.26 万人，辖一间房、伏虎、青山、油房营、四道沟、荨麻湾、碌碡坪 7 个村民委员会和西街、东街 2 个居民委员会。

原旗下营镇位于新设旗下营镇辖域西北部。1958 年，成立钢铁人民公社。1962 年，更名为旗下营人民公社，社名从驻地村名。1964 年，分设旗下营镇和旗下营人民公社。1971 年，乡、镇合并为旗下营人民公社。1984 年，改社为镇。

**碌碡坪**　人民公社、乡、村民委员会、自然村专名。原碌碡坪乡位于新设旗下营镇辖域东南部，乡人民政府驻地正排子村，地处卓资山镇西 31 公里处。该村原名"碌碡坪"，因村中曾挖出一颗碌碡得名；1962 年，改名为正排子。1958 年，属钢铁人民公社管辖。1962 年，单设碌碡坪人民公社，社名依人民公社驻地村名命名。1984 年，改社为乡。2001 年，整建制并入新设旗下营镇。

**复兴**　人民公社、乡、自然村专名。复兴乡位于卓资县境西北边缘，北和东北与察右中旗原乌兰合页乡接壤，西邻红召乡，南与原旗下营镇相连，东和东南与梨花镇为邻。辖境属于山区，平均海拔 1600 米，总面积 272.20 平方公里。乡人民政府驻地拐角铺村，地处卓资山镇西北 31.5 公里处。清宣统三年（1911 年）建村时，因村拐角处有一家生意铺子得名。清咸丰三年（1853 年）前后，一户破落地主为复兴家业办起复兴商号，后依其商号取村名复兴村。1949 年 10 月以后，该乡辖域先后属复兴乡、上高台乡、越英人民公社、复兴人民公社管辖。1984 年，改社为乡。2006 年，撤销后整建制并入旗下营镇。2012 年，从旗下营镇划出 271 平方公里、人口 1.3 万人，再设复兴乡。调整后的复兴乡辖圪塔子、围子、隆胜德、拐角铺、罗家营、新德义、旧德义、上高台 8 个村民委员会。

**巴音锡勒**　镇之专名。巴音锡勒镇位于卓资县境东北边缘，北接察右中旗科布尔镇，东北和东与察右后旗锡勒乡、察右前旗玫瑰营镇为邻，南与十八台镇、卓资山镇相连，西与梨花镇相接。境域处于阴山山脉东南余延部分的灰腾梁山区，最高海拔1798米。镇人民政府驻地什字村，地处卓资山镇正北偏东15公里处。镇名系蒙古语【 ᠪᠠᠶᠠᠨ ᠰᠢᠯ　Bayin Xil】之汉语音译，意为富饶的山梁。2001年，原哈达图乡、白银厂汉乡整建制和马盖图乡的石窑湾村民委员会、大海村民委员会的老羊圈、小羊圈、南沟子3个村民小组合并设置巴音锡勒镇。2006年，巴音锡勒镇的和平村民委员会划入卓资山镇。调整后的巴音锡勒镇总面积365平方公里，总人口2.74万人，辖勇士、西房子、巴音、东房子、召庙、板凳沟、永丰、共和、快乐、风雪湾、什字、十股地、大海13个村民委员会。

**哈达图**　人民公社、乡、自然村专名。原哈达图乡位于巴音锡勒镇辖域中部。乡人民政府驻地五福堂村，地处卓资山镇东北18.5公里处。19世纪末，凉城县牛家湾村农民伍长安（别名五福堂）迁此居住，故以其别名命村名，后改称哈达图。哈达图系蒙古语【 ᠬᠠᠳᠠᠲᠤ　Hadat】之汉语音译，意为有岩石的地方。1950年，设置哈达图乡，乡名以乡人民政府驻地村名命名。1958年，易名为东风人民公社；1962年，恢复原名。1984年，改社为乡。2001年，整建制并入新设巴音锡勒镇。

**白银厂汉**　人民公社、乡、自然村专名。原白银厂汉乡位于巴音锡勒镇辖域西部。乡人民政府驻地大庙村，地处卓资山镇北 6 公里处，因 20 世纪初在此建起一座大庙而得名。乡名"白银厂汉"系蒙古语【 ᠪᠠᠶᠠᠨᠴᠠᠭᠠᠨ　Bayinqagaan】之汉语音译，【Bayan】意为富饶，【Qagaan】意为白颜色，依纵贯全境的白银河命名。1958 年，在此成立白银厂汉人民公社，社名从人民公社驻地村名。1984 年，改社为乡。2001 年，整建制并入新设巴音锡勒镇。

**十八台**　人民公社、乡、村民委员会、自然村专名。十八台镇位于卓资县境东南边缘，西北与巴音锡勒镇接壤，西连卓资山镇和大榆树乡，南和东南与凉城县岱海镇、丰镇市三义泉镇为邻，东和东北与察右前旗原古尔班布拉格、三岔口二乡交界。地处丘陵山区，平均海拔 1500 米。镇人民政府驻地十八台村，地处卓资山镇正东 21.5 公里处。清光绪七年（1881 年），几户蒙古族牧民来此放牧。依此地污泥滩命村名【 ᠱᠠᠪᠠᠷᠲᠠᠢ　Xabartai】，后转音为十八台。原十八台乡位于新设十八台镇辖域西部。乡人民政府驻十八台村。1958

年，成立十八台人民公社。1984 年，改社为乡。2001 年，撤乡设镇，同时将马盖图乡的东营子村民委员会划入十八台镇。2006 年，原八苏木乡、梅力盖图乡整建制和印堂子乡的财神梁、白脑包、五犊亥 3 个村民委员会并入十八台镇。合并后的十八台镇总面积 448.8 平方公里，总人口 4.59 万人，辖 1 个居民委员会和十八台、梅力盖图、下营子、双此老、忽力进图、巴音、厂汉梁、大湾子、东营子、哈丰景、榆树沟、黄旗滩、八苏木、金城洼、朝鲁、小水沟、九苏木、脑包洼、泉脑子、财神梁、白脑包、五犊亥 24 个村民委员会。

**八苏木**  人民公社、乡、村民委员会、自然村专名。原八苏木乡位于十八台镇辖域东部。乡人民政府驻地快乐村，地处卓资山镇正东偏北 25 公里处。光绪三十年（1904 年），村中有一地主名叫李三，故名"李家卜子"；1950 年，改为现名。该乡辖域原属察哈尔右翼正红旗第八苏木。八苏木系蒙古语【ᠨᠠᠢᠮᠳᠤᠭᠠᠷ ᠰᠤᠮ  Naimdûgaar Sûm】之汉语音译，第八苏木之意。1958 年，与原十八台、梅力盖图二乡共为卫星人民公社。1962 年，单设八苏木人民公社。1984 年，改社为乡。2006 年，整建制并入新设十八台镇。

**梅力盖图**  人民公社、乡、村民委员会、自然村专名。原梅力盖图乡位于新设十八台镇辖域东部，总面积 74.6 平方公里。乡人民政府驻地三义堂村地处卓资山镇正东偏南 27 公里处，村名依村中天主教堂名称命名。1958 年，属卫星人民公社。1962 年，单设梅力盖图人民公社。社名因此处有水草滩，蛤蟆较多，故取名【ᠮᠡᠯᠬᠡᠢᠲ  Melheit】。村名系蒙古语，蛤蟆滩之意。1984 年，改社为乡。2006 年，整建制并入新设十八台镇。

**梨花**  镇之专名。梨花镇位于卓资县境中部靠西边缘，北与察右中旗乌兰哈页苏木接壤，西与旗下营镇相连，南接大榆树乡，东邻卓资山镇和巴音锡勒镇。镇人民政府驻地土城子村，地处卓资山镇西北 23 公里处。土城村也叫梨花镇。西汉定襄郡武要县治设于（三道营南约 4 公里处）土城子村北，距今已有 1700 多年的历史。相传薛丁山征西时，樊梨花在此屯兵，因此而得名。2001 年，原三道营乡、保安二乡合并设置梨花镇。2006 年，原福生庄乡的丰恒、东壕赖、中壕赖、福胜 4 个村民委员会并入梨花镇。合并后的梨花镇总面积 384.79 平方公里，总人口 2.22 万人。全镇辖刘广窑、三道营、大什字、小土城、狮子沟、榆树营、大包沟、韭菜沟、丰恒、东壕赖、中壕赖、福胜村、土城子 13 个村民委员会。

**三道营**  人民公社、乡、自然村专名。原三道营乡位于卓资县境北部偏西边缘，北连察右中旗原金盆乡，西北和西南与原复兴乡、旗下营镇相连，南连原碌碡坪乡，东南和东面与原福生庄、保安乡为邻。乡人民政府驻地三道营村，位于卓资山镇西北 25 公里处。1910 年前后，蒙古族牧人在此设点放牧，此处属第三个牧业点，故名三道营。1958 年，在此成立高潮人民公社。1962 年，依人民公社驻地村名更名为三道营人民公社。1984 年，改社为乡。2001 年，整建制并入新设梨花镇。

**保安**  人民公社、乡、自然村专名。原保安乡位于卓资县境南部边缘，北接原福生庄乡，西邻原三道营乡、旗下营镇，南接凉城县原崞县窑乡，东与原六苏木、大榆树乡接壤。辖境属丘陵山区，平均海拔 1636 米。乡人民政府驻地大十字村，位于卓资山镇西 21 公里处。这里土质肥沃，矿藏丰富，一曰有宝二曰安全，故名宝安。1954 年，建立保安乡。1958 年，更名为山林人民公社。1962 年，又更名为保安人民公社。1984 年，改社为乡。2001 年，整建制并新设入梨花镇。

**红召**　人民公社、乡、村民委员会、自然村专名。红召乡位于卓资县境西北边缘，北连察右中旗乌兰哈页苏木，西北与四子王旗东八号乡相连，西与武川县哈乐镇相接，南邻呼和浩特市新城区保合少乡，东与旗下营镇交界。辖境属山区，平均海拔 1700 米。乡人民政府驻地东河子村，地处卓资山镇西北 47.5 公里处。村名依村东自然河命名。2001 年，原东河子乡整建制并入红召乡。合并后的红召乡总面积 418.59 平方公里，总人口 1.07 万人。辖六号、下股子、东风、官庄子、厂汉脑包、寿阳营子、东卜子、红格图、红召 9 个村民委员会。

原红召乡位于新设红召乡辖域西南部，乡人民政府驻地红召村位于卓资山镇西北 56 公里处。清道光二十六年（1846 年），在今红召村建成宝化寺，寺庙围墙涂为红色，故人称红召。宝化寺，蒙古语称【ᠭᠡᠭᠡᠨ ᠰᠦᠮᠡ Gege Sum】，意为活佛庙。该地区原属四子部落旗境。1927 年，划归武川县管辖。1955 年，划归武东县管辖。1958 年，划归卓资县，归属雷山人民公社。1962 年，单设红召人民公社。1984 年，改社为乡。2001 年，并入新设红召乡。

**东河子**　人民公社、乡、自然村专名。原东河子乡位于新设红召乡辖域东北部。辖境属山区地带，平均海拔 1650 米。乡人民政府驻东河子村。1958 年，属雷山人民公社管辖。1962 年，单设东河子人民公社。1984 年，改社为乡。2001 年，整建制并入新设红召乡。

**大榆树**　人民公社、乡、村民委员会、自然村专名。大榆树乡位于卓资县境南部边缘，北靠卓资山镇，东邻印堂子乡，南接凉城县岱海镇，西与梨花镇接壤。2006 年，原后房子乡、原印堂子乡的羊圈湾、马莲坝 2 个村民委员会并入大榆树乡。合并后的大榆树乡人民政府驻地设在原后房子乡人民政府所在地麻地卜村，地处卓资山镇正南 16 公里处。全乡总面积 525.16 平方公里，总人口 2.53 万人，辖大南沟、后干沟、芦草沟、小南沟、大榆树、麻地卜、阳坡子、孔督营、狮子沟、凤凰台、后房子、艾壕洼、西壕欠、河子、羊圈湾、马莲坝 16 个村民委员会。

原大榆树乡位于新设大榆树乡辖域西部。辖境属于山区，平均海拔 1800 米。乡人民政府驻地大榆树村，地处卓资山镇西南 23 公里处。因村中有 3 棵大榆树而得名。1958 年至 1962 年，属红旗人民公社管辖。1962 年，单设大榆树人民公社，社名从人民公社驻地村名。1984 年，改社为乡。2006 年，整建制并入新成立的大榆树乡。

**后房子**　人民公社、乡、村民委员会、自然村专名。原后房子乡位于新设大榆树乡中部。辖境属丘陵山区，平均海拔 1700 米。乡人民政府驻地麻地卜子村，地处卓资山镇南 16 公里处。因此地盛产胡麻而得名。1958 年至 1962 年，属红旗人民公社管辖。1962 年，单设后房子人民公社，社名从人民公社驻地村名。1975 年，人民公社驻地迁至麻地卜子村。1984 年，改社为乡。2006 年，整建制并入新设大榆树乡。

## （十）丰镇市各乡、镇、区名称考略

**北城区** 街道办事处专名。北城区街道办事处位于丰镇市境西南部，西连巨宝庄镇，东邻南城区办事处。办事处机关驻丰镇市城区大西街，地理坐标约北纬 40°26′20.07″，东经 113°09′17.04″，是丰镇市人民政府驻地。1950 年，在此成立丰镇县城关区，后改为城关镇。2001 年，撤销城关镇，改设北城区街道办事处，辖原城关镇管理范围及旧城区办事处的原北山街、北坡街、土塘街、大西街的全部及原武仓街、顺城街的一部分。

原城关镇系丰镇市（县）人民政府驻地，曾名"衙门口"。据考，清朝年间在此设置丰镇厅，民国元年（1912 年）改丰镇厅为丰镇县，城区为其一区；1937 年，日寇占领丰镇并设县城区；1946 年，中国共产党绥蒙区党委、绥蒙行政公署设于城内，城内以十字街为界分设 4 个区，同年 9 月，国民党军队占领丰镇。1948 年 8 月 22 日，丰镇重新获得解放，改丰镇县为丰镇市。不久，中国共产党绥蒙区党委、绥蒙区人民政府改为中国共产党绥远省委和绥远省政府，驻丰镇市城关镇。1949 年，中国共产党绥远省委和绥远省人民政府迁往归绥市（即今呼和浩特市）后，丰镇撤市改县并设置丰镇县城关镇。2001 年，撤销城关镇后改设北城区街道办事处。

**南城区** 办事处专名。南城区办事处位于丰镇市境西南边缘，西邻原新营子乡、巨宝庄乡和城关镇，北连原九龙湾、永善庄二乡，东接原新五号、黑圪塔洼二乡，南与山西省大同市拒墙堡乡隔边墙（明长城）相望。办事处机关驻地瓦窑村，地处丰镇市城东（城区大西街）2 公里处。约清雍正八年（1730 年），赵姓农民由山西省怀仁县迁此烧窑制瓦，故名瓦窑村。2006 年，原城关镇的 8 个村民委员会划入市区并设立南城区办事处。新设立的南城区办事处总面积 84.6 平方公里，总人口 2.5 万人，辖五台洼、四城洼、毛鱼沟、新城湾、东园、二号沟、铺路、沟门 8 个村民委员会。

**新城湾** 人民公社、乡、镇专名。原新城湾镇位于南城区办事处辖域西南部，镇人民政府驻瓦窑村。1958 年，该镇辖域先后属先锋人民公社、新城湾人民公社管辖。当时人民公社驻地设在新城湾村。约清乾隆二年（1737 年），清政府放地，来此耕种的农民把村庄建在新城河流经的山湾处，故名新城湾，建社时社从村名。1984 年，改社为乡。2001 年，原新城湾、粒峨二乡合并设置新城湾镇。2006 年，撤销新城湾镇后原辖行政区域分别划归黑土台镇和南城区办事处。

**粒峨** 人民公社、乡、村专名。原粒峨乡位于南城区办事处辖域东北部，乡人民政府驻地粒峨村，地处丰镇市城东北 10 公里处。约清乾隆五年（1740 年），由四川省迁来一户人家在此居住，就此形成村落。村东有座小山，人称双山。四川人认为双山和四川的峨眉山相比好像一粒米一样，故命村名粒峨村。1958 年，该乡辖域先后属先锋人民公社、粒峨人民公社管辖。1984 年，改社为乡。2001 年，并入新设置的新城湾镇。

**巨宝庄** 人民公社、乡、镇、村民委员会、自然村专名。巨宝庄镇位于丰镇市境西南边缘，西与凉城县天成乡接壤，东北连红砂坝镇，东邻北城区街道办事处和南城区办事处，南与山西省大同市拒墙堡乡、左云县郭家窑乡隔边墙（明长城）相望。镇人民政府驻地丹洲营，地处丰镇市城东南 6 公里处。"丹洲营"地名来历含义有待考证。2001 年，原巨宝庄、新营子二乡合并设置巨宝庄镇。2006 年，原马家库联乡整建制并入巨宝庄镇。新设立的巨宝庄镇总面积 301 平方公里，总人口 3.54 万人，辖巨宝庄、东十八台、西十八台、张字、铺路、丹州营、新营子、九墩沟、四十二号、马家库联、北水泉、十二沟、洪字 13 个村民委员会。

原巨宝庄乡位于巨宝庄镇辖域北部，乡人民政府驻地巨宝庄村，地处丰镇市城东北 10 公里处，约清乾隆四十七年（1782 年），清政府命名巨宝庄。1956 年，成立巨宝庄乡。1958 年，与新营子乡合并成立巨宝庄人民公社。1962 年，划出新营子人民公社。1984 年，改社为乡。2001 年，整建制并入新设巨宝庄镇。

**新营子** 人民公社、乡、村民委员会专名。原新营子乡位于巨宝庄镇辖域东南部，乡人民政府驻地新营子村，地处丰镇市城西南 4.5 公里处。清雍正八年（1730 年）前后，蒙古族人居此营牧，名新营子；后常、印两姓人家迁此居住，更改村名为"常印庄"；1937 年，恢复原名新营子。1956 年，建新营子乡，乡名依乡人民政府驻地村名命名。1958 年，撤销乡建制划归巨宝庄人民公社管辖。1962 年，单设新营子人民公社。1984 年，改社为乡。2001 年，整建制并入新设巨宝庄镇。

**马家库联** 人民公社、乡、村民委员会、自然村专名。原马家库联乡位于巨宝庄镇辖域西南部，乡人民政府驻地马家库联村，地处丰镇市城西 14 公里处。18 世纪初，该乡辖域为清大同府军马场，故人称放马圐圙。清道光五年（1825 年）前后，山西省马姓农民迁此居住，村名放马圐圙逐渐演变为马家圐圙。2006 年，内蒙古自治区民政厅关于撤乡并镇批复文件中写作"马家库联"。圐圙、库联均是蒙古语【ᠬᠦᠷᠢᠶ᠎ᠡ Huree】之汉语音译，围墙之意。该乡辖域原属凉城县管辖，1949 年 10 月以后，先后属丰镇县八区、马家圐圙乡、巨宝庄人民公社管辖。1962 年，单设马家圐圙人民公社。1984 年，改社为乡。2006 年，整建制并入原巨宝庄镇。

**三义泉** 人民公社、乡、镇、村民委员会、自然村专名。三义泉镇位于丰镇市境西北边缘，西和西南连凉城县麦胡图镇、天城乡，西北接卓资县十八台镇，东北邻察右前旗乌拉哈乡，东南与红砂坝镇接壤。镇人民政府驻地海流素太村，地处丰镇市城西北 50 公里处。海流素太系蒙古语【ᠬᠠᠶᠢᠯᠠᠰᠤᠲᠠᠢ Hailastai】之汉语音译，意为有柳树的地方。清雍正八年（1730 年）前后，一户蒙古族人居此营牧，因此地有柳树而得名。2001 年，原麻迷图、三义泉二乡合并设置三义泉镇。总面积 361.3 平方公里，总人口 2.3 万人，辖三义泉、海流素太、卓素图、山岔河、天德永、四道咀、麻迷图、庙卜、饮马泉、甲拉、十里库联、大泉 12 个村民委员会。

原三义泉乡位于新设三义泉镇辖域西南部，乡人民政府驻海流素太村。1958 年，由当时的三义泉、双水泉二乡合并组建三义泉人民公社。社名依人民公社驻地村名命名。1781年形成村落时，依村中商号命村名三义泉。1959 年，人民公社驻地迁至海流素太村，人民公社仍沿用旧名。1984 年，改社为乡。2001 年，并入新设三义泉镇。

**麻迷图**  人民公社、乡、村民委员会专名。原麻迷图乡位于新设三义泉镇辖域东北部，乡人民政府驻地麻迷图村，地处丰镇市城西北 71 公里处。乡、村名称系蒙古语【ᠮᠠᠭᠠᠨ Maant】之转音，意为咏经之地。1958 年，原麻迷图、大泉二乡合并组成麻迷图人民公社，社名依人民公社驻地村名命名。1984 年，改社为乡。2001 年，并入新设三义泉镇。

**红砂坝**  人民公社、乡、镇专名。红砂坝镇位于丰镇市境北部边缘，北连察右前旗土贵乌拉镇，西邻三义泉镇，南接巨宝庄镇，东与隆盛庄镇接壤。镇人民政府驻地红砂坝村，地处丰镇市城北偏东 30 公里处。红砂坝村原名"坝沟"，根据地形而名。当地人称小山坡、山梁为坝，本村坐落在一小山梁下，而且红砂和红胶泥颇多，故名。2006 年，原红砂坝、九龙湾二乡合并设置红砂坝镇。总面积 361 平方公里，总人口 1.93 万人，辖九龙湾、向阳、西边墙、三义永、土城、沙卜、丰乐窑、王家卜、十八台 9 个村民委员会。

原红砂坝乡位于红砂坝镇辖域东北部，乡人民政府驻红砂坝村。1958 年，该乡辖域属沙卜乡、十八台乡、十八台人民公社管辖。1959 年，成立红砂坝人民公社，同时人民公社迁驻红砂坝村。1962 年，划出九龙湾乡。1984 年，改社为乡。2006 年，并入新设红砂坝镇。

**九龙湾**  人民公社、乡、村民委员会专名。原九龙湾乡位于红砂坝镇辖域西南部，乡人民政府驻地壕堑村，地处丰镇市城北偏东 20 公里处。约清乾隆五十五年（1790 年）形成村落。村北有一条弯曲的壕沟，故名。1953 年，设九龙湾乡，属十八台区管辖，乡名因境内九龙湾得名。1958 年，撤销乡建制，划归十八台人民公社管辖。1959 年，十八台人民公社更名为红砂坝人民公社。1962 年，单设九龙湾人民公社，人民公社驻地河畔村。1962 年，人民公社驻地迁至壕堑村。1984 年，改社为乡。2006 年，并入新设红砂坝镇。

**隆盛庄**  人民公社、乡、市、镇、区、村民委员会、自然村专名。隆盛庄镇位于丰镇市境东北边缘，西邻察右前旗土贵乌拉镇和本市红砂坝镇，东北与察右前旗乌拉哈乡和兴和县张皋镇交界，东南连黑土台镇和浑元窑乡，南接南城区办事处。镇人民政府驻地隆盛庄，地处丰镇市城东北 40 公里处。清乾隆三十三年（1768 年）前后，清政府招民垦荒，在此设庄，命名隆盛庄。1958 年，成立隆盛庄人民公社，1984 年，改社为镇。2001、2006 年，原柏宝庄、永善庄二乡先后整建制并入隆盛庄镇。合并后的隆盛庄镇总面积 415.4 平方公里，总人口 4.7 万人，辖两个居民委员会和富家乡、柏宝庄、大东营、四十号、三应坊、和平、南泉、西窑、东官、永王庄、永善庄、十号、二号 13 个村民委员会。

原隆盛庄镇位于新设隆盛庄镇辖域东北部。清初，该镇辖域属太仆寺右翼牧场。1923年，设丰镇县第四区。1948 年，设隆盛庄市。1949 年，改为隆盛庄区。1958 年，成立隆盛庄人民公社。1984 年，改社为镇。2006 年，整建制并入新设置的隆盛庄镇。

**柏宝庄**  人民公社、乡、村民委员会专名。原柏宝庄乡位于新设隆盛庄镇辖域中部，乡人民政府驻地南营子村，地处丰镇市城东北 35 公里处。清雍正八年（1730 年）前后，蒙古族牧民在此以放牧为生，因地处南、北两个营盘之南营盘而名南营子。1949 年 10 月以后，该乡辖域先后属大东营乡、柏宝庄乡、隆盛庄人民公社管辖。1962 年，单设柏宝庄人民公社，社名依人民公社驻地村名命名。该地名来历含义有待进一步考证。1984 年，改社为乡。2001 年，整建制并入新设隆盛庄镇。

**永善庄**　人民公社、乡、村民委员会专名。原永善庄乡位于新设隆盛庄镇辖域西南部，乡人民政府驻地永善庄村，地处丰镇市城东北 17 公里处。清乾隆十五年（1750 年）前后形成村落时命名，地名含义有待考证。1952 年，设永善庄区，后改为乡。1958 年，成立永善庄人民公社。1984 年，改社为乡。2006 年，整建制并入新设置的隆盛庄镇。

**黑土台**　人民公社、乡、镇、自然村专名。黑土台镇位于丰镇市境腹地正中偏东，西、北两面邻隆盛庄镇和南城区办事处，南连官屯堡乡，东与浑源窑乡接壤。镇人民政府驻地二十八号村，地处丰镇市城东 25 公里处，清朝时期因开垦放地将所有土地编号而得名。2001 年，原黑土台、新五号二乡合并设置黑土台镇。2006 年，原新城湾镇的粒峨、寿阳营二村民委员会并入黑土台镇。合并后的黑土台镇总面积 260.2 平方公里，总人口 3.27 万人，辖南瓦窑、段家营、典青庙、帽山、太平庄、新五号、常山窑、羊富沟、粒峨村、寿阳营 10 个村民委员会。

原黑土台乡位于新设黑土台镇辖域北部，乡人民政府驻二十八号村。1958 年，成立黑土台人民公社，社名依人民公社驻地村名命名。1960 年，人民公社迁驻二十八号村。1968 年，更名为红土台人民公社。1978 年，恢复旧名。1984 年，改社为乡。2001 年，整建制并入黑土台镇。

**新五号**　人民公社、乡、村民委员会专名。原新五号乡位于新设黑土台镇辖域南部，乡人民政府驻地新五号村，地处丰镇市城东 17.5 公里处。清政府招民垦荒，将所有土地按序编号，此地排为第五号地，且有惠姓农户居此开地建村，故名"惠家五号"。1952 年改名为"大五号"，1958 年又改为新五号。该乡辖域 1958 年至 1962 年，属太平庄人民公社管辖。1962 年，单设新五号人民公社。1984 年，改社为乡。2001 年，整建制并入新设黑土台镇。

**浑源窑**　人民公社、乡、村民委员会、自然村专名。浑源窑乡位于丰镇市境东部边缘，东北连兴和县张皋镇，东南接山西省阳高县大同窑乡，西南邻官屯堡乡和黑土台镇，西北与黑土台镇和隆盛庄镇接壤。乡人民政府驻地浑源窑村，地处丰镇市城东 45 公里处。清乾隆十七年（1752 年）前后，山西省浑源县人迁此开地建村并碹窑居住，故名浑源窑。2001 年，原对九沟乡整建制并入浑源窑乡，原大庄科乡整建制并入元山子乡。2006 年，元山子乡整建制并入浑源窑乡。2012 年初，从浑源窑乡划出 309 平方公里、人口 2.04 万人，另设元山子乡。行政区划调整后的浑源窑乡面积 298 平方公里，总人口 1.09 万人，辖棋杆梁、浑源窑、老官坟、天花板、石咀、二道边、西施沟 7 个村民委员会。

原浑源窑乡位于新设浑源窑乡辖域东北部，乡人民政府驻浑源窑村。1958 年，成立浑源窑人民公社，社名依人民公社驻地村名命名。1962 年，划出部分辖地另设对九沟人民公社。1984 年，改社为乡。2001 年，整建制并入浑源窑乡。

**对九沟**　人民公社、乡、自然村专名。原对九沟乡位于新设浑源窑乡辖域东南部，乡人民政府驻地二道边村，地处丰镇市城东南 63 公里处。清嘉庆元年（1796 年）前后形成村落，因该村坐落在明长城（俗称二道边墙）附近而得名。1956 年，设对九沟乡，乡人民政府驻对九沟村。该村于清康熙五十九年（1720 年）形成村落，因该村地处山沟内，村民用对臼舂米，故名对白沟，后易写为对九沟。乡名依乡人民政府驻地村名命名。1958，撤销乡建制，划归浑源窑人民公社管辖。1962 年，单设对九沟人民公社，后人民公社迁驻二道边村。1984 年，改社为乡。2001 年，整建制并入新设浑源窑乡。

**大庄科**　人民公社、乡、村民委员会专名。原大庄科乡位于新设浑源窑乡辖域东北部，乡人民政府驻地大庄科村，地处丰镇市城东北 35 公里处。村名来历含义有待于考证。该乡辖域，1958 年至 1962 年属元山子人民公社管辖，1962 年设置大庄科人民公社。社名依乡人民政府驻地村名命名。1984 年，改社为乡。2001 年，整建制并入元山子乡。

**元山子**　人民公社、乡、村民委员会专名。元山子乡位于丰镇市境东南边缘，北、东两面邻对九沟乡，东南与山西省阳高县孙仁堡乡接壤，南接官屯堡乡，西连黑土台镇。乡人民政府驻地元山子村，地处丰镇市城东 30 公里处。约清乾隆六年（1736 年），从山西省迁来几户人家居此，因本村有 3 座小圆山而得名圆山子，后改写为元山子。1958 年，成立元山子人民公社，社名依人民公社驻地村名命名。1984 年，改社为乡。2001 年，原大庄科乡整建制并入元山子乡。2006 年，元山子乡整建制并入浑源窑乡。2012 年初，再设元山子乡。行政区域调整后元山子乡总面积 309 平方公里，总人口 2.04 万人，辖元山子、沙沟岩、巴音图、忻州窑、满州窑、大东沟、土堡、大庄科、盂县营 9 个村民委员会。

**官屯堡**　人民公社、乡、村民委员会，自然村专名。官屯堡乡位于丰镇市境南部偏东边缘，南和西南与山西省阳高县二十六村乡隔边墙（明长城）相望，西北连南城区办事处，北靠黑土台镇，东北邻浑源窑乡。乡人民政府驻地官屯堡村，地处丰镇市城东南 25 公里处。清乾隆十一年（1746 年）前后，山西省农民迁此开荒种地，形成村落。因清初大同府官兵来此放马、打草，人马驻扎在新修建的土堡内，因而形成村落时命名官屯堡。2006 年原黑圪塔洼乡整建制并入官屯堡乡。合并后的官屯堡乡总面积 297.6 平方公里，总人口 2.86 万人，辖官屯堡、獾子窝、王家营、口子村、南沟、小庄旺、黑圪塔洼、孟家营、南井、后营村 10 个村民委员会。

原官屯堡乡位于新设官屯堡乡辖域东部，乡人民政府驻官屯堡村。1958 年，成立官屯堡人民公社，社名依驻地村名命名。1984 年，改社为乡。2006 年，整建制并新设官屯堡乡。

**黑圪塔洼**　人民公社、乡、村民委员会、自然村专名。原黑圪塔洼乡位于新设官屯堡乡辖域西部，乡人民政府驻地黑圪塔洼村，地处丰镇市城东南 15 公里处。村名系蒙古语

【ᠬᠠᠷ ᠳᠠᠪᠠᠭ᠎ Har Dabaa】之汉语转音，意为黑土山丘。1956 年，建黑圪塔洼乡，乡名依乡人民政府驻地村名命名。1958 年，撤销乡建制，划属太平庄人民公社管辖。1962 年，单设黑圪塔洼人民公社。1968 年，更名为红圪塔洼人民公社（更名文件已下达，但并没有执行）。1984 年，改社为乡。2006 年，整建制并入新设置的官屯堡乡。

## （十一）集宁区各乡、镇名称考略

**马莲渠** 乡和自然村专名。马莲渠乡位于集宁区辖域西半部，东邻白海子镇，南和西两面接察右前旗平地泉镇，西北与察右前旗煤窑乡接壤，北连察右后旗贲红镇。乡人民政府驻地马莲渠村，位于集宁区怀远路东侧兴工路南，老虎山生态公园西侧，地理坐标约北纬 41°01′36.51″，东经 113°08′14.01″。马莲渠，原本是一个自然村名。清朝时期初次开垦时这里原是一片低洼草地，曾有一大水坑，水坑四周长满一尺多高的马莲，而且有一条东西走向的河渠，故名马莲渠，乡名从该自然村名。2006 年，察右前旗原黄家村乡的大十号、大三号、三股泉、四股泉、师家村、三成局、六号渠、合义永、新湾 9 个村民委员会并入集宁区马莲渠乡。合并后的马莲渠乡总面积 229.8 平方公里，总人口 4.6 万人，辖李长庆、小贲红、翟家沟、霸王河、榆树湾、贾家村、大十号、师家村、三成局、六号渠、大三号、三股泉、四股泉、合义永、新湾、马连渠 16 个村民委员会。

原马莲渠乡位于集宁区境西南边缘，新设马莲渠乡辖域南半部。民国十三年（1924年），集宁设置后，今马莲渠乡辖区属集宁县第一区的德恒乡管辖。1951 年 8 月之前，分别隶属集宁县第一、第四区和城关区管辖；之后，又分设南河区、李化沟两个村民委员会，由察右前旗原平地泉镇管辖。1952 年，南河区行政村改为东郊乡，李化沟行政村改为西郊乡。1953 年，原属绥东中心旗管辖的霸王河等 3 个自然村划入西郊乡，将集宁县的小贲红等 7 个自然村划归东郊乡。不久，西郊乡改称纳尔森格勒乡。1958 年，东郊乡并入纳尔森格勒乡。纳尔森格勒系蒙古语【ᠨᠠᠷᠠᠰᠤᠨ ᠭᠣᠤᠯ Narsûn Gôl】之汉语音译，松树河之意。1962 年，设置马莲渠人民公社。1966 年，更名为红卫人民公社。1984 年，改社为乡，并恢复原名。2006 年，原黄家村乡的 9 个行政村划入马莲渠乡。

**三成局** 人民公社、乡、村民委员会、自然村专名。原三成局乡归察右前旗管辖，位于察右前旗境北部偏西边缘，北邻察右后旗原大六号乡，东连察右前旗原黄家村乡，南接察右前旗原白海子镇和原集宁市马连渠乡，西与察右前旗原煤窑乡接壤。乡人民政府驻地三成局村，地处集宁区正北偏东 9 公里处。"三成局"是蒙古语【ᠰᠠᠩ ᠤᠨ ᠵᠤᠯᠠ Sanggiin Jûl】，意为庙仓灯。一说 19 世纪末，此地是放地商人集中的地方。这些商人为了防止邻近放地商争夺土地，雇用一帮打手并成立镖局，取名三成局。此后三成局就成了该村专名。"文化大革命期间"曾更名为东红村；1980 年恢复原名。该乡辖域，1958 年属希拉人民公社管辖，1962 年分设三成局人民公社。"文革"期间曾更名为东红人民公社。1964 年

7月1日，划归察右后旗。1964年9月8日，划归察右前旗。1984年，改社为乡并恢复原名。2001年，整建制划入察右前旗煤窑乡。2004年，又划归察右前旗黄家村乡。2006年，被撤销的黄家村乡并入集宁区马莲渠乡。

**黄家村**　人民公社、乡、村民委员会、自然村专名。原黄家村乡属察右前旗管辖，位于察右前旗北境，北邻察右后旗大六号乡，东连察右前旗原弓沟乡，南接察右前旗原白海子镇和原集宁市，西与察右前旗原三成局乡接壤。乡人民政府驻地黄家村，地处集宁区东北15公里处。100多年前，有黄姓农民开地建村，故名黄家村。该乡辖域，1949年10月以后属原集宁县管辖，1958年划归察右前旗弓沟人民公社管辖。1962年，单设黄家村人民公社，社名从人民公社驻地村名。1966年，曾易名赤卫人民公社；1980年，恢复原名。1984年，改社为乡。2001年，察右前旗原三成局、弓沟二乡整建制划入黄家村乡。2004年，黄家村乡划入集宁区。2006年，撤销后将原辖行政区域分别划归集宁区马莲渠乡和白海子镇。

**白海子**　人民公社、乡、镇、村民委员会、自然村专名。白海子镇位于集宁区境东半部，北邻察右后旗贲红镇，东连察右前旗玫瑰营镇，南接察右前旗黄旗海镇，西与察右前旗平地泉镇和集宁区马莲渠乡接壤。镇人民政府驻地白海子村，位于集宁区东南马莲渠乡正东9公里处。该村南1公里处有一水泡子，水泡周围呈白色碱土，故名白海子村。该镇辖域，1958年属平地泉人民公社管辖，1962年分设白海子人民公社。"文化大革命"期间更名为前进人民公社；1980年恢复原名。1984年，改社为乡。2001年，撤乡置镇。2004年，白海子镇划入集宁区。2006年，察右前旗原黄家村乡的七苏木、南洼、黄家村、哈伊尔脑包、小东号、大河湾6个村民委员会并入白海子镇。合并后的白海子镇总面积154.8平方公里，总人口1.93万人。辖红海子、泉玉岭、黄土场、土城子、南界、章盖营、乔家村、白海子、七苏木、南洼、黄家村、哈伊尔脑包、小东号、大河湾14个村民委员会。

## 二　乌兰察布地区现属巴彦淖尔市苏木、乡、镇名称考略

### （一）乌拉特前旗各苏木、乡、镇名称考略

**乌拉山**　镇和自然山专名。乌拉山镇位于乌拉特前旗境西南部，东邻先锋镇，南连鄂尔多斯市杭锦旗，西与西小召镇接壤，北靠额尔登布拉格苏木和新安镇，是乌拉特前旗人民政府所在地镇。镇人民政府驻地西山嘴，地理坐标约北纬40°40′，东经108°45′。西山嘴古称"钳耳嘴"，名称源于该镇地处乌拉山最西端两边高、中间低的空旷地，状似一个巨大的嘴巴。2001年，原呼和宝力格苏木整建制并入乌拉山镇。2006年，原西山嘴镇整建制和呼和布拉格镇的6个居民委员会、公庙子镇的7个村民委员会合并设立乌拉山镇。新设立的乌拉山镇总面积327.5平方公里，总人口8.96万人。辖32个居民委员会和塔布、水桐树、蓿亥、沙脑包、盐海子、三湖、联光、民生、杨水、桥南等14个村民委员会。

原乌拉山镇位于新设乌拉山镇北部。镇政府驻西山嘴以东约 13 公里处。该镇是于 1976 年建立的新兴产业城镇，镇名依乌拉山命名。2001 年，呼和布拉格苏木撤销后整建制划归乌拉山镇。2006 年，并入新设置的乌拉山镇。

**呼和布拉格**　人民公社、苏木、自然村专名。原呼和布拉格苏木位于乌拉特前旗境南部，东邻原巴音花镇，南连原公庙子、蓿亥二乡，西与原西山嘴乡交界，北与原额尔敦布拉格苏木接壤。苏木人民政府驻地呼和布拉格村，地处西山嘴镇东约 30 公里处。村名系蒙古语【Huh Bûlag】之汉语音译，意为青泉。因此地山沟中青石多且又有山泉而得名。1949 年 10 月以后，该苏木辖境先后归乌拉特前旗第一努图克、公庙子乡、公庙子人民公社、白彦花人民公社管辖。1963 年，单设呼和不浪人民公社。1966 年，更名为呼和布拉格。"呼和不浪"与"呼和布拉格"均是蒙古语【Hoh Bûlag】之不同音译。1984 年，改社为苏木。2001 年，划归新设乌拉山镇。

**西山嘴**　人民公社、苏木、镇专名。原西山嘴乡位于乌拉特前旗境西南部，南与鄂尔多斯市杭锦旗为邻，东与原蓿亥乡、西山嘴镇、西山嘴农场相连，西与原金星乡接壤，北与原新安镇、北圪堵乡交界。乡人民政府驻地鸿特音补隆村，地处西山嘴镇西约 1 公里处。村名系蒙古语【　　　　　　　　Hûntiin Bûlûng】之汉语音译，意为鸿雁湾。民国时期，该乡辖域属伊克昭盟达拉特旗和安北县太贞乡。1949 年 10 月以后，该苏木辖境先后属安北县一区、二区、盐海子乡、锡尼庙乡、西山嘴苏木管辖。1962 年，单设西山嘴人民公社。1984 年，改社为乡。2001 年，划归新设西山嘴镇。

原西山嘴镇是乌拉特前旗人民政府驻地。位于乌拉特前旗境中部偏南，东与原呼和布拉格苏木交界，东南与原蓿亥乡相连，西与原西山嘴乡为邻，北与原西山嘴农场相依。镇人民政府驻本镇第三居民区。该镇辖域，原属安北县，1958 年划归乌拉特前旗，1964 年设立西山嘴镇，2001 年划归新设置的西山嘴镇。

**小佘太**　乡、镇、自然村专名。小佘太镇位于乌拉特前旗境东北部，东邻固阳县西斗铺镇，南连明安镇，西靠大佘太镇，北与乌拉特中旗石哈河镇交界。辖域中部滩川丘陵相间，东高西低，平均海拔在 1422 米。镇人民政府驻地大十份子村，地处西山嘴镇东北约 90 公里处。清朝年间，东达公垦务局放地时，大十份子村因土地按顺序排列为第十份土地而得名。小佘太辖域原归安北县、乌拉特中旗、乌拉特后旗管辖。1949 年 10 月以后，先后属东小佘太乡、西小佘太乡、南十四份子乡、小佘太钢铁人民公社、明安人民公社、增隆昌人民公社管辖，后更名为小佘太人民公社（小佘太名称含义见大佘太考）。1984 年，改社为乡。2006 年，撤乡设镇。新设立的小佘太镇行政区域总面积 660 平方公里，总人口 1.2 万人，辖大十份子、十七份子、东五份子、永红 4 个村民委员会。

**明安**　人民公社、镇、村民委员会、自然村和滩川专名。明安镇位于乌拉特前旗境东部，东与固阳县忽鸡沟乡毗邻，南与额尔登布拉格苏木相连，西与大佘太镇为邻，北与小佘太镇交界。镇人民政府驻地管家窑村，地处西山嘴镇东北约 85 公里处。村名依较早居住人姓氏命名。2006年，原朝阳镇、明安乡合并成立明安镇。新设明安镇总面积840平方公里，总人口2.53万人，辖菅家窑、色气口子、义和店、毛家圪堵、营盘湾、台梁、陶来口子、七份子、十一份子、六份子10个村民委员会。

原明安乡位于乌拉特前旗境东部，东连原朝阳乡，南与原沙德格苏木交界，西与原大佘太镇接壤，北靠原小佘太乡。乡人民政府驻菅家窑村。明安系蒙语【ᠮᠢᠩᠭᠠᠨ Minggan】之汉语音译，意为数字"千"。因该乡地处乌拉山与白音查干山之间的明安川而得名。该乡辖域原属乌拉特中旗、乌拉特后旗和安北县管辖。1949年10月以后，先后属菅家窑子乡、老爷庙乡、台梁乡管辖。1958年，成立明安五星人民公社。1984年，改社为明安乡。2001年，整建制并入朝阳镇。

**朝阳** 人民公社、乡、镇专名。原朝阳镇位于乌拉特前旗境东部，东北、东南与固阳县原坝渠乡为邻，南与原沙德格苏木相连，西与原明安乡交界。境内地势西北高、东南低，北部为山区，中南部为明安川东部。镇人民政府驻地毛家圪堵村，地处西山嘴东北约95公里处，村名依较早居住人姓氏命名。该镇辖域原属安北县、乌拉特后旗管辖。1953年，设置千八营子乡、白彦沟乡。1954年，划归乌拉特前旗。1958年，成立明安五星人民公社。1971年，单设朝阳人民公社。1984年，改社为乡。2001年，撤乡设镇。2006年，整建制并入明安镇。

**白彦花** 人民公社、乡、镇专名。白彦花镇位于乌拉特前旗境南部，东与包头市九原区阿嘎如泰苏木毗邻，南与先锋镇相望，西与乌拉山镇相连，北与额尔登布拉格苏木接壤。辖境地势北部为山地，南部为平原，东北部是乌拉山最高峰大桦背，海拔2322米。镇人民政府驻地东哈拉汗补隆村，地处西山嘴镇东约47公里处。哈拉汗补隆也写作"哈拉盖补隆"，系蒙语【ᠬᠠᠯᠭᠠᠢ ᠪᠤᠯᠤᠩ Halgai Bûlang】之汉语音译，意为荨麻湾。2006年，原呼和布拉格镇的新建、石来、敖来、点布斯格、查干哈达、乌兰布拉格、太恩格尔、查干布拉格、哈日布拉格9个嘎查委员会并入白彦花镇。合并后的白彦花镇总面积711平方公里，总人口8153人。辖太恩格尔、点布斯格、查干哈达、呼和布拉格、塔汗其、达日盖、乌日图、阿贵高勒、乌宝力格、和顺庄10个嘎查委员会。

原巴音花镇位于乌拉特前旗境南部，东与包头市郊区为邻，南与原黑柳子、先锋二乡相连，西与原呼和布拉格苏木接壤，北与原沙德格苏木交界。镇人民政府驻哈拉盖补隆村。巴音花系蒙古语【ᠪᠠᠶᠠᠨᠬᠤᠸᠠ Bayanhua】之汉语音译，意为富饶的山丘。1949年10月以后，该镇辖域先后属乌拉特前旗第一努图克、哈拉汗补隆镇、巴音花先锋人民公社管辖。1962年，单设巴音花人民公社。1984年，改社为苏木。1985年，撤销苏木设置镇。

**额尔登布拉格** 人民公社、苏木专名。额尔登布拉格苏木位于乌拉特前旗境中部偏东，东与包头市九原区和固阳县交界，南与白彦花镇相连，西与乌梁素海以及新安镇交界，北与大佘太、明安二镇接壤。苏木辖域地势，南部为山区，中部为倾斜平原，北部为沙漠丘陵地带。苏木人民政府驻地额尔登布拉格村，地处西山嘴镇东北约27公里处。村名系蒙古语【ᠡᠷᠳᠡᠨᠢ ᠪᠤᠯᠠᠭ Erdenbûlag】之汉语音译，意为宝泉，因村西有一股白色泉水而得名。原额尔登布拉格苏木辖境，1949 年 10 月以后先后属本旗第四区、阿力奔合少苏木、阿力奔合少人民公社管辖。1966 年，单设额尔登布拉格人民公社。1984 年，改设为苏木。2006年，原沙德格苏木划入额尔登布拉格苏木。2012 年，又划出原沙德格苏木。调整后的额尔登布拉格苏木总面积 853 平方公里，总人口 6302 人。辖白音温都尔、阿日齐、白音花、阿力奔、赛胡洞、公忽洞、西羊场 7 个嘎查委员会。

**沙德格**　人民公社、苏木、嘎查委员会专名。沙德格苏木位于乌拉特前旗境东部偏南。东南与包头市九原区阿嘎如泰苏木交界，西南与原巴音花镇相连，西与原额尔登布拉格苏木为邻，北与原明安、朝阳二乡接壤。苏木人民政府驻地三犋圪卜村，地处西山嘴镇正东偏北约 80 公里处。村名因有三犋牛的耕地而得名。该苏木辖域原属乌拉特中旗、乌拉特后旗管辖。1954 年，划归乌拉特前旗。1956 年，设置沙德格苏木。沙德格系蒙古语【ᠰᠠᠳᠠᠭ Saadag】之汉语音译，意为箭囊。1958 年，并入阿力奔合少人民公社。1962 年，单设沙德格人民公社。1984，改设为苏木。2006 年，并入额尔登布拉格苏木。2012 年，再次分设沙德格苏木。调整后的沙德格苏木总面积 700 平方公里，总人口 5467 人。辖沙德格、海流斯太、毕克梯、呼和温都尔 4 个嘎查委员会。

**大佘太**　人民公社、苏木、镇专名。大佘太镇位于乌拉特前旗境北部，东与明安、小佘太二镇为邻，南与额尔登布拉格苏木、新安镇相连，西与乌梁素海和原苏独仑镇相连，北与乌拉特中旗交界。镇人民政府驻地新丰村，地处西山嘴镇东北约 52 公里处。"佘太"一名由来已久，论其来历、含义传说有三：一说宋朝杨家将佘太君曾来过此地安营扎寨；二说佘太山中有一小庙，名曰徐特根图【ᠬᠦᠳᠡᠭᠡᠨᠲᠦ Xudgent】，意为信奉、崇拜，后转音为佘太；三说佘太山顶上有一棋盘状片石，蒙古语称沙特日【ᠱᠠᠲᠠᠷ Xatar】，后转音佘太。该镇辖域原属安北县，1954 年划归乌拉特前旗。1958 年，成立佘太超英人民公社；1966年，更名为大佘太人民公社。1984 年，改社为乡，次年改乡为镇。2006 年，原苏独仑乡并入大佘太镇。2012 年，又划出原苏独仑乡。调整后的大佘太镇总面积 1128 平方公里，总人口 2.77 万人。辖佘太、三份子、什那干、忠厚堂、南昌、乌兰、苗二壕、南苑、红明、马卜子 10 个村民委员会。

**苏独仑**　人民公社、苏木、镇、村民委员会、自然村专名。苏独仑镇位于乌拉特前旗境北部，东与大佘太镇为邻，东南连乌梁素海，南与原苏独仑国营农场和内蒙古军区农场相连，西与五原县毗邻，西北与乌拉特中旗接壤。镇人民政府驻地西沙梁村，地处西山嘴镇北约46公里处。村名依境内沙丘得名。该乡辖域原属安北县，1953年设置西沙梁乡，次年划归乌拉特前旗。1958年，成立苏独仑前进人民公社；1960年，撤销。1962年复置苏独仑人民公社。"苏独仑"原名苏独仑呼都格，系蒙古语【ᠰᠤᠳᠤᠯ ᠤᠨ ᠬᠤᠳᠤᠭ Sûdliin Hûdag】，意为脉井，因此处一眼井正好处于地下水系毛脉上而得名。1984年，改社为乡。2006年，并入大佘太镇。2012年，从大佘太镇划出另设苏独仑镇。行政区域调整后苏独仑镇总面积485平方公里，总人口3.08万人，辖苏独仑、永和、圐圙补隆、瓦窑滩、召圪台5个村民委员会。

**先锋**　人民公社、苏木、镇、村民委员会、自然村专名。先锋镇位于乌拉特前旗境南部，东邻包头市九原区阿嘎如泰苏木，南和西南与鄂尔多斯市达拉特旗和杭锦旗交界，西与乌拉山镇接壤，北连白彦花镇。该镇地处中滩平原，地势比较平坦，属黄河灌区。镇人民政府驻地分水闸村，地处西山嘴镇东南约46公里处。分水闸原名"升恒号"，是清末明初大地主商号。后因该村靠近三湖河上的分水闸而更名。2006年，原先锋、黑柳子2乡和公庙子镇的新民、公庙子、大田、新华、新胜、新荣6个村民委员会合并设立先锋镇。新设立的先锋镇总面积670平方公里，总人口4.19万人，辖油房、三顶、分水、红旗、永福、西坝头、大田、先锋、公庙、新华、苏木图、黑柳子12个村民委员会。

原先锋乡位于乌拉特前旗境南部，东邻原黑柳子乡，南隔黄河与鄂尔多市达拉特旗相望，西与原公庙子乡毗邻，北与原巴音花镇接壤。乡人民政府驻分水闸村。该乡辖境原属包头县三区、五区，分别为民生、民兴、民益三乡。1953年，随五区划归乌拉特前旗。1962年，单设先锋人民公社，社名沿用全国劳动模范余占海创办的第一个农业生产合作社——先锋之称。1984年，改社为乡。2006年，并入新设先锋镇。

**黑柳子**　人民公社、乡、村民委员会、自然村专名。原黑柳子乡位于乌拉特前旗境南部，东与包头市九原区为邻，南隔黄河与鄂尔多斯市达拉特旗相望，西连原先锋乡，北靠原巴音花镇。乡人民政府驻地白拉牛村，地处西山嘴镇东南约56公里处。村名依人名命名。该乡辖境，原属包头县第三区、二区管辖，分别为民益乡、巴音花乡、黑柳子乡、新安乡、柴脑包乡。1953年，乌拉特前旗巴音花、乌不浪人民公社。1965年，单设黑柳子人民公社。1984年，改社为乡。2006年，并入新设先锋镇。

**公庙子**　人民公社、乡、村民委员会、自然村专名。原公庙子乡位于乌拉特前旗境南部，东与原先锋乡为邻，南隔黄河与鄂尔多斯市杭锦旗相望，西与原蓿亥乡相连，北与原呼和宝力格苏木接壤。乡人民政府驻地公庙子村，地处西山嘴镇东南约27公里处。约18世纪末，西公旗王爷在此修建喇嘛庙并命名公庙，公庙子村由此得名。该乡辖境原属西公旗、乌拉特前旗公庙乡、包头县第五区新生、中兴二乡。1958年，成立公庙子火箭人民公社。1969年，并入呼和布拉格人民公社。1972年，单设公庙子人民公社。1984年，改社为乡。2001年，并入新设先锋镇。

**蓿亥**　人民公社、乡、自然村专名。原蓿亥乡位于乌拉特前旗境西部偏南，东与原公庙子乡为邻，南隔黄河与鄂尔多斯市杭锦旗相望，西与原西山嘴镇和西山嘴乡接壤，北与原呼和布拉格苏木交界。乡人民政府驻地韩家圪旦村，地处西山嘴镇东约15公里处。村名依人名姓氏命名。蓿亥系蒙古语【ᠰᠦᠬᠠᠢ　Sûhai】之汉语音译，意为红柳，因乡境曾大面积生长天然红柳而得名。该乡辖境原属西公旗、包头县、安北县，1953、1954年先后划归乌拉特前旗。1956年，设置蓿亥乡。1958年，并入公庙子火箭人民公社。1966年，改称蓿亥人民公社。1984年，改社为乡。2001年，并入公庙子镇。

**新安**　人民公社、乡、镇、村民委员会、自然村专名。新安镇位于乌拉特前旗境西北部，东北邻大佘太镇，东南连乌梁素海，西南与乌拉山镇和西小召镇接壤，西北与五原县交界。该镇地处后套平原东段，乌梁素海西岸，地势平坦，属黄河灌区。镇人民政府驻地树林子村，地处西山嘴镇北约 26 公里处。此地早期荒无人烟，红柳、杂草丛生，故建村时名树林子。2006 年，原树林子、长胜二乡并入新安镇。合并后的新安镇总面积 569 平方公里，总人口 5.43 万人，辖新安、羊房子、前进、树林子、东方红、庆华、乌海、先锋、长胜、星火、红光、先进、新胜 13 个村民委员会。

原新安乡位于乌拉特前旗境西部，东连乌梁素海，南接原西山嘴农场，西邻原北圪堵乡，北靠原树林子乡。乡人民政府驻地新安镇，地处西山嘴镇北约 15 公里处。新安，原名"扒子补隆"。《乌拉特前旗地名志》解释："扒子补隆"系蒙古语，意为有官职人居住的地方。经调查考证，"扒子补隆"应该是满语、蒙古语合成地名，"扒子"是满语，即【Beis】"贝子或贝勒"；"补隆"系蒙古语【Bûlûng】之汉语音译，词义是拐角、角落或拐弯处，引申为住所。村名"扒子补隆"应该解释为"贝勒居住之处"。1937 年 10 月，日军侵占大佘太以后，安北设治局移至扒子补隆。1942 年，绥远省在后套实行新县制，扒子补隆为安北县政府所在地。1950 年 5 月 1 日，安北县人民政府成立，扒子补隆改称新安镇。1953 年，改村划乡，新安镇设为乡级镇。1958 年，并入西山嘴红旗人民公社。1962 年，单设新安人民公社。1984 年，改社为乡。2006 年，整建制并入新设新安镇。

**树林子**　人民公社、乡、村民委员会、自然村专名。原树林子乡位于乌拉特前旗境西北部，东邻乌梁素海，南连原新安镇，西接原长胜、北圪堵二乡，北靠原苏独仑农场。乡人民政府驻树林子村。该乡辖境原属安北县太亨乡、大富乡和一区、三区管辖。1953 年，改村划乡，划为六份子、树林子、兴盛太、大有公 4 个小乡，后合并为大兴乡。1958 年，与长胜乡合并为长胜东风人民公社。1962 年，单设树林子人民公社。1984 年，改社为乡。2006 年，并入新设新安镇。

**长胜**　人民公社、乡、村民委员会、自然村专名。原长胜乡位于乌拉特前旗境西北部，东邻原树林子乡，南连原北圪堵乡，西与五原县交界，北与原苏独仑农场相接。乡人民政府驻地西讨号村，地处西山嘴镇北约 31 公里处。西讨号又名"国虎圪旦"。该乡辖境原属安北县、五原县管辖。1953 年，改村划乡，划为北长胜、黑泥池、居子、大昌汗 4 个小乡，后合为长胜乡。1958 年，成立长胜东风人民公社。1984 年，改社为乡。2006 年，并入新设新安镇。

**西小召**　人民公社、乡、镇、村民委员会、自然村专名。西小召镇位于乌拉特前旗境西部，东北与新安镇为邻，东南与乌拉山镇相连，西南与鄂尔多斯市杭锦旗接壤，西北与五原县交界。该镇地处后套平原南沿地带，地势基本平坦。镇人民政府驻地西小召村，地处西山嘴镇西北约 30 公里处。清末，在此修建有一座喇嘛庙，俗称西小召，村名从之。2001 年，合并原金星、西小召二乡设置西小召镇。2006 年，原北圪堵乡并入。合并后的西小召镇总面积 551 平方公里，总人口为 3.53 万人，辖西小召、土城子、万太公、邓存店、复胜、北圪堵、槐木、公田、西局子、金星、乃玛岱11个村民委员会。

原西小召乡位于乌拉特前旗境西部，东邻原北圪堵乡，南连原金星乡，北与五原县交界。乡人民政府驻西小召村。该乡辖境原属安北县太有乡、二区管辖。1953年，改村划乡，划为赵三圪堵、六大股、东土城3个小乡，后改称西小召苏木。1958年，建立西小召黎明人民公社。1984年，改社为乡。2001年，改建西小召镇。

**金星**　人民公社、乡、村民委员会、自然村专名。原金星乡位于乌拉特前旗境西部，东邻原西山嘴乡，南隔黄河与鄂尔多斯市杭锦旗相望，北与原西小召乡交界，西与五原县接壤。乡人民政府驻地郝六圪旦村，地处西山嘴镇西北约37公里处。约1935年，名叫郝六的人居住此地建村务农，故名。该乡辖境原属安北县、杭锦旗。1953年，改村划乡，划为东河头、乃马岱二乡，后与西小召乡合并为西小召苏木。1958年，建立西小召黎明人民公社。1976年，单设金星人民公社。1984年，改社为乡。2001年，并入新设西小召镇。

**北圪堵**　人民公社、乡、村民委员会、自然村专名。原北圪堵乡位于乌拉特前旗境西部，东连原新安镇、树林子乡，南邻原西山嘴、金星二乡，西接原西小召乡，北靠原常胜乡。乡人民政府驻地北圪堵村，地处西山嘴镇西北约23公里处。该村地形较高，故名北圪堵。该乡辖境原属安北县，1953年改村划乡，划为芦管壕、邓存店、北圪堵、复胜4个小乡，后划为复胜、槐木二乡。1958年，辖境分别归西小召、长胜两个人民公社管辖。1962年，单设北圪堵人民公社。1984年，改社为乡。2006年，整建制并入新设西小召镇。

### （二）乌拉特中旗各苏木、乡、镇名称考略

**海流图**　人民公社、镇专名。海流图镇位于乌拉特中旗境中部偏南，东至海流图河，西、南邻温更镇，北至哈日敖包山。镇人民政府驻地海流图，地处巴彦淖尔市临河区东北约128公里处，地理坐标约东经108°31′，北纬41°34′。镇名系蒙古语【ᠬᠠᠯᠢᠭᠤᠲ Haliûût】之汉语音译，指海流图河畔生长的芦苇在微风吹动中形成波浪态势。还有一说：海流图河内曾有海獭，蒙语称【ᠬᠠᠯᠢᠭᠤ Haliûû】，故名海流图。1949年10月以后，该镇辖域先后属海流图镇、海流图人民公社管辖。1984年，再设海流图镇。2006年，原温更镇整建制划归海流图镇；2012年，又划出温更镇。行政区域调整后，海流图镇总面积62平方公里，总人口3.56万人，辖6个居民委员会和巴仁宝力格、巴音塔拉2个村民委员会。

**温更**　人民公社、苏木、镇专名。温更镇位于乌拉特中旗境西南部，东和东南与原巴音哈太苏木、德令山乡、同和太种畜场相连，南与原乌梁素太乡及乌加河镇隔山相望，西与原呼勒斯太、杭盖戈壁苏木相邻，北靠原井川、乌兰苏木。镇人民政府驻地毕其格图村，地处海流图镇西约25公里处。村名系蒙古语【ᠪᠢᠴᠢᠭᠲ Biqigt】之汉语音译，意为文字或文化，因乌拉特岩画得名。镇名温更也是蒙古语【ᠣᠩᡎᠣᠨ Ônggôn】之汉语音译，曾写作温根、文更或昂更，意为神圣。依镇人民政府驻地东南10公里处的温更山名命名。该镇所属辖域

原属中公旗，1949年10月以后，先后归温更苏木、温更人民公社管辖。1984年，改社为苏木。1986年，改苏木为镇。2006年，整建制并入海流图镇。2012年，从海流图镇划出再设温更镇。行政区域调整后温更镇总面积2018平方公里，总人口7500人，辖1个矿区居民委员会和汗宝格图、阿拉腾呼少、希日楚鲁、哈日楚鲁、呼日木图、巴音满都呼6个嘎查委员会。

**乌加河**　人民公社、苏木、镇和自然河专名。乌加河镇位于乌拉特中旗境西南部，东与德令山镇相邻，南与五原县、临河区隔黄河相望，西与杭锦后旗、乌拉特后旗接壤，北靠呼勒斯太苏木。镇人民政府驻地东布朗村，地处海流图镇西南约 47 公里处。2006 年，原石兰计、宏丰二乡整建制划归乌加河镇。合并后的乌加河镇总面积 456 平方公里，总人口 3.11 万人，辖双荣、石兰计、红光胜利、宏丰、联丰奋斗、宏伟、兴永胜7 个村民委员会。

原乌加河镇位于新设乌加河镇辖域东南部，镇人民政府东布朗村，村名中"东"是汉语，"布朗"系蒙古语，东泉之意。镇名乌加河系蒙古语【ᠤᠵᠤᠭᠤᠷ ᠭᠣᠣᠯ Wjuur Gôj】之汉语音译，意为末尾或尖端，依境内黄河古道命名。乌加河又称【ᠲᠦᠷᠦᠭ ᠬᠠᠲᠤᠨ Turug Haten】，【ᠲᠦᠷᠦᠭ】一词含义有待考证，估计与古突厥族有关，【ᠬᠠᠲᠤᠨ】一词指黄河。该镇辖域原归五原县院江湾、池丑罗、刘蛇、乌镇 4 个乡，1949 年 10 月以后，先后属乌拉特中后联合旗乌加河区、乌兰图雅人民公社、乌加河人民公社、苏都仑人民公社、德令山人民公社、宏丰人民公社、红旗人民公社管辖。1984 年，改设为乌加河乡。1986 年，撤乡设镇。2006 年，整建制并入新设乌加河镇。

**石兰计**　人民公社、乡、村民委员会、自然村专名。原石兰计乡位于乌拉特中旗境西南，西和北与乌拉特后旗交界，南与杭锦后旗、临河市接壤，东北与原杭盖戈壁、呼勒斯太二苏木毗连。乡人民政府驻地邢寡妇圪旦村，地处海流图镇西南约 92 公里处。乡名"石兰计"系蒙古语【ᠰᠢᠷ᠎ᠠᠯᠵᠢ Xiralj】之汉语音译，意为黄蒿，因此地盛长黄蒿草而得名。该乡辖域原属狼山县，1949 年 10 月以后先后属乌拉特中后联合旗乌盖区、乌加河区、乌加河人民公社、石兰计人民公社管辖。1966 年，曾改称东方红人民公社，后恢复原名。1984 年，改社为乡。2006 年，整建制并入新设乌加河镇。

**宏丰**　人民公社、乡、村民委员会、自然村专名。原宏丰乡位于乌拉特中旗境西南部。东接原乌加河镇，西南和南部与五原县交界，北靠原呼勒斯太苏木。乡人民政府驻地常素庙村，地处海流图镇西南约 69 公里处。村名源于真人真事：1937 年冬，一位名叫燕世如的中国共产党地下党员以和尚的身份从事革命活动，因其吃素，当地居民称燕世如所在庙为常素庙，后演化成村名。乡名宏丰，系按宏伟、丰收的愿望取名。该乡辖域原属五原县，1949 年 10 月以后先后属乌拉特中后联合旗乌加河区、乌加河人民公社、宏丰人民公社管辖。1984 年，改社为乡。2006 年，整建制并入新设乌加河镇。

**德令山**　人民公社、乡、镇、自然村和自然山专名。德令山镇位于乌拉特中旗境南部，东南与乌拉特前旗相连，西南与五原县隔黄河相望，西北与海流图镇相邻，东北与新忽热苏木相接。镇人民政府驻地大圣圪旦村，地处海流图镇南 37 公里处。清朝末年，在此设有一个"大盛"商号，且此处地势高于周围，故称大盛圪旦，后演变为大圣。2006年，原乌梁素太、德令山二乡合并设立德令山镇。合并后的德令山镇总面积923平方公里，总人口2.76万人，辖1个苏都仑嘎查委员会和大圣、胜利、乌镇、红旗、兴丰5个村民委员会。

原德令山乡位于乌拉特中旗境南部，东与乌拉特前旗交界，南与五原县毗连，西与原乌梁素太乡接壤，北临原温更苏木和同和太种畜场。乡人民政府驻大圣圪旦村。乡名德令山系蒙古语【ᠳᠡᠯᠢᠢᠨ ᠤᠣᠯ　Deliin Ûûl】之汉语音译，意为马鬃山，依乡人民政府驻地村北马鬃山名命名。1950年5月22日晚，安北县人民政府县长王锦云等3人被国民党潜伏特务杀害于德令山红山口。1951年10月，绥远省人民政府为昭彰王锦云烈士，特令德令山改名为锦云山。该乡辖域原属乌拉特前旗和五原县。1961年，划归乌拉特中旗并建立德令山人民公社。1984年，改社为乡。2006年，整建制并入新设德令山镇。

**乌梁素太**　人民公社、乡、自然村专名。原乌梁素太乡位于乌拉特中旗境南部，东临原德令山乡，南连五原县，西临原乌加河镇，北靠原温更镇。乡人民政府驻地王挨满圪旦村，地处海流图镇南约36公里处。村名依最先居住此地的王挨满的名字命名。乡名乌梁素太系蒙古语【ᠤᠯᠢᠶᠠᠰᠤᠲᠠᠢ　Ûliaastai】之汉语音译，意为杨树地，依自然植物命名。该乡辖域原属五原县。1953年，划归乌拉特中后联合旗并设乌梁素太乡。1958年，与乌加河人民公社合并成立乌兰图雅人民公社。1971年，单独成立红旗人民公社。1984年，改社建乡，同时恢复原名乌梁素太。2006年，整建制并入新设德令山镇。

**石哈河**　人民公社、乡、镇、村民委员会、自然村专名。石哈河镇位于乌拉特中旗境东南部，东临包头市固阳县西斗铺镇，东北与包头市达茂旗交界，南接乌拉特前旗小佘太镇，西北连新忽热苏木。镇人民政府驻地格日楚鲁村，地处海流图镇正东偏南约76公里处。村名系蒙古语【ᠭᠡᠷ ᠴᠢᠯᠠᠭᠤ　Ger Qûlûû】之汉语音译，意为巨石，以地形特貌取名。2001年，原石哈河、郜北、双盛美、楚鲁图4乡合并设置石哈河镇。合并后的石哈河镇总面积1086平方公里，总人口2.64万人，辖白音厂汗、楚鲁、格日楚鲁、石哈河、郜北、西羊场、二十四份、双盛美、柏木井9个村民委员会。

原石哈河乡位于乌拉特中旗境东部偏南，东与原双盛美为邻，南与原郜北乡毗连，西与原楚鲁图乡交界，北与原新忽热苏木接壤，东北与包头市达茂旗相连。乡人民政府驻格日楚鲁村。乡名系蒙古语【ᠱᠠᠬᠠ ᠭᠣᠣᠯ　Xha Gôl】，挤压河之意，依一种酷刑命名的河名。该乡辖域原属乌拉特东公旗，1949年10月以后先后属乌拉特后旗第一区、乌拉特中后联合旗第六区、石哈河区、超英、红旗、石哈河、双盛美、郜北、此老图人民公社。1984年，改设石哈河乡。2001年，整建制并入新设石哈河镇。

**郜北**　人民公社、乡、村民委员会、自然村专名。原郜北乡位于乌拉特中旗境东南部，东邻包头市固阳县，南接乌拉特前旗，西连原楚鲁图乡，北靠原石哈河乡。乡人民政府驻地刘兰壕村，地处海流图镇东南约78公里处。村名依人名命名。乡名系蒙古语【ᠭᠣᠪᠢ　Gôbi】之汉语音译，即戈壁。该乡辖域，1949年10月以后先后属石哈河区、哈拉此老乡、石哈河人民公社管辖。1984年，改社为乡。2001年，整建制并入新设石哈河镇。

**双盛美** 人民公社、乡、村民委员会、自然村专名。原双盛美乡位于乌拉特中旗境东南部，东邻包头市固阳县，南连原邬北乡，西接原石哈河乡，北与包头市达茂旗交界。乡人民政府驻地双盛美村，地处海流图镇正东偏南约83公里处。1916年，郭二来此经商，开设双盛美商号，村名从商号名，乡名又从村名。该乡辖域原属固阳县，1949年10月以后，先后属乌拉特中后联合旗石哈河区、大旗乡、石哈河人民公社、永胜人民公社管辖。1984年，改社为乡。2001年，整建制并入新设石哈河镇。

**楚鲁图** 人民公社、乡、村民委员会、自然村专名。原楚鲁图乡位于乌拉特中旗境东南部，东与原石哈河、邬北二乡为邻，南与乌拉特前旗交界，西与原巴音哈太苏木相连，北与原新忽热苏木接壤。乡人民政府驻地新建村（原名巴彦查干），地处海流图镇正东偏南约46公里处。村名巴彦查干系蒙古语【ᠪᠠᠶᠠᠨᠴᠠᠭᠠᠨ Bayanpagan】之汉语音译，白石头富集之意。乡名楚鲁图也是蒙古语【ᠴᠢᠯᠠᠭᠤᠲ Qûlûût】之汉语音译，意为石头地。该乡辖域原属乌拉特东公旗，1949年10月以后，先后属石哈河区、此老图乡、石哈河人民公社管辖。1962年，单设此老图人民公社。1984年，改社建乡并更名为楚鲁图乡。2001年，整建制并入新设石哈河镇。

**呼勒斯太** 人民公社、苏木、嘎查委员会专名。呼勒斯太苏木位于乌拉特中旗境西南部，东邻海流图镇，南接乌加河镇，西连乌拉特后旗，北靠川井苏木。苏木人民政府驻地北山畔村，地处海流图镇西南约68公里处。村名源于北山南麓半山腰的地形位置。2001年，原杭盖戈壁苏木整建制并入呼勒斯太苏木。合并后的呼勒斯太苏木总面积2063平方公里，总人口4145人。辖希博图、温更、达格图、宝格达、呼勒斯太、呼和、韩乌拉、前达门、乌珠尔、哈拉图、哈拉葫芦、团结、义和久、巴音吉拉格14个嘎查委员会。

原呼勒斯太苏木位于乌拉特中旗境西南部。东与原温更苏木相邻，南与原乌加河镇、宏丰乡、石兰计乡接壤，西、北与原杭盖戈壁、川井苏木交界。苏木人民政府驻北山畔村。苏木名称也写作呼鲁斯太、葫芦斯太，系蒙古语【ᠬᠤᠯᠤᠰᠤᠲᠠᠢ Hûlastai】之汉语音译，意为芦苇地，依自然植物命名。1949年10月以后，该苏木辖域先后属乌拉特中旗台梁区、乌拉特前旗第三区、乌拉特中后联合旗乌盖努图克、呼勒斯太苏木、呼勒斯太人民公社管辖。1984年，改社为苏木。2001年，原杭盖戈壁苏木整建制并入呼勒斯太苏木。

**杭盖戈壁** 人民公社、苏木专名。原杭盖戈壁苏木位于乌拉特中旗境西部偏南，东邻原川井、呼勒斯太苏木，南与原石兰计乡隔山相望，西和北与乌拉特后旗交界。苏木人民政府驻地达嘎图村，地处海流图镇西约82公里处。村名亦作达格图，系蒙古语【ᠳᠠᠭᠤᠲ Daagt】之汉语音译，意为二岁马驹地。苏木名称也是蒙古语【ᠬᠠᠩᠭᠠᠢ ᠭᠣᠪᠢ Hanggai Gôbi】之汉语音译，意为水草丰美、地域辽阔的戈壁滩。该苏木辖域原属乌拉特中公旗，1949年10月以后先后属乌拉特中旗德力素诺尔努图克、乌拉特中后联合旗亦系德力素诺尔努图克、呼勒斯太人民公社、杭盖戈壁人民公社管辖。1984年，改社为苏木。2001年，整建制并入新设呼勒斯太苏木。

**川井**　人民公社、苏木专名。川井苏木位于乌拉特中旗境西北部，东邻巴音乌兰苏木，南连海流图镇和呼勒斯太苏木，西与乌拉特后旗交界，北与蒙古国东戈壁省接壤。苏木人民政府驻地川井村，地处海流图镇西北约 41 公里处。村名系蒙古语【 Qonj】之汉语音译，意为烽火台，苏木名称从驻地名称。2006 年，原巴音杭盖苏木整建制并入川井苏木。合并后的川井苏木总面积 6328 平方公里，总人口 4036 人。辖萨如拉塔拉、白同、哈拉图、阿木萨尔、巴音查干、图古日格、额和音查干、德日素、呼格吉勒图、巴音高勒、巴音呼都格、沙布格、宝尔罕图 13 个嘎查委员会。

原川井苏木位于乌拉特中旗境中部偏西北，东邻原乌兰苏木，南连原温更苏木，西南接原呼勒斯太、杭盖戈壁苏木，西北和正北与原巴音杭盖苏木毗连。苏木人民政府驻川井村。该苏木辖域原归乌拉特中公旗。1949 年 10 月以后，先后属乌拉特中旗德力素诺尔努图克、乌拉特中后联合旗亦系德力素诺尔努图克、川井努图克、川井人民公社、立新人民公社、中华人民公社管辖。1984 年，改社建乡设为川井苏木。2006 年，原巴音杭盖苏木整建制并入新设川井苏木。

**巴音杭盖**　人民公社、苏木专名。原巴音杭盖苏木位于乌拉特中旗境西北部，东邻原乌兰苏木，东南和正南连原川井苏木，西与乌拉特后旗接壤，北与蒙古国东戈壁省交界。苏木人民政府驻地巴音查干村，地处海流图镇西北约 65 公里处。村名系蒙古语【 Bayanqagaan】之汉语音译，意为富饶的白色高地，依自然地貌环境取名。苏木名称也是蒙古语【 Bayan Hanggai】之汉语音译，意为富饶辽阔的草原。该苏木辖域 1958 年属川井人民公社。1962 年，建立巴音杭盖人民公社。1984 年，改社为苏木。2006 年，整建制并入川井苏木。

**新忽热**　人民公社、苏木专名。新忽热苏木位于乌拉特中旗境东部偏南，东与包头市达茂旗交界，东南与石哈河镇为邻，南于德令山镇和乌拉特前旗接壤，西连海流图镇，北靠巴音乌兰苏木。苏木人民政府驻地新忽热（也称城圐圙）村，地处海流图镇东约 57 公里处。2006 年，原巴音哈太苏木整建制并入新忽热苏木。合并后的新忽热苏木总面积 2698 平方公里，总人口 5581 人。辖乌兰朝鲁、毛其格、希热、朱斯木勒、白兴图、查干敖包、那日图、苏龙格图、牧仁、巴音温都尔、哈太 11 个嘎查委员会。

原新忽热苏木位于乌拉特中旗境东部，东与包头市达茂旗交界，南邻原石哈河、楚鲁图乡，西接原巴音哈太、乌兰苏木，北与原巴音、桑根达来二苏木接壤。苏木人民政府驻城圐圙村。村名系蒙古语【 Xine Huree】之汉语音译，依村北古城圐圙而得名。苏木和苏木所在地村名均以古迹取名。乌拉特东公旗王爷府、衙门曾设于此。该苏木原属乌拉特东公旗，1949 年 10 月以后，先后属城圐圙苏木、吉尔格朗图努图克、城圐圙努图克、巴音哈太努图克、巴音哈太人民公社管辖。1962 年，分设新忽热人民公社。1984 年，改社建苏木。2006 年，原巴音哈太苏木整建制并入，组建成新的新忽热苏木。

**巴音哈太** 人民公社、苏木专名。原巴音哈太苏木位于乌拉特中旗境东部偏南，东与原新忽热苏木、楚鲁图乡接壤，东南与乌拉特前旗交界，南连原德令山乡，西与原海流图镇、温更苏木、同和太种畜场为邻，北与原乌兰苏木毗连。苏木人民政府驻地塔拉音拜兴村，地处海流图镇东约 30 公里处。村名系蒙古语【ᠲᠠᠯ᠎ᠠ ᠶᠢᠨ ᠪᠠᠶᠢᠰᠢᠩ Taliin Baixing】之汉语音译，意为平滩上的房子。苏木名称也是蒙古语【ᠪᠠᠶᠠᠨᠬᠠᠲᠠᠶ Bayanhaatai】之转音，巴音意为富饶，哈太意为动物前腿，依地形地貌命名。该苏木辖域原属乌拉特东公旗，1949 年 10 月以后先后属乌拉特后旗吉尔格朗图努图克、乌拉特中后联合旗城圐圙图努图克、巴音哈太努图克、巴音哈太苏木、巴音哈太人民公社、胜利人民公社管辖。1984 年，改社建巴音哈太苏木。2006 年，整建制并入新设新忽热苏木。

**巴音乌兰** 人民公社、苏木专名。巴音乌兰苏木位于乌拉特中旗境东北部，东邻包头市达茂旗，南连新忽热苏木、海流图镇，西邻川井苏木，北与蒙古国东戈壁省交界。苏木人民政府驻地恩根特格村，地处海流图镇东北约 100 公里处，村名系蒙古语【ᠥᠩᠭᠦᠨ Ônggôn Teehe】之汉语音译，意为神圣的公山（岩）羊。2006 年，原桑根达来、巴音、乌兰 3 苏木合并成立巴音乌兰苏木。新设立的巴音乌兰苏木总面积 6718 平方公里，总人口 6386 人。辖桑根达来、巴音查干、阿日胡都格、吉日格郎图、新尼乌素、乌力吉图和日、伊和宝力格、图克木、呼鲁斯、巴音宝日、乌兰格日勒、巴音敖包，乌兰额日格、东达乌素、乌兰温都尔、努和日勒勒 16 个嘎查委员会。

原巴音乌兰苏木位于乌拉特中旗境北部偏东，东邻原桑根达来苏木，南连原新忽热苏木，西接原乌兰苏木，北与蒙古国东戈壁省交界。苏木人民政府驻地巴音呼热村，地处海流图镇东北约 72 公里处。村名系蒙古语【ᠪᠠᠶᠠᠨ ᠬᠦᠷᠢᠶ᠎ᠡ Bayan Huree】之汉语音译，意为富饶的圐圙，依汉代古城遗址命名。苏木名称也是蒙古语【ᠪᠠᠶᠠᠨ ᠤᠯᠠᠭᠠᠨ Bayan Ûlaan】之汉语音译，意为富红，按当地牧民的美好愿望取名。该苏木辖域原属乌拉特中公旗，1949 年 10 月以后先后属乌拉特中旗沙布格努图克、乌拉特中后联合旗第四努图克、巴音呼热苏木、乌兰呼热苏木、巴音乌兰人民公社、巴音人民公社、乌兰人民公社、红卫人民公社管辖。1984 年，改社建巴音苏木。2006 年，整建制并入新设巴音乌兰苏木。

**乌兰** 人民公社、苏木专名。原乌兰苏木位于乌拉特中旗境北部，东邻原巴音苏木，南接原巴音哈太苏木，西南和西与原温更、川井、巴音杭盖苏木接壤，北与蒙古国东戈壁省交界。苏木人民政府驻地呼和陶勒盖村，地处海流图镇东北约 48 公里处。村名系蒙古语【ᠬᠥᠬᠡ ᠲᠣᠯᠣᠭᠠᠢ Hoh Tôlgôi】之汉语音译，意为青色山头，依地形地貌取名。苏木名称也是蒙古语【ᠤᠯᠠᠭᠠᠨ Ûlaan】之汉语音译，意为红色。该苏木辖域原属乌拉特中公旗，1949 年 10 月以后先后属乌拉特中旗沙布格努图克、乌拉特中后联合旗第四努图克、巴音呼热苏木、乌兰呼热苏木、巴音乌兰人民公社、巴音人民公社、乌兰人民公社管辖，1984 年，改社建乡设为乌兰苏木。

**桑根达来** 人民公社、苏木、嘎查委员会和自然湖泊专名。原桑根达来苏木位于乌拉特中旗境东北部，东与包头市达茂旗接壤，南与原新呼热苏木为邻，西与原巴音苏木毗连，北与蒙古国东戈壁省交界。苏木人民政府驻恩根特格村。此地原有一座恩根特格庙，庙内有一泥塑，佛主骑着公山羊，据此而名。苏木名称也是蒙古语【ᠰᠠᠩᠭᠢᠨ ᠳᠠᠯᠠᠢ　Sanggiin Dalai】之汉语音译，意为无量的海洋。苏木境内有一较大的湖泊，当地牧民叫桑根达来，苏木名从湖泊名。该苏木辖域原属乌拉特中公旗，1949年10月以后，先后属乌拉特中旗沙布格努图克、乌拉特中后联合旗第四努图克、巴音呼热苏木、巴音乌兰人民公社管辖。1984年，改社为苏木。2006年，整建制并入新设巴音乌兰苏木。

### （三）乌拉特后旗各苏木、乡、镇名称考略

**巴音宝力格**　人民公社、苏木、镇专名。巴音宝力格镇位于乌拉特后旗境东部偏南，东邻乌拉特中旗，南连杭锦后旗，西接呼和温都镇，北靠潮格温都尔镇。镇人民政府驻地东升庙村，地处巴彦淖尔市人民政府驻地临河区西北48公里处，地理坐标约东经107°05′，北纬41°06′。村名系蒙古语【ᠳᠦᠩᠱᠢᠭᠤᠷ　Dungxûûr】之汉语音译，意为数字"亿"，源于清乾隆十五年（1750年）所建的寺庙名。镇名也是蒙古语【ᠪᠠᠶᠠᠨ ᠪᠤᠯᠠᠭ　Bayan Bûlag】之汉语音译，意为富泉，依镇东3公里处脑云乌拉山崖下的两眼泉水命名。2005年7月，乌拉特后旗人民政府由赛乌素迁至巴音宝力格镇。2006年，原乌根高勒苏木整建制划归巴音宝力格镇，巴音宝力格镇的沙如拉、珠斯木尔两个嘎查委员会划入获各琦苏木。2012年，从巴音宝力格镇划出1480平方公里、5400人另设乌盖苏木。行政区域调整后，巴音宝力格镇总面积1240平方公里，总人口3.3万人，辖5个居民委员会和那仁乌拉、宝力格、朱斯木尔、乌兰、浩日格、友联、东升、团结、蒙汉、三支渠、五支渠11个嘎查委员会。

原巴音宝力格镇位于乌拉特后旗境南部，镇人民政府驻东升庙。该镇辖域原属乌拉特西公旗和乌拉特中公旗，1949年10月以后先后属乌拉特后旗、乌拉特中后联合旗潮海努图克、杭锦后旗潮格温都尔人民公社、潮格旗、乌拉特后旗巴音宝力格人民公社管辖。1984年，改社设苏木。1985年，撤销苏木新设巴音宝力格镇。

**乌盖**　人民公社、苏木专名。乌盖苏木位于乌拉特后旗境东部偏南，东邻乌拉特中旗，南接杭锦后旗，西连原巴音宝力格镇，北靠原潮格温都尔苏木。苏木人民政府驻地善岱庙村，地处东升庙东北约18公里处。苏木名称系蒙古语【ᠤᠭᠠᠯᠵᠠ ᠭᠣᠤᠯ　Ûgalja Gôl】之汉语音译，多弯曲河之意，又称"乌根高勒"或"乌盖河"。该苏木辖域原属乌拉特西公旗和乌拉特中公旗，1949年10月以后先后属乌拉特中后联合旗潮海努图克、杭锦后旗潮格温都尔人民公社、潮格旗、乌盖人民公社管辖。1984年，改社为苏木。2006年，整建制划归巴音宝力格镇。2012年，又从巴音宝力格镇划出1480平方公里、5400人另设乌盖苏木。行政区域调整后，乌盖苏木辖金门、富海、呼和、富山、巴音塔拉、和丰6个村民委员会和嘎查委员会。

**呼和温都尔** 人民公社、苏木、镇、嘎查委员会专名。呼和温都尔镇位于乌拉特后旗境东南部。镇人民政府驻地青山村，地处东升庙西南约 29 公里处。村名系蒙古语山名【 Hohe Ondor】之汉译名称，青山之意，镇名依驻地村名命名。原呼和温都尔镇位于乌拉特后旗境东南部，东邻原巴音宝力格镇，南连杭锦后旗，西接磴口县，北与原那仁宝力格苏木接壤。镇人民政府驻青山镇。该镇辖域原属西公旗和中公旗，1949 年 10 月以后先后属乌拉特中后联合旗潮海努图克、杭锦后旗巴音温都尔人民公社、那仁宝力格人民公社、潮格旗、乌拉特后旗那仁宝力格、那日图人民公社管辖。1981 年，正式设立青山镇，后更名为呼和温都尔镇。2006 年，原那仁宝力格苏木整建制并入呼和温都尔镇。合并后的呼和温都尔镇总面积 1567 平方公里，总人口 1.22 万人。辖广林、红旗、大树湾 3 个村民委员会和西补隆、乌兰哈少、那仁乌布尔、呼和温都尔、阿日其图、查干温都尔 6 个嘎查委员会。

**那仁宝力格** 人民公社、苏木和自然泉专名。原那仁宝力格苏木位于乌拉特后旗境南部，东邻原巴音宝力格镇，南接原呼和温都尔镇和磴口县，西与原巴音戈壁苏木接壤，北与原巴音温都尔苏木交界。苏木人民政府驻地夏巴尔扎德盖村，地处东升庙西北约 49 公里处。村名系蒙古语【 Xabar Jadgai】之汉语音译，意为泥土泉，依村附近浅水泉而得名。苏木名称也是蒙古语【 Naran Bûlag】之汉语音译，意为太阳泉，依境内泉水而命名。该苏木辖域原属中公旗，1949 年 10 月以后先后属乌拉特中后联合旗潮海努图克、杭锦后旗巴音温都尔、那仁宝力格人民公社、潮格旗、乌拉特后旗管辖。1984 年，改社建乡。2006 年，并入新设呼和温都尔镇。

**潮格温都尔** 人民公社、苏木、镇和自然山专名。潮格温都尔镇位于乌拉特后旗境偏东部，东北邻巴音前达门苏木，东南与乌拉特中旗接壤，南与巴音宝力格镇相连，西与获各琦苏木毗邻，北与蒙古国东戈壁省交界。镇人民政府驻地赛乌素村，地处东升庙北约 38 公里处。村名系蒙古语【 Sain Ûs】之汉语音译，好水之意。镇名依境内潮格温都尔山名命名。"潮格温都尔"系蒙古语【 Qôg Ondor】之汉语音译，意为高大、挺拔、有气派的高山，与四子王旗朝克温都乡名称含义相同。原潮格温都尔苏木位于乌拉特后旗境东部，东与乌拉特中旗接壤，南邻乌盖苏木、原巴音宝力格镇、西连原巴音温都尔苏木，北靠原乌力吉、宝音图二苏木。苏木人民政府驻赛乌素。该苏木辖域原属中公旗，1949 年 10 月以后先后属乌拉特后旗、杭锦后旗、乌拉特中后联合旗潮海努图克、潮格温都尔苏木、潮格温都尔人民公社管辖。1984 年，改社建乡。2001 年，潮格温都尔苏木整建制划归赛乌素镇；2006 年，原乌力吉苏木、赛乌素镇合并设立潮格温都尔镇。新设立的潮格温都尔镇总面积 6150 平方公里，总人口 1.7 万人。辖西尼乌素、巴音努如、查干敖包、宝日布、哈日朝鲁、乌兰敖包、希日淖尔、韩乌拉 8 个嘎查委员会。

**赛乌素** 人民公社、苏木、镇专名。原赛乌素镇位于乌拉特后旗境东部原潮格温都尔苏木辖境包围之中，镇人民政府驻赛乌素。村名系蒙古语【 Sain Ûs】之汉语音译，意为好水。原镇址始建于 20 世纪 70 年代初，现今称旧区。后因水质不好，于 1980 年逐步搬迁至旧区以西 4 公里处。当时在此又打了一眼机井，水质较好，故名为"赛乌素"。2001 年，将潮格温都尔苏木划归赛乌素镇。2006 年，与原乌力吉苏木合并设立潮格温都尔镇。

**乌力吉**　人民公社、苏木和自然河专名。原乌力吉苏木位于乌拉特后旗境北部偏西，东、南与原宝音图苏木、潮格温都尔苏木相连，西、南与原巴音温都尔苏木交界，北与蒙古国东戈壁省接壤。苏木人民政府驻地查干德日素村，地处东升庙西北约 70 公里处。村名系蒙古语【 Qagaan Deres】之汉语音译，意为白芨芨草，依自然植物名命名。苏木名称也是蒙古语【 Oljei】之汉语音译，意为吉祥、吉利，依乌拉特后旗西北部戈壁沙漠中的乌力吉河命名。该苏木辖域原属中公旗，1949 年 10 月以后先后属乌拉特后旗、潮格旗、乌拉特中后联合旗潮海努图克、杭锦后旗巴音温都尔人民公社、乌力吉人民公社管辖。1984 年，改社为苏木。2006 年，与赛乌素镇合并设立潮格温都尔镇。

**巴音前达门**　人民公社、苏木和自然山专名。巴音前达门苏木位于乌拉特后旗境东北部，东邻乌拉特中旗，西、南与潮格温都尔镇交界，北与蒙古国东戈壁省接壤。苏木人民政府驻地乌力吉图村，地处东升庙东北约 87 公里处。村名系蒙古语【 Oljeit】之汉语音译，意为吉祥、吉利。苏木名称也是蒙古语【 Bayan Qindamuni】之汉语音译，意为富饶的珍宝，依苏木驻地附近的巴音前达门山取名。原巴音前达门苏木位于乌拉特后旗境东北部，东、南邻乌拉特中旗，西与原格日勒图敖登苏木交界，北与蒙古国东戈壁省接壤。苏木人民政府驻乌力吉图村。该苏木辖域原属中公旗，1949 年 10 月以后，先后属乌拉特后旗、潮格旗、乌拉特中后联合旗巴音前达门人民公社管辖。1984 年，改社为苏木。2001 年，原格日勒图敖登苏木整建制划归宝音图苏木。2006 年，宝音图苏木整建制并入巴音前达门苏木。合并后的巴音前达门苏木总面积 6114 平方公里，总人口 0.29 万人，辖巴音查干、巴音呼热、哈拉图、乌力吉图、阿布日勒图、苏布日格、巴音哈少、巴音满达呼、巴音高勒、巴音乌苏 10 个嘎查委员会。

**宝音图**　人民公社、苏木和自然河专名。原宝音图苏木位于乌拉特后旗境北部，东邻原格日勒图敖登苏木，南接原潮格温都尔苏木，西连原乌力吉苏木，北与蒙古国东戈壁省接壤。苏木人民政府驻地宝音图村，地处东升庙北约 72 公里处。村名系蒙古语【 Bûyant】之汉语音译，意为有福之地，依村西 6 公里处的宝音图河名命名。苏木名称从驻地村名。该苏木辖域原属中公旗，1949 年 10 月以后，先后属乌拉特后旗、潮格旗、乌拉特中后联合旗宝音图苏木、宝音图人民公社管辖。1984 年，改社为苏木。2006 年，整建制划归新设巴音前达门苏木。

**格日勒图敖登**　人民公社、苏木专名。原格日勒图敖登苏木位于乌拉特后旗境东北部，东邻原巴音前达门苏木，南接乌拉特中旗，西连原宝音图苏木，北与蒙古国东戈壁省交界。苏木人民政府驻地查干陶拉盖村，地处东升庙北 76 公里处。村名系蒙古语【

Qagaan Tôlgôi】之汉语音译，意为白色山头，依境内石灰山命名。苏木名称也是蒙古语【ᠭᠡᠷᠡᠯᠲᠦ ᠣᠳ Gerelt Ôd】之汉语音译，意为明星。该苏木辖域原属中公旗，1949 年 10 月以后，先后属乌拉特后旗、潮格旗、乌拉特中后联合旗宝音图人民公社、明星合营牧场管辖。1984 年，明星牧场改设为格日勒图教登苏木。2001 年，整建制并入宝音图苏木。

**获各琦**　人民公社、苏木专名。获各琦苏木位于乌拉特后旗境西部，东与潮格温都尔、巴音宝力格二镇接壤，东南邻呼和温都尔镇和磴口县，西南连阿拉善盟阿左旗，北与蒙古国东戈壁省交界。苏木人民政府驻地萨茹拉村，地处东升庙西北约 25 公里处。村名系蒙古语【ᠰᠠᠷᠠᠭᠤᠯ Sarûûl】之汉语音译，明亮之意。苏木名称"获各琦"（曾经写作霍各乞）意为铜锈蓝。2006 年，原巴音戈壁、巴音温都尔二苏木整建制以及巴音宝力格镇的两个嘎查委员会（萨如拉嘎查委员会、朱斯木尔嘎查委员会的第三乌素组）合并成立获各琦苏木。新设立的获各琦苏木总面积 8638 平方公里，总人口 0.34 万人，辖查干高勒、巴拉乌拉、前达门、乌宝力格、满都拉、莫林、毕力其尔、萨如拉 8 个嘎查委员会。

**巴音戈壁**　人民公社、苏木专名。原巴音戈壁苏木位于新设获各琦苏木西北部。苏木人民政府驻地本巴图庙村，地处东升庙西约 95 公里处。村名系蒙古语【ᠪᠤᠮᠪᠠᠲ Bûmbat】之汉语音译，意为甘露瓶，依清道光十八年（1838 年）所建藏传佛教喇嘛庙名命名。苏木名称也是蒙古语【ᠪᠠᠶᠠᠨ ᠭᠣᠪᠢ Bayan Gôbi】之汉语音译，意为富饶的戈壁滩。该苏木辖域原属中公旗，1949 年 10 月以后先后属乌拉特后旗、潮格旗、杭锦后旗戈壁人民公社、乌拉特中后联合旗巴音戈壁人民公社管辖。1984 年，改社为苏木。2006 年，整建制并入获各琦苏木。

**巴音温都尔**　人民公社、苏木和自然山专名。原巴音温都尔苏木位于乌拉特后旗境中部偏西北，东临原乌力吉、潮格温都尔二苏木，南连原那仁宝力格苏木，西接原巴音戈壁苏木，北与蒙古国东戈壁省接壤。苏木人民政府驻地海力素村，地处东升庙西北约66公里处。村名系蒙古语【ᠬᠠᠶᠢᠯᠠᠰ Hailas】之汉语音译，榆树之意。苏木名称也是蒙古语【ᠪᠠᠶᠠᠨ ᠣᠨᠳᠣᠷ Bayan Ondor】之汉语音译，意为富饶的高山。依境内巴音温都尔山名命名。该苏木辖域原属中公旗，1949年10月以后先后属杭锦后旗、乌拉特中后联合旗、潮格旗、乌拉特中旗玛拉图尔苏木、巴音温都尔努图克、巴音乌力吉努图克、巴音温都尔人民公社、那仁宝力格人民公社管辖。1984年，改社为苏木。2006年，整建制并入新设获各琦苏木。

# 三　乌兰察布地区现属锡林郭勒盟苏木、乡、镇名称考略

## （一）苏尼特右旗各苏木、乡、镇名称考略

**赛罕塔拉**　办事处、人民公社、镇之专名。赛罕塔拉镇位于苏尼特右旗境西南边缘，东邻桑宝拉格苏木，南接朱日和镇，西连乌兰察布市四子王旗白音朝克图镇，北靠额仁淖尔苏木，镇人民政府驻赛汉塔拉镇乌日根街北，地处锡林郭勒盟行政公署所在地锡林浩特

市正西 375 公里处，地理坐标约北纬 42°44′13.24″，东经 112°39′43.18″。赛汉塔拉原名"花呼日音塔拉"（一说原名"呼尔华"【ᠬᠤᠷ ᠬᠤᠸᠠ hur Hûa】）。新旧名均是蒙古语【ᠰᠠᠶᠢᠬᠠᠨ ᠲᠠᠯ᠎ᠠ Saihan Tal】、【ᠬᠤᠸᠠᠬᠤᠷ᠎ᠢᠨ ᠲᠠᠯ᠎ᠠ Hûahûriin Tal】之汉语音译，是美丽草原、花的草原之意。1954 年，修建集—二铁路线（集宁—二连浩特），在此设火车站，站名为赛汉塔拉，随后花呼日音塔拉更名为赛汉塔拉。2006 年，原都呼木苏木整建制和布图木吉苏木的巴润宝拉格、巴彦杭盖、巴彦高毕 3 个嘎查委员会并入赛汉塔拉镇。合并后的赛汉塔拉镇总面积 3307.1 平方公里，总人口 3.3 万人，辖 12 个居民委员会和巴润宝拉格、巴彦杭盖、巴彦高毕、都呼木、阿拉坦宝拉格、哈登胡舒、查干胡舒 7 个嘎查委员会。

原赛汉塔拉镇位于新设赛汉塔拉镇辖域北境中部，是苏尼特右旗人民政府所在地。镇人民政府驻本镇乌日根街北。1956 年，设置锡林郭勒盟驻赛汉塔拉办事处。1958 年，撤销办事处，建赛汉塔拉人民公社。同年，苏尼特右旗人民委员会从温都尔庙迁入。1962 年，赛汉塔拉人民公社改为赛汉塔拉浩特。1981 年，改为赛汉塔拉镇。2006 年，整建制并入新设赛汉塔拉镇。

**都呼木**　人民公社、苏木专名。原都呼木苏木位于新设赛汉塔拉镇辖域西部，苏木人民政府原驻地那木那村，位于赛汉塔拉镇西南 15 公里处。村名系蒙古语【ᠨᠠᠮᠨᠠ Namna】之汉语音译，依人名命名。民国时期，该苏木辖域属古尔古德苏木；1949 年 10 月以后，先后属本旗第五佐、赛汉塔拉人民公社管辖。1962 年，成立都呼木人民公社。苏木名称系蒙古语【ᠲᠣᠬᠣᠮ Tohom】之汉语音译，意为盆地或洼地，依地形地貌命名。1983 年，改社为苏木。2006 年，整建制并入新设赛罕塔拉镇。

**布图木吉**　人民公社、苏木专名。原布图木吉苏木位于新设赛罕塔拉镇辖域东部，总面积 2567.41 平方公里。苏木人民政府驻地敖伦善达村，位于赛汉塔拉镇东南 45 公里处。村名系蒙古语【ᠣᠯᠠᠨ ᠱᠠᠩᠭᠠ Ôlon Xangd】之汉语音译，泉眼多之意，依自然地理实体取名。布图木吉苏木辖域，1949 年 10 月以后，先后属本旗第五佐、巴彦朱日和人民公社管辖。1962 年，成立布图木吉人民公社。社名系蒙古语【ᠪᠦᠲᠦᠮᠵᠢ Butumj】之汉语音译，意为成效。1984 年，改社为苏木。2006 年，撤销后原辖行政区域分别划归新设赛罕塔拉镇和桑宝拉格苏木。

**朱日和**　办事处、苏木、镇专名。朱日和镇位于苏尼特右旗境正南偏东边缘，北靠赛罕塔拉镇，东北邻桑宝拉格苏木，东连赛罕乌力吉苏木，南接镶黄旗原宝格达音高勒、翁贡乌拉二苏木和乌兰察布市察哈尔右翼后旗当朗忽洞苏木、商都县大库伦乡，西与乌兰察布市四子王旗白音朝克图镇交界。镇人民政府驻地朱日和，地处赛汉塔拉镇正南偏东 44 公里处。该村原名"乌克尔朱日克"，依镇南山名命名。山名系蒙古语【ᠦᠬᠡᠷ ᠵᠢᠷᠦᠬᠡ Uher Jureh】之转音，意为牛心山，后简称【ᠵᠢᠷᠦᠬᠡ Jureh】，心脏之意。2001、2006 年，原巴音朱日和、都仁乌力吉二苏木和新民镇先后于 2001 年和 2006 年整建制并入朱日和镇。合并后的朱日和镇总面积 2740.7 平方公里，总人口 1.63 万人，辖巴彦洪格尔、巴彦敖日格勒、巴彦塔拉、乌兰哈达、查干乌拉、敦达乌苏、巴彦高勒、巴彦宝拉格、洪格尔、巴彦德勒格尔 10 个嘎查委员会和额很乌苏、哈敦乌苏、榆树、乌兰、洪浩尔敖包 5 个村民委员会。

原朱日和镇位于新设朱日和镇辖域北部，镇人民政府驻赛汉塔拉镇。1962 年，苏尼特右旗驻朱日和办事处成立于温都尔庙。1970 年，办事处迁至朱日和。1985 年，办事处改设为镇。2006 年，整建制并入新设置朱日和镇。

**巴音朱日和** 人民公社、苏木和自然山专名。原巴音朱日和苏木位于新设朱日和镇辖域西南部，辖境总面积 1332.82 平方公里。苏木人民政府驻地巴彦哈日村，地处赛汉塔拉镇正南偏东 75 公里处。村名系蒙古语【ᠪᠠᠶᠠᠨ ᠬᠠᠷ Bayan Har】之汉语音译，【Bayan】即富裕，【har】指黑色，引申意为纯富裕。民国时期，该苏木辖域属伯拉木佐管辖。1949 年，属本旗第六佐。1958 年，成立巴音朱日和人民公社（包括原都仁乌力吉、布图木吉二人民公社）。1962 年，划出都仁乌力吉、布图木吉二人民公社。1984 年，改社为苏木。巴彦朱日和系蒙古语【ᠪᠠᠶᠢᠨ ᠵᠦᠷᠡᠬ Bayin Jureh】之汉语音译，富饶的朱日和山之意。2001 年，整建制并入原朱日和镇。

**都仁乌力吉** 人民公社、苏木、自然山专名。原都仁乌力吉苏木位于新设朱日和镇辖域东南部，总面积 1288.31 平方公里。苏木人民政府驻地阿达嘎村，地处赛汉塔拉镇东南 70 公里处。村名系蒙古语【ᠠᠳᠠᠭ Adag】之汉语音译，末端之意。1949 年前后，该苏木辖域属本旗第五佐。1958 年，成立都仁乌力吉人民公社。社名系蒙古语【ᠳᠦᠷᠡᠨ ᠥᠯᠵᠡᠢ Duuren Oljei】之汉语音译，福满吉祥之意，依阿达嘎村附近的都仁乌力吉山名命名。1983 年，改社为苏木。2006 年，整建制并入新设置的朱日和镇。

**新民** 人民公社、乡、镇专名。原新民镇位于新设朱日和镇辖域西南部，总面积 287.27 平方公里。镇人民政府驻地乌兰花村，地处赛罕塔拉镇东南 130 公里处。村名系蒙古语【ᠤᠯᠠᠭᠠᠨᠬᠤᠸᠠ Ûlaanhûa】之汉语音译，红色山岗之意。1949 年立村时，依当地红色山岗名命名。1949 年前，新民镇辖域属德穆楚克栋鲁普的租放地。1958 年，成立新民人民公社。当时，来此地居住的移民日渐增多，故设人民公社时取名新民。1983 年。改社为乡。2001 年，撤乡设镇。2006 年，整建制并入原朱日和镇。

**乌日根塔拉** 人民公社、苏木、镇专名。乌日根塔拉镇位于苏尼特右旗境东北部边缘，东北靠苏尼特左旗，南邻赛罕乌力吉、桑宝拉格二苏木，西南连额仁淖尔苏木，西接二连浩特市格日勒图敖都苏木。辖境属塔木沁塔拉大平原中心地段。镇人民政府驻地查干淖尔村，地处赛罕塔拉镇东北110公里处。村名系蒙古语【ᠴᠠᠭᠠᠨ ᠨᠠᠭᠤᠷ Qagaan Nûûr】之汉语音译，银色湖泊之意，当地有面积为13平方公里的碱湖，由于湖水含碱量大，呈银白色，故名。2001年，原锡林努如苏木并入乌日根塔拉苏木。2006年，原乌日根塔拉、阿其图乌拉二苏木、巴彦舒图镇合并设立乌日根塔拉镇。2012年，从乌日根塔拉镇划出部分区域再设阿其图乌拉苏木。行政区域调整后，乌日根塔拉镇总面积3730平方公里，总人口5568人，辖两个居民委员会和昌图锡力、巴彦敖包、那仁宝拉格、巴彦楚鲁、额尔敦敖包、萨如拉塔拉、都希乌拉、呼格吉勒图7个嘎查委员会。

原乌日根塔拉苏木位于乌日根塔拉镇辖域西北部，总面积3667平方公里。苏木人民政府驻地包恩巴图村，又名"二道井"，地处赛汉塔拉镇东北79公里处。村名写作"本巴图"，系蒙古语【 Bûmbat】之转音，圣地之意，依附近坟丘状山岗取名。该镇辖域1949年前属乌兰甘珠尔佐，1949年后划归第三佐。1956年，设置乌日根塔拉苏木。苏木名称是蒙古语【 Orgen Tal】之汉语音译，宽广草原之意。1958年，划归桑宝拉格人民公社。1962年，单设乌日根塔拉人民公社。1984年，改社为苏木。2006年，整建制并入新设乌日根塔拉镇。

**锡林努如** 人民公社、苏木和自然山梁专名。原锡林努如苏木位于乌日根塔拉镇辖域东北部，总面积998.88平方公里。苏木人民政府驻地乌兰陶勒盖村，地处赛汉塔拉镇东北105公里处。村名系蒙古语【 Ûlaan Tôlgai】之汉语音译，红色山岗之意。1949年前曾归苏尼特左旗管辖，1949年后划归苏尼特右旗第三佐。1958年，为阿尔善图牧场之分场。1959年，划入乌日根塔拉人民公社。1960年，单设呼格吉勒图牧场。1980年，改社为呼格吉勒图人民公社。1983年，改为锡林努如苏木。苏木名称是蒙古语【 Xiliin Nûrûû】之汉语音译，意为高原山梁，依地形地貌命名。2001年，整建制并入新设乌日根塔拉镇。

**阿其图乌拉** 人民公社、苏木和自然山专名。阿其图乌拉苏木位于苏尼特右旗境东北边缘，东隔阿其图乌拉山与苏尼特左旗接壤，南连赛罕乌力吉苏木，西南西北与桑宝拉格苏木、乌日根塔拉镇交界。苏木人民政府驻地赛音呼都嘎村，地处赛罕塔拉镇东120公里处。村名系蒙古语【 San Hûdag】之汉语音译，意为好水井。1949年前，阿其图乌拉苏木辖域属本旗第一佐，1949后属第一、第二佐。1956年，建立芒来高级牧业社。1962年，成立阿其图乌拉人民公社。社名也是蒙古语【 Aqit Ûûl】之汉语音译，意为驼峰山或双头山，依地理实体取名。1983年，改社为苏木。2006年，整建制并入新设乌日根塔拉镇。2012年，又从乌日根塔拉镇划出再设阿其图乌拉苏木。行政区域调整后阿其图乌拉苏木总面积1934平方公里，总人口3200人，辖布日都、乌日根高勒、呼布尔、额尔敦宝拉格、赛罕锡力、都希乌拉6个嘎查委员会。

**巴彦舒图** 人民公社、苏木、镇专名。原巴彦舒图镇位于乌日根塔拉镇辖域南部，镇人民政府驻查干淖尔村，地处赛罕塔拉镇东北110公里处。2001年，以原蒙西联公司苏尼特右旗分公司（又称碱矿）设置巴彦舒图镇。镇名系蒙汉语结合地名【Bayin Xûût】之转音，【 Bayin】丰富之意，【Xiao】即"硝"，加后置词【t】表示盛产硝之地，依当地特产取名。2006年，撤销后整建制并入新设乌日根塔拉镇。

**桑宝拉格** 人民公社、苏木专名。桑宝拉格苏木位于苏尼特右旗境正中偏东南，北靠乌日根塔拉苏木，东邻赛罕乌力吉苏木，南连朱日和镇和赛罕乌力吉苏木，西接赛罕塔拉镇，苏木人民政府驻地其胡尔图村，地处赛汉塔拉镇东 32 公里处。村名系蒙古语【ᠴᠠᠬᠢᠭᠤᠷᠲᠤ Qahiûûrt】之汉语音译，意为有燧石之地，因该地区盛产燧石而得名。2006 年，原布图木吉苏木的查干乌拉、巴彦淖尔、巴彦车勒 3 个嘎查委员会并入桑宝拉格苏木。合并后的桑宝拉格苏木总面积 3452.5 平方公里，总人口 3724 人，辖吉尔嘎郎图、巴彦乌拉、包日温都尔、新宝拉格、额尔敦塔拉、查干楚鲁图、查干乌苏、巴彦淖尔、巴彦车勒 9 个嘎查委员会。

原桑宝拉格苏木位于新设桑宝拉格苏木辖域北部，苏木人民政府驻其呼日图村。1949 年前，该苏木辖域属那顺宝音苏木。1949 年后，属第二、三佐，额尔敦塔拉合作社，吉日嘎郎图合作社，桑宝拉格人民公社管辖。桑宝拉格是蒙古语【ᠰᠠᠩ ᠪᠤᠯᠠᠭ Sang Bûlag】之汉语音译，意为涌流的泉子或仓库存储量丰满，如泉水般源源不断。1983 年，改社为苏木。 2006 年，整建制并入新设桑宝拉格苏木。

**赛罕乌力吉** 人民公社、苏木专名。赛罕乌力吉苏木位于苏尼特右旗境东部边缘，北靠乌日根塔拉苏木，东北邻苏尼特左旗，东南连镶黄旗宝格达音高勒苏木，西接朱日和镇，西北与桑宝拉格苏木交界，总面积 2679 平方公里。苏木人民政府驻地陶高图村，地处赛罕塔拉镇正东偏南约 110 公里处。该村原名"珠力特木莎章嘎"，依清代所建的喇嘛庙名取名，后改称陶高图。"陶高图"也是蒙古语【ᠲᠣᠭᠣᠭᠲᠤ Tôgôôt】之汉语音译，意为形似锅状地形，依地形地貌取名。2001 年，原瑙干诺如苏木整建制并入赛罕乌力吉苏木。合并后的赛罕乌力吉苏木辖都日木、巴彦哈日阿图、瑙干塔拉、赛罕布仁、敖伦淖尔、额很乌苏、瑙干锡力、赛罕锡力 8 个嘎查委员会。

原赛罕乌力吉苏木位于新设赛罕乌力吉苏木辖域北部，总面积 1864.99 平方公里。苏木人民政府驻陶高图村。民国末年，该苏木辖域属本旗第十二、十四、十六 3 个佐。1949 年属第一苏木管辖。1958 年，成立赛罕乌力吉人民公社。社名是蒙古语【Saihan Oljei】之汉语音译，美丽吉祥之意。后调整为赛罕乌力吉、瑙干诺如 2 个人民公社和赛罕布仁 1 个牧场。1983 年，赛罕乌力吉人民公社改为苏木并划出赛罕布仁牧场。2001 年，与原瑙干诺如苏木合并成立新的赛罕乌力吉苏木。

**瑙干诺如** 人民公社、苏木、自然山梁专名。原瑙干诺如苏木位于新设赛罕乌力吉苏木辖域南部，总面积 1024.36 平方公里。苏木人民政府驻地陶勒盖乌苏村，地处赛汉塔拉镇东南 125 公里处。村名系蒙古语【ᠲᠣᠯᠣᠭᠠᠢ ᠤᠰᠤ Tôlgôi Ûs】之汉语音译，意为源头之水。1949 年前，该苏木辖域属第十六、十八 2 个佐。1949 年后，属十二佐。1958 年，属赛罕乌力吉人民公社。1962 年，单设瑙干诺如人民公社。社名是蒙古语【ᠨᠣᠭᠣᠭᠠᠨ ᠨᠢᠷᠤᠭᠤ Nôgôôn Nûrûû】之汉语音译，碧绿山梁之意，依地理实体取名。1981 年，改社为苏木。2001 年，整建制并入新设赛罕乌力吉苏木。

**额仁淖尔** 人民公社、苏木、嘎查委员会、自然湖泊专名。额仁淖尔苏木位于苏尼特右旗境西北边缘，北与蒙古国东戈壁省交界，东北接边城二连浩特市和乌日根塔拉苏木，东南邻桑宝拉格苏木、赛罕塔拉镇，西南接乌兰察布市四子王旗脑木更苏木。苏木人民政府驻地格日哈达村地处赛汉塔拉镇西北 35 公里处。村名系蒙古语【ᠭᠡᠷ ᠬᠠᠳᠠ　Ger Had】之汉语音译，意为蒙古包一样大的岩石。2001、2006 年，原阿尔善图苏木、吉呼郎图苏木先后整建制并入额仁淖尔苏木。合并后的额仁淖尔苏木总面积4512.7 平方公里，总人口2329 人，辖赛音锡力、吉呼郎图、图门、查干哈达、阿门乌苏、阿尔善图6 个嘎查委员会。

原额仁淖尔苏木位于新设额仁淖尔苏木辖域北部，总面积 3429.8 平方公里。苏木人民政府驻地浩雅尔海拉苏村地处赛汉塔拉镇西北 120 公里处。村名系蒙古语【ᠬᠣᠶᠢᠷ ᠬᠠᠶᠢᠯᠠᠰᠤ　Hôyir Hailas】之汉语音译，两棵榆树之意。1949 年前，此地称"杭锦苏木"；1949 年后，属苏尼特右旗第四佐。1958 年成立额仁淖尔人民公社，归二连镇管辖。社名依当地额热恩达布森淖尔名称命名，意为色彩斑斓的盐湖。1962 年，划归苏尼特右旗。1984 年，改社为苏木。1996 年，呼格吉勒图亚、赛音锡力两个嘎查委员会划归二连浩特市。

**阿尔善图**　人民公社、苏木、嘎查委员会专名。原阿尔善图苏木位于新设额仁淖尔苏木辖域东南部，总面积1070平方公里。苏木人民政府驻地敦达乌苏村地处赛汉塔拉镇西北20公里处。村名系蒙古语【Dûmd　Ûs】意为中间水。该苏木辖域原属本旗第七佐，1956年，在此建立私营牧场，1982年，改为阿尔善图人民公社。社名是蒙古语【ᠠᠷᠱᠶᠠᠨᠲᠤ　Arxiant】之汉语音译，圣水、甘露之意。1983年，改社为苏木。2001年，整建制并入吉呼郎图苏木。

**吉呼郎图**　人民公社、苏木专名。原吉呼郎图苏木位于新设额仁淖尔苏木辖域西南部，总面积1534.58平方公里。苏木人民政府驻格日哈达村。该苏木原辖域属古尔古德苏木，1949年后，属第七苏木。1958年，成立吉呼郎图人民公社，辖境包括原都呼木人民公社。社名系蒙古语【ᠵᠢᠬᠤᠯᠠᠨᠲᠤ　Jbhulant】之转音，庄严、庄重之意。1961年，分设吉呼郎图、都呼木两个人民公社。1983年，合并为吉呼郎图苏木。2006年，整建制并入新设额仁淖尔苏木。

### （二）二连浩特市格日勒敖都苏木名称考略

**格日勒敖都**　人民公社、苏木专名。格日勒敖都苏木占二连浩特市辖区绝大部分区域，西北与蒙古国扎门乌德市接壤，东北与苏尼特左旗原赛汉高毕苏木相连，东、南、西南三面邻苏尼特右旗乌日根塔拉、额仁诺仁二苏木，行政区域面积3848.3平方公里。苏木人民政府驻地齐哈日格图音呼都嘎村地处二连浩特市正南偏东约80公里处，地理坐标约北纬43° 13′ 57.47″，东经112° 21′ 39.08″。村名"齐哈日格图音呼都嘎"系蒙古语【ᠴᠠᠭᠠᠷᠢᠭᠲᠤ ᠬᠤᠳᠤᠭ　Qagragtiin　Hûdag】之汉语音译，意为圆井。1949年以来，该苏木先后属苏尼特右旗第四佐、二连浩特郊区人民公社、呼格吉勒托亚、格日勒教都人民公社、额仁淖尔人民公社、苏尼特右旗格日勒教都苏木管辖。1996年，格日勒教都苏木再次划归二连浩特市管辖。苏木名称原本是格日勒图敖都【ᠭᠡᠷᠡᠯᠲᠦ ᠣᠳᠣ　Gerelt Ôd】，闪光的星星之意，人们习惯上简称格日勒敖都。现在国家文件及史志资料上都写作"格日勒敖都"。格日勒敖都苏木现辖额尔登高毕、陶力、苏吉、呼格吉勒图雅4个嘎查委员会。

## 四 乌兰察布地区现属呼和浩特市各乡、镇名称考略

### （一）土默特左旗各乡、镇名称考略

**察素齐** 人民公社、镇、农村人民公社、镇人民公社专名。察素齐镇位于土默特左旗境西北边缘，北邻呼和浩特市武川县大青山乡，东连毕克齐镇，南接塔布赛乡、善岱镇、茇茇梁乡和哈素海，西与土默特右旗原美岱召乡交界。镇人民政府驻察素齐镇西园子，地处大青山南麓，呼和浩特市以西50公里处，地理坐标约北纬40°43′45.46″，东经111°10′06.61″。察素齐系蒙古语【ᠴᠠᠭᠠᠰᠤᠴᠢ Qaasq】之汉语音译，造纸者之意。原此老、把什、陶思浩3乡于2001年和2006年先后整建制并入察素齐镇。合并后的察素齐镇总面积795平方公里，总人口约11万人，辖13个居民委员会和西园子、中山、太平、友好、西沟门、瓦窑、此老、王毕克齐、朱尔沟、点什气、秃力亥、什兵地、尔胜、倘不浪、兰灿、讨合气、山盖、东沟、宿尼板、把什、古城、西沙尔沁、西柜、红房子、南柜、五里坡、毛脑亥、缸房、平基、那什图、西河沿、大阳、多尔计、云社堡村、参将、二十家、善友板、脑木汗、万庆、万家沟、帐房塔、站村、上达赖、道试、沟门、古雁、圪力更、三卜素、寿阳营、陶思浩、什尼板（也写作宿泥板）、黑蛇图、忽日格气、白只户、小万家沟、祝拉庆、妥妥岱、塔尔号、庞家营、新营子、一前响、哈素、马勒钦、前马勒钦、后马勒钦、贾家营等66个村民委员会。

原察素齐镇位于新设察素齐镇辖域东部，镇人民政府驻察素齐镇内西园子。约16世纪末形成村落，18世纪末形成集镇，与毕克齐镇并称察、毕二镇。1949年10月以后，曾先后设置区级镇、乡级镇、人民公社、镇人民公社、农村人民公社。1981年，改察素齐镇人民公社为察素齐镇人民政府。2001年，撤销原此老乡后将其原辖行政区域整建制划归察素齐镇，2006年，并入新设置的察素齐镇。

**此老** 人民公社、乡、村民委员会、自然村和自然山专名。原此老乡位于新设察素齐镇辖域东部，总面积107.5平方公里。乡人民政府驻地此老村地处察素齐镇正东偏北7公里处。村名系蒙古语【ᠴᠢᠯᠠᠭᠤ Qûlûû】之汉语音译，石头之意，当地口音称"此勒儿"，依村北此老山名命名。该乡辖域，1949年10月以后，先后属乌宁人民公社、此老人民公社管辖。1984年，改社为乡。2001年，整建制并入原察素齐镇。

**把什** 人民公社、乡、村民委员会、自然村专名。原把什乡位于新设察素齐镇辖域中部，乡人民政府驻地把什村地处察素齐镇西北1公里处。村名系蒙古语把什板申【ᠪᠠᠭᠰᠢᠶᠢᠨ ᠪᠠᠶᠢᠰᠢᠩ Bagxiin Baixing】之汉语音译之简称，先生房之意。关于把什村名含义有多种解

释。一是先生房说。据《把什民族小学校史》记载：清康熙二十五年（1686年），此处兴建公和寺（把什召）并在寺内设立了私塾。有位卓越的蒙古族学子嘎勒僧曾就读于该私塾。该生勤奋好学，悟性又强，学而有成，故留在把什村教书，人们尊称其为巴格希（先生）。把什村名渐渐地改为巴格希板申，后转音为把什板申。

二是西汉古城说。《呼和浩特史料》第六辑《从考古看土默特平原的兴衰》一文中记述："……土默川平原边缘地带的古城，有十余个，如陶卜齐古城、二十家子古城、黄合少古城、塔布古城、八拜古城、坝口子古城、白庙子古城、和林古城子古城、毕克齐古城、把什古城、托县古城村古城、河口古城、章盖营子古城等。"史学家们根据上述记载认为"西汉古城说"源流有据，把什板申当有两千多年的历史。根据考古研究，今把什板申是在西汉古城遗址上重建而形成的村落。这一点是毫无疑义的。但在那个古城存在的年月，其名称可能不叫把什，"把什古城"是当代考古学家的称谓。所以，西汉古城说不能够说明把什板申村名的来历和含义。

三是"百姓"谐音说。认为蒙古语中已有房屋一词，即格尔【Ger】，"板申"一词并非释作"房子"。《全边纪略》记载："板者，华语城也。"有人据此认为，"板申"是汉语"百姓"一词之谐音。既指城中百姓之意，或指从内地迁居土默特地区的人们。《读史方舆纪要》记载："中国（指中原明朝）叛人逃出边（长城）者，升板筑墙，盖屋以居，乃呼板升，有众十余万。""升板筑墙"是关内建造房屋的一种主要方法，即以木板夹土，以杵或锤将土筑实、夯实、打实，次第升高，这样筑成的房屋比帐篷、蒙古包要厚实、坚固且保暖。北元时期，从内地迁来的汉人用这种方法起房盖屋，蒙古人称之为【Baixing】"板升"。根据这些记载"板申"一名可能不是蒙古语，而是指"升板筑墙"盖房屋之汉族百姓，【Baixing】则是汉语"板升"之蒙古语音译。

四是牛粪房屋说。认为"把什"原名是【ᠪᠠᠭᠠᠰᠤᠨ ᠪᠠᠶᠢᠰᠢᠩ Baasan Baixing】，即牛粪房屋之意。说很早以前当地人用篱笆建房。立起一排篱笆，涂抹上厚厚的稀牛粪，再立篱笆再涂稀牛粪，以作房屋的墙壁。这种房屋人们称之为【Baasan Baixing】牛粪房屋，后传音为"把什板申"。

上述四种解释中，牛粪房屋说仅仅是个传说，是无源之水，无根之草。百姓谐音说也是个推断。准确地说在蒙古语中【Ger】就是指蒙古包，其引申义有"家、室、胎、盒、巢……"现代蒙古语中【Ger】也指房屋。【Baixing】一词则指平房、板房、尖顶房等。【Baixing】一词也许原本是汉语，但是，【Baixing】已经成为近现代蒙古语语词这一事实是不可否认的。"把什板申"中的"板申"仅仅是表述蒙古语【Baixing】的土默川地方口语，与华语中的"板"、"城"、"百姓"等词没有什么必然联系。笔者认为"先生驻房"说所言有据，推断有理，为准确考证把什板申村名的确切含义提供了一定的佐证。

民国时期，把什乡辖域先后属土默特左旗把什板申公义社、土默特旗左翼三甲五佐、毕克齐自治督导处管辖。1949年10月以后，先后属土默特旗第四区、察素齐镇南柜乡、乌宁人民公社、把什人民公社管辖。1984年，改社为乡。2001年，原青山、哈素二乡的万家沟、帐房塔、善友板、二十家、脑木汗5个村民委员会划归把什乡。2006年，整建制并入新设置的察素齐镇。

**青山**　人民公社、乡和自然山岳专名。原青山乡位于察素齐镇辖域西北边缘，全乡辖境属大青山区，地势高，平均海拔1620米。乡人民政府驻地朱及沟南坡村地处察素齐镇东3公里处。该村名确切含义有待进一步考证。1981年，析原毕克齐、察素齐、把什、陶思浩四乡北部山区设置青山人民公社，因地处大青山中段而得名青山。1984年，改社为乡。2001年，撤销后原辖行政区域分别划归毕克齐、察素齐二镇和把什、陶思浩、兵州亥三乡。

**哈素**　人民公社、乡、村民委员会、自然村专名。原哈素乡位于察素齐镇辖域西南边缘，乡人民政府驻地哈素村地处察素齐镇西南15公里处。村名原称"哈拉乌素"，系蒙古语【ᠬᠠᠷ᠎ᠠ ᠤᠰᠤ Har Ûs】之汉语音译，清澈的水或深水之意。还有一说认为"哈素"是蒙古古老部落【ᠠᠰᠤᠳ Asûûd】之转音。该乡辖域，1958年，属红心人民公社管辖。1961年，设哈素乡。1984年，改社为乡。2001年，撤销后原辖行政区域分别划归陶思浩、把什二乡和善岱镇。

**陶思浩**　人民公社、乡、村民委员会、自然村专名。原陶思浩乡位于新设察素齐镇辖域西部，乡人民政府驻地站村地处察素齐镇正西偏南20公里处。1922年，绥—包铁路（绥远到包头）开通在此设站，故名站村。该乡辖域，1958年，属先锋人民公社管辖，次年更名为陶思浩人民公社。社名系蒙古语【ᠲᠣᠰᠤ Tôsôh】之汉语音译，迎接之意。1961年，分设为陶思浩、岔岔梁两个人民公社，1984年，改社为乡，2001年，原青山乡的一前响村民委员会划归陶思浩乡，哈素乡的哈素、马勒钦、后马勒钦、贾家营4个村民委员会划归陶思浩乡。2006年，整建制并入新设置的察素齐镇。

**毕克齐**　乡、镇、村民委员会、自然村专名。毕克齐镇位于土默特左旗北境中部边缘，北临武川县原大青山乡，东连台阁牧镇和呼和浩特市回民区原攸攸板乡，南接北什轴乡，西与察素齐镇交界。镇人民政府驻地脑包村地处察素齐镇正东偏北15公里处。村名系蒙古语【ᠣᠪᠣᠭᠠ Ôbôô】之汉语音译。清乾隆年间，依蒙古族群众举行祭祀活动的敖包命名，当地口语称敖包为"脑包"。2001年，原青山乡的老道沟、乌兰板、苏盖营三个村民委员会、西梁村民委员会的西梁自然村并入原毕克齐乡，原毕克齐乡的彭顺营、店上两个村民委员会和西梁村民委员会的二道沟、四道沟自然村划归原兵州亥乡管辖。2006年，原兵州亥乡整建制并入毕克齐镇。合并后的毕克齐镇总面积569.2平方公里，总人口约4.03万人，辖脑包、银匠房、流水、解放、曲房、崞县、腊铺、碾道、北园、五道街、二道街、马王庙街、庆春园、白庙子、南园、小古城、大古城、北店、一间房、董家营、和顺店、杨家堡、乌儿素、大毕克齐、水磨、乌兰板、老道沟、苏盖营、西梁、兵州亥、什报气、忽尔格气、讨合气、三间房、大里堡、小里堡、袄太、闫桂房、沟子板、上十里坡、下十里坡、彭顺营、店上、西梁44个村民委员会。

　　原毕克齐乡（镇）位于新设毕克齐镇辖域南部，镇人民政府驻地毕克齐村地处察素齐镇正东偏北14公里处。镇名系蒙古语【 Biqeeq】之汉语音译，秘书或代书人之意，当地老乡称"北写其"。毕克齐是一个比较古老的村镇，明万历年间（1573—1619年），就有人在此定居。据清雍正末年成书的《说平复志》记载："笔写契（今毕克齐）在归化城西七十里，北通碛口，大青山材木在此发买，居民商贾有百余家。"毕克齐镇早在清乾隆初年就成为较大集镇。1958年，成立乌兰图克【 Ûlan Tûg】（蒙古语，红旗之意）乡，后改为毕克齐镇，镇名依驻地村名命名。1984年，改镇为乡。2001年，原青山乡的老道沟、乌兰板、苏盖营3个村民委员会和西梁村民委员会的西梁自然村并入原毕克齐镇。2006年，整建制并入新设置的毕克齐镇。

　　**兵州亥**　人民公社、乡、村民委员会、自然村专名。原兵州亥乡位于新设毕克齐镇辖域东南部，乡人民政府驻地兵州亥村地处察素齐镇正东偏北25公里处。村名系蒙古语【Biljûûhai】之汉语音译，麻雀之意。1958年，属乌兰图克人民公社管辖。1961年，单设兵州亥人民公社，社名依驻地村名命名。1984年，改社为乡。2001年，并入原青山乡的彭顺营、店上2个村民委员会和西梁村民委员会的二道沟、四道沟2个自然村。2006年，整建制并入新设置的毕克齐镇。

　　**台阁牧**　人民公社、乡、镇、村民委员会、自然村专名。台阁牧镇位于土默特左旗境东北边缘，东北、正东邻呼和浩特市回民区原小黑河乡，南连白庙子镇，西和西北接毕克齐镇，辖境总面积185平方公里。镇人民政府驻地台阁牧村地处察素齐镇正东偏北30公里处。村名曾写作"台罕木、台嘎毛都"，清末写作"台阁木"，1949年10月以后始称台阁牧，系蒙古语地名。关于该村名含义有三种解释。一说是蒙古古老部落名称"台各莫德Taigmd"，因此处曾有台各莫德人而得名。二说是蒙古语【 Taigan Môd】之汉语音译，河碳之意。很早以前，今台阁牧村南沼泽洼地芦苇丛生，无人收割砍伐，常年埋在地下腐蚀后形成河碳，故名"台嘎毛都"。还有一说是蒙古语【 Tahim】之汉语音译，腿弯儿、拐角、弯曲处之意，依地形地貌取名。原台阁牧乡辖域，1949年10月以后，先后属呼和浩特市郊区台阁木乡、土默特左旗台阁牧人民公社管辖。1984年，改社为乡。2004年，撤乡设镇。现辖台阁牧、达尔架大东营、达尔架小东营、达尔架大西营、三间房、沙家营、栽生、小瓦窑圪沁、大瓦窑圪沁、霍寨、讨尔号庙营、讨尔号大东营、耿家营、西甲兰营、小洪津、沟门、大阳高、瓜房子、牛牛营村19个村民委员会。

　　**白庙子**　人民公社、乡、镇、村民委员会、自然村专名。白庙子镇位于土默特左旗境东南边缘，北靠毕克齐、台阁牧二镇，东北临呼和浩特市玉泉区小黑河镇，东南连萨尔沁乡，南接和林格尔县巧什营乡、托克托县原永圣域乡，西与北什轴乡交界。镇人民政府驻地白庙子村地处察素齐镇正东偏南38公里处。2006年，原沙尔营乡整建制并入白庙子镇。合并后的白庙子镇总面积171.5平方公里，总人口约4.06万人，辖白庙子、碱房、本滩、潘庄、得胜营、四间房、三贤庄、四德堡、东坝什、刘王庄、刘家营、白皮营、大一家、小一家、新营子、浑津桥、三间房、赵庄、毛扣营、西王庄、张庄、什不更、瓦房院、沙尔营、小图利、大图利、古丹坝、甲尔旦、练家营、新德利、潮忽闹、南双树、阿林召、前一间房、后一间房、小红津、章盖营、王毕克齐、丰厚庄、吉牙图、补圪图、大丹巴、小丹巴、西华营、东华营、旧圪力圪太、新圪力圪太、哈沙图、耳林岱49个村民委员会。

原白庙子镇位于新设白庙子镇辖域西北部，镇人民政府驻白庙子村。清康熙年间村中建过一座庙，庙的外墙涂成白色，故名。该乡辖域，1949年10月以后，先后属桃花人民公社、呼和浩特市郊区白庙子人民公社管辖。1964年，划归土默特旗。1984年，改社为乡。2004年，撤乡设镇。2006年，整建制并入新置白庙子镇。

**萨尔营** 人民公社、乡、村民委员会、自然村专名。原萨尔营乡位于新设白庙子镇辖域东南部，总面积130.5平方公里。乡人民政府驻地萨尔营村地处察素齐镇东南40公里处。村名系蒙古语【ᠰᠠᠶᠢᠷ Sair】之转音，沙砾之意。因什拉乌素河横贯东西，常常泛滥成灾，河两岸形成厚厚的沙砾、淤沙，故名。该乡辖域，1949年10月以后，先后属呼和浩特市郊区桃花人民公社、萨尔营人民公社管辖。1964年，划归土默特旗。1984年，改社为乡。2006年，整建制并入新设白庙子镇。

**善岱** 人民公社、乡、镇、村民委员会、自然村专名。善岱镇位于土默特左旗境西南边缘，北靠察素齐镇，东北邻塔布赛乡，东南连托克托县原乃只盖乡，西南接土默特右旗原双龙镇，西北与岌岌梁乡交界。镇人民政府驻地善岱村地处察素齐镇西南20公里处，原名"敖伦善岱"，系蒙古语【ᠣᠯᠤᠨ ᠱᠠᠩᡩᠠ Ôlôn Xand】之汉语音译，很多泉眼之意，是指草原上低凹之处的微小泉眼，由于出水量特别小，即不成溪也不干枯，形成一个小水涡。这种小水涡通常叫【ᠱᠠᠩᡩᠠ Xand】。此地这种小水涡颇多，故名。1986年，原善岱乡撤乡设镇。2001年，原哈素乡的沙梁、后善岱、朝号、董家营、大野场五个村民委员会划归善岱镇管辖。2006年，原大岱乡整建制并入善岱镇。合并后的善岱镇总面积199.5平方公里，总人口48046人，辖善岱、保同河、喇嘛营、兵州亥、什拉、安民、北淖、南淖、五里桥、召上、里素、朝号、沙梁、董家营、后善岱、大野场、大岱、公布、独立坝、陕西营、依肯板、小三和城、大三和城、巩家圪旦、大沙金图、小沙金图、十二犋牛营、周家明28个村民委员会。

原善岱乡位于新设善岱镇中东部，镇人民政府驻善岱村。善岱是个古老的集镇，早在清乾隆初年这里农商集市繁华。民间曾有顺口溜："过来腊月二十三，有钱没钱下善旦。"意思是年关时节到农商集市繁华的善旦购置年货。当地方言读善岱为善旦。清乾隆四年（1739年），清廷在此设善岱协理通判，清乾隆二十五年（1760年），裁撤。该乡辖域，1949年10月以后，先后属善岱镇、红心人民公社、善岱人民公社管辖。1984年，改社为乡。1986年，撤乡设镇。2006年，整建制并入新设置的善岱镇。

**大岱** 人民公社、乡、村民委员会、自然村专名。原大岱乡位于新设善岱镇西南部，总面积 83.5 平方公里。乡人民政府驻地大岱村地处察素齐镇西南 26 公里处。大岱村原名大"达赖"，系蒙古语【ᠳᠠᠯᠠᠢ Dalai】之转音，意为大海，依人名取名。清康熙年间，山西省河曲县人来此占蒙古族牧民达赖的牧场立村，故名大达赖。1958 年，该地区属红心人民公社管辖。1961 年，设置大岱人民公社。1984 年，改社为乡。2006 年，整建制并入新设置的善岱镇。

北什轴　人民公社、乡、村民委员会、自然村专名。北什轴乡位于土默特左旗境南部边缘，北靠毕克齐镇，东邻白海子镇，南连托克托县原古城乡，西和西南接塔布赛乡。乡人民政府驻地北什轴村地处察素齐镇东南 20 公里处。北什轴村原名"旦州板"，村名由藏语和蒙古语合成，【旦州】是藏语【ᠳᠠᠨᠵᠦᠦᠷ Danjûûr】之汉语音译，是一种藏经称谓，"板"是蒙古语【ᠪᠠᠶᠢᠱᠢᠩ Baixing】之转音，房子之意，合意保存藏经的房子。还有一说"旦州"是汉语当家一词的转音。当地蒙古族老乡称当家的、掌柜的或管家、东家等人员为【Dang Jia be】，时间久了【Dangjaab】一词就成了蒙古语词汇。实际上是借用汉语"当家的"一词。"板"即蒙古语【Baixing】之转音，意为房子。合意当家的驻所。此地曾住一管家，故命村名为【ᠳᠠᠩᠵᠢᠶᠠᠪᠢᠨ ᠨᠢ ᠪᠠᠶᠢᠱᠢᠩ Dangjiabiin Baixing】，意为当家的板申，后转音为旦州板。北什轴是蒙古语【ᠱᠠᠷ ᠵᠣᠤ Xar Jûû】之转音。清乾隆年间，此处修建一座庙，名【Xar Jûû】，意为黄教寺庙。清朝年间，蒙古地区盛行藏传佛教，也称黄教，所以取庙名为【Xar Jûû】。后庙名、村名转音为"什日轴"，又转音为什轴。再后来，为区别前后两村，本村称为北什轴。2006 年，原三两乡整建制并入北什轴乡。合并后的北什轴乡总面积 197.3 平方公里，总人口约 3.07 万人，辖北什轴、东南什轴、西南什轴、东什轴、刘家营、点素、出彦、卡台基、圪什贵、主根岱、西红岱、东红岱、后红岱、海流、新营子、麻合理、大圪贵、小圪贵、前合理、后合理、波林岱、赵家营、白只户、沙梁、三两、南小营、西厂克、东厂克、朱堡、前朱堡、苏庄、北得力图、店上、哈力拜、忻州营、候家营 36 个村民委员会。

原北什轴乡位于新设北什轴乡辖域西北部，总面积 126.4 平方公里。乡人民政府驻北什轴村。1958 年，辖境属乌兰人民公社管辖。1961 年，设置北什轴人民公社，1984 年，改社为乡。2006 年，与三两乡合并后成立新的北什轴乡。

三两　人民公社、乡、村民委员会、自然村专名。原三两乡位于新设北什轴乡辖域东南部，总面积 66 平方公里。乡人民政府驻地三两村地处察素齐镇东南 30 公里处。村名系蒙古语【ᠰᠠᠯᠠᠠ Salaa】之转音，枝杈之意。清康熙年间形成村落，因村庄建在道路分岔处而得名。还有一说村名以人名命名。1958 年，属乌兰人民公社管辖。1961 年，成立三两人民公社。1984 年，改社为乡。2006 年，整建制并入新设北什轴乡。

塔布赛　人民公社、乡、村民委员会、自然村专名。塔布赛乡位于土默特左旗境南部边缘，北靠察素齐镇，东和东北临北什轴乡，南连托克托县原古城乡，西接善岱、察素齐二镇。乡人民政府驻地塔布赛村地处察素齐镇正南偏东 20 公里处。村名系蒙古语【ᠲᠠᠪᠤᠨ ᠰᠠᠢ

Taban Sain】之汉语音译，五个好之意。明末清初，此地仅有一户蒙古人在此居住营牧。后从山西省榆次和代县迁来郭、南、马、宁四户汉人定居，形成蒙汉五户人家的村落，故命名"塔布"，汉族同志称"塔布子"，意为五家村。1964 年，时任内蒙古自治区党委书记的乌兰夫同志提议更名为塔布赛，以示民族团结。该村是大青山抗日游击队筹备组建的地方，也是原国家副主席乌兰夫同志的家乡，村中有乌兰夫故居，为自治区重点文物保护单位。2006 年，原铁帽乡整建制并入塔布赛乡。合并后的塔布赛乡总面积 150.5 平方公里，总人口约 2.7 万人，辖塔布赛、旗下营、恼木汉、雨施格气、七炭板、口肯板、乃模板、黑河、北园子、帐房、铁旦板、铁帽、小铁帽、杭盖、章盖台、可沁、锁号、城留、苏卜盖、白庙子、巴独户 21 个村民委员会。

原塔布赛乡位于新设塔布赛乡辖域东南部，总面积 66.9 平方公里。乡人民政府驻塔布赛村。该地区，1958 年，归乌兰人民公社管辖，1961 年，成立塔布子人民公社，1964 年，更名为塔布赛人民公社，1984 年，改社为乡，2006 年，整建制并入新设置的塔布赛乡。

**铁帽** 人民公社、乡、村民委员会、自然村专名。原铁帽乡位于新设塔布赛乡辖域西北部，总面积 82.6 平方公里。乡人民政府府驻地铁帽村地处察素齐镇正南偏东 16 公里处。村名系蒙古语【ᠲᠥᠮᠥᠷ Tumer】之转音，意为铁。清乾隆年间蒙古族牧民特木日在此居住营牧，村名依人名命名。该地区 1958 年，归乌兰人民公社管辖，1961 年，成立铁帽人民公社，1984，年改社为乡，2006 年，整建制并入新设置的塔布赛乡。

**沙尔沁** 人民公社、乡、村民委员会、自然村专名。沙尔沁镇位于土默特左旗境东南边缘，北靠呼和浩特市玉泉区原桃花乡，东、南两面与和林格尔县巧什营乡交界，西和西北连白庙子镇，总面积 140 平方公里。乡人民政府驻地沙尔沁村地处察素齐镇东南 65 公里。村名系蒙古语【ᠰᠠᠭᠠᠯᠢᠨ Saalqin】之转音，挤奶员之意。1958 年，该地区归桃花人民公社管辖，1960 年，划归呼和浩特市郊区，1961 年，成立沙尔沁人民公社，1964 年，又划归土默特左旗，1984 年，改社为乡，2009 年，撤乡设镇，现由呼和浩特市如意开发区代管。全乡总面积 140 平方公里，总人口约 1.7 成万人。现辖沙尔沁、小营子、一间房、板定板、大西平、小西平、公布板、东水泉、小什拉乌素、西什拉乌素、六犋牛、羊路什、伍把什、西水泉、大阿哥、小阿哥、牌楼板、牛牛营、老龙不浪、西此老、中此老、南此老、东河、二道四、色令板 25 个村民委员会。

**芨芨梁** 人民公社、乡、村民委员会、自然村专名。芨芨梁乡位于土默特左旗境西南边缘，北靠察素齐镇，东北邻哈素海，东南连善岱镇，西和西南接土默特右旗原毛岱、沙海子二乡。乡人民政府驻地芨芨梁村地处察素齐镇西南 30 公里处。该村坐落在长有芨芨草的丘陵地带，故名芨芨梁。该乡辖域，1958 年，归先锋人民公社管辖，1961 年，单设芨芨梁乡，1984 年，改社为乡。全乡总面积 164 平方公里，总人口约 1.9 万人。现辖芨芨梁、中芨梁、西芨梁、铁门更、大庞家营、小庞家营、贾家营、秦家营、大崞县营、小崞县营、迎红圪坦、丁字豪、北官地、南官地、刘保圪旦、七股地、野场、北圪堆、大八犋牛、小八祺牛、炭车营、麻花、白银厂汉、吴朋圪堆、平泉营、忻州营、梁业营、寿阳营、饭铺营、高泉营、鲁家营、大水桥、五节桥33个村民委员会。

## （二）武川县各乡、镇名称考略

**可可以力更**　人民公社、镇专名。可可以力更镇位于武川县辖域中部偏东，东接哈乐镇，南连大青山乡，西北与上秃亥乡交界。镇人民政府驻本镇金三角，距呼和浩特市正北偏西35公里。地理坐标北纬41°6′5″，东经111°26′5″。镇名可可以力更系蒙古语【ᠬᠥᠬᠡ ᠡᠷᠭᠢ Hohe Ereg】之转音。关于该镇名称含义有两种解释，一说因镇南大青山山崖远望呈青蓝色而名；另一说认为镇名可可以力更系蒙古语【ᠬᠥᠬᠡᠨ ᠡᠷᠭᠢ Huuhen Ereg】之转音，意为小土崖头，即水刷土崖、土坎。名称中的【Huuhen】是姑娘之意，【Ereg】指土崖、土坎，合意小土崖头。蒙古语往往借用【Huuhen】一词形容小巧玲珑的自然物，所以，依原可可以力更镇西北处的水刷崖头命村名为【Huuhen Ereg】，当地汉族老乡称"口恳以力更"，后写作"可可以力更"，现简称可镇。2001年，原安字号乡整建制划入可可以力更镇管辖。行政区域调整后，该镇总面积284.4平方公里，总人口35904人，辖12个居民委员会和大水圪洞、天力木图、巨字号、三圣太、大兴昌、乌兰忽洞、定襄营、福如东8个村民委员会。

20世纪末可可以力更镇

原可可以力更镇位于新设可可以力更镇辖域中部，原安字号乡辖域包围之中，是武川县政府驻地。镇人民政府驻本镇金三角。1949年10月以后，该镇辖域先后属第一区、城关镇、镇人民公社管辖。1981年，改设为可可以力更镇。2001年，并入新设可可以力更镇。

**安字号**　人民公社、乡、自然村专名。原安字号乡位于县境中部，可可以力更镇辖域外围，面积267平方公里。乡人民政府驻地河边村地处可可以力更镇西北3公里处，与县城仅一河之隔。河边村原称"大营盘"，清同治八年（1869年）建村，为清兵驻地。武川县治设于可可以力更镇后，依村前自然河更改村名大营盘为河边村。该乡辖域，1949年10月以后，先后属安字号乡、城关人民公社、厂汉木台人民公社、安字号乡人民公社管辖。村名安字号源于1780年开垦放地时将土地编为十个字，该村土地编为"安"字故名安字号。安字号乡依人民公社驻村名命名。1970年，人民公社迁驻河边村，1984年，改社建乡，2001年，整建制并入可可以力更镇。

**哈乐** 人民公社、乡、镇、村民委员会、自然村专名。哈乐镇位于武川县境东部边缘，北靠四子王旗东八号乡，东临卓资县红召乡，东南连呼和浩特市原郊区小井乡，西与可可以力更镇和上秃亥、大青山二乡交界。镇人民政府驻地哈乐村地处可可以力更镇东北25公里处。村名系蒙古语【ᠬᠠᠷᠠᠭᠤᠯ Harûûl】之转音，意为瞭望台或站岗放哨的地方。约明神宗十年（1582年）前，这里是蒙古汪古部赵王的游牧之地，当时蒙古语称【Harûûl】。镇名从镇人民政府驻地村名。2001、2006年，原大兰旗、大豆铺、壕赖山三乡先后整建制并入哈乐乡并设置哈乐镇。行政区域调整后哈乐镇总面积856平方公里，总人口约3.3万人，辖八股地、厂汉脑包、根根渠、旧营子、白沙泉、圪料坝、德胜营、五速兔、大豆铺、车铺、义兴元、卜圪素、振兴元、大前地、耗赖山、南房子、圪丁营、五福堂、大沙窝、黄羊渠、大沙岱21个村民委员会。

原哈乐乡位于哈乐镇辖域东北部，乡人民政府驻哈乐村。该乡辖域，1949年10月以后，先后属武川县第一区、哈乐乡、哈乐区、哈乐人民公社管辖。1984年，改社设乡，后撤乡设镇。

**大蓝旗** 人民公社、乡、自然村专名。原大蓝旗乡位于哈乐镇辖域东南部，乡人民政府驻地大蓝旗村地处可可以力更镇东35公里处。约清乾隆年间（1736—1796年），察哈尔右翼镶蓝旗蒙古族牧民在此扎营放牧。此处形成村落后取名蓝旗，后来为了和另一个蓝旗村区别，分别称大、小蓝旗。乡名从乡人民政府驻地村名。该乡辖域，1949年10月以后，先后属大蓝旗人民公社、红旗人民公社、大蓝旗乡管辖。1984年，改社建乡，2001年4月，整建制并入哈乐乡。

**大豆铺** 人民公社、乡、村民委员会、自然村专名。原大豆铺乡位于哈乐镇辖域西南部，乡人民政府驻地大豆铺村地处可可以力更镇东北15公里处。180多年前，由归化城迁来一户人家，定居在这里，以开大豆莲花铺为生，村名由此得名。乡名从乡人民政府驻地村名。该乡辖域原属哈乐人民公社管辖，1961年，成立车铺乡人民公社，1971年，人民公社驻地由车铺村迁至大豆铺村，1982年，更名为大豆铺人民公社，1984年，改社建乡，2006年，整建制并入哈乐镇。

**壕赖山** 人民公社、乡、村民委员会、自然村专名。原壕赖山乡位于哈乐镇辖域西北部，乡人民政府驻地壕赖山村地处可可以力更镇东北30公里处。村名系蒙汉语结合地名，"壕赖"系蒙古语【ᠬᠣᠭᠣᠯᠠᠢ Hôôlôi】之汉语音译，意为两面有山中间平坦且较长的开阔地，当地方言称"壕"，依地形地貌取村名。清宣统二年（公元1910年）后，有汉民来此居住，村名渐渐地演变为壕赖山。乡名从乡人民政府驻地村名。该乡辖域，1949年以前属德胜乡、哈乐乡管辖，1949年以后，成立壕赖山乡人民公社，1984年，改社建乡，2006年，整建制并入新设哈乐镇。

**西乌兰布浪** 人民公社、乡、镇、村民委员会、自然村专名。西乌兰布浪镇位于武川县境中部偏西北部边缘，东南临上秃亥、德胜沟二乡，南接哈拉合少乡，西和西北连二份子乡，北与包头市达茂旗希日穆仁苏木交界。镇人民政府驻地西乌兰不浪村地处可可以力更镇正西偏北 45 公里处。村名系蒙汉语结合地名，"乌兰布浪"系蒙古语【ᠤᠯᠠᠭᠠᠨ ᠪᠤᠯᠠᠭ Ûlaan Bûlag】之转音，意为红色之泉，依村东南红土梁上一股泉水命名。因为在县城之西还有一个村叫乌兰不浪，为加以区别在村名前加了方位词。镇名从镇人民政府驻地村名。2006 年，原西乌兰不浪、中后河二乡合并设置西乌兰不浪镇。行政区域调整后西乌兰不浪镇总面积 618.3 平方公里，总人口约 1.8 万人，辖西乌兰不浪、圪妥、什拉图、什八台、四大永、东后河等 9 个村民委员会。

原西乌兰不浪乡位于西乌兰不浪镇辖域西南部，乡人民政府驻西乌兰不浪村。该乡辖域，1949 年以前，属忠仁乡，1949 年以来，先后属武川县第三区、第六区、西乌兰不浪区、西乌兰不浪乡、八一人民公社、西乌兰不浪人民公社管辖。1984 年，改社建乡，2006 年，整建制并入新设西乌兰不浪镇。

**中后河**　人民公社、乡、镇、村民委员会、自然村专名。原中后河乡位于西乌兰不浪镇辖域东北部，总面积 262 平方公里。乡人民政府驻地中后河村地处可可以力更镇西北 35 公里处。村名原称"昆都仑河"，系蒙古语【ᠬᠥᠨᠳᠡᠯᠡᠨ ᠭᠣᠤᠯ Hondlen Dôl】，横河之意。清康熙十九年（1680 年）前，蒙古族牧民在此游牧，称境内之河为【Hondlen Dôl】。后汉族来此耕种居住，改村名为中后河。乡名从乡人民政府驻地村名。该乡辖域，1958 年，属八一人民公社管辖，1962 年，单设中后河人民公社，1984 年，改社建乡，2006 年，整建制并入新设西乌兰不浪镇。

**二份子**　人民公社、乡、自然村专名。二份子乡位于武川县境西北边缘，北靠包头市达茂旗石宝镇和希拉穆仁镇，东南邻西乌兰不浪镇，南连哈拉合少乡，西接包头市固阳县银号镇。乡人民政府驻地二份子村地处可可以力更镇西北 70 公里处。二份子在古代为兵家必争之地。清光绪十五年（1889 年）前，这里是蒙古喀尔喀部族的游牧之地。后白灵庙垦务放地，将土地划分为 1～10 份，汉族来此耕种居住，在第二份土地处所建的村庄起名二份子。乡名从乡人民政府驻地村名。2006 年 8 月，原东红胜、西红山子二乡整建制并入二份子乡。行政区域调整后二份子乡总面积 773.5 平方公里，总人口约 2.4 万人，辖蔺家圪卜、五份子、奎素、纳令河、花西、南湾、双玉城、南苏计、姚家村、讨号阁、奶母沟、黑浪壕、白彦花、厂汉此老、黑河兔 15 个村民委员会。

原二份子乡位于新设二份子乡辖域西北部，乡人民政府驻二份子村。该乡辖域，1958 年以前，属武川县第七区，1958 年，成立二份子人民公社，1984 年，改社建乡，2006 年，整建制并入新设二份子乡。

**东红胜**　人民公社、乡、自然村专名。原东红胜乡位于新设二份子乡辖域东北部，乡人民政府驻地东红胜村地处可可以力更镇西北 58 公里处。村名系蒙古语【ᠭᠤᠩᠰᠡᠨ ᠣᠪᠣᠭ᠎ᠠ Gongsen Ôbôô】之转音，依人名命名的敖包名，即牧人【Gongsen】建起的敖包。清康熙十九年（1680 年）后，陆续放垦，汉民来此耕种，【Gongsen Ôbôô】渐渐地转音为红胜敖包，并在村名前冠以方位词，与西红胜村区别。乡名从乡人民政府驻地村名。1956 年，始设东红胜乡，1958 年后，归属二份子乡人民公社管理区管辖，后成立东红胜人民公社，1984 年，改社建乡，2006 年，整建制并入新设二份子乡。

**西红山子**　人民公社、乡、自然村专名。原西红山子乡位于新设二份子乡辖域南部，乡人民政府驻地西红山子村地处可可以力更镇正西偏北 60 多公里处。村名原称"白光银房子"。因名叫白光银的大户在此居住而得名。1950 年，因为村西有一个红石头小山，改村名为西红山子。乡名从乡人民政府驻地村名。1956 年，始设西红山子乡，1961 年，成立西红山子人民公社，1984 年，改社建乡，2006 年，整建制并入新设二份子乡。

**哈拉合少**　人民公社、乡、村民委员会、自然村、自然山专名。哈拉合少乡位于武川县境西南边缘，北靠西乌兰不浪镇、西红山子乡，东邻德胜沟乡，南连呼和浩特市土默特左旗察素齐镇，西接包头市固阳县下湿壕镇。乡人民政府驻地哈拉合少村地处可可以力更镇正西偏南 60 公里处。村名系蒙古语【ᠬᠠᠷ ᠬᠣᠱᠣ Har Hûxûû】之汉语音译，意为黑色山角，依村南黑山崖命名。乡名从乡人民政府驻地村名。2001、2006 年，原庙沟、哈拉门独二乡先后整建制并入哈拉合少乡。行政区域调整后哈拉合少乡总面积 839 平方公里，总人口约 1.5 万人，辖哈乐合少、庙沟、二城子、榆树店、脑包、公忽洞、庙渠子、后营子、大庙、腮忽洞 10 个村民委员会。

原哈乐合少乡位于新设哈乐合少乡辖域东北部，乡人民政府驻哈乐合少村。该乡辖域，1949 年以前，先后属福圣乡、福合乡；1949 年 10 月以后，先后属武川县第五区、哈拉合少区、哈拉合少人民公社管辖。1984 年，改社建乡，2006 年，整建制并入新设哈拉合少乡。

**庙沟**　人民公社、乡、村民委员会、自然村专名。原庙沟乡位于新设哈乐合少乡辖域南部，乡人民政府驻地庙沟村地处可可以力更镇西南 80 公里处。建村时发现此处一座古庙磬上铸有"庙沟"二字，该村由此得名。该乡辖域，民国时期先后属武川县十区庙尔沟乡、庆合乡、福合乡管辖。1953 年，成立庙沟乡，归武川县五区管辖。1956 年，分设土城子、庙沟二乡，1958 年，成立庙沟人民公社，1984 年，改社建乡，2001 年，整建制并入原哈乐合少乡。

**哈拉门独**　人民公社、乡、自然村专名。原哈拉门独乡位于新设哈乐合少乡辖域西北部，乡人民政府驻地东窖子村地处可可以力更镇西南 75 公里处。乡名系蒙古语【ᠬᠠᠷ ᠮᠣᠳᠣ Har Môd】之汉语音译，黑色森林之意。在 200 多年前，蒙古族牧民在此游牧，扎营在克力沟中部。当时克力沟内森林茂密，故名【Har Môd】。清乾隆末年，蒙古族道尔基、肖太基在此出租土地，汉族农民来此耕种居住，并定居下来，村名渐渐地演变为哈拉门独。后更名为东窖子村。该乡辖域原属腮忽洞乡所辖，1957 年始设哈拉门独乡，乡名依乡人民政府驻地原村名命名。1958 年，成立哈拉门独乡人民公社，1984 年，改社建乡，2006 年，整建并入新设哈拉合少乡。

**上秃亥**　人民公社、乡、村民委员会、自然村专名。上秃亥乡位于县境中北部边缘，北靠包头市达茂旗希拉穆仁镇，东邻可可以力更、哈乐二镇，南连德胜沟乡，西接西乌兰不浪镇。乡人民政府驻地上秃亥村，地处可可以力更镇西北 16 公里处。村名系蒙古语【ᠳᠡᠭᠡᠷ᠎ᠡ ᠲᠣᠬᠣᠢ Deer Tôhôi】之转音，北河套之意。一百多年前，蒙古族牧民在此游牧，扎营在抢盘河上游的套海湾。清光绪三十一年（1905 年），此地放垦，汉民来此居住，村名渐渐地演变为上秃亥。乡名从乡人民政府驻地村名。2006 年，原东土城、厂汉木台二乡整建制并入上秃亥乡。行政区域调整后总面积 517.9 平方公里，总人口约 3 万人，辖上秃亥、马王庙、三间房、蒙独脑包、桃力盖、五家村、三道河、小西滩、黑沙兔、东房子、白泥壕、刘家村、麻迷兔、七号、圪奔、陆合落 16 个村民委员会。

原上秃亥乡位于新设上秃亥乡辖域中部，乡人民政府驻上秃亥村。1953 年，设置上秃亥乡，1961 年，成立上秃亥乡人民公社。1984 年，改社建乡，2006 年，整建制并入新设上秃亥乡。

**厂汉木台**　人民公社、乡、自然村专名。原厂汉木台乡位于新设上秃亥乡辖域东北部，乡人民政府驻地东厂汉木台村，地处可可以力更镇正北偏西 20 多公里处。村名系蒙古语【ᠴᠠᠭᠠᠨ ᠮᠣᠷᠢᠲᠠᠢ Qagaan Môrtai】之转音，意为有白马的地方。清光绪六年（1880 年）前，蒙古族牧民在此游牧，依经营的马匹毛色命名村名。后汉民来此居住，原名渐渐转译成厂汉木台。乡名从乡人民政府驻地村名。1953 年，设厂汉木台乡，后改称东厂汉木台。1958 年，成立厂汉木台人民公社，1984 年，改社建乡，2006 年，整建制并入新设上秃亥乡。

**东土城**　人民公社、乡、自然村专名。原东土城乡位于新设上秃亥乡辖域东北部，乡人民政府驻地东土城村，地处可可以力更镇正西 15 公里处。东土城村西有古城遗址，有学者认为是北魏六镇之一的武川镇。清光绪三十一年（1905 年），此地放垦，汉族来此居住，依古城址起名土城。为和另一个土城村区别，在村名前分别加了方位词。乡名从乡人民政府驻地村名。1958 年，成立东土城人民公社，1984 年，改社建乡，2006 年，整建制并入新设上秃亥乡。

**德胜沟**　人民公社、乡、自然村专名。德胜沟乡位于武川县境中南部边缘，北靠上秃亥乡，东邻可可以力更镇、大青山乡、南连呼和浩特市土默特左旗毕克齐镇，西接哈拉合少乡，西北与西乌兰不浪镇交界。乡人民政府驻地纳令沟村，地处可可以力更镇西南 30 公里处。村名系蒙古语【ᠨᠠᠷᠢᠨ ᠭᠣᠣ Nariin Gûû】之转音，狭窄沟之意。1700 年前后，蒙古族牧民在此游牧，依地形地貌命名村名。2001、2006 年，原蘑菇窑、纳令沟二乡先后并入纳令沟乡，同时纳令沟乡更名为德胜沟乡。行政区域调整后德胜沟乡总面积 469.2 平方公里，总人口 7438 人，辖纳令沟、东坡、前窑子、大路壕、大顺成、小碱滩、黑沙兔、毛林坝 8 个村民委员会。

**纳令沟**　人民公社、乡、村民委员会、自然村专名。原纳令沟乡位于新设德胜沟乡辖域西部，乡人民政府驻地酒馆村，地处可可以力更镇西南 35 公里处。村名依村中酿酒作业命名。清光绪二十六年（1900 年），在该村修筑了一座大庙，1930 年前后，王姓一户迁此居住并开设酒坊、酒馆。故人称该村为"大庙酒馆"村，后简称酒馆村。乡名依地形地貌命名，2006 年，更名为德胜沟乡。该乡辖域，民国时期先后属义美乡、义乐乡管辖。1949 年 10 月以后，先后属纳令沟乡、东风人民公社、纳令沟乡人民公社管辖。1984 年，改社建乡，2006 年，整建制并入新设德胜沟乡。

**蘑菇窑** 人民公社、乡、自然村专名。原蘑菇窑乡位于新设德胜沟乡辖域东部，乡人民政府驻地后营子村，地处可可以力更镇西南 30 公里处。村名依本村所处方位命名。约 300 多年前，蒙古族牧民在此游牧，扎营在抢盘河畔。清康熙二十二年（1683 年），汉民来此垦地居住，起名后营子村。因此地盛产蘑菇，乡名依自然植物命名。1953 年，始建蘑菇窑乡，1961 年，成立蘑菇窑人民公社，1984 年，改社建乡，2001 年，整建制并入新设纳令沟乡。

**大青山** 人民公社、乡、自然村、自然山岳专名。大青山乡位于武川县境南部，北靠可可以力更镇，东北邻哈乐镇，南连呼和浩特市新城区毫沁营镇、回民区攸攸板乡，土默特左旗台阁牧镇，西接德胜沟乡。乡人民政府驻地乌兰不浪村，地处可可以力更镇南 15 公里处。村名系蒙古语【ᠤᠯᠠᠭᠠᠨ ᠪᠤᠯᠠᠭ Ûlaan Bûlag】之转音，红水泉之意。清光绪三十一年（1905 年），此地放垦，汉民来此垦地居住，一直沿用原地名，因为在县城之南，一般叫"南乌兰不浪"。乡名因地处大青山区而得名。该乡辖域 1958 年属武川县城关镇管辖，1962 年，分设大青山人民公社，1984 年，改社建乡。现大青山乡总面积 527.9 平方公里，辖乌兰不浪、井尔沟、干只汗、大光有、五道沟、坝顶 6 个村民委员会。

## （三）清水河县各乡、镇名称考略

**城关** 人民公社、乡、镇专名。清水河县城关镇位于清水河县境正中偏西，东北靠五良太乡，东临韭菜庄乡，东南接北堡乡，西南连单台子乡，西与窑沟乡接壤，西北与宏河镇交界。镇人民政府设在城关镇南街，地理坐标约东经 111。40′，北纬 39°54′。2006 年，原小庙子乡整建制和原杨家窑乡的大湾、杨家窑、韩庆坝、石湾子、西山沟、孔读林 6 个村民委员会并入城关镇。2012 年，又从城关镇划出 6 个村民委员会、宏河镇划出 8 个村民委员会再设立五良太乡。行政区域调整后城关镇总面积 497.89 平方公里，总人口约 3.8 万人。辖 6 个居民委员会和城关、神池夭、南沟、芦子沟、只几（发发）边、水门、八龙湾、祁家沟、贺家山、庄右夭、小庙子、潘山湾、桦树沟、曹家沟 14 个村民委员会。

原城关镇位于新设城关镇辖境中部偏东，原小庙子乡辖境包围之中，镇人民政府驻南街，是清水河县人民政府驻地。民国元年（1912 年），厅改县后为清水河县治。民国时期在此曾设置古城坡村公所、城关公所。1949 年 10 月以后，命名为城关街政府，1958 年，更名为城关人民公社。1981 年，定为城关镇人民政府，2006 年，并入新设城关镇。

**小庙子** 人民公社、乡、村民委员会、自然村专名。原小庙子乡位于原城关镇辖境外围。乡人民政府驻地小庙子村，地处城关镇正西 2.5 公里处。总面积 273.6 平方公里。明正统十四年（1500 年）前，此村叫"北沟林"，后因林中有眼水泉，用三块砖垒起来，形似小庙，人们便以此来称村名小庙子。乡名从乡人民政府驻地村名。1949 年 6 月，在此设置第一区，1950 年 5 月，撤销区后划为行政村。1958 年，划属城关人民公社管辖。1964 年，单设小庙子人民公社，1984 年，改社建乡，2006 年，整建制并入新设城关镇。

**喇嘛湾** 乡、人民公社、镇之专名。喇嘛湾镇位于清水河县境西北边缘，西北临托克托县、东北与和林格尔县接壤，西隔黄河与鄂尔多斯市准格尔旗相望，东南与宏河镇交界。镇人民政府驻地喇嘛湾村地处城关镇西北 50 公里处。村名中的喇嘛系藏语【ᠯᠠ Lam】之汉语音译，意为高僧。约公元 1700 年，此地建有喇嘛庙，因该庙东依山，西傍黄河，地形弯曲，故名喇嘛湾。镇名从镇人民政府驻地村名。喇嘛湾是个古镇，早在西汉时期就是桢陵县府所在地（缘胡山东南黄河东岸拐上村东山坡处），设西部都尉治，属云中郡（今托克托县）。中华人民共和国成立后，在此先后设第六区、喇嘛湾乡、喇嘛湾人民公社。1984 年，改社建乡，1985 年，撤乡建镇。现喇嘛湾镇总面积 220.77 平方公里，总人口约 1.5 万人。辖前进、红旗、跃进、榆树湾、樊山沟、杨西梁、前什拉、阳背、落四坪 9 个村民委员会。

**窑沟** 人民公社、乡、村民委员会、自然村专名。窑沟乡位于清水河县境西南边缘，北靠宏河镇，东临城关镇，东南连单台子乡，西和西南与鄂尔多斯市准格尔旗隔黄河相望。乡人民政府驻地窑沟村地处城关镇西南43公里处。窑沟村开采煤已有560年的历史，陶瓷生产亦有360年的历史。因该村建在煤窑、瓷窑处，故名窑沟。乡名从乡人民政府驻地村名。2001年，原小缸房乡整建制划归窑沟乡，同年，原桦树墕乡整建制划归单台子乡，2006年，单台子乡整建制划归窑沟乡。2012年初，从窑沟乡划出部分区域（约原单台子、桦树墕乡二乡辖境），再设立单台子乡。行政区域调整后窑沟乡总面积245.9平方公里，总人口约1.6万人，辖窑沟、候家圪洞、石盘、柳青、暖泉沟、大井沟、塔尔良、阳坡、黑矾沟、小缸房、沙木沟、不瓦、南也、对九沟14个村民委员会。

原窑沟乡位于新设窑沟乡辖境南部，乡人民政府驻窑沟村。1958 年，成立窑沟人民公社，社名因人民公社驻地窑沟得名。1984 年，改社建乡，2006 年，并入新设窑沟乡。

**小缸房** 人民公社、乡、村民委员会、自然村专名。原小缸房乡位于新设窑沟乡辖境北部，乡人民政府驻地楝木沟村，地处城关镇西南 32 公里处。清康熙十九年（1680 年），依此处长有楝木树取村名为楝木沟。全乡总面积 108 平方公里。1957 年，在此设置八龙湾乡，小缸房为该乡所属高级农业生产合作社。1958 年，改八龙湾乡为钢铁人民公社。1961 年，成立小缸房人民公社。约 1730 年，曾在此开设缸房酿酒，成立人民公社时以此命名。1984 年改社建乡，2001 年整建制划归新设窑沟乡管辖。

**单台子** 人民公社、乡、村民委员会、自然村专名。单台子乡位于清水河县境西南边缘，北靠城关镇，东临北堡乡，南与山西省偏关县黄龙池乡隔明长城相望，西连窑沟乡。

乡人民政府驻地单台子村，地处城关镇西南 45 公里处。明万历四十九年（1621 年），山西省偏关县的几户农民迁此居住开垦种地，因此地有春秋战国时期的烽火台，故名单台子。2001 年，原桦树塄乡整建制并入单台子乡；2006 年，单台子乡整建制并入窑沟乡；2012 年初，从窑沟乡划出部分区域（约原单台子、桦树塄乡辖境），再设立单台子乡。新设置的单台子乡总面积 338.1 平方公里，人口约 1.3 万人。辖营盘峁、葬峁梁、狮子梁、单台子、石胡梁、大岔梁、后阳塔、小阳塔、三台子、徐家梁、中嘴梁、阳崖 12 个村民委员会。

原单台子乡位于新设单台子乡辖境西南部，乡人民政府驻单台子村。原单台子乡始建于 1956 年，建乡前属宽滩区公所管辖，1958 年，成立单台子人民公社，1984 年，改社为乡。2006 年，单台子乡整建制并入新设窑沟乡。

**桦树塄**　人民公社、乡、自然村专名。原桦树塄乡位于新设单台子乡辖境东北部，乡人民政府驻地桦树焉村，地处城关镇西南28公里处。500年前，此地桦树成林，在此居住的人们把村建在墼塄上，遂起村名桦树塄。全乡总面积157平方公里。1958年，成立桦树塄管理区，后称窑沟人民公社。1980年，改称桦树焉人民公社，1984年，改社建乡，2001年，整建制划归新设单台子乡管辖。

**五良太**　乡、人民公社、村民委员会、自然村专名。五良太乡位于清水河县境北部边缘。东、北与和林格尔县接壤，东南、正南连韭菜庄乡，西南以晋龙山为分水岭与城关镇毗邻，西以浑河为界与宏河镇相望。乡人民政府驻地五良太村地处城关镇东北 35 公里处。1782 年，这里居住有蒙古族，因此地生长着茂盛的杨树，村取名五良什太。五良什太系蒙古语【　　　　Ûliaastai】之转音，有杨树的地方之意，习惯称"五良太"。2012 年，又从宏河镇和城关镇分别划出 8 个和 6 个村民委员会设置新的五良太乡。重新设置的五良太乡总面积 409 平方公里，总人口约 1.5 万人，辖白旗窑、青豆沟、菠菜营、五良太、康圣庄、厂汉沟、喇嘛庙、三十一号、大湾、杨家窑、韩庆坝、石湾子、西山沟、孔读林 14 个村民委员会。

原五良太乡位于新设五良太乡辖境北部，乡人民政府驻五良太村。1949 年 6 月，在五良太设清水河县第五区，1956 年 10 月，设五良太乡，属原杨家窑区公所管辖。1958 年 9 月，撤乡改称五一蒙汉联合社，1959 年 1 月，成立五良太人民公社。1984 年，改社为乡，2006 年，整建制并入新设宏河镇。

**杨家窑**　人民公社、乡、村民委员会、自然村专名。原杨家窑乡位于清水河县境东北边缘，北靠原五良太乡，东临和林格尔县原盆地青乡，南连原韭菜庄乡，西接原小庙子乡，总面积 185 平方公里。乡人民政府驻地杨家窑村地处城关镇东北 12 公里处。清康熙三十九年（1700 年），姓杨首户居此，故名杨家窑。乡名从乡人民政府驻地村名。1953 年，在此设第五区，1958 年，成立旭日人民公社，1959 年，成立杨家窑管理区，属五良太人民公社管辖，1961 年，改称杨家窑人民公社。1984 年，改社建乡，2001 年，原盆地青乡整建制划归杨家窑乡。2006 年，撤销后原杨家窑乡划归新设城关镇、原盆地青乡划归韭菜庄乡。2012年，又将原杨家窑乡辖境划归五良太乡。

**北堡**　人民公社、乡、自然村专名。北堡乡位于清水河县境东南边缘，东与山西省平鲁县接壤，南与山西省偏关县毗邻，北接城关镇、韭菜庄乡，西临单台子乡。乡人民政府驻地阳湾子村地处城关镇正南偏东30公里处。明万历九年（1582年），山西省的几户农民来此开垦、定居，因该村建在一个向阳的土湾上，故依地形地貌取名。2006年，原暖泉乡整建制并入北堡乡。合并后北堡乡总面积499.5平方公里，总人口约1.5万人，辖阳湾子、对九坪、北堡、老牛坡、老熊沟、丈房湾、桦树沟、长沟门、杜家沟、暖泉、八道峁、双碾子、三黄水、四道坪14个村民委员会。

原北堡乡位于新设北堡乡辖境东南部，总面积197.4平方公里。1956年，始设北堡乡，属暖泉区公所辖，1958年，成立北堡人民公社。乡人民政府驻地北堡村地处城关镇东南50公里处。村名依明隆庆四年（1570年）前，在此修筑的一座城堡命名。乡名从乡人民政府驻地村名。1984年，改社建乡，2006年，并入新设北堡乡。

**暖泉**　人民公社、乡、村民委员会、自然村专名。原暖泉乡位于新设北堡乡辖境西北部，总面积302平方公里。乡人民政府驻阳湾村。1949年10月以后，该地区属清水河县第三区清暖乡管辖，1958年12月，撤销乡建制，成立清暖人民公社。1959年1月，改称暖泉人民公社。1984年，改社建乡，乡人民政府驻地暖泉村地处城关镇正南偏东38公里处。村名依村南自然温泉命名，乡名从乡人民政府驻地村名。1999年6月，乡政府驻地由暖泉村迁址阳湾村。2006年，并入新置北堡乡。

**韭菜庄**　人民公社、乡、村民委员会、自然村专名。韭菜庄乡位于清水县境东南边缘，东以明长城为界与山西省平鲁区接壤，西南与北堡乡相连，西接城关镇、北与五良太乡交界。乡人民政府驻地韭菜庄村地处城关镇东南34公里处。相传很早以前这里盛长野韭菜，立村起名时就以"韭菜"命名庄（村）名。2006年，将原杨家窑乡管辖的盆地青、三岔河、座峰、朱毛草、七冬沟、对九沟6个村民委员会（原盆地青乡辖境）并入韭菜庄乡。合并后的韭菜庄乡总面积501.86平方公里，总人口16845人，辖韭菜庄、北槽碾、双台子、前营村、北圪洞、十七沟、榆树庄、狮子塔、黑山子、双井子、盆地青、三岔河、座峰、朱毛草、七冬沟、对九沟16个村民委员会。

原韭菜庄乡位于新设韭菜庄乡辖境西南部，乡人民政府驻韭菜庄村。1949年10月以后，在韭菜庄设立清水河县第二区，1958年，成立韭菜庄人民公社，1984年，改社为乡。2006年，将原杨家窑乡管辖的6个村民委员会（约原盆地青乡辖境）并入韭菜庄乡。

**盆地青**　人民公社、乡专名。原盆地青乡位于新设韭菜庄乡辖境东北部，总面积161.3平方公里。乡人民政府驻地盆地青村地处城关镇正东偏北40公里处。约1682年，山西省晋兰县几户农民来此开垦居住。因这里四面环山，中间低平且清水长流故名盆地青。乡名从乡人民政府驻地村名。此地原属韭菜庄区公所辖，1956年，成立盆地乡。1958年，单设盆地人民公社，1968年，更名为盆地青人民公社。1984年，改社为乡，2001年，整建制划归杨家窑乡。

2006 年，原杨家窑乡的盆地青、三岔河、座峰、朱毛草、七冬沟、对九沟 6 个村民委员会（大致原盆地青乡辖境）并入韭菜庄乡。

**宏河**　镇之专名。宏河镇位于清水河县境西北边缘，北与和林格尔县交界，东与五良太乡毗邻，东南连城关镇和窑沟乡，西与鄂尔多斯市准格尔旗隔黄河相望，西北与喇嘛湾镇交界。镇人民政府驻地西圐圙图村地处城关镇正北偏西 30 公里处。村名系蒙古语【ᠪᠠᠷᠭᠤᠨ ᠬᠦᠷᠢᠶᠡ Barûûn Hureet】之汉译形式。约 1882 年，在西圐圙图村居住有蒙古族，取名【hureet】，后因村子位于浑河西岸，故改名为"西圐圙图"，系蒙古语有畜圈的地方之意。2006 年，撤销原王桂窑乡，设立宏河镇，同时将原五良太乡整建制并入宏河镇。镇名取浑河之谐音命名"宏河"。2012 年，从宏河镇划出 8 个村民委员会（约原五良太乡辖境）、城关镇划出 6 个村民委员会（约原杨树窑乡辖境）再设立五良太乡。行政区域调整后宏河镇总面积 265 平方公里，总人口约 1.7 万人，辖一间房、范四窑、圆子湾、高茂家窑、巴图塔、解放、胶泥崅、火烧塔、栅梢塔、聚宝庄 10 个村民委员会。

**王桂窑**　人民公社、乡、自然村专名。原王桂窑乡位于清水河县境西北边缘，即宏河镇辖境。乡人民政府驻西圐圙图村。1950 年 5 月，在王桂窑设清水河县第一区，1958 年，成立王桂窑人民公社，社名依人名命名。1959 年 1 月，改为喇嘛湾人民公社王桂窑管理区，1968 年，改为王桂窑人民公社，1984 年，改社为乡，2006 年，撤乡设镇，并更名为宏河镇。

### （四）托克托县各乡、镇名称考略

**双河**　镇之专名。双河镇位于托克托县境西南部，地处黄河、大黑河之滨。北靠土默特右旗双龙镇、本县五申镇和伍什家镇，东临新营子镇，西和西南与鄂尔多斯市准格尔旗隔黄河相望。镇人民政府驻双河镇前狼窝壕村，地理坐标约北纬 40°16′72″，东经 111°11′3″。前狼窝壕村原名"杨洋壕"。清光绪年间，该地曾住有一名姓杨的洋人传教士，且村旁有一道壕沟，故名杨洋壕。后当地群众反对洋人传教，便更改村名为狼窝壕。2001 年，原南坪乡整建制并入城关镇，同时，因地处黄河、大黑河之滨，将城关镇更名为双河镇，2006 年，原中滩乡整建制并入双河镇。行政区域调整后双河镇总面积 304.3 平方公里，总人口约 6.7 万人。辖 11 个居民委员会和前狼窝壕、张四壕、张家当铺梁、徐家窑、南头盘、郝家当铺梁、大羊场、养犬圐圙、苗家梁、城拐、董家营、积茭（炭炭）壕、霍家圪洞、北街、南街、前街、哈拉板申、碾子湾、把栅、什四份、中滩、河上营、柳林滩、下沙拉湖滩、河口、皮条沟、格图营、东营子、郝家窑、海生不拉 30 个村民委员会。

原城关镇位于双河镇辖域正中偏北部，是托克托县人民政府驻地，镇人民政府驻双河镇内前狼窝壕村。1950 年，为托克托县一区区公所驻地，1953 年，区公所改称为城关镇。1958 年，成立城关镇人民公社，1983 年 6 月，改为城关镇，2001 年，与原南坪乡合并，同时更名为双河镇。

**南坪**　人民公社、乡、自然村专名。原南坪乡位于双河镇辖境东北部，总面积 106 平方公里，乡人民政府驻地设在原城关镇新区。1950 年，划为托克托县第二区，区政府驻地南坪村，1958 年，成立太阳人民公社，1959 年，改为南坪乡，1962 年，改为南坪人民公社。人民公社或乡人民政府均驻南坪村。该村于清咸丰年间形成村落，因地形平坦而名。1984 年，改社为乡，2001 年，整建制并入双河镇。

**中滩**　人民公社、乡、村民委员会、自然村专名。原中滩乡位于双河镇辖境西部，乡人民政府驻地设在原城关镇内中滩村。该村因地处河滩中部而得名，后来的乡、社名称均从人民政府驻地村名。1949 年 10 月以后，划归托克托县第一区管辖，1958 年，划归太阳人民公社管辖，1962 年，从太阳人民公社划出，成立中滩人民公社，1984 年，改社为乡，2006 年，整建制并入双河镇。

**新营子**　人民公社、乡、镇、村民委员会、自然村专名。新营子镇位于托克托县辖境东南边缘，西与双河镇接壤，北连伍什家镇，东与和林格尔县交界，南与清水河县喇嘛湾镇相邻。镇人民政府驻地新营子村地处双河镇正东偏南20公里处。该村原名"辛营子"。清初，山西省河曲县辛姓与马姓两家来此开垦、种地、定居，取名辛营，清末称新营。1949年后，改称新营子。2001、2006年，原黑城乡和原燕山营乡先后整建制并入新营子镇。行政区域调整后新营子镇总面积416.1平方公里，总人口约4.7万人，辖1个居民委员会和新营子、碱沟子、马家圪堵、豆腐窑、荒地窑、南什拉乌素壕、常家营、乃莫营、老杜营、石匠营、塔布岢、章盖营、胡忽浪营、西大圐圙、柳二营、小口子、那么架、黑城、张全营、合同营、坝上、黑水泉、乃同、马四窑、燕山窑、范城滩窑、缸房窑27个村民委员会。

原新营子镇位于新设新营子镇辖境西北部，东与原黑城乡接壤，北与原永圣域、伍什家二乡相连，西与南坪、中滩二乡交界，南连原燕山营乡。总面积120平方公里，总人口约1.6万人，辖10个村民委员会，1个居民委员会。镇人民政府驻新营子村。1950年，隶属本县第三区，1956年，设新营子乡，1957年，隶属什拉乌素壕乡，1958年，隶属红旗人民公社，1962年，成立新营子人民公社，1983年，改社为乡，1986年，撤乡设镇。社、乡、镇名均从人民政府驻地村名。

**黑城**　人民公社、乡、村民委员会、自然村专名。原黑城乡位于新设新营子镇辖境东北部，托克托、和林格尔、清水河三县交界处。东与和林格尔县为邻，西与原燕山营、新营子二乡毗连，南与清水河县接壤，北与原伍什家乡相邻。乡人民政府驻地黑城村地处双河镇正东偏南 30 公里处。按《山西通志》记载，明洪武二十六年（1393 年），在此建城，置"镇虏卫"屯军，永乐元年（1403 年）内徙，正统三年（1438 年）复旧治，正统十四年（1449 年），又内迁，城遂空废。遗址现仍清晰可见，因长期无人居住人们称之为黑城。清乾隆年间，内地人迁入此地开垦、种地，在古城墙脚下碹窑居住便形成村落。乡名从人民政府正东村名。1950 年，该乡辖域划为本县第三区，区政府设在黑城村，1956 年，设置黑城乡，1958 年，成立红旗人民公社，1962 年，更名为黑城人民公社，1984 年，改社为乡，2001年，整建制并入新营子镇。

**燕山营**　人民公社、乡、自然村专名。原燕山营乡位于新设新营子镇辖境西南部，总面积106平方公里。乡人民政府驻地燕山营村地处双河镇东南25公里处。清乾隆年间大燕山一带的农民迁此开垦、种地，形成村落，得名小燕山营，后改为燕山营。乡名从乡人民政府驻地村名。此地属土默川边缘地带，俗称"东沙梁"。该乡辖境1950年划属本县三区，1958年，划归红旗人民公社，1962年，单设燕山营人民公社，1984年，改社为乡，2006年，建制并入新营子镇。

**五申**　人民公社、乡、镇、村民委员会、自然村专名。五申镇位于托克托县辖境西北边缘，西、北两面与土默特左旗善岱镇、塔布赛乡交界，东临古城镇，东南连五十家镇，南接双河镇。镇人民政府驻地五申村地处双河镇西北16公里处。村名系蒙古语人名【Ushen】之汉语音译。因该地是俺答汗的三侄儿五申的驻牧地，故名。1995年5月，原五申乡改设为五申镇，2006年原乃只盖乡整建制并入五申镇。行政区域调整后五申镇总面积288平方公里，总人口约3.4万人，辖1个居民委员会和五申、伞盖、大井壕、官士窑、崞县营、团结、左家营、两间房、乃只盖、一间房、三间房、黑兰土力亥、祝乐沁、补还岱、老官营、伍把什、鸡嘴营、账房坪、黑兰圪力更、刺尾沟、新营子、乃同营、万金店23个村民委员会。

原五申镇位于新设五申镇辖境西南部，镇人民政府驻五申村，总面积108平方公里。该乡辖域，清咸丰年间属托克托厅西乡管辖，民国时期先后属西北区、二区、五福乡、食德乡、民德乡管辖。1950年，隶属本县第五区，1956年，隶属官士窑乡，1958年，隶属火箭人民公社，1962年，成立五申人民公社，1983年，撤社设乡，1995年5月，撤乡设镇。

**乃只盖**　人民公社、乡、村民委员会、自然村专名。原乃只盖乡位于新设五申镇辖境东北部，地处大黑河流域，总面积120平方公里。乡人民政府驻地乃只盖村地处双河镇西北25公里处。村名系蒙古语【ᠨᠠᠢᠵᠠ ᠠᠢᠯ Naij Ail】之转音，意为友谊之家或朋友之家。该乡辖境，1950年，曾为托克托县第五区，区政府设在乃只盖村，1958年，与五申人民公社划为一个人民公社，名为火箭人民公社，1962年，单设乃只盖人民公社，1984年，改社为乡，2006年，整建制并新设入五申镇。

**伍什家**　人民公社、乡、镇、村民委员会，自然村专名。伍什家镇位于托克托县中部偏北，东北靠古城镇，东临和林格尔县，南连双河、新营子二镇，西北与五申镇交界。镇人民政府驻地伍什家村地处双河镇东北20公里处。伍什家村名源于古代驿站。金代大定年间曾在此设立驿站，驻有50名公差，配有50匹驿马传递公文。这些公差后来在此定居形成村落，故名伍什家村。镇名从镇人民政府驻地村名。清康熙三十一年（1692年），该地也设置驿站，额定50名站丁，取名伍什家。伍什家镇辖境，清咸丰年间为托克托东乡辖地，民国初年，隶属县东北区，民国17年（1928年），隶属四区，民国27年（1938年）后，隶属民治乡（治所在什拉乌素壕村），1950年，属本县四区管辖。1956年，设伍什家乡，1958 年，划归太阳、卫星、火箭 3 个人民公社，1962 年，又从 3 个人民公社分出来，成立伍什家人民公社，1983 年，改社为乡，2006 年，撤乡设镇。现该镇总面积 225 平方公里，总人口约 1.5 万人，辖伍什家、什拉乌素壕、一间房、杜家壕、毡匠营、哈达图壕、大北窑、兴旺社、树林子、西大圪达、大圆圙、刘家窑、狄士窑、荒地窑、新河 15 个村民委员会。

**古城**　人民公社、乡、镇、村民委员会、自然村专名。古城镇位于托克托县境东北部边缘，北靠土默特左旗北什轴乡和白庙子镇，东临和林格尔县，南或西南连伍什家镇，西与五申镇接壤。镇人民政府驻地古城村地处双河镇东北，呼和浩特到双河镇公路 42 公里处。2006 年，原古城、永圣域二乡合并设立古城镇。合并后的古城镇总面积 328 平方公里，总人口约 2.5 万人，辖古城、西云寿、南斗林盖、张宗圆圙、什力邓、北台基、保号营、白家营、崞县营、一间房、韭菜滩、东湾、南台基、塔布板申、北斗林益、南园子、南的力图、乔富营、永圣域、什力圪图、满水井、东云寿、北崞县、黑沙图、缸房沟 25 个村民委员会。

原古城乡位于新设古城镇辖境西半部，乡人民政府驻地古城村是战国时期云中郡治云中城，俗称古城，故名。古城乡辖域，清代文宗咸丰年间隶属托克托厅北乡，民国二年（1913年），隶属县东北区，民国十七年（1928年），隶属三区，民国二十二年（1933年），隶属二区，民国三十六年（1947年），改为民丰乡。1949年10月以后，划属托克托县第四区，区政府驻古城村，1952年，调整为第六区治，1956年，划属塔布板申乡，1958年，成立红旗人民公社，1962年更名为古城人民公社，1984年，改社为乡，2006年，并入新设古城镇。

**永圣域**　人民公社、乡、村民委员会、自然村专名。原永圣域乡位于新设古城镇东半部，总面积164平方公里。乡人民政府驻地永圣域村地处双河镇东北35公里处。清光绪年间，外国天王教传教士来此兴建天主教堂，取名"永圣域"，永久圣地之意。乡名从乡人民政府驻地村名。该乡辖境1950年划为托克托县第四区，1958年，划属红旗人民公社。1962年单设永圣域人民公社，1984年，改社为乡，2006年，整建制并入新设古城镇。

## （五）和林格尔县各乡、镇名称考略

**城关**　和林格尔县城关镇专名。　城关镇位于和林格尔县境中部，东临黑老窑乡，南与羊群沟乡、大红城乡相邻，西与舍必崖乡接壤。地理坐标东经111°26′，北纬39°58′。是和林格尔县人民政府驻地。2001年，撤销原胜利营乡，将其整建制划归城关镇管辖，同时撤销土城子乡，将其石咀子、南园子、东沟子三个村民委员会划归城关镇管辖。现城关镇总面积319.18平方公里，总人口约3.8万人。辖小南沟、大南沟、二道河、石咀子、南园子、东沟子、胜利营、二道沟、哈达合少、新营子、九龙湾、喇嘛湾、陶家窑、郭家窑、高家窑、武松窑沟等18个村民委员会。

原城关镇 1949 年属舍必崖区管辖，1956 年，划归六区，区政府设在城关镇内。1957 年，属石咀子乡管辖。1958 年成立城关镇人民公社。1962 年，划归胜利营人民公社管辖，1976 年又将二道河、大南沟、城关、小南沟 4 个大队合并建立城关人民公社，1981 年改为城关镇人民政府。镇人民政府驻地二十家子，蒙语和林格尔【ᠬᠣᠷᠢᠩᠭᠡᠷ Hôringer】，汉译为二十家子。

原胜利营乡位于县境之东，1958 年成立豪盖营人民公社，1966 年改为胜利营人民公社，1984 年改为胜利营乡，2001 年整建制划归城关镇。

原土城子乡位于县城之北，1961 年从城关镇划出成立土城子人民公社，1984 年改社为乡。相传清乾隆二十四年（1759 年），几户农民从山西迁入此地开荒种地，因此地有古代北魏盛乐古城遗址，故名土城子。

**盛乐** 镇之专名。盛乐镇位于和林格尔县境东北部，东邻凉城县程家营乡，南与城关镇相连，西与舍必崖乡、巧什营乡接壤，北接呼和浩特市区。镇人民政府驻下土城子村。2001 年，撤销土城子乡，建盛乐镇，将原土城子乡的 9 个村民委员会划归盛乐镇管辖，后来又撤销原灯笼素乡、公喇嘛乡、西沟子乡和巧什营乡，都划归盛乐镇管辖。合并后的盛乐镇总面积 432.16 平方公里，总人口约 3.3 万人。辖北倒拉板、哈拉沁、李家园园、喇嘛湾、新营子、郭家滩、西沟门、侯家梁、巴旦沟、中二十家、南窑子、前公喇嘛、古力半忽洞、小林坝、大林坝、公喇嘛、姑子板、灯笼素、段家园、六猱牛、一家村、土杆旗、雅达牧、恼木土太、古力半、郭家营、郭宝营、台基营、下土城 29 个村民委员会。

**土城子** 人民公社、乡、村民委员会、自然村专名。原土城子乡位于和林格尔县境之北。1961 年从原城关镇划出成立土城子人民公社，1984 年社改乡时改为土城子乡，乡政府驻下土城子村。约清乾隆二十四年（1759 年），几户山西农民来此耕种定居，因在上土城南面，故名下土城子。上土城村的名称起源于北魏盛乐古城。2006 年撤销土城子乡，建盛乐镇，将其管辖的 9 个村民委员会划归盛乐镇管辖，其余 3 个村民委员会划归城关镇管辖。

**灯笼素** 人民公社、乡、村民委员会、自然村专名。原灯笼素乡位于和林格尔县境东北部，1976 年 3 月成立灯笼素人民公社，1984 年改社为乡，乡人民政府驻地灯笼素村。灯笼素为蒙古语【ᠳᠡᠷᠡᠰᠦ Deres】之汉语音译，意为芨芨草。约 1682 年前，蒙古族人来此居住，因为此地芨芨草茂盛，遂取名灯笼素。2006 年撤销灯笼素乡，将其 5 个村民委员会划归公喇嘛乡，其余 4 个村民委员会划归西沟门乡，后来公喇嘛乡又整建制划归盛乐镇管辖。

**公喇嘛** 人民公社、乡、村民委员会、自然村专名。原公喇嘛乡位于和林格尔县城东北部，1958 年成立公喇嘛人民公社，1984 年改社为乡，乡人民政府驻地后公喇嘛村。村名系蒙古语【ᠭᠣᠨ ᠨᠠᠮᠤᠭ Gon Namôg】"贡那莫格"之汉语音译，意为深沼泽。还有一说此村曾居住一位大喇嘛而得名。2006 年撤销公喇嘛乡，整建制划归盛乐镇管辖。

**西沟门** 人民公社、乡、村民委员会、自然村专名。原西沟门乡位于和林格尔县境东北部，东与凉城县毗邻，北与呼和浩特市郊区接壤。1962年从公喇嘛人民公社划出成立西沟门人民公社，1984年改社为乡，乡人民政府驻地新营子村。传说旧营子曾驻扎军营，故名旧营子，后来因条件不好迁到新址，故改名新营子。

**新店子**　人民公社、乡、镇、村民委员会、自然村专名。新店子镇位于和林格尔县境东南，东与山西省接壤，南与羊群沟乡为邻，西靠城关镇，北与盛乐镇接壤。镇人民政府驻地新店子村地处城关镇东南30公里处。约1780年前后，有山西刘姓农民来此居住，当时称"刘家坪"村。后因此地是太原到绥远的主要交通要道，来往的人多了，开的店也多了，故改为新店子。1958年公社化时，成立新店子人民公社，1984年改社为乡。2001年撤销新丰乡，将其整建制划归新店子乡管辖，后来又将黑老窑乡整建制划归新店子乡管辖并撤乡设镇。2011年调整行政区划，从新店子镇划出部分区域再设黑老窑乡。调整后的新店子镇总面积517.76平方公里，总人口约1.6万人。辖胶泥湾、店湾、新店子、榆林城、西沟子、草窑子、上恼亥、浮石岩、前中门、黑石兔、十一号、好来沟、营盘梁、山保岱、一间房、新丰16个村民委员会。

**新丰**　人民公社、乡、村民委员会、自然村专名。原新丰乡位于和林格尔县境东南部，北临浑汉，东南隔长城与山西省右玉县为邻，西与原新店子乡相连。1976年从新店子人民公社划出成立新丰人民公社，1984年改社为乡，乡人民政府驻地泉子湾村。清朝末年建村时，因地处一个沟湾内，且有泉水，故取名泉子沟村。2001年撤销新丰乡，将其整建制划归新成立的新店子镇管辖。

**黑老窑**　人民公社、乡、自然村专名。黑老窑乡位于和林格尔县东部偏北，东与凉城县接壤，南连原新店子乡，西与原胜利营乡相连，北与原灯笼素乡毗邻。原属和林格尔第四区管辖，1958年成立黑老窑人民公社，因公社驻地黑老窑村，故命名为黑老窑人民公社。1984年改社为乡，乡政府驻地黑老窑村。后来黑老窑乡整建制划归新店子乡管辖，2011年调整行政区划时，从新店子镇划7个村民委员会再设黑老窑乡。

**巧什营**　人民公社、乡、村民委员会、自然村专名。巧什营乡位于和林格尔县西北隅，西邻托克托县，北靠土默特左旗。乡政府驻地巧什营村。1682年前后，有一个朝尔吉喇嘛来此建庙，后来迁来的人多了，成立村庄，取名朝尔吉营，后来逐步转音为巧尔什营、巧什营。1958年属舍必崖公社管辖，1962年从舍必崖公社划出成立巧尔什营人民公社，1984年改社为乡，后来整建制划归盛乐镇管辖，2011年调整行政区划又从盛乐镇划出部分区域，再设立巧什营乡，乡政府驻巧什营，调整后的总面积155平方公里，总人口约1.6万人，辖忽通兔、巴尔旦营、岱州窑、巧什营、讨速号、闺城营、猛独牧、大新营、一间房、圪报10个村民委员会。

**舍必崖**　人民公社、乡、村民委员会专名。舍必崖乡位于和林格尔县境西北部，东靠盛乐镇、城关镇、南与大红城乡接壤，西与托克托县相邻。乡人民政府驻舍必崖村。舍必崖系蒙古语【ᠱᠠᠪᠠᠬᠠᠢ Xabahai】之汉语音译，汉意为污泥。约1780年，蒙古族人来此居住，村旁有一条河，污泥较多，来往行人和车辆难以通行，故命名舍必崖。1958年公社化时，成立舍必崖人民公社，1984年改社为乡。行政区域调整后的舍必崖乡总面积370平方公里，总人口约3.03万人。辖舍必崖、土不禅、乌素什八太、前恼木气、台几、韭菜沟、大梁、佶尔什、水口、兰家窑、兰家房、西厂圪洞、董家营、柴六营、黑麻洼、挠尔板申、同昌营、东营子、麻黄圪洞、小甲欸、大甲欸、迭力素、后栽生沟、前丈房沟、马家窑、西营子26个村民委员会。

**董家营**　人民公社、乡、村民委员会专名。原董家营乡位于和林格尔县境西南部，1962年从舍必崖公社划出成立董家营人民公社，1984年改社为乡，乡人民政府驻董家营村。清朝初年，有一姓董的人来此开荒种地，后来迁入的人多了，形成村落，便以董姓命名董家营。后来董家营乡整建制划归舍必崖乡。

**大红城**　人民公社、乡、村民委员会专名。大红城乡位于和林格尔县境正南偏西，东与羊群沟乡接壤，南与清水河县五良太乡相邻，西与托克托县毗邻。乡人民政府驻地大红城村。大红城乡先后属县二区、大红城人民公社或乡、樊家窑人民公社管辖，1984年社改乡时，改为樊家窑乡，乡政府驻地樊家窑村。2001年撤销新红乡，将其大部分区域划归大红城管辖（四十一号村民委员会的王家二十八号、杜家四十三号、任家四十七号3个自然村划归羊群沟管理）。后来调整区划时，又将樊家窑乡整建制划归大红城乡管辖。调整后的大红城乡总面积492平方公里，总人口约2.3万人。辖大红城、小红城、榆林沟、向阳沟、红山口、新窑、阳坡、小缸房、冯家七号、梁家三十四号、韩家十一号、苗家二十九号、老爷庙十五号、樊家十五号、王家二十号、郭家二号、樊家窑、马群沟、前大湾、斗城窑、碾房窑、榆西窑、下喇嘛盖、善友喇嘛24个村民委员会。

**新红**　人民公社、乡、村民委员会专名。原新红乡位于和林格尔县境南部。1958年公社化时属大红城人民公社管辖，1976年从大红城公社划出成立新红人民公社，1984年社改乡时改为新红乡，2001年撤销新红乡，将其整建制划归新设大红城乡管辖。

**樊家窑**　人民公社、乡、村民委员会专名。原樊家窑乡位于和林格尔县城西南部。该乡辖域先后属二区、大红城人民公社管辖，1961年从大红城人民公社划出成立樊家窑人民公社，1984年社改乡时改为樊家窑乡，后调整行政区划时，又将樊家窑乡整建制划归大红城管辖。

**羊群沟**　人民公社、乡、村民委员会专名。羊群沟乡位于和林格尔县境东南部，紧靠古长城，东与山西省右玉县、平鲁县为邻，南与清水河县接壤，西与大红城乡毗邻，北与新店子乡相连。乡人民政府驻羊群沟村。羊群沟村1773年前后曾做过牧场。清代农民在此垦荒时，发现沟内有大量羊粪，村落命名时取名羊群沟。羊群沟乡辖域原来属新店子人民公社管辖，1961年从新店子人民公社划出，成立羊群沟人民公社，1984年社改乡时改为羊群沟乡。调整后的羊群沟乡总面积477.34平方公里，总人口7823人。辖羊群沟、三十号、白旗口、圪洞坪、五间房、大圪旦、前三波罗、东石咀子、泥合子9个村民委员会。

## （六）新城区各乡、镇名称考略

**保合少**　人民公社、乡、镇、村民委员会，自然山专名。保合少镇位于呼和浩特市新城区东北部，西北靠武川县大青山乡，东北连乌兰察布市卓资县旗下营镇，南接赛罕区榆林镇和巴彦、昭乌达路、敕勒川路三个街道办事处，西与玉泉区攸攸板镇接壤。镇人民政府驻地保合少村地处新城区人民政府东北28公里处。村名系蒙古语【 ᠪᠥᠷ ᠬᠤᠬᠤ Bôr Hûxûû】之转音，意为紫色山角，依村北保合少山名命名。镇名依镇人民政府驻地村名命名。2006年，原保合少乡、毫沁营镇合并设置保合少镇。合并后的保合少镇总面积668.1平方公里，总人口约5.3万人，辖保合少、庄子、水泉、大窑、古路板、水磨、西铺窑、奎素、甲兰板、恼包、野马图、上新营、代州营、下新营、三卜树、生盖营、南店、讨思浩、红山口、沙梁、哈拉沁、塔利、乌兰不浪、一家、毫沁营、哈拉更26个村民委员会。

原保合少乡位于保合少镇辖境东部，乡人民政府驻保合少村。原保合少乡，1949年前属归绥县三区，中华人民共和国成立初期属保合少区公所，1953年后属呼和浩特市郊区管辖。1958年成立保合少人民公社，1984年撤社改乡，2000年6月后属新城区管辖。2001年5月，原小井乡整建制并入保合少乡，2006年整建制并入保合少镇。

**小井**　人民公社、乡、自然村专名。原小井乡位于保合少镇辖境北部偏东大青山区，乡人民政府驻地小井大营子村地处新城区人民政府东北55公里处。村名原称小井，明代依村中一眼小井命名，后因村庄扩大改称"小井大营子"。1958年成立小井人民公社，社名从人民公社驻地村名。1984年改社为乡，2001年5月，整建制并入保合少乡。

**毫沁营**　人民公社、乡、镇、村民委员会专名。原毫沁营镇位于保合少镇辖境西南部，镇人民政府驻地毫沁营村地处新城区人民政府正北偏东6公里处。毫沁营村原名"永控库伦"，系蒙古语【ᠶᠡᠬᠡ ᠬᠦᠷᠢᠶᠡ Yeh Huree】之转音，大圆圈之意。明代，曾有蒙古族牧民在此驻牧，后来，这里的牧民先后迁走，游牧他乡。清乾隆年间，先有山西原平县张氏逃荒在此落户，后又有郑姓等山西人陆续迁此定居，逐渐形成村落，村名【Yeh Huree】逐渐传音为"永控库伦"。后来，游牧他乡的蒙古人重返旧地，改村名为毫沁营。毫沁营也是蒙古语【ᠬᠠᠭᠤᠴᠢᠨ ᠠᠢᠯ Hûûqin Ail】之汉语音译，意为故地或旧址。毫沁营镇1949年前属归绥县二区，中华人民共和国成立后归罗家营区公所管辖，1953年后属呼和浩特市郊区管辖。1956年，原义恒乡更名为毫沁营乡，乡名从乡人民政府驻地村名。1981年，原哈拉沁、麻花板、毫沁营三人民公社合并为毫沁营人民公社，1984年撤社改乡。2000年6月后，属新城区管辖，同时将原郊区罗家营乡的塔利、生盖营、讨思浩、榆树湾、姚家湾和原巧报乡的新城、三合村、麻花板、府兴营9个村民委员会划属毫沁营乡，同年12月撤乡建镇，2006年整建制并入保合少镇。

**义恒**　乡之专名。原义恒乡位于原毫沁营乡辖境中部，乡人民政府驻毫沁营村。乡名依当地商号名命名。1949 年 10 月以后设置义恒乡，1956 年更名为毫沁营乡。

**哈拉沁** 乡和村民委员会专名。原哈拉沁人民公社位于原毫沁营乡辖境北部，乡人民政府驻地哈拉沁村地处新城区人民政府正北偏东 10 公里处。村名系蒙古语【ᠬᠠᠷᠠᠠᠴᠢᠨ Haraaqin】之汉语音译，意为嘹望哨或哨所。乡名从乡人民政府驻地村名。1949 年 10 月以后设置哈拉沁人民公社，1981 年并入毫沁营人民公社。

**麻花板** 人民公社、村专名。原麻花板人民公社位于原毫沁营乡辖境南部，乡人民政府驻地麻花板村地处呼和浩特市区内，新城区人民政府西北 1 公里处。麻花板系蒙古语【ᠮᠠᠢᠬᠠᠨ ᠪᠠᠶᠢᠰᠢᠩ Maihan Baixing】之转音，意为帐篷或房子。一说麻花板系蒙古语【ᠮᠠᠬᠠᠨ ᠪᠠᠶᠢᠰᠢᠩ Mahan Baixing】之转音，意为卖肉的房子。社名从人民公社驻地村名。1949 年 10 月以后设置麻花板人民公社，1981 年并入毫沁营人民公社。

**罗家营** 人民公社、乡之专名。原罗家营乡位于大青山脚下，保合少镇辖境南部，乡人民政府驻地罗家营村地处新城区人民政府东北 15 公里处。清康熙年间，一罗姓人氏从山西迁居于此，后逐渐形成村庄，故得村名罗家营。1958 年成立罗家营人民公社，1984 年改社为乡，2000 年 6 月撤销罗家营乡，原行政区域分别划归毫沁营镇和巴彦镇。

## （七）回民区各乡、镇名称考略

**攸攸板** 人民公社、乡、镇、村民委员会专名。攸攸板镇位于呼和浩特市回民区辖境西北部，北靠武川县大青山乡，东临新城区保合少镇，南接玉泉区小黑河镇，西与土默特左旗毕克齐镇接壤。镇人民政府驻地攸攸板村地处回民区人民政府西北2.5公里处。村名攸攸板系蒙古语【ᠶᠤᠮᠢᠢᠨ ᠪᠠᠶᠢᠰᠢᠩ Yumiin baixng】之汉字转写，"商品房"之意。这里是北上大青山的交通要道，因辽、金时期百货俱全买卖兴隆而名。该乡曾归土默特旗、归绥县、呼和浩特市郊区管辖。1984年撤社改乡。1999年7月划归回民区并将原郊区西菜园乡的塔布板、厂汉板、小府、青山、什拉门更、四合兴、西龙王庙、孔家营、倘不浪9个村民委员会划归攸攸板乡管辖，同年12月撤乡建镇。新设立的攸攸板镇总面积155平方公里，总人口3.2万人。辖攸攸板、西龙王庙、孔家营、什拉门更、坝口子、厂汉板、塔布板、小府、东棚子、西乌素图、东乌素图、一间房、段家窑、元山子、毫赖沟、青山、倘不浪、四合兴、刀刀板19个村民委员会。

## （八）玉泉区各乡、镇名称考略

**小黑河** 人民公社、乡、镇、村民委员会和自然河专名。小黑河镇位于呼和浩特市玉泉区辖境西南部，北靠回民区攸攸板镇，东临赛罕区昭乌达路街道办事处，南接土默特左旗沙尔沁镇，西与土默特左旗白庙子镇接壤。镇人民政府驻地鑫盛村地处玉泉区人民政府正西偏北2公里处。2006年，原桃花乡整建制并入小黑河镇。合并后的小黑河镇总面积216平方公里，总人口6.9万人，辖两个居民委员会和鑫胜、西瓦窑、当浪土牧、后八里庄、前八里庄、西二道河、南营子、章盖营、东二道河、姜家营、一间房、班定营、新河营、讨尔号、后本滩、东甲兰、沙梁子、大库伦、小黑河、沟子板、姚府、后桃花、田家营、前桃花、西庄、贾家营、兴旺庄、讨卜齐、新村、郭家营、西地、杨家营、百什户、寇家营、达赖庄、南台什、茂林太、民案、后毛道、前毛道、乌兰巴图、连家营、密密板43个村民委员会。

原小黑河镇位于新设小黑河镇辖境西北部，镇人民政府驻鑫胜村。1973年末，组建小黑河人民公社，社名因小黑河横贯社境东西而得名。1984年改社为乡，1999年划归玉泉区管辖，2001年，原西菜园镇的大库伦、小黑河、沟子板、西瓦窑、南营子5个村民委员会划归小黑河镇，2006年整建制并入新设置的小黑河镇。

**西菜园**　人民公社、乡之专名。原西菜园乡位于呼和浩特市原郊区西部，北靠原攸攸板乡，东临原毫沁营、巧报二乡，南和西南连原桃花、小黑河二乡和原土默特左旗台阁牧乡。乡人民政府驻地西菜园村地处原郊区人民政府西南2公里处。清代，在归化城西有几户菜农以种菜为业，形成村落后取名西菜园。乡名从乡人民政府驻地村名。1953年7月设置西菜园乡，1958年成立西菜园人民公社，1984年又改社为乡，1999年撤销后原辖区域分别划归攸攸板镇和小黑河镇。

**桃花板**　人民公社、乡、村民委员会专名。原桃花板乡位于新设小黑河镇辖境南部，乡人民政府驻地桃花板村地处玉泉区人民政府正南10公里处。村名系蒙古语【ᠲᠣᠬᠣᠢ ᠪᠠᠢᠰᠢᠩ Tôhôi Baixing】之转音，意为河湾处的村子，后转音为桃花板。1949年10月以后，该地区归土默特旗管辖。1960年10月划归呼和浩特市原郊区并成立桃花板人民公社。1984年改社为乡，1999年7月划归玉泉区管辖，2006年整建制并入小黑河镇。

## （九）赛罕区各乡、镇名称考略

**榆林**　人民公社、乡、镇、村民委员会专名。榆林镇位于呼和浩特市赛罕区辖境东北边缘，西北靠保哈少镇，东和东北临乌兰察布市卓资县旗下营镇，南和西南与黄合少镇交界。镇人民政府驻地榆林村地处赛罕区人民政府东北35公里处。因当地盛长榆树而得名榆林。镇名从镇人民政府驻地村名。榆林镇辖境在1949年前属归绥县，1954年划归土默特旗，1956年划归呼和浩特市郊区，同时设置榆林乡，1958年与原陶卜齐乡合并成立榆林人民公社，1984年3月撤乡建镇。现全镇总面积256平方公里，总人口2.45万人，辖榆林、东干丈、什帜窑、二道沟、陶卜齐、阳曲窑、潮岱、河南、呵板、苏木沁、红旗、纽吉、前乃莫板、后乃莫板、古力板、三道沟、新地沟、石门沟、三应窑、前尔什、土良21个村民委员会。

**陶卜齐**　乡之专名。原陶卜齐乡位于榆林镇辖境东部，乡人民政府驻地陶卜齐村地处原呼和浩特市郊区人民政府东北38公里处。村名系蒙古语【ᠲᠣᠪᠴᠢ Tôbq】之汉语音译，意为纽扣。因该村坐落在大青山与蛮汉山相连的峡谷之间，恰似纽扣一样连结着两座山，故名陶卜齐。乡名从乡人民政府驻地村名。该乡辖境原属归绥县管辖，1954年划归土默特旗，1956年划归呼和浩特市郊区，同时设置陶卜齐乡，1958年整建制并入榆林人民公社。

**黄合少** 人民公社、乡、镇、村民委员会专名。黄合少镇位于呼和浩特市赛罕区辖境东南边缘，北靠榆林镇和巴彦街道办事处，东南临乌兰察布市凉城县蛮汉镇，西南连金河镇和和林格尔县盛乐镇。镇人民政府驻地南地村地处赛罕区人民政府东南20公里处。该村有一车马店，故名"南店"，后演变为南地。2006年，原太平庄乡的9个村民委员会并入黄合少镇。行政区域调整后黄合少镇总面积356.78平方公里，总人口4.9万人，辖南地、添密梁、添密湾、美岱、集贤、辛庄子、黑沙图、五路、保素、太平庄、西讨速号、东讨速号、麻什、格此老、西黄合少、东黄合少、西梁、朱亥、窑子、老丈窑、赛音不浪、苏计、五棋窑、西五十家、东五十家、石人湾、后窑、二十家、新村29个村民委员会。

原黄合少镇位于新设黄合少镇辖境东南大部分地域，镇人民政府驻南地村。1958年成立黄合少人民公社，人民公社驻地西黄合少村地处原呼和浩特市郊区人民政府东南35公里处。村名系蒙古语【ᠪᠣᠷ ᠬᠦᠵᠦᠦ bôr Hûxûû】之转音，白灰色山角之意，依自然地理实体命名。社名从人民公社驻地村名。1984年改社为乡，1988年乡人民政府从西黄合少村迁至南店村。1999年撤乡设镇，2006年并入新设黄合少镇。

**太平庄** 人民公社、乡、村民委员会专名。原太平庄乡位于原呼和浩特市郊区辖境中部，北靠原罗家营乡，东北临原榆林乡，南连原黄合少乡，西与原西把栅乡交界。乡人民政府驻地太平庄村地处原郊区人民政府正东偏南20公里处。清康熙年间建村时该村土地属"公主府"的园田地，为求平安取名太平庄。乡名从乡人民政府驻地村名。1958年成立太平庄人民公社，1984年改社为乡。2006年撤销太平庄乡，原辖区域分别划归黄合少镇和巴彦街道办事处。

**金河** 人民公社、乡、镇、村民委员会专名。金河镇位于呼和浩特市赛罕区辖境西南边缘，北靠敕勒川路街道办事处，东临黄合少镇，东南和正南两面与和林格尔县盛乐镇接壤，西与小黑河镇交界。镇人民政府驻地八拜村地处赛罕区人民政府东南10公里处。2001年5月，原八拜、章盖营二乡合并设置金河镇。因该镇紧临赛罕区金桥开发区且位于大黑河南岸，故名金河镇，同时也是引用了古代金河县名称。总面积179.6平方公里，总人口2.7万人。辖格尔图、后白庙、后三富、前三富、舍必崖、八拜、沙良、前白庙、太平营、东达赖营子、朋松营、西达赖营、什不斜气、碾格图、根堡、旭泥板、羊盖板、甲拉营、茂盛营、七圪台、章盖营、四间房、泉子什、曙光、南毫沁营、板定营、河湾、色肯板、小一间房、大一间房、东黑炭板、西黑炭板32个村民委员会。

**八拜** 人民公社、乡、村民委员会、天然湖泊、清真寺专名。原八拜乡位于金河镇辖境北半部，乡人民政府驻八拜村。八拜是一个古老的村庄，清代曾有来自新疆的回族人居住，建有"八拜清真寺"，故名八拜，同时也称"回回营子"。关于村名"八拜"之由来，说法颇多，如：此地曾有活泉，人称神水。当地老乡筑庙祭拜，行"四叩八拜"之礼，便得"八拜"村名；另一说村东有汉代古城遗址，蒙古语称其"八拜"；实际上"八拜"是人名【ᠪᠠᠪᠠᠢ Babai】，即成吉思汗胞弟哈布图哈撒尔第十七代孙之名。1655年，八拜率兵与葛尔丹作战身负重伤，在退兵途中死亡。其部下将其灵柩运往丰州城时，车轮陷入大黑河南岸泥沼中，便按蒙古族习俗就地安葬，故得村名"八拜"。1958年，成立八拜人民公社，社名依人民公社驻地村名命名。1984年，改社为乡，2001年5月，整建制并入新设金河镇。

**章盖营**　人民公社、乡、村民委员会专名。原章盖营乡位于金河镇辖境南半部，乡人民政府驻地章盖营村地处赛罕区人民政府东南23公里处。村名系满语【ᠵᠠᠩᡤᡳ Jangi】之汉语音译，是清代官衔。建村时有一位官衔为章盖的人居住此村，故得名章盖营。乡名从乡人民政府驻地村名。该乡辖境原属八拜、黄合少二人民公社，1979年，从八拜人民公社划出16个生产大队，从黄合少人民公社划出4个生产大队组建章盖营人民公社，作为呼和浩特市的奶牛基地，1984年，改社为乡，2001年5月，整建制并入新设金河镇。

**昭乌达**　街道办事处专名。昭乌达路街道办事处位于赛罕区辖境西北边缘，北靠新城区保哈少镇，东临敕勒川路街道办事处，南连金河镇，西与玉泉区小黑河镇接壤。办事处驻地设在赛罕区昭乌达路原巧报镇人民政府所在地东瓦窑。清乾隆四年（1739年），在归化城东北约五华里处筑新城时，在此建有砖瓦窑，因而形成村落后取名东瓦窑。2006年，原巧报镇整建制和原西把栅乡的5个村民委员会合并设立昭乌达路街道办事处。办事处名称系蒙古语【ᠵᠠᠭᠤᠨ ᠣᠳᠤ Jûû Ûd】之转音，百柳之意。原本是昭乌达盟专名，也是赛罕区昭乌达路专名，设置街道办事处时因办事处位于昭乌达路而得名。办事处总面积42.25平方公里，总人口约9.1万人，辖6个居民委员会和东黑河、东喇嘛营、正喇嘛营、西喇嘛营、保全庄、桥靠、大台什、小台什、后巧报、前巧报、帅家营、双树、东瓦窑13个村民委员会。

**巧报**　人民公社、乡、村民委员会专名。原巧报镇位于昭乌达路街道办事处辖境西边，镇人民政府驻地巧报村地处赛罕区人民政府正北0.5公里处。"巧报"系藏语【Qôrji】之转音，是喇嘛庙名，当地老乡称此庙为"巧尔气召"。该村地界原属归化城巧尔气召庙属地。清乾隆三年（1738年），山西忻州一石姓泥瓦匠来此，适逢修建归绥新城便落脚此地。此处形成村落后人们称该村为"巧尔气"，后村名转音为"巧尔报、巧报"。关于巧报村名还有一说，认为"巧报"系蒙古语【ᠴᠣᠪᠣᠭ Qôbôô】之转音，意为形容连续不断地出现或原路行走。蒙古语称羊肠小道为【ᠴᠣᠪᠣᠭ ᠵᠠᠮ Qôbôô Jam】。据传清乾隆年间（1736—1795年），形成村落时依该村附近的羊肠小道取村名为【Qôbôô】，后转音为"巧尔报、巧报"。1955年，设置巧报乡，属郊区管辖。1956年，划归土默特旗，1957年，又划回郊区管辖。1958年，成立巧报人民公社。1974年，巧报人民公社分设为巧报、西把栅两个人民公社，1984年，恢复巧报乡。1999年7月，将所辖府兴营、麻花板、三合村4个村民委员会划归毫沁营乡，同年末撤乡设镇。以上乡、镇、人民公社名称均以人民政府驻地村名命名。2006年，整建制并入昭乌达路街道办事处。

**西把栅**　人民公社、乡、村专名。原西把栅乡位于赛罕区昭乌达路街道办事处辖境东部。乡人民政府驻地沙梁村地处赛罕区人民政府东北5公里处，村名依地形地貌命名。1974年，析原巧报人民公社东部区域成立西把栅人民公社，社名因人民公社驻西把栅村而得名。村名"把栅"系蒙古语【ᠪᠠᠶᠢᠨ ᠪᠡᠯᠴᠢᠷ Bayin Belqeer】（巴音博勒车尔）之转音，意为富饶的草场，后转音为把栅。关于"把栅"村名含义还有几说，如蒙古语"板申、市场、人名"，还有一说是梵文"金刚"之意。根据藏传佛教传播情况，"金刚"之说较妥。1984年，改社为乡，2006年，撤销后原辖行政区域分别划归敕勒川、昭乌达路两个街道办事处。

**敕勒川**　街道办事处、古代游牧部落和滩川专名。敕勒川路街道办事处位于赛罕区辖境西北边缘，北靠保哈少镇，东临黄合少镇，南连金河镇，西与昭乌达路街道办事处接壤。办事处驻地设在赛罕区大学东街67号。2006年，撤销西把栅乡，以其原辖16个村民委员会设置敕勒川路街道办事处。敕勒，是主要游牧于土默川平原的古老游牧部落名称。敕勒川路街道办事处总面积为72.58平方公里，总人口约5.06万人，辖黑兰不塔、如意和、前不塔气、后不塔气、什兰岱、大厂库仑、小厂库仑、讨号板、沙梁、西把栅、东把栅、辛家营、合林、东鼓楼、西鼓楼、六犋牛16个村民委员会。

**巴彦**　街道办事处、旧县、镇专名。巴彦街道办事处即原罗家营乡和太平庄乡的部分辖域，位于赛罕区辖境北部。办事处驻地设在原巴彦镇人民政府驻地后罗家营村，东北距赛罕区人民政府20公里。2000年，撤销原罗家营乡后以其部分辖域设置巴彦镇。2006年，撤销巴彦镇、太平庄乡，将巴彦镇原管辖的行政区域整建制和太平庄乡的4个村民委员会与中专路办事处的机场居民委员会合并设立巴彦街道办事处。以上镇和办事处名称均是蒙古语【ᠪᠠᠶᠠᠨ Bayan】之汉语音译，意为富裕，沿用了原巴彦县的名称。办事处总面积63.64平方公里，总人口约3万人，辖3个居民委员会和白塔、舍必崖、圪老板、郜独利、罗家营、后营子、乔家营、郭家营、腾家营、坝堰、黑土凹11个村民委员会。

# 五　乌兰察布地区现属包头市苏木、乡、镇名称考略

## （一）达茂旗各苏木、乡、镇名称考略

**百灵庙**　藏传佛教寺庙和镇之专名。百灵庙镇位于达茂旗辖域正中偏东南，北靠巴音敖包苏木，东邻达尔汗苏木，南连乌克忽洞镇，西与明安镇交界。镇人民政府驻水塔街，地理座标约北纬40°40′，东经110°28′，正南距包头市160公里。2001、2006年，原红格尔塔拉种羊场和巴音敖包、都荣敖包二苏木先后并入百灵庙镇。2012年初，从百灵庙镇划出部分区域（原巴音敖包、都荣敖包二苏木）再设巴音敖包苏木。行政区域调整

后百灵庙镇辖地总面积 585 平方公里，总人口约 3.15 万人。现辖大街、水塔街、双塔街、吉祥湾街、新胜街、呼恒乌拉街、解放街、艾不盖街 8 个居民委员会；1 个黄花滩村民委员会和塔日更敖包、红格塔拉、忽吉图 3 个嘎查委员会。

原百灵庙镇位于新设百灵庙镇辖域北部。百灵庙系满、汉语合成地名【Beil Sum】之转音，全称【ᠳᠠᠷᠬᠠᠨ ᠪᠡᠶᠢᠯ ᠰᠤᠮ Darhan beil Sum】。清康熙四十二年（1703 年）至四十五年（1706 年）间，喀尔喀右翼旗札萨克詹达固密在巴图哈拉嘎地方建造藏传佛教寺庙，清康熙皇帝御赐庙名广福寺。因该庙建于巴图哈拉嘎地方，所以也俗称"巴图哈拉嘎庙"。清康熙四十七年（1708 年），詹达固密被清廷降袭为多罗达尔罕贝勒（清代封爵），故又称广福寺为"达尔罕贝勒苏莫"，意为神圣的贝勒庙。庙宇由苏古沁大殿（大雄宝殿）、学习研究教学的却日殿（经堂）、诵经超度冤魂的朱德布殿（密宗殿）、学习时轮数学的洞科尔殿（时轮殿）、学习医学的"门巴殿"、研究天文的"吉如海殿" 5 座大殿；对峙并立的双塔及十余座小白塔和 30 处藏式结构的院落组成，故有【ᠦᠯᠵᠡᠢ ᠲᠣᠬᠣᠢ ᠰᠤᠮ Ôljei Tôhôi sum】乌力吉套海庙之称，意为吉祥湾召庙群。1955 年，末设置百灵庙镇，为达茂旗人民政府所在地。百灵庙又有巴托哈洛克之称，系蒙古语【ᠪᠠᠲᠤᠬᠠᠯᠠᠭ Bathaalag】之汉语音译，意为坚固之门。

**红格尔塔拉**　牧场专名。原红格尔塔拉种羊场位于新设百灵庙镇辖域南部，场部黄花滩村地处百灵庙镇正南6公里处。村名系蒙古语【ᠬᠣᠩᠭᠣᠷ ᠲᠠᠯ Hônggôr Tal】之汉语音译。红格尔，本意是形容可爱、柔和的性格或指马匹淡黄毛色，作为名词指恋人。塔拉，即草滩之意。红格尔塔拉种羊场设于1959年，后先后归达茂旗、乌兰察布盟农牧场管理局、内蒙古自治区畜牧厅和农委等部门管理。2001年，整建制并入新设百灵庙镇。

**巴音敖包**　人民公社、苏木、自然山丘专名。巴音敖包苏木位于达茂旗辖域正中，北靠巴音珠日和、查干哈达二苏木，东、南两面连百灵庙镇，西接巴音珠日和苏木和包头市白云鄂博矿区。辖境地属丘陵荒漠草原，平均海拔1456米，总面积2331平方公里，总人口3269人。苏木人民政府驻地乌兰察布村地处百灵庙镇西北35公里处。村名系蒙古语【ᠤᠯᠠᠭᠠᠨᠴᠠᠪ Ûlaanqab】"乌兰察布"之汉语音译，依地形地貌命名（词义见《乌兰察布名称考略》）。2012年初，从百灵庙镇划出原巴音敖包、都荣敖包二苏木再设巴音敖包苏木。新设巴音敖包苏木辖乌兰察布、格日勒嗷都、达布希拉图、毛都坤兑、巴音宝力格、巴音花、巴音乌兰7个嘎查委员会。

原巴音敖包苏木位于新设巴音敖包苏木辖域西部，辖境总面积1371平方公里。苏木人民政府驻地乌布日陶来图村地处百灵庙镇西北35公里处。村名系蒙古语【ᠣᠪᠣᠷ ᠲᠠᠤᠯᠠᠢᠲ Obor Tûûlait】"乌布日陶来图"之汉语音译，乌布日，意为前，陶来图，意为有兔子的地方。1949年10月以后，该苏木辖域属本旗第二努图克，1958年，设置巴音敖包人民公社，社名系蒙古语【ᠪᠠᠶᠠᠨ ᠣᠪᠣᠭ Bayan Ôbôô】之汉语音译，意为富饶的敖包山，依自然山名命名。1984年，改社为苏木，2006年，整建制并入百灵庙镇，2012年初，从百灵庙镇撤出与原都荣敖包苏木组成新的巴音敖包苏木。

**都荣敖包** 人民公社、苏木和自然山丘专名。原都荣敖包苏木位于新设巴音敖包苏木辖域东部，辖域总面积 960 平方公里。苏木人民政府驻地查干浩少村，地处百灵庙镇东北22 公里处。村名系蒙古语【ᠴᠠᠭᠠᠨ ᠬᠣᠰᠢᠭᠤ Qagaan Hûxûû】之汉语音译，白色山角之意。1949年 10 月以后，该苏木辖域先后属本旗第一努图克、查干敖包人民公社管辖。1962 年，单设都荣敖包人民公社，社名依自然山名命名。都荣敖包系蒙古语【ᠳᠦᠭᠦᠷᠡᠩ ᠣᠪᠣᠭᠠ Duureng Ôbôô】之汉语音译，丰满敖包之意。1984 年，改社为苏木，2006 年，整建制并入百灵庙镇，2012 年初，从百灵庙镇撤出与原巴音敖包苏木组成新的巴音敖包苏木。

**满都拉** 人民公社、苏木、镇和喇嘛庙专名。满都拉镇位于达茂旗境北部，北与蒙古国东戈壁省接壤，东邻四子王旗白音敖包苏木，南连达尔汗苏木，西接巴音花镇。辖域属高平原低山区荒漠草原。镇人民政府驻地额尔登敖包村，地处百灵庙镇正北偏西 123 公里处。村名系蒙古语【ᠡᠷᠳᠡᠨ ᠣᠪᠣᠭᠠ Erden Ôbôô】"额尔登敖包"之汉语音译，藏宝敖包之意，依境内敖包名命名。2001 年，原巴音塔拉苏木并入满都拉苏木。2006 年，满都拉苏木改设为满都拉镇。2012 年，从满都拉镇、达尔汗苏木划出部分区域另设查干哈达苏木。新设满都拉镇总面积 1874 平方公里，总人口 1731 人，辖额尔登敖包、巴音哈拉两个嘎查委员会。

原满都拉苏木位于新设满都拉镇西部，苏木人民政府驻查干满都拉村。1949 年 10 月以后，该苏木辖域属本旗第二努图克管辖。1962 年，成立满都拉人民公社，苏木名称依人民公社驻地村名命名。1984 年，改社为苏木，2006 年，改设为满都拉镇。

**巴音塔拉** 人民公社、苏木专名。原巴音塔拉苏木位于新设满都拉镇东部，苏木人民政府驻地查干哈达苏木村地处百灵庙镇正北偏东 120 公里处。村名系蒙古语【ᠴᠠᠭᠠᠨ ᠬᠠᠳᠠ ᠰᠦᠮᠡ Qagaan Had sum】之汉语音译，白石头庙之意，村名从喇嘛庙名。1949 年 10 月以后，该苏木辖域属本旗第二努图克。1956 年，成立巴音塔拉公私合营牧场，后又将腾格淖牧场合并于该场，1985 年，改建为巴音塔拉苏木。巴音塔拉系蒙古语【ᠪᠠᠶᠠᠨ ᠲᠠᠯ Bayan Tal】之汉语音译，意为富饶草原。2001 年，整建制并入满都拉苏木。

**达尔汗** 苏木专名。达尔汗苏木位于达茂旗境东部，北靠满都拉镇，东邻四子王旗红格尔、白音敖包苏木，南连石宝镇，西接百灵庙镇。苏木地形属低山丘陵干旱草原，平均海拔为 1500 米。苏木人民政府驻查干敖包村，村名系蒙古语【ᠴᠠᠭᠠᠨ ᠣᠪᠣᠭᠠ Qagaan Ôbôô】"查干敖包"之汉语音译，意为白色敖包。2006 年，原查干敖包、额尔登敖包、查干哈达三苏木合并设置达尔汗苏木。2012 年，从达尔汗苏木划出部分区域另设查干哈达苏木。达尔汗苏木名称系蒙古语【ᠳᠠᠷᠬᠠᠨ Darhan】"达尔汗"之汉语音译，神圣之意，沿用原达尔罕旗名称。新设达尔汗苏木辖境总面积 2113 平方公里，总人口 3720 人，辖希拉哈达、查干敖包、金旗、金星、哈沙图、额尔登 6 个嘎查委员会。

**查干哈达** 人民公社、苏木专名。查干哈达苏木位于达茂旗境东部，达尔汗苏木西北，苏木人民政府驻地哈达哈少村地处百灵庙镇正北偏东 70 公里处。村名系蒙古语 【ᠴᠠᠭᠠᠨ

〖ᠬᠠᠳᠠᠨ ᠬᠦᠰᠦᠦ Hadan Hûxûû〗"哈登忽少"之汉语音译，石岩山角之意，依自然地理实体命名。2012 年，从满都拉镇、达尔汗苏木划出部分区域设置查干哈达苏木。新设查干哈达苏木总面积 2284 平方公里，总人口 1961 人，辖哈达哈少、那仁宝力格、巴音赛罕、腾格淖尔 4 个嘎查委员会。

原查干哈达苏木位于达尔汗苏木辖境西北部，苏木人民政府驻地哈达哈少村。1949 年 10 月以后，查干哈达苏木辖境属达茂旗第一努图克，1958 年，成立查干哈达人民公社。社名系蒙古语【ᠴᠠᠭᠠᠨ ᠬᠠᠳᠠ Qagaan Had】"查干哈达"之汉语音译，白色岩石之意。1984 年，改社为苏木，2006 年，整建制并入新设达尔汗苏木。

**查干敖包**　人民公社、苏木和自然山专名。原查干敖包苏木位于达尔汗苏木辖域中部，苏木人民政府驻推喇嘛庙村。1949 年 10 月以后，查干敖包苏木辖境属达茂旗第一努图克、查干敖包人民公社管辖。1962 年，单设查干敖包人民公社。社名系蒙古语【ᠴᠠᠭᠠᠨ ᠣᠪᠣᠭᠠ Qagaan Ôbôô】之汉语音译，白色敖包之意，依自然山名命名。1984 年，改社为苏木，2006 年，整建制并入达尔汗苏木。

**额尔登敖包**　人民公社、苏木和自然山专名。原额尔登敖包苏木位于达尔汗苏木辖域东南部，苏木人民政府驻地和日门音善达村地处百灵庙镇正东 47 公里处。村名系蒙古语【ᠬᠡᠷᠮᠢᠢᠨ ᠤ ᠵᠠᠩᠭᠠᠳ Hrmiin Xangd】之转音，意为边墙近边的浅水井。1949 年 10 月以后，该苏木辖境属本旗第一努图克，1958 年，划归查干敖包人民公社，1962 年，单设额尔登敖包人民公社。社名系蒙古语【ᠡᠷᠳᠡᠨᠢ ᠣᠪᠣᠭᠠ Erdeni Ôbôô】之汉语音译，有宝的敖包之意，依自然山名命名。1984 年，改社为苏木，2006 年，整建制并入新设达尔汗苏木。

**巴音花**　人民公社、苏木、镇和自然山丘专名。巴音花镇位于达茂旗辖域北部，北与蒙古国东戈壁省接壤，东邻满都拉镇、西连乌拉特中旗桑根达来苏木，南接巴音敖包苏木。镇人民政府驻地召德老村地处百灵庙镇西北 86 公里处，村名召德老系蒙古语【ᠵᠣᠳᠤᠯᠭᠠ Jôdlôô】之转音，意为打架，因此处曾发生当地牧民与土匪打架事件而得名。1958 年，成立巴音花人民公社，1984 年，改社为苏木并更名为"查干淖尔"。巴音花和查干淖尔是蒙古语【ᠪᠠᠶᠠᠨᠬᠤᠸᠠ Baynhua】和【ᠴᠠᠭᠠᠨ ᠨᠠᠭᠤᠷ Qagaan Nûûr】之汉语音译，前者是山名，富饶山丘之意，后者是湖泊名称，意为白色的湖。2006 年，原查干淖尔苏木和原巴音珠日和苏木的敖龙忽洞、巴音敖包、乌兰保力格 3 个嘎查委员会合并设立巴音花镇。新设巴音花镇辖境总面积 3143 平方公里，总人口 3681 人，辖开林河、白音查干、吉忽龙图、乌兰保力格、白音敖包、敖龙忽洞 6 个嘎查委员会。

**查干淖尔**　人民公社、苏木和自然湖泊专名。原查干淖尔苏木位于巴音花镇北部，苏木人民政府驻召德老村。1949 年 10 月以后，该苏木辖境属达茂旗第二努图克。1958 年，成立巴音花人民公社，1984 年，社改苏木后改称查干淖尔苏木，2006 年，整建制并入巴音花镇。

**巴音珠日和**　人民公社、苏木和自然山岳专名。原巴音珠日和苏木位于巴音花镇西南部、明安镇北部，苏木人民政府驻地呼希也村地处百灵庙镇西北 90 公里处。村名系蒙古语【ᠬᠥᠰᠢᠶ᠎ᠠ Huxee】之汉语音译，意为碑，依三块石碑命名。1949年10月以后，该苏木辖境，先后属达茂旗第三努图克、新宝力格苏木管辖。1962年，单设巴音珠日和人民公社。社名系蒙古语【ᠪᠠᠶᠠᠨ ᠵᠢᠷᠦᠬᠡᠨ Bayan Jureh】之汉语音译，【Bayan】即富饶，【Jureh】即心脏。依当地形如心脏的巴音珠日和山命名。1984年，改社为苏木，2001年，原红旗牧场整建制划归巴音珠日和苏木（原红旗牧场位于原巴音珠日和苏木辖域东北部），2006年，撤销巴音珠日和苏木，原辖行政区域分别划归巴音花、明安二镇。

**红旗** 牧场专名。原红旗牧场位于巴音花镇辖域东南部，场部驻地宝力图村地处百灵庙镇西北62公里处。1949年10月前后，该牧场地属达尔罕、毛明安二旗管辖，1956年，组建了白音敖包、那拉图、白音朱日和3个公私合营牧场，1958年，合并为公私合营白音花牧场，1960年4月，原巴都伦贵牧业社和国营哈拉淖机耕农场划归白音花牧场，同时改制为国营牧场，1968年，更名为红旗牧场。2001年，撤销国营红旗牧场，整建制划归珠日和苏木。

**明安** 镇之专名。明安镇位于达茂旗境西部边缘，西和西南邻乌拉特中旗新忽热苏木、固阳县西斗铺镇，南接乌克忽洞镇，东连百灵庙镇和包头市白云鄂博矿区，北与白音花镇交界。镇人民政府驻地查干敖包村地处百灵庙镇西北75公里处。村名系蒙古语【ᠴᠠᠭᠠᠨ ᠣᠪᠣᠭ᠎ᠠ Qagaan Ôbôô】之汉语音译，白色敖包之意。依村北一白石头山而得名。2006年，原新宝力格苏木整建制和原珠日和苏木的满都拉、杭盖、塔拉3个嘎查委员会合并设置明安镇。镇名系蒙古语【ᠮᠢᠩᠭᠠᠨ Minggan】之汉语音译，数字"千"之意，沿用清代茂明安旗名。合并设置后的明安镇辖境总面积2722平方公里，总人口2380人，辖满都拉、杭盖、塔拉、沙茹勒塔拉、那仁格日勒、那仁宝力格、呼格吉勒图7个嘎查委员会。

**新宝力格** 人民公社、苏木和自然泉专名。原新宝力格苏木位于明安镇辖域西南部，苏木人民政府驻查干敖包村。1949年10月以后，该苏木辖境属达茂旗第三努图克，1958年成立新宝力格人民公社。社名系蒙古语【ᠰᠢᠨ᠎ᠠ ᠪᠤᠯᠠᠭ Xine Bûlag】之汉语音译，意为新泉眼，依境内自然泉命名。1984年，改社为苏木，2006年，整建制并入新设明安镇。

**希拉穆仁** 人民公社、苏木、镇专名。又名"召河、席勒图召、乌兰图格"。希拉穆仁镇位于达茂旗境东南部，北、东、西三面与石宝镇相连，南与武川县上秃亥、厂汗木台二乡交界。镇人民政府驻地希拉穆仁村地处百灵庙镇东南75公里处。村名系蒙古语【ᠰᠢᠷ᠎ᠠ ᠮᠥᠷᠡᠨ Xar Moron】之汉语音译，意为黄色的河，依村北希拉穆仁河名命名。该镇辖境，清朝和民国时期隶属土默特旗，时称召河，日伪时期归属席力图旗。1949年10月以后，先后属土默特旗召河区、达茂旗第七努图克管辖。1956年，成立希拉穆仁苏木，1958年，在原乌兰图格初级牧业社基础上成立乌兰图格人民公社。社名系蒙古语【ᠤᠯᠠᠭᠠᠨ ᠲᠤᠭ Ûlaan Tûg】之汉语音译，红旗之意。1984年，改社为苏木并更名为希拉穆仁，后撤销苏木建制设置希拉穆仁镇。新设置的希拉穆仁总面积714平方公里。现辖呼和点素、哈拉乌素、白彦淖尔3个嘎查委员会。

**石宝**　人民公社、乡、镇、村民委员会、自然村专名。石宝镇位于达茂旗境东南部，东邻希拉穆仁镇、小文公乡，南接武川县东红胜乡，西接乌克忽洞镇，北连达尔罕苏木。镇人民政府驻地石宝库伦村地处百灵庙镇东南60公里处。村名系蒙古语【 ᠱᠠᠪᠠᠷ ᠬᠦᠷᠢᠶᠡ Xabar Huree】"希巴日呼热"之转音，意为土板墙圐圙。1958年至1961年，此地属萨音人民公社管辖，1962年单设石宝人民公社，1984年，社改为乡，2006年，原大苏吉、小文公、石宝库伦三乡合并设置石宝镇。2012年，从石宝镇划出部分区域另设小文公乡。调整后的石宝镇总面积620平方公里，总人口约1.6万人，辖幸福、温都不令、石宝、坤兑滩、腮吾素、红山子、点素不浪、湾尔图、古碌轴、大苏吉10个村民委员会和大井、黄合少、厂汉、腮林、小文合、波罗图等19个村民委员会。

**石宝库伦**　人民公社、乡、村民委员会、自然村专名。原石宝库伦乡位于石宝镇辖域中部偏南，乡人民政府驻石宝库伦村。石宝库伦乡辖域原属土默特左旗和武川县，1953年，设置石宝库伦乡同时划归达茂旗。1984年，改社为乡，2001年，原坤兑滩乡整建制并入石宝乡，2006年整建制并入石宝镇。

**坤兑滩**　人民公社、乡、村民委员会、自然村专名。原坤兑滩乡位于石宝镇西部，乡人民政府驻地坤兑滩村地处百灵庙镇东南45公里处。村名系蒙古语【 ᠬᠥᠨᠳᠡᠢ ᠲᠠᠯ Hondei Tal】之汉语音译，意为山间平川。1949年10月以后，该乡辖域先后属达茂旗第6区、萨音人民公社管辖。1962年，单设坤兑滩人民公社，社名从人民公社驻地村名。1984年，改社为乡，2001年，整建制并入原石宝乡。

**大苏吉**　人民公社、乡、村民委员会、自然村专名。原大苏吉乡位于石宝镇辖域东北部，乡人民政府所在地大苏吉村地处百灵庙镇东南78.5公里处。村名系蒙古语【 ᠰᠦᠵ Suuj】之汉语音译，意为胯骨形山丘，同时为区别同名两村，村名前冠大、小。该乡辖境，1949年10月以后，先后属达茂旗第六区、萨音乡、萨音人民公社管辖。1962年，单设大苏吉人民公社。1984年，改社为乡，2006年，整建制并入新设石宝镇。

**小文公**　人民公社、乡、村民委员会、自然村和自然山丘专名。小文公乡位于达茂旗境东南部边缘，石宝镇东部，乡人民政府驻地西圪旦村地处百灵庙镇东南120多公里处，村名依自然地理实体命名。2012年，从石宝镇划出部分区域设置小文公乡，乡名是蒙古语【 ᠥᠩᠭᠥᠨ Ônggôn】之汉语音译，意为坟丘。新设小文公乡总面积490平方公里，总人口约1.4万人，辖大井、黄合少、厂汉、拉兑九、西圪旦、西拐子、腮林、小文公、波罗图9个村民委员会。

原小文公乡位于达茂旗境东南，石宝镇东部，乡人民政府驻地哈日敖包村地处百灵庙镇东南124公里处。村名系蒙古语【 ᠬᠠᠷ ᠣᠪᠣᠭ Har Ôbôô】"哈日敖包"之汉语音译，意为黑色山丘。该乡辖境，1949年10月，属达茂旗第七区管辖，1958年，成立小文公人民公社，社名原于境内小文公山。1984年，改社为乡，2006年，整建制并入新设石宝镇。

**西营盘**　人民公社、乡、村民委员会、自然村专名。原西营盘乡位于石宝镇辖域东部，乡人民政府驻地西圪旦村，地处百灵庙镇东南 100 公里处，村名依村东小山包命名。该乡辖境，1949 年 10 月以后，先后属达茂旗第六区、小文公人民公社管辖。1962 年，设西营盘人民公社，社名依境内较大的营盘命名。1984 年，改社为乡，2001 年，整建制并入小文公乡。

**乌克忽洞**　人民公社、乡、镇、村民委员会、自然村专名。乌克忽洞镇位于达茂旗中南部边缘，东接石宝镇，南连呼和浩特市武川县西乌兰不浪镇、包头市固阳县卜塔亥乡，西靠西河乡，北与百灵庙镇交界。镇人民政府驻地乌克忽洞村地处百灵庙镇正南 34 公里处。村名系蒙古语【ᠥᠬᠡᠷ ᠬᠣᠳᠳᠤᠭ　Uher Hûdag】"乌何日忽都格"之汉语音译，意为饮牛井。2006 年，乌克忽洞、乌兰忽洞、西河三乡合并设置乌克忽洞镇。2012 年，从乌克忽洞镇划出部分区域另设西河乡。新设立的乌克忽洞镇总面积 740 平方公里，总人口约 2.2 万人，辖乌克忽洞、东山畔、东河、大西滩、大毛忽洞、大汗海、腮忽洞、二里半、乌兰忽洞、碾草湾 10 个村民委员会。

原乌克忽洞乡位于乌克忽洞镇辖域东部，乡人民政府驻乌克忽洞村。该乡辖境 1949 年 10 月以后，属达茂旗第五区管辖，1958 年，成立乌克忽洞人民公社。社名依人民公社驻地村名命名。1984 年，改社为乡，2006 年，整建制并入新设乌克忽洞镇。

**西河**　人民公社、乡、镇、村民委员会、自然村专名。西河乡位于达茂旗西南边缘，乌克忽洞镇西。乡人民政府驻地西河村地处灵庙镇西南 45 公里处，因该村坐落于艾不盖河西岸而得名。2012 年，划出乌克忽洞镇西部区域设置西河乡。全乡总面积 561 平方公里，总人口约 1.2 万人，辖太平、西河、前河、什拉文格、查干楚鲁、德冷沟、希拉哈达、德成永、本不台 9 个村民委员会。

原西河乡位于乌克忽洞镇西部，乡人民政府驻地西河村。1949 年 10 月以后，西河乡先后属达茂旗第四区、乌兰忽洞人民公社管辖。1962 年，单设西河人民公社，社名从人民公社驻地村名。1984 年，改社为乡，2006 年，整建制并入新设乌克忽洞镇。

**腮忽洞**　人民公社、乡、镇、村民委员会、自然村专名。原腮忽洞乡位于乌克忽洞镇辖域中部偏南，乡人民政府驻地腮忽洞村地处百灵庙镇南 45 公里处。村名系蒙古语【ᠰᠠᠢᠨ ᠬᠣᠳᠳᠤᠭ　Sain Hûdag 】之汉语音译，好井之意。1949 年 10 月以后，该乡辖域先后属达茂旗第五区、乌克忽洞人民公社管辖，1962 年，单设腮忽洞人民公社，社名从人民公社驻地村名。1984 年，改社为乡，2001 年，整建制并入原乌克忽洞乡。

## （二）土默特右旗各乡、镇名称考略

**萨拉齐**　厅、县、区、镇、人民公社专名。萨拉齐镇位于土默特右旗境中部偏西，北靠沟门镇，东邻苏波盖乡，西南接明沙淖乡，南连海子乡，镇人民政府驻地吴坝村距包头市往东45公里处，地理坐标东经110°30′22″，北纬40°32′38″。2006年，原吴坝乡整建制并入萨拉齐镇。合并后的萨拉齐镇总面积107平方公里，总人口约8.4万人。辖12

个居民委员会和大北、和平、后炭、建新、太平、复兴、大东、朱尔圪岱、范虎营、吴坝、大袄兑、王庆营、上茅庵、下茅庵、小袄兑、上榆树营子、下榆树营子、小公盖营、王光亮营等21个村民委员会。

原萨拉齐镇位于新设萨拉齐镇辖域北部边缘，是土默特右旗人民政府驻地，镇政府驻柴火市街 1 号。萨拉齐原名【ᠴᠠᠭᠠᠨ ᠬᠦᠷᠢᠶᠡ Qagaan Huree】厂汗圆圙，地名含义"白石头圆圙"，后改称【ᠰᠠᠷᠠ Sarq】。该地名系满语，含义为"知事"，蒙古语为【ᠮᠡᠳᠡᠭᠦ Mdeeq】，意为"管事人"。清雍正十二年（1734 年）后，清廷在此先后设置萨拉齐协理笔帖式、协理通判厅、理事通判厅、理事同知厅、抚民同知厅，管理境内汉民事务。从此，清代文书均称该镇为【ᠰᠠᠷᠠ Sarq】。民间称"萨拉齐"。《包头地名志》解释为"务奶食者"，因美岱召所需奶食品主要供给地而得名。该镇先后属萨拉齐县城关区、城关镇、太阳人民公社、萨拉齐镇人民公社、萨拉齐镇管辖。2006 年，与吴坝乡合并设置新的萨拉齐镇。

**吴坝**　人民公社、乡、村民委员会、自然村专名。原吴坝乡位于新设萨拉齐镇辖域大部分，乡人民政府驻地吴坝村地处萨拉齐镇西南约0.5公里处。村名系蒙古语【Uu Bagxi】之转音，意为吴老师。得名于清朝时期的一位姓吴的教书先生，当时称"吴巴石村"，后演变为今名。该乡辖域，明朝中、后期为土默特部落之一满官嗔部驻牧地。清朝时期为土默特右翼旗第六甲。民国时期，先后属土默特旗右翼六甲、萨拉齐县第一区、勤民乡、土默特特别旗第六自治督导处、南园子乡管辖。1949年10月以后，先后属第6区、第1区、吴坝乡、太阳人民公社、萨拉齐人民公社、吴坝人民公社管辖。1984年，改社为乡，2006年，整建制并入萨拉齐镇。

**沟门**　乡、镇专名。沟门镇位于土默特右旗境北部沿山地区，西接包头市东河区原沙木佳乡，北靠原耳沁尧乡，东北接原公山湾乡，东邻苏布盖乡，南连萨拉齐镇。镇人民政府驻地西湾村地处萨拉齐镇北约4公里处。村名因坐落于水涧沟口河湾处而得名。1949年10月以后，该乡辖域先后属第六区、第一区、沟门乡、太阳人民公社、萨拉齐人民公社、沟门人民公社管辖。1984年，改社为乡，2001年，撤乡设镇。新设沟门镇总面积188平方公里，总人口约2.9万人。辖火盘、威俊、庙湾、东湾、后湾、小城、纳太、沙兵崖、此老气、板申气、马留、西湾、北只图、小坤兑、德胜沟门、石人塔、打井、吕家圪旦、老窝铺、厂沁、公鸡尧（公家尧）、板申图、耳沁尧、香桂铺、巴总尧、曹德尧、朱尔圪沁、公山湾、野马图等29个村民委员会。

**美岱召**　镇之专名。美岱召镇位于土默特右旗境东部边缘，东邻土默特左旗善岱、察素齐二镇，北连原公山湾乡，西接沟门镇、苏布盖乡，南与将军尧镇交界。镇人民政府驻地何家圆圙村地处萨拉齐镇东约19公里处。2006年，原毛岱乡整建制并入美岱召镇。合并后的美岱召镇总面积267平方公里，总人口约3.6万人。辖1个居民委员会和毛岱、任三尧、新营、八祺牛营、南牛皮营、河森茂、沙圪堆、西黑沙图、东黑沙图、候家营、榆次营、大古营、葛家营、北牛皮营、打色令、沙图沟、后梁、北卜子、美岱召、协力气、张二海、大脑包、塔尔拜、河子、波罗营、马场、缸房营、巧尔气、芦房沟、王家营、何家圆圙、瓦窑、车站、西营子等34个村民委员会。

原美岱召镇位于新设美岱召镇辖域北部，镇人民政府驻地何家圆圙。16世纪中叶，土默特部落首领俺答汗在此修建灵觉寺，清代更名为寿灵寺。后因麦达力活佛在此坐床，人们便称寿灵寺为"麦达力召"，后转音美岱召。美岱召系蒙古语【 ᠮᠠᠢᠳᠠᠷ ᠵᠤᠤ Maidrai Jûû 】的转音，意为弥勒寺。该镇辖域，1949年10月以后，先后属第六区、第四区、何家圆圙乡、美岱召乡、缸房营乡、东风人民公社、毛岱乡、苏波盖乡、美岱召人民公社管辖。1984年，改社建乡，2006年，原毛岱乡并入，设置新的美岱召镇。

**毛岱**　人民公社、乡、村民委员会、自然村专名。原毛岱乡位于新设美岱召镇辖域东南部，乡人民政府驻地毛岱村地处萨拉齐镇东南约25公里处。村名系蒙古语"莫堆"之转音，意为木头，因这里曾经是木材转动、销售地而得名。清康熙三十五年（1686年），这里设官渡——冒带（毛岱）渡口，因康熙皇帝西行时在此停过船，故曾名"龙船镇"。该乡辖域，1949年10月以后，先后属第六区、第四区、五区、毛岱乡、东风人民公社、美岱召人民公社、毛岱人民公社管辖。1984年，改社为乡，2006年，整建制并入新设美岱召镇。

**双龙镇**　人民公社、乡、镇、村民委员会、自然村专名。双龙镇位于土默特右旗境东南部，东北临土默特左旗善岱镇、东南连托克托县双河镇，西南接将军尧镇、西北与美岱召镇交界。镇人民政府驻地双龙西村地处萨拉齐镇东南约40公里处。2006年，原沙海子、三道河二乡并入双龙镇。合并后的双龙镇总面积249平方公里，总人口4.1万人。辖1个居民委员会和王四顺营、太平庄、郭庭贵营、新利、一间房、新滩、兴盛、武乡县、二道河、新丰、新建、召牛营、路三圪堆、壮丁营、三道河、小滩、木头湖、王木匠圪堆、王家营、大六合庄、小六合庄、大王岱营、定襄营、东五台营、何四营、西河堰、张宽营、刘家营、昌俊湾、大五台营、小王岱、寿阳营、双龙东、双龙西、牛犋、阳向营、繁峙营、祁县营、沙海子、柳树淖、张子淖、壕堰、磴口、瓦不亥、苗四营、上小韩营、下小韩营、丁贵香营、永丰、西一间房等50个村民委员会。

原双龙镇位于新设双龙镇辖域中部，乡人民政府驻地双龙村地处萨拉齐镇东南约40公里处。该村在清乾隆之前称"双泡子或双水泡子"。传说在两个小泡子中驻有一条青龙、一条红龙，故更名为双龙。该镇辖域，民国时期先后属五区双龙乡、和厚乡管辖。1949年10月后，先后属第五区、第六区、双龙区、双龙镇、联跃人民公社、沙海子人民公社、三道河人民公社、毛岱人民公社、双龙人民公社管辖。1984年，改社为乡，1986年，撤乡设镇。2006年，与沙海子乡、三道河乡合并设置新的双龙镇。

**沙海子**　人民公社、乡、村民委员会、自然村专名。原沙海子乡位于新设双龙镇辖域西北部。乡人民政府驻地沙海子村地处萨拉齐镇东南约40公里处。400多年前，土默特部的阿布盖、忽吉尔图等人游牧至此，选这一带制高点瓦布亥淖定居下来，先后建牛场圐圙、马场圐圙。清朝年间，从山西忻州、河曲等地移来一些汉民定居，逐渐形成村落。清同治年间，黄河从这里改道南移，形成大小 10 多个小海子和一片沙滩，因而得名沙海子。该乡辖域，民国时期先后属五甲第四区、协力乡、第六自治督导处、毛岱乡管辖，1949 年 10 月以后，先后属六区、第四区、联跃人民公社、双龙人民公社、沙海子人民公社管辖。1984 年，改社为乡，2006 年，整建制并入新设双龙镇。

**三道河**　人民公社、乡、村民委员会、自然村专名。原三道河乡位于新设双龙镇辖域东南部。乡人民政府所在地三道河村地处萨拉齐镇东南约 50 公里处。200 多年前，三道河村附近有常年流水的三道河槽，因而得名。该乡辖域，民国时期先后属五甲东乡、东南乡、第五区、第六自治督导处、双龙乡管辖，1949 年 10 月以后，先后属第五区、第六区、十四份子乡、联跃人民公社、双龙人民公社、三道河人民公社管辖。1984 年，改社建乡，2006 年，整建制并入新设双龙镇。

**将军尧**　人民公社、乡、镇、村民委员会、自然村专名。将军尧镇位于土默特右旗境东南边缘，南与鄂尔多斯市准格尔旗原十二连成乡、十三顷地林场隔黄河相望，东南临托克托县，西连海子乡，北靠美岱召、双龙二镇。镇人民政府驻地将军尧村地处萨拉齐镇东南约33公里处。该镇辖域，原位于黄河南岸伊克昭盟准格尔旗管辖。清同治六年（1867年），黄河改道南移，由黄河南岸变为黄河北岸。2006年，原将军尧、党三尧、小召子三乡合并设立新的将军尧镇。新设立的将军尧镇行政区域总面积399平方公里，总人口约5.4万人。辖党三尧、五卜素、红泥圪卜、当铺尧、保旦尧、迭坝营、团结、堂圪旦、圪洞堰、武大成尧、田家圪旦、温布壕、兴旺、杜家尧、南善丹尧、善丹尧、石尧、麻花尧、水圪兔、六座尧、后荒地、上四卜素、西哈家素、杨力官尧、二旺尧、板定圆圐、将军尧、堂将军尧、公布圆圐、下白青尧、张力文尧、下四卜素、周和尧、大喇嘛尧、上白青尧、腮五素、东哈家素、秋香尧、任义昌、杨家圪旦、盐海子、庆龙店、王西尧、何四营、张栓圪旦、张栓圪旦西、上尧子、新建、腊卜、向阳、小召子、胜利、三岔口、老岔口、老张尧、王保公、王三成、建设、一把树、朝阳、王家尧、张召、程奎海、八里湾、韩二尧、城墙壕、大社尧等67个村民委员会。

原将军尧乡位于新设将军尧镇辖域中部，乡人民政府驻将军尧村。清康熙年间，曾有一名伊将军在此放地收租，因而得名。该乡辖域原为黄河漫流之地，属伊克昭盟准格尔旗管辖。清同治七年（1868年）至民国时期先后属托克托厅（县）和伊克昭盟准格尔旗一排、一区、准格尔旗西官府管辖，1949年10月以后，先后属伊克昭盟准格尔旗第一区、萨拉齐县将军尧区、将军尧乡、二旺尧大乡、土默特旗民族团结人民公社、党三尧人民公社、四家尧人民公社、程奎海人民公社、将军尧人民公社管辖。1984年，改社建乡，2006年，整建制并入新设将军尧镇。

**党三尧**　人民公社、乡、村民委员会、自然村专名。原党三尧乡位于新设将军尧镇辖域西部，乡人民政府驻地党三尧村地处萨拉齐镇东南约24公里处。200多年前，有一名叫党三的人在此定居，因而得名。该乡辖域原属伊克昭盟准格尔旗，1945年，划归托克托县，

1955年，并入萨拉齐县，先后属将军尧区、党三尧乡、团结人民公社、将军尧人民公社管辖。1984年，改社建乡，2006年，整建制并入新设将军尧镇。

**小召子**　人民公社、乡、村民委员会、自然村专名。原小召子乡位于新设将军尧镇辖域东部，乡人民政府驻地小召子村地处萨拉齐镇东南约45公里处。村名系蒙古语【 Bag Jûû 】之汉译名称，意为小召。清乾隆九年（1749年），该地修建广福寺（又名小召、伊么庆），因而得名。该乡辖域原属伊克昭盟准格尔旗，1945年，划归托克托县，1955年，并入萨拉齐县，先后属程奎海区、四先生尧乡、王保公乡、程奎海大乡、土默特旗民族团结人民公社、将军尧人民公社、四家尧人民公社管辖。1981年，人民公社迁到小召子村，1985年，更名为小召子人民公社。1984年，改社建乡，2001年，原程奎海乡整建制并入小召子乡。2001年，小召子乡整建制并入新设将军尧镇。

**程奎海子**　人民公社、乡、村民委员会、自然村专名。原程奎海子乡位于新设将军尧镇辖域东部，乡人民政府驻地程奎海村地处萨拉齐东南约45公里处。约150多年前，一名叫程奎的人在此居住，且附近有一个海子，故名。该乡辖域原属伊克昭盟准格尔旗，1945年，划归托克托县，1955年，并入萨拉齐县，先后属程奎海区、程奎海子乡、土默特旗民族团结人民公社、将军尧人民公社、程奎海子人民公社管辖。1984年，改社建乡，2001年，整建制并入小召子乡。

**海子**　人民公社、乡、村民委员会、自然村专名。海子乡位于土默特右旗境南部，东接将军尧镇，南与鄂尔多斯市达拉特旗隔黄河相望，西临明沙淖乡，北靠萨拉齐镇、苏波盖乡。乡人民政府驻地二十四顷地村，萨拉齐镇东南约20公里处。清光绪六年（1880年），比利时圣母圣心会传教士在此购地二十四顷，从准格尔旗尔驾马梁移来部分教民垦地种植，故名二十四顷地。2001年、2006年，原发彦申、二十四顷地二乡整建制并入海子乡。合并后的海子乡总面积250平方公里，总人口约3.6万人。辖磴口、竹拉沁、上兴地、高才举、杜守匠、德胜、赵家圪梁、南窑、金家圪堵、秦家营、大喇嘛尧、玺城窑、万和永、六大股、中兴地、西兴地、山格架、海子、黑训营、东兴地、发彦申、白庙子、东八份子、周家营、小沙街、和义城、二道壕、左家地、什大股、曹家地、海心、苗六泉、联合、大沙街、壕畔、高双尧、南官地、石泥桥、二十四顷地等39个村民委员会。

原海子乡位于新设海子乡辖域东北部，乡人民政府驻地海子村地处萨拉齐镇东南约10公里处。村名系蒙古语【 Nûûr 】之汉译村名，意为小型湖泊。该村地处黄河古道，形成村落之前，河水聚积成海子，约清同治年间得名海子。该乡辖域，民国时期先后属土默特旗右翼五甲、萨拉齐县第一区、勤民乡、土默特特别旗第六自治督导处、园子乡、河滨乡管辖，1949年10月以后，先后属土默特旗第六区、第三区、海子乡、彦申乡、二十四顷地乡、明沙淖乡、卫星人民公社、发彦申人民公社、海子人民公社管辖。1984年，改社建乡，2006年，并入新设海子乡。

**发彦申**　人民公社、乡、村民委员会、自然村专名。原发彦申乡位于新设海子乡辖域中西部，乡人民政府驻地发彦申村地处萨拉齐镇东南16公里处。清光绪初年（1875年）形成村落，地名来历含义待考。该乡辖域，清朝后期，属萨拉齐厅南乡，民国时期先后属属萨拉齐县第二区、俭裕乡、河滨乡管辖，1949年10月以后，先后属萨拉齐县第三区、发彦乡、土默特旗海子乡、二十四顷地乡、明沙淖乡、卫星人民公社、发彦申人民公社管辖。1984年，改社建乡。2001年，发彦申乡整建制并入新设海子乡。

**二十四顷地** 人民公社、乡、村民委员会、自然村专名。原二十四顷地乡位于新设海子乡辖域东南部，乡人民政府驻二十四顷地村。该乡辖域，清朝时期属土默特右翼旗五甲、萨拉齐厅南乡管辖，民国时期先后属土默特旗右翼五甲、萨拉齐县二区、俭富乡、土默特特别旗第六自治督导处、河滨乡管辖，1949年10月以后，先后属土默特旗第六区、萨拉齐县第三区、二十四顷地乡、土默特旗发彦申乡、海子乡、卫星人民公社、发彦申人民公社、二十四顷地人民公社管辖。1984年，改社建乡，2006年，整建制并入新设海子乡。

**苏波盖** 人民公社、乡、村民委员会、自然村专名。苏波盖乡位于土默特右旗境中部偏东，东、北两面与美岱召镇毗邻，南与海子乡、将军尧镇交界，西与萨拉齐镇和沟门镇接壤。乡人民政府驻地美岱桥村地处萨拉齐镇东15公里处。2006年，原三间房乡整建制并入苏波盖乡。合并后的苏波盖乡总面积152平方公里，总人口3.2万人。辖三间房、朱麻营、庙营、牛五营、小三眼井、大板召营、北官地、上马召、磴口、张老五营、大三眼井、下马召、苏波盖、东老丈营、美岱桥、德胜、王老四营、捣拉板申、火盘、二座茅庵、四座茅庵、新营、上麻糖营、西麻糖营、丹进营、新村、油房营、石老丈营、王大法等29个村民委员会。

原苏波盖乡位于新设苏波盖乡辖域北部，乡人民政府驻地苏波盖村地处萨拉齐镇正东约17公里处。村名系蒙古语【ᠰᠤᠪᠤᠷᠭ᠎ᠠ Sûbrag】之转音，意为塔。传说四世达赖云丹嘉措生于此地，为纪念四世达赖在此处筑白塔一座，故名。该乡辖域，清朝时期属土默特右翼旗五甲、东乡管辖，民国时期先后属萨拉齐县第四区、土默特旗右翼五甲、萨拉齐县勤业乡、协助乡、土默特特别旗第六自治督导处、美岱召乡管辖，1949年10月以后，先后属土默特旗第六区、萨拉齐县第四区、第一区、东老藏营乡、土默特旗东风人民公社、美岱召人民公社、土默特右旗苏波盖人民公社管辖。1984年，改社建乡，2006年，并入新设苏波盖乡。

**三间房** 人民公社、乡、村民委员会、自然村专名。原三间房乡位于新设苏波盖乡辖域南部，乡人民政府驻地三间房村地处萨拉齐镇东南约20公里处。200多年前，有赵、陈、吕三姓居民在此居住并盖有三间房，因而得名。该乡辖域，清朝时期属土默特右翼旗五甲、萨拉齐厅东乡、东南乡管辖，民国时期先后属萨拉齐县第4区、土默特旗右翼五甲、萨拉齐县协耕乡、土默特特别旗第六自治督导处、萨拉齐县毛岱乡管辖，1949年10月以后，先后属土默特旗第六区、萨拉齐县第四区、第五区、萨拉齐县第五区、毛岱乡、土默特旗、东风人民公社、美岱召人民公社、毛岱人民公社、土默特右旗、三间房人民公社管辖。1984

年，改社建乡，2006年，整建制并入苏波盖乡。

**明沙淖** 人民公社、乡、村民委员会、自然村专名。明沙淖乡位于土默特右旗境西南部，东邻海子乡，南与鄂尔多斯市达拉特旗宋五营乡隔黄河相望，西和西北与包头市东河区沙尔沁镇相邻，北靠萨拉齐镇。乡人民政府驻地大城西村地处萨拉齐镇西南13公里处。2006年，原大城西乡整建制并入明沙淖乡。合并后的明沙淖乡总面积250平方公里，总人口3.2万人。辖大城西、五盛公、西杨家圪堵、田家圪旦、范家地、杜四营、尹蛇营、小板申气、茅庵、苗六营、虎羔营、张丑营、王海和、杨家圪堵、把栅、大葫芦头、东葫芦头、明沙淖、杜四宽、岳家圪旦、什六股、东五犋牛、五犋牛、老樊营、肖大营、西坝全、贺成全、马王庙、蒙家营等29个村民委员会。

原明沙淖乡位于新设明沙淖乡辖域东南部，乡人民政府驻地刘柜村地处萨拉齐镇南12公里处。清光绪三十年（1904年），刘大汉居此，在萨拉齐开一字号当掌柜（主事人），故名刘柜村。乡名依境内一条沙带和一片沼泽地命名。该乡辖域，清朝时期属土默特右翼旗六甲、萨拉齐厅南乡管辖，民国时期先后属萨拉齐县第二区、土默特旗右翼六甲、俭裕乡、土默特特别旗第六自治督导处、萨拉齐县河滨乡管辖，1949年10月以后，先后属土默特旗第六区、萨拉齐县第三区、明沙淖乡、土默特旗卫星人民公社、发彦申人民公社、土默特右旗明沙淖人民公社管辖。1984年，改社建乡，2006年，与原大城西乡合并为明沙淖乡。

**大城西** 人民公社、乡、自然村专名。原大城西乡位于新设明沙淖乡辖域西北部，乡人民政府驻地大城西村地处萨拉齐镇西南约13公里处。清光绪年间，包头商人吕元祥来此开地建村，因地处萨拉齐城西并设商号故名大城西。该乡辖域原属伊克昭盟达拉特旗管辖。清同治六年（1868年），改属萨拉齐厅管辖。民国时期先后属土默特右翼旗六甲、萨拉齐厅西南乡、第二区、俭丰乡、土默特特别旗第六自治督导处、鄂迩圪逊乡管辖，1949年10月以后，先后属土默特旗第六区、第二区、大城西乡、土默特旗太阳人民公社、萨拉齐人民公社、土默特右旗大城西人民公社管辖。1984年，改社建乡，2006年，整建制并入明沙淖乡。

**九峰山** 生态保护管理委员会专名。九峰山生态保护区（管理委员会）位于土默特右旗境北部，东接土默特左旗察素齐镇，南与沟门、美岱召二镇相连，西与包头市石拐区、东河区为邻，北与包头市固阳县原萨林沁乡、呼和浩特市武川县交界。管委会驻地在包头市钢铁大街。2001年，原耳沁尧、公山湾二乡整建制划归九峰山生态保护管理委员会。行政区域调整后，九峰山生态保护管理委员会辖境总面积640平方公里，总人口为8176人。辖耳沁尧、小坤兑、老窝铺、公鸡尧、德胜沟门、打井、石人塔、板申图、吕家圪旦、厂沁、公山湾、朱尔圪沁、巴总尧、野马图、香贵铺、曹德尧等16个村民委员会。

**耳沁尧** 人民公社、乡、村民委员会、自然村专名。原耳沁尧乡位于九峰山生态保护管理委员会辖域西部，乡人民政府驻地耳沁尧村地处萨拉齐镇正北约22公里处。该乡地处山区，曾有"山大石头多、出门就爬坡，土地吊在半山坡，耕地把牛掉下坡"之顺口溜，形容此地地形地貌。村名是藏语【ᢙ Ôqir】之转音，藏传佛教咏经用具名。该乡辖域，清光绪年间属萨拉齐厅西北乡，民国十八年（1929年），划归固阳县第六区管辖，1949年10月以后，先后属萨拉县第九区（后称耳沁尧区）、土默特旗青山人民公社、耳沁尧人民公社、公山湾人民公社管辖。1984年，改社建乡，2006年，整建制并入九峰山生态保护管理委员会。

**公山湾**　人民公社、乡、村民委员会、自然村专名。原公山湾乡位于九峰山生态保护管理委员会辖域东部，乡人民政府驻地公山湾村地处萨拉齐镇东北约25公里处。该乡全部为低山区，山地岩石疏松，沟谷纵横，居民均沿沟居住。村名因该村坐落于"弓"字形山湾处而得名弓山湾，后以"公"字代写"弓"而改为现名。该乡辖域，清光绪年间属萨拉齐厅西北乡，民国18年（1929年），划归固阳县，1949年10月以后，先后属萨拉齐县公山湾乡、耳沁尧区、土默特左旗青山人民公社、土默特右旗公山湾人民公社管辖。1984年，改社建乡，2006年，整建制划归九峰山生态保护管理委员会。

## （三）固阳县各乡、镇名称考略

**金山**　镇之专名。金山镇位于固阳县境中部，北靠西斗铺、兴顺、怀朔三镇，东邻银号、下湿壕二镇和石拐区，西与巴彦淖尔市乌拉特前旗营盘湾镇、毛家圪堵乡接壤，南与包头市原郊区新城、后营子二乡相连。镇人民政府驻金山镇新建南街，地理坐标东经110°3′3″，北纬41°2′5″，北距包头市约54公里。2006年，原九份子、忽鸡沟二乡整建制和原西斗铺镇的四份子、彦天成两个村民委员会并入金山镇。2008年，金山镇甲浪沟村民委员会的明安坝、甲浪沟、杨家沟3个村民小组划归石拐区五当召镇。行政区域调整后金山镇总面积1442平方公里，总人口约8.12万人。辖10个居民委员会和彦天成、忽鸡沟、神水沟、万胜壕、西毛忽洞、哈业忽洞、东胜永、沙楞、万和店、巨和成、广义魁、旧城、民胜、冯湾、下十二份子、召地、四份子、五份子、红崖湾、马路壕、二社、西永兴、协和义、小三份子、昔连脑包、兴隆等26个村民委员会。

原城关镇位于金山镇辖域包围之中，系固阳县人民政府所在地。该镇曾名"广义魁"，1950年，设置城关区，后又改称城关镇。1958年，成立先锋人民公社，后改为城关人民公社，1960年，又更名为城市人民公社。1984年，又改设城关镇，1993年，更名为金山镇。

**九份子**　人民公社、乡、自然村专名。原九份子乡位于金山镇辖域中部，乡人民政府原驻地巨和城村地处金山镇西南约4.5公里处。村名依清朝年间的巨和城商号命名。后乡人民政府迁驻城关镇解放路。九份子乡名依清康熙年间（1662—1722年），垦务放地时的土地排列顺序命名。该乡辖域，民国时期先后属固阳县城关镇、一区管辖，1949年10月以后，先后属大三份子乡、城关区、九份子乡、城关镇人民公社、九份子人民公社管辖。1984

年，改社建乡，2001年，原东胜永乡并入九份子乡，2006年，九份子乡整建制并入新设金山镇。

**东胜永** 人民公社、乡、村民委员会、自然村专名。原东胜永乡位于金山镇辖域东部，乡人民政府驻地东三份子村地处金山镇东5公里处。村名依清康熙年间（1662—1722年），垦务放地时的土地排列顺序命名。1953年，成立东胜永乡，乡名依清光绪年间本村商号命名。1958年，属城关人民公社，1962年，单设东胜永人民公社，1984年，改社建乡，2001年，整建制并入九份子乡。

**忽鸡沟** 人民公社、乡、村民委员会、自然村、自然山沟专名。原忽鸡沟乡位于金山镇辖域南部，乡人民政府驻地忽鸡沟村地处金山镇南约22公里处。村名系蒙古语【 ᠬᠣᠵᠢᠷ ᠭᠣᠣ Hûjir Gûû 】之转音，意为碱沟。该乡境内有一条东西走向，长达30公里的大沟，故名【 Hûjir Gûû 】。村内还有一条小碱沟，故名。乡名也因而得名。该乡辖域，清代至民国先后属乌拉特东公旗、固阳县五区、一区民义乡管辖。1949年10月以后，先后属忽鸡沟乡、七区、公圣西区、公圣西人民公社、忽鸡沟人民公社管辖。1984年，改社建乡，2006年，整建制并入新设金山镇。

**公益民** 人民公社、乡、自然村专名。原公益民乡位于金山镇辖域中部，乡人民政府驻地公圣西村地处金山镇南约5公里处。村名依1921年建村时的公圣西商号命名。该乡辖域，民国时期先后属固阳第五区、民义乡管辖。1949年10月以后，先后属公圣西乡、公圣西区、公圣西人民公社、公义明人民公社管辖。1972年，人民公社驻地迁至公圣西北村，并更名为公益民人民公社，1984年，改社建乡，2001年，整建制并入忽鸡沟乡。

**下湿壕** 人民公社、乡、村民委员会、自然村专名。下湿壕镇位于固阳县境东南部，北靠银号镇，东邻呼和浩特市武川县哈拉合少乡，南连包头市土默特右旗九峰山生态保护区和石拐区五当召镇相接，西与金山镇交界。镇人民政府驻地新建村，地处金山镇东南约32公里处。2006年，原下湿壕、新建二乡合并设立下湿壕镇。新设立的下湿壕镇总面积641平方公里，总人口约3.4万人。辖三城仁壕、油房壕、白洞渠、白银合套、梅令沟、学田会、新建、梁前、陈家渠、二脑包、磴口、电报局、后白菜、前白菜、前黑沙、前海流、王家渠、下湿壕、后脑包、官地20个村民委员会。

原下湿壕乡位于下湿壕镇辖域东部，乡人民政府驻下湿壕村。村名因村边深壕内常年积水且水位较高而得名，乡名从乡人民政府驻地村名。该乡辖域，清代至民国时期先后属土默特旗、固阳设治局六区、一区庆义乡、民益乡管辖。1949年10月以后，先后属下湿壕乡、二区、广业公司乡、下湿壕人民公社管辖。1984年，改社建乡，2006年，与新建乡合并成立下湿壕镇。

**新建** 人民公社、乡、村民委员会、自然村专名。原新建乡位于下湿壕镇西部，乡人民政府驻地新建村地处金山镇东南约32公里处。该村原称"大榆树滩"，又称"大老虎店"，1952年，更名为新建。该乡辖域，清代至民国时期先后属土默特旗、固阳设治局五区、一区民益乡管辖。1949年10月以后，先后属广业公司乡、新建人民公社管辖。1984年，改社建乡，2006年，与下湿壕乡合并成立下湿壕镇。

**银号**　人民公社、乡、镇、村民委员会、自然村专名。银号镇位于固阳县境东部。东与呼和浩特市武川县哈拉合少乡交界，南邻下湿壕镇，西连金山镇，北与怀朔镇接壤。镇人民政府驻地银号村地处金山镇东北约26公里处。村名因清乾隆年间（1736—1795年），村中有一名银匠而得名，乡名从乡人民政府驻地村名。2006年，原大庙、银号二乡以及卜塔亥乡的团结、圪臭脑包、西营子3个村民委员会合并成立银号镇。2008年，包头市石拐区的竹拉沟（11平方公里）划归银号镇。行政区域调整后银号镇总面积810平方公里，总人口约2.3万人。辖银号、碾房、麻池、水泉、马二份子、大圆圐、东元永、大营子、德成永、团结、西营子、圪臭、小吾图、腮林、长发城、大庙、高家村等17个村民委员会。

原银号乡位于银号镇辖域西部，乡人民政府驻银号村。该乡辖域，清代及民国时期先后属茂明安旗、固阳设治局、一区、公有乡（亦曾称禄合乡）管辖。1953年，建河楞乡，1958年，成立银号人民公社，1984年，改社建乡，2006年，整建制并入新设银号镇。

**大庙**　人民公社、乡、村民委员会、自然村专名。原大庙乡位于银号镇辖域东部，乡人民政府驻地大庙村地处金山镇东约40公里处。清光绪年间（1875—1908年），村民们组织起来盖了一座较大的庙，故名，乡名从乡人民政府驻地村名。该乡辖域，清代及民国时期先后属茂明安旗、固阳设治局一区、公有乡（亦称禄合乡）、民义乡管辖。1949年10月以后，先后属第一区民义乡、第三区、大庙乡、银号区、银号人民公社、大庙人民公社管辖。1984年，改社建乡，2006年，整建制并入新设银号镇。

**怀朔**　人民公社、乡、镇、村民委员会、自然村专名。怀朔镇位于固阳县东北边缘，北和东北邻达茂旗希拉穆仁镇，南连金山镇和银号镇，西与兴顺西镇交界。镇人民政府驻地南卜塔亥村地处金山镇东北约36公里处。村名系蒙古语【ᠪᠣᠷ ᠲᠣᠬᠣᠢ　Bôr Tôhôi】之转音，意为河套。一说【ᠪᠣᠲᠭᠢᠢᠨ ᠠᠢᠯᠢ　Bôtgiin Aili】之转音，意为驼羔营子，因此地曾牧养骆驼羔而得名。2001年，原东公此老乡并入原卜塔亥乡，2006年，原卜塔亥、白灵淖二乡合并设置怀朔镇。镇名依位于固阳县境内的怀朔古镇名命名。行政区域调整后怀朔镇总面积750平方公里，总人口约2.9万人。辖怀朔新村、二约地、兴圣公、小号子、周喜财、阳湾、朝力干、四份子、壕口、白灵淖、香房、孤山、黄磨房、大庙滩、合同沟、母号滩等16个村民委员会。

**东公此老**　人民公社、乡、自然村专名。原东公此老乡位于怀朔镇辖域东部，乡人民政府驻地西营子村地处金山镇东北约38公里处。村名原称"文公楚鲁"，亦作东公此老，系蒙古语【ᠵᠡᠭᠦᠨ ᠭᠦᠩ ᠤᠨ ᠴᠢᠯᠠᠭᠤᠤ　Juun Gunggiin Qûlûû】之转音，意为东公旗界石。这里原是东公旗北界，界限处有块巨石，故名。乡名从乡人民政府驻地村名。该乡辖域，清代至民国时期先后属茂明安旗、固阳设治局一区、公有乡（亦曾称禄合乡）、民义乡管辖。1953年，建东公此老乡，1958年，为东公此老人民公社管理区，1961年，新建东公此老人民公社，1984年，改社建乡，2001年，整建制并入卜塔亥乡。

卜塔亥　人民公社、乡、自然村专名。原卜塔亥乡位于怀朔镇辖域中部，乡人民政府驻卜塔亥村。该乡辖域，清代至民国时期先后属茂明安旗、固阳设治局三区、二区、民和乡管辖，1953 年，设置兴盛公乡，归白灵淖区管辖，1958 年，成立火花人民公社、白灵淖人民公社，1962 年，成立卜塔亥人民公社。1984 年，改社建乡，2006 年，整建制并入新设怀朔镇。

白灵淖　人民公社、乡、村民委员会、自然村专名。原白灵淖乡位于怀朔镇辖域西部，乡人民政府驻地白灵淖村地处金山镇正北偏东约 32 公里处。村名亦作"贝勒努尔"，系满语、蒙古语合成地名【ᠪᠡᠢᠯ　Beil Nûûr】之转音。【Beil】是清朝官职称呼，【Nûûr】即湖泊、海子。清朝中期，村中曾居住一位贝勒爷，村前有海子，故名。又一说在清代，此地属贝勒王管辖，又因村前有个海子而得名。该乡辖域，清代至民国时期先后属茂明安旗、固阳设治局三区、二区、民和乡管辖。1949 年 10 月以后，先后属白灵淖乡、火花人民公社、白灵淖人民公社管辖。1984 年，改社建乡，2006 年，整建制并入新设怀朔镇。

兴顺西　人民公社、乡、村民委员会、自然村专名。兴顺西镇位于固阳县境北部。东邻怀朔镇，南接金山镇，西靠西斗铺镇，北连达茂旗明安镇。镇人民政府驻地兴顺西村地处镇北约 27 公里处。村名依一百年前本村王氏商铺字号兴顺西名称命名，镇名从镇人民政府驻地村名。2006 年，原兴顺西乡整建制以及原红泥井乡铁路以东的李四壕、河楞、五份子、公合当、北头份子 5 个村民委员会合并成立兴顺西镇。合并成立后的兴顺西镇总面积 672 平方公里，总人口约 2.5 万人。辖兴顺西、红庆德、羊场卜子、圪妥忽洞、蛮达壕、佘太和、哈达合少、南公中、史家营、李四壕、公合当、河楞、五份子等 13 个村民委员会。

原兴顺西乡位于兴顺西镇辖域东部，乡人民政府驻兴顺西村。该乡辖域，清代至民国时期属茂明安旗、固阳二区、民治乡管辖。1953 年，建银壕乡，1958 年，归属白灵淖人民公社，1962 年，成立兴顺西人民公社，1984 年，改社建乡，2006 年，整建制并入新设兴顺西镇。

红泥井　人民公社、乡、自然村专名。原红泥井乡位于兴顺西镇辖域西北部，乡人民政府驻地红泥井村地处金山镇西北约 44 公里处。村名系解放前有土默特人韩秃子来本村居住，打一眼井，挖出的土全是红胶泥，故得名。乡名从乡人民政府驻地村名。该乡辖域，清代至民国时期先后属茂明安旗、固阳县二区、公合乡、民治乡管辖。1953 年，建南头份子乡，1958 年，属西斗铺人民公社管辖，1961 年，成立红泥井人民公社，1984 年，改社建乡，2006 年，撤销红泥井乡，原乡境分别划归兴顺西镇和西斗铺镇。

西斗铺　人民公社、乡、镇、自然村专名。西斗铺镇位于固阳县境西北部。东临兴顺西、金山二镇，南部、西部分别与巴彦淖尔市乌拉特前旗小佘太镇和乌拉特中旗石哈河镇接壤，北与达茂旗明安镇交界。镇人民政府驻地新民村地处金山镇西北约 30 公里处，村名原称"沃图壕"。约一百年前一名叫白永毛的人从包头郊区沃图壕村迁居本村并沿用其原籍村名，中华人民共和国成立后改为现名。2001 年，原坝梁乡划归西斗铺镇。2006 年，原红泥井乡的三份子、前海子、存柱壕、红花脑包、十四份子 5 个村民委员会划归西斗铺镇。合并后的西斗铺镇总面积 641 平方公里，总人口约 3.4 万人。辖 1 个居民委员会和忽鸡兔、刘伟壕、赵碾房、红泥井、三份子、新民、大六份、南头份、张发地、大二份、十八顷壕、十四份子 12 个村民委员会。

原西斗铺镇位于新设西斗铺镇辖域中部，镇人民政府驻新民村。镇名源于清朝咸丰年间（1851—1861 年），从外地迁来 4 户人家，住在沃图壕村东北 1.3 公里处，其中一家是生意人，开设一个小店铺卖斗，故名。当年还有一个卖斗的人定居在今兴顺西乡境内，所居村也称斗铺，为区分两村，按其所处方位，称兴顺西乡境的斗铺村为东斗铺，称东斗铺以西的斗铺村为西斗铺。该镇辖域，清代至民国时期先后属茂明安旗、固阳二区、五区、西斗铺区管辖。1956 年，建西斗铺乡，1958 年，成立上游人民公社，同年更名为西斗铺人民公社。1984 年，改社建乡，1987 年，撤乡设镇。

**坝梁** 人民公社、乡、自然村、火车站专名。原坝梁乡位于新设西斗铺镇辖域西南部，乡人民政府驻地大二份子村地处金山镇西约 26 公里处。一百多年前开垦放地时排列土地，本村居第二分地，故名为二分地。后形成两个二分地村，为区分二村，村名前冠以大、小。乡名依乡人民政府驻地东南 2.1 公里处的坝梁村名命名。该村原名"店壕"，清末建村，曾有丁氏在本村开店故名店壕。1962 年，修筑包一白（包头到白云鄂博）铁路专线在此设站，根据地形取名坝梁，随之村名也改为坝梁。该乡辖域，清代至民国时期先后属乌拉特东公旗、固阳一区管辖。1949 年 10 月以后，先后属召沟门、苏计坝、蒙甲坝三个乡、人民公社管理区、坝梁人民公社管辖。1984 年，改社建乡，2001 年，整建制划归西斗铺镇。

### （四）石拐区各苏木、乡、镇名称考略

**五当召** 人民公社、乡、镇、喇嘛教寺庙专名。五当召镇位于石拐区辖域南半部，北靠吉忽伦图苏木，东邻土默特右旗九峰山生态保护管理委员会，南连包头市东河区河东、沙尔沁二镇，西接九原区兴胜镇。镇人民政府驻地百草沟村地处石拐区政府驻地新石拐正西偏北约两公里处。村名依当地自然植物名称命名。镇名五当召系蒙古语。关于该地名含意有两种解释：一说是蒙古语【ᠪᠤᠲᠦᠨᠲ Bûtûnt】之转音，意为云雾缭绕。清康熙末年所建【ᠪᠠᠳᠭᠠᠷ ᠵᠤᠤ Badgar Jûû】（巴达喀尔召）地处高山，从远处望去云雾缭绕，给人以神圣或神秘之感。很多资料译写"五当"一名均写作"不

五当召

当图、不党、无党、五党"等等。按照这一说法,五当召的原蒙古语名称应该是布腾召【 ᠪᠠᠳᠠᠭᠠᠷ ᠵᠣᠣ Badgar Jûû】。还有一说认为五当是蒙古语【 ᠤᠳ Ûd】之转音,意为柳树,因此地柳树成荫而得名。

1950年7月,乌兰察布盟人民政府设立五当召直属区,一年后并入石拐沟矿区。2004年,吉呼伦图苏木改设为五当召镇,2006年2月,国庆乡并入五当召镇。2008年,固阳县金山镇甲浪沟的明安坝、甲浪沟、杨家沟3个村民小组(7平方公里)划入石拐区五当召镇;石拐区五当召镇的竹拉沟(11平方公里)划归固阳县银号镇。2012年初,从五当召镇划出北部区域再次设置吉呼伦图苏木。调整后的五当召镇总面积293平方公里,总人口1.1万人,辖厂汉沟、五当沟、新曙光、脑包沟、白草沟、缸房地、后营子新村、马场、大庙、青山、鸡毛窑、开州窑12个村民委员会和1个居民委员会。

**国庆** 人民公社、乡、自然村专名。原国庆乡位于石拐区南部,北靠吉呼郎图苏木,东邻土默特右旗原沟门乡,东南接包头市郊区原东园乡,西南连包头市郊区原沙尔沁乡、古城湾乡和后营子乡。乡人民政府驻地河北村地处石拐区政府所在地新石拐西北约两公里处。该村因坐落在常年有水流淌的西沟北岸而得名。该乡辖域,1949年10月以后,先后属乌兰察布盟五当召直属区、石拐沟矿区管辖。1958年10月1日成立国庆人民公社,并划归包头市郊区管辖。人民公社名称因国庆日成立而得名。1963年末,再次划归包头市郊区管辖,1984年,改社为乡,1998年,整建制划归石拐区,2006年初,并入新设五当召镇。

**吉呼伦图**(吉忽伦图、吉呼郎图)人民公社、苏木、自然村专名。吉呼伦图苏木位于石拐区北半部,北靠固阳县下湿壕镇,东邻土默特右旗九峰山生态保护管理委员会,南连五当召镇,西和西北与固阳县金山镇交界。镇人民政府驻吉呼伦图村,村名系蒙古语【 ᠵᠦᠪᠬᠠᠯᠠᠩᠲ Jûbhalangt】"吉卜呼郎图"之汉语音译,意为精神抖擞。2012年,从五当召镇划出北部区域设置吉呼伦图苏木,现总面积315平方公里,总人口1万人,辖三岔口、爬榆树、白菜沟、绍卜亥、吉呼伦图5个嘎查委员会。

原吉呼伦图苏木位于五当召镇辖域北半部,苏木人民政府驻地莎林沁村地处石拐区政府驻地新石拐正北约20公里处。村名系蒙古语【 ᠰᠠᠭᠠᠯᠢᠴᠢᠨ Saalqin】"沙乐庆"之汉语音译,挤奶员之意。此地原名"五当",1950年,改为现名。该苏木辖域原为固阳县吉呼伦图人民公社,1958年,末划归石拐矿区,1963年,又划回固阳县,1984年,改社建苏木,1998年,再次划归石拐矿区,2004年,吉呼伦图苏木改设为五当召镇。

## (五)青山区各乡、镇名称考略

**青福** 镇之专名。青福镇位于包头市市区中部靠北边缘,北靠固阳县金山镇,东邻原郊区后房子乡,南连九原区麻池镇,西与昆都仑区昆河镇交界,辖区总面积42.85平方公里。青福镇处于城乡结合部,所辖6个村属典型的"城中村或城边村"。赵家营村东至富强路、西至民族东路、南至友谊大街、北至少先路以及生态园区域；昌福村东至建华路，西至青东路，南至建设路，北至青山路；其余赵家店、银匠窑、二海壕、色气湾北部四村南起厂前路，北至大青山，东至一机靶场，西至色气湾村界。镇人民政府驻青山区文化路与赛罕路交叉口东北处，距离青山区人民政府 2 公里，地理坐标约东经 109°9′，北纬 40°65′。青福镇名，因归属青山区且镇内有昌福村，取青福两字命名。其前身为九原区（原郊区）新城乡，1999 年，设青福镇，建镇伊始，仅辖赵家营、昌福二村。2011 年末，赵家店、银匠窑、二海壕、色气湾 4 村划归青福镇。现辖上述六村和保利、青东、富南 3 个社区。

**新城**　人民公社、乡专名。原新城乡位于包头市区正中北部边缘，北靠固阳县原吉忽伦图苏木，东邻原兴胜乡，南连原麻池乡和共青农场，西与昆都仑区昆河镇交界。乡人民政府驻地新城村地处青山区人民政府西北 3 公里处。1938 年，甲尔坝的邓知事在此修筑土围子，人称新城，故名。1949 年 10 月以后，该乡辖域先后属包头县二区、新城乡、新城人民公社管辖。1984 年，改社建乡。

## （六）昆都仑区各乡、镇名称考略

**昆河**　镇之专名。昆河镇位于包头市市区中西部，辖区总面积约 15.3 平方公里，总人口 15.7 万人，镇人民政府驻昆都仑区林荫路与新光西路十字路口东 100 米处，东距昆都仑区政府 1.5 公里。昆河镇名因辖区内的昆都仑河而得名。昆都仑系蒙古语【ᠬᠥᠨᠳᠡᠯᠡᠨ Hundelen】之转音，意为横向，依自然河之流向命名。1999 年初，设立昆河镇，2001 年，初划归稀土高新区托管，同时九原区高油房村划归昆河镇。2003 年 7 月，昆河镇划回昆都仑区管辖，并将所辖曹家营子、高油房二村民委员会划归稀土高新区。现辖和平、南排、胜利 3 个村民委员会和丰盈、北沙梁、西河楞、召庙 4 个居民委员会。

## （七）东河区各乡、镇名称考略

**沙尔沁**　人民公社、乡、镇、村民委员会、自然村专名。沙尔沁镇位于包头市东河区东部边缘，镇人民政府驻地莎木佳村（又称东园）地处包头市东河区巴彦塔拉大街正东偏南 26 公里处。村名系蒙古语【ᠰᠠᠮᠤᠷᠬ᠎ᠠ Samûrq】之转音，意为捡松树籽者。曾有外地人专程来此捡松树籽，故名。镇名沙尔沁也是蒙古语【ᠰᠠᠷᠠᠬᠢᠨ Saraqin】之转音，意为月儿村，源于沙尔沁村名。一说沙尔沁是藏语【Sarq】之转音，意为白塔。因此地常有黄河水灾扰民，为镇服黄河水灾曾筑起两座白塔，故名。2003 年，九原区所属原古城湾乡、莎木佳镇并入沙尔沁乡，2006 年，撤乡建镇，2008 年，从九原区整建制并入东河区。现辖邓家营子、南海子、什大股、章盖营、东坝、东富、沟门、永富、啊都赖、海岱、沙尔沁一村、沙尔沁二村、沙尔沁三村、土合气、大巴拉盖、管地、东园、鄂尔格逊、小巴拉盖、莎木佳、公积板、黑嘛板、杨圪楞等 23 个村民委员会和 1 个居民委员会。

原沙尔沁乡位于沙尔沁镇辖域中部，乡人民政府驻地海岱村地处包头市东河区巴彦塔拉大街正东偏南 20 公里处。村名系蒙古语【ᠬᠠᠱᠠᠭᠠᠳ Haxaat】之转音，意为畜圈。1949 年，10 月以后，原沙尔沁乡辖域先后属萨拉齐县沙尔沁乡、沙尔沁人民公社管辖。1958 年，划归包头市郊区，1984 年，改社建乡，2003 年，原古城湾乡、莎木佳镇并入沙尔沁乡。

**古城湾**　人民公社、乡、村民委员会、自然村专名。原古城湾乡位于沙尔沁镇辖域西部，乡人民政府驻地上古城湾村地处包头市东河区巴彦塔拉大街正东偏南 10 公里处。村名依村内汉代古城遗址命名。乡名依乡人民政府驻地村名命名。1949 年 10 月以后，古城湾乡辖域先后属东河区河东人民公社、包头市郊区古城湾人民公社管辖。1984 年，改社为乡，2003 年，并入沙尔沁乡。

**莎木佳**　人民公社、乡、镇、村民委员会、自然村专名。原莎木佳镇位于沙尔沁镇辖域东部，镇人民政府驻莎木佳村（又称东园）。1996 年，原东园乡变更为莎木佳镇。2003 年，并入沙尔沁乡。

**东园**　人民公社、乡、村民委员会、自然村专名。原东园乡即后来的莎木佳镇，乡人民政府驻莎木佳村（又称东园）。1949 年 10 月以后，该乡辖域属萨拉齐县第二区管辖，1958 年，划归包头市郊区并设红联人民公社，1963 年，更名为东园人民公社。社名依管区内东园村名命名。该村位于包头市东境，五当沟南口。此处土地肥沃，水源充足，是包头市果树和蔬菜园地，故更名为东园。1983 年，改社为乡，1996 年，撤销东园乡，设置莎木佳镇。

**河东**　镇之专名。河东镇位于包头市东河区中部偏西，东邻沙尔沁镇，南与鄂尔多斯市达拉特旗原宋五营乡隔黄河相望，西连东河区市区，北与石拐区国庆乡交界。镇人民政府驻地东河村地处东河区巴彦塔拉大街正东 2 公里处。村名依流经镇辖域的东河命名。1949 年 10 月以后，河东镇辖域先后属东河区东河乡、东风人民公社、郊区东河人民公社、东河区河东人民公社、郊区河东人民公社管辖，1984 年，改社建乡，2006 年，撤乡建镇，同时再次划归东河区。现辖磴口、下古城湾、上古城湾、毛其来、河北、臭水井、银匠窑子、陈户窑子、东河、解放、工农、南二里半、北二里半、东二里半、西北门、壕赖沟、毛凤章营子、王家圪旦、井坪三、井坪四、井坪五、西井湾、留宝窑子、王大汉营子、郑二营子、先明窑子等 26 个村民委员会和 1 个居民委员会。

## （八）九原区各苏木、乡、镇名称考略

**沙河**　街道办事处专名。沙河街道办事处是九原区人民政府所在地，位于九原区辖域中部建设路南侧，因东邻二道沙河而得名。1979 年，设立二道沙河街道办事处，1981 年，改为新沙河街道办事处，1984 年，改为沙河镇，2006 年，改为沙河街道办事处。

**阿嘎如泰**　苏木、人民公社、镇之专名。阿嘎如泰苏木位于包头市九原区西北边缘，北靠巴彦淖尔市乌拉特前旗沙德格苏木，东邻昆河镇，南连哈业胡同镇，西与巴彦淖尔市乌拉特前旗先锋镇交界。镇人民政府驻地阿嘎如泰村（又称柏树沟）地处九原区人民政府所在地沙河镇西 39 公里处。村名系蒙古语【ᠠᠭᠠᠷᠤᠤᠲᠠᠢ　Agrûûtai】之汉语音译，意为有柏树的地方，因此地多生长柏树而得名。镇名依镇人民政府驻地村名命名。该苏木辖域原属哈业胡同、哈业脑包二人民公社管辖，1984 年，单设阿嘎如泰苏木。现辖阿嘎如泰、包尔汉图、梅力更、阿贵沟 4 个嘎查委员会。

**哈业胡同**　苏木、人民公社、镇之专名。哈业胡同镇位于包头市九原区辖域西南部，北靠阿嘎如泰苏木，东邻哈林格尔镇，南与鄂尔多斯市原三狗湾、白粉球厂隔黄河相望，西与乌拉特前旗白彦花镇交界。辖区总面积约 275 平方公里，总人口 3.3 万人。镇人民政府驻地哈业胡同村地处九原区人民政府所在地沙河镇西 42.5 公里处。村名系蒙古语【ᠬᠣᠶᠣᠷ ᠬᠤᠳᠠᠭ　Hôyôr Hûdag】之转音，意为两眼井，因本村原有两眼饮水井而得名。镇名依镇人民政府驻地村名命名。2006 年，原哈业脑包镇整建制并入哈业胡同镇。现辖乌兰计一村、乌兰计六村、乌兰计七村、乌兰计八村、乌兰计九村、哈业胡同、永丰、打不素、前进、民胜、新胜、柴脑包等 12 个村民委员会。

原哈业胡同乡位于哈业胡同镇辖域西南部，乡人民政府驻哈业胡同村。该乡辖域原属巴彦淖尔市乌拉特前旗管辖，1958 年，划归包头县并成立哈业胡同人民公社，先后归属昆都仑区、包头市郊区管辖。1984 年，改社为苏木，2006 年，整建制并入哈业胡同镇。

**哈业脑包**　苏木、人民公社、镇之专名。原哈业脑包镇位于哈业胡同镇辖域东北部，镇人民政府驻地哈业脑包村（又称张家营子）地处九原区人民政府所在地沙河镇西 25 公里处。村名系蒙古语【ᠬᠣᠶᠣᠷ ᠣᠪᠣᠭ᠎ᠠ　Hôyôr Ôbôô】之转音，意为两个敖包，因境内有两个敖包而得名。镇名依镇人民政府驻地村名命名。1958 年，成立哈业脑包人民公社，1984 年，改社为乡，后撤乡设镇，2006 年，整建制并入哈业胡同镇。

**哈林格尔**　乡、人民公社、镇、村民委员会、自然村专名。哈林格尔镇位于包头市九原区西南边缘，西、北两面邻哈业胡同镇，东连麻池镇、南隔黄河与鄂尔多斯市达拉特旗原三狗湾乡相望，总面积 197.7 平方公里，总人口 2.2 万人。镇人民政府驻地西沙湾（也称西厂汉）村地处九原区人民政府所在地沙河镇西 23 公里处。村名西沙湾因该村邻近干河西侧，地处沙滩而得名。镇名沿用原哈林格尔乡名称。2001 年，原全巴图乡整建制并入哈林格尔乡，2006 年，撤乡建镇。现辖西厂汉、哈林格尔、官将、乔圪堵、兰桂、新河、全巴图、山羊圪堵、土黑麻淖、段四等 10 个村民委员会。

原哈林格尔乡位于哈林格尔镇辖域东部，乡人民政府驻哈林格尔村。村名系蒙古语【ᠬᠣᠷᠢᠨ ᠭᠡᠷ　Hôrin Ger】之转音，意为二十家子，依建村时的居民户数命名。乡名依乡人民政府驻地村名命名。1958 年，成立哈林格尔人民公社，1984 年，改社为乡。1998 年 9 月，原哈林格尔乡所属的和平、南排、胜利 3 个村民委员会划归昆都仑区管辖，2001 年，与原全巴图乡整建制并入哈林格尔乡，2006年，撤乡设镇。

**全巴图** 乡、人民公社，村民委员会、自然村专名。原全巴图乡位于哈林格尔镇辖域西部，乡人民政府驻地全巴图村地处九原区人民政府所在地沙河镇西南35公里处。村名系蒙古语【ᠬᠣᠷ ᠪᠥᠲᠡ (ᠪᠥᠲᠡ) Qôr bût】之转音，意为灌木丛，因此地灌木丛生而得名。乡名依乡人民政府驻地村名命名。1962年，成立全巴图人民公社，1984年，改社为乡，2001年，整建制并入哈林格尔乡。

**麻池** 乡、人民公社、镇、村民委员会、自然村专名。麻池镇位于包头市九原区东南边缘，北靠青山区青福镇，东邻沙河镇，南连黄河乳牛场，西接哈林格尔镇。辖域总面积158.58平方公里，总人口6.4万人。镇人民政府驻地麻池村地处九原区人民政府所在地沙河镇西南12公里处。村名源于自然泉眼。150多年前该地区自流泉水汇成40多处水池，同时该地区盛产麻，用池水沤麻远近闻名，故名麻池。1999年，原麻池乡改设为麻池镇，镇名沿用原麻池乡名称。2001年，原前明乡整建制并入麻池镇，2008年，麻池镇的毛凤章村民委员会划归东河区。行政区域调整后麻池镇辖新胜、永茂泉、古城、麻池、武家村、沃土壕、农大新、西壕口、韩五、城梁、麻一、麻七等12个村民委员会。

原麻池乡位于麻池镇辖域西部，乡人民政府驻麻池村。1958年，成立麻池人民公社，社名依人民公社驻地村名命名。1984年，改社为乡，1999年，撤乡设镇，乡、镇名称沿用原人民公社名称。

**前明** 乡、人民公社、自然村专名。原前明乡位于麻池镇辖域东部。乡人民政府驻毛凤章营子村西侧，西北距九原区人民政府所在地沙河镇4公里。毛凤章营子村名依最早在该村居住的三户姓氏命名。1962年，成立前明人民公社，取前途光明之意命名前明，1984年，改社为乡，2001年，整建制并入新设麻池镇。

**万水泉** 乡、人民公社、镇、村民委员会、自然村专名。万水泉镇位于包头市九原区南部的滨河新区，东隔二道沙河与东河区河东镇相望，南隔黄河与鄂尔多斯市达拉特旗原大树湾乡相望，西邻麻池镇，北接新都市中心区，总面积82平方公里，总人口33942人。镇人民政府驻第六农业分公司境内，西北距包头市青山区22公里。该镇辖域，清雍正、乾隆年间先后属萨拉齐理事厅管辖。民国十二年（1923年）由包头设治局管辖；中华人民共和国成立后属于包头市管辖。1956年9月，万水泉、同官、二里半三乡合并为万水泉乡，属包头市郊区，1958年9月，万水泉、新城、麻池、召湾4个乡合并为洪峰人民公社，属包头市郊区，2003年11月，市农垦企业移交包头市稀土高新区，成立万水泉镇建设管理处。2007年8月，正式挂牌成立万水泉镇，隶属稀土高新区管辖。

# 第四章　已改村名的原名、现名对照表

（按汉语拼音字母顺序排列）

| 原　名 | 更改名 | 更改时间 | 原隶属 | 现隶属 |
|---|---|---|---|---|
| 阿布盖忽少 | 阿贵忽少 | | 察右后旗锡勒、胜利乡或韩勿拉苏木 | 察右后旗锡勒乡 |
| 阿布干乌苏 | 敖包乌苏 | 1966.1.29 | 四子王旗白音花人民公社 | 四子王旗红格尔苏木 |
| 阿布日昂特 | 阿布达尔特 | 1966.1.29 | 四子王旗白音敖包、卫境或红格尔人民公社 | 四子王旗白音敖包苏木 |
| 阿达格乌苏呼都格 | 阿德根乌苏 | 1966.1.29 | 四子王旗白音敖包、卫境或红格尔人民公社 | 四子王旗白音敖包苏木 |
| 阿达拉嘎 | 阿达日嘎 | 1955.3.23 | 集一二铁路沿线火车站名 | 察右后旗乌兰哈达苏木 |
| 阿德雅音布郎 | 巴音乌拉 | | 乌拉特后旗乌根高勒苏木 | 乌拉特后旗乌盖苏木 |
| 阿尔班布朗 | 阿尔班浑迪 | 1966.1.29 | 四子王旗白音敖包、卫境或红格尔人民公社 | 四子王旗白音敖包苏木 |
| 阿尔哈吧比 | 阿尔哈必尔嘎 | 1966.1.29 | 四子王旗白音敖包、卫境或红格尔人民公社 | 四子王旗白音敖包苏木 |
| 阿尔鲁特苏木 | 阿尔善特 | 1966.1.29 | 四子王旗白音敖包、卫境或红格尔人民公社 | 四子王旗白音敖包苏木 |
| 阿尔山图 | 二沙图（转音） | | 化德县公腊胡洞、二道河或德善乡 | 化德县公腊胡洞乡 |
| 阿贵沟 | 拉贵沟（转音） | | 凉城县六苏木、双古城或十九号乡 | 凉城县六苏木镇 |
| 阿戈如泰 | 阿古碌呔（转音） | | 固阳县忽鸡沟乡 | 固阳县金山镇 |
| 阿吉图鄂博 | 阿格特音敖包 | 1966.1.29 | 四子王旗白音敖包、卫境或红格尔人民公社 | 四子王旗白音敖包苏木 |
| 阿拉格德日苏 | 阿拉格 | | 达茂旗满都拉苏木 | 达茂旗满都拉苏木 |

| | | | | |
|---|---|---|---|---|
| 阿拉塔特音乌兰 | 阿拉太乌拉 | 1966.1.29 | 四子王旗红格尔人民公社 | 四子王旗红格尔苏木 |
| 阿拉腾套海淖日 | 腾格淖尔 | 清代 | 喀尔喀右翼旗 | 达茂旗满都拉苏木 |
| 阿拉铁乌龙山 | 阿拉太乌拉 | 1966.1.29 | 四子王旗红格尔人民公社 | 四子王旗红格尔苏木 |
| 阿来好勒格 | 白银哈而 | 1955.3.23 | 集一二铁路沿线火车站名 | 苏尼特右旗朱日和镇 |
| 阿力忽洞 | 小西营子 | 1949 | 察哈尔正红旗 | 察右后旗当郎忽洞苏木 |
| 阿林长坝 | 大林坝 | 清代 | 土默特旗 | 土默特左旗 |
| 阿林潮 | 阿林兆 | 1966.1.13 | 土默特旗沙尔沁人民公社 | 土默特左旗沙尔沁乡 |
| 阿林扎木格 | 阿林长坝 | | 和林格尔县公喇嘛乡 | 和林格尔县 |
| 阿路不浪 | 查干脑包 | | 武川县大蓝旗乡 | 武川县哈乐镇 |
| 阿莫乌素 | 阿莫勿素 | | 四子王旗第九区 | 四子王旗供济堂镇 |
| 阿木耐营 | 二道河 | 清末 | 呼和浩特市玉泉区小黑河镇 | 呼和浩特市 |
| 阿日嘎顺 | 尔胜(转音) | 1961 | 土默特旗察素齐镇 | 土默特左旗察素齐镇 |
| 阿日嘎顺乃乌布日 | 布拉格 | | 乌拉特后旗巴音宝力格苏木 | 乌拉特后旗巴音宝力格镇 |
| 阿日呼都格 | 哈芦忽洞(转音) | | 固阳县卜塔亥乡 | 固阳县银号镇或怀朔镇 |
| 阿日呼都格音塔拉 | 前达门 | | 乌拉特中旗呼勒斯太苏木 | 乌拉特中旗呼勒斯太苏木 |
| 阿日其图 | 阿鸡图(转音) | | 固阳县忽鸡沟乡 | 固阳县金山镇 |
| 爱豪凹 | 爱好凹 | | 呼和浩特市赛罕区保合少人民公社 | 呼和浩特市新城区 |
| 爱力格那 | 额尔格民格 | 1966.1.29 | 四子王旗查干补力格人民公社 | 四子王旗查干补力格苏木 |
| 安常圪旦 | 乌拉道本 | 1971 | 乌拉特后旗、杭锦后旗四支人民公社 | 乌拉特后旗获各琦苏木 |
| 安乐社 | 新营子 | | 呼和浩特市玉泉区桃花乡 | 呼和浩特市玉泉区 |

| 安落社 | 新营子 | 民国时期 | 归绥县二区 | 呼和浩特市赛罕区 |
|---|---|---|---|---|
| 昂遏下水 | 下水 | 元朝时期 | 山西道宣慰司 | 凉城县 |
| 昂遏下水 | 岱哈泊 | 清初 | 察哈尔正红旗或镶红旗 | 凉城县 |
| 敖包 | 红胜敖包 | 1924 | 武川县 | 武川县二份子乡 |
| 敖包浩若 | 敖包浩尔高勒 | 1966.1.29 | 四子王旗脑木更人民公社 | 四子王旗脑木更苏木 |
| 敖包呼都格 | 宝格达 | | 乌拉特中旗温更镇 | 乌拉特中旗海流图镇 |
| 敖包努如 | 敖包背 | | 石拐区五当召或固阳县金山镇 | 石拐区五当召镇 |
| 敖德公 | 阿尔滚 | 1966.1.29 | 四子王旗脑木更人民公社 | 四子王旗脑木更苏木 |
| 敖二圪旦 | 永复 | | 乌拉特前旗先锋乡 | 乌拉特前旗先锋镇 |
| 敖来吴素 | 白音不浪 | 1900 | 察哈尔襄蓝旗或镶红旗 | 察右中旗乌兰哈页苏木 |
| 敖勒斯恩诺尔 | 敖斯乃郭勒 | 1966.1.29 | 四子王旗卫井人民公社 | 四子王旗江岸苏木 |
| 敖尼因阿莫 | 祆闹口子(转音) | | 固阳县西斗铺、坝梁或红泥井乡 | 固阳县西斗铺镇 |
| 敖特尔(奥特尔) | 祆太(转音) | 清乾隆年间 | 土默特旗 | 土默特左旗毕克齐镇 |
| 敖特尔忽热 | 二塔圙圙(转音) | 1938 | 察哈尔正红旗 | 察右后旗锡勒乡 |
| 敖扎拉嘎 | 达尔巴盖 | 1966.1.29 | 四子王旗红格尔人民公社 | 四子王旗红格尔苏木 |
| 八百营子 | 朝阳 | | 乌拉特前旗朝阳乡 | 乌拉特前旗朝阳镇 |
| 八拜营子 | 八拜 | 民国时期 | 归绥县三区 | 呼和浩特市赛罕区 |
| 八豹梁 | 八报良 | | 兴和县石湾人民公社或台基庙乡 | 兴和县民族团结乡 |
| 八份子 | 东、西八份子 | 清末 | 土默特旗 | 土默特右旗海子乡 |
| 八犋牛窑 | 八犋牛 | | 凉城县六苏木、双古城或十九号乡 | 凉城县六苏木镇 |
| 八楞以力更 | 巴荣依很 | 1966.1.29 | 四子王旗第七区、吉生太或查干补力格人民公社 | 四子王旗吉生太镇 |

| | | | | |
|---|---|---|---|---|
| 八愣湾 | 八龙湾 | 清代 | 清水河县小庙子乡 | 清水河县 |
| 八愣湾(西湾子) | 芨芨玛 | | 清水河县小庙子乡 | 清水河县 |
| 八里庄 | 前八里 | | 呼和浩特市玉泉区小黑河镇 | 呼和浩特市玉泉区 |
| 八龙湾 | 小庙子 | 1964.10 | 清水河县八龙湾人民公社 | 清水河县 |
| 八龙湾 | 钢铁 | 1964 | 清水河县八龙湾人民公社 | 清水河县窑沟乡 |
| 八台沟 | 郝家 | 1890 | 察哈尔正红旗 | 察右前旗乌拉哈乡 |
| 八义堂 | 怡安 | 1958 | 化德县德包图、六支箭、六十顷或白音特拉乡 | 化德县德包图乡 |
| 巴达拉呼 | 巴独户 | 清乾隆年间 | 土默特旗 | 土默特左旗塔布赛乡 |
| 巴达日青 | 八大顷 | 1926 | 察哈尔正红旗 | 察右后旗白音察干镇 |
| 巴得西立教 | 巴登依西音台 | 1966.1.29 | 四子王旗查干敖包人民公社 | 四子王旗查干补力格或脑木更苏木 |
| 巴尔好来音查干诺尔 | 巴润好来查干诺尔 | 1966.1.29 | 四子王旗白音敖包、卫境或红格尔人民公社 | 四子王旗白音敖包苏木 |
| 巴格毛都 | 巴音努如 | | 乌拉特后旗乌力吉苏木 | 乌拉特后旗潮格温都尔镇 |
| 巴格塔拉 | 本滩(转音) | | 土默特旗白庙子乡 | 土默特左旗白庙子镇 |
| 巴格塔拉 | 本滩 | 清代 | 归化城 | 呼和浩特市赛罕区 |
| 巴格塔勒 | 后本滩 | | 呼和浩特市玉泉区小黑河镇 | 呼和浩特市玉泉区 |
| 巴格希板申 | 把什板申 | | 土默特旗 | 土默特左旗察素齐镇 |
| 巴拉旦沟 | 巴旦沟(巴尔旦沟) | | 和林格尔县黑老夭人民公社 | 和林格尔县 |
| 巴拉吉尼玛营子 | 阿日哈必日格 | 1949年前后 | 察右后旗乌兰哈达人民公社 | 察右后旗乌兰哈达苏木 |
| 巴拉加曼托 | 巴尔根满托 | 1966.1.29 | 四子王旗查干补力格人民公社 | 四子王旗查干补力格苏木 |
| 巴拉麻利 | 哈拉希热 | 1966.1.29 | 四子王旗吉庆人民公社或武东县第四区 | 四子王旗供济堂镇 |
| 巴楞少 | 达来 | 1966.1.29 | 四子王旗白音花人民公社 | 四子王旗红格尔苏木 |

| 巴力土阿曼乌苏 | 毕鲁图阿曼乌苏 | 1966.1.29 | 四子王旗查干敖包人民公社 | 四子王旗查干补力格或脑木更苏木 |
|---|---|---|---|---|
| 巴仁察素忽都格 | 巴仁察素忽洞（转音） | 1924 | 察哈尔正红旗 | 察右后旗锡勒乡 |
| 巴仁乌素 | 西乌素 | 1925 | 察哈尔正红旗 | 察右后旗红格尔图镇 |
| 巴如恩呼都格 | 哈勒塔尔 | 1966.1.29 | 四子王旗卫境人民公社 | 四子王旗江岸苏木 |
| 巴如恩张干 | 巴润江岸 | 1966.1.29 | 四子王旗卫境人民公社 | 四子王旗江岸苏木 |
| 巴润沙德格 | 莫日根 | | 乌拉特前旗沙德格苏木 | 乌拉特前旗沙德格苏木 |
| 巴偷各罗各 | 巴润布拉格 | 1966.1.29 | 四子王旗白音朝克图人民公社 | 四子王旗白音朝克图镇 |
| 巴西恩萨拉 | 巴图萨拉 | 1966.1.29 | 四子王旗卫境人民公社 | 四子王旗江岸苏木 |
| 巴牙斯呼郎 | 白只户（百石号） | | 土默特旗陶思浩乡 | 土默特左旗察素齐镇 |
| 巴雅尔 | 黄土沟 | 1954 | 化德县土城子、白土卜子或白音特拉乡 | 化德县朝阳镇 |
| 巴雅日郎图 | 白彦圪当 | | 石拐区五当召或固阳县金山镇 | 石拐区五当召镇 |
| 巴雅日郎图 | 巴都来 | | 石拐区五当召或固阳县金山镇 | 石拐区五当召镇 |
| 巴彦 | 坝堰 | 民国时期 | 归绥县二区 | 呼和浩特市赛罕区 |
| 巴音 | 坝彦（转音） | | 固阳县东公此老乡 | 固阳县怀朔镇 |
| 巴音艾拉 | 白彦沟 | 1934 | 察哈尔正红旗 | 察右后旗锡勒乡 |
| 巴音宝拉格 | 白音不浪 | 1920 | 察哈尔正红旗 | 察右后旗锡勒乡 |
| 巴音博格都 | 白云鄂博山 | | 达茂旗新宝力格苏木 | 达茂旗明安镇 |
| 巴音沟 | 敖旱阿若 | 1958 | 察右后旗乌兰哈达人民公社 | 察右后旗乌兰哈达苏木 |
| 巴音沟 | 大白彦沟 | 1938 | 察哈尔正红旗 | 察右后旗锡勒乡 |
| 巴音沟 | 小白彦沟 | 1940 | 察哈尔正红旗 | 察右后旗锡勒乡 |
| 巴音浩特 | 白音合套（转音） | | 固阳县新建乡 | 固阳县下湿壕镇 |
| 巴音花 | 查干淖尔 | 1984 | 达茂旗查干淖尔苏木 | 达茂旗巴音花镇 |

| 巴音塔拉 | 巴音滩 | 1910 | 察哈尔正红旗 | 察右前旗平地泉镇 |
|---|---|---|---|---|
| 扒子补隆 | 新安镇 | 1950 | 乌拉特东公旗 | 乌拉特前旗新安镇 |
| 把龙乌拉呼都格 | 巴润乌拉呼都格 | 1966.1.29 | 四子王旗白音花人民公社 | 四子王旗红格尔苏木 |
| 把什板申 | 把什 | | 土默特旗把什乡 | 土默特左旗察素齐镇 |
| 把扎日 | 把栅 | | 托克托县中滩乡 | 呼和浩特市赛罕区 |
| 坝跟低 | 大塔上 | 1966.2.2 | 土默特旗察素齐人民公社 | 土默特左旗察素齐镇 |
| 白二渡口 | 三湖 | | 乌拉特前旗蓿亥乡 | 乌拉特前旗乌拉山镇 |
| 白关镇沟 | 西湾子 | 1913 | 固阳县 | 固阳县银号镇 |
| 白光银房子 | 西红山子 | | 喀尔喀右翼旗 | 武川县二份子乡 |
| 白贵村 | 后威俊 | 1949 年后 | 固阳县兴顺西乡 | 固阳县兴顺西镇 |
| 白海子 | 前进 | "文化大革"命期间（以下简称：文革期间） | 集宁市白海子人民公社 | 集宁市白海子镇 |
| 白家 | 幸福 | 1966.2.3 | 兴和县大库联人民公社 | 兴和县大库联乡 |
| 白家村 | 勇进 | 1958 | 商都县大库伦、八股地或格化司台乡 | 商都县大库伦乡 |
| 白家村 | 二洼 | 1966.1.14 | 商都县十八顷人民公社 | 商都县十八倾镇 |
| 白家村 | 幸福 | 文革期间 | 兴和县大库联乡 | 兴和县大库联乡 |
| 白家四份 | 永红 | 1961 | 乌拉特前旗小佘太人民公社 | 乌拉特前旗小佘太镇 |
| 白拉牛 | 毕格尔图 | 1917 | 乌拉特东公旗 | 乌拉特前旗先锋镇 |
| 白林庙 | 百灵庙 | 1933 | 喀尔喀右翼旗 | 达茂旗百灵庙镇 |
| 白眉毛营子 | 察汉不浪 | 1949 | 察哈尔正红旗 | 察右后旗当郎忽洞苏木 |
| 白庙 | 后白庙 | | 呼和浩特市赛罕区金河镇 | 呼和浩特市赛罕区 |
| 白平 | 二洼 | 1961 | 商都县十八顷镇或范家村二人民公社 | 商都县十八倾镇 |

| | | | | |
|---|---|---|---|---|
| 白瓶营 | 白皮营<br>(转音) | | 土默特旗白庙子乡 | 土默特左旗白庙子镇 |
| 白旗滩 | 红旗滩 | 文革期间 | 四子王旗巨巾号人民公社 | 四子王旗乌兰花、吉生太镇或忽鸡图乡 |
| 白杞滩 | 白旗滩 | 1840 | 四子王旗 | 四子王旗乌兰花、吉生太镇或忽鸡图乡 |
| 白山羊圪旦 | 查干雅马乃浩特格日 | | 乌拉特后旗巴音宝力格苏木 | 乌拉特后旗巴音宝力格镇 |
| 白石头沟门 | 西沟门 | 清乾隆年间 | 土默特旗 | 土默特左旗察素齐镇 |
| 白石头湾 | 南壕、东壕 | | 固阳县西斗铺、坝梁或红泥井乡 | 固阳县西斗铺镇 |
| 白斯胡郎 | 白只户 | 清乾隆年间 | 土默特旗 | 土默特左旗北什轴乡 |
| 白四忽拉沟 | 全胜 | 1949 | 凉城县 | 凉城县曹碾满族自治乡 |
| 白头沟 | 白塔沟 | 1879 | 察哈尔正红旗 | 集宁区马莲区乡 |
| 白万泉 | 周家营 | | 土默特右旗发彦申乡 | 土默特右旗海子乡 |
| 白小村 | 新华村 | 文革期间 | 察右后旗土牧尔台镇 | 察右后旗土牧尔台镇 |
| 白兴 | 板申房<br>(转音) | | 固阳县白灵淖乡 | 固阳县怀朔镇 |
| 白兴图 | 板申图<br>(转音) | 1820 | 明安旗或东公旗 | 固阳县银号镇或怀朔镇 |
| 白兴图 | 板申图<br>(转音) | | 固阳县新建乡 | 固阳县下湿壕镇 |
| 白燕察靠敖包 | 巴音查干敖包 | 1966.1.29 | 四子王旗红格尔人民公社 | 四子王旗红格尔苏木 |
| 白叶西 | 苏吉 | 1966.1.29 | 四子王旗大黑河或太平庄人民公社 | 四子王旗大黑河乡 |
| 白音巴什尔 | 东把栅 | | 呼和浩特市赛罕区西把栅乡 | 呼和浩特市赛罕区 |
| 白音察汗 | 白音察干 | 1955.3.23 | 集一二铁路沿线火车站名 | 察右后旗白音察干镇 |
| 白音哈拉 | 依和诺而 | 1955.3.23 | 集一二铁路沿线火车站名 | 苏尼特右旗朱日和镇 |
| 白音特拉 | 二根成 | 1924 | 化德县 | 化德县长顺镇 |

| | | | | |
|---|---|---|---|---|
| 白音乌力吉 | 白音尔计<br>（转音） | | 化德县公腊胡洞、二道<br>河或德善乡 | 化德县公腊胡洞乡 |
| 白银不浪 | 东卜 | | 凉城县三苏木乡 | 凉城县岱海镇 |
| 白银房子 | 红山子 | | 武川县西红山子乡 | 武川县二份子乡 |
| 白银堂 | 巴音沟 | | 察右后旗韩勿拉人民公<br>社 | 察右后旗当郎忽洞或<br>乌兰哈达苏木 |
| 白玉山 | 南窑 | | 凉城县三庆、多纳苏或<br>永兴乡 | 凉城县永兴镇 |
| 白正发 | 联卜子 | 1966.1.14 | 商都县大南坊人民公社 | 商都县屯垦队镇 |
| 拜兴图 | 都格尔音高<br>勒 | | 乌拉特中旗巴音哈太苏<br>木 | 乌拉特中旗新忽热苏<br>木 |
| 拜兴图 | 呼勒斯太 | | 乌拉特中旗杭盖戈壁苏<br>木 | 乌拉特中旗呼勒斯太<br>苏木 |
| 班定营 | 永胜村 | | 呼和浩特市赛罕区八拜<br>公社 | 呼和浩特市赛罕区 |
| 班定营 | 北班定营 | | 呼和浩特市郊区 | 呼和浩特市赛罕区 |
| 班家卜子 | 义和 | 1951 | 四子王旗或武东县 | 四子王旗供济堂镇 |
| 班山村 | 五道坝 | 1966.1.15 | 察右中旗塔布忽洞人民<br>公社 | 察右中旗 |
| 板定板申 | 板定板 | 清康熙初年 | 土默特旗沙尔沁乡 | 土默特左旗沙尔沁镇 |
| 板沟子 | 大沟子 | 1954 | 化德县公腊胡洞、二道<br>河或德善乡 | 化德县公腊胡洞乡 |
| 板山 | 宝山 | 1929 | 察哈尔正红旗 | 察右后旗土牧尔台镇 |
| 板申 | 东坊子 | 1912 | 商都县 | 商都县七台镇 |
| 板申 | 巴格希板申 | | 土默特旗 | 土默特左旗察素齐镇 |
| 板申图 | 巴彦郭勒 | 1955.3.23 | 集—二铁路沿线火车站<br>名 | 苏尼特右旗朱日和镇 |
| 半道 | 潮岱 | | 呼和浩特市赛罕区榆林<br>公社 | 呼和浩特市赛罕区 |
| 半道村 | 河南村 | 1949年后 | 呼和浩特市郊区榆林人<br>民公社 | 呼和浩特市 |
| 半沟子 | 永泉 | 1770 | 察哈尔镶蓝旗或镶红旗 | 察右中旗宏盘乡 |

| | | | | |
|---|---|---|---|---|
| 半圐圙 | 前永胜 | 1937 | 陶林县 | 察右中旗米粮局乡 |
| 半滩 | 小袄兑 | | 土默特右旗吴坝乡 | 土默特右旗萨拉齐镇 |
| 棒槌梁 | 富贵 | 1958 | 四子王旗库伦图人民公社 | 四子王旗库伦图镇 |
| 包老苏 | 布胡苏亥 | 1966.1.29 | 四子王旗卫境人民公社 | 四子王旗江岸苏木 |
| 包勒图 | 波罗图（转音） | | 达茂旗小文公乡 | 达茂旗石宝镇 |
| 包木 | 奔巴 | 1966.1.29 | 四子王旗卫境人民公社 | 四子王旗江岸苏木 |
| 包热哈沙 | 巴润硕 | 1966.1.29 | 四子王旗白音敖包、卫境或红格尔人民公社 | 四子王旗白音敖包苏木 |
| 包日呼 | 保尔号 | 1878 | 达茂旗腮忽洞乡 | 达茂旗乌克忽洞镇 |
| 包日呼舒 | 卜合少（转音） | | 固阳县东胜永或九份子乡 | 固阳县金山镇 |
| 包日勒代 | 补卜代 | | 固阳县白灵淖乡 | 固阳县怀朔镇 |
| 包日陶亥 | 南、北卜塔亥（转音） | | 固阳县卜塔亥乡 | 固阳县银号镇或怀朔镇 |
| 包腾高勒 | 保同河 | | 土默特旗善岱人民公社 | 土默特左旗善岱镇 |
| 宝岱图 | 甲尔旦 | 1971 | 土默特左旗沙尔营乡 | 土默特左旗白庙子镇 |
| 宝和 | 鄂卜坪 | 1962 | 兴和县鄂卜坪人民公社 | 兴和县鄂尔栋镇 |
| 宝力格图 | 保力图（转音） | | 固阳县下湿壕或新建乡 | 固阳县下湿壕镇 |
| 宝什户 | 百什户 | | 呼和浩特市玉泉区桃花乡 | 呼和浩特市玉泉区 |
| 宝石山 | 东、西宝石山 | 1953 | 察哈尔正红旗 | 察右后旗土牧尔台镇 |
| 宝铜河 | 保同河（宝通河） | | 土默特旗善岱人民公社 | 土默特左旗善岱镇 |
| 宝意音 | 白乃庙 | | 四子王旗白音朝克图人民公社 | 四子王旗白音朝克图镇 |
| 宝音图艾拉 | 白音堂 | 1920 | 察哈尔正红旗 | 察右后旗乌兰哈达苏木 |
| 保安 | 山林 | 1958 | 卓资县保安乡 | 卓资县梨花镇 |

| 保尔朝鲁 | 保尔此老<br>（转音） | 清代 | 和林格尔县公喇嘛乡 | 和林格尔县 |
|---|---|---|---|---|
| 保日嘎斯 | 卜圪素<br>（转音） | | 武川县大豆铺乡 | 武川县哈乐镇 |
| 保素圜圖 | 保素 | 民国时期 | 归绥县二区 | 呼和浩特市赛罕区 |
| 堡子 | 忽力进图 | | 卓资县十八台人民公社 | 卓资县十八台镇 |
| 堡子地 | 杨家堡子 | | 土默特旗毕克齐镇 | 土默特左旗毕克齐镇 |
| 北巴彦壕 | 新海 | 1966 | 乌拉特前旗树林子人民公社 | 乌拉特前旗新安镇 |
| 北长胜 | 长胜 | 1958 | 乌拉特前旗长胜乡 | 乌拉特前旗新安镇 |
| 北车家营 | 茇茇滩 | 1966.1.14 | 商都县大黑沙土人民公社 | 商都县大黑沙土镇 |
| 北东沟子 | 东沟子 | 1966.1.29 | 四子王旗白音花人民公社 | 四子王旗红格尔苏木 |
| 北道郎百兴 | 北倒拉板 | | 和林格尔县西沟门乡 | 和林格尔县 |
| 北沟 | 坝底 | 1968 | 固阳县大庙人民公社 | 固阳县银号镇 |
| 北沟 | 小庙子 | | 清水河县小庙子乡 | 清水河县 |
| 北沟 | 瓦盆窑 | | 兴和县壕欠乡 | 兴和县壕堑镇 |
| 北沟林 | 小庙子 | | 清水河县 | 清水河县城关镇 |
| 北壕 | 北号 | | 四子王旗忽鸡图乡 | 四子王旗忽鸡图乡 |
| 北呼热布郎 | 奋斗 | | 乌拉特中旗乌加河区 | 乌拉特中旗乌加河镇 |
| 北家地 | 新地房子 | 1930 | 陶林县 | 察右中旗铁沙盖镇 |
| 北圜圖 | 北呼热 | 1966.1.29 | 四子王旗西河子人民公社或武东县二区、五区 | 四子王旗东八号乡 |
| 北圜圖 | 北库伦 | | 四子王旗东八号乡 | 四子王旗东八号乡 |
| 北其格图 | 北鸡图<br>（转音） | | 达茂旗坤兑滩乡 | 达茂旗石宝镇 |
| 北其格图 | 北只图 | 清初 | 土默特旗 | 土默特右旗萨拉齐镇 |
| 北水泉 | 北增胜 | | 凉城县北水泉人民公社 | 凉城县厂汉营乡 |

| | | | | |
|---|---|---|---|---|
| 北增胜 | 北水泉 | 清初 | 察哈尔正红旗或镶红旗 | 凉城县厂汉营乡 |
| 北增胜 | 北水泉 | | 凉城县曹碾、厂汉营或十九号人民公社 | 凉城县曹碾满族自治乡 |
| 贝勒努尔 | 白灵淖（转音） | 清朝中期 | 明安旗或东公旗 | 固阳县怀朔镇 |
| 奔包特音郭勒 | 木包廷郭勒 | 1966.1.29 | 四子王旗脑木更人民公社 | 四子王旗脑木更苏木 |
| 贲红 | 东方红 | 1966.2.1 | 察右后旗贲红人民公社 | 察右后旗贲红镇 |
| 贲红察汗 | 三胜 | 1956 | 化德县德包图、六支箭、六十顷或白音特拉乡 | 化德县德包图乡 |
| 本坝 | 西茅庵 | | 四子王旗大井坡人民公社 | 四子王旗吉生太镇 |
| 本不太 | 大口子 | 1953 | 四子王旗西河子人民公社或武东县二区、五区 | 四子王旗东八号乡 |
| 崩崩营 | 后海子 | 1968 | 商都县十八顷镇或范家村二人民公社 | 商都县十八倾镇 |
| 笔写契 | 毕克齐 | | 土默特旗 | 土默特左旗毕克齐镇 |
| 毕克气 | 福兴庄 | 1951 | 四子王旗太平庄乡 | 四子王旗东八号乡 |
| 毕力图 | 东井子 | 1921 | 商都县 | 商都县西井子镇 |
| 毕七沁 | 毕克齐 | 清康熙时期 | 土默特旗 | 土默特左旗察素齐镇 |
| 边墙 | 四号卜 | | 察右前旗赛汉塔拉乡 | 察右前旗黄旗海镇 |
| 边墙毫 | 边墙号（转音） | | 凉城县厂汉营或北水泉人民公社 | 凉城县厂汉营乡 |
| 斌达营 | 兵大营 | 清嘉庆年间 | 和林格尔县城关镇 | 和林格尔县 |
| 兵大营 | 新营子 | 1950年后 | 和林格尔县城关镇 | 和林格尔县 |
| 波勒圪沁 | 可沁 | | 土默特旗铁帽乡 | 土默特左旗塔布赛乡 |
| 波勒圪台 | 波林岱 | 清初 | 土默特旗北什轴乡 | 土默特左旗北什轴乡 |
| 玻璃 | 宝泉庄 | 1949年后 | 达茂旗乌克忽洞乡 | 达茂旗乌克忽洞镇 |
| 勃勒格音达赖 | 北林达赖（转音） | | 固阳县东胜永乡 | 固阳县金山镇 |
| 勃力其尔 | 哈拉图 | | 乌拉特后旗巴音前达门人民公社 | 乌拉特后旗巴音前达门苏木 |

| | | | | |
|---|---|---|---|---|
| 亳及敖包 | 呼钦敖包（转音） | 1966.1.29 | 四子王旗白音花人民公社 | 四子王旗红格尔苏木 |
| 博格吉 | 阿拉腾呼舒 | | 乌拉特中旗温更镇 | 乌拉特中旗海流图镇 |
| 卜子 | 南卜子 | | 达茂旗乌兰忽洞乡 | 达茂旗乌克忽洞镇 |
| 卜子 | 不浪梁 | | 武川县壕赖山乡 | 武川县哈乐镇 |
| 不得儿哥搞北 | 布达尔干戈壁（转音） | 1966.1.29 | 四子王旗白音花人民公社 | 四子王旗红格尔苏木 |
| 布古得勒 | 卜界 | | 固阳县公益民乡 | 固阳县金山镇 |
| 布还沟 | 补还沟（转音） | | 呼和浩特市赛罕区小井公社 | 呼和浩特市赛罕区 |
| 布拉格 | 布浪（转音） | | 达茂旗西营盘乡 | 达茂旗石宝镇 |
| 布拉格 | 补拉河（转音） | | 固阳县东胜永乡 | 固阳县金山镇 |
| 布拉格 | 帮郎（转音） | | 固阳县下湿壕或新建乡 | 固阳县下湿壕镇 |
| 布拉格阿门 | 呼和温都尔 | | 乌拉特后旗那仁宝力格苏木 | 乌拉特后旗呼和温都尔镇 |
| 布拉格敖包 | 布拉格 | 1966.1.29 | 四子王旗白音敖包、卫境或红格尔人民公社 | 四子王旗白音敖包苏木 |
| 布拉格圪旦 | 西局子 | 1949年前 | 乌拉特前旗金星乡 | 乌拉特前旗西小召镇 |
| 布拉格善达 | 布拉根肖德 | 1966.1.29 | 四子王旗脑木更人民公社 | 四子王旗脑木更苏木 |
| 布勒恩高勒 | 不连河（转音） | | 固阳县东公此老乡 | 固阳县怀朔镇 |
| 布勒台 | 补力图（转音） | | 察右后旗当郎忽洞人民公社 | 察右后旗当郎忽洞苏木 |
| 布勒图 | 保力图（转音） | | 固阳县大庙乡 | 固阳县银号镇 |
| 布楞河 | 锡拉木伦河 | 1966.1.29 | 四子王旗红格尔人民公社 | 四子王旗红格尔苏木 |
| 布鲁太音素木 | 布鲁台音庙 | 1966.1.29 | 四子王旗查干敖包人民公社 | 四子王旗查干补力格或脑木更苏木 |
| 布脑得尔斯 | 布楞德日斯 | 1966.1.29 | 四子王旗红格尔人民公社 | 四子王旗红格尔苏木 |
| 布日嘎斯太 | 哈日楚鲁 | | 乌拉特中旗温更镇 | 乌拉特中旗海流图镇 |

| 布日罕 | 保汉沟 | | 和林格尔县城关镇 | 和林格尔县 |
|---|---|---|---|---|
| 布日和 | 边立盖<br>（转音） | | 固阳县新建乡 | 固阳县下湿壕镇 |
| 布特 | 保同壕<br>（转音） | | 固阳县公益民乡 | 固阳县金山镇 |
| 布音 | 出彦 | 1982. | 土默特旗北什轴乡 | 土默特左旗北什轴乡 |
| 才卜子 | 新义 | 1966.1.15 | 察右中旗布连河人民公社 | 察右中旗铁沙盖镇 |
| 参合口 | 石匣沟 | | 凉城县崞县窑乡 | 凉城县蛮汉镇 |
| 仓特 | 桑德仓特 | 1966.1.29 | 四子王旗白音敖包、卫境或红格尔人民公社 | 四子王旗白音敖包苏木 |
| 曹家村 | 小九号 | | 察右后旗霞江河人民公社 | 察右后旗贲红镇和石窑沟乡 |
| 曹家村 | 二山村 | | 察右后旗霞江河人民公社 | 察右后旗贲红镇和石窑沟乡 |
| 曹家沟村 | 八一 | 1976 | 商都县范家村人民公社 | 商都县十八顷镇 |
| 曹家伙房 | 开地房子 | 1954 | 化德县土城子、白土卜子或白音特拉乡 | 化德县朝阳镇 |
| 曹庙落 | 李先生沟 | | 化德县土城子、白土卜子或白音特拉乡 | 化德县朝阳镇 |
| 曹所营子 | 红光 | 1967 | 化德县德善、白土卜子白音特拉、德包图乡或朝阳、城关镇 | 化德县长顺镇 |
| 曹窑子 | 店梁 | 1978 | 凉城县六苏木、双古城或十九号乡 | 凉城县六苏木镇 |
| 曹银户 | 新民村 | 1966.1.14 | 商都县大南坊人民公社 | 商都县屯垦队镇 |
| 槽碾房 | 槽碾 | | 凉城县曹碾人民公社 | 凉城县曹碾满族自治乡 |
| 草六不而 | 朝勒卜而 | 1955.3.23 | 集一二铁路沿线火车站名 | 苏尼特右旗朱日和镇 |
| 草尼湾 | 曹年洼 | 1966.1.29 | 四子王旗忽鸡图人民公社 | 四子王旗忽鸡图乡 |
| 岑胡一间房 | 后一间房 | | 土默特旗沙尔营乡 | 土默特左旗白庙子镇 |
| 查布齐来 | 卡布其尔 | 1966.1.29 | 四子王旗卫井人民公社 | 四子王旗江岸苏木 |

| 查查日 | 前、后岔沁<br>(转音) | | 固阳县东胜永乡 | 固阳县金山镇 |
|---|---|---|---|---|
| 查查日 | 色气(转音) | | 固阳县兴顺西乡 | 固阳县兴顺西镇 |
| 查察诺尔 | 阿日格音查汗诺 | 1966.1.29 | 四子王旗卫境人民公社 | 四子王旗江岸苏木 |
| 查干敖包 | 都荣敖包 | 1962 | 达茂旗查干敖包苏木 | 达茂旗巴音敖包苏木 |
| 查干拜兴 | 固日班赛罕 | | 乌拉特中旗温更镇 | 乌拉特中旗海流图镇 |
| 查干本巴 | 厂汉本坝<br>(转音) | | 固阳县东公此老乡 | 固阳县怀朔镇 |
| 查干朝鲁 | 大厂汉此老 | | 四子王旗库伦图乡 | 四子王旗库伦图镇 |
| 查干除鲁 | 查干楚鲁特 | 1966.1.29 | 四子王旗卫境人民公社 | 四子王旗江岸苏木 |
| 查干楚鲁 | 厂汉此老<br>(转音) | | 固阳县白灵淖乡 | 固阳县怀朔镇 |
| 查干楚鲁 | 厂汉此老<br>(转音) | | 固阳县东胜永或九份子乡 | 固阳县金山镇 |
| 查干楚鲁塔音阿马 | 哈宁郭勒 | 1966.1.29 | 四子王旗卫境人民公社 | 四子王旗江岸苏木 |
| 查干楚鲁图 | 满都拉 | | 乌拉特后旗巴音温都尔苏木 | 乌拉特后旗获各琦苏木 |
| 查干德日苏 | 查干敖包 | | 乌拉特后旗乌力吉苏木 | 乌拉特后旗潮格温都尔镇 |
| 查干都贵 | 达嘎图 | | 乌拉特中旗杭盖戈壁苏木 | 乌拉特中旗呼勒斯太苏木 |
| 查干额日格 | 厂汗以更<br>(转音) | | 达茂旗坤兑滩乡 | 达茂旗石宝镇 |
| 查干额日格 | 厂汉以力更<br>(转音) | 清光绪年间 | 明安旗或东公旗 | 固阳县兴顺西镇 |
| 查干鄂日格 | 厂汉以力更<br>(转音) | | 固阳县东胜永乡 | 固阳县金山镇 |
| 查干果勒 | 查干花 | 1966.1.29 | 四子王旗白音朝克图人民公社 | 四子王旗白音朝克图镇 |
| 查干哈沙 | 查干呼舒 | 1966.1.29 | 四子王旗卫境人民公社 | 四子王旗江岸苏木 |
| 查干呼少 | 女儿山 | 1949年前 | 达茂旗百灵庙 | 达茂旗百灵庙镇 |
| 查干呼舒 | 宝日布 | | 乌拉特后旗潮格温都尔苏木 | 乌拉特后旗潮格温都尔镇 |

| | | | | |
|---|---|---|---|---|
| 查干呼特勒 | 索伦格图 | | 乌拉特中旗新忽热苏木 | 乌拉特中旗新忽热苏木 |
| 查干鸡盖 | 沙吉盖 | 1966.1.13 | 土默特右旗耳沁尧人民公社 | 九峰山生态保护管理委员会 |
| 查干混地 | 厂汉孔对（转音） | | 固阳县东公此老乡 | 固阳县怀朔镇 |
| 查干脑包 | 厂汉脑包 | 清乾隆时期 | 土默特旗或喀尔喀右翼旗 | 武川县哈乐镇 |
| 查干其 | 七杆旗 | 清末 | 和林格尔县公喇嘛乡 | 和林格尔县 |
| 查干秃力亥 | 秃力亥 | 1958 | 土默特旗察素齐镇 | 土默特左旗察素齐镇 |
| 查干图 | 厂圪洞（转音） | | 和林格尔县舍必崖乡 | 和林格尔县 |
| 查干温都日 | 厂汉门洞（转音） | | 固阳县忽鸡沟乡 | 固阳县金山镇 |
| 查干英图 | 白银洞（转音） | | 固阳县下湿壕或新建乡 | 固阳县下湿壕镇 |
| 查干营子 | 圪妥村 | 清初 | 土默特旗或喀尔喀右翼旗 | 武川县西乌兰不浪镇 |
| 查哈勒 | 合理 | 清乾隆年间 | 土默特旗 | 土默特左旗北什轴乡 |
| 查黑勒达格 | 希日淖尔 | 1982 | 乌拉特后旗潮格温都尔苏木 | 乌拉特后旗潮格温都尔镇 |
| 查斯太 | 努呼日勒勒 | | 乌拉特中旗乌兰苏木 | 乌拉特中旗巴音乌兰苏木 |
| 茶坊小营子 | 保全庄 | 1923 | 归绥县二区 | 呼和浩特市赛罕区 |
| 察卜诺 | 察卜诺尔 | 1966.2.3 | 兴和县段家村人民公社 | 兴和县赛乌素镇 |
| 察干乌不计 | 大木匠房子 | 1937 | 察哈尔正红旗 | 察右后旗当郎忽洞苏木 |
| 察哈尔营(厂汉营) | 崞阳庄 | 清乾隆年间 | 察哈尔正红旗或镶红旗 | 凉城县曹碾满族自治乡 |
| 察汉此老 | 冰不浪 | | 四子王旗乌兰花镇公社 | 四子王旗乌兰花镇 |
| 察汉伊勒更 | 康堡 | | 清水河县五良什太乡 | 清水河县 |
| 察汗包拉格 | 白眉毛营子 | 民国初期 | 察哈尔正红旗 | 察右后旗当郎忽洞苏木 |
| 察汗奔红 | 乌兰图拉盖 | 1955.3.23 | 集—二铁路沿线火车站名 | 苏尼特右旗赛汗塔拉镇 |

| | | | | |
|---|---|---|---|---|
| 察汗贡红 | 三胜 | 1956 | 化德县德善、白土卜子、白音特拉、德包图乡或朝阳、城关镇 | 化德县长顺镇 |
| 察汗蘑菇圐圙 | 北生更营 | 1932 | 察哈尔正红旗 | 察右后旗乌兰哈达苏木 |
| 察汗蘑菇圐圙 | 察汗圐圙 | 1932 | 察哈尔正红旗 | 察右后旗哈彦忽洞苏木 |
| 察森忽呼格 | 东察素忽洞 | | 察右后旗锡勒、胜利乡或韩勿拉苏木 | 察右后旗锡勒乡 |
| 察僧沟 | 后栽生沟 | 清光绪年间 | 和林格尔县董家营乡 | 和林格尔县 |
| 差事坊子 | 北渠子 | 1966.1.14 | 商都县大拉子人民公社 | 商都县西井子镇 |
| 差四坊 | 北渠子 | 1968 | 商都县大拉子人民公社 | 商都县西井子镇 |
| 柴四楞围子 | 德善 | 1951 | 化德县 | 化德县长顺镇 |
| 长城岭 | 马头山 | | 凉城县 | 凉城县 |
| 长乐沟 | 毛换村 | | 化德县德包图、六支箭、六十顷或白音特拉乡 | 化德县德包图乡 |
| 长泉庄 | 大保岱沟 | | 凉城县麦胡图人民公社 | 凉城县麦胡图镇 |
| 长顺堂 | 崞都峇沟 | 1966.1.14 | 商都县大南坊人民公社 | 商都县屯垦队镇 |
| 长牙圪旦 | 民生 | | 乌拉特前旗蓿亥乡 | 乌拉特前旗乌拉山镇 |
| 常二珍营子 | 小白头 | 1949 | 化德县 | 化德县七号镇 |
| 常胜城 | 新胜 | | 乌拉特前旗先锋乡 | 乌拉特前旗先锋镇 |
| 常喜 | 西常喜梁 | | 凉城县天成、十三号、后营或十九号乡 | 凉城县天成乡 |
| 常印庄 | 新营子 | 1937 | 丰镇县 | 丰镇市巨宝庄镇 |
| 常元店 | 上店 | 清光绪年间 | 土默特旗 | 土默特左旗毕克齐镇 |
| 厂汉 | 查干陶勒盖 | | 达茂旗西营盘乡 | 达茂旗石宝镇 |
| 厂汉此老 | 查干楚鲁图 | 1966.1.29 | 四子王旗库伦图人民公社 | 四子王旗库伦图镇 |
| 厂汉圐圙 | 大厂圐圙 | 清代 | 归化城 | 呼和浩特市赛罕区 |

| | | | | |
|---|---|---|---|---|
| 厂汉秦老 | 西查干楚鲁 | 1966.1.29 | 四子王旗供济堂人民公社 | 四子王旗供济堂镇 |
| 厂汉套海 | 八里湾 | | 土默特右旗程奎海子乡 | 土默特右旗将军尧镇 |
| 厂汉什纳 | 厂汉什 | | 凉城县东十号、厢黄地、城关镇或三苏木乡 | 凉城县岱海镇 |
| 厂汉营 | 嶂阳庄 | 清乾隆年间 | 察哈尔正红旗或镶红旗 | 凉城县厂汉营乡 |
| 厂汉营 | 魁定 | 1947 | 凉城县 | 凉城县厂汉营乡 |
| 厂汉营 | 东梁 | | 凉城县六苏木、双古城或十九号乡 | 凉城县六苏木镇 |
| 场圪旦 | 胜和 | | 乌拉特中旗乌加河区 | 乌拉特中旗乌加河镇 |
| 场盘 | 羊场盘 | 1682 年前后 | 榆林县 | 兴和县大库联乡 |
| 超鲁 | 此老(转音) | 1958 | 土默特旗此老乡 | 土默特左旗察素齐镇 |
| 超英 | 大佘太 | 1966 | 乌拉特前旗超英人民公社 | 乌拉特前旗大佘太镇 |
| 朝岱村 | 半道村 | 1949 年后 | 呼和浩特市郊区榆林人民公社 | 呼和浩特市 |
| 朝尔吉 | 巧尔什 | | 和林格尔县巧尔什营乡 | 呼和浩特市 |
| 朝号沟 | 桃花沟 | 1964 | 凉城县东十号、厢黄地、城关镇或三苏木人民公社 | 凉城县岱海镇 |
| 朝号台吉 | 朝号 | | 土默特左旗哈素乡 | 土默特左旗察素齐或善岱镇 |
| 朝克图 | 朝头房 | 清乾隆年间 | 土默特旗 | 土默特左旗察素齐镇 |
| 朝库尔台基 | 桥靠 | | 呼和浩特市赛罕区巧报镇 | 呼和浩特市 |
| 朝勒亥 | 泉子上 | 民国时期 | 归绥县三区 | 呼和浩特市赛罕区 |
| 朝勒灾 | 泉子什(泉子上) | 民国时期 | 呼和浩特市赛罕区金河镇 | 呼和浩特市 |
| 朝了德力格 | 朝格德勒格尔 | 1966.1.29 | 四子王旗查干补力格人民公社 | 四子王旗查干补力格苏木 |
| 朝鲁温格其 | 大、小东营 | 1840 | 四子王旗 | 四子王旗乌兰花、吉生太镇或忽鸡图乡 |
| 朝闹干 | 朝阳 | 1933—1935 | 化德县 | 化德县朝阳镇 |

| | | | | |
|---|---|---|---|---|
| 朝习尼板申 | 巧什营 | 清乾隆年间 | 土默特旗 | 土默特左旗北什轴乡 |
| 朝阳农场 | 白音特拉农场 | 1965 | 化德县德善、白土卜子、白音特拉、德包图人民公社或朝阳、城关镇 | 化德县长顺镇 |
| 车代营子 | 头道沟 | 1930 | 化德县 | 化德县公腊胡洞乡 |
| 车家营子 | 枳机滩 | 1968 | 商都县大黑沙土或四台坊子人民公社 | 商都县大黑沙土镇 |
| 车铺 | 大豆铺 | 1982 | 武川县车铺人民公社 | 武川县哈乐镇 |
| 车轴营 | 车走营 | | 土默特左旗沙尔营乡 | 土默特左旗白庙子镇 |
| 陈才卜子 | 新义 | 1966 | 察右中旗布连河人民公社 | 察右中旗铁沙盖镇 |
| 陈大堡 | 大东坡 | 1960 | 察右后旗 | 察右后旗贲红镇 |
| 陈二罗房子 | 陈二罗围子 | 1935 | 化德县 | 化德县长顺镇 |
| 陈二罗围子 | 民安 | 1954 | 化德县德善、白土卜子、白音特拉、德包图乡或朝阳、城关镇 | 化德县长顺镇 |
| 陈柜圪梁 | 联荣 | | 乌拉特中旗石兰计乡 | 乌拉特中旗乌加河镇 |
| 陈和鱼 | 先锋 | 1952 | 乌拉特前旗 | 乌拉特前旗先锋镇 |
| 陈家村 | 大东坡 | 1960 | 察右后旗贲红人民公社 | 察右后旗贲红镇 |
| 陈家村 | 超格敖包 | 1966.1.14 | 商都县玻璃忽镜人民公社 | 商都县玻璃忽镜乡 |
| 陈家村 | 水库弯 | 1966.1.14 | 商都县高勿素人民公社 | 商都县小海子镇 |
| 陈家村 | 元宝山 | 1966.1.14 | 商都县格化司台人民公社 | 商都县大库伦乡或西井子镇 |
| 陈家梁 | 超盖敖包 | 1964 | 商都县玻璃忽镜或三面井乡 | 商都县玻璃忽镜乡 |
| 陈家营 | 东什轴 | 1984 | 土默特旗北什轴乡 | 土默特左旗北什轴乡 |
| 陈毛安 | 中毛安 | 1949年后 | 四子王旗大井坡人民公社 | 四子王旗吉生太镇 |
| 陈邢堂 | 陈兴堂 | | 凉城县麦胡图人民公社 | 凉城县麦胡图镇 |
| 晨光 | 红旗 | 文革期间 | 呼和浩特市赛罕区榆林镇 | 呼和浩特市 |

| | | | | |
|---|---|---|---|---|
| 城大路 | 新营子 | 清乾隆年间 | 土默特旗 | 土默特左旗察素齐镇 |
| 城关镇 | 岱海镇 | 2005 | 凉城县东十号、厢黄地、城关镇或三苏木乡 | 凉城县岱海镇 |
| 城墙 | 西梁 | | 呼和浩特市赛罕区黄合少镇 | 呼和浩特市 |
| 城湾村 | 上城湾 | 1882 | 喀尔喀右翼旗 | 达茂旗乌克忽洞镇 |
| 程二旺 | 二旺尧 | | 土默特右旗将军尧乡 | 土默特右旗将军尧镇 |
| 澄口 | 磴口 | 清同治年间 | 土默特旗 | 土默特右旗双龙镇 |
| 池丑罗圪旦 | 兴丰行 | | 乌拉特中旗乌梁素太乡 | 乌拉特中旗德令山镇 |
| 池家村 | 头号地 | | 察右后旗贲红人民公社 | 察右后旗贲红镇 |
| 池宽营子 | 丰南 | 1954 | 化德县德包图、六支箭、六十顷或白音特拉乡 | 化德县德包图乡 |
| 赤劳文其 | 上营子 | | 丰镇市黑土台或新五号乡 | 丰镇市黑土台镇 |
| 臭水沟 | 向阳沟 | 1968 | 和林格尔县大红城人民公社 | 和林格尔县 |
| 出彦 | 布音 | 1966.1.13 | 土默特旗北什轴人民公社 | 土默特左旗北什轴乡 |
| 出印巴什 | 出彦 | 1964 | 土默特左旗北什轴人民公社 | 土默特左旗北什轴乡 |
| 出院 | 布音 | 1964 | 土默特旗北什轴人民公社 | 土默特左旗北什轴乡 |
| 楚鲁 | 此老窝（转音） | | 固阳县银号、大庙或卜塔亥乡 | 固阳县银号镇 |
| 楚鲁齐 | 此老 | 清康熙年间 | 土默特旗 | 土默特左旗沙尔沁镇 |
| 楚鲁图 | 此老图（转音） | | 固阳县新建乡 | 固阳县下湿壕镇 |
| 楚鲁温格齐 | 望爱 | 1907 | 察哈尔正红旗 | 察右前旗玫瑰营镇 |
| 春益永 | 大房子 | 1949 | 察哈尔正红旗 | 察右后旗锡勒乡 |
| 茨茹沟 | 刺尾沟（转音） | | 托克托县乃只盖乡 | 托克托县 |
| 此老 | 哈日楚鲁 | 1962 | 乌拉特中旗双盛美人民公社 | 乌拉特中旗石哈河镇 |

| 此老图 | 楚鲁图 | 1984 | 乌拉特中旗此老图人民公社 | 乌拉特中旗石哈河镇 |
|---|---|---|---|---|
| 崔家 | 平地泉 | 1957 | 察右后旗三井泉乡 | 察右后旗土牧尔台镇 |
| 崔老三营子 | 录义 | 1946 | 化德县 | 化德县长顺镇 |
| 崔老三营子 | 欣荣 | 1949 | 化德县 | 化德县朝阳镇 |
| 崔三托 | 新井 | 1966.1.15 | 武川县二分子人民公社 | 武川县二份子乡 |
| 崔永官三号 | 西三号 | | 兴和县民族团结乡 | 兴和县民族团结乡 |
| 崔鱼沟 | 喇嘛勿拉 | 1949 | 商都县玻璃忽镜 | 商都县玻璃忽镜乡 |
| 翠花 | 解放 | 1966.1.15 | 察右中旗科布尔镇或元山子、得胜人民公社 | 察右中旗科布尔镇 |
| 达巴拉干 | 达布拉西沟（转音） | | 固阳县东胜永或九份子乡 | 固阳县金山镇 |
| 达布哈尔 | 打花（转音） | | 四子王旗活福滩人民公社 | 四子王旗忽鸡图乡 |
| 达布胡日 | 打花（转音） | | 固阳县大庙乡 | 固阳县银号镇 |
| 达察 | 达其 | 1966.1.29 | 四子王旗脑木更人民公社 | 四子王旗脑木更苏木 |
| 达尔汗板申 | 洪津桥 | 清乾隆年间 | 土默特旗 | 土默特左旗白庙子镇 |
| 达尔架 | 达尔架营 | 清乾隆年间 | 土默特旗 | 土默特左旗台阁牧镇 |
| 达忽热忽都格 | 达哈尔忽洞（转音） | | 察右后旗乌兰哈达人民公社 | 察右后旗乌兰哈达苏木 |
| 达来 | 达来井 | | 四子王旗大井坡人民公社 | 四子王旗吉生太镇 |
| 达赖 | 大岱 | 清康熙年间 | 土默特左旗大岱乡 | 土默特左旗善岱镇 |
| 达赖丹巴 | 丹巴 | | 土默特左旗沙尔营乡 | 土默特左旗白庙子镇 |
| 达赖丹坝 | 丹巴 | 1966.1.13 | 土默特旗沙尔沁人民公社 | 土默特左旗沙尔沁镇 |
| 达赖丹坝 | 丹巴 | 1966.2.2 | 土默特旗察素齐人民公社 | 土默特左旗察素齐镇 |
| 达赖沟 | 向阳沟 | | 呼和浩特市赛汗区小井公社 | 呼和浩特市 |

| | | | | |
|---|---|---|---|---|
| 达赖音乌苏 | 勃楞达来 | 1966.1.29 | 四子王旗脑木更人民公社 | 四子王旗脑木更苏木 |
| 达勒达布拉格 | 乌珠日 | | 乌拉特中旗呼勒斯太苏木 | 乌拉特中旗呼勒斯太苏木 |
| 达力豹 | 大里堡(转音) | | 土默特旗兵州亥乡 | 土默特左旗毕克齐镇 |
| 达林太 | 丹岱(转音) | | 和林格尔县公喇嘛乡 | 和林格尔县 |
| 达日布盖 | 南刀不盖 | | 达茂旗腮忽洞乡 | 达茂旗乌克忽洞镇 |
| 达营子 | 团结 | 1955 | 土默特右旗党三尧乡 | 土默特右旗将军尧镇 |
| 达子沟 | 解放村 | 1951 | 清水河县王桂窑乡 | 清水河县 |
| 鞑营子 | 大营子 | 1982 | 石拐区国庆乡或包头市郊区 | 石拐区五当召镇 |
| 打忽拉 | 达布呼拉 | 1966.1.29 | 四子王旗红格尔人民公社 | 四子王旗红格尔苏木 |
| 打花 | 打花尔 | 1966.1.29 | 四子王旗白音花人民公社 | 四子王旗红格尔苏木 |
| 大坝 | 塔班毛都 | | 乌拉特前旗北圪堵乡 | 乌拉特前旗西小召镇 |
| 大白林地 | 白林地 | | 四子王旗第七区 | 四子王旗吉生太镇 |
| 大北公司 | 大北 | 1966.1.15 | 察右中旗巴音人民公社 | 察右中旗巴音乡 |
| 大板鱼沟 | 兴无 | 1967 | 化德县德善、白土卜子、白音特拉、德包图人民公社或朝阳、城关镇 | 化德县长顺镇 |
| 大毕克齐 | 大旗 | | 土默特旗毕克齐镇 | 土默特左旗毕克齐镇 |
| 大不浪渠 | 胜利渠 | 1952 | 固阳县新建乡 | 固阳县下湿壕镇 |
| 大不楞 | 大南房 | 1951 | 察右后旗土牧尔台镇 | 察右后旗土牧尔台镇 |
| 大仓沟 | 永和 | 1951 | 四子王旗或武东县 | 四子王旗供济堂镇 |
| 大车家滩 | 大民乐 | 1956 | 化德县土城子、白土卜子或白音特拉乡 | 化德县朝阳镇 |
| 大城天子 | 大城窑子 | | 呼和浩特市郊区 | 呼和浩特市赛罕区 |
| 大村子 | 北大村 | 1966.1.14 | 商都县西坊子人民公社 | 商都县七台镇 |

| | | | | |
|---|---|---|---|---|
| 大寸 | 达尔其 | 1966.1.29 | 四子王旗红格尔人民公社 | 四子王旗红格尔苏木 |
| 大达赖 | 大岱(转音) | | 土默特旗大岱乡 | 土默特左旗善岱镇 |
| 大达赖丹巴 | 大丹巴 | | 土默特旗沙尔营乡 | 土默特左旗白庙子镇 |
| 大当岱 | 大丹岱 | | 察右后旗白音察干乡 | 察右后旗白音察干镇 |
| 大德堂 | 泉子村 | | 察右后旗大六号人民公社 | 察右后旗贲红镇 |
| 大段家天 | 大段家窑 | | 呼和浩特市郊区 | 呼和浩特市赛罕区 |
| 大圪安乌苏 | 大呼安乌苏 | 1966.1.29 | 四子王旗乌兰花人民公社 | 四子王旗乌兰花镇 |
| 大圪达 | 西大圪达 | | 托克托县伍什家乡 | 托克托县 |
| 大公沟<br>（大公营盘） | 大盘沟 | 1954 | 化德县七号、达盖滩、六十顷或德包图乡 | 化德县七号镇 |
| 大公司 | 北胜梁 | 1966.1.14 | 商都县十八顷人民公社 | 商都县十八顷镇 |
| 大宫 | 三合民 | 1966.1.15 | 武川县红山子人民公社 | 武川县二份子乡 |
| 大沟里 | 西圪旦 | 1966.1.29 | 四子王旗第七区、吉生太或查干补力格人民公社 | 四子王旗吉生太镇 |
| 大壕赖 | 圪塔 | | 卓资县复兴人民公社或乡 | 卓资县复兴乡 |
| 大河 | 大黑河 | 1966.1.29 | 四子王旗活福滩人民公社 | 四子王旗忽鸡图乡 |
| 大河湾 | 安家 | 1950 | 集宁县 | 集宁区马莲渠乡或白海子镇 |
| 大黑沙土 | 大圙圙 | | 商都县大黑沙土乡 | 商都县大黑沙土镇 |
| 大呼拉 | 达布呼拉(转音) | 1966.1.29 | 四子王旗查干补力格人民公社 | 四子王旗查干补力格苏木 |
| 大忽拉格气 | 大忽尔格气 | 1966.1.13 | 土默特旗兵州亥人民公社 | 土默特左旗毕克齐镇 |
| 大胡家 | 民乐村 | 1966.2.3 | 兴和县五股泉人民公社 | 兴和县大库联乡 |
| 大花眼 | 大豁牙 | 1966.1.29 | 四子王旗西河子人民公社或武东县二区、五区 | 四子王旗东八号乡 |
| 大灰蒿 | 胜利 | 1958 | 陶林县 | 察右中旗米粮局乡 |

| | | | | |
|---|---|---|---|---|
| 大豁口 | 大虎口 | | 凉城县后营乡 | 凉城县天成乡 |
| 大及高志 | 达来音郭勒 | 1966.1.29 | 四子王旗白音敖包、卫境或红格尔人民公社 | 四子王旗白音敖包苏木 |
| 大井 | 文都花 | | 四子王旗巨巾号人民公社 | 四子王旗乌兰花、吉生太镇或忽鸡图乡 |
| 大井 | 东、西宝石山 | 1649 | 察哈尔正红旗 | 察右后旗土牧尔台镇 |
| 大扣 | 口子 | 1966.1.29 | 四子王旗库伦图人民公社 | 四子王旗库伦图镇 |
| 大圐圙 | 大库伦 | | 呼和浩特市玉泉区小黑河镇 | 呼和浩特市 |
| 大圐圙 | 大圐圙 | | 土默特右旗二十四顷地乡 | 土默特右旗海子乡 |
| 大圐圙 | 星火 | 1958 | 商都县大黑沙土乡 | 商都县大黑沙土镇 |
| 大老虎店 | 新建 | 1953 | 固阳县新建乡 | 固阳县下湿壕镇 |
| 大喇嘛 | 达喇嘛营 | | 察右后旗乌兰哈达人民公社 | 察右后旗乌兰哈达苏木 |
| 大喇嘛尧子 | 南王如卜 | 1953 年前 | 土默特右旗程奎海子乡 | 土默特右旗将军尧镇 |
| 大梁家村 | 二面井 | 1966.1.14 | 商都县玻璃忽镜人民公社 | 商都县玻璃忽镜乡 |
| 大路新营子 | 新营子 | | 土默特旗陶思浩乡 | 土默特左旗察素齐镇 |
| 大庙 | 扈家村 | | 固阳县大庙乡 | 固阳县银号镇 |
| 大木匠 | 前海子 | 1966.1.14 | 商都县二道洼人民公社 | 商都县屯垦队镇 |
| 大木匠房子 | 察干乌力计 | 1937 | 察哈尔正红旗 | 察右后旗当郎忽洞苏木 |
| 大目花 | 目花 | | 凉城县麦胡图人民公社 | 凉城县麦胡图镇 |
| 大清河 | 达阿其乃郭勒 | 1966.1.29 | 四子王旗查干补力格人民公社 | 四子王旗查干补力格苏木 |
| 大人洼 | 大南洼 | 1966.1.18 | 察右前旗高宏店人民公社 | 察右前旗玫瑰营镇 |
| 大仁营 | 查干浩来 | 1966.1.18 | 察右前旗小淖人民公社 | 察右前旗巴音塔拉镇 |
| 大烧地 | 夏巴尔台 | 1910 | 土默特旗或喀尔喀右翼旗 | 武川县西乌兰不浪镇 |

| 大设进 | 小设进 | 1956 | 四子王旗太平庄乡 | 四子王旗东八号乡 |
|---|---|---|---|---|
| 大设进 | 大设井 | 1966.1.29 | 四子王旗太平庄人民公社 | 四子王旗东八号乡 |
| 大石灰 | 新民渠 | | 固阳县下湿壕或新建乡 | 固阳县下湿壕镇 |
| 大石羊 | 大石窑 | 民国时期 | 归绥县二区 | 呼和浩特市赛罕区 |
| 大水坑 | 南号 | 1958 | 察右前旗黄茂营乡 | 察右前旗黄茂营乡 |
| 大四王墓 | 大四台子 | 1966.1.15 | 清水河县桦树墕人民公社 | 清水河县 |
| 大同沟 | 代同沟（转音） | | 凉城县东十号、厢黄地、城关镇或三苏木乡 | 凉城县岱海镇 |
| 大头沟 | 西洼村 | 1956 | 化德县德善、白土卜子、白音特拉、德包图乡或朝阳、城关镇 | 化德县长顺镇 |
| 大秃小 | 勿兰淖 | | 化德县公腊胡洞、二道河或德善乡 | 化德县公腊胡洞乡 |
| 大瓦窑圪沁 | 大瓦尔沁（转音） | 1966.2.2 | 土默特旗塔布子人民公社 | 土默特左旗塔布赛乡 |
| 大王墓 | 大台子 | 1966.1.15 | 清水河县桦树墕人民公社 | 清水河县 |
| 大文村 | 古城子 | 1966.1.14 | 商都县八股地人民公社 | 商都县大库伦乡 |
| 大文公 | 西房子 | 1949年前 | 喀尔喀右翼旗 | 达茂旗石宝镇 |
| 大五号 | 新五号 | 1958 | 丰镇市新五号乡 | 丰镇市黑土台镇 |
| 大勿登村 | 前大勿登村 | 1949 | 商都县 | 商都县大黑沙土镇 |
| 大西夭 | 大西窑 | | 呼和浩特市郊区 | 呼和浩特市赛罕区 |
| 大仙庙 | 东号 | 1966.2.3 | 兴和县曹四窑人民公社 | 兴和县大库联乡 |
| 大仙爷山 | 永丰北山 | 1966.1.27 | 商都县八股地人民公社 | 商都县大库伦乡 |
| 大夭 | 大窑 | | 呼和浩特市郊区 | 呼和浩特市赛罕区 |
| 大营 | 大阳 | 清初 | 土默特旗 | 土默特左旗察素齐镇 |
| 大营盘 | 河边村 | | 武川县 | 武川县可可以力更镇 |
| 大榆树滩 | 新建 | 1952年 | 固阳县新建乡 | 固阳县下湿壕镇 |

| | | | | |
|---|---|---|---|---|
| 大雨施格气 | 雨施格气 | 清乾隆初年 | 土默特旗 | 土默特左旗塔布赛乡 |
| 代里克华 | 达尔很花 | 1966.1.29 | 四子王旗白音敖包、卫境或红格尔人民公社 | 四子王旗白音敖包苏木 |
| 代日音高勒 | 打拉盖壕（转音） | | 固阳县东公此老乡 | 固阳县怀朔镇 |
| 岱哈泊 | 岱海 | 清光绪初年 | 察哈尔正红旗或镶红旗 | 凉城县 |
| 戴贵营 | 大贵营 | | 土默特右旗三道河乡 | 土默特右旗双龙镇 |
| 单房 | 水连洞 | 1966.1.15 | 武川县东红胜人民公社 | 武川县二份子乡 |
| 旦州板 | 什日轴 | 清乾隆年间 | 土默特旗 | 土默特左旗北什轴乡 |
| 当盖乌苏呼都格 | 当盖乌苏 | 1966.1.29 | 四子王旗白音敖包、卫境或红格尔人民公社 | 四子王旗白音敖包苏木 |
| 当郎忽德格 | 当郎忽洞（转音） | 1921年 | 察哈尔正红旗 | 察右后旗当郎忽洞苏木 |
| 当郎忽都格 | 小当郎忽洞 | | 察右后旗土牧尔台镇 | 察右后旗土牧尔台镇 |
| 当湾 | 新华 | 1978年 | 乌拉特前旗北圪堵人民公社 | 乌拉特前旗西小召镇 |
| 党将军尧子 | 大将军尧 | 1966.2.2 | 土默特旗将军尧人民公社 | 土默特右旗将军尧乡 |
| 刀拉秃亥 | 东刀拉秃亥（东营子） | | 和林格尔县董家营乡 | 和林格尔县 |
| 刀棱山 | 富吉山 | 1958 | 化德县公腊胡洞、二道河或德善乡 | 化德县公腊胡洞乡 |
| 刀旺营 | 道瓦营 | 1966.2.3 | 兴和县团结人民公社 | 兴和县民族团结乡 |
| 倒和林 | 捣黑楞 | 清代 | 归化城 | 呼和浩特市赛罕区 |
| 捣黑楞 | 鹤岭 | 日伪时期 | 呼和浩特市郊区 | 呼和浩特市赛罕区 |
| 道嘎萨尔 | 东苏古尔 | 1966.1.29 | 四子王旗红格尔人民公社 | 四子王旗红格尔苏木 |
| 道格新 | 道试（转音） | | 土默特旗陶思浩乡 | 土默特左旗察素齐镇 |
| 道郎百兴 | 北道郎百兴 | 清朝中期 | 和林格尔县西沟门乡 | 和林格尔县 |
| 道鲁干毛呼日 | 刀拉母号（转音） | | 固阳县大庙乡 | 固阳县银号镇 |

| | | | | |
|---|---|---|---|---|
| 道伦格日 | 捣拉窑（转音） | | 固阳县忽鸡沟乡 | 固阳县金山镇 |
| 道试儿 | 什尼板申 | | 土默特左旗陶思浩乡 | 土默特左旗察素齐镇 |
| 道试圪 | 道试 | | 土默特左旗陶思浩乡 | 土默特左旗察素齐镇 |
| 道扎石盘 | 道则石盘 | | 清水河县窑沟乡 | 清水河县 |
| 得尔斯特好来 | 德尔森好来 | 1966.1.29 | 四子王旗脑木更人民公社 | 四子王旗脑木更苏木 |
| 得令山 | 德令山（转音） | 1820 | 明安旗或东公旗 | 固阳县银号镇或怀朔镇 |
| 得令乌拉 | 德令山（转音） | 1820 | 明安旗或东公旗 | 固阳县银号镇或怀朔镇 |
| 得胜沟 | 德胜沟 | 北宋时期 | | 土默特右旗九峰山生态保护管理委员会 |
| 德博苏格 | 点不寺（转音） | | 固阳县新建乡 | 固阳县下湿壕镇 |
| 德布色格 | 点不色（转音） | | 固阳县大庙乡 | 固阳县银号镇 |
| 德德希勒音苏木 | 巴彦满都呼 | | 乌拉特中旗温更镇 | 乌拉特中旗海流图镇 |
| 德尔森塔拉 | 新风 | 1967.2.15 | 察右前旗 | 察右前旗 |
| 德尔斯乌苏 | 德尔素呼都格 | 1966.1.29 | 四子王旗白音敖包、卫境或红格尔人民公社 | 四子王旗白音敖包苏木 |
| 德勒德 | 希热 | | 乌拉特中旗巴音哈太苏木 | 乌拉特中旗新忽热苏木 |
| 德勒森胡土格冬匡 | 德尔森呼都格 | 1966.1.29 | 四子王旗白音花人民公社 | 四子王旗红格尔苏木 |
| 德勒音高 | 德令沟（转音） | | 达茂旗西河乡 | 达茂旗乌克忽洞镇 |
| 德力波日 | 独立坝（转音） | | 土默特旗大岱乡 | 土默特左旗善岱镇 |
| 德令山 | 锦云山 | 1951 | 乌拉特中公旗 | 乌拉特中旗德令山镇 |
| 德木齐格艾拉 | 顶木其沟（转音） | | 察右后旗乌兰哈达人民公社 | 察右后旗乌兰哈达苏木 |
| 德日森呼都格 | 乌兰楚鲁 | | 乌拉特中旗巴音哈太苏木 | 乌拉特中旗新忽热苏木 |

| | | | | |
|---|---|---|---|---|
| 德日森淖尔 | 沙巴嘎 | | 乌拉特中旗川井苏木 | 乌拉特中旗川井苏木 |
| 德日斯 | 灯笼素<br>(转音) | | 和林格尔县第五区 | 和林格尔县 |
| 德日斯太 | 点力素太<br>(转音) | | 固阳县西斗铺、坝梁或<br>红泥井乡 | 固阳县西斗铺镇 |
| 德生太 | 吉生太 | 1920年后 | 四子王旗 | 四子王旗吉生太镇 |
| 德胜 | 五家滩 | 民国时期 | 凉城县 | 凉城县永兴镇 |
| 德胜 | 白玉山 | 民国时期 | 凉城县 | 凉城县永兴镇 |
| 德胜 | 后营子 | 1940年前后 | 武川县 | 武川县哈拉合少乡 |
| 德胜山 | 胶泥渠 | | 固阳县东公此老乡 | 固阳县怀朔镇 |
| 德胜堂 | 大清河 | 1957 | 四子王旗巨巾号乡 | 四子王旗乌兰花镇 |
| 德胜营子 | 后营子 | 1940 | 武川县 | 武川县哈拉合少乡 |
| 德堂 | 增产 | 1969 | 察右后旗当郎忽洞人民<br>公社 | 察右后旗当郎忽洞苏<br>木 |
| 德义堂 | 增产村 | 1969 | 察右后旗当郎忽洞人民<br>公社 | 察右后旗当郎忽洞苏<br>木 |
| 邓家 | 兴胜 | 1966.2.3 | 兴和县团结人民公社 | 兴和县民族团结乡 |
| 邓家营子 | 水泉 | 1954 | 化德县七号、达盖滩、<br>六十顷或德包图乡 | 化德县七号镇 |
| 狄七窑 | 圪针笼 | | 托克托县伍什家乡 | 托克托县 |
| 底家圪卜 | 南海子 | | 固阳县白灵淖乡 | 固阳县怀朔镇 |
| 点尔素 | 点素 | | 土默特左旗北什轴乡 | 土默特左旗北什轴乡 |
| 点鸡河 | 沙尔郭勒 | 1966.1.29 | 四子王旗白音花人民公<br>社 | 四子王旗红格尔苏木 |
| 点力什太 | 德日斯太 | 1966.1.29 | 四子王旗三元井人民公<br>社 | 四子王旗库伦图镇 |
| 点力宿太 | 上四 | 1956 | 察右中旗铁沙盖镇 | 察右中旗铁沙盖镇 |
| 店壕 | 坝梁 | 1962 | 固阳县坝梁乡 | 固阳县西斗铺镇 |
| 店上 | 北店 | 清乾隆年间 | 土默特旗 | 土默特左旗察素齐镇 |

| 莫花以更 | 木呼日额尔格 | 1966.1.29 | 四子王旗大井坡人民公社 | 四子王旗吉生太镇 |
|---|---|---|---|---|
| 刁窝沟 | 向阳村 | | 呼和浩特市 | 呼和浩特市 |
| 雕王山 | 刁王山（转音） | | 凉城县崞县窑、程家营或厢黄地乡 | 凉城县蛮汉镇 |
| 雕窝沟 | 刁窝沟（转音） | | 凉城县三庆、多纳苏或永兴乡 | 凉城县永兴镇 |
| 丁家营子 | 长和 | 1954 | 化德县七号、达盖滩、六十顷或德包图乡 | 化德县七号镇 |
| 丁九营子 | 大南营子 | 1954 | 化德县七号、达盖滩、六十顷或德包图乡 | 化德县七号镇 |
| 丁绍先巷 | 凯旋巷 | 1949年前 | 土默特旗 | 土默特右旗萨拉齐镇 |
| 定郭勒 | 查干额热格 | 1966.1.29 | 四子王旗白音花人民公社 | 四子王旗红格尔苏木 |
| 定怎刚郎 | 巴彦花格顺 | 1966.1.29 | 四子王旗白音花人民公社 | 四子王旗红格尔苏木 |
| 东北老 | 东河 | | 土默特旗沙尔沁乡 | 土默特左旗沙尔沁镇 |
| 东察素忽洞 | 钧察素忽洞 | 1958 | 察右后旗锡勒、胜利乡或韩勿拉乡 | 察右后旗锡勒乡 |
| 东此老 | 东河 | | 土默特左旗沙尔沁乡 | 土默特左旗沙尔沁镇 |
| 东达赖营 | 东兴胜 | | 呼和浩特市赛罕区八拜公社 | 呼和浩特市赛汗区 |
| 东大井 | 西大井 | 1958 | 达茂旗乌兰忽洞乡 | 达茂旗乌克忽洞镇 |
| 东刀拉秃海 | 东营子 | 1680 | 和林格尔县董家营乡 | 和林格尔县 |
| 东店 | 东地 | 清乾隆年间 | 土默特旗 | 土默特左旗察素齐镇 |
| 东二小圪堵 | 东方红 | 1962 | 乌拉特前旗树林子人民公社 | 乌拉特前旗新安镇 |
| 东方红 | 石兰计 | | 乌拉特中旗东方红人民公社 | 乌拉特中旗乌加河镇 |
| 东房子 | 东哈拉沟 | 1949年后 | 察右后旗锡勒、胜利乡或韩勿拉苏木 | 察右后旗锡勒乡 |
| 东房子 | 喇嘛板申 | 1966.1.14 | 商都县西坊子人民公社 | 商都县七台镇 |
| 东房子 | 小西滩 | 1949年前 | 武川县 | 武川县上秃亥乡 |

| | | | | |
|---|---|---|---|---|
| 东沟子 | 东渠子 | | 四子王旗乌兰花镇人民公社 | 四子王旗乌兰花镇 |
| 东公此老 | 西营子<br>(转音) | | 固阳县东公此老乡 | 固阳县怀朔镇 |
| 东河村 | 东河旧村 | | 达茂旗乌克忽洞乡 | 达茂旗乌克忽洞镇 |
| 东横头 | 东红头<br>(转音) | | 凉城县北水泉人民公社 | 凉城县厂汉营乡 |
| 东红 | 三成局 | 1980 | 察右前旗三成局乡 | 集宁市马莲渠乡 |
| 东后卜洞 | 牛沟子 | 1966.1.29 | 四子王旗库伦图人民公社 | 四子王旗库伦图镇 |
| 东忽鸡兔 | 后忽吉尔图 | 1966.1.29 | 四子王旗忽鸡图人民公社 | 四子王旗忽鸡图乡 |
| 东胡勒斯太 | 东沟 | | 四子王旗活福滩人民公社 | 四子王旗忽鸡图乡 |
| 东花狗营 | 东华营 | 1966.2.2 | 土默特旗沙尔营人民公社 | 土默特左旗白庙子镇 |
| 东喇嘛营 | 东营子 | | 呼和浩特市郊区巧报人民公社 | 呼和浩特市赛罕区 |
| 东老将营 | 东老丈营 | 宋代 | 土默特旗 | 土默特右旗苏波盖乡 |
| 东老龙忽洞 | 东敖楞呼都格 | 1966.1.29 | 四子王旗大井坡人民公社 | 四子王旗吉生太镇 |
| 东梁 | 东圪旦 | | 四子王旗乌兰花镇人民公社 | 四子王旗乌兰花镇 |
| 东喽喽窝 | 东乐天 | 1982 | 凉城县麦胡图人民公社 | 凉城县麦胡图镇 |
| 东三苏木 | 西永乐 | 1951 | 凉城县三苏木 | 凉城县岱海镇 |
| 东沙沟沿 | 圆圐 | | 丰镇市元山子乡 | 丰镇市元山子乡 |
| 东胜 | 杨贵 | 1984 | 察右后旗当郎忽洞苏木 | 察右后旗当郎忽洞苏木 |
| 东石壕 | 东十号 | 1840 年前后 | 察哈尔正红旗或镶红旗 | 凉城县岱海或蛮汉镇 |
| 东塔拉 | 大肖公 | 1962 | 乌拉特前旗树林子人民公社 | 乌拉特前旗新安镇 |
| 东台道弯 | 台道弯 | 1966.1.14 | 商都县大拉子人民公社 | 商都县西井子镇 |
| 东土城 | 土城 | | 四子王旗第四区 | 四子王旗供济堂镇 |

| | | | | |
|---|---|---|---|---|
| 东瓦天 | 东瓦窑 | | 呼和浩特市郊区 | 呼和浩特市赛罕区 |
| 东万兴壕 | 东万兴后 | 1966.1.29 | 四子王旗太平庄人民公社 | 四子王旗东八号乡 |
| 东五号 | 恒元真 | 1966.1.29 | 四子王旗库伦图人民公社 | 四子王旗库伦图镇 |
| 东小宫 | 兴胜泉 | 1966.1.15 | 武川县红山子人民公社 | 武川县二份子乡 |
| 东烟铺 | 东沿铺（转音） | | 凉城县三庆乡 | 凉城县永兴镇 |
| 东夭子 | 东窑子 | | 呼和浩特市郊区 | 呼和浩特市赛罕区 |
| 东窑 | 庄古窑 | 清嘉庆年间 | 清水河县小庙子乡 | 清水河县 |
| 东窑子 | 哈拉门独 | 1957 | 武川县腮忽洞乡 | 武川县哈拉合少乡 |
| 东营子 | 钧浩特 | 1962 | 察右后旗乌兰哈达人民公社 | 察右后旗乌兰哈达苏木 |
| 东营子 | 毫来高勒 | 1920 | 察哈尔正红旗 | 察右后旗锡勒乡 |
| 东营子 | 西东营子 | 1966.1.14 | 商都县十八顷人民公社 | 商都县十八顷镇 |
| 东营子 | 东后河 | | 武川县中后河乡 | 武川县西乌兰不浪镇 |
| 东营子 | 大东营子 | 1920 | 察哈尔正红旗 | 察右后旗锡勒乡 |
| 东盂县窑 | 东窑 | | 凉城县崞县窑、程家营或厢黄地乡 | 凉城县蛮汉镇 |
| 东元永 | 圪堵 | 1929 | 固阳县 | 固阳县银号镇 |
| 冬屋 | 浩尧尔呼都格 | 1966.1.29 | 四子王旗白音花人民公社 | 四子王旗红格尔苏木 |
| 冬营盘 | 古日本查干乃额布勒者 | | 四子王旗卫镜人民公社 | 四子王旗江岸苏木 |
| 董朝郭二窑 | 董郭窑 | 1912 | 察哈尔正红旗或镶红旗 | 凉城县永兴镇 |
| 董家村 | 旱海子 | 1968 | 察右后旗当郎忽洞人民公社 | 察右后旗当郎忽洞苏木 |
| 董家村 | 东破 | | 察右后旗石门口人民公社 | 察右后旗贲红镇 |
| 董家村 | 大西湾 | 1961 | 商都县三面井或玻璃忽镜人民公社 | 商都县玻璃忽镜乡 |
| 董心宽 | 董家 | 1902 | 察哈尔正红旗 | 察右后旗贲红镇 |

| | | | | |
|---|---|---|---|---|
| 董义村 | 新旺村 | 1966.1.18 | 察右前旗弓沟人民公社 | 察右前旗玫瑰营镇 |
| 董义坊 | 胜利坊子 | 1952 | 绥东中心旗 | 察右后旗锡勒苏木 |
| 董义房 | 胜利房 | 1953 | 察哈尔正红旗 | 察右后旗锡勒乡 |
| 都兰乌拉 | 都拉干乌拉 | 1966.1.29 | 四子王旗红格尔人民公社 | 四子王旗红格尔苏木 |
| 都录井哈桃 | 都日本勒金呼热 | 1966.1.29 | 四子王旗红格尔人民公社 | 四子王旗红格尔苏木 |
| 都日本毛德 | 巴拉乌拉 | | 乌拉特后旗巴音戈壁苏木 | 乌拉特后旗获各琦苏木 |
| 都席 | 东喜营 | 1936年 | 察哈尔正红旗 | 察右后旗土牧尔台镇 |
| 都新 | 都希 | 1966.1.29 | 四子王旗乌兰哈达人民公社 | 四子王旗白音朝克图镇 |
| 独石 | 都希 | 1966.1.29 | 四子王旗红格尔人民公社 | 四子王旗红格尔苏木 |
| 独营营子 | 都古尔营 | 1966.2.3 | 兴和县五股泉人民公社 | 兴和县大库联乡 |
| 杜海亮圪旦 | 西新河口 | 1943年前 | 土默特旗 | 土默特右旗将军尧镇 |
| 杜花围子 | 黄花 | 1954 | 化德县德包图、六支箭、六十庆或白音特拉乡 | 化德县德包图乡 |
| 杜林村 | 西沟子 | 1966.1.14 | 商都县大库伦人民公社 | 商都县 |
| 杜守将(甲)营子 | 杜守匠 | 清乾隆年间 | 土默特旗 | 土默特右旗海子乡 |
| 段家 | 巨井泉 | 1962 | 察右后旗三井泉人民公社 | 察右后旗土牧尔台镇 |
| 段家菜园 | 段家园 | | 和林格尔县公喇嘛乡 | 和林格尔县 |
| 段家村 | 巨井泉 | 1962 | 察右后旗土牧尔台镇 | 察右后旗土牧尔台镇 |
| 段家村 | 大井子 | 1966.1.14 | 商都县大库伦人民公社 | 商都县大库伦乡 |
| 段家村(店家村) | 赛乌素 | 1962 | 兴和县赛乌素人民公社 | 兴和县赛乌素镇 |
| 段家壕 | 东壕 | | 固阳县新建乡 | 固阳县下湿壕镇 |
| 段老七 | 繁荣村 | 1920 | 察哈尔正红旗 | 察右后旗土牧尔台镇 |
| 段老五 | 集贤村 | 1950年代 | 察哈尔正红旗 | 察右后旗土牧尔台镇 |

| | | | | |
|---|---|---|---|---|
| 段老五 | 集贤东 | 1972 | 察右后旗土牧尔台镇 | 察右后旗土牧尔台镇 |
| 段三洼 | 永胜 | 1966.2.3 | 兴和县台基庙人民公社 | 兴和县民族团结乡 |
| 段守仁 | 集贤村 | 1920 | 察哈尔正红旗 | 察右后旗土牧尔台镇 |
| 段守仁 | 集贤西 | | 察右后旗土牧尔台镇 | 察右后旗土牧尔台镇 |
| 对九湾 | 田德美 | | 凉城县崞县窑、程家营或厢黄地乡 | 凉城县蛮汉镇 |
| 对音和尔音哈达 | 东哈仁哈达 | 1966.1.29 | 四子王旗卫境人民公社 | 四子王旗江岸苏木 |
| 碓臼 | 对九湾 | | 凉城县崞县窑、程家营或厢黄地乡 | 凉城县蛮汉镇 |
| 多和林 | 倒和林 | 清代 | 归化城 | 呼和浩特市赛罕区 |
| 俄玻托 | 敖包特 | 1966.1.29 | 四子王旗白音朝克图人民公社 | 四子王旗白音朝克图镇 |
| 额尔登尼图 | 二登图（转音） | | 化德县德善、白土卜子、白音特拉、德包图乡或朝阳、城关镇 | 化德县长顺镇 |
| 额尔登陶勒盖 | 赵万财 | 1945 | 化德县 | 化德县德包图乡 |
| 额日根太 | 耳林岱（转音） | | 土默特旗沙尔营乡 | 土默特左旗白庙子镇 |
| 额日根图 | 耳林岱 | | 土默特左旗沙尔营乡 | 土默特左旗白庙子镇 |
| 额塔门 | 钦德曼 | 1966.1.29 | 四子王旗乌兰哈达人民公社 | 四子王旗白音朝克图镇 |
| 恶杀卜子村 | 天池 | 1982 | 凉城县崞县窑、程家营或厢黄地乡 | 凉城县蛮汉镇 |
| 恶煞卜 | 义和 | 1964 | 凉城县三苏木人民公社 | 凉城县岱海镇 |
| 鄂卜坪 | 宝和 | 1957 | 兴和县鄂卜坪乡 | 兴和县鄂尔栋镇 |
| 鄂卜图 | 脑包兔 | 民国时期 | 察哈尔正红旗或镶红旗 | 凉城县永兴镇 |
| 鄂不勒本垻 | 乌布日本布 | 1966.1.29 | 四子王旗红格尔人民公社 | 四子王旗红格尔苏木 |
| 鄂布根呼都格 | 胜利 | 1910 | 陶林厅 | 察右中旗乌兰哈页苏木 |
| 鄂尔登 | 前尔德尼沟（转音） | | 固阳县东胜永或九份子乡 | 固阳县金山镇 |

| 恩得 | 安塔 | 1966.1.29 | 四子王旗卫境人民公社 | 四子王旗江岸苏木 |
|---|---|---|---|---|
| 恩格尔因爱力 | 恩格营子 | 1885年前后 | 察哈尔正红旗 | 察右后旗当郎忽洞苏木 |
| 恩格日忽热 | 恩格圐圙 | 1923 | 察哈尔正红旗 | 察右后旗锡勒乡 |
| 恩贡加不乞尔 | 公呼都格 | 1966.1.29 | 四子王旗白音朝克图人民公社 | 四子王旗白音朝克图镇 |
| 恩俗 | 恩义 | | 凉城县十三号乡 | 凉城县天成乡 |
| 尔力沟 | 二里沟（转音） | | 化德县七号、达盖滩、六十顷或德包图乡 | 化德县七号镇 |
| 二板登 | 苏木 | 1962 | 商都县大拉子人民公社 | 商都县西井子镇 |
| 二板登沟 | 苏木村 | 1966.1.14 | 商都县大拉子人民公社 | 商都县西井子镇 |
| 二达窑 | 前营 | 1958 | 凉城县六苏木、双古城或十九号乡 | 凉城县六苏木镇 |
| 二大成 | 西阿力忽洞 | 1966.1.15 | 察右中旗巴音人民公社 | 察右中旗巴音乡 |
| 二大人营 | 塔拉营 | 1966.1.18 | 察右前旗乌兰哈乌拉人民公社 | 察右前旗乌拉哈乌拉乡 |
| 二道河 | 刘家二道河 | | 呼和浩特市玉泉区小黑河镇 | 呼和浩特市玉泉区 |
| 二道河 | 西二道河 | | 呼和浩特市玉泉区小黑河镇 | 呼和浩特市玉泉区 |
| 二道河 | 城关镇 | 1954 | 兴和县城关镇 | 兴和县城关镇 |
| 二德子 | 油房 | 1930 | 察哈尔正红旗 | 察右后旗当郎忽洞苏木 |
| 二低里敖包 | 鄂尔登尼敖包 | 1966.1.29 | 四子王旗大井坡人民公社 | 四子王旗吉生太镇 |
| 二崇村 | 小羊圈 | 1966.1.18 | 察右前旗平地泉人民公社 | 察右前旗平地泉镇 |
| 二份子 | 新胜 | 1983 | 乌拉特前旗佘太人民公社 | 乌拉特前旗大佘太镇 |
| 二根成 | 白音特拉 | 1952 | 化德县 | 化德县长顺镇 |
| 二柜 | 二贵 | | 土默特右旗公山湾乡 | 土默特右旗九峰山生态保护管理委员会 |
| 二贵 | 白塔弯 | 1966.1.18 | 察右前旗三成局人民公社 | 集宁区马莲区乡 |

| 二贵 | 民主村 | 1966.1.14 | 商都县卯都人民公社 | 商都县卯都乡 |
|---|---|---|---|---|
| 二红巴 | 南图 | 1966.2.3 | 兴和县曹四窑人民公社 | 兴和县大库联乡 |
| 二红疤 | 南围子 | | 兴和县曹四窑乡 | 兴和县大库联乡 |
| 二侯 | 四合村 | 1956 | 化德县德包图、六支箭、六十顷或白音特拉乡 | 化德县德包图乡 |
| 二后生口子 | 乌海 | 1966 | 乌拉特前旗树林子人民公社 | 乌拉特前旗新安镇 |
| 二花眼圪旦 | 黑柳子 | 1958 | 乌拉特前旗西小召乡 | 乌拉特前旗西小召镇 |
| 二豁牙 | 长青沟 | 1966 | 商都县大拉子人民公社 | 商都县西井子镇 |
| 二口袋 | 四春 | 1966.1.15 | 察右中旗科布尔镇或元山子、得胜人民公社 | 察右中旗科布尔镇 |
| 二奎沟 | 煤炭沟 | | 察右后旗大六号人民公社 | 察右后旗贲红镇 |
| 二横 | 平川地 | 1966.2.3 | 兴和县段家村人民公社 | 兴和县赛乌素镇 |
| 二喇嘛营 | 东营子 | 1961 | 丰镇市红砂坝或九龙湾人民公社 | 丰镇市红砂坝镇 |
| 二老牛洼 | 新海子 | 1962 | 商都县大拉子人民公社 | 商都县西井子镇 |
| 二林湾 | 小南 | 1966.1.15 | 察右中旗巴音人民公社 | 察右中旗巴音乡 |
| 二驴子 | 二里地壕 | | 固阳县红泥井乡 | 固阳县兴顺西镇或西斗铺镇 |
| 二伦村 | 大井村 | 1966.1.18 | 察右前旗小淖人民公社 | 察右前旗巴音塔拉镇 |
| 二明村 | 晨阳村 | | 察右后旗大六号人民公社 | 察右后旗贲红镇 |
| 二木匠沟 | 杨柳沟 | 1958 | 化德县土城子、白土卜子或白音特拉乡 | 化德县朝阳镇 |
| 二木匠沟 | 齐心沟 | 1954 | 化德县公腊胡洞、二道河或德善乡 | 化德县公腊胡洞乡 |
| 二能带 | 赛乌素 | 1950年后 | 察哈尔正红旗 | 察右后旗红格尔图镇 |
| 二皮匠沟 | 马家村 | | 化德县土城子、白土卜子或白音特拉乡 | 化德县朝阳镇 |
| 二区 | 欣荣区 | 1955年 | 化德县原二区 | 化德县朝阳镇 |
| 二十份子 | 东风 | | 乌拉特前旗朝阳乡 | 乌拉特前旗朝阳镇 |

| | | | | |
|---|---|---|---|---|
| 二十号地 | 东坊子 | 1940 | 商都县 | 商都县七台镇 |
| 二十号地 | 西坊子 | 1949 | 商都县西坊子 | 商都县七台镇 |
| 二苏木 | 二苏木房 | 1926 | 察哈尔正红旗 | 察右后旗当郎忽洞苏木 |
| 二台牙沟 | 长青沟 | 1966.1.14 | 商都县大拉子人民公社 | 商都县西井子镇 |
| 二条仁爱 | 二道 | 1966.1.15 | 察右中旗科布尔镇或元山子、得胜人民公社 | 察右中旗科布尔镇 |
| 二王墓 | 二台子 | 1966.1.15 | 清水河县桦树墕人民公社 | 清水河县 |
| 二文丁 | 海北村 | 1966.1.18 | 察右前旗赛汉塔拉人民公社 | 察右前旗巴音塔拉或黄旗海二镇 |
| 二五万 | 王秃村 | 1923 | 察哈尔正红旗 | 察右后旗土牧尔台镇 |
| 二彦沟 | 南营子 | 1932 | 化德县 | 化德县朝阳镇 |
| 二堰壕 | 新丰 | 1983 | 乌拉特前旗佘太人民公社 | 乌拉特前旗大佘太镇 |
| 二窑子 | 前营 | 1958 | 凉城县刘家窑乡 | 凉城县六苏木镇 |
| 法西斯 | 井滩 | 1966.1.29 | 四子王旗库伦图人民公社 | 四子王旗库伦图镇 |
| 樊家村 | 大火焰 | 1958 | 察右后旗乌兰哈达人民公社 | 察右后旗乌兰哈达苏木 |
| 反修 | 城围 | 1982 | 凉城县 | 凉城县 |
| 范二圪旦 | 查干冈嘎 | 1949年前 | 乌拉特西公旗 | 乌拉特后旗巴音宝力格镇 |
| 范胡营子 | 范虎营子 | 清末 | 土默特旗 | 土默特右旗萨拉齐镇 |
| 范家营(大范家营) | 通顺 | 1954 | 化德县德包图、六支箭、六十顷或白音特拉乡 | 化德县德包图乡 |
| 方崭子沟 | 三节地 | 1966.1.14 | 商都县大南坊人民公社 | 商都县屯垦队镇 |
| 方家村 | 方家围子 | 1935 | 化德县 | 化德县朝阳镇 |
| 方家围子 | 新围子 | 1954 | 化德县土城子、白土卜子或白音特拉乡 | 化德县朝阳镇 |
| 防洪沟 | 前防洪 | | 化德县土城子、白土卜子或白音特拉乡 | 化德县朝阳镇 |

| 放马圐圙 | 马家圐圙 | 1825 年前后 | 丰镇市衙门口 | 丰镇市巨宝庄镇 |
|---|---|---|---|---|
| 分水闸升恒号 | 分水闸 | | 乌拉特前旗 | 乌拉特前旗先锋镇 |
| 坟湾 | 冯湾 | | 固阳县公益民乡 | 固阳县金山镇 |
| 粉房圪旦 | 前进 | 1962 | 乌拉特前旗树林子乡 | 乌拉特前旗新安镇 |
| 份子塔 | 奋子塔 | | 固阳县西斗铺、坝梁或红泥井乡 | 固阳县西斗铺镇 |
| 粪市 | 繁荣 | 1966.1.15 | 察右中旗五号人民公社 | 察右中旗广益隆镇 |
| 丰川卫 | 高庙子 | | 兴和县 | 兴和县城关镇 |
| 丰川营 | 丰川卫 | 1734 | 丰川守备营 | 兴和县城关镇 |
| 丰利 | 郝家村 | 1956 | 察右前旗郝家村乡 | 察右前旗乌拉哈乌拉乡 |
| 丰上坪 | 马王庙 | 明天启元年 | 宣宁卫 | 凉城县天成乡 |
| 丰盛堡 | 二道河 | 1886 | 察哈尔正黄旗 | 兴和县城关镇 |
| 风后 | 后荒地 | 1949 年后 | 土默特右旗将军尧乡 | 土默特右旗将军尧镇 |
| 封侯庄 | 丰厚庄 | 1949 年后 | 土默特旗沙尔营乡 | 土默特左旗白庙子镇 |
| 冯补村 | 建国 | 1954 | 化德县土城子、白土卜子或白音特拉乡 | 化德县朝阳镇 |
| 冯和村 | 大围子 | 1966.1.14 | 商都县二道洼人民公社 | 商都县屯垦队镇 |
| 冯侉子 | 三胜 | | 化德县七号、达盖滩、六十顷或德包图乡 | 化德县七号镇 |
| 夫热呼都格 | 花额热格 | 1966.1.29 | 四子王旗查干敖包人民公社 | 四子王旗查干补力格或脑木更苏木 |
| 伏虎堂 | 元山子 | 1966 | 察右后旗乌兰哈达人民公社 | 察右后旗乌兰哈达苏木 |
| 伏阴 | 疆阴 | 王莽时期 | 雁门郡 | 凉城县六苏木镇 |
| 福东 | 南洼 | 1974 | 化德县德善、白土卜子、白音特拉、德包图人民公社或朝阳、城关镇 | 化德县长顺镇 |
| 福古堂 | 元山子 | 196 | 察右后旗韩勿拉人民公社 | 察右后旗当郎忽洞、乌兰哈达苏木 |

| 福虎山 | 福生庄 | 1958 | 卓资县福生庄乡 | 卓资县大榆树乡 |
|---|---|---|---|---|
| 福虎堂 | 元山村 | | 察右后旗韩勿拉人民公社 | 察右后旗当郎忽洞或乌兰哈达苏木 |
| 福小村 | 幸福村 | 1966.1.18 | 察右前旗弓沟人民公社 | 察右前旗玫瑰营镇 |
| 付家滩 | 胡家滩 | 1966.1.29 | 四子王旗乌兰花人民公社 | 四子王旗乌兰花镇 |
| 付井地 | 窑卜子 | 1966.1.29 | 四子王旗活福滩人民公社 | 四子王旗忽鸡图乡 |
| 复活村 | 红旗村 | 1966.8.27 | 察右前旗东风人民公社 | 察右前旗玫瑰营镇 |
| 复活村 | 南坪 | 1966.1.18 | 察右前旗玫瑰营人民公社 | 察右前旗玫瑰营镇 |
| 复兴镇 | 科布尔镇 | 解放战争期间 | 察哈尔正红旗或镶红旗 | 察右中旗科布尔镇 |
| 傅家村 | 八十顷 | 1954 | 化德县德包图、六支箭、六十顷或白音特拉乡 | 化德县德包图乡 |
| 富家庄 | 猪毛草 | | 清水河县盆地青乡 | 清水河县 |
| 富强 | 侉子梁 | 1984 | 察右后旗阿贵图乡 | 察右后旗土牧尔台镇 |
| 富喜村 | 毛鱼沟 | | 丰镇市新城湾乡 | 丰镇市黑土台镇和南城区办事处 |
| 富足 | 饭铺营 | 清光绪年间 | 土默特旗 | 土默特左旗茇茇梁乡 |
| 嘎德 | 麻合理 | | 土默特左旗北什轴乡 | 土默特左旗北什轴乡 |
| 嘎拉达营子 | 圪尔旦营子 | 清代 | 土默特旗 | 土默特左旗察素齐镇 |
| 嘎拉特 | 嘎拉图 | 1949年后 | 察右后旗白音察干乡 | 察右后旗白音察干镇 |
| 嘎拉扎古希拉莫日 | 希拉莫日高勒 | 清康熙时代 | 四子王旗 | 四子王旗红格尔苏木 |
| 嘎肖 | 格少（转音） | | 察右后旗当郎忽洞人民公社 | 察右后旗当郎忽洞苏木 |
| 嘎休 | 德日斯图 | 1955.3.23 | 集一二铁路沿线火车站名 | 苏尼特右旗朱日和镇 |
| 盖子毛吨 | 干其毛都 | 1966.1.29 | 四子王旗乌兰花人民公社 | 四子王旗乌兰花镇 |
| 干沟 | 田民 | 1949 | 凉城县 | 凉城县麦胡图镇 |

| 干沟子 | 黄氏沟 | | 卓资县后房子人民公社 | 卓资县大榆树乡 |
|---|---|---|---|---|
| 干沟子 | 坝底 | 建国初期 | 呼和浩特市郊区 | 呼和浩特市赛罕区 |
| 干只汗忽洞 | 干只胡同 | 民国时期 | 归绥县二区 | 呼和浩特市赛罕区 |
| 干只胡同 | 东干丈 | | 呼和浩特市赛罕区榆林镇 | 呼和浩特市 |
| 干只胡同 | 干丈 | 民国时期 | 归绥县二区 | 呼和浩特市赛罕区 |
| 甘次华 | 甘其花 | 1966.1.29 | 四子王旗脑木更人民公社 | 四子王旗脑木更苏木 |
| 岗嘎 | 岗岗（转音） | 1850 | 达茂旗腮忽洞 | 达茂旗乌克忽洞镇 |
| 岗岗 | 岗嘎 | 1966.1.29 | 四子王旗红格尔人民公社 | 四子王旗红格尔苏木 |
| 缸房窑 | 泉子沟 | 1952 | 凉城县刘家窑 | 凉城县六苏木镇 |
| 缸房子 | 红房子 | 1949年后 | 石拐区国庆乡或包头市郊区 | 石拐区五当召镇 |
| 钢嘎图 | 前康图沟（转音） | | 固阳县东胜永或九份子乡 | 固阳县金山镇 |
| 钢铁 | 旗下营 | 1964 | 卓资县旗下营人民公社 | 卓资县旗下营镇 |
| 钢铁 | 小缸房 | 1961 | 清水河县八龙湾乡 | 清水河县窑沟乡 |
| 高潮 | 三道营 | 1962 | 卓资县三道营人民公社 | 卓资县梨花镇 |
| 高风英 | 四股泉 | 1966.1.18 | 察右前旗三成局人民公社 | 集宁区马莲区乡 |
| 高高速台 | 高台 | | 卓资县复兴人民公社 | 卓资县复兴乡 |
| 高宏店 | 红山 | 1968 | 察右前旗红山人民公社 | 察右前旗土贵乌拉镇 |
| 高家村 | 大西沟 | 1950 | 商都县格化司台 | 商都县大库伦乡或西井子镇 |
| 高家村 | 东沟 | 1962 | 四子王旗忽鸡图人民公社 | 四子王旗忽鸡图乡 |
| 高家房 | 团结房 | 1949年后 | 察右后旗锡勒乡 | 察右后旗锡勒乡 |
| 高家房子 | 向阳 | 1954 | 化德县德善、白土卜子、白音特拉、德包图乡或朝阳、城关镇 | 化德县长顺镇 |

| | | | | |
|---|---|---|---|---|
| 高家营子 | 河北 | | 化德县七号、达盖滩、六十顷或德包图乡 | 化德县七号镇 |
| 高连池 | 蓬勒黑图 | 1966.1.18 | 察右前旗三成局人民公社 | 集宁区马莲区乡 |
| 高留保圪旦 | 新荣 | 1976 | 乌拉特前旗公庙子人民公社 | 乌拉特前旗先锋镇 |
| 高茂村 | 原种砀 | | 察右后旗霞江河人民公社 | 察右后旗贲红镇和石窑沟乡 |
| 高台 | 上高台 | | 卓资县复兴人民公社或乡 | 卓资县复兴乡 |
| 高五女 | 小白银光郎 | 1966.1.14 | 商都县卯都人民公社 | 商都县卯都乡 |
| 高喜 | 胜利 | 1951 | 察哈尔正红旗 | 察右后旗当郎忽洞苏木 |
| 郜里黑 | 楚勒很 | 1966.1.29 | 四子王旗白音花人民公社 | 四子王旗红格尔苏木 |
| 郜令白兴 | 圪老板 | | 呼和浩特市赛罕区太平庄乡 | 呼和浩特市 |
| 戈壁音 | 高位 | 1957 | 达茂旗新宝力格苏木 | 达茂旗明安镇 |
| 戈家窑 | 香业棚 | | 凉城县三庆、多纳苏或永兴乡 | 凉城县永兴镇 |
| 戈来鱼儿村 | 小黑沙土 | 1924 | 商都县 | 商都县大黑沙土镇 |
| 戈铁拉乌里 | 呼吉尔哈茶 | 1966.1.29 | 四子王旗查干补力格人民公社 | 四子王旗查干补力格苏木 |
| 圪臭沟 | 和平 | 1950 | 丰镇市隆盛庄镇或柏宝庄、永善庄 | 丰镇市隆盛庄镇 |
| 圪堵 | 东元永村 | 1974年 | 固阳县银号、大庙或卜塔亥人民公社 | 固阳县银号镇 |
| 圪楞营子 | 格楞营 | 1966.2.3 | 兴和县团结人民公社 | 兴和县民族团结乡 |
| 圪力圪台 | 圪力圪太 | 清乾隆年间 | 土默特旗 | 土默特左旗白庙子镇 |
| 圪力圪太 | 格日勒台 | 1966.1.27 | 土默特旗沙尔营人民公社 | 土默特左旗白庙子镇 |
| 圪力圪太 | 新圪力圪太 | | 土默特旗沙尔营乡 | 土默特左旗白庙子镇 |
| 圪力格 | 圪力更 | 清咸丰年间 | 土默特旗 | 土默特左旗察素齐镇 |
| 圪料沟 | 圪林沟（转音） | | 凉城县崞县窑乡 | 凉城县蛮汉镇 |

| 圪欠 | 圪旦 | 1966.1.29 | 四子王旗忽鸡图人民公社 | 四子王旗忽鸡图乡 |
|---|---|---|---|---|
| 圪速贵 | 乌苏台 | 1966.1.13 | 土默特旗北什轴人民公社 | 土默特左旗北什轴乡 |
| 圪太 | 旧圪太 | | 土默特旗沙尔营乡 | 土默特左旗白庙子镇 |
| 圪针笼 | 狄士窑 | 建国初期 | 托克托县伍什家乡 | 托克托县 |
| 哥含哈他 | 呼和晗达 | 1966.1.29 | 四子王旗查干补力格人民公社 | 四子王旗查干补力格苏木 |
| 哥及冬冬屋 | 格吉格 | 1966.1.29 | 四子王旗卫境人民公社 | 四子王旗江岸苏木 |
| 哥可可乌苏 | 呼和乌苏 | 1966.1.29 | 四子王旗第七区、吉生太或查干补力格人民公社 | 四子王旗吉生太镇 |
| 格查汉毛都 | 干只汉(转音) | | 固阳县大庙乡 | 固阳县银号镇 |
| 格尔朝鲁 | 格此老 | | 呼和浩特市赛罕区黄合少镇 | 呼和浩特市赛罕区 |
| 格夫 | 玛恩乌苏 | 1966.1.29 | 四子王旗乌兰哈达人民公社 | 四子王旗白音朝克图镇 |
| 格根商 | 哥根桑 | | 乌拉特前旗先锋乡 | 乌拉特前旗先锋镇 |
| 格惠 | 沟子(转音) | | 土默特旗兵州亥乡 | 土默特左旗毕克齐镇 |
| 格吉格 | 巴音宝日 | | 乌拉特中旗乌兰苏木 | 乌拉特中旗巴音乌兰苏木 |
| 格日楚鲁 | 格此老(转音) | | 固阳县卜塔亥乡 | 固阳县银号镇或怀朔镇 |
| 格日勒图 | 绿勒木艾拉 | 1923 | 察哈尔正红旗 | 察右后旗白音察干镇 |
| 格司贵 | 吉寺地 | 1937 | 察哈尔正红旗 | 察右后旗土牧尔台镇 |
| 格图营 | 刘家圐圙 | 1912 | 托克托县 | 托克托县 |
| 蛤蟆洼 | 黑麻洼(转音) | | 和林格尔县董家营乡 | 和林格尔县 |
| 各尔班呼都克 | 古尔瑚呼都格 | 1966.1.29 | 四子王旗查干补力格人民公社 | 四子王旗查干补力格苏木 |
| 根报 | 大圪贲(转音) | | 土默特旗北什轴乡 | 土默特左旗北什轴乡 |

| | | | | |
|---|---|---|---|---|
| 根皮音苏木音阿木 | 沙德格 | 1949年前 | 乌拉特前旗沙德格苏木 | 乌拉特前旗沙德格苏木 |
| 根四井村 | 根市井 | | 商都县西井子、大拉子或格化司台乡 | 商都县西井子镇 |
| 根子场 | 新光 | 1971 | 乌拉特前旗苏独仑人民公社 | 乌拉特前旗苏独仑镇 |
| 工会地 | 前洼 | 1966.1.15 | 察右中旗三道河人民公社 | 察右中旗 |
| 工商街 | 和平街 | 1949年前 | 土默特旗 | 土默特右旗萨拉齐镇 |
| 弓山湾 | 公山湾 | | 土默特旗 | 土默特右旗九峰山生态保护管理委员会 |
| 公布的房子 | 公布板 | 清康熙年间 | 土默特旗 | 土默特左旗沙尔沁镇 |
| 公高拉 | 工高勒 | 1955.3.23 | 集一二铁路沿线火车站名 | 苏尼特右旗赛汗塔拉镇 |
| 公呼都格 | 公忽洞（转音） | 1882 | 喀尔喀右翼旗 | 达茂旗乌克忽洞镇 |
| 公呼都格 | 巴彦温都尔 | | 乌拉特前旗额尔登布拉格苏木 | 乌拉特前旗额尔登布拉格苏木 |
| 公巨成 | 前进 | 1961 | 乌拉特前旗小佘太乡 | 乌拉特前旗小佘太镇 |
| 公喇嘛 | 前公喇嘛 | | 和林格尔县公喇嘛乡 | 和林格尔县 |
| 公纳木嘎 | 公喇嘛（转音） | | 和林格尔县公喇嘛乡 | 和林格尔县 |
| 公升敖包 | 红胜敖包 | | 喀尔喀右翼旗 | 武川县二份子乡 |
| 龚家村 | 东河 | | 兴和县五一乡 | 兴和县赛乌素镇 |
| 共计堂 | 供济堂（转音） | | 四子王旗供济堂人民公社 | 四子王旗供济堂镇 |
| 贡哈坦 | 沙尔楚鲁 | 1966.1.29 | 四子王旗查干补力格人民公社 | 四子王旗查干补力格苏木 |
| 贡忽德格 | 大公忽洞 | | 察右后旗乌兰哈达人民公社 | 察右后旗乌兰哈达苏木 |
| 沟底十三号 | 西十三号 | | 凉城县曹碾、厂汉营或十九号人民公社 | 凉城县曹碾满族自治乡 |
| 狗毛撬 | 梁东 | | 四子王旗吉庆人民公社或武东县第四区 | 四子王旗供济堂镇 |

| 姑姑板 | 公布板申 | 1966.2.2 | 土默特旗沙尔沁人民公社 | 土默特左旗沙尔沁镇 |
|---|---|---|---|---|
| 姑子板 | 兴茂庄 | 1966.1.27 | 托克托县伍家人民公社 | 托克托县 |
| 姑子壕 | 兴茂庄 | 1966.2.1 | 托克托县伍什家人民公社 | 托克托县 |
| 姑子庙沟 | 大西沟 | | 呼和浩特市赛罕区攸攸板人民公社 | 呼和浩特市 |
| 孤山 | 大南 | 1958年后 | 凉城县麦胡图人民公社 | 凉城县麦胡图镇 |
| 孤雁磴口 | 磴口 | 1949年后 | 土默特右旗三间房乡 | 土默特右旗苏波盖乡 |
| 孤嘴营 | 大古营 | | 土默特右旗毛岱乡 | 土默特右旗美岱召镇 |
| 古城 | 小营 | 1954 | 化德县土城子、白土卜子或白音特拉乡 | 化德县朝阳镇 |
| 古都古尔 | 圪洞坪 | | 和林格尔县羊群沟乡 | 和林格尔县 |
| 古恩察布 | 滚义布 | 1966.1.29 | 四子王旗卫境人民公社 | 四子王旗江岸苏木 |
| 古恩呼都格 | 公呼都格 | 1966.1.29 | 四子王旗查干补力格人民公社 | 四子王旗查干补力格苏木 |
| 古尔丹巴 | 古尔丹巴 | 清嘉庆年间 | 土默特旗 | 土默特左旗白庙子镇 |
| 古尔丹巴 | 塔力孚沁 | 1966.2.2 | 土默特旗察素齐人民公社 | 土默特左旗察素齐镇 |
| 古红岱 | 古公岱 | 1966.1.27 | 托克托县永盛域人民公社 | 托克托县 |
| 古家村 | 小同乐 | 1956 | 化德县公腊胡洞、二道河或德善乡 | 化德县公腊胡洞乡 |
| 古家村 | 红卫 | 1968 | 商都县大黑沙土或四台坊子人民公社 | 商都县大黑沙土镇 |
| 古里半胡洞 | 古尔班呼都格 | 1966.2.3 | 兴和县大库联人民公社 | 兴和县大库联乡 |
| 古里明乌苏 | 贺日敏乌苏 | 1966.1.29 | 四子王旗红格尔人民公社 | 四子王旗红格尔苏木 |
| 古力半高 | 古力半 | 清朝中期 | 和林格尔县公喇嘛乡 | 和林格尔县 |
| 古力半乌素 | 古力半 | 民国时期 | 归绥县二区 | 呼和浩特市赛罕区 |
| 古了崩白兴 | 古路板 | 民国时期 | 归绥县二区 | 呼和浩特市赛罕区 |

| | | | | |
|---|---|---|---|---|
| 古六州 | 古碌碡 | | 察右后旗 | 察右后旗白音察干镇 |
| 古路村 | 古楼 | | 归绥县二区 | 呼和浩特市赛罕区 |
| 古绿畔淖 | 柴四楞围子 | 1935 | 化德县 | 化德县长顺镇 |
| 古日半白兴 | 古路板 | | 呼和浩特市新城区保合少乡 | 呼和浩特市新城区 |
| 古日布忽都格 | 中古半忽洞 | 1915 | 察哈尔正红旗 | 察右后旗锡勒乡 |
| 古日布忽都格 | 上古半忽洞 | 1928 | 察哈尔正红旗 | 察右后旗锡勒乡 |
| 古日布忽都格 | 下古半忽洞 | 1915 | 察哈尔正红旗 | 察右后旗锡勒乡 |
| 古营盘 | 前古营 | 1961 | 四子王旗第七区、吉生太或查干补力格人民公社 | 四子王旗吉生太镇 |
| 固尔班宝尔陶力盖 | 宝尔陶力盖 | 1925 | 陶林县 | 察右中旗铁沙盖镇 |
| 固日班胡的歌 | 古半忽洞 | | 察右后旗锡勒苏木 | 察右后旗锡勒乡 |
| 瓜地 | 瓜房子 | | 土默特旗兵州亥乡 | 土默特左旗毕克齐镇 |
| 拐喇嘛 | 新胜 | 1966 | 呼和浩特市玉泉区桃花人民公社 | 呼和浩特市玉泉区 |
| 关四窑 | 官士窑 | | 托克托县五申镇 | 托克托县 |
| 观音庙街 | 大南街 | 1949 年后 | 土默特旗 | 土默特右旗萨拉齐镇 |
| 官保圐圙 | 官保 | 清咸丰年间 | 土默特旗毕克齐镇 | 土默特左旗毕克齐镇 |
| 官材石洼 | 成材洼 | 1966.1.18 | 凉城县六苏木人民公社 | 凉城县六苏木镇 |
| 官村 | 关村(转音) | | 凉城县厂汉营或北水泉人民公社 | 凉城县厂汉营乡 |
| 官村 | 土贵乌拉 | 1957 | 察右前旗土贵乌拉镇 | 察右前旗土贵乌拉镇 |
| 官牛犋 | 北房子 | 1924 | 四子王旗 | 四子王旗乌兰花、吉生太镇或忽鸡图乡 |
| 管事喇嘛房 | 沟子板 | | 土默特左旗兵州亥乡 | 土默特左旗毕克齐镇 |
| 光明湾 | 沙沟子 | | 清水河县喇嘛湾镇 | 清水河县 |
| 广德 | 西广德 | | 凉城县天成、十三号、后营或十九号乡 | 凉城县天成乡 |

| 广德 | 大水桥 | | 土默特旗芨芨梁乡 | 土默特左旗芨芨梁乡 |
|---|---|---|---|---|
| 广瑞奎局子 | 广瑞奎 | 1949 | 商都县 | 商都县七台镇 |
| 归营子 | 榆树窑 | 1852年前后 | 榆林县 | 兴和县张皋镇 |
| 郭保地 | 新胜村 | 文革期间 | 察右后旗贲红人民公社 | 察右后旗贲红镇 |
| 郭琛 | 后德义 | 1951 | 四子王旗或武东县 | 四子王旗供济堂镇 |
| 郭而奔脑包 | 郭而奔敖包 | 1955.3.23 | 集一二铁路沿线火车站名 | 苏尼特右旗赛汗塔拉镇 |
| 郭二壕 | 赛林忽洞 | 1949年后 | 达茂旗小文公乡 | 达茂旗石宝镇 |
| 郭发沟 | 新社 | 1954 | 化德县土城子、白土卜子或白音特拉乡 | 化德县朝阳镇 |
| 郭发梁 | 南水泉 | 1958 | 化德县土城子、白土卜子或白音特拉乡 | 化德县朝阳镇 |
| 郭胡刘 | 后洼子 | 1937—1941 | 察哈尔正红旗 | 察右后旗当郎忽洞苏木 |
| 郭家 | 民乐 | 1964 | 察右中旗三道沟人民公社 | 察右中旗宏盘乡 |
| 郭家村 | 新德 | 1954 | 化德县德包图、六支箭、六十顷或白音特拉乡 | 化德县德包图乡 |
| 郭家村 | 下郭家村 | | 凉城县麦胡图人民公社 | 凉城县麦胡图镇 |
| 郭家村 | 塔拉乌苏 | 1966.1.14 | 商都县玻璃忽镜人民公社 | 商都县玻璃忽镜乡 |
| 郭家村 | 西营图 | 1966.1.14 | 商都县大拉子人民公社 | 商都县西井子镇 |
| 郭家村 | 板申图 | 1966.1.14 | 商都县范家村人民公社 | 商都县屯垦队镇 |
| 郭家沟 | 元山子 | 1966.1.14 | 商都县玻璃忽镜人民公社 | 商都县玻璃忽镜乡 |
| 郭九沟 | 大黑沟沿 | 1966.1.18 | 察右前旗高宏店人民公社 | 察右前旗玫瑰营镇 |
| 郭兰天 | 郭兰窑 | | 呼和浩特市郊区 | 呼和浩特市赛罕区 |
| 郭勒班胡洞 | 韩毡房 | 1919 | 化德县 | 化德县朝阳镇 |
| 郭亮村 | 新弯 | 1966.1.18 | 察右前旗三成局人民公社 | 集宁区马莲区乡 |

| 郭罗布哈沙图 | 古尔班哈沙图 | 1966.1.29 | 四子王旗白音敖包、卫境或红格尔人民公社 | 四子王旗白音敖包苏木 |
|---|---|---|---|---|
| 郭头村 | 北城子 | 1966.1.14 | 商都县十八顷人民公社 | 商都县十八倾镇 |
| 郭兴堡 | 东堡子 | 1966.1.14 | 商都县范家村人民公社 | 商都县屯垦队镇 |
| 郭要地 | 谷跃地 | 1966.1.18 | 察右前旗巴音塔拉人民公社 | 察右前旗巴音塔拉镇 |
| 郭云洞壕 | 电报局 | | 固阳县下湿壕或新建乡 | 固阳县下湿壕镇 |
| 郭忠店 | 后店 | 1966.2.3 | 兴和县团结人民公社 | 兴和县民族团结乡 |
| 崞家营 | 郭家营 | | 呼和浩特市郊区巴彦镇 | 呼和浩特市赛罕区 |
| 崞家营 | 郭家营 | 民国时期 | 归绥县二区 | 呼和浩特市赛罕区 |
| 崞县 | 民生 | 建国后 | 土默特旗毕克齐镇 | 土默特左旗毕克齐镇 |
| 崞县圪旦 | 南吉生太 | 1951 | 四子王旗第七区 | 四子王旗吉生太镇 |
| 崞阳庄 | 厂汉营 | 1937 | 凉城县 | 凉城县厂汉营乡 |
| 国虎圪旦 | 红光 | 1958 | 乌拉特前旗长胜乡 | 乌拉特前旗新安镇 |
| 果尔赫 | 估尔什（转音） | | 和林格尔县舍必崖乡 | 和林格尔县 |
| 哈巴泉沟 | 鄂卜坪 | | 兴和县鄂尔栋乡 | 兴和县鄂尔栋镇 |
| 哈比斯太 | 哈卜石太沟（转音） | | 固阳县兴顺西乡 | 固阳县兴顺西镇 |
| 哈不其拉 | 哈不沁（转音） | | 固阳县坝梁乡 | 固阳县西斗铺镇 |
| 哈布其格 | 哈不沁（转音） | 1881年前后 | 明安旗或东公旗 | 固阳县银号镇或怀朔镇 |
| 哈布其勒 | 新忽热 | | 乌拉特中旗新忽热苏木 | 乌拉特中旗新忽热苏木 |
| 哈布沙尔苏木 | 哈布其勒庙 | 1966.1.29 | 四子王旗乌兰哈达人民公社 | 四子王旗白音朝克图镇 |
| 哈布斯素隆 | 哈尔德勒 | 1966.1.29 | 四子王旗乌兰哈达人民公社 | 四子王旗白音朝克图镇 |
| 哈达勒盟 | 哈丹和日木 | 1966.1.29 | 四子王旗红格尔人民公社 | 四子王旗红格尔苏木 |

| | | | | |
|---|---|---|---|---|
| 哈达音宝勒格 | 哈达廷布拉格 | 1966.1.29 | 四子王旗卫境人民公社 | 四子王旗江岸苏木 |
| 哈刀此老 | 阿都楚鲁 | 1966.1.29 | 四子王旗巨巾号人民公社 | 四子王旗乌兰花、吉生太镇或忽鸡图乡 |
| 哈登得不素 | 哈丹德布斯克 | 1966.1.29 | 四子王旗白音敖包、卫境或红格尔人民公社 | 四子王旗白音敖包苏木 |
| 哈登得不条格 | 哈丹德包格 | 1966.1.29 | 四子王旗白音敖包、卫境或红格尔人民公社 | 四子王旗白音敖包苏木 |
| 哈而嘎那 | 图呼木 | 1955.3.23 | 集一二铁路沿线火车站名 | 苏尼特右旗赛汗塔拉镇 |
| 哈尔干 | 哈尔斯格尔 | 1966.1.29 | 四子王旗白音敖包、卫境或红格尔人民公社 | 四子王旗白音敖包苏木 |
| 哈尔干图 | 哈尔图 | 清初 | 土默特旗 | 土默特左旗察素齐镇 |
| 哈尔目喇嘛苏木 | 阿尔善图庙 | 1966.1.29 | 四子王旗卫境人民公社 | 四子王旗江岸苏木 |
| 哈尔腾格 | 哈尔特格 | 1966.1.29 | 四子王旗白音敖包、卫境或红格尔人民公社 | 四子王旗白音敖包苏木 |
| 哈嘎布其海 | 哈布其盖 | 1966.1.29 | 四子王旗白音敖包、卫境或红格尔人民公社 | 四子王旗白音敖包苏木 |
| 哈格淖尔 | 韩盖淖 | 1926 | 察哈尔正红旗 | 察右后旗乌兰哈达苏木 |
| 哈教洋堂 | 哈教 | | 达茂旗西河乡 | 达茂旗乌克忽洞镇 |
| 哈教依菊斯楞 | 吉勒太花 | 1955 | 察右后旗 | 察右后旗白音察干镇 |
| 哈拉阿木 | 哈拉沟 | 1936 | 察哈尔正红旗 | 察右后旗锡勒乡 |
| 哈拉此老 | 大阳坡 | 1966.1.29 | 四子王旗活福滩人民公社 | 四子王旗忽鸡图乡 |
| 哈拉盖 | 哈拉更 | | 呼和浩特市新城区毫沁营镇 | 呼和浩特市新城区 |
| 哈拉盖 | 乌力吉图和日 | | 乌拉特中旗巴音苏木 | 乌拉特中旗巴音乌兰苏木 |
| 哈拉盖 | 哈拉更 | 民国时期 | 归绥县二区 | 呼和浩特市赛罕区 |
| 哈拉干 | 哈拉阿日格 | 1966.1.29 | 四子王旗卫境人民公社 | 四子王旗江岸苏木 |
| 哈拉圪搭 | 哈拉圪纳 | 1966.1.29 | 四子王旗忽鸡图人民公社 | 四子王旗忽鸡图乡 |

| | | | | |
|---|---|---|---|---|
| 哈拉圪沁 | 哈拉沁 | 清代 | 呼和浩特市新城区毫沁营镇 | 呼和浩特市新城区 |
| 哈拉哈沙 | 哈尔呼舒 | 1966.1.29 | 四子王旗查干敖包人民公社 | 四子王旗查干补力格或脑木更苏木 |
| 哈拉汗补隆 | 哈拉盖补隆 | | 乌拉特前旗白彦花人民公社 | 乌拉特前旗白彦花镇 |
| 哈拉斤 | 联合 | 1958 | 乌拉特中旗德令山乡 | 乌拉特中旗德令山镇 |
| 哈拉门独 | 东窑子 | | 武川县腮忽洞乡 | 武川县哈拉合少乡 |
| 哈拉木坝 | 阿日本布 | 1966.1.29 | 四子王旗红格尔人民公社 | 四子王旗红格尔苏木 |
| 哈拉乌拉 | 哈日察布 | 1966.1.29 | 四子王旗白音花人民公社 | 四子王旗红格尔苏木 |
| 哈拉乌素 | 哈素 | | 土默特旗陶思浩乡 | 土默特左旗察素齐镇 |
| 哈拉锡敖包 | 哈拉锡林敖包 | 1966.1.29 | 四子王旗卫境人民公社 | 四子王旗江岸苏木 |
| 哈拉锡林爱黑 | 哈拉锡林敖包 | 1966.1.29 | 四子王旗卫境人民公社 | 四子王旗江岸苏木 |
| 哈勒木特 | 黑兰不塔 | | 呼和浩特市赛罕区西把栅乡 | 呼和浩特市赛罕区 |
| 哈林章坝 | 小林坝 | 1949年后 | 和林格尔县公喇嘛乡 | 和林格尔县 |
| 哈留托 | 海流应 | 1966.1.29 | 四子王旗白音朝克图人民公社 | 四子王旗白音朝克图镇 |
| 哈鲁、哈乐 | 黑浪壕 | | 武川县西红山子乡 | 武川县二份子乡 |
| 哈马日布郎 | 乌兰 | | 乌拉特后旗巴音宝力格苏木 | 乌拉特后旗巴音宝力格镇 |
| 哈马乌素 | 阿木乌素 | 1966.1.29 | 四子王旗供济堂人民公社 | 四子王旗供济堂镇 |
| 哈玛日 | 哈模沟（转音） | | 固阳县忽鸡沟乡 | 固阳县金山镇 |
| 哈木吉拉格特 | 扎木音吉尔嘎楞图 | 1966.1.29 | 四子王旗查干敖包人民公社 | 四子王旗查干补力格或脑木更苏木 |
| 哈木日宝勒格 | 哈毛不浪（转音） | 1899 | 察哈尔正红旗 | 察右后旗贲红镇 |
| 哈那恩乌拉 | 汉乌拉 | 1966.1.29 | 四子王旗查干敖包人民公社 | 四子王旗查干补力格或脑木更苏木 |

| | | | | |
|---|---|---|---|---|
| 哈日查 | 哈啦沁（转音） | 清朝中期 | 和林格尔县西沟门乡 | 和林格尔县 |
| 哈日沟 | 东房子 | | 察右后旗锡勒、胜利乡或韩勿拉苏木 | 察右后旗锡勒乡 |
| 哈日沟 | 西房村 | 1949 年后 | 察右后旗锡勒、胜利乡或韩勿拉苏木 | 察右后旗锡勒乡 |
| 哈日锡林混地 | 黑石林沟（转音） | | 固阳县东公此老乡 | 固阳县怀朔镇 |
| 哈沙 | 嘎顺 | 1966.1.29 | 四子王旗白音敖包、卫境或红格尔人民公社 | 四子王旗白音敖包苏木 |
| 哈沙 | 呼舒 | 1966.1.29 | 四子王旗脑木更人民公社 | 四子王旗脑木更苏木 |
| 哈沙图 | 查干尚德 | 1966.1.29 | 四子王旗白音敖包、卫境或红格尔人民公社 | 四子王旗白音敖包苏木 |
| 哈沙图（黑沙图） | 合昌图 | 清代 | 呼和浩特市 | 呼和浩特市赛罕区 |
| 哈少忽洞冬屋 | 呼顺乌苏 | 1966.1.29 | 四子王旗查干补力格人民公社 | 四子王旗查干补力格苏木 |
| 哈特音朗尔 | 哈尔那尔 | 1966.1.29 | 四子王旗红格尔人民公社 | 四子王旗红格尔苏木 |
| 哈西亚图 | 黑沙（转音） | | 固阳县下湿壕或新建乡 | 固阳县下湿壕镇 |
| 哈雅尔胡都格 | 哈彦忽洞（转音） | | 达茂旗坤兑滩乡 | 达茂旗石宝镇 |
| 哈彦忽洞 | 呼卖尔呼都格 | 1966.1.29 | 四子王旗大井坡人民公社 | 四子王旗吉生太镇 |
| 哈彦渠 | 黄羊渠 | | 武川县耗赖山乡 | 武川县哈乐镇 |
| 哈杨华 | 浩尧尔花 | 1966.1.29 | 四子王旗脑木更人民公社 | 四子王旗脑木更苏木 |
| 哈页胡洞 | 贾喜村 | 1915 | 化德县 | 化德县长顺镇 |
| 哈页胡洞 | 张家房子 | 1924 | 化德县 | 化德县长顺镇 |
| 哈音忽洞 | 哈亚哈洞 | 1966.1.29 | 四子王旗巨巾号人民公社 | 四子王旗乌兰花、吉生太镇或忽鸡图乡 |
| 哈珠 | 哈珠尔 | 1966.1.29 | 四子王旗卫境人民公社 | 四子王旗江岸苏木 |
| 海拉书 | 前海柳 | 清光绪年间 | 土默特旗 | 土默特左旗察素齐镇 |
| 海岐花 | 渔青花 | | 四子王旗第四区 | 四子王旗供济堂镇 |

| | | | | |
|---|---|---|---|---|
| 海仁 | 西海仁 | 1912 | 凉城县 | 凉城县岱海镇 |
| 海生不拉 | 海生不浪 | | 托克托县中滩乡 | 托克托县 |
| 亥拉苏 | 海流沟<br>(转音) | | 固阳县新建乡 | 固阳县下湿壕镇 |
| 亥拉苏太 | 前海流<br>(转音) | | 固阳县下湿壕或新建乡 | 固阳县下湿壕镇 |
| 亥拉苏太 | 海流色太<br>(转音) | | 固阳县新建乡 | 固阳县下湿壕镇 |
| 亥莫 | 浩依木尔 | 1966.1.29 | 四子王旗红格尔人民公社 | 四子王旗红格尔苏木 |
| 亥羊倌村 | 黄旗滩 | 1930 | 察哈尔镶蓝旗或镶红旗 | 卓资县十八台镇 |
| 晗沙阿曼乌苏 | 哈夏阿曼乌苏 | 1966.1.29 | 四子王旗查干敖包人民公社 | 四子王旗查干补力格或脑木更苏木 |
| 韩大成 | 韩家村 | | 兴和县五一乡 | 兴和县赛乌素镇 |
| 韩二村 | 韩家村 | 1966.1.18 | 察右前旗三成局人民公社 | 集宁区马莲区乡 |
| 韩家村 | 太平 | 1954 | 化德县土城子、白土卜子或白音特拉乡 | 化德县朝阳镇 |
| 韩家圐圙 | 圐圙 | | 凉城县曹碾、厂汉营或十九号人民公社 | 凉城县曹碾满族自治乡 |
| 韩家新地 | 下新地 | 1966.2.2 | 土默特旗海子人民公社 | 土默特右旗海子乡 |
| 韩家阳坡 | 韩家圪旦 | 1780 | 清水河县小缸房乡 | 清水河县 |
| 韩家夭 | 韩家窑 | | 呼和浩特市郊区 | 呼和浩特市赛罕区 |
| 韩金图 | 牧场 | 1958 | 化德县土城子、白土卜子或白音特拉乡 | 化德县朝阳镇 |
| 韩庆达营子 | 西营子 | 1966.2.3 | 兴和县曹四窑人民公社 | 兴和县大库联乡 |
| 韩天壕 | 前壕 | | 固阳县卜塔亥乡 | 固阳县银号镇或怀朔镇 |
| 韩旺村 | 东山畔 | | 察右后旗石门口人民公社 | 察右后旗贲红镇 |
| 韩文元 | 永和沟 | | 察右后旗石门口人民公社 | 察右后旗贲红镇 |
| 韩毡房 | 北流图 | 1954 | 化德县土城子、白土卜子或白音特拉乡 | 化德县朝阳镇 |

| | | | | |
|---|---|---|---|---|
| 汗淖卜子 | 汗淖堡 | | 商都县十八顷镇或范家村二乡 | 商都县十八顷镇 |
| 旱海子 | 董家村 | 1984 | 察右后旗当郎忽洞人民公社 | 察右后旗当郎忽洞苏木 |
| 旱海子 | 汉海子 | 1947 | 察哈尔正红旗 | 察右后旗锡勒乡 |
| 蒿儿兔 | 宁远厅 | 清雍正十二年 | 察哈尔正红旗或镶红旗 | 凉城县永兴镇 |
| 毫刚勒特 | 红格尔图 | | 察右后旗锡勒、胜利乡或韩勿拉苏木 | 察右后旗锡勒乡 |
| 毫刚勒特 | 下红格尔图 | 1932 | 察哈尔正红旗 | 察右后旗锡勒乡 |
| 毫沁 | 南毫沁 | 1983 | 呼和浩特市赛罕区金河镇 | 呼和浩特市赛罕区 |
| 壕堑 | 头号 | | 察哈尔正红旗或镶红旗 | 察右中旗黄羊城镇 |
| 壕堑渠子 | 壕欠 | | 兴和县壕欠乡 | 兴和县壕堑镇 |
| 壕隋 | 好来 | 1966.1.29 | 四子王旗白音花人民公社 | 四子王旗红格尔苏木 |
| 好力宝 | 东、西忽雷报（转音） | 1781 | 明安旗或东公旗 | 固阳县银号镇或怀朔镇 |
| 好亚日呼都格 | 哈彦忽洞（转音） | | 固阳县西斗铺、坝梁或红泥井乡 | 固阳县西斗铺镇 |
| 郝八村 | 光明树 | 1966.2.3 | 兴和县大库联人民公社 | 兴和县大库联乡 |
| 郝德玉 | 东林 | 1949 | 化德县 | 化德县朝阳镇 |
| 郝二举梁 | 下井 | 1966.1.14 | 商都县高勿素人民公社 | 商都县小海子镇 |
| 郝家村 | 德尔森塔拉 | 1966.1.18 | 察右前旗 | 察右前旗 |
| 郝家村 | 新风 | 1964 | 察右前旗郝家村人民公社 | 察右前旗乌拉哈乌拉乡 |
| 郝家地 | 半个围子 | 1940 | 化德县 | 化德县德包图乡 |
| 郝家天 | 郝家窑 | | 呼和浩特市郊区 | 呼和浩特市赛罕区 |
| 郝老二窑 | 郝老窑 | | 和林格尔县黑老窑乡 | 和林格尔县 |
| 郝老窑 | 黑老窑 | | 和林格尔县黑老窑乡 | 和林格尔县 |
| 郝六古营 | 上古营 | | 四子王旗吉生太乡 | 四子王旗吉生太镇 |

| | | | | |
|---|---|---|---|---|
| 郝全村 | 民胜村 | 1966.2.3 | 兴和县五股泉人民公社 | 兴和县大库联乡 |
| 郝天祥 | 潮阳河 | 1968 | 商都县大黑沙土或四台坊子人民公社 | 商都县大黑沙土镇 |
| 郝万祥营 | 小东营子 | 1966.1.14 | 商都县大黑沙土人民公社 | 商都县大黑沙土镇 |
| 郝玉成 | 山东沟 | 1963 | 商都县三面井或玻璃忽镜人民公社 | 商都县玻璃忽镜乡 |
| 郝志成地（郝家地） | 远大 | 1954 | 化德县公腊胡洞、二道河或德善乡 | 化德县公腊胡洞乡 |
| 号地 | 大庙子 | 清末明初 | 土默特旗或喀尔喀右翼旗 | 武川县哈拉合少乡 |
| 号地 | 德胜 | | 武川县哈拉门独乡 | 武川县哈拉合少乡 |
| 浩来 | 罕乌拉 | | 乌拉特后旗潮格温都尔苏木 | 乌拉特后旗潮格温都尔镇 |
| 浩勒旺 | 忽来报（转音） | 1930 | 察哈尔正红旗 | 察右后旗锡勒乡 |
| 浩让格尔 | 圆圙沟 | 1924 | 察哈尔正红旗 | 察右后旗当郎忽洞苏木 |
| 浩雅日呼都格 | 哈彦忽洞（转音） | | 固阳县大庙乡 | 固阳县银号镇 |
| 浩亚日呼都格 | 哈彦忽洞（转音） | | 固阳县银号、大庙或卜塔亥乡 | 固阳县银号镇 |
| 合昌图 | 黑沙图 | 民国时期 | 归绥县二区 | 呼和浩特市赛罕区 |
| 合雁胡洞 | 兴牧 | 1961 | 化德县公腊胡洞、二道河或德善乡 | 化德县公腊胡洞乡 |
| 合页勿洞滩 | 小井子 | | 兴和县五股泉乡 | 兴和县大库联乡 |
| 合义堂 | 杨树湾 | 1966.2.3 | 兴和县大库联人民公社 | 兴和县大库联乡 |
| 何家村 | 何家地 | 1946 | 察哈尔正红旗 | 察右后旗贲红镇 |
| 和楚 | 各臭沟（转音） | | 固阳县公益民乡 | 固阳县金山镇 |
| 和林格尔 | 二十家 | | 呼和浩特市赛罕区黄合少镇 | 呼和浩特市赛罕区 |
| 和平 | 大里河 | | 四子王旗第八区 | 四子王旗东八号乡 |
| 和热木音呼都格 | 乌兰格日勒 | | 乌拉特中旗乌兰苏木 | 乌拉特中旗巴音乌兰苏木 |

| 和日音高勒 | 开令(转音) | | 达茂旗查干淖尔苏木 | 达茂旗达尔汗苏木 |
|---|---|---|---|---|
| 和尚圪旦 | 宏伟 | | 乌拉特中旗乌加河区 | 乌拉特中旗乌加河镇 |
| 和尚营 | 河上营 | 1966.1.27 | 托克托县中滩人民公社 | 托克托县 |
| 河东 | 堂村 | 1947 | 四子王旗 | 四子王旗忽鸡图乡 |
| 河南 | 朝岱 | 民国时期 | 归绥县二区 | 呼和浩特市赛罕区 |
| 河神庙 | 河森茂 | 1966.1.13 | 土默特旗毛岱人民公社 | 土默特右旗美岱召镇 |
| 河套村 | 关家村 | 1934 | 集宁县 | 集宁区白海子镇 |
| 核桃沟 | 达赫里格特 | 1950年后 | 察哈尔正红旗 | 察右后旗锡勒乡 |
| 贺家沟 | 长春沟 | 1954 | 化德县德包图、六支箭、六十顷或白音特拉乡 | 化德县德包图乡 |
| 贺栓柱营子、贺二营子、六大股 | 六十顷 | 1940年后 | 化德县 | 化德县七号镇 |
| 贺周湾 | 贺洲湾(转音) | | 凉城县双古城乡 | 凉城县六苏木镇 |
| 赫登白兴 | 东黑炭板 | | 呼和浩特市赛罕区金河镇 | 呼和浩特市赛罕区 |
| 赫家 | 前永胜 | 1958 | 察右中旗米粮局乡 | 察右中旗米粮局乡 |
| 鹤岭 | 合林 | 民国时期 | 归绥县三区 | 呼和浩特市赛罕区 |
| 黑卜营 | 兴旺庄 | | 呼和浩特市玉泉区桃花乡 | 呼和浩特市玉泉区 |
| 黑布拉克 | 德日斯乃 | 1966.1.29 | 四子王旗查干补力格人民公社 | 四子王旗查干补力格苏木 |
| 黑村 | 平基 | 清光绪三十一年（1905） | 土默特旗 | 土默特左旗察素齐镇 |
| 黑圪塔洼 | 红圪塔洼 | 1968 | 丰镇市黑圪塔洼人民公社 | 丰镇市官屯堡乡 |
| 黑鸡兔 | 忽吉尔图 | 1966.1.13 | 土默特右旗沙海子人民公社 | 土默特右旗双龙镇 |
| 黑兰义力更 | 中号 | 1966.1.29 | 四子王旗第七区、吉生太或查干补力格人民公社 | 四子王旗吉生太镇 |
| 黑烂贾不寺 | 贾不寺 | | 卓资县十八台人民公社 | 卓资县十八台镇 |

| | | | | |
|---|---|---|---|---|
| 黑龙贵 | 哈仁贵 | 1966.1.29 | 四子王旗三元井人民公社 | 四子王旗库伦图镇 |
| 黑猫湾 | 黑毛湾 | | 商都县大拉子乡 | 商都县西井子镇 |
| 黑沙图 | 东哈沙图 | 1966.1.29 | 四子王旗巨巾号人民公社 | 四子王旗乌兰花、吉生太镇或忽鸡图乡 |
| 黑沙图 | 口子 | 1958 | 察右中旗原元山子乡 | 察右中旗元山子乡 |
| 黑沙兔 | 黑沙图 | 建国后 | 呼和浩特市赛罕区太平庄乡 | 呼和浩特市赛罕区 |
| 黑蛇兔 | 图舍图 | 1982 | 土默特左旗陶思浩人民公社 | 土默特左旗察素齐镇 |
| 黑石崖 | 宝拉格 | | 察右后旗乌兰哈达人民公社 | 察右后旗乌兰哈达苏木 |
| 黑水城 | 阿伦斯木 | 元代 | | 达茂旗巴音敖包苏木 |
| 黑四板 | 明亮 | 1954 | 化德县公腊胡洞、二道河或德善乡 | 化德县公腊胡洞乡 |
| 黑土台 | 红土台 | 1958 | 丰镇市黑土台乡 | 丰镇市黑土台镇 |
| 黑土窑 | 永红 | 1968 | 呼和浩特市郊区 | 呼和浩特市赛罕区 |
| 恒义局 | 恒义隆 | 1880 | 察哈尔正红旗 | 察右后旗大六号镇 |
| 横和布浪敖包 | 恩和布拉格敖包 | 1966.1.29 | 四子王旗脑木更人民公社 | 四子王旗脑木更苏木 |
| 红城 | 大土城 | 1973 | 察右前旗大土城人民公社 | 察右前旗三岔口乡 |
| 红代冬屋 | 红代 | 1966.1.29 | 四子王旗红格尔人民公社 | 四子王旗红格尔苏木 |
| 红代庙 | 红代 | | 四子王旗红格尔人民公社 | 四子王旗红格尔苏木 |
| 红地德里斯 | 张嘎方 | 1949 | 察哈尔正红旗 | 察右后旗当郎忽洞、乌兰哈达苏木 |
| 红方 | 赵油房 | 1981 | 察右前旗高宏店人民公社 | 察右前旗玫瑰营镇 |
| 红阁庙 | 洪高尔 | 1966.1.29 | 四子王旗红格尔人民公社 | 四子王旗红格尔苏木 |
| 红格尔 | 希拉莫日庙 | 1982 | 四子王旗红格尔人民公社 | 四子王旗红格尔苏木 |

| 红沟 | 红格尔 | 1966.1.29 | 四子王旗查干补力格人民公社 | 四子王旗查干补力格苏木 |
|---|---|---|---|---|
| 红吉讨号 | 红吉 | | 呼和浩特市赛罕区榆林镇 | 呼和浩特市赛罕区 |
| 红懋营 | 黄茂营 | 1951 | 察右前旗黄茂营 | 察右前旗黄茂营乡 |
| 红盘 | 宏盘 | 民国时期 | 陶林县 | 察右中旗宏盘乡 |
| 红旗 | 东部北行政村 | 1982 | 乌拉特中旗郜北人民公社 | 乌拉特中旗石哈河镇 |
| 红旗 | 努其补隆 | 1981 | 乌拉特后旗那日图人民公社 | 乌拉特后旗呼和温都尔镇 |
| 红旗 | 铁沙盖 | 1959 | 察哈尔正红旗或镶红旗 | 察右中旗铁沙盖镇 |
| 红旗村 | 小白代 | 1958 | 达茂旗大苏吉乡 | 达茂旗石宝镇 |
| 红旗马场 | 红旗马厂 | | 凉城县双古城乡 | 凉城县六苏木镇 |
| 红旗滩种籽厂 | 红旗滩 | 1971 | 四子王旗大黑河或太平庄人民公社 | 四子王旗大黑河乡 |
| 红渠 | 红沙坝 | 1958 | 固阳县新建乡 | 固阳县下湿壕镇 |
| 红胜敖包 | 西红胜 | 1924 | 武川县 | 武川县二份子乡 |
| 红胜大队 | 新建 | 1978 | 察右前旗土贵乌拉人民公社 | 察右前旗土贵乌拉镇 |
| 红石崖(红石牙) | 香黄地 | 1920 | 四子王旗 | 四子王旗库伦图镇 |
| 红水坊(红所坊) | 红水房 | 1956 | 察右后旗 | 察右后旗白音察干镇 |
| 红土湾 | 宏图 | 1976 | 兴和县石湾或台基庙人民公社 | 兴和县民族团结乡 |
| 红土夭 | 红土窑 | | 呼和浩特市郊区 | 呼和浩特市赛罕区 |
| 红卫 | 马莲渠 | 1984 | 集宁市马莲渠乡 | 集宁市马莲渠乡 |
| 红鞋沟 | 新民 | 1968 | 商都县大黑沙土或四台坊子人民公社 | 商都县大黑沙土镇 |
| 红崖湾 | 红土湾 | | 四子王旗大井坡人民公社 | 四子王旗吉生太镇 |
| 红源 | 广益隆 | 1959 | 察右中旗广益隆人民公社 | 察右中旗广益隆镇 |

| | | | | |
|---|---|---|---|---|
| 宏图 | 红土湾 | | 兴和县石湾人民公社或台基庙乡 | 兴和县民族团结乡 |
| 宏跃 | 伊和敖包 | 1982 | 乌拉特中旗邬北人民公社 | 乌拉特中旗石哈河镇 |
| 鸿嘎鲁音尚德 | 尚德 | | 四子王旗卫镜公社 | 四子王旗江岸苏木 |
| 侯家卜子 | 南卜子 | 1949年后 | 四子王旗库伦图人民公社 | 四子王旗库伦图镇 |
| 侯家沟村 | 兴寨 | 1968 | 商都县西井子、大拉子或格化司台人民公社 | 商都县西井子镇 |
| 侯三林地 | 联合 | 1954 | 化德县公腊胡洞、二道河或德善乡 | 化德县公腊胡洞乡 |
| 侯世元 | 团结 | 1964 | 商都县卯都或大库伦人民公社 | 商都县卯都乡 |
| 侯万贵村 | 侯万贵围子（新城子） | 1935 | 化德县 | 化德县朝阳镇 |
| 侯万贵围子（新城子） | 幸福 | 1954 | 化德县土城子、白土卜子或白音特拉乡 | 化德县朝阳镇 |
| 猴山 | 阿甘格楞特乌拉 | 1966.1.29 | 四子王旗红格尔人民公社 | 四子王旗红格尔苏木 |
| 后卜子 | 希布特格 | | 察右后旗当郎忽洞人民公社 | 察右后旗当郎忽洞苏木 |
| 后卜子 | 西小子 | 1966.1.29 | 四子王旗供济堂人民公社 | 四子王旗供济堂镇 |
| 后村 | 盛家村 | 文革期间 | 察右后旗乌兰哈达人民公社 | 察右后旗乌兰哈达苏木 |
| 后村 | 盛家 | 1984 | 察右后旗当郎忽洞苏木 | 察右后旗当郎忽洞苏木 |
| 后大公营盘 | 后盘沟 | 1953 | 化德县七号、达盖滩、六十顷或德包图乡 | 化德县七号镇 |
| 后房子 | 朝阳农场 | 1959 | 化德县德善、白土卜子、白音特拉、德包图乡或朝阳、城关镇 | 化德县长顺镇 |
| 后房子 | 后坊子 | 1897 | 察哈尔正红旗 | 察右后旗当郎忽洞苏木 |
| 后红海 | 亥塔乌兰淖尔 | | 察右后旗乌兰哈达人民公社 | 察右后旗乌兰哈达苏木 |
| 后红山 | 厚红山（转音） | | 四子王旗乌兰花镇人民公社 | 四子王旗乌兰花镇 |

| 后葫芦 | 后得胜 | 1942 | 凉城县 | 凉城县蛮汉镇 |
|---|---|---|---|---|
| 后甲尔旦 | 后宝岱图 | 1966.1.13 | 土默特旗沙尔沁人民公社 | 土默特左旗沙尔沁镇 |
| 后喇嘛 | 后杏树沟 | | 呼和浩特市赛罕区榆林人民公社 | 呼和浩特市赛罕区 |
| 后狼窝壕 | 后壕 | 1966.2.1 | 托克托县南坪人民公社 | 托克托县 |
| 后利贞 | 下毫庆苏木 | 清同治年间 | 察哈尔正红旗或镶红旗 | 凉城县麦胡图镇 |
| 后梁 | 阿林朝北 | 1923 | 陶林县 | 察右中旗元山子乡 |
| 后麻迷图 | 草帽山 | 1966.1.15 | 察右中旗五号人民公社 | 察右中旗广益隆镇 |
| 后马莲渠 | 大庙 | 1819 | 察哈尔正红旗 | 察右前旗玫瑰营镇 |
| 后马群 | 后玛勒钦 | 1982 | 土默特旗陶思浩人民公社 | 土默特左旗察素齐镇 |
| 后玛勒钦 | 后马群 | | 土默特旗陶思浩乡 | 土默特左旗察素齐镇 |
| 后民村 | 后明村 | 1949 年后 | 察右后旗乌兰哈达人民公社 | 察右后旗乌兰哈达苏木 |
| 后三和堂 | 丰裕村 | | 察右后旗大六号人民公社 | 察右后旗贲红镇 |
| 后山圪旦 | 联丰 | | 乌拉特中旗乌加河区 | 乌拉特中旗乌加河镇 |
| 后水磨 | 后干沟 | | 卓资县保安乡 | 卓资县梨花镇 |
| 后陶来不浪 | 后图来布拉格 | 1966.2.3 | 兴和县秦豹营人民公社 | 兴和县赛乌素镇 |
| 后洼 | 刘家村 | 1976 | 察右后旗当郎忽洞人民公社 | 察右后旗当郎忽洞苏木 |
| 后席气脑包 | 后席波敖包 | 1966.1.29 | 四子王旗忽鸡图人民公社 | 四子王旗忽鸡图乡 |
| 后羊海 | 呼和温都尔 | | 乌拉特前旗沙德格苏木 | 乌拉特前旗沙德格苏木 |
| 后夭子 | 后窑子 | | 呼和浩特市郊区 | 呼和浩特市赛罕区 |
| 后伊坑 | 后伊和额尔格 | 1966.1.29 | 四子王旗大井坡人民公社 | 四子王旗吉生太镇 |
| 后营子 | 毛扣营 | 解放初期 | 土默特左旗白庙子乡 | 土默特左旗白庙子镇 |
| 候二拴 | 山河村 | 1966.1.14 | 商都县十大顷人民公社 | 商都县十八倾镇 |

| | | | | |
|---|---|---|---|---|
| 候士元 | 团结村 | 1966.1.14 | 商都县卯都人民公社 | 商都县卯都乡 |
| 呼都格太 | 忽独地沟 | 1939 年 | 察哈尔正红旗 | 察右后旗锡勒乡 |
| 呼格吉勒图 | 锡林努如 | | 苏尼特右旗 | 苏尼特右旗乌日根塔拉苏木 |
| 呼和板申 | 口口板申(口克板申、口肯板申) | | 土默特旗塔布赛乡 | 土默特左旗塔布赛乡 |
| 呼和不浪 | 呼和布拉格 | 1966 | 乌拉特前旗布拉格人民公社 | 乌拉特前旗乌拉山镇 |
| 呼和道本 | 东升三社 | 1971 | 乌拉特后旗、杭锦后旗四支人民公社 | 乌拉特后旗获各琦苏木 |
| 呼和诺尔 | 苏很诺尔 | 1966.1.29 | 四子王旗白音敖包、卫境或红格尔人民公社 | 四子王旗白音敖包苏木 |
| 呼和温都尔 | 吉格森淖尔 | | 乌拉特后旗乌根高勒苏木 | 乌拉特后旗乌盖苏木 |
| 呼吉尔图 | 四号 | | 四子王旗活福滩人民公社 | 四子王旗忽鸡图乡 |
| 呼吉日 | 忽鸡沟(转音) | | 固阳县忽鸡沟乡 | 固阳县金山镇 |
| 呼吉日图 | 忽鸡图(转音) | | 固阳县西斗铺、坝梁或红泥井乡 | 固阳县西斗铺镇 |
| 呼鲁苏太 | 胡芦石太(转音) | | 固阳县银号、大庙或卜塔亥乡 | 固阳县银号镇 |
| 呼沁板申 | 七炭板 | | 土默特旗塔布赛乡 | 土默特左旗塔布赛乡 |
| 呼热图 | 圐圙兔 | 1943 | 喀尔喀右翼旗 | 达茂旗石宝镇 |
| 呼热图 | 圐圙 | | 固阳县东公此老乡 | 固阳县怀朔镇 |
| 呼仍陶勒盖 | 巴音高勒 | | 乌拉特中旗川井苏木 | 乌拉特中旗川井苏木 |
| 忽(红)吉讨号 | 晨光 | 建国后 | 呼和浩特市赛罕区榆林镇 | 呼和浩特市赛罕区 |
| 忽鸡兔 | 呼吉尔图 | 1966.1.29 | 四子王旗大井坡人民公社 | 四子王旗吉生太镇 |
| 忽吉勒 | 小浑津 | | 土默特左旗台阁牧乡 | 土默特左旗台阁牧镇 |
| 忽拉格气 | 新河 | 1966.1.27 | 托克托县伍家人民公社 | 托克托县 |

| 忽力格井 | 呼勒格尔井 | 1966.1.29 | 四子王旗白音花人民公社 | 四子王旗红格尔苏木 |
|---|---|---|---|---|
| 忽力态 | 胡芦斯太 | 1966.1.29 | 四子王旗大井坡人民公社 | 四子王旗吉生太镇 |
| 忽亮图 | 呼热图 | 1966.1.29 | 四子王旗白音花人民公社 | 四子王旗红格尔苏木 |
| 忽少材 | 呼舍 | 1966.1.29 | 四子王旗查干补力格人民公社 | 四子王旗查干补力格苏木 |
| 胡货郎 | 胡忽浪营 | 建国后 | 托克托县燕山营乡 | 托克托县 |
| 胡家村 | 后洼子 | 1976 | 察右后旗当郎忽洞人民公社 | 察右后旗当郎忽洞苏木 |
| 胡家村 | 民建 | 1956 | 化德县德善、白土卜子、白音特拉、德包图乡或朝阳、城关镇 | 化德县长顺镇 |
| 胡鲁音昆对 | 洪高尔敖包 | 1966.1.29 | 四子王旗卫境人民公社 | 四子王旗江岸苏木 |
| 胡旅长地 | 毡坊沟 | 1956 | 化德县德善、白土卜子、白音特拉、德包图乡或朝阳、城关镇 | 化德县长顺镇 |
| 胡皮匠营子 | 中西 | 1959 | 化德县七号、达盖滩、六十顷或德包图乡 | 化德县七号镇 |
| 胡三新地 | 新地 | | 四子王旗供济堂人民公社 | 四子王旗供济堂镇 |
| 胡唯艾拉 | 大克卜营 | | 察右后旗当郎忽洞人民公社 | 察右后旗当郎忽洞苏木 |
| 湖南吴二狗 | 中哈达 | 1949年后 | 察右中旗宏盘乡 | 察右中旗宏盘乡 |
| 葫芦村 | 后德胜 | 1942 | 凉城县 | 凉城县蛮汉镇 |
| 花额日格 | 花以力更（转音） | | 固阳县下湿壕或新建乡 | 固阳县下湿壕镇 |
| 花鄂日格 | 花里以力更（转音） | | 固阳县东胜永乡 | 固阳县金山镇 |
| 花狗营 | 西华营 | 1982 | 土默特旗沙尔营人民公社 | 土默特左旗白庙子镇 |
| 花呼都格 | 巴音图呼木 | | 乌拉特中旗巴音苏木 | 乌拉特中旗巴音乌兰苏木 |
| 花呼日音塔拉 | 赛汗塔拉 | | 苏尼特右旗 | 苏尼特右旗赛汗塔拉镇 |

| | | | | |
|---|---|---|---|---|
| 花呼西古 | 黄合少<br>（转音） | | 固阳县大庙乡 | 固阳县银号镇 |
| 花日太 | 花圪台<br>（转音） | | 固阳县东公此老乡 | 固阳县怀朔镇 |
| 花陶勒盖 | 花特老亥<br>（转音） | | 固阳县东公此老乡 | 固阳县怀朔镇 |
| 化德镇 | 长顺镇 | 2001 | 化德县长顺镇 | 化德县长顺镇 |
| 画家渠 | 画匠渠 | | 固阳县东胜永乡 | 固阳县金山镇 |
| 桦稍营 | 化色营 | 1930 | 察哈尔正红旗 | 察右后旗当郎忽洞苏木 |
| 桦树墕 | 窑沟 | | 清水河县桦树墕管理区 | 清水河县窑沟乡 |
| 欢太庄 | 獾子窝 | | 丰镇市官屯堡或黑圪塔洼乡 | 丰镇市官屯堡乡 |
| 獾子窝 | 欢子旺 | 1982 | 凉城县天成、十三号、后营或十九号人民公社 | 凉城县天成乡 |
| 荒地窑 | 西荒地窑 | 1983 | 托克托县伍什家人民公社 | 托克托县 |
| 黄刚勒特 | 红格尔图 | 1916 | 察哈尔正红旗 | 察右后旗红格尔图镇 |
| 黄蒿子（大黄蒿卜） | 大黄毫卜 | | 凉城县麦胡图人民公社 | 凉城县麦胡图镇 |
| 黄花台几 | 台几 | | 和林格尔县舍必崖乡 | 和林格尔县 |
| 黄花窝铺 | 西黄花窝铺 | 1962 | 四子王旗大井坡人民公社 | 四子王旗吉生太镇 |
| 黄花夭 | 黄花窑 | | 呼和浩特市郊区 | 呼和浩特市赛罕区 |
| 黄家 | 东河树 | 1966.2.3 | 兴和县赵八金人民公社 | 兴和县赛乌素镇 |
| 黄家村 | 郝卫 | 1967.2.15 | 察右前旗 | 察右前旗 |
| 黄家村 | 土牧尔台 | 1955 | 察右后旗新建乡 | 察右后旗土牧尔台镇 |
| 黄家村（冀家村） | 联合 | 1958 | 化德县德包图、六支箭六十顷或白音特拉乡 | 化德县德包图乡 |
| 黄家营子 | 西营子 | | 化德县德包图、六支箭六十顷或白音拉乡 | 化德县德包图乡 |
| 黄克日达来 | 红达来营子<br>（转音） | 1949年后 | 察右后旗白音察干乡 | 察右后旗白音察干镇 |

| 黄连太 | 永乐 | 1954 | 化德县土城子、白土卜子或白音特拉乡 | 化德县朝阳镇 |
|---|---|---|---|---|
| 黄连营 | 小西村 | 1966.1.14 | 商都县大黑沙土人民公社 | 商都县大黑沙土镇 |
| 黄莲沟 | 黄金沟 | 1954 | 化德县德包图、六支箭、六十顷或白音特拉乡 | 化德县德包图乡 |
| 黄石牙 | 青石崖 | 1966.1.15 | 察右中旗铁沙盖人民公社 | 察右中旗铁沙盖镇 |
| 黄水坝子 | 沙尔诺尔 | 1966.1.29 | 四子王旗白音花人民公社 | 四子王旗红格尔苏木 |
| 黄太敖包 | 燧特浩依图敖包 | 1966.1.29 | 四子王旗红格尔人民公社 | 四子王旗红格尔苏木 |
| 黄同村 | 黄土村 | 1834 | 察哈尔正黄旗 | 兴和县民族团结乡 |
| 黄土夭 | 黄土窑 | | 呼和浩特市郊区 | 呼和浩特市赛罕区 |
| 黄委员地 | 新胜村 | 1966.1.14 | 商都县卯都人民公社 | 商都县卯都乡 |
| 黄委员山 | 新胜山 | 1966.1.27 | 商都县八股地人民公社 | 商都县大库伦乡 |
| 黄羊卜子 | 后坊子 | 1950 | 四子王旗或武东县 | 四子王旗供济堂镇 |
| 黄羊滩 | 黄羊城 | 1872 | 察哈尔正红旗 | 察右后旗贲红镇 |
| 黄羊滩 | 大六号 | | 察右后旗大六号 | 察右后旗贲红镇 |
| 灰堆营 | 大井村 | 1922 | 察哈尔正红旗 | 察右后旗白音察干镇 |
| 灰格营盘 | 明水泉 | | 四子王旗吉庆人民公社或武东县第四区 | 四子王旗供济堂镇 |
| 灰腾沟 | 崔老三营子 | 1941 | 化德县 | 化德县长顺镇 |
| 灰腾沟 | 录义 | 1941 | 化德县 | 化德县德包图乡 |
| 辉吞呼舒 | 灰吞合少(转音) | | 固阳县东公此老乡 | 固阳县怀朔镇 |
| 回回营子 | 八拜 | 清代 | 土默特旗 | 呼和浩特市赛罕区金河镇 |
| 惠家五号 | 大五号 | 1952 | 丰镇县 | 丰镇市黑土台镇 |
| 浑朝鲁 | 空尺老(转音) | | 察右后旗乌兰哈达苏木 | 察右后旗乌兰哈达苏木 |

| 混地 | 坤兑(转音) | | 固阳县兴顺西乡 | 固阳县兴顺西镇 |
|---|---|---|---|---|
| 活佛沟 | 后防洪沟 | 1954 | 化德县土城子、白土卜子或白音特拉乡 | 化德县朝阳镇 |
| 活佛滩 | 活福滩 | | 四子王旗第四区 | 四子王旗忽鸡图乡 |
| 火家卜 | 庆福店 | | 凉城县东十号、厢黄地、城关镇或三苏木乡 | 凉城县岱海镇 |
| 火圈 | 上米圈 | | 凉城县曹碾、厂汉营或十九号人民公社 | 凉城县曹碾满族自治乡 |
| 火烧羊圈 | 幸福村 | 1958 | 达茂旗石宝乡 | 达茂旗石宝镇 |
| 霍吉尔阿木 | 霍寨 | 明末 | 土默特 | 土默特左旗台阁牧镇 |
| 霍吉讨号 | 晨光 | 1949年后 | 归绥县二区 | 呼和浩特市赛罕区 |
| 霍家梁 | 光明 | 1954 | 化德县土城子、白土卜子或白音特拉乡 | 化德县朝阳镇 |
| 鸡蛋沟 | 铁圪旦 | 1730 | 察哈尔正红旗或镶红旗 | 察右中旗大滩乡 |
| 吉丹营 | 德胜营 | 1949年后 | 土默特右旗苏波盖乡 | 土默特右旗苏波盖乡 |
| 积股滩 | 公合成 | 1958 | 四子王旗第七区、吉生太人民公社 | 四子王旗吉生太镇 |
| 吉吉扣营 | 赵家村 | 1980 | 凉城县三苏木人民公社 | 凉城县岱海镇 |
| 吉克特 | 鸡图(转音) | | 固阳县新建乡 | 固阳县下湿壕镇 |
| 吉庆敖包 | 吉庆 | 1966.1.29 | 四子王旗吉庆人民公社 | 四子王旗供济堂镇 |
| 吉热木 | 额和音查干 | | 乌拉特中旗巴音杭盖苏木 | 乌拉特中旗川井苏木 |
| 吉日格勒图 | 吉拉图(转音) | 1924 | 察哈尔正红旗 | 察右后旗白音察干镇 |
| 吉生沟 | 东长青沟 | 1966.1.14 | 商都县大拉子人民公社 | 商都县西井子镇 |
| 吉太白兴(吉岱板申、鸡蛋板申) | 铁旦板 | 1949年后 | 土默特旗塔布赛乡 | 土默特左旗塔布赛乡 |
| 几几搭拉 | 吉吉格哈尔 | 1966.1.29 | 四子王旗卫境人民公社 | 四子王旗江岸苏木 |
| 计六村 | 南坊子 | 1966.1.14 | 商都县高勿素人民公社 | 商都县小海子镇 |
| 冀家村 | 冀家围子 | 1935 | 化德县 | 化德县公腊胡洞乡 |

| 冀家村 | 白敖包 | 1966.1.14 | 商都县高勿素人民公社 | 商都县小海子镇 |
|---|---|---|---|---|
| 冀家房 | 红旗 | 1958 | 察右前旗玫瑰营乡 | 察右前旗玫瑰营镇 |
| 冀家房 | 冀家梁 | 1949 | 察哈尔正红旗 | 察右前旗乌拉哈乡 |
| 冀家围子 | 复兴 | 1954 | 化德县公腊胡洞乡 | 化德县公腊胡洞乡 |
| 加哈哈沙 | 扎很呼舒 | 1966.1.29 | 四子王旗脑木更人民公社 | 四子王旗脑木更苏木 |
| 加斯太 | 哈布哈斯台 | 1966.1.29 | 四子王旗白音朝克图人民公社 | 四子王旗白音朝克图镇 |
| 嘉卜寺 | 化德镇 | 1957 | 化德县化德镇 | 化德县长顺镇 |
| 甲坝 | 新村 | 1984 | 乌拉特前旗佘太人民公社 | 乌拉特前旗大佘太镇 |
| 甲尔旦 | 宝岱图 | 1969 | 土默特旗沙尔营人民公社 | 土默特左旗白庙子镇 |
| 甲哥孝 | 扎嘎乃呼舒 | 1966.1.29 | 四子王旗查干补力格人民公社 | 四子王旗查干补力格苏木 |
| 甲拉 | 西甲拉 | | 丰镇市三义泉或麻迷图乡 | 丰镇市三义泉镇 |
| 甲拉板申 | 甲兰板 | | 呼和浩特市新城区保合少乡 | 呼和浩特市新城区 |
| 甲赖 | 大甲赖 | 清朝中期 | 和林格尔县董家营乡 | 和林格尔县 |
| 甲兰 | 西甲兰 | | 土默特旗兵州亥乡 | 土默特左旗毕克齐镇 |
| 甲兰 | 甲尔旦 | 清乾隆年间 | 土默特旗 | 土默特左旗白庙子镇 |
| 甲兰板 | 乌兰太 | | 呼和浩特市赛罕区罗家营人民公社 | 呼和浩特市赛罕区 |
| 甲兰营 | 乌兰村 | | 呼和浩特市赛罕区八拜人民公社 | 呼和浩特市赛罕区 |
| 甲郎 | 东甲兰 | | 呼和浩特市玉泉区小黑河镇 | 呼和浩特市玉泉区 |
| 甲力汉营 | 永胜 | 1969 | 察右后旗当郎忽洞人民公社 | 察右后旗当郎忽洞苏木 |
| 贾格尔齐沟 | 前沟 | 1955 | 固阳县兴顺西乡 | 固阳县兴顺西镇 |
| 贾汉府 | 贾汉窑 | | 兴和县高庙子乡 | 兴和县壕堑镇 |

| | | | | |
|---|---|---|---|---|
| 贾家村 | 河畔村 | | 察右后旗霞江河人民公社 | 察右后旗贲红镇和石窑沟乡 |
| 贾家村 | 德胜 | 1954 | 化德县德善、白土卜子、白音特拉、德包图乡或朝阳、城关镇 | 化德县长顺镇 |
| 贾家二号 | 二号 | | 丰镇市粒峨乡 | 丰镇市新城湾镇 |
| 贾明善 | 营石弯 | 1966.1.14 | 商都县八股地人民公社 | 商都县大库伦乡 |
| 贾三满 | 南界 | | 察右前旗黄家村乡 | 集宁区白海子镇 |
| 贾喜村 | 贾家村 | | 化德县德善、白土卜子、白音特拉、德包图乡或朝阳、城关镇 | 化德县长顺镇 |
| 肩担营 | 秀水营 | 1966.1.18 | 丰镇县新五号人民公社 | 丰镇市黑土台镇 |
| 菅家巷 | 英雄巷 | 1949年前 | 土默特旗 | 土默特右旗萨拉齐镇 |
| 江岸 | 德热顺乌斯 | | 四子王旗江岸人民公社 | 四子王旗江岸苏木 |
| 姜家村 | 和胜 | 1954 | 化德县公腊胡洞、二道河或德善乡 | 化德县公腊胡洞乡 |
| 姜喇嘛围子 | 姜家村 | | 化德县公腊胡洞、二道河或德善乡 | 化德县公腊胡洞乡 |
| 蒋家村 | 朝阳 | 1968 | 商都县西井子、大拉子或格化司台人民公社 | 商都县西井子镇 |
| 胶泥渠 | 德令贝 | | 固阳县东公此老乡 | 固阳县怀朔镇 |
| 焦芳村(东伙房) | 挺进 | 1954 | 化德县公腊胡洞、二道河或德善乡 | 化德县公腊胡洞乡 |
| 焦赞坟 | 焦赞村 | | 呼和浩特市赛罕区攸攸板人民公社 | 呼和浩特市赛罕区 |
| 角老 | 昭饶 | 1966.1.29 | 四子王旗查干敖包人民公社 | 四子王旗查干补力格或脑木更苏木 |
| 教堂地 | 建和村 | | 察右后旗霞江河人民公社 | 察右后旗贲红镇和石窑沟乡 |
| 教育堂 | 当地 | 1966.1.29 | 四子王旗吉庆人民公社或武东县第四区 | 四子王旗供济堂镇 |
| 金巴 | 金坝壕(转音) | | 固阳县兴顺西乡 | 固阳县兴顺西镇 |
| 金成子沟 | 北林 | 1949 | 化德县 | 化德县朝阳镇 |

| | | | | |
|---|---|---|---|---|
| 金盆 | 立火 | 1958 | 察右中旗金盆乡 | 察右中旗乌兰哈页乡 |
| 金旗队 | 阿拉腾图格 | 1958 | 达茂旗查干敖包苏木 | 达茂旗达尔汗苏木 |
| 金星 | 毛恼亥 | 1982 | 土默特左旗把什人民公社 | 土默特左旗察素齐镇 |
| 进探沟 | 沟底二十四号 | | 凉城县天成、十三号、后营或十九号乡 | 凉城县天成乡 |
| 晋奉昌 | 庆丰 | 1966.1.15 | 察右中旗科布尔镇或元山子、得胜人民公社 | 察右中旗科布尔镇 |
| 靳家洼 | 金石 | 1954 | 化德县德包图、六支箭、六十顷或白音特拉乡 | 化德县德包图乡 |
| 京城洼 | 金城洼 | | 卓资县八苏木乡 | 卓资县十八台镇 |
| 经棚 | 金盆 | 清光绪年间 | 察哈尔正红旗或镶红旗 | 察右中旗乌兰苏哈页苏木 |
| 九犋牛 | 小通沟 | | 凉城县后营乡 | 凉城县天成乡 |
| 九台滩 | 新建 | | 察右后旗土牧尔台镇 | 察右后旗土牧尔台镇 |
| 旧黄羊滩 | 三和堂 | | 察右后旗贲红人民公社 | 察右后旗贲红镇 |
| 旧堂 | 厢黄地 | 1966.1.18 | 凉城县厢黄地人民公社 | 凉城县岱海或蛮汉镇 |
| 居子圪卜 | 星火 | 1958 | 乌拉特前旗长胜乡 | 乌拉特前旗新安镇 |
| 局子 | 旧局子 | 1922 | 察哈尔正红旗 | 察右后旗土牧尔台镇 |
| 菊斯愣 | 白道梁 | 1930 | 察哈尔正红旗 | 察右后旗锡勒乡 |
| 巨宝庄 | 西什颗碌碡 | 1879 | 四子王旗乌兰花镇人民公社 | 四子王旗乌兰花镇 |
| 巨锦号 | 聚金号 | | 四子王旗第六区 | 四子王旗乌兰花镇 |
| 聚宝庄 | 巨保庄 | 1958 | 四子王旗第七区、吉生太或查干补力格人民公社 | 四子王旗吉生太镇 |
| 聚宝庄 | 巨宝庄 | | 武川县中后河乡 | 武川县西乌兰不浪镇 |
| 聚宝庄 | 塔坝 | 民国时期 | 归绥县二区 | 呼和浩特市赛罕区 |
| 聚锦号 | 巨巾号（转音） | | 四子王旗巨巾号人民公社 | 四子王旗乌兰花、吉生太镇或忽鸡图乡 |

| | | | | |
|---|---|---|---|---|
| 君子津 | 河口 | 清朝前期 | 土默特旗 | 清水河县 |
| 钧察素忽都格 | 察森忽呼格 | | 察右后旗锡勒、胜利乡或韩勿拉苏木 | 察右后旗锡勒乡 |
| 钧乌素 | 东乌素 | 1925 | 察哈尔正红旗 | 察右后旗红格尔图镇 |
| 康家六份子 | 六份子 | 清末 | 乌拉特东公旗 | 乌拉特前旗朝阳镇 |
| 康台基 | 门可乌素 | 1966.1.13 | 土默特旗北什轴人民公社 | 土默特左旗北什轴乡 |
| 康台基 | 卡台基（转音） | | 土默特旗北什轴乡 | 土默特左旗北什轴乡 |
| 亢楞 | 亢路 | | 察右后旗贲红人民公社 | 察右后旗贲红镇 |
| 科布尔镇 | 复兴镇 | 抗战期间 | 察哈尔正红旗或镶红旗 | 察右中旗科布尔镇 |
| 可可板 | 口肯板 | | 呼和浩特市赛罕区榆林人民公社 | 呼和浩特市赛罕区 |
| 可可点素 | 呼和德日苏 | 1966.1.29 | 四子王旗红格尔人民公社 | 四子王旗红格尔苏木 |
| 可可套力盖 | 南什轴 | 清代 | 土默特旗 | 土默特左旗北什轴乡 |
| 可可伊力格 | 呼和额热格 | 1966.1.29 | 四子王旗白音花人民公社 | 四子王旗红格尔苏木 |
| 可沁 | 波勒圪沁 | 1982 | 土默特旗铁帽人民公社 | 土默特左旗塔布赛乡 |
| 克其乌苏 | 和其乌苏 | 1966.1.29 | 四子王旗白音敖包、卫境或红格尔人民公社 | 四子王旗 |
| 肯肯脑包 | 呼很敖包 | 1966.1.29 | 四子王旗曹克文都人民公社 | 四子王旗库伦图镇 |
| 孔都林 | 孔独楞 | 1966.1.29 | 四子王旗第七区、吉生太或查干补力格人民公社 | 四子王旗吉生太镇 |
| 孔都堂 | 爱国 | 1956 | 察右后旗 | 察右后旗红格尔图镇 |
| 孔独林新地 | 北库伦 | | 四子王旗朝克温都人民公社 | 四子王旗库伦图镇 |
| 口可板申 | 口可板 | | 呼和浩特市赛罕区榆林镇 | 呼和浩特市赛罕区 |
| 口克板 | 口可板 | | 呼和浩特市郊区 | 呼和浩特市塞罕区 |
| 口口板申 | 口肯板 | 清乾隆年间 | 土默特旗 | 土默特左旗塔布赛乡 |

| 口子 | 红山口 | 1980 | 和林格尔县大红城人民公社 | 和林格尔县 |
|---|---|---|---|---|
| 寇家营 | 永忠 | 1966 | 呼和浩特市玉泉区桃花人民公社 | 呼和浩特市玉泉区 |
| 寇营 | 扣营 | | 凉城县东十号、厢黄地、城关镇或三苏木乡 | 凉城县岱海镇 |
| 圐圙补隆 | 东风 | 1958 | 乌拉特前旗苏独仑人民公社 | 乌拉特前旗苏独仑镇 |
| 圐圙图 | 西圐圙图 | | 清水河县王桂窑乡 | 清水河县宏河镇 |
| 苦草坡 | 德胜 | 1958 | 呼和浩特市郊区 | 呼和浩特市赛罕区 |
| 苦鸡壕赖 | 呼吉壕赖 | 1966.1.29 | 四子王旗西河子人民公社或武东县二区、五区 | 四子王旗东八号乡 |
| 苦鸡耗来 | 新地 | | 四子王旗西河子人民公社或武东县二区、五区 | 四子王旗东八号乡 |
| 苦鸡耗来 | 南富路 | | 四子王旗西河子人民公社或武东县二区、五区 | 四子王旗东八号乡 |
| 苦鸡耗来 | 逯家 | | 四子王旗西河子人民公社或武东县二区、五区 | 四子王旗东八号乡 |
| 库伦 | 克略(转音) | 清末 | 和林格尔县公喇嘛乡 | 和林格尔县 |
| 夸夸营 | 黑河 | 清乾隆年间 | 土默特旗 | 土默特左旗塔布赛乡 |
| 侉侉 | 三伙房 | | 土默特旗塔布赛乡 | 土默特左旗塔布赛乡 |
| 侉子梁 | 富强村 | 文革期间 | 察右后旗土牧尔台镇 | 察右后旗土牧尔台镇 |
| 魁定 | 厂汉营 | 1949 | 凉城县 | 凉城县曹碾满族自治乡 |
| 昆独仑河 | 中后河 | 民国三年 | 土默特旗或喀尔喀右翼旗 | 武川县西乌兰不浪镇 |
| 拉布德吉格 | 满德拉庙 | | 四子王旗查干补力格人民公社 | 四子王旗查干补力格苏木 |
| 喇嘛亥敖包 | 拉布亥(转音) | | 达茂旗新宝力格苏木 | 达茂旗明安镇 |
| 喇嘛圐圙 | 东坊村 | 1954 | 察哈尔正红旗 | 察右后旗红格尔图镇 |
| 喇嘛圐圙 | 太和村 | | 呼和浩特市赛罕区保合少人民公社 | 呼和浩特市赛罕区 |
| 喇嘛圐圙 | 西房子 | 1949 | 察哈尔正红旗 | 察右后旗土牧尔台镇 |

| | | | | |
|---|---|---|---|---|
| 喇嘛湾 | 东胜村 | | 呼和浩特市赛罕区榆林人民公社 | 呼和浩特市赛罕区 |
| 喇嘛营 | 正喇嘛营 | 1958 | 呼和浩特市赛罕区西把栅乡 | 呼和浩特市赛罕区 |
| 喇嘛营(查哈勒) | 前合理 | | 土默特旗北什轴乡 | 土默特左旗北什轴乡 |
| 喇嘛营子 | 青山营 | | 呼和浩特市赛罕区五十家人民公社 | 呼和浩特市赛罕区 |
| 来大汉沟 | 天和后 | | 四子王旗东八号乡 | 四子王旗东八号乡 |
| 来汉沟子 | 天和后村 | | 四子王旗东八号人民公社 | 四子王旗东八号乡 |
| 来红卜子 | 梁家村 | 1948 | 商都县 | 商都县十八顷镇 |
| 兰才营子 | 丰兆 | 1958 | 化德县七号、达盖滩、六十顷或德包图乡 | 化德县七号镇 |
| 兰恩村 | 增产 | 1954 | 化德县土城子、白土卜子或白音特拉乡 | 化德县朝阳镇 |
| 兰家 | 章盖营子 | 1880 | 察哈尔正红旗 | 察右后旗贲红镇 |
| 兰家村 | 章盖营 | 1912 | 察哈尔正红旗 | 察右后旗白音察干镇 |
| 兰其格 | 兰灿(转音) | | 土默特旗察素齐镇 | 土默特左旗察素齐镇 |
| 兰图乌黑 | 桑建乌拉 | 1966.1.29 | 四子王旗查干敖包人民公社 | 四子王旗查干补力格或脑木更苏木 |
| 蓝麻窑 | 兰麻窑 | | 凉城县三庆、多纳苏或永兴乡 | 凉城县永兴镇 |
| 蓝旗 | 南蓝旗 | 1800 | 察哈尔襄蓝旗或镶红旗 | 察右中旗乌兰哈页苏木 |
| 蓝旗马场 | 蓝旗马厂 | | 凉城县双古城乡 | 凉城县六苏木镇 |
| 蓝先生、郝家村、马家村 | 特布勿拉 | 1949 | 化德县 | 化德县朝阳镇 |
| 狼窝壕 | 前、后壕 | 1966.1.27 | 托克托县南坪人民公社 | 托克托县 |
| 狼窑沟 | 民建村 | 1966.2.3 | 兴和县曹四窑人民公社 | 兴和县大库联乡 |
| 浪银滩 | 梁银滩 | 1966.1.29 | 四子王旗第七区、吉生太或查干补力格人民公社 | 四子王旗吉生太镇 |

| | | | | |
|---|---|---|---|---|
| 劳乌素 | 里素(转音) | 清康熙年间 | 土默特旗善岱协理通判厅 | 土默特左旗善岱镇 |
| 老大沟 | 老道沟 | 清乾隆年间 | 土默特旗 | 土默特左旗察素齐镇 |
| 老关喜 | 小西坡 | | 兴和县赛乌素乡 | 兴和县赛乌素镇 |
| 老官路 | 高宏店 | | 察右前旗高宏店乡 | 察右前旗玫瑰营镇 |
| 老侯圪旦 | 永向东 | | 乌拉特前旗西山嘴乡 | 乌拉特前旗乌拉山镇 |
| 老虎忽洞 | 胜利 | 1966 | 察右中旗七苏木人民公社 | 察右中旗乌兰哈页苏木 |
| 老龙卜子 | 赛乌素 | 1966.1.15 | 察右中旗广益隆人民公社 | 察右中旗广益隆镇 |
| 老龙不浪 | 绿拉木布拉格(转音) | 1928 | 察哈尔正红旗 | 察右后旗锡勒乡 |
| 老绿村 | 绿勒木艾拉 | 1923 | 察哈尔正红旗 | 察右后旗白音察干镇 |
| 老圈沟 | 东胜 | 1967.2.15 | 察右前旗 | 察右前旗 |
| 老泉村 | 宏伟村 | 1966.1.18 | 察右前旗巴音塔拉人民公社 | 察右前旗巴音塔拉镇 |
| 老深沟 | 老生沟 | | 四子王旗大井坡人民公社 | 四子王旗吉生太镇 |
| 老石拐 | 西梁 | | 石拐区国庆乡或包头市郊区 | 石拐区五当召镇 |
| 老头圪旦 | 东风 | 1958 | 乌拉特前旗新安乡 | 乌拉特前旗先锋镇 |
| 老土牧尔台 | 新建村 | 1955 | 察右后旗土牧尔台镇 | 察右后旗土牧尔台镇 |
| 老羊圈 | 二苏计 | 1952 | 卓资县六苏木 | 卓资县卓资山镇 |
| 老羊圈 | 老圈沟 | 1949 | 察哈尔正红旗 | 察右前旗土贵乌拉镇 |
| 老爷庙街 | 大众巷 | 1949年前 | 土默特旗 | 土默特右旗萨拉齐镇 |
| 老赞窑 | 老丈窑 | | 呼和浩特市赛罕区黄合少镇 | 呼和浩特市赛罕区 |
| 老丈天 | 老丈窑 | | 呼和浩特市郊区 | 呼和浩特市赛罕区 |
| 雷家地 | 来家地 | 1910 | 察哈尔正红旗 | 察右前旗平地泉镇 |
| 楞才村 | 东营图 | 1966.1.14 | 商都县大拉子人民公社 | 商都县西井子镇 |

| | | | | |
|---|---|---|---|---|
| 梨树沟门 | 西沟门 | | 土默特左旗察素齐乡 | 土默特左旗察素齐镇 |
| 礼拜寺 | 赛汉乌素 | 1967.2.15 | 察右前旗 | 察右前旗 |
| 李班窑 | 里半窑 | | 凉城县曹碾、厂汉营或十九号人民公社 | 凉城县曹碾满族自治乡 |
| 李丑村 | 东村 | 1966.1.18 | 察右前旗三成局人民公社 | 集宁区马莲区乡 |
| 李大泉子沟 | 大泉子沟 | 1966.1.14 | 商都县大南坊人民公社 | 商都县屯垦队镇 |
| 李大荣 | 生产 | 1952 | 察哈尔正红旗 | 察右后旗土牧尔台镇 |
| 李大五 | 十二顷 | 1966.1.14 | 商都县十八顷人民公社 | 商都县十八倾镇 |
| 李二保塔 | 先锋 | | 乌拉特中旗石哈河乡 | 乌拉特中旗石哈河镇 |
| 李二卜 | 白山子 | 1925 | 察哈尔正红旗 | 察右后旗白音察干镇 |
| 李二满沟 | 向阳沟 | 1966.1.14 | 商都县玻璃忽镜人民公社 | 商都县玻璃忽镜乡 |
| 李付生圪堵 | 增光 | 1984 | 乌拉特前旗北圪堵乡 | 乌拉特前旗西小召镇 |
| 李海扁咀 | 长胜 | 1967 | 兴和县赛乌素乡 | 兴和县赛乌素镇 |
| 李海坡 | 高粱 | 1961 | 商都县高勿素人民公社 | 商都县小海子镇 |
| 李海生沟 | 南沟 | 1966.1.18 | 察右前旗高宏店人民公社 | 察右前旗玫瑰营镇 |
| 李货郎窑 | 李家窑 | | 凉城县崞县窑乡 | 凉城县蛮汉镇 |
| 李家 | 大东 | 1926 | 察哈尔正红旗 | 察右后旗土牧尔台镇 |
| 李家卜子 | 快乐 | 1950 | 察哈尔镶蓝旗或镶红旗 | 卓资县十八台镇 |
| 李家村 | 大东村 | | 察右后旗三井泉人民公社 | 察右后旗土牧尔台镇 |
| 李家村 | 七苏木 | 1966.1.18 | 察右前旗黄家村人民公社 | 集宁区马莲渠乡或白海子镇 |
| 李家村 | 长胜村 | 1966.2.3 | 兴和县李家村人民公社 | 兴和县壕堑镇 |
| 李家坊子 | 乌尼格其 | 1966.1.14 | 商都县三面井人民公社 | 商都县玻璃忽镜乡 |
| 李家房子 | 富强 | 1954 | 化德县德善、白土卜子、白音特拉、德包图乡或朝阳、城关镇 | 化德县长顺镇 |

| 李家房子 | 乌尼圪其 | 1961 | 商都县三面井或玻璃忽镜人民公社 | 商都县玻璃忽镜乡 |
|---|---|---|---|---|
| 李家伙房 | 五间房 | | 化德县德善、白土卜子、白音特拉、德包图乡或朝阳、城关镇 | 化德县长顺镇 |
| 李家庄 | 双井子 | 1630 | 清水河县韭菜庄乡 | 清水河县 |
| 李老八圪旦 | 西柳林滩 | 1962 | 托克托县中滩人民公社 | 托克托县 |
| 李老虎 | 水泉村 | 1966.1.18 | 察右前旗黄家村人民公社 | 集宁区马莲渠乡或白海子镇 |
| 李老四 | 李英 | 1961 | 察哈尔正红旗 | 察右前旗巴音塔拉镇 |
| 李六沟 | 丁木其沟南村 | | 察右后旗哈彦忽洞人民公社 | 察右后旗白音察干镇或乌兰哈达苏木 |
| 李六沟 | 南顶木其沟 | | 察右后旗哈彦忽洞人民公社 | 察右后旗白音察干镇或乌兰哈达苏木 |
| 李六沟 | 南营子 | 民国中期 | 察哈尔正红旗 | 察右后旗乌兰哈达苏木 |
| 李茂章盖营 | 章盖营 | 1982 | 土默特旗沙尔营人民公社 | 土默特左旗白庙子镇 |
| 李明营子 | 中东 | 1959 | 化德县七号、达盖滩、六十顷或德包图人民公社 | 化德县七号镇 |
| 李七八子 | 卫东 | 1976 | 化德县土城子、白土卜子或白音特拉人民公社 | 化德县朝阳镇 |
| 李三村 | 李家村 | 1966.1.18 | 察右前旗赛汉塔拉人民公社 | 察右前旗巴音塔拉或黄旗海二镇 |
| 李善成夭子 | 李善成窑子 | | 呼和浩特市郊区 | 呼和浩特市赛罕区 |
| 李善人沟 | 东昇村 | 1966.1.14 | 商都县屯垦队人民公社 | 商都县屯垦队镇 |
| 李胜举营子 | 小王岱营 | 清代 | 土默特旗 | 土默特右旗美岱召镇 |
| 李四村 | 元宝山村 | 1966.1.14 | 商都县西井子人民公社 | 商都县西井子镇 |
| 李四英注 | 建新村 | 1966.1.14 | 商都县屯垦队人民公社 | 商都县屯垦队镇 |
| 李先生地 | 永胜 | 1954 | 化德县德善、白土卜子、白音特拉、德包图乡或朝阳、城关镇 | 化德县长顺镇 |

| | | | | |
|---|---|---|---|---|
| 李先生沟 | 防洪沟 | 1954 | 化德县土城子、白土卜子或白音特拉乡 | 化德县朝阳镇 |
| 李银茂 | 海富村 | 1966.1.18 | 察右前旗乌拉哈乌拉人民公社 | 察右前旗乌拉哈乌拉乡 |
| 栗家地 | 后卜子 | 1925 | 察哈尔正红旗 | 察右后旗当郎忽洞苏木 |
| 联丰 | 盐海子 | 1980 | 乌拉特中旗郜北人民公社 | 乌拉特中旗石哈河镇 |
| 梁保村 | 北房子 | 1966.1.15 | 察右中旗堂地人民公社 | 察右中旗乌素图镇 |
| 梁家村 | 石窑子 | | 察右后旗韩勿拉人民公社 | 察右后旗当郎忽洞或乌兰哈达苏木 |
| 梁家村 | 赛罕塔拉 | 1966.1.18 | 察右前旗赛汉塔拉人民公社 | 察右前旗巴音塔拉或黄旗海二镇 |
| 梁家村 | 两面井 | 1967 | 商都县玻璃忽镜或三面井人民公社 | 商都县玻璃忽镜乡 |
| 梁家房 | 三太昌 | 1920 | 商都县 | 商都县小海子镇 |
| 梁三柜 | 河边村 | 1966.1.18 | 察右前旗赛汉塔拉人民公社 | 察右前旗巴音塔拉或黄旗海二镇 |
| 梁团长圪旦 | 北长胜 | 1958 | 乌拉特前旗长胜乡 | 乌拉特前旗新安镇 |
| 梁五 | 中德义 | 1951 | 四子王旗或武东县 | 四子王旗供济堂镇 |
| 梁五斗铺 | 东斗铺 | | 固阳县兴顺西乡 | 固阳县兴顺西镇 |
| 两家 | 二十家 | 清乾隆年间 | 土默特旗把什 | 土默特左旗察素齐镇 |
| 料木山 | 滴水淖 | | 呼和浩特市郊区 | 呼和浩特市赛罕区 |
| 林坝 | 小林坝 | 清代 | 土默特旗（1959年划归公喇嘛乡） | 土默特左旗 |
| 林合 | 合林 | | 呼和浩特市赛罕区巧报人民公社 | 呼和浩特市赛罕区 |
| 林林圪卜 | 庆丰 | 1958 | 乌拉特前旗新安乡 | 乌拉特前旗先锋镇 |
| 刘大板村 | 南营子 | 1954 | 化德县七号、达盖滩、六十顷或德包图乡 | 化德县七号镇 |
| 刘大罗 | 苏敖包 | 1966.1.14 | 商都县高勿素人民公社 | 商都县小海子镇 |
| 刘二村 | 盖山村 | | 察右后旗霞江河人民公社 | 察右后旗贲红镇和石窑沟乡 |

| | | | | |
|---|---|---|---|---|
| 刘二沟 | 南沟 | | 察右后旗石门口人民公社 | 察右后旗贲红镇 |
| 刘二小 | 西卜子 | 1966.1.15 | 察右中旗巴音人民公社 | 察右中旗巴音乡 |
| 刘富全 | 尖山洼 | 1966.2.3 | 兴和县赵八金人民公社 | 兴和县赛乌素镇 |
| 刘广营 | 南炭天 | 1966.1.14 | 商都县大黑沙土人民公社 | 商都县大黑沙土镇 |
| 刘柜 | 明沙淖 | 1966.1.13 | 土默特旗明沙淖人民公社 | 土默特右旗明沙淖乡 |
| 刘果营 | 南炭窑 | 1966 | 商都县大黑沙土或四台坊子人民公社 | 商都县大黑沙土镇 |
| 刘宏沟 | 向阳沟 | 1966.2.3 | 兴和县秦豹营人民公社 | 兴和县赛乌素镇 |
| 刘家村 | 小康勃儿 | | 化德县德善、白土卜子、白音特拉、德包图乡或朝阳、城关镇 | 化德县长顺镇 |
| 刘家村 | 北海子 | 1966.1.14 | 商都县章毛勿素人民公社 | 商都县西井子镇 |
| 刘家二道河 | 东二道具河 | 1974 | 呼和浩特市玉泉区小黑河镇 | 呼和浩特市玉泉区 |
| 刘家卜子 | 新胜 | 1953 | 陶林县 | 察右中旗米粮局乡 |
| 刘家圐圙 | 格图营 | 1949 年后 | 托克托县中滩乡 | 托克托县 |
| 刘家坪 | 新店子 | | 和林格尔县新店子乡 | 和林格尔县 |
| 刘金保渠 | 五星 | 1952 | 固阳县新建 | 固阳县下湿壕镇 |
| 刘克茂窑 | 刘克苗窑（转音） | | 凉城县天成、十三号、后营或十九号乡 | 凉城县天成乡 |
| 刘梁屯营子 | 五福屯 | 1800 | 衙门口 | 丰镇市隆盛庄镇 |
| 刘七分子 | 东、南、北营子 | | 固阳县红泥井乡 | 固阳县兴顺西镇或西斗铺镇 |
| 刘其圪旦 | 新发圪旦 | 1966.2.2 | 土默特旗程奎海人民公社 | 土默特右旗程奎海乡 |
| 刘三沟 | 北沟 | | 察右后旗石门口人民公社 | 察右后旗贲红镇 |
| 刘三宽村 | 西山村 | 1966.1.14 | 商都县十八顷人民公社 | 商都县十八倾镇 |
| 刘三油房 | 包日呼热 | | 乌拉特中旗楚鲁图乡 | 乌拉特中旗石哈河镇 |

| | | | | |
|---|---|---|---|---|
| 刘蛇圪旦 | 幸福 | | 乌拉特中旗乌梁素太乡 | 乌拉特中旗德令山镇 |
| 刘世文 | 西达营子 | 1949 | 商都县玻璃忽镜 | 商都县玻璃忽镜乡 |
| 刘四村 | 西大渠 | 1962 | 察右后旗贲红人民公社 | 察右后旗贲红镇 |
| 刘四房子 | 东大井（奶母沟） | 1952 | 武川县西红山子 | 武川县二份子乡 |
| 刘天宝营子 | 丰滩 | 1966.1.15 | 察右中旗宏盘人民公社 | 察右中旗宏盘乡 |
| 刘围缠 | 小南 | 1950 | 察右中旗黄羊城 | 察右中旗黄羊城镇 |
| 刘五沟 | 前进村 | 1966 | 达茂旗大苏吉人民公社 | 达茂旗石宝镇 |
| 刘英虎 | 二小井 | 1950年后 | 察哈尔正红旗 | 察右后旗红格尔图镇 |
| 刘英虎 | 大小井 | 1946 | 察哈尔正红旗 | 察右后旗红格尔图镇 |
| 刘在红圪旦 | 永胜 | | 乌拉特中旗乌加河区 | 乌拉特中旗乌加河镇 |
| 刘字壕 | 碌由壕 | 1966.1.29 | 四子王旗太平庄人民公社 | 四子王旗东八号乡 |
| 流水沟 | 头道沟 | | 凉城县三庆、多纳苏或永兴乡 | 凉城县永兴镇 |
| 留人窑 | 小留云窑 | | 丰镇市新营子乡 | 丰镇市巨宝庄镇 |
| 柳卜村 | 柳坝沟 | | 固阳县忽鸡沟乡 | 固阳县金山镇 |
| 柳二营 | 田家柳二营 | | 托克托县燕山营乡 | 托克托县 |
| 六道湾 | 恩格营 | | 察右后旗当郎忽洞人民公社 | 察右后旗当郎忽洞苏木 |
| 六犋牛 | 黑土凹 | | 呼和浩特市赛罕区巴彦镇 | 呼和浩特市赛罕区 |
| 六犋牛 | 黑土窊 | 民国时期 | 归绥县二区 | 呼和浩特市赛罕区 |
| 六颗碌碡 | 古六州 | 1920 | 察哈尔正红旗 | 察右后旗白音察干镇 |
| 六区 | 团结区 | 1955 | 化德县原六区 | 化德县七号镇或德包图乡 |
| 六十三圪旦 | 苗二壕 | | 乌拉特前旗佘太人民公社 | 乌拉特前旗大佘太镇 |
| 龙船镇 | 毛岱 | 清康熙年间 | 土默特旗 | 土默特右旗美岱召镇 |

| | | | | |
|---|---|---|---|---|
| 龙太 | 黄土崖 | | 凉城县北水泉人民公社 | 凉城县厂汉营乡 |
| 龙王庙 | 小羊报沟 | 1966.1.18 | 凉城县厢黄地人民公社 | 凉城县岱海或蛮汉镇 |
| 喽喽窝 | 东乐天 | 1982 | 凉城县麦胡图人民公社 | 凉城县麦胡图镇 |
| 芦草卜子 | 东风 | 1966.8.27 | 察右前旗 | 察右前旗 |
| 芦草卜子 | 玫瑰营 | 1904 | 察哈尔正红旗 | 察右前旗玫瑰营镇 |
| 芦家沟 | 半沟村 | | 察右后旗韩勿拉人民公社 | 察右后旗当郎忽洞或乌兰哈达苏木 |
| 芦家营 | 白家营 | 1965.8.11 | 兴和县芦家营人民公社 | 兴和县店子镇 |
| 芦拴地 | 小东村 | 1966.1.14 | 商都县十大顷人民公社 | 商都县十八倾镇 |
| 鲁子沟 | 炉子沟 | | 清水河县小庙子乡 | 清水河县 |
| 鹿圪堵 | 陆圪堵 | | 凉城县麦胡图人民公社 | 凉城县麦胡图镇 |
| 碌碡 | 古六洲 | 1912 | 察哈尔正红旗 | 察右后旗白音察干镇 |
| 碌碡坪 | 庙卜 | | 凉城县六苏木、双古城或十九号乡 | 凉城县六苏木镇 |
| 碌碡坪 | 正排子 | 1962 | 卓资县复兴人民公社 | 卓资县复兴乡 |
| 路路图 | 罗罗图 | 1966.1.29 | 四子王旗太平庄人民公社 | 四子王旗东八号乡 |
| 绿磙平 | 庙卜 | | 凉城县十九号乡 | 凉城县六苏木镇、天成乡或曹碾满族乡 |
| 乱岔沟 | 兴胜 | 1976 | 和林格尔县新店子人民公社 | 和林格尔县 |
| 罗家村 | 四合三 | 1956 | 化德县德包图、六支箭、六十顷或白音特拉乡 | 化德县德包图乡 |
| 罗平店 | 永顺堡 | 1946 | 商都县 | 商都县七台镇 |
| 罗四坪 | 落四坪 | | 清水河县喇嘛湾镇 | 清水河县 |
| 骆驼店 | 前坝 | | 和林格尔县黑老窑乡 | 和林格尔县 |
| 麻嘎德 | 麻合理（转音） | | 土默特旗北什轴乡 | 土默特左旗北什轴乡 |
| 麻红板申 | 麻花板 | 清代 | 归化城 | 呼和浩特市赛罕区 |

| | | | | |
|---|---|---|---|---|
| 麻尼忽屯 | 麻尼卜（麻尼卜子） | 1920 | 商都县 | 商都县小海子镇 |
| 麻尼特 | 麻迷图（转音） | 1885 | 察哈尔正红旗 | 察右后旗锡勒乡 |
| 麻农太 | 大麻迷图 | 1946 | 察哈尔正红旗 | 察右后旗锡勒乡 |
| 马鞍桥 | 马安桥 | | 凉城县崞县窑、程家营或厢黄地乡 | 凉城县蛮汉镇 |
| 马鞍山 | 小坝壕 | | 固阳县新建乡 | 固阳县下湿壕镇 |
| 马场沟 | 马厂沟 | | 凉城县双古城乡 | 凉城县六苏木镇 |
| 马车倌 | 侉子梁 | 1943 | 察右后旗阿贵图乡 | 察右后旗土牧尔台镇 |
| 马二营子 | 新民 | 1954 | 化德县七号、达盖滩、六十顷或德包图乡 | 化德县七号镇 |
| 马功英 | 补龙湾 | 1954 | 化德县土城子、白土卜子或白音特拉乡 | 化德县朝阳镇 |
| 马家 | 后一前晌 | 清乾隆年间 | 土默特旗察素齐镇 | 土默特左旗察素齐镇 |
| 马家村 | 元宝山 | 1966.1.14 | 商都县格化司台人民公社 | 商都县大库伦乡或西井子镇 |
| 马家村 | 三洼 | 1966.1.14 | 商都县十八顷人民公社 | 商都县十八倾镇 |
| 马家滩 | 下滩 | 1964 | 达茂旗乌兰忽洞人民公社 | 达茂旗乌克忽洞镇 |
| 马巨院卜子 | 巨保庄 | 1850 | 四子王旗 | 四子王旗吉生太镇 |
| 马侉圪旦 | 胜利 | | 乌拉特中旗宏丰乡 | 乌拉特中旗乌加河镇 |
| 马莲渠 | 红卫 | 1966 | 集宁市马莲渠人民公社 | 集宁市马莲渠乡 |
| 马六村 | 巴音恩格日 | | 察右后旗乌兰哈达人民公社 | 察右后旗乌兰哈达苏木 |
| 马密哈达 | 莫勒耐哈达 | 1966.1.13 | 土默特旗此老人民公社 | 土默特左旗察素齐镇 |
| 马排长地 | 保健 | 1956 | 化德县七号、达盖滩、六十顷或德包图乡 | 化德县七号镇 |
| 马圈沟 | 后沟 | | 凉城县刘家窑乡 | 凉城县六苏木镇 |
| 马圈沟 | 后沟 | | 凉城县六苏木、双古城或十九号乡 | 凉城县六苏木镇 |

| | | | | |
|---|---|---|---|---|
| 马圈圐圙圙 | 幸福庄 | 1966.1.27 | 托克托县燕山营人民公社 | 托克托县 |
| 马群 | 西玛勒钦 | 1982 | 土默特旗陶思浩人民公社 | 土默特左旗察素齐镇 |
| 马群 | 玛勒钦 | 1982 | 土默特左旗哈素人民公社 | 土默特左旗察素齐或善岱镇 |
| 马头营 | 上麻糖营 | 清乾隆年间 | 土默特旗 | 土默特右旗苏波盖乡 |
| 马王庙 | 马旺庄 | 1966.2.2 | 土默特旗明沙淖人民公社 | 土默特右旗程奎海乡 |
| 马五村 | 脑营子 | 1949 | 商都县 | 商都县十八顷镇 |
| 马喜 | 和平 | 1966.1.15 | 察右中旗科布尔镇 | 察右中旗科布尔镇 |
| 马英村 | 马家村 | | 兴和县曹四窖乡 | 兴和县大库联乡 |
| 马英地坊子 | 安业 | 1956 | 化德县七号、达盖滩、六十顷或德包图乡 | 化德县七号镇 |
| 马营长地 | 巴彦花 | 民国十四年 | 乌拉特东公旗 | 乌拉特前旗先锋镇 |
| 马油房 | 井泉坊子 | 1966.1.14 | 商都县十大顷人民公社 | 商都县十八倾镇 |
| 马砸地 | 新民 | 1983 | 凉城县东十号、厢黄地、城关镇或三苏木人民公社 | 凉城县岱海镇 |
| 马召 | 上马召、下马召 | | 土默特右旗苏波盖乡 | 土默特右旗苏波盖乡 |
| 玛勒钦 | 马群 | | 土默特旗陶思浩乡 | 土默特左旗察素齐镇 |
| 玛尼呼都格 | 牤牛井（转音） | | 达茂旗乌克忽洞乡 | 达茂旗乌克忽洞镇 |
| 玛尼图 | 西坡 | 1957 | 察右后旗 | 察右后旗白音察干镇 |
| 迈达里庙 | 美岱召 | 1949年后 | 土默特右旗美岱召乡 | 土默特右旗美岱召镇 |
| 迈汗板申 | 麻花板（转音） | | 呼和浩特市新城区毫沁营镇 | 呼和浩特市新城区 |
| 麦老坡 | 麦田坡 | 1966.1.15 | 清水河县小庙人民公社 | 清水河县 |
| 卖岱 | 美岱 | 民国时期 | 归绥县二区 | 呼和浩特市赛罕区 |
| 满大 | 马尼特 | 1966.1.29 | 四子王旗白音朝克图人民公社 | 四子王旗白音朝克图镇 |

| 满木高勒 | 庙沟 | 1912 | 喀尔喀右翼旗 | 达茂旗乌克忽洞镇 |
|---|---|---|---|---|
| 曼达拉特 | 阿牙格曼达勒 | 1966.1.29 | 四子王旗脑木更人民公社 | 四子王旗脑木更苏木 |
| 漫汗山(蛮汉山) | 九峰山 | 清末民初 | 察哈尔正红旗或镶红旗 | 凉城县永兴镇 |
| 牤牛泉 | 泉子沟 | 1966.2.3 | 兴和县赵八金人民公社 | 兴和县赛乌素镇 |
| 芒哈 | 满沙 | | 四子王旗卫镜人民公社 | 四子王旗江岸苏木 |
| 盲虎沟 | 土城子 | 1910 | 察哈尔正红旗 | 察右前旗平地泉镇 |
| 猫换村 | 长乐沟 | | 化德县德包图、六支箭、六十顷或白音特拉乡 | 化德县德包图乡 |
| 毛不浪 | 赛音不浪 | | 呼和浩特市赛罕区黄合少人民公社 | 呼和浩特市赛罕区 |
| 毛达沟 | 小流水沟 | 1966.1.18 | 凉城县三庆人民公社 | 凉城县永兴镇 |
| 毛呼都格 | 毛忽洞(转音) | | 达茂旗西营盘乡 | 达茂旗石宝镇 |
| 毛呼都格 | 毛忽洞(转音) | | 固阳县下湿壕或新建乡 | 固阳县下湿壕镇 |
| 毛扣营 | 赛扣营 | 1949年后 | 土默特左旗白庙子乡 | 土默特左旗白庙子镇 |
| 毛驴沟 | 新胜村 | 1949年后 | 察哈尔正红旗 | 察右后旗土牧尔台镇 |
| 毛驴沟 | 新胜 | | 呼和浩特市赛罕区小井人民公社 | 呼和浩特市赛罕区 |
| 毛恼亥 | 金星 | 1966.2.2 | 土默特旗把什人民公社 | 土默特左旗察素齐镇 |
| 毛仁陶勒盖 | 大田 | 1976 | 乌拉特前旗公庙子人民公社 | 乌拉特前旗先锋镇 |
| 毛瑞沟 | 元山洼 | 1937 | 察哈尔正红旗 | 察右后旗白音察干镇 |
| 毛吾素 | 北营子 | 1830 | 察哈尔正红旗或镶红旗 | 察右中旗黄羊城镇 |
| 茅庵 | 上茅庵 | 清朝中期 | 土默特旗 | 土默特右旗明沙淖乡 |
| 茂林庄 | 忻州营 | 清光绪年间 | 土默特旗 | 土默特左旗芨芨梁乡 |
| 茂盛营 | 茂胜营 | | 呼和浩特市赛罕区金河镇 | 呼和浩特市赛罕区 |
| 么什 | 麻什 | | 呼和浩特市赛罕区黄合少镇 | 呼和浩特市赛罕区 |

| | | | | |
|---|---|---|---|---|
| 玫瑰营 | 芦草卜子 | 1966.2.9 | 察右前旗 | 察右前旗 |
| 玫瑰营 | 东风 | 1965 | 察右前旗 | 察右前旗玫瑰营镇 |
| 梅林 | 梅令山（转音） | | 固阳县公益民乡 | 固阳县金山镇 |
| 煤炭沟 | 鸟素沟 | 清乾隆年间 | 土默特旗 | 土默特左旗察素齐镇 |
| 煤夭沟 | 煤窑沟 | | 呼和浩特市郊区 | 呼和浩特市赛罕区 |
| 门团地 | 新农村 | 1966.1.14 | 商都县屯垦队人民公社 | 商都县屯垦队镇 |
| 闷葫芦湾子 | 新民 | | 察右后旗 | 察右后旗红格尔图镇 |
| 蒙格特 | 芒(芒)汗特 | 1966.1.29 | 四子王旗卫境人民公社 | 四子王旗江岸苏木 |
| 蒙古营子 | 南八份子 | | 土默特右旗海子乡 | 土默特右旗海子乡 |
| 蒙四渠 | 黄土渠 | | 固阳县东公此老乡 | 固阳县怀朔镇 |
| 孟家地 | 南营子 | 1954 | 化德县七号、达盖滩、六十顷或德包图乡 | 化德县七号镇 |
| 孟家营 | 东黄跃 | | 丰镇市官屯堡或黑圪塔洼乡 | 丰镇市官屯堡乡 |
| 米家沙梁 | 沙良 | | 呼和浩特市赛罕区金河镇 | 呼和浩特市赛罕区 |
| 米粮堆 | 小东卜子 | 1937 | 陶林县 | 察右中旗米粮局乡 |
| 米万良 | 黑石牙 | 1966.1.14 | 商都县卯都人民公社 | 商都县卯都乡 |
| 勉利营子 | 美丽营 | 1966.1.13 | 土默特旗党三尧人民公社 | 土默特右旗将军尧镇 |
| 面铺夭 | 李占夭子 | 1949 年后 | 呼和浩特市郊区保合少乡 | 呼和浩特市赛罕区 |
| 面铺夭 | 面铺窑 | | 呼和浩特市郊区 | 呼和浩特市塞罕区 |
| 苗二壕 | 毛窑子(三任圪堵) | 1983 | 乌拉特前旗佘太人民公社 | 乌拉特前旗大佘太镇 |
| 苗先生窑 | 毛先生窑 | | 凉城县天成、十三号、后营或十九号乡 | 凉城县天成乡 |
| 庙圪塔 | 王家卜子 | 1949 年后 | 察哈尔镶蓝旗或镶红旗 | 卓资县大榆树乡 |
| 庙沟 | 庙营子 | 1913 | 察哈尔正红旗 | 察右前旗土贵乌拉镇 |

| | | | | |
|---|---|---|---|---|
| 庙壕 | 阿尔查 | | 乌拉特前旗额尔登布拉格苏木 | 乌拉特前旗额尔登布拉格苏木 |
| 民安新营子 | 新营子 | 清乾隆年间 | 土默特旗 | 土默特左旗白庙子镇 |
| 民生 | 崞县 | | 土默特旗毕克齐镇 | 土默特左旗毕克齐镇 |
| 皿已卜 | 敏枣儿卜 | 1966.1.13 | 土默特旗将军尧人民公社 | 土默特右旗将军尧镇 |
| 名南店 | 南地 | | 呼和浩特市赛罕区黄合少镇 | 呼和浩特市赛罕区 |
| 明安五星 | 明安 | 1958 | 化德县明安五星人民公社 | 化德县朝阳镇 |
| 明案 | 明安 | | 呼和浩特市赛罕区桃花人民公社 | 呼和浩特市赛罕区 |
| 明暗 | 明案 | | 呼和浩特市玉泉区桃花乡 | 呼和浩特市玉泉区 |
| 明干达巴 | 明安坝（转音） | | 固阳县忽鸡沟乡 | 固阳县金山镇 |
| 明路 | 萨如拉 | 2006 | 乌拉特后旗巴音宝力格苏木 | 乌拉特后旗巴音宝力格镇 |
| 磨刀石 | 魔石梁 | | 石拐区国庆乡或包头市郊区 | 石拐区五当召镇 |
| 蘑菇窑子 | 沙岱口 | 1963 | 四子王旗东八号人民公社 | 四子王旗东八号乡 |
| 蘑菇窑子 | 后营子 | 1964 | 武川县蘑菇窑人民公社 | 武川县德胜沟乡 |
| 莫尔格其格郭勒 | 莫尔格其格 | 1966.1.29 | 四子王旗脑木更人民公社 | 四子王旗脑木更苏木 |
| 莫尔格其格索木 | 奠尔古其格 | 1966.1.29 | 四子王旗查干敖包人民公社 | 四子王旗查干补力格或脑木更苏木 |
| 莫盖图 | 北官地 | | 土默特右旗三间房乡 | 土默特右旗苏波盖乡 |
| 莫葫芦 | 窝葫芦 | | 土默特左旗青山乡 | 土默特左旗察素齐镇 |
| 莫郎太 | 茂林太 | | 呼和浩特市玉泉区桃花乡 | 呼和浩特市玉泉区 |
| 母猴窑 | 谋厚窑 | 1982 | 凉城县厂汉营或北水泉人民公社 | 凉城县厂汉营乡 |
| 木浩日塔拉 | 母号滩（转音） | 清朝末年 | 明安旗或东公旗 | 固阳县怀朔镇 |

| 木呼都格 | 毛忽洞<br>（转音） | | 固阳县东胜永或九份子乡 | 固阳县金山镇 |
|---|---|---|---|---|
| 木忽拉格 | 木忽郎<br>（转音） | | 察右后旗乌兰哈达人民公社 | 察右后旗乌兰哈达苏木 |
| 穆家地 | 四合一 | 1956 | 化德县德包图、六支箭、六十顷或白音特拉乡 | 化德县德包图乡 |
| 那家沟 | 邢家沟 | 1966.1.29 | 四子王旗吉庆人民公社或东县第四区 | 四子王旗供济堂镇 |
| 那林霍托勒 | 纳令圪堵<br>（转音） | | 固阳县下湿壕或新建乡 | 固阳县下湿壕镇 |
| 纳合花 | 那仁花 | 1966.2.3 | 兴和县五股泉人民公社 | 兴和县大库联乡 |
| 纳林忽洞 | 乃仁呼都格 | 1966.1.29 | 四子王旗红格尔人民公社 | 四子王旗红格尔苏木 |
| 纳日太 | 纳太 | | 土默特右旗沟门乡 | 土默特右旗萨拉齐镇 |
| 乃模板申 | 乃模板 | 明末清初 | 土默特旗 | 土默特左旗塔布赛乡 |
| 乃莫板申 | 前乃莫板 | 民国时期 | 归绥县二区 | 呼和浩特市赛罕区 |
| 乃木刻 | 乃木亥 | 1966.1.29 | 四子王旗三元井人民公社 | 四子王旗库伦图镇 |
| 南巴彦壕 | 新民 | 1977 | 乌拉特前旗树林子人民公社 | 乌拉特前旗新安镇 |
| 南坝营 | 呆坝营 | | 察右后旗八号地乡 | 察右后旗土牧尔台镇 |
| 南菜园 | 红卫 | 1968 | 乌拉特前旗公庙子人民公社 | 乌拉特前旗先锋镇 |
| 南朝号 | 董家营 | 1982 | 土默特左旗哈素人民公社 | 土默特左旗察素齐或善岱镇 |
| 南车家营 | 磨石山 | 1966.1.14 | 商都县大黑沙土人民公社 | 商都县大黑沙土镇 |
| 南大坝 | 盐海子 | | 乌拉特前旗西山嘴乡 | 乌拉特前旗乌拉山镇 |
| 南店 | 南地 | | 呼和浩特市郊区黄合少乡 | 呼和浩特市赛罕区保合少镇 |
| 南二海 | 光明 | 1956 | 察右后旗 | 察右后旗红格尔图镇 |
| 南坊村 | 大南坊村 | 1920 | 商都县 | 商都县屯垦队镇 |
| 南格图 | 聂格图<br>（转音） | | 呼和浩特市赛罕区金河镇 | 呼和浩特市赛罕区 |

| | | | | |
|---|---|---|---|---|
| 南壕 | 南号 | | 四子王旗乌兰花镇公社 | 四子王旗乌兰花镇 |
| 南黑泥池 | 先进 | 1958 | 乌拉特前旗长胜乡 | 乌拉特前旗新安镇 |
| 南家卜子 | 半库联 | 1945 | 陶林县 | 察右中旗米粮局乡 |
| 南快布郎 | 吉格森淖尔 | 1982 | 乌拉特后旗乌根高勒人民公社 | 乌拉特后旗乌盖苏木 |
| 南毛庵 | 兴隆庄 | 1949年后 | 四子王旗太平庄人民公社 | 四子王旗东八号乡 |
| 南门外工厂 | 新建 | 1966.1.15 | 察右中旗科布尔镇或元山子、得胜人民公社 | 察右中旗科布尔镇 |
| 南什轴 | 东南什轴 | 1958 | 土默特旗北什轴人民公社 | 土默特左旗北什轴乡 |
| 南水泉 | 东水泉 | | 土默特旗沙尔沁乡 | 土默特左旗沙尔沁镇 |
| 南苏达圪旦 | 柳林 | | 乌拉特前旗北圪堵乡 | 乌拉特前旗西小召镇 |
| 南头 | 索岱沟 | 1983 | 凉城县麦胡图人民公社 | 凉城县麦胡图镇 |
| 南王毕克齐 | 王气 | 1949年前 | 土默特旗 | 土默特左旗白庙子镇 |
| 南苇塘子 | 小三和城 | 1949年后 | 土默特旗大岱乡 | 土默特左旗善岱镇 |
| 南夭子 | 南窑子 | | 呼和浩特市郊区 | 呼和浩特市赛罕区 |
| 南营圪脑 | 图赖巴什 | | 土默特旗沙尔营乡 | 土默特左旗白庙子镇 |
| 南营圪脑 | 图利 | 清初 | 土默特旗 | 土默特左旗白庙子镇 |
| 南营子 | 三喇嘛 | 1949年前 | 察哈尔正红旗 | 察右后旗乌兰哈达苏木 |
| 南营子 | 鄂门尼浩特 | | 察右后旗乌兰哈达人民公社 | 察右后旗乌兰哈达苏木 |
| 南营子 | 乌门尼浩特 | | 察右后旗乌兰哈达人民公社 | 察右后旗乌兰哈达苏木 |
| 南营子 | 沙河湾 | 1958 | 化德县土城子、白土卜子或白音特拉乡 | 化德县朝阳镇 |
| 南增胜 | 南水泉 | | 凉城县曹碾、厂汉营或十九号人民公社 | 凉城县曹碾满族自治乡 |
| **囊囊** | 安民 | 清康熙年间 | 土默特旗善岱协理通判厅 | 土默特左旗善岱镇 |

| 脑包 | 新脑包 | | 呼和浩特市赛罕区黄合少镇 | 呼和浩特市赛罕区 |
|---|---|---|---|---|
| 脑包 | 敖包村 | 1966.2.3 | 兴和县曹四窑人民公社 | 兴和县大库联乡 |
| 脑包 | 新脑包 | 1976 | 呼和浩特市郊区 | 呼和浩特市赛罕区 |
| 脑包壕（敖包湾） | 脑包湾、敖包壕（转音） | | 固阳县白灵淖乡 | 固阳县怀朔镇 |
| 脑木图 | 井沟子 | 1902 | 察哈尔正红旗或镶红旗 | 察右中旗广益隆镇 |
| 脑胜哈不气 | 罗森哈布其勒 | 1966.1.29 | 四子王旗查干补力格人民公社 | 四子王旗查干补力格苏木 |
| 脑银桑 | 永和 | 1962 | 乌拉特前旗苏独仑人民公社 | 乌拉特前旗苏独仑镇 |
| 脑营子 | 马五村 | 1917 | 商都县 | 商都县十八顷镇 |
| 淖计房子 | 拥宪 | 1954 | 化德县德包图、六支箭、六十庆或白音特拉乡 | 化德县德包图乡 |
| 淖兔 | 那那图 | 1966.1.29 | 四子王旗查干补力格人民公社 | 四子王旗查干补力格苏木 |
| 讷古心召 | 农气梁（转音） | | 固阳县公益民乡 | 固阳县金山镇 |
| 尼若巴 | 呆坝营 | 1927 | 察哈尔正红旗 | 察右后旗土牧尔台镇 |
| 尼坦 | 门梯 | 1966.1.29 | 四子王旗查干补力格人民公社 | 四子王旗查干补力格苏木 |
| 碾槽 | 念塔 | | 土默特右旗耳沁尧乡 | 土默特右旗九峰山生态保护管理委员会 |
| 聂格图 | 碾格图 | | 呼和浩特市赛罕区金河镇 | 呼和浩特市赛罕区 |
| 宁家村 | 小西村 | 1958 | 察右后旗当郎忽洞人民公社 | 察右后旗当郎忽洞苏木 |
| 宁进庄 | 丰利乡 | 1937 | 察哈尔正黄旗 | 察右前旗乌拉哈乌拉乡 |
| 宁武营子 | 牛五营 | 清乾隆年间 | 土默特旗 | 土默特右旗苏波盖乡 |
| 宁远 | 凉城 | 1913 | 凉城县 | 凉城县岱海镇 |
| 宁远厅 | 田家镇 | 1937 | 凉城县 | 凉城县永兴镇 |
| 牛家南梁村 | 南梁 | | 固阳县忽鸡沟乡 | 固阳县金山镇 |

| | | | | |
|---|---|---|---|---|
| 牛明村 | 三台沟 | 1966.1.18 | 察右前旗巴音塔拉人民公社 | 察右前旗巴音塔拉镇 |
| 牛奶厂 | 四寸地 | 1966.1.14 | 商都县四台坊人民公社 | 商都县大黑沙土镇 |
| 牛样湾 | 牛羊湾 | | 固阳县忽鸡沟乡 | 固阳县金山镇 |
| 奴奴奥特圪 | 牛牛营 | 民国后期 | 土默特 | 土默特左旗毕克齐镇 |
| 奴奴营 | 牛牛营（转音） | | 土默特旗兵州亥乡 | 土默特左旗毕克齐镇 |
| 努气 | 二十份子 | 清末 | 乌拉特东公旗 | 乌拉特前旗 |
| 诺海布日 | 脑海卜（转音） | | 察右后旗乌兰哈达人民公社 | 察右后旗乌兰哈达苏木 |
| 欧孟切布察尔 | 乌门查希查尔 | 1966.1.29 | 四子王旗白音敖包、卫境或红格尔人民公社 | 四子王旗白音敖包苏木 |
| 帕幸填果勒 | 白兴特 | 1966.1.29 | 四子王旗白音朝克图人民公社 | 四子王旗白音朝克图镇 |
| 潘家村 | 西圪塔 | | 察右后旗贲红人民公社 | 察右后旗贲红镇 |
| 潘家村 | 王家卜 | 1922 | 丰镇县 | 丰镇市红砂坝镇 |
| 潘家圪旦 | 伊和敖包 | 1982 | 乌拉特中旗鄱北人民公社 | 乌拉特中旗石哈河镇 |
| 庞家湾 | 大弯 | 1945 | 化德县 | 化德县朝阳镇 |
| 庞家营 | 乔庞 | | 土默特旗陶思浩乡 | 土默特左旗察素齐镇 |
| 庞山 | 先锋 | 1962 | 乌拉特前旗树林子人民公社 | 乌拉特前旗新安镇 |
| 跑青牛犋 | 第三居委会 | 1949年后 | 土默特旗察素齐镇 | 土默特左旗察素齐镇 |
| 盆底青 | 盆地青 | 1966.1.15 | 清水河县 | 清水河县 |
| 盆地 | 盆地青 | 1968 | 清水河县盆地人民公社 | 清水河县城关镇 |
| 朋松营 | 棚松营（蓬松营） | 清末 | 呼和浩特市赛罕区金河镇 | 呼和浩特市赛罕区 |
| 彭家后梁 | 后梁 | | 土默特右旗美岱召乡 | 土默特右旗美岱召镇 |
| 彭斯格庙 | 彭顺营 | 清康熙年间 | 土默特旗 | 土默特左旗察素齐镇 |
| 碰胡卜子 | 巨宝庄 | 1949年后 | 四子王旗东八号人民公社 | 四子王旗东八号乡 |

| 平地脑包 | 塔林陶拉盖 | 1958 | 察右后旗乌兰哈达人民公社 | 察右后旗乌兰哈达苏木 |
|---|---|---|---|---|
| 坡甾篱湾 | 皮召里湾 | | 凉城县崞县窑、程家营或厢黄地乡 | 凉城县蛮汉镇 |
| 破庙 | 坡苗 | | 呼和浩特市赛罕区豪沁营公社 | 呼和浩特市赛罕区 |
| 破营子 | 东古路 | | 呼和浩特市赛罕区大黑河 | 呼和浩特市赛罕区 |
| 破营子 | 捣黑楞 | | 呼和浩特市赛罕区西把栅乡 | 呼和浩特市赛罕区 |
| 破营子 | 新营子 | 清乾隆年间 | 土默特旗 | 土默特左旗北什轴乡 |
| 破营子 | 古路村 | 清代 | 归化城 | 呼和浩特市塞罕区 |
| 扑龙图 | 包勒图 | 1966.2.3 | 兴和县五股泉人民公社 | 兴和县大库联乡 |
| 铺草坡 | 苦草坡 | 民国时期 | 归绥县二区 | 呼和浩特市赛罕区 |
| 七炭板申 | 七炭板 | | 土默特左旗塔布赛乡 | 土默特左旗塔布赛乡 |
| 七座茅庵 | 茅庵 | 200多年前 | 土默特旗 | 土默特右旗萨拉齐镇 |
| 戚家村 | 清水泉 | 1966.1.14 | 商都县卯都人民公社 | 商都县卯都乡 |
| 祁贵圪旦 | 五星 | | 乌拉特中旗乌加河区 | 乌拉特中旗乌加河镇 |
| 其格太 | 棋杆图 | 1939 | 察哈尔正红旗 | 察右后旗锡勒乡 |
| 其呼拉汗 | 曹力干（转音） | | 固阳县东公此老乡 | 固阳县怀朔镇 |
| 棋盘 | 苏亥营 | 1966.1.13 | 土默特旗毕克齐人民公社 | 土默特左旗毕克齐镇 |
| 前白旗 | 前窑子 | 1832 | 武川厅 | 武川县哈乐镇 |
| 前达门 | 希日淖尔 | | 乌拉特后旗潮格温都尔苏木 | 乌拉特后旗潮格温都尔镇 |
| 前达门 | 阿尔其图 | 1982 | 乌拉特后旗那仁宝力格人民公社 | 乌拉特后旗呼和温都尔镇 |
| 前大勿登村 | 南大勿登 | 1958 | 商都县大黑沙土或四台坊子乡 | 商都县大黑沙土镇 |
| 前尔太 | 前尔什 | 民国时期 | 归绥县二区 | 呼和浩特市赛罕区 |

| | | | | |
|---|---|---|---|---|
| 前古尔丹巴 | 前塔力孚沁 | 1966.2.2 | 土默特旗察素齐人民公社 | 土默特左旗察素齐镇 |
| 前古尔丹坝 | 前塔力牙沁 | 1966.1.13 | 土默特旗沙尔沁人民公社 | 土默特左旗沙尔沁镇 |
| 前河 | 德胜堂 | 1926 | 四子王旗 | 四子王旗乌兰花镇 |
| 前河村 | 大清河 | 1957 | 四子王旗巨巾号人民公社 | 四子王旗乌兰花、吉生太镇或忽鸡图乡 |
| 前红海子 | 乌门尼乌兰淖尔 | | 察右后旗乌兰哈达人民公社 | 察右后旗乌兰哈达苏木 |
| 前葫芦斯台 | 前德胜(前得胜) | 1942 | 凉城县 | 凉城县蛮汉镇 |
| 前甲尔旦 | 前宝岱图 | 1966.1.13 | 土默特旗沙尔沁人民公社 | 土默特左旗沙尔沁镇 |
| 前进 | 白海子 | 1980 | 集宁市白海子人民公社 | 集宁市白海子镇 |
| 前进村 | 岔岔 | 1968 | 达茂旗石宝人民公社 | 达茂旗石宝镇 |
| 前喇嘛 | 前杏树沟 | | 呼和浩特市赛罕区榆林人民公社 | 呼和浩特市赛罕区 |
| 前喇嘛圐圙 | 前坊村 | 1954 | 察哈尔正红旗 | 察右后旗红格尔图镇 |
| 前狼窝壕 | 前壕 | 1966.2.1 | 托克托县南坪人民公社 | 托克托县 |
| 前老窝铺 | 老窝铺 | 清朝中期 | 土默特旗 | 土默特右旗九峰山生态保护管理委员会 |
| 前麻迷图 | 大井 | 1966.1.15 | 察右中旗五号人民公社 | 察右中旗广益隆镇 |
| 前马群 | 前玛勒钦 | 1982 | 土默特旗陶思浩人民公社 | 土默特左旗察素齐镇 |
| 前茅庵 | 毕克梯 | | 乌拉特前旗沙德格苏木 | 乌拉特前旗沙德格苏木 |
| 前三和堂 | 丰盛村 | | 察右后旗大六号人民公社 | 察右后旗贲红镇 |
| 前水泉庄 | 前村 | | 凉城县十三号乡 | 凉城县天成乡 |
| 前陶来不浪 | 前图来布拉格 | 1966.2.3 | 兴和县秦豹营人民公社 | 兴和县赛乌素镇 |
| 钱家村 | 小兴牧 | 1961 | 化德县公腊胡洞、二道河或德善人民公社 | 化德县公腊胡洞乡 |
| 钳耳嘴 | 西山嘴(西山咀) | 民国时期 | 乌拉特东公旗 | 乌拉特前旗乌拉山镇 |

| | | | | |
|---|---|---|---|---|
| 腔享日生具 | 查干尚德 | 1966.1.29 | 四子王旗查干补力格人民公社 | 四子王旗查干补力格苏木 |
| 强生村 | 北胜沟 | 1966.2.3 | 兴和县赵八金人民公社 | 兴和县赛乌素镇 |
| 墙道沟 | 头道沟 | | 呼和浩特市赛罕区保合少人民公社 | 呼和浩特市 |
| 乔二壕 | 盐海子 | 1981 | 乌拉特中旗郜北人民公社 | 乌拉特中旗石哈河镇 |
| 乔二来营子 | 两面井 | 1954 | 化德县德包图、六支箭、六十顷或白音特拉乡 | 化德县德包图乡 |
| 乔家沟 | 向阳 | 1956 | 化德县德包图、六支箭、六十顷或白音特拉乡 | 化德县德包图乡 |
| 乔家脑包壕 | 西壕 | | 固阳县红泥井乡 | 固阳县兴顺西镇或西斗铺镇 |
| 乔家营 | 太阳升 | 1968 | 呼和浩特市郊区 | 呼和浩特市赛罕区 |
| 乔家营子 | 团结 | 1956 | 化德县七号、达盖滩、六十顷或德包图乡 | 化德县七号镇 |
| 乔科围 | 北湾子 | 1966.2.3 | 兴和县赵八金人民公社 | 兴和县赛乌素镇 |
| 乔三围子 | 南联 | 1963 | 化德县土城子、白土卜子或白音特拉人民公社 | 化德县朝阳镇 |
| 巧尔报 | 巧报 | | 土默特旗 | 呼和浩特市赛罕区昭乌达路街道办事处 |
| 巧尔气 | 巧尔报（巧报） | | 呼和浩特市归绥城巧尔气召庙 | 呼和浩特市赛罕区昭乌达路街道办事处 |
| 巧日计 | 雀家地 | | 察右后旗土牧尔台镇 | 察右后旗土牧尔台镇 |
| 秦豹营 | 钦宝营 | 1966.2.3 | 兴和县秦豹营人民公社 | 兴和县赛乌素镇 |
| 秦家西伙房 | 田家圪旦 | 1949 年前 | 土默特旗 | 土默特右旗明沙淖乡 |
| 秦家夭 | 秦家窑 | | 呼和浩特市郊区 | 呼和浩特市赛罕区 |
| 青格勒 | 城留（转音） | 清乾隆年间 | 土默特旗 | 土默特左旗塔布赛乡 |
| 青吉日格勒艾拉 | 青积拉沟 | 1937 | 察哈尔正红旗 | 察右后旗锡勒乡 |
| 青山 | 温都尔 | 1983 | 乌拉特后旗青山镇 | 乌拉特后旗温都尔镇 |
| 清暖 | 暖泉 | 1959 | 清水河县清暖人民公社 | 清水河县北堡乡 |

| | | | | |
|---|---|---|---|---|
| 庆丰村 | 河边村 | 1966.1.18 | 察右前旗赛汉塔拉人民公社 | 察右前旗巴音塔拉或黄旗海二镇 |
| 庆云庄 | 哈少忽洞 | | 凉城县麦胡图人民公社 | 凉城县麦胡图镇 |
| 庆字 | 庆云 | | 兴和县三瑞里乡 | 兴和县二台子镇 |
| 邱家圪旦 | 赵三圪堵 | 1913 | 乌拉特东公旗 | 乌拉特前旗西小召镇 |
| 曲家村 | 车站村 | | 察右后旗大六号人民公社 | 察右后旗贲红镇 |
| 屈家葫芦头 | 上尧、下尧 | 清同治年间 | 土默特旗 | 土默特右旗将军尧镇 |
| 全仁 | 南全仁 | 清光绪年间 | 察哈尔正红旗或镶红旗 | 凉城县曹碾满族自治乡 |
| 全义堂 | 杨树湾 | 文革期间 | 兴和县大库联乡 | 兴和县大库联乡 |
| 泉子上 | 泉子什 | 民国时期 | 归绥县三区 | 呼和浩特市赛罕区 |
| 人民公社北队（三队） | 新建 | 1983 | 凉城县东十号、厢黄地、城关镇或三苏木人民公社 | 凉城县岱海镇 |
| 人民公社菜队 | 新华 | 1983 | 凉城县东十号、厢黄地、城关镇或三苏木人民公社 | 凉城县岱海镇 |
| 人民公社南队（二队） | 新盛 | 1983 | 凉城县东十号、厢黄地、城关镇或三苏木人民公社 | 凉城县岱海镇 |
| 人民公社西队（一队） | 新安 | 1983 | 凉城县东十号、厢黄地、城关镇或三苏木人民公社 | 凉城县岱海镇 |
| 人委门前 | 新民 | 1966.1.15 | 察右中旗科布尔镇或元山子、得胜人民公社 | 察右中旗科布尔镇 |
| 仁庆 | 兰灿 | 1984 | 土默特左旗此老人民公社 | 土默特左旗察素齐镇 |
| 仁义庄 | 兴旺庄 | 明代 | 清水河县韭菜庄 | 清水河县 |
| 任巴壕 | 仁邦壕 | | 固阳县兴顺西乡 | 固阳县兴顺西镇 |
| 任大洼 | 人大洼（转音） | | 凉城县双古城乡 | 凉城县六苏木镇 |
| 任贵 | 甲坝 | 1983 | 乌拉特前旗佘太人民公社 | 乌拉特前旗大佘太镇 |

| | | | | |
|---|---|---|---|---|
| 任海村 | 二吉淖 | 1956 | 商都县玻璃忽镜或三面井乡 | 商都县玻璃忽镜乡 |
| 任家村 | 二号地 | | 察右后旗贲红人民公社 | 察右后旗贲红镇 |
| 阿日宝力格 | 阿路不浪（转音） | | 达茂旗坤兑滩乡 | 达茂旗石宝镇 |
| 赛日呼都格 | 腮忽洞（转音） | | 固阳县公益民乡 | 固阳县金山镇 |
| 如皋 | 西如皋 | 民国时期 | 凉城县 | 凉城县岱海镇 |
| 茹家新地 | 上新地 | 1966.1.13 | 土默特旗海子人民公社 | 土默特右旗海子乡 |
| 撒哈拉特 | 郝家村 | 1940 | 察哈尔正红旗 | 察右后旗白音察干镇 |
| 萨拉呼都格 | 图古日格 | | 乌拉特中旗巴音杭盖苏木 | 乌拉特中旗川井苏木 |
| 萨拉乃干其毛都 | 乌宝力格 | | 乌拉特后旗巴音温都尔苏木 | 乌拉特后旗获各琦苏木 |
| 萨木岱音苏木 | 巴音敖包 | | 乌拉特中旗乌兰苏木 | 乌拉特中旗巴音乌兰苏木 |
| 萨若拉素志 | 萨如勒 | 1966.1.29 | 四子王旗脑木更人民公社 | 四子王旗脑木更苏木 |
| 腮忽洞 | 王申和圪旦 | 1940年后 | 固阳县 | 固阳县下湿壕镇 |
| 腮忽洞 | 缸房口 | 1941 | 固阳县 | 固阳县下湿壕镇 |
| 腮乌素 | 西滩 | | 固阳县卜塔亥乡 | 固阳县银号镇或怀朔镇 |
| 赛达庆艾拉 | 三达庆沟 | 1925 | 察哈尔正红旗 | 察右后旗锡勒乡 |
| 赛当日布 | 赛当郎 | 1937 | 察哈尔正红旗 | 察右后旗当郎忽洞苏木 |
| 赛汗喇嘛 | 善友喇嘛（转音） | | 和林格尔县樊家窑乡 | 和林格尔县 |
| 赛忽洞 | 大腮忽洞大队 | | 四子王旗活福滩人民公社 | 四子王旗忽鸡图乡 |
| 赛间胡都格 | 腮忽洞（转音） | | 武川县哈拉门独乡 | 武川县哈拉合少乡 |
| 赛扣营 | 毛扣营 | | 土默特旗白庙子乡 | 土默特左旗白庙子镇 |
| 赛日呼都格 | 腮林忽洞（转音） | | 固阳县大庙乡 | 固阳县银号镇 |

| 赛日呼都格 | 腮扣(转音) | | 固阳县忽鸡沟乡 | 固阳县金山镇 |
|---|---|---|---|---|
| 赛日音呼都格 | 郭二壕 | 1949年前 | 喀尔喀右翼旗 | 达茂旗石宝镇 |
| 赛因布拉格 | 头号 | | 兴和县石湾人民公社或台基庙乡 | 兴和县民族团结乡 |
| 赛音敖包 | 柴敖包(转音) | | 固阳县公益民乡 | 固阳县金山镇 |
| 赛音宝力格 | 腮保路豪(转音) | | 固阳县公益民乡 | 固阳县金山镇 |
| 赛音呼都格 | 腮忽洞(转音) | | 固阳县西斗铺、坝梁或红泥井乡 | 固阳县西斗铺镇 |
| 赛音呼都格 | 腮忽洞(转音) | | 固阳县新建乡 | 固阳县下湿壕镇 |
| 赛音呼都格 | 腮忽洞(转音) | | 固阳县兴顺西乡 | 固阳县兴顺西镇 |
| 赛音呼都格 | 乌兰敖包 | | 乌拉特后旗潮格温都尔苏木 | 乌拉特后旗潮格温都尔镇 |
| 赛音图 | 三营图(转音) | | 商都县三面井或玻璃忽镜乡 | 商都县玻璃忽镜乡 |
| 三把树 | 三卜树 | 民国时期 | 归绥县二区 | 呼和浩特市罕区 |
| 三辟勒 | 三卜素 | 清咸丰年间 | 土默特旗 | 土默特左旗察素齐镇 |
| 三卜素 | 三卜树 | | 土默特旗陶思浩乡 | 土默特左旗察素齐镇 |
| 三补和 | 文革村 | 1969 | 察右后旗当郎忽洞人民公社 | 察右后旗当郎忽洞苏木 |
| 三叉口 | 联光 | | 乌拉特前旗蓿亥乡 | 乌拉特前旗乌拉山镇 |
| 三成地五份子 | 五份子 | | 固阳县兴顺西乡 | 固阳县兴顺西镇 |
| 三成局 | 东红 | 文革期间 | 察右前旗三成局乡 | 集宁市马莲渠乡 |
| 三成遇 | 三成玉 | | 凉城县三庆乡 | 凉城县永兴镇 |
| 三达子沟 | 帐房沟 | 1966.1.15 | 武川县红山子人民公社 | 武川县二份子乡 |
| 三大汉 | 丰润村 | 1966.1.14 | 商都县小海子人民公社 | 商都县小海子镇 |
| 三岱艾拉 | 三岱沟 | 1930年 | 察哈尔正红旗 | 察右后旗锡勒乡 |
| 三道壕 | 红光 | | 乌拉特中旗宏丰乡 | 乌拉特中旗乌加河镇 |

| 三个窝卜 | 北三个窝卜 | 1966.1.14 | 商都县小海子人民公社 | 商都县小海子镇 |
|---|---|---|---|---|
| 三更 | 三空 | 民国时期 | 归绥县三区 | 呼和浩特市赛罕区 |
| 三贡 | 前三富 | | 呼和浩特市赛罕区金河镇 | 呼和浩特市赛罕区 |
| 三股村 | 华山村 | | 察右后旗霞江河人民公社 | 察右后旗贲红镇和石窑沟乡 |
| 三股西村 | 西村 | | 察右后旗霞江河人民公社 | 察右后旗贲红镇和石窑沟乡 |
| 三贵 | 白塔弯 | 1966.1.18 | 察右前旗三成局人民公社 | 集宁区马莲区乡 |
| 三号 | 郑家三号 | | 和林格尔县大红城乡 | 和林格尔县 |
| 三号地 | 红卫 | 1967.2.15 | 察右前旗 | 察右前旗 |
| 三合成 | 三和城 | 清道光年间 | 土默特左旗大岱乡 | 土默特左旗善岱镇 |
| 三和城 | 大三和城 | 1949年后 | 土默特旗大岱乡 | 土默特左旗善岱镇 |
| 三和堂 | 后堂 | 1800 | 察哈尔正红旗 | 察右后旗大六号镇 |
| 三呼都克 | 萨音呼都格 | 1966.1.29 | 四子王旗白音朝克图人民公社 | 四子王旗白音朝克图镇 |
| 三伙房 | 黑河 | 民国时期 | 土默特旗塔布子 | 土默特左旗塔布赛乡 |
| 三间房 | 三义村 | 1920 | 察哈尔正红旗 | 察右后旗白音察干镇 |
| 三间房 | 三合村 | | 呼和浩特市新城区毫沁营镇 | 呼和浩特市新城区 |
| 三间房 | 小圪贲 | | 土默特旗北什轴乡 | 土默特左旗北什轴乡 |
| 三间房 | 三合村 | | 归绥县二区 | 呼和浩特市赛罕区 |
| 三间茅庵 | 西羊房沟 | 1949年后 | 四子王旗吉庆人民公社或东县第四区 | 四子王旗供济堂镇 |
| 三间窑 | 三窑 | | 凉城县曹碾、厂汉营或十九号人民公社 | 凉城县曹碾满族自治乡 |
| 三建房 | 小圪贲 | 清乾隆年间 | 土默特旗 | 土默特左旗北什轴乡 |
| 三杰井 | 三界井 | 1949年前 | 喀尔喀右翼旗 | 达茂旗乌克忽洞镇 |
| 三耤天 | 三耤窑 | | 呼和浩特市郊区 | 呼和浩特市赛罕区 |

| 三棵碌碡 | 柴达木 | 1977 | 达茂旗希拉穆仁人民公社 | 达茂旗希拉穆仁镇 |
|---|---|---|---|---|
| 三空 | 三富 | 民国时期 | 归绥县三区 | 呼和浩特市赛罕区 |
| 三喇嘛营 | 德日拉营 | 1955 | 察右后旗当郎忽洞 | 察右后旗当郎忽洞苏木 |
| 三喇嘛营子 | 南营子 | | 察右后旗乌兰哈达人民公社 | 察右后旗乌兰哈达苏木 |
| 三面井村 | 三胜地 | 1953 | 商都县大库伦、八股地或格化司台乡 | 商都县大库伦乡 |
| 三木匠 | 三柜房 | | 察右后旗红格尔图人民公社 | 察右后旗红格尔图镇 |
| 三木匠营子 | 林场 | | 化德县七号、达盖滩、六十顷或德包图乡 | 化德县七号镇 |
| 三区 | 民盛区 | 1955 | 化德县原三区 | 化德县七号镇 |
| 三条仁爱 | 三道 | 1966.1.15 | 察右中旗科布尔镇或元山子、得胜人民公社 | 察右中旗科布尔镇 |
| 三铁匠营子 | 荣花 | 1958 | 化德县德包图、六支箭、六十顷或白音特拉乡 | 化德县德包图乡 |
| 三娃村 | 富贵村 | 1958 | 察右后旗土牧尔台镇 | 察右后旗土牧尔台镇 |
| 三洼树 | 三卜树 | | 呼和浩特市新城区毫沁营镇 | 呼和浩特市新城区 |
| 三王墓 | 三台子 | 清康熙年间 | 清水河县单台子乡 | 清水河县 |
| 三王万卜子 | 西房村 | 1923 | 察哈尔正红旗 | 察右后旗白音察干镇 |
| 三眼井 | 三元井 | | 凉城县曹碾、厂汉营或十九号人民公社 | 凉城县曹碾满族自治乡 |
| 三羊壕 | 三袁号 | | 清水河县盆地青乡 | 清水河县 |
| 三洋烟 | 南营子 | 1954 | 化德县德包图、六支箭、六十顷或白音特拉乡 | 化德县德包图乡 |
| 三窑 | 三间窑 | | 凉城县曹碾、厂汉营或十九号人民公社 | 凉城县曹碾满族自治乡 |
| 三应夭 | 三应窑 | | 呼和浩特市郊区 | 呼和浩特市赛罕区 |
| 三元贵 | 三河村 | 1966.1.18 | 察右前旗三成局人民公社 | 集宁区马莲区乡 |
| 三袁号 | 三元号 | | 清水河县盆地青乡 | 乌拉特中旗 |

| | | | | |
|---|---|---|---|---|
| 桑根达来 | 恩根特格 | | 乌拉特中旗桑根达来苏木 | 乌拉特中旗巴音乌兰苏木 |
| 桑杰 | 山盖(转音) | 清代 | 土默特旗此老乡 | 土默特左旗察素齐镇 |
| 色肯板申 | 色肯板 | | 呼和浩特市赛罕区金河镇 | 呼和浩特市赛罕区 |
| 色拉宝利格 | 色拉营 | 1862年前后 | 察哈尔正红旗 | 察右后旗当郎忽洞苏木 |
| 色令的房子 | 色令板 | 清朝初年 | 土默特旗 | 土默特左旗沙尔沁镇 |
| 色木腾艾拉 | 三腾营 | 1949年前 | 察哈尔正红旗 | 察右后旗乌兰哈达苏木 |
| 色气口子 | 东风 | 1984 | 乌拉特前旗明安乡 | 乌拉特前旗明安镇 |
| 色日棍宝力格 | 色楞不浪(转音) | | 固阳县新建乡 | 固阳县下湿壕镇 |
| 森盖营 | 生盖营 | | 呼和浩特市新城区毫沁营镇 | 呼和浩特市新城区 |
| 森吉图 | 生基图(转音) | | 固阳县新建乡 | 固阳县下湿壕镇 |
| 沙不沁 | 沙金图 | | 土默特旗大岱乡 | 土默特左旗善岱镇 |
| 沙圪旦 | 新建 | 1958 | 乌拉特前旗先锋乡 | 乌拉特前旗先锋镇 |
| 沙沟沿 | 西沙沟沿 | | 丰镇市元山子乡 | 丰镇市元山子乡 |
| 沙胡同 | 留人窑 | | 丰镇市新营子乡 | 丰镇市巨宝庄镇 |
| 沙尖 | 大沙街 | 清末 | 土默特旗 | 土默特右旗海子乡 |
| 沙金沁 | 沙金图 | | 土默特左旗大岱乡 | 土默特左旗善岱镇 |
| 沙金图 | 沙家营 | | 土默特旗兵州亥乡 | 土默特左旗毕克齐镇 |
| 沙金图 | 大沙金图 | 清光绪年间 | 土默特旗 | 土默特左旗善岱镇 |
| 沙金图 | 沙家营 | 清康熙年间 | 土默特旗 | 土默特左旗台阁牧镇 |
| 沙拉巴格诺尔 | 沙尔察布 | 1966.1.29 | 四子王旗白音敖包、卫境或红格尔人民公社 | 四子王旗白音敖包苏木 |
| 沙勒 | 三两(转音) | | 土默特旗三两乡 | 土默特左旗北什轴乡 |
| 沙勒板申 | 善友板 | 清康熙年间 | 土默特旗 | 土默特左旗察素齐镇 |

| | | | | |
|---|---|---|---|---|
| 沙楞 | 硝如 | 1966.1.29 | 四子王旗脑木更人民公社 | 四子王旗脑木更苏木 |
| 沙梁 | 沙良 | 民国时期 | 归绥县三区 | 呼和浩特市赛罕区 |
| 沙梁 | 西沙梁 | | 呼和浩特市郊区 | 呼和浩特市赛罕区 |
| 沙陵湖 | 沙陵湖滩 | 明末清初 | 土默特旗 | 土默特旗 |
| 沙陵湖滩 | 下沙拉湖滩 | | 托克托县中滩乡 | 托克托县 |
| 沙图高勒 | 沙驼格（转音） | | 固阳县东胜永或九份子乡 | 固阳县金山镇 |
| 沙驼国 | 沙驼格 | 1985 | 固阳县卜塔亥乡 | 固阳县银号镇或怀朔镇 |
| 沙章盖营 | 恩格尔营 | 1966.1.18 | 察右前旗四苏木人民公社 | 察右前旗 |
| 砂昂特召 | 闪旦梁（转音） | | 固阳县公益民乡 | 固阳县金山镇 |
| 山顶村 | 下房子 | 1958 | 卓资县福生庄乡 | 卓资县大榆树乡 |
| 山汉窑 | 腮汉窑 | | 固阳县大庙乡 | 固阳县银号镇 |
| 山梁 | 什拉 | 清乾隆年间 | 土默特旗 | 土默特左旗善岱镇 |
| 山林 | 保安 | 1962 | 卓资县山林人民公社 | 卓资县梨花镇 |
| 山水岭 | 三瑞里 | | 兴和县鄂尔栋乡 | 兴和县鄂尔栋镇 |
| 山他尼 | 尚德 | 1966.1.29 | 四子王旗乌兰哈达人民公社 | 四子王旗白音朝克图镇 |
| 山湾 | 西山湾 | 1936 | 察哈尔正红旗 | 察右后旗土牧尔台镇 |
| 山阴窑 | 三应窑 | | 呼和浩特市赛罕区榆林镇 | 呼和浩特市赛罕区 |
| 山狱尖 | 三元井 | 1966.1.29 | 四子王旗第七区、吉生太或查干补力格人民公社 | 四子王旗吉生太镇 |
| 闪丹 | 闪丹 | | 四子王旗第五区 | 四子王旗供济堂镇 |
| 善达 | 色灯沟（转音） | | 固阳县下湿壕或新建乡 | 固阳县下湿壕镇 |
| 商都城关镇 | 七台镇 | 2001 | 商都县 | 商都县七台镇 |

| 商义城 | 双玉城 | | 武川县东红胜乡 | 武川县二份子乡 |
|---|---|---|---|---|
| 上、下乌兰 | 忽日格气 | 1982 | 土默特左旗陶思浩人民公社 | 土默特左旗察素齐镇 |
| 上村 | 旧堂村 | 清光绪年间 | 察哈尔正红旗或镶红旗 | 凉城县岱海或蛮汉镇 |
| 上达赖 | 巴乌素 | 1966.2.2 | 土默特旗陶思浩人民公社 | 土默特左旗察素齐镇 |
| 上棍乌素 | 棍乌素 | | 乌拉特中旗石哈河乡 | 乌拉特中旗石哈河镇 |
| 上红鞋沟 | 新民村 | 1966.1.14 | 商都县大黑沙土人民公社 | 商都县大黑沙土镇 |
| 上花河 | 石哈河 | | 乌拉特中旗石哈河乡 | 乌拉特中旗石哈河镇 |
| 上碱水渠 | 王神官渠 | 1930 | 固阳县 | 固阳县下湿壕镇 |
| 上日萨拉 | 三喇嘛营 | 1949年后 | 察右后旗当郎忽洞 | 察右后旗当郎忽洞苏木 |
| 上石头兴营子 | 上营子 | 1949年后 | 呼和浩特市郊区毫沁营人民公社 | 呼和浩特市郊区 |
| 上游 | 西斗铺 | 1958 | 固阳县上游人民公社 | 固阳县西斗铺镇 |
| 上游村 | 薛家房 | 1984 | 察右后旗当郎忽洞人民公社 | 察右后旗当郎忽洞苏木 |
| 上栅杷 | 东杷栅 | | 呼和浩特市赛罕区巧报人民公社 | 呼和浩特市赛罕区 |
| 上周家岭 | 上山村 | | 凉城县天成、十三号、后营或十九号乡 | 凉城县天成乡 |
| 尚德 | 山探(转音) | | 达茂旗乌克忽洞乡 | 达茂旗乌克忽洞镇 |
| 尚家营子 | 岳家营子(三合社) | | 化德县七号、达盖滩、六十顷或德包图乡 | 化德县七号镇 |
| 尚义 | 南尚义 | 清光绪年间 | 察哈尔正红旗或镶红旗 | 凉城县曹碾满族自治乡 |
| 芍药背 | 烧窑贝(转音) | | 凉城县厂汉营或北水泉人民公社 | 凉城县厂汉营乡 |
| 绍布图 | 石报图(转音) | | 固阳县下湿壕或新建乡 | 固阳县下湿壕镇 |
| 哨所 | 恩格日哈必日格 | 1949年前 | 察哈尔正红旗 | 察右后旗乌兰哈达苏木 |
| 佘太 | 大佘太 | | 乌拉特前旗佘太人民公社 | 乌拉特前旗大佘太镇 |

| | | | | |
|---|---|---|---|---|
| 蛇带沟 | 玉成公 | | 四子王旗乌兰花镇公社 | 四子王旗乌兰花镇 |
| 蛇嘴子 | 石咀子 | | 和林格尔县城关镇 | 和林格尔县 |
| 舍必崖 | 南舍必崖 | | 呼和浩特市郊区 | 呼和浩特市赛罕区 |
| 申元村 | 半号村 | | 察右后旗石门口人民公社 | 察右后旗贲红镇 |
| 沈肉铺 | 沈家 | 1948 | 察哈尔正红旗 | 察右前旗平地泉镇 |
| 沈万青营子 | 九号 | 1954 | 化德县七号、达盖滩、六十顷或德包图乡 | 化德县七号镇 |
| 生盖营 | 永忠 | 1968 | 呼和浩特市郊区 | 呼和浩特市赛罕区 |
| 胜格尔 | 丹哈尔 | 1966.1.29 | 四子王旗脑木更人民公社 | 四子王旗脑木更苏木 |
| 胜利 | 前进 | 1958 | 化德县德善、白土卜子、白音特拉、德包图乡或朝阳、城关镇 | 化德县长顺镇 |
| 胜利 | 天圣 | 1982 | 乌拉特中旗德令山人民公社 | 乌拉特中旗德令山镇 |
| 胜利 | 大东 | 1984 | 土默特右旗萨拉齐镇 | 土默特右旗萨拉齐镇 |
| 胜利村 | 三哼兰 | 1949年后 | 四子王旗吉庆人民公社或东县第四区 | 四子王旗供济堂镇 |
| 胜泉村 | 南营子 | 1966.1.15 | 察右中旗大滩人民公社 | 察右中旗大滩乡 |
| 胜天 | 土贵乌拉 | 1961 | 察右前旗土贵乌拉镇 | 察右前旗土贵乌拉镇 |
| 绳匠 | 点什气 | | 土默特左旗此老乡 | 土默特左旗察素齐镇 |
| 圣家营村 | 红星 | 1966.8.27 | 察右前旗东风人民公社 | 察右前旗玫瑰营镇 |
| 盛家村 | 猴山后村 | | 察右后旗韩勿拉人民公社 | 察右后旗当郎忽洞或乌兰哈达苏木 |
| 聖家营 | 西坪 | 1966.1.18 | 察右前旗玫瑰营人民公社 | 察右前旗玫瑰营镇 |
| 师家卜子 | 八号 | 1966.1.14 | 商都县玻璃忽镜人民公社 | 商都县玻璃忽镜乡 |
| 湿土子 | 南十八台 | 1882年前后 | 丰镇厅 | 丰镇市红砂坝镇 |
| 十八沙胡 | 沙乎 | | 凉城县崞县窑、程家营或厢黄地乡 | 凉城县蛮汉镇 |

| | | | | |
|---|---|---|---|---|
| 十八台 | 十八太 | | 呼和浩特市赛罕区小井人民公社 | 呼和浩特市赛罕区 |
| 十八台 | 崔家地 | 1915 | 察哈尔正红旗 | 察右前旗三岔口乡 |
| 十八台 | 红砂坝 | 1959 | 丰镇市十八台人民公社 | 丰镇市红砂坝镇 |
| 十顶房子 | 红山子 | 民国时期 | 武川县中后河 | 武川县西乌兰不浪镇 |
| 十二顷地 | 草房子 | | 土默特左旗白庙子乡 | 土默特左旗白庙子镇 |
| 十六犋牛窑 | 十六犋窑 | | 凉城县曹碾、厂汉营或十九号人民公社 | 凉城县曹碾满族自治乡 |
| 十六苏木 | 礼拜寺 | 1912 | 察哈尔正红旗 | 察右前旗赛汉塔拉镇 |
| 十三颗碌碡 | 陈仕村 | 1938 | 察哈尔正红旗 | 察右后旗贲红镇 |
| 十三圈 | 十三泉 | | 丰镇市新营子乡 | 丰镇市巨宝庄镇 |
| 十湾子 | 石湾子 | | 清水河县杨家窑乡 | 清水河县 |
| 十五泉 | 圐圙 | | 丰镇市新营子乡 | 丰镇市巨宝庄镇 |
| 什兵地儿 | 什兵地 | 清乾隆年间 | 土默特旗 | 土默特左旗察素齐镇 |
| 什达岱 | 团结 | 1966.1.27 | 托克托县乃只盖人民公社 | 托克托县 |
| 什犋夭 | 什犋窑 | | 呼和浩特市郊区 | 呼和浩特市赛罕区 |
| 什拉乌素 | 前什拉 | 明崇祯年间 | 清水河县喇嘛湾镇 | 清水河县 |
| 什兰哈达 | 锡尔哈达 | 1966.1.29 | 四子王旗红格尔人民公社 | 四子王旗红格尔苏木 |
| 什勒更 | 什不更（转音） | | 土默特旗白庙子乡 | 土默特左旗白庙子镇 |
| 什日轴 | 什轴 | | 土默特左旗北什轴乡 | 土默特左旗北什轴乡 |
| 什淤地 | 什丙地 | 1912 | 四子王旗活福滩 | 四子王旗忽鸡图乡 |
| 什字 | 什富 | | 呼和浩特市赛罕区小井人民公社 | 呼和浩特市赛罕区 |
| 石敖包 | 高丰行 | | 乌拉特中旗乌梁素太乡 | 乌拉特中旗德令山镇 |
| 石宝庆 | 公布 | | 土默特旗大岱乡 | 土默特左旗善岱镇 |

| | | | | |
|---|---|---|---|---|
| 石焕沟 | 西滩 | 1955 | 化德县公腊胡洞、二道河或德善乡 | 化德县公腊胡洞乡 |
| 石家圪旦 | 西兴地 | 1966 | 土默特右旗海子人民公社 | 土默特右旗海子乡 |
| 石家碾房 | 碾房 | | 固阳县银号、大庙或卜塔亥乡 | 固阳县银号镇 |
| 石家窝铺 | 窝铺 | | 和林格尔县黑老窑乡 | 和林格尔县 |
| 石架底 | 石架底果园 | 1964 | 四子王旗忽鸡图人民公社 | 四子王旗忽鸡图乡 |
| 石兰计 | 东方红 | 1966 | 乌拉特中旗东方红人民公社 | 乌拉特中旗乌加河镇 |
| 石老二新营子 | 新营子 | 1970年后 | 托克托县乃只盖人民公社 | 托克托县 |
| 石林圪旦 | 根厂 | | 乌拉特前旗先锋乡 | 乌拉特前旗先锋镇 |
| 石泥乔 | 石泥桥 | | 土默特右旗二十四顷地乡 | 土默特右旗海子乡 |
| 石炭夭 | 石炭窑 | | 呼和浩特市郊区 | 呼和浩特市赛罕区 |
| 石头新营 | 下石头新营 | | 呼和浩特市新城区毫沁营镇 | 呼和浩特市新城区 |
| 时义成 | 四义城 | | 凉城县麦胡图人民公社 | 凉城县麦胡图镇 |
| 实业公司 | 前海子 | 1968 | 商都县十八顷镇或范家村人民公社 | 商都县十八顷镇 |
| 史家村 | 永胜村 | 1952 | 察哈尔正红旗 | 察右后旗当郎忽洞苏木 |
| 史明村 | 新胜村 | 1966.1.14 | 商都县范家村人民公社 | 商都县屯垦队镇 |
| 史明村 | 河柳弯 | 1966.1.14 | 商都县小海子人民公社 | 商都县小海子镇 |
| 史太清圪卜 | 太平 | | 达茂旗腮忽洞乡 | 达茂旗乌克忽洞镇 |
| 史万明 | 新胜 | 1962 | 商都县范家村人民公社 | 商都县十八顷镇 |
| 史万明 | 史明 | | 商都县小海子或高勿素乡 | 商都县小海子镇 |
| 史油坊 | 黄花坡 | 1966.1.14 | 商都县小海子人民公社 | 商都县小海子镇 |
| 兽医站门前 | 兴尔 | 1966.1.15 | 察右中旗科布尔镇或元山子、得胜人民公社 | 察右中旗科布尔镇 |

| | | | | |
|---|---|---|---|---|
| 淑盖 | 舒海 | 1966.1.29 | 四子王旗查干补力格人民公社 | 四子王旗查干补力格苏木 |
| 淑盖音达巴 | 舒海音达巴 | 1966.1.29 | 四子王旗查干补力格人民公社 | 四子王旗查干补力格苏木 |
| 淑特诺尔 | 呼热诺尔 | 1966.1.29 | 四子王旗白音敖包、卫境或红格尔人民公社 | 四子王旗白音敖包苏木 |
| 淑特音诺尔音呼都 | 格舒诺尔音呼都 | 1966.1.29 | 四子王旗红格尔人民公社 | 四子王旗红格尔苏木 |
| 曙光 | 大北 | 1984 | 土默特右旗萨拉齐镇 | 土默特右旗萨拉齐镇 |
| 术格木 | 图和木 | 1966.1.29 | 四子王旗红格尔人民公社 | 四子王旗红格尔苏木 |
| 数板窑 | 书板窑 | | 凉城县北水泉人民公社 | 凉城县厂汉营乡 |
| 栓柱沟 | 建设 | 1954 | 化德县德善、白土卜子、白音特拉、德包图乡或朝阳、城关镇 | 化德县长顺镇 |
| 双爱堂 | 胜利 | 1966.1.18 | 凉城县麦胡图人民公社 | 凉城县麦胡图镇 |
| 双古城 | 台梁 | 1958 | 凉城县六苏木、双古城或十九号乡 | 凉城县六苏木镇 |
| 双佳泉 | 利民 | | 乌拉特中旗宏丰乡 | 乌拉特中旗乌加河镇 |
| 双顺尔 | 双树 | | 呼和浩特市赛罕区巧报镇 | 呼和浩特市赛罕区 |
| 水草沟 | 草地沟 | | 固阳县大庙乡 | 固阳县银号镇 |
| 水壕 | 东渠 | 1955 | 固阳县新建乡 | 固阳县下湿壕镇 |
| 水泉 | 青山 | 1957 | 呼和浩特市回民区攸攸板镇 | 呼和浩特市回民区 |
| 水泉地 | 西水泉 | 1938 | 商都县 | 商都县卯都乡 |
| 水泉多 | 老龙不浪 | 清乾隆年间 | 土默特旗 | 土默特左旗沙尔沁镇 |
| 水泉沟 | 四份子 | 1981 | 固阳县东胜永或九份子人民公社 | 固阳县金山镇 |
| 水神 | 里素 | | 土默特左旗善岱乡 | 土默特左旗善岱镇 |
| 斯尔脱 | 苏尔特 | 1966.1.29 | 四子王旗白音朝克图人民公社 | 四子王旗白音朝克图镇 |
| 斯琴沟 | 十七沟 | | 清水河县韭菜庄乡 | 清水河县 |

| | | | | |
|---|---|---|---|---|
| 死达子沟 | 福洞沟 | 1951 | 凉城县 | 凉城县蛮汉镇 |
| 死人洼 | 农场 | 1961 | 化德县德包图、六支箭、六十顷或白音特拉人民公社 | 化德县德包图乡 |
| 四工段 | 蓿亥 | | 乌拉特前旗蓿亥乡 | 乌拉特前旗乌拉山镇 |
| 四股泉 | 高凤英 | 1965 | 察右前旗三成局人民公社 | 集宁区马莲区乡 |
| 四海坊 | 前海子 | 1966 | 商都县屯垦队、二道洼或大南坊子人民公社 | 商都县屯垦队镇 |
| 四海房子 | 前海子 | 1966.1.14 | 商都县屯垦队人民公社 | 商都县屯垦队镇 |
| 四合兴 | 四合社 | 民国时期 | 归绥县四区 | 呼和浩特市赛罕区 |
| 四黑记 | 吴家村 | 1964 | 商都县 | 商都县七台镇 |
| 四家尧 | 小召子 | 1985 | 土默特右旗小召子乡 | 土默特右旗将军尧镇 |
| 四老虎 | 后滩 | 1959 | 化德县德善、白土卜子、白音特拉、德包图乡或朝阳、城关镇 | 化德县长顺镇 |
| 四美庄 | 大四美庄 | | 丰镇市巨宝庄或新营子乡 | 丰镇市巨宝庄镇 |
| 四牛头 | 金星 | | 乌拉特中旗乌梁素太乡 | 乌拉特中旗德令山镇 |
| 四千村 | 杨树弯 | 1966.1.18 | 察右前旗三成局人民公社 | 集宁区马莲区乡 |
| 四区 | 光明区 | 1955 | 化德县原四区 | 化德县朝阳镇 |
| 四雀巴子 | 长胜湾 | 1923 | 察哈尔正红旗 | 察右后旗土牧尔台镇 |
| 四苏木 | 红山 | 1967.2.15 | 察右前旗 | 察右前旗 |
| 四苏木 | 木栋艾拉 | 1973 | 察右前旗四苏木人民公社 | 兴和县鄂尔栋镇 |
| 四王柱 | 东建和 | | 察右后旗霞江河人民公社 | 察右后旗贲红镇和石窑沟乡 |
| 四义堂 | 灯塔 | 1930年初 | 乌拉特中公旗 | 乌拉特中旗德令山镇 |
| 四元号 | 小新地 | 1966.1.29 | 四子王旗库伦图人民公社 | 四子王旗库伦图镇 |
| 寺回滩 | 马家滩 | 1949年后 | 达茂旗乌兰忽洞乡 | 达茂旗乌克忽洞镇 |

| | | | | |
|---|---|---|---|---|
| 松独拉 | 新德利 | 1949 年前 | 土默特旗 | 土默特左旗白庙子镇 |
| 宋长河 | 清水河 | | 察右后旗哈彦忽洞人民公社 | 察右后旗白音察干镇或乌兰哈达苏木 |
| 宋家 | 集体 | | 察右后旗乌兰哈达苏木 | 察右后旗乌兰哈达苏木 |
| 宋家村 | 集体村 | 1962 | 察右后旗白音察干人民公社 | 察右后旗白音察干镇 |
| 宋家圈 | 得胜营 | | 土默特旗白庙子乡 | 土默特左旗白庙子镇 |
| 宋家洼 | 南洼 | 1951 | 集宁县 | 集宁区马莲渠乡或白海子镇 |
| 宋家西窑子 | 西窑子 | | 和林格尔县 | 和林格尔县盛乐镇 |
| 宋泉村 | 马尼敖包 | 1966.1.18 | 察右前旗黄家村人民公社 | 集宁区马莲渠乡或白海子镇 |
| 宋三 | 大马圈圐 | 1947 | 察哈尔正红旗 | 察右后旗锡勒乡 |
| 宋三营子 | 友爱 | 1954 | 化德县德包图、六支箭、六十顷或白音特拉乡 | 化德县德包图乡 |
| 宋庄 | 得胜营 | 清乾隆年间 | 土默特旗 | 土默特左旗白庙子镇 |
| 苏堡力盖 | 苏卜盖（转音） | 清乾隆年间 | 土默特旗铁帽乡 | 土默特左旗塔布赛乡 |
| 苏点兔 | 苏都尔图 | 1966.1.29 | 四子王旗红格尔人民公社 | 四子王旗红格尔苏木 |
| 苏光州白庙子 | 曙光 | 民国时期 | 归绥县三区 | 呼和浩特市赛罕区 |
| 苏和 | 锁号 | | 土默特左旗铁帽乡 | 土默特左旗塔布赛乡 |
| 苏吉 | 呼格吉勒图 | | 乌拉特中旗巴音杭盖苏木 | 乌拉特中旗川井苏木 |
| 苏吉音哈沙 | 苏金呼舒 | 1966.1.29 | 四子王旗脑木更人民公社 | 四子王旗脑木更苏木 |
| 苏计 | 苏集村 | 1966.1.14 | 商都县大拉子人民公社 | 商都县西井子镇 |
| 苏计 | 苏吉 | | 四子王旗第八区 | 四子王旗东八号乡 |
| 苏计宝拉格 | 苏计不浪（转音） | 1933 | 察哈尔正红旗 | 察右后旗锡勒乡 |
| 苏家圪旦 | 槐木 | 1971 | 乌拉特前旗北圪堵人民公社 | 乌拉特前旗西小召镇 |

| | | | | |
|---|---|---|---|---|
| 苏家梁盖 | 梁盖 | 1966.1.29 | 四子王旗乌兰花人民公社 | 四子王旗乌兰花镇 |
| 苏勒陶勒盖 | 哈拉图 | 1949年前 | 乌拉特中公旗 | 乌拉特中旗川井苏木 |
| 苏门郭勒 | 萨其庙 | 1966.1.29 | 四子王旗白音花人民公社 | 四子王旗红格尔苏木 |
| 苏三营子 | 和睦 | 1954 | 化德县德包图、六支箭、六十顷或白音特拉乡 | 化德县德包图乡 |
| 苏喜 | 西水房子 | 1935 | 化德县 | 化德县公腊胡洞乡 |
| 苏喜村 | 井沟村 | 1966.1.14 | 商都县卯都人民公社 | 商都县卯都乡 |
| 宿尼板申 | 宿尼板 | | 土默特旗察素齐镇 | 土默特左旗察素齐镇 |
| 绥远城(新城) | 团结 | 1953 | 呼和浩特市新城区毫沁营镇 | 呼和浩特市新城区 |
| 阿尔善特索木 | 扎敏阿尔善特 | 1966.1.29 | 四子王旗白音敖包、卫境或红格尔人民公社 | 四子王旗白音敖包苏木 |
| 孙家圪 | 东河子 | 1966.1.15 | 察右中旗华山子人民公社 | 察右中旗广益隆镇 |
| 孙俊村 | 海南村 | 1966.1.18 | 察右前旗郝家村人民公社 | 察右前旗乌拉哈乡 |
| 孙宪村 | 浩尧尔敖包 | 1966.1.18 | 察右前旗黄家村人民公社 | 集宁区马莲渠乡或白海子镇 |
| 孙献营 | 古庙滩 | 1966.1.14 | 商都县大黑沙土人民公社 | 商都县大黑沙土镇 |
| 孙占彪大村 | 南大村 | 1966.1.14 | 商都县西坊子人民公社 | 商都县七台镇 |
| 他本呼都克 | 搭班呼都格 | 1966.1.29 | 四子王旗白音朝克图人民公社 | 四子王旗白音朝克图镇 |
| 他套马乌更 | 塔齐布粒格 | 1966.1.29 | 四子王旗白音花人民公社 | 四子王旗红格尔苏木 |
| 塔班胡如 | 呼勒斯 | | 乌拉特中旗巴音苏木 | 乌拉特中旗巴音乌兰苏木 |
| 塔班萨拉 | 塔布沙拉 | | 乌拉特前旗西山嘴乡 | 乌拉特前旗乌拉山镇 |
| 塔布诺尔 | 康卜诺 | 1882年前后 | 丰川卫 | 兴和县大库联乡 |
| 塔布秃力亥 | 塔利 | 1949年后 | 呼和浩特市郊区 | 呼和浩特市赛罕区 |
| 塔布子 | 塔布赛 | 1966.2.2 | 土默特旗塔布赛人民公社 | 土默特左旗塔布赛乡 |

| | | | | |
|---|---|---|---|---|
| 塔尔巴盖 | 达尔巴盖 | 1966.1.29 | 四子王旗白音敖包、卫境或红格尔人民社 | 四子王旗白音敖包苏木 |
| 塔尔兰 | 塔尔亚朗 | 1966.1.29 | 四子王旗白音花人民公社 | 四子王旗红格尔苏木 |
| 塔拉呼都格 | 塔林音呼都格 | 1966.1.29 | 四子王旗查干敖包人民公社 | 四子王旗查干补力格或脑木更苏木 |
| 塔拉呼都提 | 哈尔特提 | 1966.1.29 | 四子王旗白音敖包、卫境或红格尔人民公社 | 四子王旗白音敖包苏木 |
| 塔勒兴筛力 | 塔尔比音赛日 | 1966.1.29 | 四子王旗红格尔人民公社 | 四子王旗红格尔苏木 |
| 塔里雅图 | 章盖台 | 清朝中期 | 土默特旗 | 土默特左旗塔布赛乡 |
| 塔连乌素 | 塔连勿素 | | 四子王旗第八区 | 四子王旗东八号乡 |
| 塔么更格日 | 铁门更（转音） | | 土默特旗芨芨梁乡 | 土默特左旗芨芨梁乡 |
| 塔斯亥诺尔 | 塔萨尔海 | 1966.1.29 | 四子王旗白音敖包、卫境或红格尔人民公社 | 四子王旗白音敖包苏木 |
| 塔斯热亥巴音敖包 | 巴音敖包 | | 四子王旗白音敖包、卫境或红格尔人民公社 | 四子王旗白音敖包苏木 |
| 塔斯日海 | 塔斯海（转音） | | 察右后旗白音察干乡 | 察右后旗白音察干镇 |
| 塔斯日海 | 塔思亥（转音） | 1931 | 察哈尔正红旗 | 察右后旗土牧尔台镇 |
| 塔寺海 | 白音淖 | 1949年后 | 察右后旗 | 察右后旗白音察干镇 |
| 台嘎毛都 | 台阁木（转音） | 清末 | 土默特旗 | 土默特左旗台阁牧镇 |
| 台阁木 | 台阁牧 | 1949年后 | 土默特旗台阁牧 | 土默特左旗台阁牧镇 |
| 太和卜子 | 黄羊城 | 1966.1.15 | 察右中旗华山子人民公社 | 察右中旗广益隆镇 |
| 太和庄 | 二蛮沟 | | 凉城县北水泉人民公社 | 凉城县厂汉营乡 |
| 太来 | 黑山子 | 明初 | 清水河县韭菜庄乡 | 清水河县 |
| 太平庄 | 小太平庄 | | 呼和浩特市郊区 | 呼和浩特市赛罕区 |
| 太阳升 | 乔家营 | 1976 | 呼和浩特市郊区 | 呼和浩特市赛罕区 |
| 太原县 | 太阳县营 | | 土默特右旗三道河乡 | 土默特右旗双龙镇 |

| 滩滩 | 塔套 | 1966.1.29 | 四子王旗第七区、吉生太或查干补力格人民公社 | 四子王旗吉生太镇 |
|---|---|---|---|---|
| 坛子河 | 保同河 | 清康熙年间 | 土默特旗 | 土默特左旗善岱镇 |
| 唐古达敖拉 | 唐贡梁（转音） | 1936 | 察哈尔正红旗 | 察右后旗土牧尔台镇 |
| 唐家房子 | 永合 | 1958 | 化德县土城子、白土卜子或白音特拉乡 | 化德县朝阳镇 |
| 唐山村 | 西泉子 | | 察右后旗哈彦忽洞人民公社 | 察右后旗白音察干镇或乌兰哈达苏木 |
| 堂地村 | 乌素图 | 1966.1.15 | 察右中旗堂地人民公社 | 察右中旗乌素图镇 |
| 堂将军尧子 | 大将军尧 | 1966.1.13 | 土默特旗将军尧人民公社 | 土默特右旗将军尧镇 |
| 躺不浪沟 | 长不浪沟 | | 固阳县大庙乡 | 固阳县银号镇 |
| 桃格图敖包 | 陶古陶勒教包 | 1966.1.29 | 四子王旗红格尔人民公社 | 四子王旗红格尔苏木 |
| 桃花板申 | 桃花板（转音） | | 呼和浩特市玉泉区桃花乡 | 呼和浩特市玉泉区 |
| 陶根二份子 | 西二份子 | 清朝时期 | 乌拉特东公旗 | 乌拉特前旗 |
| 陶海白兴 | 桃花板申（转音） | | 呼和浩特市玉泉区桃花乡 | 呼和浩特市玉泉区 |
| 陶来宝力格 | 陶来不浪（转音） | 1935 | 察哈尔正红旗 | 察右后旗乌兰哈达苏木 |
| 陶来布拉格 | 陶来不浪（转音） | 1916 | 察哈尔正红旗 | 察右后旗白音察干镇 |
| 陶勒盖音乌拉 | 阿拉盖乌拉 | 1966.1.29 | 四子王旗卫境人民公社 | 四子王旗江岸苏木 |
| 陶鲁莫图 | 独龙图（转音） | | 固阳县下湿壕或新建乡 | 固阳县下湿壕镇 |
| 陶思浩 | 讨吃壕（转音） | | 固阳县白灵淖乡 | 固阳县怀朔镇 |
| 陶思浩车站 | 站村 | | 土默特旗陶思浩乡 | 土默特左旗察素齐镇 |
| 讨吃壕 | 太平 | 1951 | 固阳县 | 固阳县怀朔镇 |
| 讨吃壕 | 翻身壕 | 1952 | 固阳县新建 | 固阳县下湿壕镇 |
| 讨告板申 | 集贤 | 民国时期 | 归绥县二区 | 呼和浩特市赛罕区 |

| | | | | |
|---|---|---|---|---|
| 讨号板 | 吉贤 | 1949 年后 | 呼和浩特市郊区太平庄人民公社 | 呼和浩特市赛罕区 |
| 讨号板申 | 集贤 | 民国时期 | 呼和浩特市赛罕区太平庄乡 | 呼和浩特市赛罕区 |
| 讨思号 | 青山村 | | 呼和浩特市赛汗区罗家营人民公社 | 呼和浩特市赛罕区 |
| 讨速号 | 西讨速号 | 1962 | 呼和浩特市赛罕区黄合少镇 | 呼和浩特市赛罕区 |
| 特布勿拉 | 蓝先生、郝家村、马家村 | 1922 | 化德县 | 化德县朝阳镇 |
| 特格 | 珠斯莫勒 | | 乌拉特中旗巴音哈太苏木 | 乌拉特中旗新忽热苏木 |
| 特莫恩楚鲁 | 天面此老(转音) | | 固阳县东胜永或九份子乡 | 固阳县金山镇 |
| 特莫忽都格 | 铁面忽洞(转音) | | 察右后旗乌兰哈达人民公社 | 察右后旗乌兰哈达苏木 |
| 特莫忽都格 | 铁面忽洞(转音) | 1930 | 察哈尔正红旗 | 察右后旗锡勒乡 |
| 特默恩楚鲁 | 那日图 | | 乌拉特中旗新忽热苏木 | 乌拉特中旗新忽热苏木 |
| 特默哈夏图 | 敦达乌素 | | 乌拉特中旗乌兰苏木 | 乌拉特中旗巴音乌兰苏木 |
| 特木日 | 铁帽(转音) | | 土默特旗铁帽乡 | 土默特左旗塔布赛乡 |
| 特日格图 | 添力圪兔(转音) | 1882 | 喀尔喀右翼旗 | 达茂旗乌克忽洞镇 |
| 腾格尔照 | 丹哈仁昭 | 1966.1.29 | 四子王旗查干敖包人民公社 | 四子王旗查干补力格或脑木更苏木 |
| 腾格日塔拉 | 顶贵特拉(转音) | | 固阳县银号、大庙或卜塔亥乡 | 固阳县银号镇 |
| 天和后 | 东沟子 | 1949 年后 | 四子王旗东八号乡 | 四子王旗东八号乡 |
| 天花板 | 天花板上窑 | | 丰镇市浑源窑或对九沟乡 | 丰镇市浑源窑乡 |
| 天花市 | 天花板 | | 丰镇市浑源窑或对九沟乡 | 丰镇市浑源窑乡 |
| 天主教梁 | 水泉梁 | 1958 | 商都县高勿素乡 | 商都县小海子镇 |
| 天有公司 | 天一公司 | 1966.1.29 | 四子王旗吉庆人民公社或东县第四区 | 四子王旗供济堂镇 |

| | | | | |
|---|---|---|---|---|
| 田德美 | 对九湾 | | 凉城县崞县窑、程家营或厢黄地乡 | 凉城县蛮汉镇 |
| 田家 | 康卜子 | 1949年后 | 土默特右旗美岱召乡 | 土默特右旗美岱召镇 |
| 田家村 | 东滩村 | | 察右后旗石门口人民公社 | 察右后旗贲红镇 |
| 田家村 | 东沟 | 1954 | 化德县德善、白土卜子、白音特拉、德包图乡或朝阳、城关镇 | 化德县长顺镇 |
| 田家村 | 西山 | 1954 | 化德县土城子、白土卜子或白音特拉乡 | 化德县朝阳镇 |
| 田家柳二营 | 柳二营 | | 托克托县燕山营乡 | 托克托县 |
| 田家镇 | 永兴村 | 1966.2.2 | 凉城县永兴人民公社 | 凉城县永兴镇 |
| 田家镇 | 永兴 | 1964 | 凉城县三庆、多纳苏或永兴人民公社 | 凉城县永兴镇 |
| 田有凤圪旦 | 田家圪旦 | 1949年后 | 土默特右旗大城西乡 | 土默特右旗明沙淖乡 |
| 挑苏脑包山 | 陶思浩敖包山 | 1966.1.29 | 四子王旗大黑河或太平庄人民公社 | 四子王旗大黑河乡 |
| 铁旦板申 | 铁旦板 | 1949 | 土默特旗 | 土默特左旗塔布赛乡 |
| 铁匠圪旦 | 和丰 | | 乌拉特后旗乌根高勒苏木 | 乌拉特后旗乌盖苏木 |
| 崞阳庄 | 厂汉营 | 抗日战争时期 | 凉城县 | 凉城县厂汉营乡 |
| 仝昌营 | 同昌营 | | 和林格尔县董家营乡 | 和林格尔县 |
| 同卜彦营子 | 图门巴牙尔营 | 1966.2.3 | 兴和县台基庙人民公社 | 兴和县民族团结乡 |
| 同沟 | 育林 | 1954 | 化德县公腊胡洞、二道河或德善乡 | 化德县公腊胡洞乡 |
| 统林地 | 解放 | 1946 | 商都县 | 商都县十八顷镇 |
| 头道沟 | 车代营子 | 1954 | 化德县公腊胡洞、二道河或德善乡 | 化德县公腊胡洞乡 |
| 头掛车路 | 河南 | | 呼和浩特市赛罕区榆林人民公社 | 呼和浩特市赛罕区 |
| 头号 | 公忽洞 | | 武川县哈拉门独乡 | 武川县哈拉合少乡 |

| | | | | |
|---|---|---|---|---|
| 头号 | 包音包勒格 | 1966.2.3 | 兴和县石湾或台基庙人民公社 | 兴和县民族团结乡 |
| 秃蛇兔 | 图蛇图 | 1982 | 土默特旗陶思浩人民公社 | 土默特左旗察素齐镇 |
| 图赖巴什 | 图利巴什 | | 土默特旗沙尔营乡 | 土默特左旗白庙子镇 |
| 图赖板申 | 图利 | 清光绪二十六年 | 土默特旗 | 土默特左旗白庙子镇 |
| 图利巴什 | 小图利 | 1900 | 土默特旗 | 土默特左旗白庙子镇 |
| 图日音淖尔 | 塔尔湾 | 1982 | 乌拉特中旗德令山人民公社 | 乌拉特中旗德令山镇 |
| 图蛇图 | 秃蛇兔、黑蛇兔 | | 土默特旗陶思浩乡 | 土默特左旗察素齐镇 |
| 图喜营 | 东喜营 | 1948 | 察哈尔正红旗 | 察右后旗土牧尔台镇 |
| 屠家营 | 兴旺庄 | 1966.1.27 | 托克托县伍家人民公社 | 托克托县 |
| 土不兴 | 土不禅（转音） | | 和林格尔县舍必崖乡 | 和林格尔县 |
| 土成洼五号 | 大五号 | | 兴和县民族团结乡 | 兴和县民族团结乡 |
| 土格木 | 罗家土格木 | | 四子王旗第七区、吉生太或查干补力格人民公社 | 四子王旗吉生太镇 |
| 土格木 | 格木 | 1966.1.29 | 四子王旗第七区、吉生太或查干补力格人民公社 | 四子王旗吉生太镇 |
| 土路壕 | 大路壕 | | 清水河县小庙子乡 | 清水河县 |
| 土茂营子 | 特木尔营 | 1966.2.3 | 兴和县石湾或台基庙人民公社 | 兴和县民族团结乡 |
| 土牧尔台 | 新建 | 1958 | 察右后旗土牧尔台镇 | 察右后旗土牧尔台镇 |
| 土山弯 | 忠义堂 | 文革期间 | 察右后旗乌兰哈达人民公社 | 察右后旗乌兰哈达苏木 |
| 土山湾 | 忠义堂 | 1984 | 察右后旗当郎忽洞苏木 | 察右后旗当郎忽洞苏木 |
| 团结 | 新城 | 1976 | 呼和浩特市新城区毫沁营镇 | 呼和浩特市新城区 |
| 团结 | 查干朝鲁 | | 四子王旗第九区 | 四子王旗供济堂镇 |

| | | | | |
|---|---|---|---|---|
| 团结 | 太平 | 1984 | 土默特右旗萨拉齐镇 | 土默特右旗萨拉齐镇 |
| 团结 | 艮子川 | 1961 | 兴和县店子人民公社 | 兴和县店子镇 |
| 团结村 | 新城 | 1976 | 呼和浩特市郊区 | 呼和浩特市赛罕区 |
| 托克托县城关镇 | 双河镇 | 2001 | 托克托县 | 托克托县双河镇 |
| 驼厂壕 | 哈拉朝鲁 | | 四子王旗第七区 | 四子王旗吉生太镇 |
| 驼场壕 | 西毛安 | 1949年后 | 四子王旗大井坡人民公社 | 四子王旗吉生太镇 |
| 妥克妥 | 妥妥岱 | | 土默特旗陶思浩乡 | 土默特左旗察素齐镇 |
| 瓦房院 | 密密板 | 1896 | 呼和浩特市玉泉区桃花乡 | 呼和浩特市玉泉区 |
| 瓦盆窑 | 砖窑 | | 兴和县壕欠乡 | 兴和县壕堑镇 |
| 瓦窑圪沁 | 瓦尔沁（转音） | 1966.2.2 | 土默特旗塔布子人民公社 | 土默特左旗塔布赛乡 |
| 瓦渣胡洞 | 向阳 | 文革期间 | 凉城县天成、十三号、后营或十九号乡 | 凉城县天成乡 |
| 万成庄 | 西二号 | | 凉城县十三号乡 | 凉城县天成乡 |
| 万德堂 | 南沟子 | | 卓资县福生庄乡 | 卓资县大榆树乡 |
| 万灵山 | 张振胜 | | 察右后旗贲红人民公社 | 察右后旗贲红镇 |
| 万七格 | 温其格 | 1966.1.29 | 四子王旗卫境人民公社 | 四子王旗江岸苏木 |
| 万胜月 | 万义永 | 1930 | 四子王旗活福滩 | 四子王旗忽鸡图乡 |
| 万一号 | 万义号 | | 四子王旗第七区 | 四子王旗吉生太镇 |
| 王八夭子 | 小营子 | 1966.2.1 | 托克托县南坪人民公社 | 托克托县 |
| 王榜公 | 王保 | 清光绪年间 | 土默特旗 | 土默特右旗将军尧镇 |
| 王毕克齐 | 王气 | | 土默特左旗沙尔营乡 | 土默特左旗白庙子镇 |
| 王常林 | 海沿村 | 1966.1.14 | 商都县三虎地人民公社 | 商都县七台镇 |
| 王大圪旦 | 北圪堵 | 1955 | 乌拉特前旗北圪堵乡 | 乌拉特前旗西小召镇 |
| 王德沟 | 石窑沟 | 1917 | 察哈尔正红旗 | 察右后旗锡勒乡 |

| 王登房 | 小西泉 | | 察右后旗哈彦忽洞人民公社 | 察右后旗白音察干镇或乌兰哈达苏木 |
|---|---|---|---|---|
| 王殿金 | 南坊子 | 1966.1.14 | 商都县三虎地人民公社 | 商都县七台镇 |
| 王丁家尧子 | 兴盛 | 1966.1.13 | 土默特旗党三尧人民公社 | 土默特右旗将军尧镇 |
| 王二巴 | 统林地 | 1920 | 商都县 | 商都县十八顷镇 |
| 王府 | 王音敖日敦 | 1905 | 四子王旗查干补力格 | 四子王旗查干补力格苏木 |
| 王官梁 | 洪水梁 | 1966.1.18 | 察右前旗赛汉塔拉人民公社 | 察右前旗巴音塔拉或黄旗海二镇 |
| 王广和 | 新胜 | 1977 | 乌拉特前旗长胜人民公社 | 乌拉特前旗新安镇 |
| 王贵沟 | 朝阳沟 | 1966.1.18 | 察右前旗玫瑰营人民公社 | 察右前旗玫瑰营镇 |
| 王桂窑 | 宏河（镇名） | | 清水河县王桂窑乡 | 清水河县宏河镇 |
| 王和圪旦 | 德胜 | 1949年后 | 土默特右旗发彦申乡 | 土默特右旗海子乡 |
| 王宏村 | 丰产窑 | | 察右后旗石门口人民公社 | 察右后旗贲红镇 |
| 王家村 | 东升 | 1976 | 商都县大黑沙土或四台坊子人民公社 | 商都县大黑沙土镇 |
| 王家村 | 小东村 | 1966.2.3 | 兴和县五股泉人民公社 | 兴和县大库联乡 |
| 王六毛 | 新民村 | 1956 | 察右后旗红格尔图 | 察右后旗红格尔图镇 |
| 王马连渠 | 前马连渠 | 1966.1.15 | 武川县哈乐人民公社 | 武川县哈乐镇 |
| 王满红 | 小西村 | 1966.1.18 | 察右前旗三成局人民公社 | 集宁区马莲区乡 |
| 王满库 | 东海 | 1966 | 乌拉特前旗树林子人民公社 | 乌拉特前旗新安镇 |
| 王明村 | 海东村 | 1966.1.18 | 察右前旗乌拉哈乌拉人民公社 | 察右前旗乌拉哈乌拉乡 |
| 王齐 | 王毕克齐 | 1982 | 土默特左旗此老人民公社 | 土默特左旗察素齐镇 |
| 王气 | 南王毕克齐 | 1982 | 土默特旗沙尔营人民公社 | 土默特左旗白庙子镇 |
| 王如水地 | 南、北王如地 | | 固阳县西斗铺、坝梁或红泥井乡 | 固阳县西斗铺镇 |

| | | | | |
|---|---|---|---|---|
| 王三卜 | 清水弯 | 1966.1.14 | 商都县卯都人民公社 | 商都县卯都乡 |
| 王三顺窑 | 王三顺 | | 凉城县曹碾、厂汉营或十九号人民公社 | 凉城县曹碾满族自治乡 |
| 王善村 | 录化山 | | 察右后旗贲红人民公社 | 察右后旗贲红镇 |
| 王申和圪旦 | 西梁 | 1952 | 固阳县新建 | 固阳县下湿壕镇 |
| 王神官渠 | 淡家渠 | 1949 | 固阳县 | 固阳县下湿壕镇 |
| 王生楞圪旦 | 南王连卜 | | 土默特右旗将军尧乡 | 土默特右旗将军尧镇 |
| 王双罗渠 | 西渠 | 1955 | 固阳县新建乡 | 固阳县下湿壕镇 |
| 王田顺 | 西南村 | 1966.1.14 | 商都县西坊子人民公社 | 商都县七台镇 |
| 王习尧 | 王西尧 | 清道光年间 | 土默特旗 | 土默特右旗将军尧镇 |
| 王小秃圪旦 | 新华 | 1969 | 乌拉特前旗公庙子人民公社 | 乌拉特前旗先锋镇 |
| 王永和 | 杨家村 | 1919 | 察哈尔正红旗 | 察右后旗红格尔图镇 |
| 王永庆营子 | 王庆营子 | 清乾隆年间 | 土默特旗 | 土默特右旗萨拉齐镇 |
| 王庄 | 兴旺庄 | | 凉城县天成、十三号、后营或十九号乡 | 凉城县天成乡 |
| 望艾村 | 楚伦温格齐 | 1966.1.18 | 察右前旗弓沟人民公社 | 察右前旗玫瑰营镇 |
| 望爱 | 楚鲁温格齐 | 民国时期 | 察哈尔正红旗 | 察右前旗玫瑰营镇 |
| 望海楼 | 此老图 | 1966.1.15 | 察右中旗五号人民公社 | 察右中旗广益隆镇 |
| 望海庄 | 旺海庄 | | 凉城县天成、十三号、后营或十九号乡 | 凉城县天成乡 |
| 围子 | 上东房 | 1964 | 察右中旗华山子人民公社 | 察右中旗广益隆镇 |
| 尾巴梁 | 长盛梁 | 1949年后 | 四子王旗东八号人民公社 | 四子王旗东八号乡 |
| 苇塘 | 壮丁营 | 清末 | 土默特旗 | 土默特右旗双龙镇 |
| 卫井 | 卫境 | 文革期间 | 四子王旗卫镜公社 | 四子王旗江岸苏木 |
| 卫星 | 黄羊城 | 1959 | 察右中旗黄羊城乡 | 察右中旗黄羊城镇 |
| 卫星 | 大同窑 | 1960 | 兴和县大同窑人民公社 | 兴和县大同窑乡 |

| | | | | |
|---|---|---|---|---|
| 蔚财沟 | 採药沟 | 1966. 1. 18 | 察右前旗弓沟人民公社 | 察右前旗玫瑰营镇 |
| 蔚州村 | 宇宙 | 1981 | 商都县玻璃忽镜或三面井人民公社 | 商都县玻璃忽镜乡 |
| 魏家庄 | 居家棚 | | 凉城县永兴乡 | 凉城县永兴镇 |
| 魏君坝 | 后坝 | | 石拐区国庆乡或包头市郊区 | 石拐区五当召镇 |
| 魏旺村 | 九顷地 | 1955 | 察右后旗当郎忽洞人民公社 | 察右后旗当郎忽洞苏木 |
| 温德而庙 | 朱日和 | 1955. 3. 23 | 集一二铁路沿线火车站名 | 苏尼特右旗朱日和镇 |
| 温都尔陶勒盖 | 乌兰温都尔 | | 乌拉特中旗乌兰苏木 | 乌拉特中旗巴音乌兰苏木 |
| 温都日宝令 | 温独不令（转音） | | 达茂旗坤兑滩乡 | 达茂旗石宝镇 |
| 温都日额勒斯 | 草原 | | 乌拉特前旗呼和宝力格苏木 | 乌拉特前旗乌拉山镇 |
| 温家村 | 袁家村 | 1939 | 商都县 | 商都县十八顷镇 |
| 温家夭 | 温家窑 | | 呼和浩特市郊区 | 呼和浩特市赛罕区 |
| 温克楞 | 恩格尔 | 1966. 1. 29 | 四子王旗白音敖包、卫境或红格尔人民公社 | 四子王旗白音敖包苏木 |
| 文都包寸 | 温都尔布其 | 1966. 1. 29 | 四子王旗红格尔人民公社 | 四子王旗红格尔苏木 |
| 文都花 | 温多尔花 | 1966. 1. 29 | 四子王旗巨巾号人民公社 | 四子王旗乌兰花、吉生太镇或忽鸡图乡 |
| 文高洼 | 永红 | 1972 | 化德县德善、白土卜子、白音特拉、德包图人民公社或朝阳、城关镇 | 化德县长顺镇 |
| 文革村 | 三补和 | 1984 | 察右后旗当郎忽洞人民公社 | 察右后旗当郎忽洞苏木 |
| 文公得勒山 | 马鬃山 | | 达茂旗大苏吉乡 | 达茂旗石宝镇 |
| 文库德日苏 | 翁呼尔德日苏 | 1966. 1. 29 | 四子王旗红格尔人民公社 | 四子王旗红格尔苏木 |
| 翁格查干诺尔 | 翁高钦诺尔 | 1966. 1. 29 | 四子王旗白音敖包、卫境或红格尔人民公社 | 四子王旗白音敖包苏木 |
| 翁格查干诺尔 | 洪高尔查干诺尔 | 1966. 1. 29 | 四子王旗卫境人民公社 | 四子王旗江岸苏木 |

| 翁格勒其格 | 文圪气<br>（转音） | | 固阳县银号、大庙或卜<br>塔亥乡 | 固阳县银号镇 |
|---|---|---|---|---|
| 翁家村 | 单巴营 | 1966.1.14 | 商都县高勿素人民公社 | 商都县小海子镇 |
| 翁库楞 | 翁浩尔 | 1966.1.29 | 四子王旗白音敖包、卫<br>境或红格尔人民公社 | 四子王旗白音敖包苏<br>木 |
| 翁先生 | 清山坡 | 1966.1.14 | 商都县大南坊人民公社 | 商都县屯垦队镇 |
| 沃博日孙都拉 | 萨如拉塔拉 | | 乌拉特中旗川井苏木 | 乌拉特中旗川井苏木 |
| 沃水 | 弓坝河 | 清朝初年 | 察哈尔正红旗或镶红旗 | 凉城县 |
| 沃图壕 | 新民 | 1949年后 | 固阳县西斗铺、坝梁或<br>红泥井乡 | 固阳县西斗铺镇 |
| 沃图壕 | 金山镇 | 1949年后 | 固阳县西斗铺乡 | 固阳县西斗铺镇 |
| 乌布尔哈比 | 乌布尔哈必<br>尔嘎 | 1966.1.29 | 四子王旗白音敖包、卫<br>境或红格尔人民公社 | 四子王旗白音敖包苏<br>木 |
| 乌布日布拉格 | 乌布楞<br>（转音） | 1958 | 达茂旗希拉穆仁人民公<br>社 | 达茂旗希拉穆仁镇 |
| 乌尔素 | 乌素 | | 土默特旗毕克齐镇 | 土默特左旗毕克齐镇 |
| 乌根布拉格沟 | 乌布拉格 | | 乌拉特前旗白彦花人民<br>公社 | 乌拉特前旗白彦花镇 |
| 乌哈林 | 富裕 | 1937 | 化德县 | 化德县公腊胡洞乡 |
| 乌和日楚鲁 | 五克此老<br>（转音） | | 固阳县银号、大庙或卜<br>塔亥乡 | 固阳县银号镇 |
| 乌和日沁 | 窝尔沁壕<br>（转音） | | 固阳县东胜永或九份子<br>乡 | 固阳县金山镇 |
| 乌忽洞格勒 | 呼呼特音郭<br>勒 | 1966.1.29 | 四子王旗红格尔人民公<br>社 | 四子王旗红格尔苏木 |
| 乌鸡 | 乌吉尔 | 1966.1.29 | 四子王旗西河子人民公<br>社或武东县二区、五区 | 四子王旗东八号乡 |
| 乌克呼都格 | 乌克忽洞<br>（转音） | | 达茂旗乌克忽洞乡 | 达茂旗石宝镇 |
| 乌拉 | 嘎顺 | 1966.1.29 | 四子王旗卫境人民公社 | 四子王旗江岸苏木 |
| 乌拉道力布 | 道力布 | 1966.1.29 | 四子王旗白音花人民公<br>社 | 四子王旗红格尔苏木 |
| 乌兰 | 二十四份子 | 1984 | 乌拉特中旗郜北人民公<br>社 | 乌拉特中旗石哈河镇 |

| 乌兰 | 桑根达来 | 1984 | 乌拉特中旗桑根达来人民公社 | 乌拉特中旗桑根达来苏木 |
|---|---|---|---|---|
| 乌兰艾尔 | 晗尔诺尔 | 1966.1.29 | 四子王旗白音朝克图人民公社 | 四子王旗白音朝克图镇 |
| 乌兰道勒 | 红盘 | | 四子王旗朝克温都人民公社 | 四子王旗库伦图镇 |
| 乌兰得勒 | 洪高尔敖包 | 1966.1.29 | 四子王旗卫境人民公社 | 四子王旗江岸苏木 |
| 乌兰德布斯格 | 红油杆（转音） | 清光绪年间 | 明安旗或东公旗 | 固阳县银号镇或怀朔镇 |
| 乌兰额日格 | 乌兰卜（转音） | | 固阳县银号、大庙或卜塔亥乡 | 固阳县银号镇 |
| 乌兰尔黑可 | 哈尔阿热格 | 1966.1.29 | 四子王旗脑木更人民公社 | 四子王旗脑木更苏木 |
| 乌兰夫特林萨拉 | 乌兰霍特林萨拉 | 1966.1.29 | 四子王旗卫境人民公社 | 四子王旗江岸苏木 |
| 乌兰哈而 | 乌兰花 | 1955.3.23 | 集一二铁路沿线火车站名 | 察右后旗乌兰哈达苏木 |
| 乌兰呼都格 | 乌兰忽洞（转音） | | 固阳县兴顺西乡 | 固阳县兴顺西镇 |
| 乌兰呼都格 | 乌兰呼都（转音） | 1966.1.29 | 四子王旗脑木更人民公社 | 四子王旗脑木更苏木 |
| 乌兰呼都克 | 乌兰乌苏（转音） | 1966.1.29 | 四子王旗查干补力格人民公社 | 四子王旗查干补力格苏木 |
| 乌兰忽洞 | 红井子 | 1950 | 察哈尔正红旗 | 察右后旗当郎忽洞苏木 |
| 乌兰忽都格 | 乌兰忽洞（转音） | | 达茂旗乌兰忽洞乡 | 达茂旗乌克忽洞镇 |
| 乌兰牧场 | 乌兰种羊繁殖场 | 1975 | 四子王旗 | 四子王旗 |
| 乌兰努斯 | 乌兰乌苏 | 1966.1.29 | 四子王旗白音朝克图人民公社 | 四子王旗白音朝克图镇 |
| 乌兰诺尔音昆对 | 敖楞诺尔深对 | 1966.1.29 | 四子王旗红格尔人民公社 | 四子王旗红格尔苏木 |
| 乌兰陶勒盖 | 朱斯木勒 | | 乌拉特后旗巴音宝力格苏木 | 乌拉特后旗巴音宝力格镇 |
| 乌兰陶力盖 | 乌鸡 | 1852 | 四子王旗第七区、吉生太或查干补力格人民公社 | 四子王旗吉生太镇 |

| | | | | |
|---|---|---|---|---|
| 乌兰特拉亥 | 东元永 | 1919 | 固阳县 | 固阳县银号镇 |
| 乌兰图格 | 希拉穆仁 | 1984 | 达茂旗希拉穆仁苏木 | 达茂旗希拉穆仁镇 |
| 乌兰锡力 | 乌兰锡热 | 1966.1.29 | 四子王旗卫境人民公社 | 四子王旗江岸苏木 |
| 乌兰伊利更 | 乌兰额热格 | 1966.1.29 | 四子王旗白音花人民公社 | 四子王旗红格尔苏木 |
| 乌兰伊林河 | 乌兰额热格 | 1966.1.29 | 四子王旗白音朝克图人民公社 | 四子王旗白音朝克图镇 |
| 乌兰种羊繁殖场 | 乌兰牧场 | | 四子王旗 | 四子王旗 |
| 乌勒盖图 | 宏丰 | | 乌拉特中旗宏丰乡 | 乌拉特中旗乌加河镇 |
| 乌里雅苏台 | 石人湾 | | 呼和浩特市赛罕区黄合少镇 | 呼和浩特市赛罕区 |
| 乌里雅苏台 | 沟口子 | 民国时期 | 归绥县二区 | 呼和浩特市赛罕区 |
| 乌力吉 | 后尔驹沟（转音） | | 固阳县银号、大庙或卜塔亥乡 | 固阳县银号镇 |
| 乌力吉套海召庙 | 广福寺 | 1705 | 喀尔喀右翼旗百灵庙 | 达茂旗百灵庙镇 |
| 乌力吉图 | 耳居图（转音） | | 固阳县兴顺西乡 | 固阳县兴顺西镇 |
| 乌伦兔 | 乌楞特 | 1966.1.29 | 四子王旗查干补力格人民公社 | 四子王旗查干补力格苏木 |
| 乌尼圪其 | 李家房子 | 1921 | 商都县 | 商都县玻璃忽镜乡 |
| 乌其鲁敖包 | 乌珠尔敖包 | 1966.1.29 | 四子王旗脑木更人民公社 | 四子王旗脑木更苏木 |
| 乌然呼都格 | 乌兰呼都格 | 1966.1.29 | 四子王旗白音敖包、卫境或红格尔人民公社 | 四子王旗白音敖包苏木 |
| 乌日都高勒 | 前河 | 1958 | 达茂旗西河乡 | 达茂旗乌克忽洞镇 |
| 乌日都河 | 前河村 | 1955 | 达茂旗西河乡 | 达茂旗乌克忽洞镇 |
| 乌日及勒图 | 包楞德日素 | 1961 | 四子王旗红格尔人民公社 | 四子王旗红格尔苏木 |
| 乌日塔河 | 南湾 | | 武川县东红胜乡 | 武川县二份子乡 |
| 乌日图布朗格 | 大乌日图布朗格 | 1903 | 察哈尔正红旗 | 察右前旗乌拉哈乡 |

| 乌苏特郭勒 | 乌尔建郭勒 | 1966.1.29 | 四子王旗白音敖包、卫境或红格尔人民公社 | 四子王旗白音敖包苏木 |
|---|---|---|---|---|
| 乌素图 | 武松秃（转音） | | 达茂旗坤兑滩乡 | 达茂旗石宝镇 |
| 乌素图 | 东乌素图 | 清嘉庆年间 | 呼和浩特市 | 呼和浩特市回民区 |
| 乌素图 | 吾速图 | | 武川县哈乐乡 | 武川县哈乐镇 |
| 乌素图鲁 | 武松 | | 和林格尔县城关镇 | 和林格尔县 |
| 乌珠尔扎格 | 巴音查干 | | 乌拉特后旗巴音前达门人民公社 | 乌拉特后旗巴音前达门苏木 |
| 污泥卜子 | 何家地 | 1830 | 察哈尔正红旗 | 察右后旗大六号镇 |
| 邬儿八气 | 苗六营 | 清咸丰年间 | 土默特旗 | 土默特右旗明沙淖乡 |
| 邬儿巴期 | 上茅庵 | 清朝中期 | 土默特旗 | 土默特右旗明沙淖乡 |
| 邬家村 | 南建村 | | 察右后旗石门口人民公社 | 察右后旗贾红镇 |
| 吴巴石 | 吴坝 | 清朝时期 | 土默特旗 | 土默特右旗萨拉齐镇 |
| 吴殿奎 | 南西泉 | | 察右后旗哈彦忽洞人民公社 | 察右后旗白音察干镇或乌兰哈达苏木 |
| 吴夺村 | 吴喜村 | 1923 | 察哈尔正红旗 | 察右后旗贾红镇 |
| 吴俊村 | 新大井 | | 察右后旗石门口人民公社 | 察右后旗贾红镇 |
| 吴奎村 | 大山洼 | 1966.1.14 | 商都县十大顷人民公社 | 商都县十八倾镇 |
| 吴善人 | 大南坊 | 1938 | 商都县西井子、大拉子或格化司台乡 | 商都县西井子镇 |
| 吾德阿木 | 二吾德沟 | 1932 | 察哈尔正红旗 | 察右后旗锡勒乡 |
| 五福堂 | 嘎拉图 | | 察右后旗白音察干乡 | 察右后旗白音察干镇 |
| 五福堂 | 永丰 | 1973 | 化德县德善、白土卜子、白音特拉、德包图人民公社或朝阳、城关镇 | 化德县长顺镇 |
| 五福堂 | 西湾子 | 1910 | 陶林厅 | 察右中旗铁沙盖镇 |
| 五福堂 | 哈达图 | | 察哈尔正红旗或镶红旗 | 卓资县巴音锡勒镇 |

| | | | | |
|---|---|---|---|---|
| 五工区 | 新建 | 1966 | 乌拉特前旗苏独仑人民公社 | 乌拉特前旗苏独仑镇 |
| 五海村 | 向阳沟 | 1966.1.14 | 商都县西井子人民公社 | 商都县西井子镇 |
| 五虎沟 | 太平窑 | 1930 年前后 | 凉城县 | 凉城县永兴镇 |
| 五家滩 | 白玉山 | | 凉城县永兴乡 | 凉城县永兴镇 |
| 五间房 | 浩牙日陶勒盖 | 1964 | 达茂旗希拉穆仁人民公社 | 达茂旗希拉穆仁镇 |
| 五犋牛窑 | 五犋窑 | | 凉城县六苏木、双古城或十九号乡 | 凉城县六苏木镇 |
| 五犋夭 | 五犋窑 | | 呼和浩特市郊区 | 呼和浩特市赛罕区 |
| 五魁卜子 | 南卜子 | 1949 年后 | 卓资县八苏木乡 | 卓资县十八台镇 |
| 五良什太 | 五良太 | | 清水河县五良太人民公社 | 清水河县五良太乡 |
| 五良太 | 五一 | 1958 | 清水河县五一蒙汉联合社 | 清水河县五良太乡 |
| 五路台吉板申 | 五路 | 民国时期 | 归绥县二区 | 呼和浩特市赛罕区 |
| 五路以吉板申 | 五路 | | 呼和浩特市赛罕区太平庄乡 | 呼和浩特市赛罕区 |
| 五毛沟 | 长顺沟 | 1958 | 化德县德包图、六支箭、六十庆或白音特拉乡 | 化德县德包图乡 |
| 五区 | 睦邻区 | 1955 | 化德县原五区 | 化德县公腊胡洞乡 |
| 五十台房子 | 太文太艾拉 | 1949 年后 | 察右后旗当郎忽洞人民公社 | 察右后旗当郎忽洞苏木 |
| 五星 | 马盖图 | 1920 | 察哈尔正红旗或镶红旗 | 卓资县卓资山镇 |
| 五一 | 五良太 | 1959 | 清水河县五一蒙汉联合社 | 清水河县五良太乡 |
| 伍店明沟 | 和睦 | 1958 | 化德县公腊胡洞、二道河或德善乡 | 化德县公腊胡洞乡 |
| 武本善 | 新五宝山 | 土地改革时 | 察右后旗土牧尔台镇 | 察右后旗土牧尔台镇 |
| 武本善 | 五宝山 | 1955 | 察右后旗土牧尔台镇 | 察右后旗土牧尔台镇 |
| 武大人地 | 前胜村 | 1969 | 察右后旗当郎忽洞人民公社 | 察右后旗当郎忽洞苏木 |

| 武大仁 | 前胜 | 1966 | 察右后旗察汗淖人民公社 | 察右后旗当郎忽洞苏木 |
|---|---|---|---|---|
| 武货郎 | 五忽郎 | 1916 | 察哈尔正红旗 | 察右后旗锡勒乡 |
| 武家弯 | 杨柳弯 | 1966.1.14 | 商都县大黑沙土人民公社 | 商都县大黑沙土镇 |
| 武家湾淖 | 杨柳湾淖 | 1966.1.27 | 商都县八股地人民公社 | 商都县大库伦乡 |
| 武家新地 | 东新地 | 1966.1.13 | 土默特旗海子人民公社 | 土默特右旗海子乡 |
| 武松途路 | 武松 | | 和林格尔县胜利乡 | 和林格尔县 |
| 勿兰代 | 围子 | 1934 | 陶林县 | 察右中旗米粮局乡 |
| 勿兰淖 | 大秃小 | 1916 | 化德县 | 化德县公腊胡洞乡 |
| 勿烂大坝坊子 | 察卜诺 | | 商都县范家村乡 | 商都县十八顷镇 |
| 西阿路包头（西阿日博克图） | 红星 | | 固阳县忽鸡沟乡 | 固阳县金山镇 |
| 西阿麻乌苏 | 巴润阿曼乌苏 | 1966.1.29 | 四子王旗红格尔人民公社 | 四子王旗红格尔苏木 |
| 西布格 | 什不更（转音） | 清乾隆年间 | 土默特旗 | 土默特左旗白庙子镇 |
| 西布古太 | 石卜太（转音） | | 固阳县下湿壕或新建乡 | 固阳县下湿壕镇 |
| 西布古图 | 小窝图（转音） | | 固阳县大庙乡 | 固阳县银号镇 |
| 西察素忽洞 | 巴仁察素忽洞 | 1958 | 察右后旗锡勒、胜利乡或韩勿拉人民公社 | 察右后旗锡勒乡 |
| 西昌永 | 万和永 | 清末 | 土默特旗 | 土默特右旗海子乡 |
| 西厂汉孔 | 西村 | | 固阳县银号、大庙或卜塔亥乡 | 固阳县银号镇 |
| 西达赖营 | 西兴胜 | | 呼和浩特市赛罕区八拜人民公社 | 呼和浩特市赛罕区 |
| 西大连图 | 西圐圙图 | | 清水河县 | 清水河县 |
| 西刀拉陶勒盖 | 西营子 | 1680 | 和林格尔县董家营乡 | 和林格尔县 |
| 西二份子 | 东五份 | | 乌拉特前旗小佘太乡 | 乌拉特前旗小佘太镇 |
| 西坊村 | 喇嘛圐圙 | 1923 | 察哈尔正红旗 | 察右后旗红格尔图镇 |

| | | | | |
|---|---|---|---|---|
| 西房村 | 笈笈卜 | 1930 | 察哈尔正红旗 | 察右后旗白音察干镇 |
| 西房村 | 西哈拉沟 | 1949年后 | 察右后旗锡勒、胜利乡或韩勿拉苏木 | 察右后旗锡勒乡 |
| 西圪卜 | 繁荣 | | 乌拉特中旗石兰计乡 | 乌拉特中旗乌加河镇 |
| 西圪堵 | 西纳嘎 | | 乌拉特前旗余太人民公社 | 乌拉特前旗大余太镇 |
| 西公中 | 水桐树 | | 乌拉特前旗西山嘴乡 | 乌拉特前旗乌拉山镇 |
| 西沟 | 大村 | | 凉城县六苏木、双古城或十九号乡 | 凉城县六苏木镇 |
| 西沟 | 中西沟 | 1982 | 土默特左旗青山人民公社 | 土默特左旗察素齐镇 |
| 西哈日葫芦 | 丰裕 | | 乌拉特中旗石兰计乡 | 乌拉特中旗乌加河镇 |
| 西河畔 | 呼和淖尔 | | 乌拉特中旗呼勒斯太苏木 | 乌拉特中旗呼勒斯太苏木 |
| 西红胜 | 花西 | 2002 | 武川县东红胜乡 | 武川县二份子乡 |
| 西忽鸡尔兔 | 西滩 | 1966.1.29 | 四子王旗忽鸡图人民公社 | 四子王旗忽鸡图乡 |
| 西胡卜子 | 胡三新地 | 1927 | 四子王旗供济堂 | 四子王旗供济堂镇 |
| 西胡勒斯太 | 西沟 | | 四子王旗活福滩人民公社 | 四子王旗忽鸡图乡 |
| 西花狗营 | 西华营 | 1966.1.13 | 土默特旗沙尔营人民公社 | 土默特左旗白庙子镇 |
| 西交界 | 新农（田德美） | | 凉城县崞县窑、程家营或厢黄地乡 | 凉城县蛮汉镇 |
| 西喇嘛营 | 西营子 | | 呼和浩特市赛罕区巧报人民公社 | 土默特右旗 |
| 西老将营 | 西老藏营 | 宋朝时期 | 土默特右旗吴坝乡 | 土默特右旗萨拉齐镇 |
| 西梁十三号 | 西梁 | | 凉城县曹碾、厂汉营或十九号人民公社 | 凉城县曹碾满族自治乡 |
| 西龙王庙 | 西兴旺 | | 呼和浩特市赛罕区西菜园人民公社 | 呼和浩特市赛罕区 |
| 西隆 | 硝如 | 1966.1.29 | 四子王旗卫境人民公社 | 四子王旗江岸苏木 |
| 西喽喽窝 | 西乐天 | 1982 | 凉城县麦胡图人民公社 | 凉城县麦胡图镇 |

| | | | | |
|---|---|---|---|---|
| 西茂斯特亥 | 毛独亥 | 1966.1.29 | 四子王旗大黑河或太平庄人民公社 | 四子王旗大黑河乡 |
| 西牛犋 | 新胜 | 1976 | 乌拉特前旗公庙子人民公社 | 乌拉特前旗先锋镇 |
| 西片棚 | 大西平 | | 土默特旗沙尔沁乡 | 土默特左旗沙尔沁镇 |
| 西台道弯 | 台道弯 | 1966.1.14 | 商都县大拉子人民公社 | 商都县西井子镇 |
| 西沙梁 | 丰产 | 1958 | 乌拉特前旗苏独仑人民公社 | 乌拉特前旗苏独仑镇 |
| 西水房子 | 西水 | 1954 | 化德县公腊胡洞、二道河或德善乡 | 化德县公腊胡洞乡 |
| 西土城 | 南营子 | 1952 | 陶林县 | 察右中旗广益隆镇 |
| 西土甘木 | 土和木 | 1966.1.29 | 四子王旗太平庄人民公社 | 四子王旗东八号乡 |
| 西洼村 | 新建 | 1979 | 化德县德善、白土卜子、白音特拉、德包图人民公社或朝阳、城关镇 | 化德县长顺镇 |
| 西瓦夭 | 西瓦窑 | | 呼和浩特市郊区 | 呼和浩特市赛罕区 |
| 西瓦窑 | 西瓦窑南营 | | 呼和浩特市玉泉区小黑河镇 | 呼和浩特市玉泉区 |
| 西瓦窑南营 | 南营 | | 呼和浩特市玉泉区小黑河镇 | 呼和浩特市玉泉区 |
| 西香火地 | 西厢黄地 | 1964 | 凉城县东十号、厢黄地、城关镇或三苏木人民公社 | 凉城县岱海镇 |
| 西香火地 | 西厢黄地 | 1966.1.18 | 凉城县厢黄地人民公社 | 凉城县岱海或蛮汉镇 |
| 西小宫 | 兴胜泉 | 1966.1.15 | 武川县红山子人民公社 | 武川县二份子乡 |
| 西协力气 | 西营子 | 1947 | 土默特旗 | 土默特右旗美岱召镇 |
| 西信板申 | 辛辛板 | | 呼和浩特市玉泉区西菜园 | 和林格尔县 |
| 西营 | 常喜(西常喜梁) | | 凉城县天成、十三号、后营或十九号乡 | 凉城县天成乡 |
| 西营盘 | 西营子 | | 和林格尔县董家营乡 | |
| 西营子 | 五里坡 | 1953 | 察右前旗煤窑乡 | 察右前旗三岔口乡 |

| | | | | |
|---|---|---|---|---|
| 西淤地 | 南柜 | | 土默特旗把什乡 | 土默特左旗察素齐镇 |
| 希布日呼热 | 石宝(转音) | | 达茂旗石宝乡 | 达茂旗石宝镇 |
| 希拉敖包 | 下脑包 | | 四子王旗三元井人民公社 | 四子王旗库伦图镇 |
| 希热 | 巴音呼舒 | | 乌拉特后旗宝音图苏木 | 乌拉特后旗巴音前达门苏木 |
| 希日额日格 | 希日楚鲁 | | 乌拉特中旗温更镇 | 乌拉特中旗海流图镇 |
| 希提 | 巴音 | | 察右前旗煤窑乡 | 察右前旗三岔口乡 |
| 锡拉木伦河 | 章干郭勒 | 1966.1.29 | 四子王旗白音敖包、卫境或红格尔人民公社 | 四子王旗白音敖包苏木 |
| 锡勒玛 | 宿黑蟆(转音) | 1936 | 察哈尔正红旗 | 察右后旗当郎忽洞苏木 |
| 锡林敖包 | 锡连敖包(转音) | | 固阳县东胜永或九份子乡 | 固阳县金山镇 |
| 锡林浩大嘎 | 锡林呼都嘎 | 1955.3.23 | 集一二铁路沿线火车站名 | 苏尼特右旗赛汗塔拉镇 |
| 锡林呼都格 | 玄梁忽洞(转音) | 清康熙年间 | 土默特旗 | 土默特左旗察素齐镇 |
| 习民无素 | 新尼乌苏 | 1966.1.29 | 四子王旗查干补力格人民公社 | 四子王旗查干补力格苏木 |
| 席片 | 前、后席片 | | 四子王旗忽鸡图乡 | 四子王旗忽鸡图乡 |
| 席汽敖包 | 锡勒格敖包 | 1966.1.29 | 四子王旗红格尔人民公社 | 四子王旗红格尔苏木 |
| 席日门 | 宿黑蟆(转音) | 1949年后 | 察右后旗当郎忽洞 | 察右后旗当郎忽洞苏木 |
| 席日门艾拉 | 席日门 | 1921 | 察哈尔正红旗 | 察右后旗当郎忽洞苏木 |
| 喜荡充诺尔 | 沙唐海诺尔 | 1966.1.29 | 四子王旗脑木更人民公社 | 四子王旗脑木更苏木 |
| 虾虹河 | 霞虹河 | 1972 | 察右后旗霞虹河人民公社 | 察右后旗贲红镇或石窑沟乡 |
| 下达赖 | 伊乌素 | 1966.1.27 | 土默特旗陶思浩人民公社 | 土默特左旗察素齐镇 |
| 下井村 | 北下井 | 1966.1.14 | 商都县高勿素人民公社 | 商都县小海子镇 |

| | | | | |
|---|---|---|---|---|
| 下喇嘛窑 | 下全义 | 1966 | 凉城县厂汉营或北水泉人民公社 | 凉城县厂汉营乡 |
| 下脑包 | 五家营 | 1905 | 武川厅 | 武川县上秃亥乡 |
| 下萨拉营 | 道日萨拉 | | 察右后旗当郎忽洞人民公社 | 察右后旗当郎忽洞苏木 |
| 下三柜 | 胜利井 | 1966.1.15 | 察右中旗布连河人民公社 | 察右中旗铁沙盖镇 |
| 下沙盖 | 红旗 | | 察哈尔正红旗或镶红旗 | 察右中旗铁沙盖镇 |
| 下石头兴营子 | 下营子 | 1949年后 | 呼和浩特市郊区毫沁营人民公社 | 呼和浩特市 |
| 下水 | 昂遏下水 | 明朝时期 | 宣宁卫 | 凉城县 |
| 下洼湿滩 | 大烧地 | 1910 | 土默特旗或喀尔喀右翼旗 | 武川县西乌兰不浪镇 |
| 夏巴尔台 | 什八台（转音） | 1910 | 土默特旗或喀尔喀右翼旗 | 武川县西乌兰不浪镇 |
| 夏巴尔台 | 崔家地 | 1915 | 察哈尔正红旗 | 察右前旗三岔口乡 |
| 夏拉呼里 | 赛汗塔拉 | 1955.3.23 | 集一二铁路沿线火车站名 | 苏尼特右旗赛汗塔拉镇 |
| 夏日哈达 | 巴音包勒格 | | 四子王旗查干补力格人民公社 | 四子王旗查干补力格苏木 |
| 夏营盘 | 小公村 | 1925 | 武川县 | 武川县二份子乡 |
| 先锋 | 陶思浩 | 1959 | 土默特旗先锋人民公社 | 土默特左旗察素齐镇 |
| 相惕沟 | 杏花沟 | 1949年后 | 兴和县壕欠乡 | 兴和县壕堑镇 |
| 香火地 | 厢黄地 | 1964 | 凉城县厢黄地人民公社 | 凉城县岱海镇 |
| 厢黄地 | 旧堂 | 2001 | 凉城县东十号、厢黄地、城关镇或三苏木乡 | 凉城县岱海镇 |
| 向阳 | 瓦渣胡洞 | 1982 | 凉城县天成、十三号、后营或十九号人民公社 | 凉城县天成乡 |
| 向阳村 | 敦达乌素 | | 达茂旗碾草湾行政村 | 达茂旗碾草湾行政村 |
| 项家村 | 西滩村 | 1952 | 察哈尔正红旗 | 察右后旗土牧尔台镇 |
| 逍遥庙 | 小窑子 | | 兴和县大同窑乡 | 兴和县大同窑乡 |
| 萧王坟 | 小王坟 | | 和林格尔县黑老窑乡 | 和林格尔县 |

| | | | | |
|---|---|---|---|---|
| 硝池子 | 新河营 | 1959 | 呼和浩特市玉泉区小黑河镇 | 呼和浩特市 |
| 小坝子村 | 中营子 | 1958 | 卓资县羊圈湾人民公社 | 卓资县卓资山镇、十八台镇或大榆树乡 |
| 小白脑包 | 小白敖包 | 1966.2.3 | 兴和县赵八金人民公社 | 兴和县赛乌素镇 |
| 小白彦花 | 梁西村 | | 达茂旗赛忽洞乡 | 达茂旗乌克忽洞镇 |
| 小达赖丹坝 | 小丹巴 | 1966.1.13 | 土默特旗沙尔沁人民公社 | 土默特左旗沙尔沁乡 |
| 小达赖单巴 | 小丹巴 | | 土默特旗沙尔营乡 | 土默特左旗白庙子镇 |
| 小当岱 | 小丹岱 | 1911 | 察哈尔正红旗 | 察右后旗白音察干镇 |
| 小东沟 | 前营子 | 1949年后 | 呼和浩特市郊区保合少乡 | 呼和浩特市 |
| 小段家天 | 小段家窑 | | 呼和浩特市郊区 | 呼和浩特市赛罕区 |
| 小范家营子 | 南顺 | 1954 | 化德县德包图、六支箭、六十顷或白音特拉乡 | 化德县德包图乡 |
| 小高勿素 | 南梁 | 1966.1.14 | 商都县高勿素人民公社 | 商都县小海子镇 |
| 小圪安乌苏 | 小呼安乌苏 | 1966.1.29 | 四子王旗乌兰花人民公社 | 四子王旗乌兰花镇 |
| 小圪塔 | 玉印山 | 1962 | 察右后旗 | 察右后旗贲红镇 |
| 小公村 | 兴胜泉 | 1964 | 武川县西红山子人民公社 | 武川县二份子乡 |
| 小公营盘 | 小盘沟 | 1954 | 化德县七号、达盖滩、六十顷或德包图乡 | 化德县七号镇 |
| 小官屯堡 | 东营 | 1882年前后 | 丰镇厅 | 丰镇市官屯堡乡 |
| 小哈卜泉 | 哈布其勒 | 1966.1.29 | 四子王旗三元井人民公社 | 四子王旗库伦图镇 |
| 小忽拉格气 | 小忽尔格气 | 1966.1.13 | 土默特旗兵州亥人民公社 | 土默特左旗毕克齐镇 |
| 小胡家 | 民安村 | 1966.2.3 | 兴和县五股泉人民公社 | 兴和县大库联乡 |
| 小黄凉太 | 小民主 | 1954 | 化德县公腊胡洞、二道河或德善乡 | 化德县公腊胡洞乡 |
| 小鸡营子 | 小井营 | 1966.1.13 | 土默特旗毛岱人民公社 | 土默特右旗美岱召镇 |

| 小井 | 小井大营子 | 1966.2.2 | 呼和浩特市郊区保合少人民公社 | 呼和浩特市赛罕区保合少镇 |
|---|---|---|---|---|
| 小井子 | 大小井 | 1946 | 察哈尔正红旗 | 察右后旗红格尔图镇 |
| 小韭菜庄 | 北堡 | 明隆庆初年 | 清水河县北堡乡 | 清水河县 |
| 小康勃儿 | 互助 | 1954 | 化德县德善、白土卜子、白音特拉、德包图乡或朝阳、城关镇 | 化德县长顺镇 |
| 小马家 | 东坡 | 1966.1.14 | 商都县八股地人民公社 | 商都县大库伦乡 |
| 小毛扣营 | 小赛扣营 | 1966.1.13 | 土默特旗白庙人民公社 | 土默特左旗白庙子镇 |
| 小庙 | 七圪台 | | 呼和浩特市赛罕区金河镇 | 呼和浩特市赛罕区 |
| 小庙口子 | 乌日图高勒 | | 乌拉特前旗白彦花人民公社 | 乌拉特前旗白彦花镇 |
| 小庙子沟 | 胜利沟 | | 呼和浩特市赛罕区小井人民公社 | 呼和浩特市赛罕区 |
| 小南梁 | 林场 | | 固阳县卜塔亥乡 | 固阳县银号镇或怀朔镇 |
| 小山圪芽沟 | 碰倒山 | | 察右后旗贲红人民公社 | 察右后旗贲红镇 |
| 小石焕沟 | 小黄凉太 | | 化德县公腊胡洞、二道河或德善乡 | 化德县公腊胡洞乡 |
| 小石灰 | 小东沟 | | 固阳县下湿壕或新建乡 | 固阳县下湿壕镇 |
| 小四王墓 | 小四台子 | 1966.1.15 | 清水河县桦树墕人民公社 | 清水河县 |
| 小堂地 | 平原 | 1966.1.15 | 察右中旗巴音人民公社 | 察右中旗巴音乡 |
| 小田家营子 | 兴隆 | 1956 | 化德县七号、达盖滩、六十顷或德包图乡 | 化德县七号镇 |
| 小头号 | 四号 | 1966.1.29 | 四子王旗库伦图人民公社 | 四子王旗库伦图镇 |
| 小瓦窑圪沁 | 小瓦尔沁（转音） | 1966.1.13 | 土默特旗塔布赛人民公社 | 土默特左旗塔布赛乡 |
| 小王贵沟 | 小朝阳沟 | 1966.1.18 | 察右前旗弓沟人民公社 | 察右前旗玫瑰营镇 |
| 小乌拉沙盖 | 乌兰苏亥 | 1966.1.29 | 四子王旗大黑河或太平庄人民公社 | 四子王旗大黑河乡 |
| 小西坡 | 小南村 | 1949 | 兴和县 | 兴和县赛乌素镇 |

| 小昔尼勿素 | 民富 | 1954 | 化德县德包图、六支箭、六十顷或白音特拉乡 | 化德县德包图乡 |
|---|---|---|---|---|
| 小燕山营 | 燕山营 | | 托克托县燕山营乡 | 托克托县燕山营镇 |
| 小杨向营 | 小阳向营 | 清乾隆年间 | 土默特旗 | 土默特右旗美岱召镇 |
| 小一间房 | 平原莊 | | 呼和浩特市赛罕区黄合少人民公社 | 呼和浩特市赛罕区 |
| 小召子 | 西小召 | 1923 | 乌拉特东公旗 | 乌拉特前旗西小召镇 |
| 肖崩陶勒盖 | 巴彦吉拉嘎 | | 乌拉特中旗呼勒斯太苏木 | 乌拉特中旗呼勒斯太苏木 |
| 肖存洼 | 张二村、张三村 | | 兴和县曹四窖乡 | 兴和县大库联乡 |
| 谢布谢 | 卡布其尔 | 1966.1.29 | 四子王旗卫境人民公社 | 四子王旗江岸苏木 |
| 谢家女 | 杨柳村 | 1966.1.14 | 商都县十大顷人民公社 | 商都县十八顷镇 |
| 谢假女村 | 杨柳 | 1964 | 商都县十大顷人民公社 | 商都县十八顷镇 |
| 忻家村 | 瓜房子 | 1966.1.14 | 商都县三面井人民公社 | 商都县玻璃忽镜乡 |
| 忻洲老店 | 店上 | | 土默特旗毕克齐镇 | 土默特左旗毕克齐镇 |
| 辛二村 | 辛二围子 | 1935 | 化德县 | 化德县公腊胡洞乡 |
| 辛二围子 | 田宝沟 | 1954 | 化德县公腊胡洞、二道河或德善乡 | 化德县公腊胡洞乡 |
| 辛滩窑 | 新堂窑 | | 凉城县十九号乡 | 凉城县六苏木镇、天成乡或曹碾满族乡 |
| 辛营新营 | 新营 | 清末 | 土默特旗 | 托克托县新营子镇 |
| 新布拉格 | 宿泥不浪（转音） | 1924 | 察哈尔正红旗 | 察右后旗当郎忽洞苏木 |
| 新城 | 团结村 | 建国初期 | 呼和浩特市郊区 | 呼和浩特市赛罕区 |
| 新城子 | 德龙 | 1956 | 化德县德善、白土卜子、白音特拉、德包图乡或朝阳、城关镇 | 化德县长顺镇 |
| 新村 | 青春莊 | | 呼和浩特市赛汗区桃花人民公社 | 呼和浩特市赛罕区 |
| 新村 | 西梁 | 1966.1.14 | 商都县高勿素人民公社 | 商都县小海子镇 |

| | | | | |
|---|---|---|---|---|
| 新地大队 | 六股大队 | | 四子王旗供济堂人民公社 | 四子王旗供济堂镇 |
| 新房子 | 宿泥板 | 清初 | 土默特旗 | 土默特左旗察素齐镇 |
| 新圪力圪太 | 新圪太 | | 土默特旗沙尔营乡 | 土默特左旗白庙子镇 |
| 新和 | 十三号 | 1984 | 乌拉特中旗邬北乡 | 乌拉特中旗石哈河镇 |
| 新河口 | 朝阳、向阳 | 1984 | 土默特右旗程奎海子乡 | 土默特右旗将军尧镇 |
| 新华 | 朝克文都 | | 四子王旗第五区 | 四子王旗供济堂镇 |
| 新华村 | 白小村 | 1984 | 察右后旗土牧尔台镇 | 察右后旗土牧尔台镇 |
| 新建 | 东风 | 1970 | 乌拉特中旗楚鲁图乡 | 乌拉特中旗石哈河镇 |
| 新龙社 | 新地沟 | | 呼和浩特市赛罕区榆林镇 | 呼和浩特市赛罕区 |
| 新尼布拉格 | 宿泥不浪（转音） | 1911 | 察哈尔正红旗 | 察右后旗当郎忽洞苏木 |
| 新农 | 红明 | 1966 | 乌拉特前旗佘太人民公社 | 乌拉特前旗大佘太镇 |
| 新生 | 波力 | | 四子王旗第五区 | 四子王旗供济堂镇 |
| 新胜营 | 北官地营 | | 土默特旗芨芨梁乡 | 土默特左旗芨芨梁乡 |
| 新堂 | 城关 | 1966.1.18 | 凉城县城关镇 | 凉城县岱海镇 |
| 新堂天子 | 西天子 | 1966.1.18 | 凉城县十九号人民公社 | 凉城县六苏木镇、天成乡或曹碾满族乡 |
| 新堂窑 | 新窑 | 1964 | 凉城县六苏木、双古城或十九号人民公社 | 凉城县六苏木镇 |
| 新堂窑 | 西新窑 | 1966.2.2 | 凉城县十九号人民公社 | 凉城县六苏木镇、天成乡或曹碾满族乡 |
| 新乌苏 | 新尼乌苏 | 1966.1.29 | 四子王旗白音花人民公社 | 四子王旗红格尔苏木 |
| 新营 | 新营子 | 1949年后 | 托克托县新营子乡 | 托克托县新营子镇 |
| 新营子 | 常印庄 | | 丰镇市新营子乡 | 丰镇市巨宝庄镇 |
| 新营子 | 石老二新营子 | | 托克托县乃只盖乡 | 托克托县 |
| 新洲房子 | 忻周房子 | 1950 | 察哈尔正红旗 | 察右后旗乌兰哈达苏木 |

| | | | | |
|---|---|---|---|---|
| 兴丰七队 | 大后店 | 1985 | 乌拉特中旗乌梁素太乡 | 乌拉特中旗德令山镇 |
| 兴格尔呼都格 | 新乌苏 | 1966.1.29 | 四子王旗卫境人民公社 | 四子王旗江岸苏木 |
| 兴龙湾 | 青龙湾 | | 凉城县十三号乡 | 凉城县天成乡 |
| 兴隆店 | 坝底 | 1966.1.29 | 四子王旗吉庆人民公社或东县第四区 | 四子王旗供济堂镇 |
| 兴胜泉 | 黑沙图 | 1985 | 武川县西红山子乡 | 武川县二份子乡 |
| 兴盛 | 壮丁营 | 清末 | 土默特旗 | 土默特右旗双龙镇 |
| 兴盛沟 | 九墩沟 | | 丰镇市新营子乡 | 丰镇市巨宝庄镇 |
| 兴旺村 | 土路壕 | | 清水河县小庙子乡 | 清水河县 |
| 兴旺庄 | 北圪洞 | 乾隆年间 | 清水河县韭菜庄乡 | 清水河县 |
| 星光 | 中山 | 1982 | 土默特旗察素齐镇 | 土默特左旗察素齐镇 |
| 邢村 | 集贤村 | 1949年后 | 凉城县 | 凉城县麦胡图镇 |
| 邢大罗 | 东沟子 | 1966.1.14 | 商都县范家村人民公社 | 商都县屯垦队镇 |
| 邢寡妇圪旦 | 荣丰 | | 乌拉特中旗石兰计乡 | 乌拉特中旗乌加河镇 |
| 邢合元 | 益民 | 1966.1.15 | 察右中旗科布尔镇或元山子、得胜人民公社 | 察右中旗科布尔镇 |
| 邢家村 | 集贤村 | 1949 | 凉城县 | 凉城县麦胡图镇 |
| 邢家营 | 邢家营 | | 归绥县二区 | 呼和浩特市赛罕区 |
| 姓胡窑 | 杏忽窑 | | 凉城县曹碾、厂汉营或十九号人民公社 | 凉城县曹碾满族自治乡 |
| 幸福村 | 火烧羊圈 | 1958 | 达茂旗石宝乡 | 达茂旗石宝镇 |
| 须里不里格 | 新尼宝勒格 | 1966.1.29 | 四子王旗查干补力格人民公社 | 四子王旗查干补力格苏木 |
| 徐家村 | 南营子(小南营) | 1954 | 化德县土城子、白土卜子或白音特拉乡 | 化德县朝阳镇 |
| 徐生元 | 联盟 | 1966 | 商都县三虎地人民公社 | 商都县七台镇 |
| 徐四营子 | 兴和 | 1954 | 化德县七号、达盖滩、六十顷或德包图乡 | 化德县七号镇 |

| | | | | |
|---|---|---|---|---|
| 徐章盖沟 | 石厂沟 | 1966.1.15 | 武川县乌兰不浪人民公社 | 武川县西乌兰不浪镇 |
| 许申元 | 联盟村 | 1966.1.14 | 商都县三虎地人民公社 | 商都县七台镇 |
| 旭泥板申 | 旭泥板 | | 呼和浩特市赛罕区金河镇 | 呼和浩特市赛罕区 |
| 旭日 | 杨家窑 | 1961 | 清水河县旭日人民公社 | 清水河县城关镇 |
| 蓿亥 | 扬水 | | 乌拉特前旗察处圪旦 | 乌拉特前旗乌拉山镇 |
| 薛家 | 平山 | 1958 | 察右后旗 | 察右后旗 |
| 薛家村 | 平山村 | 1958 | 察右后旗土牧尔台镇 | 察右后旗土牧尔台镇 |
| 薛家村 | 先锋 | 1954 | 化德县公腊胡洞、二道河或德善乡 | 化德县公腊胡洞乡 |
| 薛家地 | 利民 | 1954 | 化德县土城子、白土卜子或白音特拉乡 | 化德县朝阳镇 |
| 薛家地 | 永旺 | 1954 | 化德县七号、达盖滩、六十顷或德包图乡 | 化德县七号镇 |
| 薛家坊 | 薛家房 | 1984 | 察右后旗当郎忽洞苏木 | 察右后旗当郎忽洞苏木 |
| 薛家房 | 上游村 | 1969 | 察右后旗当郎忽洞人民公社 | 察右后旗当郎忽洞苏木 |
| 薛家圪旦 | 西兴地 | 1966 | 土默特右旗海子人民公社 | 土默特右旗海子乡 |
| 薛秃村 | 德尔森艾勒 | 1966.1.18 | 察右前旗礼拜寺人民公社 | 察右前旗巴音塔拉或黄旗海二镇 |
| 学堂地 | 学田地 | 1951 | 陶林县 | 察右中旗铁沙盖镇 |
| 学校圪旦 | 南河头 | | 乌拉特前旗西山嘴乡 | 乌拉特前旗乌拉山镇 |
| 压地房子 | 堂地(圣新堡) | 1934 | 化德县 | 化德县公腊胡洞乡 |
| 牙尔代 | 牙代营 | | 兴和县白家营乡或芦家营人民公社 | 兴和县店子镇 |
| 烟鬼庙 | 河弯村 | 1966.1.14 | 商都县小海子人民公社 | 商都县小海子镇 |
| 闫家村 | 聚宝山 | | 察右后旗霞江河人民公社 | 察右后旗贲红镇和石窑沟乡 |
| 闫满宏 | 胜利 | 1949 | 化德县 | 化德县长顺镇 |

| | | | | |
|---|---|---|---|---|
| 闫正茂 | 言正苗 | | 凉城县十九号乡 | 凉城县六苏木镇、天成乡或曹碾满族乡 |
| 盐池（参合陂） | 昂遏下水 | 辽代 | 西京道大同府 | 凉城县 |
| 盐海子 | 北海 | | 固阳县白灵淖乡 | 固阳县怀朔镇 |
| 盐碱沟 | 皮条沟 | | 托克托县中滩乡 | 托克托县 |
| 盐土窑 | 沿土窑 | | 凉城县永兴乡 | 凉城县永兴镇 |
| 盐泽（渚闻泽） | 盐池（参合陂） | 北魏时期 | 参合县或旋鸿县 | 凉城县 |
| 阎满宏 | 胜利 | 1949 | 化德县 | 化德县公腊胡洞乡 |
| 雁归河 | 银贵河 | | 四子王旗太平庄人民公社 | 四子王旗东八号乡 |
| 雁苇沟 | 砚王沟 | | 凉城县天成、十三号、后营或十九号乡 | 凉城县天成乡 |
| 扬牛换圪旦 | 下四卜素 | 1955 | 土默特右旗党三尧乡 | 土默特右旗将军尧镇 |
| 羊卜渠 | 东、西羊卜渠 | | 固阳县东胜永乡 | 固阳县金山镇 |
| 羊场盘 | 羊场沟 | | 兴和县曹四窖乡 | 兴和县大库联乡 |
| 羊二天子 | 羊二窑子 | | 呼和浩特市郊区 | 呼和浩特市赛罕区 |
| 羊高尔奢日木 | 永古尔土和木 | 1966.1.29 | 四子王旗查干敖包人民公社 | 四子王旗查干补力格或脑木更苏木 |
| 羊生 | 达尔布盖 | 1966.1.29 | 四子王旗吉庆人民公社或东县第四区 | 四子王旗供济堂镇 |
| 羊眼睛卜子 | 新海子 | 1966 | 达茂旗腮忽洞人民公社 | 达茂旗乌克忽洞镇 |
| 阳曲夭 | 阳曲窑 | | 呼和浩特市郊区 | 呼和浩特市赛罕区 |
| 阳曲窑 | 羊群窑 | 民国时期 | 归绥县二区 | 呼和浩特市赛罕区 |
| 杨成黑 | 杨力官尧 | 1880年左右 | 土默特旗 | 土默特右旗将军尧镇 |
| 杨达营子 | 八角淖 | 1930 | 商都县 | 商都县大黑沙土镇 |
| 杨大湾 | 农建 | 1958 | 化德县公腊胡洞、二道河或德善乡 | 化德县公腊胡洞乡 |
| 杨店洼 | 邓家村 | | 兴和县民族团结乡 | 兴和县民族团结乡 |

| | | | | |
|---|---|---|---|---|
| 杨二村 | 大营图 | 1966.1.14 | 商都县屯垦队人民公社 | 商都县屯垦队镇 |
| 杨贵村 | 东胜村 | 1969 | 察右后旗当郎忽洞人民公社 | 察右后旗当郎忽洞苏木 |
| 杨贵生沟 | 新民村 | 1966.1.14 | 商都县玻璃忽镜人民公社 | 商都县玻璃忽镜乡 |
| 杨贵生沟 | 新民 | 1950 | 商都县格化司台 | 商都县大库伦乡或西井子镇 |
| 杨海城 | 西大青沟 | 1966.1.14 | 商都县四台坊人民公社 | 商都县大黑沙土镇 |
| 杨家村 | 庙村 | | 卓资县六苏木人民公社或乡 | 卓资县卓资山镇 |
| 杨家地 | 新富 | 1951 | 化德县 | 化德县长顺镇 |
| 杨家地 | 东滩 | 1955 | 化德县公腊胡洞、二道河或德善乡 | 化德县公腊胡洞乡 |
| 杨家地村 | 西十大股 | 1915 | 商都县 | 商都县大黑沙土镇 |
| 杨家地村 | 大沟 | 1976 | 商都县 | 商都县 |
| 杨家圪旦 | 胜利 | 1984 | 土默特右旗程奎海子乡 | 土默特右旗将军尧镇 |
| 杨家山后村 | 民主村 | 1966 | 达茂旗大苏吉人民公社 | 达茂旗石宝镇 |
| 杨家新营 | 新营 | 1912 | 丰镇县 | 丰镇市官屯堡乡 |
| 杨六八圪旦 | 张家圪旦 | 清光绪末年 | 土默特旗 | 土默特右旗海子乡 |
| 杨六九 | 三合村 | 1966.1.14 | 商都县范家村人民公社 | 商都县屯垦队镇 |
| 杨纳森 | 杨纳生(转音) | 1928 | 察哈尔正红旗 | 察右后旗贲红镇 |
| 杨碾房 | 红卫 | 1977 | 乌拉特前旗长胜人民公社 | 乌拉特前旗新安镇 |
| 杨牛焕 | 兴旺圪旦 | 1966.1.13 | 土默特旗党三尧人民公社 | 土默特右旗将军尧镇 |
| 杨七红 | 毛日图 | 1966.1.14 | 商都县十八顷人民公社 | 商都县十八顷镇 |
| 杨荣城子 | 土城子 | 1952 | 武川县西红山子 | 武川县二份子乡 |
| 杨荣土城子 | 土城子 | 1952 | 武川县哈拉合少 | 武川县哈拉合少乡 |
| 杨上山 | 石门口 | | 察右后旗石门口人民公社 | 察右后旗贲红镇 |

| | | | | |
|---|---|---|---|---|
| 杨尚山 | 杨上山 | | 察右后旗贲红人民公社 | 察右后旗贲红镇 |
| 杨生窑 | 阳生窑 | | 凉城县东十号或厢黄地乡 | 凉城县岱海或蛮汉镇 |
| 杨士塔 | 四道壕 | 1934 | 固阳县 | 固阳县下湿壕镇 |
| 杨双九圪旦 | 东升 | 1962 | 乌拉特后旗乌盖人民公社 | 乌拉特后旗乌盖苏木 |
| 杨司庙 | 楚鲁图 | 1955.3.23 | 集一二铁路沿线火车站名 | 苏尼特右旗赛汗塔拉镇 |
| 杨四村 | 海西村 | 1966.1.18 | 察右前旗礼拜寺人民公社 | 察右前旗巴音塔拉或黄旗海二镇 |
| 杨四夭 | 杨四窑 | | 呼和浩特市郊区 | 呼和浩特市赛罕区 |
| 杨万四 | 赵卜金 | | 兴和县赛乌素乡 | 兴和县赛乌素镇 |
| 杨洋壕 | 狼窝壕 | 清代 | 土默特旗 | 托克托县双河镇 |
| 杨映兰圪旦 | 东升三社 | 1971 | 乌拉特后旗、杭锦后旗四支人民公社 | 乌拉特后旗获各琦苏木 |
| 杨油房 | 大杨油房 | | 四子王旗大黑河或太平庄人民公社 | 四子王旗大黑河乡 |
| 杨珍卜子 | 双脑包 | 1949年后 | 四子王旗吉庆人民公社或东县第四区 | 四子王旗供济堂镇 |
| 夭子 | 窑子 | | 呼和浩特市郊区 | 呼和浩特市赛罕区 |
| 尧鲁图 | 业老图（转音） | | 固阳县大庙乡 | 固阳县银号镇 |
| 姚家营子 | 建林 | 1954 | 化德县德包图、六支箭、六十顷或白音特拉乡 | 化德县德包图乡 |
| 窑沟 | 桦树墕 | 1980 | 清水河县桦树墕人民公社 | 清水河县窑沟乡 |
| 窑子 | 前窑子 | | 武川县纳令沟乡 | 武川县德胜沟乡 |
| 窑子店壕 | 三岔口 | | 石拐区五当召或固阳县金山镇 | 石拐区五当召镇 |
| 窑子壕 | 壕来坝 | 1957 | 固阳县新建乡 | 固阳县下湿壕镇 |
| 窑子店壕 | 三岔口 | | 石拐区吉呼郎图苏木或固阳县吉忽伦图人民公社 | 石拐区吉忽伦图苏木 |

| 窑子上 | 新胜庄 | | 呼和浩特市赛罕区黄合少人民公社 | 呼和浩特市赛罕区 |
|---|---|---|---|---|
| 窑子湾 | 良种场 | 1954 | 固阳县西斗铺、坝梁或红泥井乡 | 固阳县西斗铺镇 |
| 要钱沟 | 建设沟 | 1966.1.18 | 丰镇县永善庄人民公社 | 丰镇市隆盛庄镇 |
| 野场 | 南小营 | 清光绪年间 | 土默特旗 | 土默特左旗北什轴乡 |
| 野鬼地 | 壮丁营 | 清朝末年 | 土默特旗 | 土默特右旗双龙镇 |
| 野口 | 烟口 | | 凉城县东十号或厢黄地乡 | 凉城县岱海或蛮汉镇 |
| 野兔房子(阎贵房) | 丰产房子 | 1966.1.15 | 察右中旗蒙古寺人民公社 | 察右中旗大滩乡 |
| 一卜树 | 福虎山 | 1912 | 察哈尔襄蓝旗或镶红旗 | 卓资县大榆树乡 |
| 一家 | 大一家 | 清嘉庆年间 | 土默特旗 | 土默特左旗白庙子镇 |
| 一间房 | 大一间房 | 民国时期 | 呼和浩特市赛罕区金河镇 | 呼和浩特市赛罕区 |
| 一钱赏 | 一前晌 | 清初 | 土默特旗 | 土默特左旗察素齐镇 |
| 一区 | 嘉卜寺 | 1955 | 化德县原一区 | 化德县长顺镇 |
| 一条仁爱 | 头道 | 1966.1.15 | 察右中旗科布尔镇或元山子、得胜人民公社 | 察右中旗科布尔镇 |
| 伊和布格台 | 前达门 | | 乌拉特后旗巴音戈壁苏木 | 乌拉特后旗获各琦苏木 |
| 伊和呼都格 | 以肯忽洞(转音) | | 固阳县西斗铺、坝梁或红泥井乡 | 固阳县西斗铺镇 |
| 伊和乌苏 | 额很乌苏 | 1966.1.29 | 四子王旗脑木更人民公社 | 四子王旗脑木更苏木 |
| 伊坑后山 | 乌兰温都尔 | 1966.1.29 | 四子王旗查干补力格人民公社 | 四子王旗查干补力格苏木 |
| 伊克呼都格 | 以肯忽洞(转音) | | 固阳县东公此老乡 | 固阳县怀朔镇 |
| 依达牧 | 雅达牧(转音) | 清朝中期 | 和林格尔县公喇嘛乡 | 和林格尔县 |
| 依德格日 | 依德格沟 | 1944 | 察哈尔正红旗 | 察右后旗锡勒乡 |
| 依哈呼都克 | 伊和呼都格 | 1966.1.29 | 四子王旗白音朝克图人民公社 | 四子王旗白音朝克图镇 |

| 义成滩 | 积股滩 | 1900 | 四子王旗 | 四子王旗吉生太镇 |
|---|---|---|---|---|
| 义合隆 | 东沟 | 1966.1.15 | 察右中旗大滩人民公社 | 察右中旗大滩乡 |
| 义合元 | 乌兰不浪 | 清光绪年间 | 武川厅 | 武川县大青山乡 |
| 义恒乡 | 毫沁营 | 1956 | 呼和浩特市郊区义恒乡 | 呼和浩特市赛罕区保合少镇 |
| 义兴德 | 召圪梁 | | 乌拉特前旗朝阳乡 | 乌拉特前旗朝阳镇 |
| 艺兴园 | 大顺城 | 清乾隆年间 | 土默特旗或喀尔喀右翼旗 | 武川县德胜沟乡 |
| 因子王府 | 查干布拉格 | 1966.1.29 | 四子王旗查干补力格人民公社 | 四子王旗查干补力格苏木 |
| 阴阳圪堵 | 太阳圪堵 | 1966.1.13 | 土默特旗大城西人民公社 | 土默特右旗明沙淖乡 |
| 音特拉农场 | 农场 | | 化德县德善、白土卜子、白音特拉、德包图乡或朝阳、城关镇 | 化德县长顺镇 |
| 银滚山 | 银公山 | | 四子王旗第五区 | 四子王旗供济堂镇 |
| 银中圪旦 | 贾挨圪旦 | 1881 | 土默特旗 | 土默特右旗将军尧镇 |
| 尹家村 | 丰满 | 1954 | 化德县德包图、六支箭、六十顷或白音特拉乡 | 化德县德包图乡 |
| 尹塌户 | 永达窑 | 1958 | 凉城县程家营乡 | 凉城县蛮汉镇 |
| 尹塌户 | 永塔窑 | 清末 | 察哈尔正红旗或镶红旗 | 凉城县蛮汉镇 |
| 饮牛沟 | 清水沟 | 1982 | 凉城县崞县窑人民公社 | 凉城县蛮汉镇 |
| 印上 | 印北梁 | 1918 | 察哈尔正红旗 | 察右前旗巴音塔拉镇 |
| 印托罗盖 | 巴音陶力盖 | 1966.1.29 | 四子王旗白音朝克图人民公社 | 四子王旗白音朝克图镇 |
| 英顺子 | 德义 | 1951 | 四子王旗或武东县 | 四子王旗供济堂镇 |
| 鹰兔村 | 东、西英图 | | 固阳县公益民乡 | 固阳县金山镇 |
| 营盘 | 营盘嘴 | | 兴和县白家营乡或芦家营人民公社 | 兴和县店子镇 |
| 营子 | 存盘沟 | 1920 | 陶林县 | 察右中旗米粮局乡 |

| | | | | |
|---|---|---|---|---|
| 营子 | 纳令沟大营子 | 民国时期 | 归绥县二区 | 呼和浩特市赛罕区 |
| 永大公司 | 大北 | 1966.1.15 | 察右中旗堂地人民公社 | 察右中旗乌素图镇 |
| 永丰 | 柏木井 | 1984 | 乌拉特中旗双盛美乡 | 乌拉特中旗石哈河镇 |
| 永丰二拍 | 新安 | 1958 | 乌拉特前旗新安乡 | 乌拉特前旗先锋镇 |
| 永红 | 黑土凹 | 1976 | 呼和浩特市郊区 | 呼和浩特市赛罕区 |
| 永控库伦 | 毫沁营 | 清末 | 土默特旗 | 呼和浩特市赛罕区保合少镇 |
| 永利 | 哈日楚鲁 | 1984 | 乌拉特中旗双盛美乡 | 乌拉特中旗石哈河镇 |
| 永茂堂 | 西湾子 | | 卓资县福生庄乡 | 卓资县大榆树乡 |
| 永明 | 希日哈达 | 1984 | 乌拉特中旗双盛美乡 | 乌拉特中旗石哈河镇 |
| 永胜 | 双盛美 | 1982 | 乌拉特中旗双盛美人民公社 | 乌拉特中旗石哈河镇 |
| 永胜 | 塔尔湾 | 1982 | 乌拉特中旗德令山人民公社 | 乌拉特中旗德令山镇 |
| 永胜 | 后炭 | 1984 | 土默特右旗萨拉齐镇 | 土默特右旗萨拉齐镇 |
| 永胜村 | 福胜奎 | 1949年后 | 四子王旗吉庆人民公社或东县第四区 | 四子王旗供济堂镇 |
| 永塔窑 | 永达窑 | 1958 | 凉城县崞县窑、程家营或厢黄地乡 | 凉城县蛮汉镇 |
| 永腾 | 萨音胡洞 | | 四子王旗第八区 | 四子王旗东八号乡 |
| 永兴 | 萨拉么萨格 | 文革期间 | 乌拉特中旗双盛美乡 | 乌拉特中旗石哈河镇 |
| 永兴沟河 | 永兴河 | 1964 | 凉城县 | 凉城县 |
| 永忠 | 寇家营 | | 呼和浩特市玉泉区桃花乡 | 呼和浩特市玉泉区 |
| 永忠 | 生盖营 | 1976 | 呼和浩特市郊区 | 呼和浩特市赛罕区 |
| 永忠 | 寇家营 | | 呼和浩特市郊区 | 呼和浩特市赛罕区 |
| 攸其白赫白兴 | 攸攸板 | | 呼和浩特市回民区攸攸板镇 | 呼和浩特市回民区 |
| 油匠渠 | 前渠、后渠 | | 固阳县白灵淖乡 | 固阳县怀朔镇 |

| | | | | |
|---|---|---|---|---|
| 于存宝房子 | 南卜子 | 1968 | 察右后旗当郎忽洞人民公社 | 察右后旗当郎忽洞苏木 |
| 于寡妇尧子 | 于家尧 | 1966.1.13 | 土默特旗党三尧人民公社 | 土默特右旗将军尧镇 |
| 于明庄 | 水门村 | | 清水河县小庙子乡 | 清水河县 |
| 榆树 | 榆树营子 | | 土默特右旗吴坝乡 | 土默特右旗萨拉齐镇 |
| 榆树达尔架 | 达尔架大东营 | 民国初期 | 土默特旗 | 土默特左旗毕克齐镇 |
| 玉发泉 | 义发泉 | 1952 | 陶林县 | 察右中旗铁沙盖镇 |
| 玉沟梁 | 南林 | 1949 | 化德县 | 化德县朝阳镇 |
| 玉狗子梁 | 玉沟梁 | | 化德县土城子、白土卜子或白音特拉乡 | 化德县朝阳镇 |
| 玉林城 | 榆林城 | | 和林格尔县新店子乡 | 和林格尔县 |
| 玉庙 | 胜利 | 1910 | 陶林厅 | 察右中旗宏盘乡 |
| 玉秀庄(官村) | 东官村 | | 丰镇市永善庄乡 | 丰镇市隆盛庄镇 |
| 钰海庄 | 鹿圪堵 | | 凉城县麦胡图人民公社 | 凉城县麦胡图镇 |
| 裕民庄 | 水门 | | 清水河县小庙子乡 | 清水河县 |
| 元保 | 碱卜子 | | 四子王旗东八号乡 | 四子王旗东八号乡 |
| 元山子 | 巴音珠日和 | | 察右后旗乌兰哈达人民公社 | 察右后旗乌兰哈达苏木 |
| 园子布郎 | 巴音淖尔 | | 乌拉特后旗乌根高勒苏木 | 乌拉特后旗乌盖苏木 |
| 圆山子 | 元山子 | | 丰镇市 | 丰镇市元山子乡 |
| 袁家村 | 苏集村 | 1966.1.14 | 商都县大拉子人民公社 | 商都县西井子镇 |
| 岳家营子 | 尚家营子(三合社) | | 化德县七号、达盖滩、六十顷或德包图乡 | 化德县七号镇 |
| 云川卫城 | 大红城 | | 和林格尔县大红城乡 | 和林格尔县 |
| 云海庄 | 麦胡图 | | 凉城县麦胡图人民公社 | 凉城县麦胡图镇 |
| 栽生嘎 | 栽生 | | 土默特左旗台阁牧乡 | 土默特左旗台阁牧镇 |

| | | | | |
|---|---|---|---|---|
| 增产 | 德义堂 | 1984 | 察右后旗当郎忽洞苏木 | 察右后旗当郎忽洞苏木 |
| 增隆昌 | | | 乌拉特前旗小佘太人民公社 | 乌拉特前旗小佘太镇 |
| 扎达盖板申 | 吉太白兴（吉岱板申、鸡蛋板申） | | 土默特旗塔布赛乡 | 土默特左旗塔布赛乡 |
| 扎格乌苏 | 德日斯 | | 乌拉特中旗巴音杭盖苏木 | 乌拉特中旗川井苏木 |
| 扎哈 | 岔克沟（转音） | | 固阳县下湿壕或新建乡 | 固阳县下湿壕镇 |
| 扎哈达巴 | 达吉坝 | | 石拐区五当召或固阳县金山镇 | 石拐区五当召镇 |
| 扎罕查干呼都格 | 昭眼查干呼都格 | 1966.1.29 | 四子王旗白音敖包、卫境或红格尔人民公社 | 四子王旗白音敖包苏木 |
| 扎口渠子 | 新建队 | 1979 | 四子王旗第七区、吉生太或查干补力格人民公社 | 四子王旗吉生太镇 |
| 扎里格龙亥 | 扎勒根努特格 | 1966.1.29 | 四子王旗红格尔人民公社 | 四子王旗红格尔苏木 |
| 扎拉格 | 甲浪沟（转音） | | 固阳县忽鸡沟乡 | 固阳县金山镇 |
| 扎木勿素 | 察木勿素（转音） | 1930年后 | 化德县 | 化德县公腊胡洞乡 |
| 扎日格勒 | 鸡圪拉（转音） | | 固阳县忽鸡沟乡 | 固阳县金山镇 |
| 宅子村 | 桩子村 | | 呼和浩特市新城区保合少乡 | 呼和浩特市新城区 |
| 翟洪村 | 石灰窑 | 1954 | 化德县土城子、白土卜子或白音特拉乡 | 化德县朝阳镇 |
| 翟有福营子 | 东五犋牛尧 | 清光绪年间 | 土默特旗 | 土默特右旗明沙淖乡 |
| 毡坊沟 | 胡旅长地 | 1935 | 化德县 | 化德县长顺镇 |
| 张宝村 | 正阳坡 | 1966.1.14 | 商都县玻璃忽镜人民公社 | 商都县玻璃忽镜乡 |
| 张丙兰地 | 顺利 | 1954 | 化德县公腊胡洞、二道河或德善乡 | 化德县公腊胡洞乡 |

| | | | | |
|---|---|---|---|---|
| 张程奎 | 西房子 | 1954 | 化德县德善、白土卜子、白音特拉、德包图乡或朝阳、城关镇 | 化德县长顺镇 |
| 张存仁营子 | 前进 | 1958 | 化德县七号、达盖滩、六十顷或德包图乡 | 化德县七号镇 |
| 张大人 | 庆乐 | 1954 | 化德县德包图、六支箭、六十顷或白音特拉乡 | 化德县德包图乡 |
| 张崇子沟 | 莹石沟 | 1966.1.14 | 商都县卯都人民公社 | 商都县卯都乡 |
| 张二村 | 七大井 | 1966.1.14 | 商都县八股地人民公社 | 商都县大库伦乡 |
| 张二村、张三村 | 西号 | 1967 | 兴和县曹四窑人民公社 | 兴和县大库联乡 |
| 张二格 | 榆树沟 | 1966.2.3 | 兴和县石湾或台基庙人民公社 | 兴和县民族团结乡 |
| 张二壕 | 新跃 | 文革期间 | 乌拉特中旗楚鲁图人民公社 | 乌拉特中旗石哈河镇 |
| 张干 | 江岸 | 1966.1.29 | 四子王旗卫境人民公社 | 四子王旗江岸苏木 |
| 张皋 | 火箭 | 1959 | 兴和县张皋人民公社 | 兴和县张皋镇 |
| 张宏店 | 炭窑 | 1966.2.3 | 兴和县团结人民公社 | 兴和县民族团结乡 |
| 张怀保圪旦 | 万太公 | 1932 | 乌拉特东公旗 | 乌拉特前旗西小召镇 |
| 张家房子 | 德义 | 1954 | 化德县德善、白土卜子、白音特拉、德包图乡或朝阳、城关镇 | 化德县长顺镇 |
| 张家圪旦 | 联合 | 1966.1.13 | 土默特旗廿四顷地人民公社 | 土默特右旗海子乡 |
| 张家脑包壕 | 东壕 | | 固阳县红泥井乡 | 固阳县兴顺西镇或西斗铺镇 |
| 张家小营 | 东湾 | | 托克托县古城乡 | 托克托县 |
| 张建房子 | 五门沟 | 1954 | 化德县德善、白土卜子、白音特拉、德包图乡或朝阳、城关镇 | 化德县长顺镇 |
| 张金古营子 | 上古营 | 1949年后 | 四子王旗第七区、吉生太或查干补力格人民公社 | 四子王旗吉生太镇 |
| 张科村 | 河西村 | 1966.1.14 | 商都县城关人民公社 | 商都县七台镇 |

| 张奎地 | 太阳村 | 1966.1.14 | 商都县西井子人民公社 | 商都县西井子镇 |
|---|---|---|---|---|
| 张愣圪旦 | 黄河 | 1958 | 乌拉特前旗先锋乡 | 乌拉特前旗先锋镇 |
| 张隆通 | 园山村 | 1966.1.18 | 察右前旗弓沟人民公社 | 察右前旗玫瑰营镇 |
| 张毛四里 | 扎门希力 | 1966.1.29 | 四子王旗活福滩人民公社 | 四子王旗忽鸡图乡 |
| 张仁沟 | 苏集沟 | 1966.1.18 | 察右前旗三号地人民公社 | 察右前旗平地泉镇 |
| 张如地 | 信用 | 1954 | 化德县公腊胡洞、二道河或德善乡 | 化德县公腊胡洞乡 |
| 张瑞营子 | 永兴 | 1954 | 化德县七号、达盖滩、六十顷或德包图乡 | 化德县七号镇 |
| 张三 | 西号 | 1966.2.3 | 兴和县曹四窑人民公社 | 兴和县大库联乡 |
| 张三沟 | 新华 | 1958 | 化德县土城子、白土卜子或白音特拉乡 | 化德县朝阳镇 |
| 张三壕 | 新跃 | 文革期间 | 乌拉特中旗楚鲁图人民公社 | 乌拉特中旗石哈河镇 |
| 张三林 | 和平 | 1949 | 化德县 | 化德县长顺镇 |
| 张三元 | 大西弯 | 1966.1.14 | 商都县三面井人民公社 | 商都县玻璃忽镜乡 |
| 张四保房子 | 丰旺 | 1954 | 化德县公腊胡洞、二道河或德善乡 | 化德县公腊胡洞乡 |
| 张天祥 | 大营子 | 1966.1.14 | 商都县大黑沙土人民公社 | 商都县大黑沙土镇 |
| 张五珠 | 十二顷 | 1966.1.14 | 商都县大库伦人民公社 | 商都县大库伦乡 |
| 张先生地（大先生地） | 一面井 | 1954 | 化德县土城子、白土卜子或白音特拉乡 | 化德县朝阳镇 |
| 张秀 | 河西 | 1966.2.3 | 兴和县石湾或台基庙人民公社 | 兴和县民族团结乡 |
| 张银楼 | 庆华 | 1962 | 乌拉特前旗树林子人民公社 | 乌拉特前旗新安镇 |
| 张应发 | 向阳村 | 1966.1.14 | 商都县卯都人民公社 | 商都县卯都乡 |
| 张有 | 白头山 | 1966.2.3 | 兴和县曹四窑人民公社 | 兴和县大库联乡 |
| 张玉珠 | 清山洼 | 1966.1.14 | 商都县大南坊人民公社 | 商都县屯垦队镇 |

| | | | | |
|---|---|---|---|---|
| 张振生 | 万岭山 | | 察右后旗大六号人民公社 | 察右后旗贲红镇 |
| 张子 | 张子淖 | 清康熙年间 | 土默特旗 | 土默特右旗双龙镇 |
| 章盖艾拉 | 兰家村 | 1909 年 | 察哈尔正红旗 | 察右后旗白音察干镇 |
| 章盖沟 | 清水湾 | | 土默特右旗公山湾乡 | 土默特右旗九峰山生态保护管理委员会 |
| 章盖台 | 塔力牙图 | 1966.1.13 | 土默特旗铁帽人民公社 | 土默特左旗塔布赛乡 |
| 章盖弯 | 清水湾 | 1966.1.13 | 土默特右旗公山弯人民公社 | 土默特左旗善岱或察素齐镇 |
| 章盖湾 | 清水沟 | 1966.2.2 | 土默特旗公山湾人民公社 | 土默特右旗公山湾乡 |
| 章盖营 | 胜利营 | 1966 | 和林格尔县城关镇 | 和林格尔县 |
| 章盖营 | 新民村 | | 呼和浩特市赛罕区八拜人民公社 | 呼和浩特市赛罕区 |
| 章盖营 | 友爱营 | 1966.1.13 | 土默特旗沙尔营人民公社 | 土默特左旗白庙子镇 |
| 章盖营 | 友好村 | 1966.1.13 | 土默特旗吴坝人民公社 | 土默特右旗萨拉齐镇 |
| 章盖营 | 西营子 | | 兴和县民族团结乡 | 兴和县民族团结乡 |
| 章盖营 | 圣家营 | 1921 | 察哈尔正红旗 | 察右前旗玫瑰营镇 |
| 章盖营子 | 建设村 | 1965.2.2 | 土默特右旗小召子人民公社 | 土默特右旗 |
| 章盖营子 | 小范家营子 | 1941 | 化德县 | 化德县德包图乡 |
| 章盖营子 | 建设村 | 1966.1.13 | 土默特旗四家尧人民公社 | 土默特右旗将军尧镇 |
| 章盖营子 | 乌兰图 | 1966.2.2 | 土默特旗察素齐人民公社 | 土默特左旗察素齐镇 |
| 帐房沟 | 丈房沟 | | 和林格尔县董家营乡 | 和林格尔县 |
| 帐棚 | 丈房 | 民国时期 | 归绥县二区 | 呼和浩特市赛罕区 |
| 昭日海 | 甲力汉营 | 1922 | 察哈尔正红旗 | 察右后旗当郎忽洞苏木 |
| 召圪梁 | 天圣 | 1982 | 乌拉特中旗德令山人民公社 | 乌拉特中旗德令山镇 |

| 召呼都格 | 交泥忽洞<br>（转音） | | 固阳县大庙乡 | 固阳县银号镇 |
|---|---|---|---|---|
| 赵八金 | 五一村 | 1966.2.3 | 兴和县赵八金人民公社 | 兴和县赛乌素镇 |
| 赵丙义地 | 赵家地 | | 化德县公腊胡洞、二道河或德善乡 | 化德县公腊胡洞乡 |
| 赵卜金 | 五一 | 1961 | 兴和县赛乌素人民公社 | 兴和县赛乌素镇 |
| 赵存柱 | 赵村站营 | 清光绪年间 | 土默特旗 | 土默特左旗察素齐镇 |
| 赵德功 | 新胜庄 | 1949年后 | 四子王旗吉庆人民公社或东县第四区 | 四子王旗供济堂镇 |
| 赵二旺树 | 那森沟 | 1966.2.3 | 兴和县赵八金人民公社 | 兴和县赛乌素镇 |
| 赵宫沟 | 上榆树沟 | 1966.1.12 | 商都县玻璃忽镜或三面井人民公社 | 商都县玻璃忽镜乡 |
| 赵贵 | 兴中 | 1962 | 乌拉特前旗黑柳子乡 | 乌拉特前旗先锋镇 |
| 赵红眼窑 | 赵红窑 | | 凉城县程家营乡 | 凉城县蛮汉镇 |
| 赵家 | 长胜 | 1952 | 察哈尔正红旗 | 察右后旗当郎忽洞苏木 |
| 赵家村 | 河西村 | | 察右后旗石门口人民公社 | 察右后旗贲红镇 |
| 赵家村 | 霞江河 | | 察右后旗霞江河人民公社 | 察右后旗贲红镇和石窑沟乡 |
| 赵家村 | 永健（永建） | 1954 | 化德县德善、白土卜子、白音特拉、德包图乡或朝阳、城关镇 | 化德县长顺镇 |
| 赵家地 | 发展（同乐） | 1955 | 化德县公腊胡洞、二道河或德善乡 | 化德县公腊胡洞乡 |
| 赵家房 | 西房子 | | 察右后旗韩勿拉人民公社 | 察右后旗当郎忽洞或乌兰哈达苏木 |
| 赵家圪梁 | 圪梁上 | 1966.2.2 | 土默特旗海子人民公社 | 土默特右旗海子乡 |
| 赵老三沟 | 永泰 | 1954 | 化德县七号、达盖滩、六十顷或德包图乡 | 化德县七号镇 |
| 赵七 | 南村 | 1949 | 察哈尔正红旗 | 察右前旗平地泉镇 |
| 赵万财 | 二等 | 1954 | 化德县德包图、六支箭、六十顷或白音特拉乡 | 化德县德包图乡 |

| | | | | |
|---|---|---|---|---|
| 赵文元地 | 民生 | 1954 | 化德县德善、白土卜子、白音特拉、德包图乡或朝阳、城关镇 | 化德县长顺镇 |
| 赵义洼 | 小洼村 | 1966.1.14 | 商都县大黑沙土人民公社 | 商都县大黑沙土镇 |
| 折半沟 | 西长青沟 | 1966.1.14 | 商都县大拉子人民公社 | 商都县西井子镇 |
| 正喇嘛营 | 正营子 | | 呼和浩特市赛罕区巧报人民公社 | 呼和浩特市赛罕区 |
| 郑家 | 五宝山 | 1924 | 察哈尔正红旗 | 察右后旗土牧尔台镇 |
| 郑家村 | 武本善 | | 察右后旗土牧尔台镇 | 察右后旗土牧尔台镇 |
| 郑家村 | 邓家坡 | 1941 | 商都县 | 商都县七台镇 |
| 郑家东柜 | 东柜 | | 呼和浩特市赛罕区毫沁营人民公社 | 呼和浩特市赛罕区 |
| 郑家沙良 | 沙良子 | 1949年后 | 呼和浩特市郊区毫沁营人民公社 | 呼和浩特市赛罕区 |
| 郑油坊 | 西滩 | 1966.1.14 | 商都县高勿素人民公社 | 商都县小海子镇 |
| 织机壕 | 西壕 | | 固阳县公益民乡 | 固阳县金山镇 |
| 枳芨卜 | 德日斯黄克日 | | 察右后旗乌兰哈达人民公社 | 察右后旗乌兰哈达苏木 |
| 中堆兑 | 东坤兑 | 1966.1.29 | 四子王旗第七区、吉生太或查干补力格人民公社 | 四子王旗吉生太镇 |
| 中壕赖 | 徐家村 | 1949年后 | 察哈尔镶蓝旗或镶红旗 | 卓资县大榆树乡 |
| 中好赖 | 杨家村 | | 卓资县六苏木人民公社或乡 | 卓资县卓资山镇 |
| 中号 | 哈拉额力格 | | 四子王旗第七区 | 四子王旗吉生太镇 |
| 中忽鸡兔 | 准呼吉尔图 | 1966.1.29 | 四子王旗红格尔人民公社 | 四子王旗红格尔苏木 |
| 中夹梁 | 钟家梁 | | 呼和浩特市郊区 | 呼和浩特市赛罕区 |
| 中喇嘛窑 | 上全义 | 1966 | 凉城县曹碾、厂汉营或十九号人民公社 | 凉城县曹碾满族自治乡 |
| 中什拉 | 教育沟 | 1950 | 四子王旗活福滩 | 四子王旗忽鸡图乡 |

| | | | | |
|---|---|---|---|---|
| 中四拉 | 东拉 | 1966.1.29 | 四子王旗活福滩人民公社 | 四子王旗忽鸡图乡 |
| 中滩 | 中茅庵 | 1949年后 | 土默特右旗大城西乡 | 土默特右旗明沙淖乡 |
| 中瓦窑圪沁 | 中瓦尔沁 | 1966.1.13 | 土默特旗塔布子人民公社 | 土默特左旗塔布赛乡 |
| 中营子 | 帽儿山 | | 凉城县后营乡 | 凉城县天成乡 |
| 中增胜 | 中水泉 | | 凉城县北水泉人民公社 | 凉城县厂汉营乡 |
| 忠义堂 | 土山湾 | | 察右后旗韩勿拉人民公社 | 察右后旗当郎忽洞或乌兰哈达苏木 |
| 钟家新地 | 中新地 | 1966.2.2 | 土默特旗海子人民公社 | 土默特右旗海子乡 |
| 钟马营 | 朱麻营 | | 土默特右旗三间房乡 | 土默特右旗苏波盖乡 |
| 周富 | 东瓦窑 | | 呼和浩特市赛罕区巧报镇 | 呼和浩特市赛罕区 |
| 周贵圪旦 | 新民 | 1969 | 乌拉特前旗公庙子人民公社 | 乌拉特前旗先锋镇 |
| 周家 | 红印 | 1965 | 察右中旗乌素图人民公社 | 察右中旗乌素图镇 |
| 周家 | 向阳 | 1924 | 察哈尔正红旗 | 察右后旗土牧尔台镇 |
| 周瓦窑(北瓦窑) | 五股 | | 丰镇市新城湾乡 | 丰镇市黑土台镇河南城区办事处 |
| 朱二堡 | 周二堡 | | 凉城县刘家窑乡 | 凉城县六苏木镇 |
| 朱亥窑 | 窑子 | 民国年间 | 呼和浩特市赛罕区黄合少镇 | 呼和浩特市赛罕区 |
| 朱家村 | 新建村 | 1966.1.14 | 商都县格化司台人民公社 | 商都县大库伦乡或西井子镇 |
| 朱家村 | 不冻河 | 1966.1.14 | 商都县西坊子人民公社 | 商都县七台镇 |
| 朱家村 | 钨矿 | 1978 | 四子王旗忽鸡图人民公社 | 四子王旗忽鸡图乡 |
| 朱家店 | 南菜园 | 1966.1.14 | 商都县城关人民公社 | 商都县七台镇 |
| 朱家营子 | 德胜 | 1955 | 化德县七号、达盖滩、六十顷或德包图乡 | 化德县七号镇 |
| 朱日根高勒 | 朱尔沟(转音) | | 土默特旗察素齐镇 | 土默特左旗察素齐镇 |

| | | | | |
|---|---|---|---|---|
| 朱日和 | 朱亥(转音) | 民国时期 | 归绥县二区 | 呼和浩特市塞罕区 |
| 朱日很高勒 | 朱儿沟<br>(转音) | | 土默特左旗此老乡 | 土默特左旗察素齐镇 |
| 朱喜营子 | 胡皮匠营子 | | 化德县七号、达盖滩、<br>六十顷或德包图乡 | 化德县七号镇 |
| 珠力特木莎章<br>嘎 | 陶高图 | | 苏尼特右旗 | 苏尼特右旗赛罕乌力<br>吉苏木 |
| 珠斯玛勒 | 温更 | | 乌拉特中旗杭盖戈壁苏<br>木 | 乌拉特中旗呼勒斯太<br>苏木 |
| 猪窜沟 | 红树沟 | 1966.1.18 | 丰镇县官吨堡或黑圪塔<br>洼人民公社 | 丰镇市官屯堡乡 |
| 猪毛草 | 朱毛草 | | 清水河县盆地青乡 | 清水河县 |
| 住宅地 | 屋宅地 | | 凉城县六苏木、双古城<br>或十九号乡 | 凉城县六苏木镇 |
| 祝乐庆 | 祝拉庆 | | 土默特旗陶思浩乡 | 土默特左旗察素齐镇 |
| 砖瓦厂 | 高烟囱 | | 察右后旗大六号人民公<br>社 | 察右后旗贲红镇 |
| 砖旋门楼 | 老官路 | 1881 | 察右前旗高宏店 | 察右前旗玫瑰营镇 |
| 砖窑 | 相惕沟 | | 兴和县壕欠乡 | 兴和县壕堑镇 |
| 转达营子 | 都日布力计 | 1950 | 察哈尔正红旗 | 察右后旗哈彦忽洞苏<br>木 |
| 桩子村 | 庄子村 | | 呼和浩特市新城区保合<br>少乡 | 呼和浩特市新城区 |
| 紫河镇 | 小红城 | 唐代末期 | 和林格尔县大红城乡 | 和林格尔县 |
| 总机厂 | 水磨滩 | 1981 | 石拐区五当召镇或石拐<br>镇 | 石拐区五当召镇 |

# 第五章 蒙古语地名汉语音译

## 第一节 蒙古语地名汉语音译现状透视

蒙古语地名汉语音译是指蒙古语地名的汉语音音译和汉文字转写。乌兰察布地区是以蒙古族为主体、汉族为多数的少数民族聚居区。这里，除汉语地名外还有大量的少数民族语地名，其中绝大多数是蒙古语地名，还有少量的藏语、达斡尔语、鄂伦春语、鄂温克语、满语等少数民族语地名。汉族人口逐渐增多，汉语言环境不断扩大，使蒙古语和其他少数民族语地名语音受汉语音影响，出现了不同程度的变音失意现象，即汉语音化现象。按照语言谱系分类，蒙古语和达斡尔语属阿尔泰语系蒙古语族，鄂伦春语和鄂温克语属阿尔泰语系满 — 通古斯语族通古斯语支，满语属阿尔泰语系满 — 通古斯语族满语支。以上少数民族语，由于语系相同，语音发音形式与蒙古语发音基本相同。藏语属汉藏语系藏缅语族藏语支，与蒙古语音虽然有很大差别，但乌兰察布地区的藏语地名已经蒙古语音化，所以藏语地名的汉语音译与蒙古语地名的汉语音译，从发音角度而言是完全一样的。汉语则属汉藏语系，其发音与少数民族语发音完全不同，汉文字转写、汉语音音译蒙古语或其他少数民族语地名，必然出现语音变化。这种语音变化主要表现在汉文字转写和汉语音化（包括汉语方言土语化）两个方面。现对这种语音变化，汉字转写蒙古语地名的现状做一粗浅分析。

蒙古语基本元音有 7 个：ᠠ（a）、ᠡ（e）、ᠢ（i）、ᠣ（ô）、ᠤ（û）、ᠥ（ŏ）、ᠦ（u）。其中 ᠠ（a）、ᠡ（e）、ᠢ（i）、ᠦ（u）4 个元音与汉语 a、e、i、u 4 个单元音韵母发音基本相同。汉语韵母中没有蒙古语 ᠣ（ô 第四音）语音，只是在应承对方某种言谈或恍然大悟时发出 ᠣ（ô 第四音）语音来表示某种意思。内蒙古中部地区方言读普通话 ang 为 ᠣ（ô 第四音），如"王、常、岗"读作 wô、cô、gô。但是，汉语拼音或汉文字中均没有这个字母或字符。另外，汉语言、汉语拼音或字符中均没有蒙古语基本元音（û 第五音），汉语拼音 o 与蒙古语元音 ᠥ（ŏ 第六音）也略有不同。

蒙古语的辅音全部为短音（半音节），如 ᠨ（n）、ᠪ（b）、ᠲ（t）、ᠷ（r）、ᠰ（s）、ᠯ（1）等等均是半音节语音。这些辅音与某个元音组合后才能组成一个完整音节。如 ᠨ、ᠪ、ᠲ、ᠷ、ᠰ、ᠯ 等辅音，与某个元音组成 ᠨᠠ（na）、ᠪᠧ（be）、ᠲᠢ（ti）、ᠷᠣ（rô 第四音）、ᠰᠤ（sû 第五音）、ᠯᠥ（lŏ第六音）、ᠬᠤ（hu 第七音）等完整音节。汉语声母中没有蒙古语 ᠱ（xa）、ᠴ（qa）、ᠵ（ja）、ᠷ（舌颤音）等语音。

蒙古语有"长音"和"短音"之分，如【ᠣᠪᠣᠭ　Ôbôô】一词的【ᠣᠣ　bôô】、【ᠬᠦᠦᠬᠡᠨ　Hûûqn】一词的【ᠬᠦᠦ　Hûû】两个长音；【ᠠᠳᠠᠷᠠᠭ　Adrag】一词的【ᠭ　g】、【ᠭᠣᠮᠪᠦ　Gômbû】一词的【ᠮ　m】两个短音。汉语却没有长音和短音。由于这种语音差异的存在，音译转写过程中必然出现语音变异，含义失真现象。下面举例说明音译转写过程中蒙古语地名变音失意现象。

## 一　汉语音中没有的蒙古语语音，用其他语音替代音译

语音基本相同时音译地名与原蒙古语地名语音基本相似。如【ᠬᠠᠨᠠ　Ha'n、ᠪᠠᠲ　Bat】音译转写为"哈那、巴图"。语音差异大就用其他语音替代，必然导致蒙古语地名变音失意。中华人民共和国国家测绘总局、中国文字改革委员会修订的《少数民族语地名汉语拼音字母音译转写法》（以下简称《转写法》）规定，少数民族语地名汉语拼音字母音译转写限用《汉语拼音方案》中的 26 个字母，蒙古语中的 ᠥ、ᠦ（第四、五音）两个元音用"ô、û"两个字符转写。这一规定只解决了汉语拼音字母音译转写问题，并没有解决口语音译或汉字转写问题。在音译转写过程中，蒙古语地名变音失意现象仍然存在。

1、【ᠥ（ô 第四音）】是蒙古语基本元音之一，发音时半张嘴，放平舌台，呼气的同时微微张嘴并拢圆嘴唇，声音稍带颤动。其发音与北方方言中的 ang 相近。由于汉语或汉文字中没有这个语音和字符，音译转写时就用其他语音或字符替代。例如：【ᠥᠩᠭᠥᠭ Ônggôq】音译转写为"温格其"；【ᠳᠥᠯᠥᠥ　Dôlôô】音译转写为"道郎"；【ᠭᠥᠪᠢ　Gôbi】音译转写为"戈壁"；【ᠭᠥᠮᠪ　Gômb】音译转写为"官布"等等。以上音译地名均用 u、e、ao、ang 等语音替代蒙古语基本元音（ô第四音），完全改变了原蒙古语地名语音。

2、【ᠦ（û 第五音）】也是蒙古语元音之一，发音时半张嘴，放平舌台，嘴唇向前凸出并拢圆，平和呼气，声音稍带颤动。也是由于汉语或汉文字中没有其语音和字符，音译蒙古语地名时就用其他语音和字符替代。例如：【ᠤᠤᠯ　Ûûl】音译转写为"乌拉"；【ᠰᠦᠮ　Sûm】音译转写为"苏木"；【ᠬᠦᠵᠷ　Hûjr】音译转写为"霍寨"等等。由于用其它语音替代蒙古语（û第五音）语音，致使上述蒙古语地名失去了原本发音。

3、【ᠥ　ŏ（第六音）】，也是蒙古语基本元音之一，发音时嘴唇成圆形并微翘起，舌头向后缩，微隆舌跟，舌台居中，声音稍带颤动。汉语音、汉语拼音字母或汉文字中也没有其语音或字符。蒙古语地名汉语音译、汉字转写时往往用汉语拼音单元音韵母 o（第二音）或其它语音替代，同样会造成蒙古语地名的变音失意。汉语拼音 o 的发音与蒙古语 ᠥ ŏ（第六音）语音似乎相同，其实差别很大。汉语拼音 o 是个双元音韵母，即由两个元音组成，第一个音是短"鹅"音，第二个音是短音"乌"。发音时，先打开下颌骨，嘴唇略微呈圆形，口型较大，舌尖脱离下齿，舌身放低后缩，稍微抬起舌根，然后，随着发音过程变化口型，收圆缩小，舌台后部继续向后缩并抬起，上下牙齿由半开到接近半合，音量由强到弱，发音饱满到位（不可读成短音），由第一个音向第二个音滑动。音调类似

汉字"欧",但第二个音显弱。由于蒙古语 ᠥ ǒ(第六音)与汉语拼音o(第二音)之发音差异,音译转写蒙古语地名时用汉语拼 o 或其它语音替代同样会导致蒙古语地名的变音失意。例如:【ᠥᠩᠬᠡᠷᠢᠢᠨ ᠭᠣᠤᠯ ǒngkriin Gôl】音译转写为"恩克日音高勒";【ᠴᠠᠭᠠᠨ ᠬᠥᠨᠳᠡᠢ Qagaan Hǒndei】音译转写为"查干坑登沟",用 e 和 o 语音替代蒙古语 ᠥ ǒ(第六音)音译,改变了蒙古语地名语音。

4、【ᡉ xa】是蒙古语辅音之一,发音时舌尖抵住下门齿,舌面前部抬高靠近硬腭,发音时稍张嘴,气流从舌台上方挤出摩擦成音。其发音与汉语拼音声母 x 与单元音韵母 a 连读短音相似。由于汉语拼音字母中没有这个语音或字符,汉文字中也没有这一字符,在蒙古语地名汉语音译、汉字转写时就用其他语音和字符替代。例如:【ᡍᠠᠯᠳᠪ Xaldb】音译转写为"萨拉达布",以(sha)等语音替代(xa)语音;【ᡍᠠᠩᡑ Xangd】音译转写为"三滩、尚德、闪电或商都",以(sa、sha)语音替代(xa)语音;【ᡍᠠᠩᡑᠢᠢᠨ ᠭᠣᠤᠯ Xangdiin Gôl】音译转写为"色灯沟",以(se)语音替代(xa)语音;【ᡍᠠᠪᠢᠨᠠᠷ Xabi'nar】音译转写为"沙比那尔",【ᡍᠠᠭᠵ Xagja】音译转写为"山格架",以(sha)语音替代(xa)语音等等。以上音译地名已经失去了蒙古语地名原本发音。

5、【ᠬ qa】也是蒙古语辅音之一,发音时舌面前部贴住硬腭,发音的同时将舌尖分离硬腭并稍张嘴,气流冲破舌根阻碍摩擦成音。其发音与汉语拼音声母 q 与韵母 a 连读短音基本相似。由于汉语语音中同样没有 ᠬ(qa)这一语音,蒙古语地名汉语音译、汉字转写时往往用"shi、chi、cha、chu、q、qe、che、c"等语音来替代。例如:【ᠬᠠᠪᠭᠨᠬ Qabgnq】音译转写为"什不哈气";【ᠬᠣᠬᠣᠢᠲ Qôhôit】音译转写为"石灰图";【ᠬᠤᠯᠤᠤ Qûlûû】音译转写为"此老";【ᠬᠠᠭᠠᠨ Qagaan】音译转写为"查干";【ᠤᠯᠠᠭᠠᠨᠬᠠᠪ Ûlaanqab】音译转写为"乌兰察布";【ᠬᠠᠪᠬᠷ Qabqr】音译转写为"察布其尔";【ᠤᠤᠷ ᠬᠠᠢᠬ Uur Qaih】音译转写为"乌日柴哈";【ᠬᠠᠬᠷ Qaqr】音译转写为"厂沁";【ᠬᠣᠷᠢᠭᠲ Qôrigt】音译转写为"超日古图";【ᠬᠠᠢᠳᠮ Qaidm】音译转写为"柴达木"等等。上述地名已经失去原本发音。

6、【ᠵ ja】也是蒙古语辅音之一,发音时舌尖抵住下门齿,舌面前部紧贴上硬腭,发音的同时将舌尖分离上腭并稍张嘴,气流从舌尖与上硬腭窄缝中冲出摩擦成音。其发音与汉语拼音声母 j 和韵母 a 连读短音相似。汉语语音中同样没有这一语音,汉语拼音或汉文字中同样没有之一字符,蒙古语地名汉语音译、汉字转写时往往用"j、ja、jang、qng、zhang、q、quan、za、zhe、zhu"等语音或文字来替代。例如:【ᠵᠡᠷᠲ Jeert】音译转写为"鸡尔灯";【ᠵᠠᠩᠭᠨ Janggn】音译转写为"江岸";【ᠵᠠᠩᠭᠢ Janggi】音译转写为"章盖";【ᠬᠣᠷᠵ Qôrj】音译转写为"巧尔气";【ᠰᠠᠮᠤᠷᠵ Samûrj】音译转写为"莎木佳",当地人口语称"莎木儿佳";【ᠬᠠᠪᠠᠷᠵᠠᠠ Habarjaa】音译转写为"哈巴尔扎";【ᠥᠪᠥᠯᠵᠡᠡ ǒbǒljee】音译转写为"沃博勒者";【ᠬᠠᠵᠤᠤ Hajûû】音译转写为"哈珠"等等。上述音译地名已经失去了原本发音。

　　7、【ᠷ r】是汉语语音、声调中没有的蒙古语辅音之一，发音时舌尖上翘，靠近硬腭前部，留出窄缝，半张嘴，呼气的同时舌尖稍打颤抖，气流在舌尖颤抖中流出摩擦成音。汉语语音或文字中同样没有这一语音或字符，蒙古语地名汉语音译、汉字转写时往往用"a、r、l、n、er、re"等语音来替代。例如：例如：【ᠠᠷᠠᠭᠠᠨ Arxaan】音译转写为"阿日善或兰灿"；【ᠬᠦᠷᠢᠶᠡ Huree】音译转写为"呼热"；【ᠨᠠᠭᠤᠷᠰ Nuurs】音译转写为"鸟儿素"；【ᠵᠢᠷᠲ Jeert】音译转写为"鸡尔灯"；【ᠠᠪᠳᠠᠷ Abdr】音译转写为"阿布达日"；【ᠠᠷᠰᠯᠠᠨ Arsln】音译为"阿日斯郎"；【ᠠᠳᠠᠷᠭ Adrg】音译转写为"阿德日嘎"；【ᠠᠪᠠᠷᠬ Abarh】音译转写"阿布日呼"；【ᠠᠷ ᠢᠢᠨ ᠵᠣᠣ Ariin Jôô】音译转写为"阿仁召"；【ᠠᠷ ᠰᠤᠵ Ar Suuj】音译转写为"阿热苏吉"；【ᠪᠠᠷᠠᠭᠤᠨ ᠬᠠᠷᠯᠵ Barûun XarlJ】音译转写为"巴仁沙勒吉"；【ᠳᠤᠤᠷᠠᠩ Duurng】音译转写为"都仁"等等。上述音译地名已经失去了原本发音。

　　从以上实例看，由于汉语语音、汉语拼音或汉文字中没有蒙古语某些语音，蒙古语地名汉语音译汉字转写时用其它语音替代音译转写，不同程度地改变了蒙古语地名的原本发音，久而久之，不仅使少数民族语地名的语音面目全非，更是淹没了少数民族语地名的准确发音和丰富的文化内涵。

　　8、蒙古语辅音、汉语声母均是伴音节语音，不同的是蒙古语辅音不与如何元音组配而可以单独参与组字、组词。如【ᠠᠵᠭ Ajg】、【ᠣᠭᠲᠣᠷ Ôgtôr】二地名中的【g ᠭ 与 r ᠷ】均属伴音节短音，发出的语音显短，而不像 ga 或 re 等完整音节语音显长。如果将短音按正常音节音译，原词意将发生变化。汉语音或汉文字中没有短音，更没有短音字符，蒙古语地名汉语音译汉字转写时只能使用正常语音替代，这就必然导致蒙古语地名的音变和含义失真。例如将【ᠠᠵᠭ Ajg】音译转写为"阿吉格"，【ᠣᠭᠲᠣᠷ Ôgtôr】音译转写为"敖格特尔"，使蒙古语地名语音变异。又如将【ᠡᠮ Em】"药"音译转写为"额麽"，其含义就变成了"妇"；将【ᠬᠯ Xl】"梁"音译转写为"席勒"，其含义就变成了"选择"、"玻璃"或其它。

　　另外，蒙古语地名语音音节，大多数是由辅音和元音组合而成的完整音节，在口语中却多表现为短音。根据《转写法》规定，蒙古语地名的音译转写，以书面语和口语通用语音相结合的习惯读法，有些元音可以省略。例如【Tala ᠲᠠᠯᠠ】可音译转写为"Tal"、【Agûla ᠠᠭᠤᠯᠠ】可音译转写为"Ûûl"。由于汉文字不存在短音，蒙古语地名汉语音译、汉字转写时不管蒙古文字的完整音节或短音音节，完全按正常语音音译转写，同样会使蒙古语地名语音变异、含义失真。例如：【ᠠᠵᠭ Ajg】音译转写为"阿吉格、阿吉嘎、阿吉更"、【ᠠᠭᠲ Agt】音译转写为"阿塔、啊格达、啊格特"、【ᠣᠲᠭᠣᠨᠲ Ôtgônt】音译转写为"敖特根图、敖腾土"、【ᠬᠠᠪᠠᠭ Xabg】音译转写为"沙布嘎、沙布更、下不盖"、【ᠬᠠᠪᠬᠯ Habql】音译转写为"哈布其拉、哈巴其、哈不其儿"等等。很显然，用完整音节音译转写蒙古语中的短音，不可避免地改变了蒙古语地名的原本发音和含义。

9、蒙古语中还有一种长音，如【▮▮▮▮ Ûûl】、【▮▮▮▮ Bôôrg】二地名中的【▮▮▮ Ûû】、【▮▮ Bôô】两个音节均是长音，发出的语音比正常音显长。汉语音中没有这种长音，更没有长音字符，蒙古语地名汉语音译、汉字转写时用正常语音音译常音，同样会使蒙古语地名变音失意。《转写法》规定：蒙古语地名汉语拼音转写记音时蒙古语的长元音用双字母表示。这一规定只解决了少数民族语地名汉语拼音字母转写问题，并没有解决汉字音译转写和口语音译问题，汉文字或口语音译只能使用正常音。这种音译同样会使蒙古语地名变音失意。例如：【▮▮▮▮】，汉意"缨穗"，按照《转写法》之长元音用双字母表示的规定，可音译转写为"Jalaa"，而汉文字和口语只能音译转写为"甲拉"。然而"甲拉"也可以理解为邀请的"请"。又如【▮▮▮▮】，汉意"石头"，按照《转写法》规定，可音译转写为"Qûlûû"，而汉文字和口语只能音译转写为"朝鲁"。这一音译地名也可以理解为【▮▮▮ Qûl】"绰号"或【▮▮▮▮ Qôôl】"穿孔"等等。显然，这种语音差异，使带有长元音的蒙古语地名，在汉语音译转写过程中变音失意是不可避免的。

## 二 变音音译

变音音译是指蒙古语地名汉语音译、汉字转写过程中，随意更改蒙古语地名的原本语音或声调的音译转写现象。这是造成蒙古语地名走音、窜意、失真的主要原因之一。如：【▮▮▮▮ Balgaast】音译转写为"巴拉嘎斯提"，本来可以音译转写为"巴拉嘎斯特"却将"te"语音音译转写为"ti"。又如【▮▮▮ Asar】音译转写为"阿萨利"、【▮▮▮ Ôbôô】音译转写为"峨堡或脑包"、【▮▮▮ Hôôbôr】音译转写为"科布尔"（当地方言称"康泊尔"），【▮▮ Môd】音译转写为"毛头"，【▮▮▮▮ Hûdg】音译转写为"忽洞"，【▮▮▮▮ ▮▮▮ ▮▮ Xûgûi Môdn gûû】音译转写为"雀毛沟"、【▮▮▮ Hôndei】音译转写为"昆队"、【▮▮▮▮ Suregt】音译转写为"屈力克图"、【▮▮▮ ▮▮▮ Ûdn Ôbôô】音译转写为"五道木"，【▮▮▮▮ Hureet】音译转写为"库伦图或圆圖图"、【▮▮ ▮▮▮ Bôr Tairaa】音译转写为"抱太来"，【▮▮▮ ▮▮ Ôln Bûlg】音译转写为"老龙布朗"、【▮▮▮ ▮▮▮ Qegeen Gôl】音译转写为"其凯沟"，【▮▮▮ ▮▮▮ Ereen Tôhôi】音译转写为"二龙涛"，【▮▮▮ Mand】音译转写为"馒头"等等。这种变音音译现象难以解释其原因，多数是以汉语语言习惯音译或者说纯粹是随意音译。如此音译的结果，不可避免地造成了蒙古语地名的变音失意。

## 三 同一地名不同的音译形式

蒙古民族生活生息于大草原，他们从事畜牧业，具有共同的生活环境和心理素质，在不同地区形成同样地名并不奇怪。在蒙古语地名汉语音译、汉字转写时却用不同的文字、不同语音音译转写同样地名，造成蒙古语地名变音失意或混乱。例如：【▮▮▮ Ûs】音译转写为"乌苏、吾素、乌素或勿舒"、【🔶 Adûûqn】音译转写为"阿刀庆、阿道庆、阿道沁、阿都庆或阿都沁"、【🔶 Ajg】音译转写为"阿吉圪、阿吉格、阿集格"、【🔶 Abgiin Hûûqn】音译转写为"阿伯好沁、阿伯浩沁"、【🔶 Abdr】音译转写为"阿不都拉、阿布达日、阿布德仁或阿布德拉"、【🔶 Aqt】音译转写为"阿查图、阿次图"、【🔶 Môd】音译转写为"毛道、茂都、卯都"、【🔶 Adarg】音译转写为"阿达拉嘎、阿达日嘎"、【🔶 Hŏndei】音译转写为"浑迪、坤迪或坤地"、【🔶 Xangd】音译转写为"善坦、商都、闪电、山丹或三滩"等等。这种不规则的音译也是导致蒙古语地名走音、串意、失真的原因之一。

## 四　不同地名用同一词语音译

在蒙古语地名汉语音译、汉字转写现状中还有不同地名用同一词语音译转写现象。例如：【🔶 Xree】和【🔶 X1】都音译转写为"锡勒"、【🔶 Xûbûût】和【🔶 Bag Ûrit】都音译转写为"小窝图"、【🔶 Tôsh】和【🔶 Tôôsg】都音译转写为"讨思号"、【🔶 Sûm】和【🔶 Sum】都音译转写为"苏木"、【🔶 Xabr Huree】和【🔶 Xûbûû】都音译转写为"石宝"、【🔶 SErdng】和【🔶 Saridg】都音译转写为"什力登"、【🔶 Sarqn】和【🔶 Saalqn】都音译转写为"沙尔沁"、【🔶 Ûdn Gûû】和【🔶 Bûtngt】都音译转写为"五当沟"等等，同样给蒙古语地名语音、含意判断造成了混乱。其实，这种混乱是完全可以避免的。例如【🔶 Xree】和【🔶 X1】，分别音译转写为"锡热"和"锡力"，【🔶 Xûbûût】和【🔶 Bag Ûrit】分别音译转写为"希宝图"和"巴嘎乌力图"，【🔶 Tôsh】和【🔶 Tôôsg】分别音译转写为"讨思呼"和"堂思呼"，【🔶 Xabr Huree】和【🔶 Xûbûû】分别音译转写为"希巴尔呼热"和"希巴古"，【🔶 Serdng】和【🔶 Saridg】分别音译转写为"萨尔登"和"萨热义德格"，【🔶 Sarqn】和【🔶 Saalqn】分别音译转写为"沙尔沁"和"沙啦沁"等。如此音译转写，虽不能够完全避免蒙古语地名的变音失意，但是，至少能够区分不同地名，减轻蒙古语地名汉语音译、汉字转写中的混乱程度。

## 五　部分音译部分意译

在蒙古语地名汉语音译、汉字转写现状中，有一种部分音译部分意译现象，即音译专名，意译通名或意译地名中的修饰语，音译其它语词现象。例如：【🔶 Bayn hûa Hôt】音译转写为"巴彦华营子"、【🔶 Jbhlnt Ûûl】音译转写为"吉呼郎山"、【🔶 Deer Dalai】音译转写为"上达赖"、【🔶 Bôtgiin Ail】音译转写为"包特高营子"、【ᠪᠤᠳᠠᠢ ᠰᠦᠮᠡ Bûdai Sum】音译转写为"宝德庙"、【ᠳᠤᠱᠢᠬᠠᠭ ᠨᠠᠭᠤᠷ Duxn hag Nûûr】音译为"都喜哈嘎泡子"、【ᠬᠣᠶᠠᠷ ᠦᠦᠰᠠᠨ ᠠᠢᠯ Hôyr ûsan Ail】音译为"二忽赛营子"等等。这种部分音译、部分意译也是不规范的音译现象，同样造成了蒙古语地名的走音、窜意或含义失真。

## 六　弃音音译

弃音音译是指音译蒙古语地名时随意省略或丢弃原蒙古语地名中部分语音的音译现象。例如：【ᠠᠷ ᠭᠠᠱᠤᠤᠨ Ar Gaxûûn】音译转写为"尔胜"，丢弃了"ᠠᠷ r、ᠭᠠ Ga、ᠤᠤᠨ ûûn"三个语音、【ᠡᠯᠵᠢᠭᠡᠨ Eeljgn】音译转写为"尔族"，丢弃了"ᠯ l 和 ᠭᠡᠨ gn"语音、【ᠡᠮᠵᠢᠭᠡᠷ Emjeer】音译转写为"恩洲"，丢弃了"ᠮ m 和 ᠭᠡᠷ eer"语音、【ᠳᠣᠯᠣᠣᠨ ᠨᠠᠭᠤᠷ Dôlôôn Nûûr】音译转写为"多伦"，丢弃了"ᠣᠣᠨ ôôn 和 ᠨᠠᠭᠤᠷ Nûûr"语音、【ᠲᠠᠰᠤᠷᠬᠠᠢ Tasrhai】音译转写为"塔寺"，丢弃了"ᠷᠬᠠᠢ rhai"语音、【ᠪᠠᠳᠠᠷᠬᠠ Badrh】音译转写为"巴独户"，丢弃了"ᠷᠬ rh"语音、【ᠪᠠᠯᠳᠠᠨ ᠠᠢᠯ Baldn Ail】音译转写为"巴旦营"，丢弃了"ᠯ l 和 ᠠᠢᠯ Ail"语音、【ᠪᠠᠳᠠᠷᠩᠭᠦᠢ Badrnggûi】音译转写为"巴都来"，丢弃了"ᠷᠩᠭᠦᠢ rnggûi"语音、【ᠡᠷᠭᠡᠭᠦᠯᠭᠡ Erguulg】音译转写为"埃力棍"，丢弃了"ᠷ r 和 ᠭᠦᠦᠯ guul"语音、【ᠳᠦᠩᠱᠤᠤᠷ Dungxûûr】音译转写为"东升"，丢弃了"ᠤᠤᠷ ûûr"语音、【ᠲᠠᠬᠢᠯᠭ ᠴᠠᠭᠠᠨ ᠣᠪᠣᠣ Tahilg qagaan Ôbôô】音译转写为"他黑拉查干敖包"，丢弃了"ᠭ ga"语音等等。这种弃音音译，由于随意省略蒙古语地名中的某个音节，使原蒙古语地名语音面目全非。

## 七　加音音译

在蒙古语地名汉语音译、汉字转写现状中，还有加音音译现象，即在蒙古语地名汉语音译过程中随意加入原地名中没有的语音。例如：【ᠲᠣᠭᠲᠣᠬᠣ Tôgtôh】音译转写为"妥妥岱"，增加了"dai"语音、【ᠱᠠᠪᠢᠨᠠᠷ Xabi'nar】音译转写为"沙兵崖"，增加了"ya"语音、【ᠸᠠᠭᠠᠷᠢᠢᠨ ᠬᠦᠳᠡᠭ Waariin Hûdg】音译转写为"洼坑井"，增加了"ken"语音、【ᠬᠠᠷ ᠡᠷᠭ Har Erg】音译转写为"哈拉圪力更"，增加了"ge"语音、【ᠭᠣᠯᠴᠠ Gôlq】音译转写为"搞黑老气"，增加了"he"语音等等。这种加音音译虽不多见，同样不同程度地改变了蒙古语地名的原本发音，致使原蒙古语地名语音变异，含义模糊不清。

## 八　仅以音译地名的字面语音或含义随意猜测蒙古语地名含义

对古老的蒙古语地名来历、含义不做认真细致的调查研究，仅以汉字记音的音译地名字面语音来简单、粗浅地猜测其来历、含义，是蒙古语地名汉语音译、汉字转写工作中必须克服的一大误区。内地汉民迁入较早且语言环境汉化浓重地区，很多蒙古语地名不论从语音或字面上，都难以理解和判定其原本发音和含义。例如："五路"村的村名含义，有学者解释为【ᠣᠣᠯ　Uul】、【ᠠᠭᠤᠯᠠ　Ûûl】、【ᠤᠷᠤᠭᠤ　Ûrûû】、【ᠣᠯᠠᠨ　Ôln】、【ᠣᠷᠤᠭᠤᠳ　Ôrôgûûd】，于是汉字音译转写为"云、山、下坡、多或部落名称" 等等。这些解释都是以"五路"这一音译地名的字面语音加以猜测得出的错误判断。实际上，"五路"是人名。俺答汗二子僧格都仁曾经在此执政，其二子名曰【ᠤᠯᠤ　Ulu】，人称"ᠤᠯᠤ ᠪᠠᠭᠠᠲᠤᠷ ᠲᠠᠶᠢᠵᠢ 五路巴都尔台吉"，明代文书有明确记载。可见，"五路"村名源于"五路巴都儿台吉"。

又如"潮岱"，有人理解为"潮湿"，于是写成【ᠴᠢᠭᠲᠠᠢ　Qigtai】，也有人理解为"有名声"之意，于是写成【ᠴᠤᠤᠲᠠᠢ　Qûûtai】。这种误解是由于没有了解该地名原本发音与含义，仅以字面语音简单猜测得出的错误判断。实际上，村名"潮岱"也是人名加爵位形成的地名。僧格都仁【ᠰᠡᠩᠭᠡ ᠳᠡᠭᠦᠷᠡᠩ　Senggee Duurng】长孙名曰【ᠴᠣᠭᠲᠤ　Qôgt】，曾经被封为台吉。明代文书有"晁兔台吉"的记载，证实村名"朝岱"源于"晁兔台吉"，应该音译为"晁克兔台吉"，既接近原蒙古语地名发音，又保留了地名的原本含义。

土默特地区有很多以人名命名的蒙古语地名，如托克托【ᠲᠣᠭᠲᠤ　Tôgth】、补还岱【ᠪᠦᠬᠦᠳᠡᠢ　Bûhdai】、扎白【ᠵᠠᠪᠠᠢ　Jabai】、多儿计【ᠳᠣᠷᠵᠢ　Dôrj】、巧儿报【ᠴᠣᠷᠪᠢᠰ　Qôrbix】、扎提布【ᠵᠠᠳᠪ　Jadb】、扎勒森【ᠵᠠᠯᠰᠠᠨ　Jalsn】、王青塔【ᠸᠠᠩᠴᠢᠨ　Wangqn】、把栅【ᠪᠠᠽᠠᠷ　Baazr】、牙代【ᠶᠠᠳᠠᠢ　Yadai】、忽拉格气【ᠬᠤᠷᠬᠠᠢᠭ　Hûrhaiq】、央片【ᠶᠠᠷᠫᠢᠯ　Yarpil】、茂林太【ᠮᠣᠯᠢᠩᠳᠠᠢ　Môlngdai】、打儿麻【ᠳᠠᠷᠮᠠ　Darma】等村镇名称，均以人名命名。这些蒙古语地名多与重大历史事件、历史人物、民族地域文化、风土人情有着密切联系。我们在进行少数民族语地名汉语音译、汉字转写时，必须做认真细致的调查研究，考订其原本发音，以求保留少数民族语地名的原本发音，准确揭示其确切含义。

# 第二节　蒙古语地名汉语音译对照表

（按汉语拼音字母顺序排列）

| 汉字书写 | 蒙古文字书写 | 汉语拼音转写 | 地名含义 |
| --- | --- | --- | --- |
| 阿卜窑 | | Abiin Ail | 猎户营子 |
| 阿布达日 | | Abdr | 柜形山　平顶山 |
| 阿布德尔图 | | Abdrt | 柜子地 |
| 阿布盖 | | Abgai | 先生　叔叔 |
| 阿布日呼 | | Abrh | 拯救 |
| 阿布太沟 | | Habtai Gûû | 顺势山谷 |
| 阿达嘎 | | Adg | 末端 |
| 阿达嘎意本巴太 | | Adgiin Bûmbtai | 末端坟丘 |
| 阿达嘎音本图嘎尔 | | Adgiin Bôntgôr | 末端园山 |
| 阿达圪吾素 | | Adgiin Ûs | 末端水 |
| 阿达格 | | Adg | 末端 |
| 阿达格善达 | | Adg Xangd | 末端下湿地 |
| 阿达格乌苏 | | Adg Ûs | 末端水 |
| 阿达格吾素 | | Adgiin Ûs | 末端水 |
| 阿达格意伙布日 | | Adgiin Hǒðbǒr | 末端软松地 |
| 阿达格音嘎顺 | | Adgiin Gaxûûn | 末端盐碱滩 |
| 阿达格音哈沙图 | | Adgiin Haxaat | 末端围圈地 |
| 达格音呼都格 | | Adgiin Hûdg | 末端井 |
| 阿达格音善达 | | Adgiin Xangd | 末端湿地 |
| 阿达格音斯呼勒 | | Adgiin Sebhul | 末端沼泽地 |
| 阿达格音乌苏 | | Adgiin Ûs | 下游水 |
| 阿达格音乌素 | | Adgiin Ûs | 下游水 |
| 阿达格音吾素 | | Adgiin Ûs | 下游水 |
| 阿达给吾素 | | Adgiin Ûs | 下游水 |
| 阿达根吾素 | | Adgiin Ûs | 下游水 |
| 阿达拉嘎 | | Adarg | 波纹 |

| 阿达日嘎 | | Adarg | 波纹 |
|---|---|---|---|
| 阿达日嘎音额布勒者 | | Adargiin ŏbŏljee | 褶绉冬营盘 |
| 阿刀亥 | | Ar Tôhôi | 后湾 |
| 阿德格 | | Adg | 末端 |
| 阿德格音乌素 | | Adgiin Ûs | 下游水 |
| 阿德雅音布郎 | | Adiyagiin Bûlng | 人名 山湾 |
| 阿登此老 | | Adûûn Qûlûû | 马群石 巨石 |
| 阿都朝鲁 | | Adûû Qûlûû | 马群石 巨石 |
| 阿都朝鲁苏木 | | Adûû Qûlûû sum | 马岩庙 |
| 阿都恩呼都嘎 | | Adûûn Hûdg | 饮马井 |
| 阿都来塔拉 | | Adûûlai Tal | 马群滩 |
| 阿都赖 | | Adûûqn Ail | 马官营子 |
| 阿尔丁 | | Arad | 人民 黎民 |
| 阿尔嘎力奇 | | Argalq | 拾粪者 |
| 阿尔善 | | Arxaan | 矿泉 圣泉 |
| 阿尔善图 | | Arxaant | 矿泉地 |
| 阿尔站 | | | 待考 |
| 阿嘎拉吉图 | | Aaljt | 蜘蛛地 |
| 阿嘎如 | | Agrû | 沉香 |
| 阿嘎如泰 | | Agrûtai | 有沉香 |
| 阿圪料沟 | | Agrûtiin Gôl | 沉香河 |
| 阿哥营子 | | Agegiin Ail | 阿哥营子 |
| 阿格如 | | Agrû | 沉香 |
| 阿格图 | | Agit | 小白蒿 |
| 阿古碌呔 | | Agrûtai | 有沉香 |
| 阿贵 | | Agûi | 洞 |
| 阿贵阿玛 | | Agûi Am | 洞口 |
| 阿贵高勒 | | Agûiin Gôl | 洞河 |

| 阿贵沟 | | Agûi Gôl | 洞河 |
|---|---|---|---|
| 阿贵忽少 | | Agûi Hûxûû | 洞山咀 |
| 阿贵庙(蒙汉) | | Ûûrhaiin Sum | 矿庙 |
| 阿贵特 | | Agûit | 洞地 |
| 阿贵图 | | Agûit | 洞地 |
| 阿哈塔拉 | | Ah Tal | 兄长滩 |
| 阿和太 | | Agtai | 待考 |
| 阿鸡图 | | Arqt | 杜松地 |
| 阿吉格 | | Ajg | 音讯 |
| 阿吉拉 | | Ajl | 工作 活儿 |
| 阿吉奈 | | Aj'nai | 骏马 |
| 阿吉日根德日素 | | Ajrgn Ders | 儿马枳芨滩 |
| 阿拉不拉格 | | Ar Bûlg | 后泉 |
| 阿拉嘎 | | Alg | 花白色 |
| 阿拉嘎敖包 | | Alg Ôbôô | 花敖包 |
| 阿拉格敖包 | | Alag Ôbôô | 花敖包 |
| 阿拉格瑙海图 | | Alag Nôhait | 花狗地 |
| 阿拉格诺海图 | | Alag Nôhait | 花狗地 |
| 阿拉吉图 | | Aaljt | 蜘蛛地 |
| 阿拉齐河(蒙汉) | | Alq Gôl | 河名 |
| 阿拉善 | | Alxaan | 圣泉 |
| 阿拉善 | | Arxaant | 圣泉地 |
| 阿拉塔嘎那 | | Altag'na | 小叶锦鸡儿 |
| 阿拉塔嘎那音淖日 | | Altaga'niin Nûûr | 锦鸡儿湖 |
| 阿拉塔干图 | | Altaga'nat | 小叶锦鸡儿地 |
| 阿拉塔塔 | | Altt | 金地 |
| 阿拉塔图 | | Altt | 金地 |
| 阿拉坦宝拉格 | | Altn Bûlg | 金泉 |

| 阿拉坦图格 |  | Altn Tûg | 金旗 |
| 阿拉特图乌拉 |  | Altt Ûûl | 金山 |
| 阿拉腾敖德 |  | Altn Ôdôn | 金星 |
| 阿拉腾敖都 |  | Altn Ôd | 金星 |
| 阿拉腾哈拉嘎 |  | Altn Haalg | 金门 |
| 阿拉腾洪格尔 |  | Altnhôngkôr | 黄金恋 |
| 阿拉腾洪格日 |  | Altn Hôngkôr | 黄金恋 |
| 阿拉腾呼舒 |  | Altn Hûxûû | 金山咀 |
| 阿拉腾图格 |  | Altn Tûg | 金旗 |
| 阿拉乌素 |  | Ar Ûs | 北水　北营子 |
| 阿来好勒格 |  | Ar Haalg | 后门 |
| 阿力拜 |  | Arbai | 大麦 |
| 阿力忽洞 |  | Ar Hûdg | 后井 |
| 阿力玛沙拉乌素 |  | Alim Xar ûs | 梨黄水 |
| 阿力善不拉 |  | Arxaan Bûlg | 圣泉 |
| 阿力善图 |  | Arxaant | 圣泉地 |
| 阿力乌素 |  | Ar Ûs | 北水　北营子 |
| 阿林朝 |  | Ariin Jôô | 后滩　后梁 |
| 阿林章 |  | Ariin Jôô | 后滩　后梁 |
| 阿林招 |  | Ariin Jôô | 后滩　后梁 |
| 阿林召 |  | Ariin Jôô | 后滩　后梁 |
| 阿鲁科尔沁 |  | Ar Hôrqn | 北弓箭手　* |
| 阿路板升 |  | Ar Baixng | 后房子 |
| 阿路不浪 |  | Ar Bûlg | 北泉 |
| 阿伦斯木 |  | Ôlôn Sum | 诸多庙 |
| 阿麻忽洞 |  | Amn Hûdg | 口子井 |
| 阿玛鄂日格 |  | Amn Erg | 口子岗 |
| 阿玛萨尔 |  | Amsr | 口子 |

| 阿玛吾素 | | Amn Ûs | 口子水 |
|---|---|---|---|
| 阿玛音乌苏 | | Amiin Ûs | 口子水 |
| 阿玛音乌素 | | Amiin Ûs | 口子水 |
| 阿满浩赖 | | Amn Hôôlôi | 口子谷 |
| 阿曼吾素 | | Amn Ûs | 口子水 |
| 阿门内沃博勒卓 | | Am'nai ðbðljee | 口子冬营盘 |
| 阿门尚达 | | Amn Xangd | 口子湿地 |
| 阿门乌素 | | Amn Ûs | 口子水 |
| 阿门吾素 | | Amn Ûs | 口子水 |
| 阿莫 | | Am | 口子 |
| 阿木尔板 | | Amr Baixng | 平安房 |
| 阿木高勒 | | Amn Gôl | 口子河 |
| 阿木萨尔 | | Amsr | 口子 |
| 阿木斯尔 | | Amsr | 口子 |
| 阿木斯日 | | Amsr | 口子 |
| 阿木斯日音呼和陶勒盖 | | Amsriin Hôh tôlgai | 口子山青峰 |
| 阿木乌斯 | | Amn Ûs | 口子水 |
| 阿木吾素 | | Amn Ûs | 口子水 |
| 阿木音乌苏 | | Amiin Ûs | 口子水 |
| 阿木音乌素 | | Amiin Ûs | 口子水 |
| 阿其图乌拉 | | Aqt Ûûl | 双峰山 |
| 阿热苏吉 | | Ar Suuj | 后山坐 |
| 阿仁召 | | Ariin Jôô | 后梁 |
| 阿日阿拉嘎 | | Ar Alg | 后花斑 |
| 阿日敖包 | | Ar Ôbôô | 后敖包 |
| 阿日半浑迪 | | Arbn Hôndei | 十膛子 |
| 阿日本布台 | | Ar Bûmbtai | 后坟丘地 |
| 阿日本毛都 | | Arbn Môd | 十棵树 |

| 阿日宾敖包 | Arbin Ôbôô | 多敖包 |
|---|---|---|
| 阿日补力格 | Ar Bûlg | 后泉 |
| 阿日布拉格 | Ar Bûlg | 后泉 |
| 阿日查 | Arq | 杜松 |
| 阿日察干敖包 | Ar qagaan Ôbôô | 后白敖包 |
| 阿日柴达木 | Ar Qaidm | 后盐碱滩 |
| 阿日达布呼日 | Ar Dahûr | 后重山 |
| 阿日德日素 | Ar Ders | 后茇茇滩 |
| 阿日嘎郎图音阿日 | Argaltiin Ar | 盘羊地北 |
| 阿日格勒图乌拉 | Argaltiin Ûûl | 盘羊山 |
| 阿日滚 | Ar Guun | 后谷 |
| 阿日哈必日格 | Ar Habirg | 后肋形山 |
| 阿日哈布其勒 | Ar Habql | 后山峡 |
| 阿日哈沙图 | Ar Haxaat | 后圈地 |
| 阿日哈珠 | Ar Hajûû | 后斜坡 |
| 阿日呼都格 | Ar Hûdg | 后井 |
| 阿日呼都格音塔拉 | Ar Hûdgiin tal | 后井滩 |
| 阿日吉斯音乌日海 | Ar Jesiin Ûûrhai | 后红铜矿 |
| 阿日淖日 | Ar Nûûr | 后海子 |
| 阿日其图 | Arqt | 杜松地 |
| 阿日切布其尔 | Ar Qabqr | 后峭崖 |
| 阿日萨拉 | Ar Salaa | 北岔口 |
| 阿日善呼绍 | Arxaan Hûxûû | 圣泉山嘴 |
| 阿日善图 | Arxaant | 圣泉地 |
| 阿日善图庙 | Arxaant Sum | 圣泉庙 |
| 阿日善西热 | Arxaan Xiree | 圣泉台地 |
| 阿日尚德 | Ar Xangd | 后湿地 |
| 阿日斯郎庙 | Arsln Sum | 狮子庙 |

| 阿日塔班沙拉 | ᠠᠷ ᠲᠠᠪᠤᠨ ᠰᠠᠯᠠᠭ᠎ᠠ | Ar tabn Salaa | 北五岔 |
| 阿日陶来图 | ᠠᠷ ᠲᠠᠣᠯᠠᠶᠢᠲᠤ | Ar Tûûlait | 北兔地 |
| 阿日图古日格 | ᠠᠷ ᠲᠥᠭᠦᠷᠢᠭ | Ar Tŏgrig | 北圆 |
| 阿日乌不勒哲 | ᠠᠷ ᠡᠪᠦᠯᠵᠢᠶ᠎ᠡ | Ar ŏbŏljee | 北冬营盘 |
| 阿日乌兰呼布 | ᠠᠷ ᠤᠯᠠᠭᠠᠨ ᠬᠥᠪ | Ar Ûlaan kŏb | 北红渊 |
| 阿日乌苏 | ᠠᠷ ᠤᠰᠤ | Ar Ûs | 北水 北营子 |
| 阿日乌素 | ᠠᠷ ᠤᠰᠤ | Ar Ûs | 北水 北营子 |
| 阿日希彦 | ᠠᠷᠰᠢᠶᠠᠨ | Arxaan | 矿泉 |
| 阿日雅布勒苏木 | ᠠᠷᠶᠠᠪᠠᠯ ᠤᠨ ᠰᠦᠮ᠎ᠡ | Aryabliin Sum | 观音庙 |
| 阿日音乌苏 | ᠠᠷ ᠤᠨ ᠤᠰᠤ | Ariin Ûs | 北水 |
| 阿日音乌素 | ᠠᠷ ᠤᠨ ᠤᠰᠤ | Ariin Ûs | 北水 |
| 阿日音吾素 | ᠠᠷ ᠤᠨ ᠤᠰᠤ | Ariin Ûs | 北水 |
| 阿日音珠斯楞 | ᠠᠷ ᠤᠨ ᠵᠤᠰᠤᠯᠠᠩ | Ariin Jûslng | 北夏营盘 |
| 阿如忽洞 | ᠠᠷ ᠬᠤᠳᠳᠤᠭ | Ar Hûdg | 后井 |
| 阿润套海 | ᠠᠷᠢᠭᠤᠨ ᠲᠣᠬᠣᠢ | Ariûûn Tôhôi | 圣洁河湾 |
| 阿善沟 | ᠠᠷᠰᠢᠶᠠᠨ ᠭᠣᠣᠯ | Arxaan Gôl | 泉水河 |
| 阿什浪沟 | ᠠᠷᠰᠯᠠᠨ ᠭᠣᠣᠯ | Arsln Gôl | 狮子河 |
| 阿素(哈素) | ᠬᠠᠰ | Has | 玉 |
| 阿塔 | ᠠᠲᠠ | At | 骟驼 |
| 阿塔沟 | ᠠᠲᠠ ᠭᠤᠤ | At Gûû | 骟驼沟 |
| 阿腾高勒 | ᠠᠲᠠᠨ ᠭᠣᠣᠯ | Atn Gôl | 骟驼河 |
| 阿西达音花 | ᠠᠰᠢᠳᠠ ᠶᠢᠨ ᠬᠤᠸᠠ | Axdiin Hûa | 永恒山丘 |
| 阿希格台 | ᠠᠰᠢᠭᠲᠠᠢ | Axgtai | 有利 |
| 阿希太 | ᠠᠰᠢᠲᠠᠢ | Axtai | 中意 |
| 阿益圪沁 | ᠠᠶᠠᠭᠠᠴᠢᠨ | Ayagqn | 碗商 修碗匠 |
| 阿尤勒黑 | ᠠᠶᠤᠤᠯᠬᠠᠢ | Ayûûlhai | 胸腔 |
| 阿尤力海 | ᠠᠶᠤᠤᠯᠬᠠᠢ | Ayûûlhai | 胸腔 |
| 阿由什沟(藏蒙) | ᠠᠶᠤᠰᠢ ᠶᠢᠨ ᠭᠤᠤ | Ayûxiin Gûû | 人名(含义无量寿)沟 |

| 埃力棍 | | Erguulg | 旋钮 |
|---|---|---|---|
| 艾不盖 | | Aibûh | 人名（河名） |
| 艾力格音乌素 | | Ergin Ûs | 崖水 |
| 艾力斯陶勒盖 | | Alsn Tôlgai | 沙丘 |
| 艾日格音苏木 | | Airgiin Sum | 乳酸庙 |
| 安庆 | | Angqn Gûû | 猎人沟 |
| 安图 | | Angt | 打猎地 裂口地 |
| 昂德音察布 | | Angtiin Qab | 猎场山谷 |
| 昂嘎日海 | | Anggarhai | 张开状 |
| 昂格勒 | | Anggal | 敞开 |
| 昂格日海 | | Anggarhai | 张开状 |
| 昂格日亥 | | Anggarhai | 张开状 |
| 昂格日图 | | Anggirt | 黄鸭地 |
| 昂海 | | Anghai | 山口子 |
| 敖白 | | Ûûbai | 人名 |
| 敖包 | | Ôbôô | 敖包 堆积体 |
| 敖包北(蒙汉) | | Ôbôô Bei | 敖包北 |
| 敖包背 | | Ôbôôn Nûrûû | 敖包梁 |
| 敖包卜 | | Ôbôôgiin Erg | 敖包土岗 |
| 敖包底 | | Ôbôôtai | 敖包地 |
| 敖包店 | | Ôbôôgiin Hôtgôr | 敖包洼地 |
| 敖包根(银)浩尔高勒 | | Ôbôôn Hôrgôl | 敖包羊粪 |
| 敖包沟 | | Ôbôô Gôl | 敖包河 |
| 敖包沟 | | Ôbôôn Gûû | 敖包沟 |
| 敖包沟 | | Ôbôô Gôl | 敖包河 |
| 敖包沟坝岩(蒙汉) | | Ôbôô gôliin Qûlûûn Dabaa | 敖包河石头岭 |
| 敖包海 | | Ôbôôhai | 窝棚 |
| 敖包壕(蒙汉) | | Ôbôô Gûû | 敖包壕 |

| 敖包呼都格 | ᠣᠪᠣᠭ᠎ᠠ ᠬᠤᠳᠳᠤᠭ | Ôbôô Hûdg | 敖包井 |
|---|---|---|---|
| 敖包忽洞 | ᠣᠪᠣᠭ᠎ᠠ ᠬᠤᠳᠳᠤᠭ | Ôbôô Hûdg | 敖包井 |
| 敖包梁(蒙汉) | ᠣᠪᠣᠭ᠎ᠠ ᠶᠢᠨ ᠬᠢᠷ᠎ᠠ | Ôbôôgiin Xl | 敖包梁 |
| 敖包淖日 | ᠣᠪᠣᠭ᠎ᠠ ᠨᠠᠭᠤᠷ | Ôbôô Nûûr | 敖包湖 |
| 敖包努阿尔 | ᠣᠪᠣᠭ᠎ᠠ ᠶᠢᠨ ᠠᠷᠠ | Ôbôôǒ'nai Ar | 敖包北 |
| 敖包努阿日 | ᠣᠪᠣᠭ᠎ᠠ ᠶᠢᠨ ᠠᠷᠠ | Ôbôô'nai Ar | 敖包北 |
| 敖包努图克 | ᠣᠪᠣᠭ᠎ᠠ ᠨᠤᠲᠤᠭ | Ôbôô Nûtg | 敖包故乡 |
| 敖包山 | ᠣᠪᠣᠭ᠎ᠠ ᠠᠭᠤᠯᠠ | Ôbôô Ûûl | 敖包山 |
| 敖包图 | ᠣᠪᠣᠭᠠᠲᠤ | Ôbôôt | 敖包地 |
| 敖包图 | ᠪᠠᠷᠠᠭᠤᠨ ᠣᠪᠣᠭᠠᠲᠤ | Barûûn Ôbôôt | 西敖包地 |
| 敖包图音哈玛尔 | ᠣᠪᠣᠭᠠᠲᠤ ᠶᠢᠨ ᠬᠠᠮᠠᠷ | Ôbôôtiin Hamr | 敖包梁 |
| 敖包吐阿玛 | ᠣᠪᠣᠭᠠᠲᠤ ᠶᠢᠨ ᠠᠮᠠ | Ôbôôtiin Am | 敖包山口子 |
| 敖包乌苏 | ᠣᠪᠣᠭ᠎ᠠ ᠤᠰᠤ | Ôbôô Ûs | 敖包水 |
| 敖包音阿尔 | ᠣᠪᠣᠭ᠎ᠠ ᠶᠢᠨ ᠠᠷᠠ | Ôbôôn Ar | 敖包北 |
| 敖包音阿木吾素 | ᠣᠪᠣᠭ᠎ᠠ ᠶᠢᠨ ᠠᠮᠠᠨ ᠤᠰᠤ | Ôbôô'nai Amn ûs | 敖包口子水 |
| 敖包音阿日 | ᠣᠪᠣᠭ᠎ᠠ ᠶᠢᠨ ᠠᠷᠠ | Ôbôô'nai Ar | 敖包北 |
| 敖包音乌珠日 | ᠣᠪᠣᠭ᠎ᠠ ᠶᠢᠨ ᠤᠵᠤᠤᠷ | ÔbôôgIin Ujuur | 敖包终端 |
| 敖宝奴阿日 | ᠣᠪᠣᠭ᠎ᠠ ᠶᠢᠨ ᠠᠷᠠ | Ôbôô'nai Ar | 敖包北 |
| 敖布亥 | ᠣᠪᠣᠬᠠᠢ | ÔbôhAi | 窝棚 |
| 敖德呼都格 | ᠣᠯᠠᠳ ᠬᠤᠳᠳᠤᠭ | Ôd Hûdg | 诸多井 |
| 敖恩图 | ᠡᠷᠡᠭᠲᠡᠢ | Ôô'nt | 公黄羊地 |
| 敖格金哈玛尔 | ᠥᠭᠡᠯᠵᠢ ᠶᠢᠨ ᠬᠠᠮᠠᠷ | Ûgljiin Hamr | 奇形山梁 |
| 敖根 | ᠠᠬᠠᠮᠠᠳ | Ûûgn | 老大 |
| 敖黑乌素 | ᠰᠠᠢᠨ ᠤᠰᠤ | Ôgi Ûs | 好水 |
| 敖很庙 | ᠣᠷᠬᠢᠮᠵᠢ ᠶᠢᠨ ᠰᠦᠮ᠎ᠠ | Ôrhimjiin Sum | 袈裟庙 |
| 敖加拉格 | ᠠᠭᠤ ᠵᠢᠯᠠᠭ᠎ᠠ | Ûû Jalg | 山谷 |
| 敖拉琥图克 | ᠠᠭᠤᠯᠠ ᠬᠤᠳᠳᠤᠭ | Ûûl Hûdg | 山顶井 |
| 敖来音吾素 | ᠣᠷᠣᠢ ᠶᠢᠨ ᠤᠰᠤ | Ôrôiin Ûs | 山顶水 |

| 敖劳盖 | | Ôlgai | 盲肠 |
|---|---|---|---|
| 敖勒盖 | | Ôlgai | 盲肠 |
| 敖勒斯太 | | Ôlôstai | 野麻滩 |
| 敖勒斯太音敖包 | | Ôlôstaiin Ôbôô | 麻地敖包 |
| 敖楞浩特 | | Ôln Hôt | 诸多牧点营子 |
| 敖楞花 | | Ôln Hûa | 诸多山丘 |
| 敖楞淖尔 | | Ôln Nûur | 诸多水泡子 |
| 敖冷呼都格 | | Ôln Hûdg | 诸多水井 |
| 敖林朝鲁 | | Ôôliin Qûlûû | 锛子石 |
| 敖林图 | | Ôôlit | 锛子地 |
| 敖林图 | | Ûûlint | 角鸮地 |
| 敖龙敖包 | | Ôln Ôbôô | 诸多敖包 |
| 敖龙呼都格 | | Ôlôn Hûdg | 诸多井 |
| 敖仑敖包 | | Ôln Ôbôô | 诸多敖包 |
| 敖伦敖包 | | Ôln Ôbôô | 诸多敖包 |
| 敖伦呼都格 | | Ôln Hûdg | 诸多井 |
| 敖伦乃高 | | Ôln Gûû | 诸多沟 |
| 敖伦淖尔 | | Ôln Nûur | 诸多水泡子 |
| 敖伦善达 | | Ôln Xangd | 诸多小水泉 |
| 敖那 | | Û'ni | 橡子 |
| 敖闹 | | Ô'nô | 豁口 |
| 敖尼 | | Û'ni | 橡子 |
| 敖日宝格 | | Ôrbg | 小沙包 |
| 敖日布格淖尔 | | Ôrbg Nûur | 沙包海子 |
| 敖日敦乃苏木 | | Ôrd'nôi Sum | 宫庙 |
| 敖日高 | | Ôrgiôô | 喷涌状 |
| 敖日格呼 | | Ôrgih | 喷涌 |
| 敖日其格 | | Ûûrqg | 孤独 |

| 敖日其格音额布勒者 | | Ûûrqgiin Ôbôljôô | 孤山冬营盘 |
| 敖日图斯 | | Ôrtûûj | 棘豆 |
| 敖如巴格 | | Ôrbg | 小沙包 |
| 敖瑞吾素 | | Ôrôi Ûs | 高处的水 |
| 敖瑞音呼都格 | | Ôrôiin Hûdg | 高处的井 |
| 敖瑞音善达 | | Ôrôiin Xangd | 高处小泉 |
| 敖瑞音沃博勒卓 | | Ôrôiin Ôbôljôô | 人名 冬营盘 |
| 敖润苏莫 | | Ôrôiin Sum | 山顶庙 |
| 敖斯润陶亥(藏蒙) | | Ôsriin Tôhôi | 人名(含义光亮)湾 |
| 敖陶窑(蒙汉) | | Ôtôg Yao | 鄂托克(旗名)窑 |
| 敖特根图 | | Ôtgônt | 最小 最末地 |
| 敖特齐音呼都格 | | Ôtqiin Hûdg | 药王(医生)井 |
| 敖汪古特 | | Ônggôt | 圣地 坟地 |
| 敖伊尔 | | Ôir | 近 |
| 敖伊图 | | Ôit | 林地 |
| 敖卓力格 | | Ôô Julg | 原草坪 |
| 袄兑 | | Nûûrt | 湖泊地 |
| 袄尔圪逊 | | Ôrogsen | 供奉的 |
| 袄尔格生 | | Ôrogsen | 供奉的 |
| 袄太 | | Ôtr | 畜群倒场 |
| 八代脑包 | | Baadai Ôbôô | 巴代(人名)敖包 |
| 八楞什拉 | | Barûûn Salaa | 西分叉 |
| 八楞以力更 | | Barûûn Erg | 西土岗 |
| 八龙湾 | | Barûûn Tôhôi | 西湾 |
| 八苏木 | | Naimdûgar Sûm | 第八苏木 |
| 八仙筒 | | Baixngt | 平房地 |
| 八音察汗 | | Baynqagaan | 富饶的白石山 |
| 巴达日庆敖包 | | Badirqn Ôbôô | 化缘敖包 |

| 巴岱板升 | ᠪᠠᠳᠠᠢ ᠪᠠᠶᠢᠰᠢᠩ | Baadai Baixng | 人名 房子 |
| 巴旦沟(藏蒙) | ᠪᠠᠯᠳᠠᠨ ᠭᠣᠣ | Baldn Gûû | 人名(含义高贵)沟 |
| 巴旦营(藏蒙) | ᠪᠠᠯᠳᠠᠨ ᠠᠶᠢᠯ | Baldn Ail | 人名(含义高贵)营子 |
| 巴都来 | ᠪᠠᠳᠠᠷᠠᠩᠭᠤᠢ | Badranggûi | 兴盛 |
| 巴独户 | ᠪᠠᠳᠠᠷᠠᠬᠤ | Badrh | 兴旺 |
| 巴尔丹忽桶图(藏蒙) | ᠪᠠᠯᠳᠠᠨ ᠬᠤᠲᠤᠭᠲᠤ | Baldn Hûtgt | 人名(含义高贵)活佛 |
| 巴尔果素 | ᠪᠦᠷᠭᠠᠰᠤ | Bûrgaas | 柳条 |
| 巴尔虎 | ᠪᠠᠷᠭᠤ(ᠪᠠᠷᠭᠤ) | Barg | 部落名 |
| 巴嘎查干敖包 | ᠪᠠᠭ᠎ᠠ ᠴᠠᠭᠠᠨ ᠣᠪᠣᠭ᠎ᠠ | Bag qagaan Ôbôô | 小白敖包 |
| 巴嘎达布苏 | ᠪᠠᠭ᠎ᠠ ᠳᠠᠪᠤᠰᠤ | Bag Dabas | 小盐池 |
| 巴嘎都呼木 | ᠪᠠᠭ᠎ᠠ ᠳᠣᠬᠤᠮ | Bag Dŏhŏm | 小盆地 |
| 巴嘎高勒 | ᠪᠠᠭ᠎ᠠ ᠭᠣᠣᠯ | Bag Gôl | 小河 |
| 巴嘎哈尔淖尔 | ᠪᠠᠭ᠎ᠠ ᠬᠠᠷ᠎ᠠ ᠨᠠᠭᠤᠷ | Bag har Nûûr | 小清水泡子 |
| 巴嘎浩来音呼都嘎 | ᠪᠠᠭ᠎ᠠ ᠬᠥᠭᠡᠯᠡᠶᠢᠨ ᠬᠤᠳᠤᠭ | Bag hôôlaiin Hûdg | 小峡谷井 |
| 巴嘎浑浩日 | ᠪᠠᠭ᠎ᠠ ᠬᠣᠩᠬᠤᠷ | Bag Hôngkôr | 小凹地 |
| 巴嘎纳音达巴 | ᠪᠠᠭᠠᠨ᠎ᠠ ᠶᠢᠨ ᠳᠠᠪᠠᠭ᠎ᠠ | Bag'niin Dabaa | 人名(含义柱子)山梁 |
| 巴嘎淖日 | ᠪᠠᠭ᠎ᠠ ᠨᠠᠭᠤᠷ | Bag Nûûr | 小水泡 |
| 巴嘎沙布嘎 | ᠪᠠᠭ᠎ᠠ ᠱᠠᠪᠠᠭ | Bag Xabag | 小红蒿 |
| 巴嘎图门 | ᠪᠠᠭ᠎ᠠ ᠲᠦᠮᠡᠨ | Bag Tumn | 小万 众多 |
| 巴嘎乌兰哈图 | ᠪᠠᠭ᠎ᠠ ᠤᠯᠠᠭᠠᠨ ᠬᠠᠲᠠᠭᠤ | Bag ûlaan Hatûû | 小红色硬地 |
| 巴嘎乌兰花 | ᠪᠠᠭ᠎ᠠ ᠤᠯᠠᠭᠠᠨ ᠬᠥᠪᠡ | Bag ûlaan Hûa | 小红色山丘 |
| 巴嘎乌苏 | ᠪᠠᠭ᠎ᠠ ᠤᠰᠤ | Bag Ûs | 水量少 |
| 巴干图 | ᠪᠠᠭᠠᠨᠠᠲᠤ | Bag'nt | 柱子地 |
| 巴圪那 | ᠪᠠᠭᠠᠨ᠎ᠠ | Bag'na | 柱子 |
| 巴格敖日其格 | ᠪᠠᠭ᠎ᠠ ᠥᠷᠭᠥᠭᠴᠡ | Bag Ôrgôqg | 待考 |
| 巴格布和太 | ᠪᠠᠭ᠎ᠠ ᠪᠥᠬᠡᠲᠡᠢ | Bag Bŏgtei | 小邋遢 |
| 巴格查日音敖包 | ᠪᠠᠭ᠎ᠠ ᠴᠠᠷ ᠤᠨ ᠣᠪᠣᠭ᠎ᠠ | Bag qariin Ôbôô | 小薄冰敖包 |
| 巴格登吉 | ᠪᠠᠭ᠎ᠠ ᠳᠡᠩᠵᠢ | Bag Dnj | 小台地 |

| 巴格毛都 | Bab Môd | 一簇树 |
|---|---|---|
| 巴格纳特格 | Bag' na Teeg | 公岩羊 |
| 巴各尔不和硕 | | 待考 |
| 巴吉尔滩(藏蒙) | Bajr Tal | 人名(含义金刚)滩 |
| 巴拉嘎斯 | Balgaas | 镇 |
| 巴拉盖 | Balgaas | 镇 |
| 巴拉盖 | Balgai | 镇 |
| 巴拉盖 | Balga | 镇 |
| 巴拉干河(蒙汉) | Balgn Gôl | 人名 河 |
| 巴拉根 | Balgn | 人名 |
| 巴拉淖尔 | Bl Nûûr | 山坡淖 |
| 巴林 | Bairin | 要塞 阵地 * |
| 巴仁沙勒吉 | Barûûn Xarlj | 西黄蒿 |
| 巴仁少 | Barûûn Sûû | 西山谷 |
| 巴任苏 | Barûûn Sûû | 西山谷 |
| 巴日嘎斯太 | Bûrgaastaì | 柳条地 |
| 巴日庆 | Barqn | 印刻匠 |
| 巴荣查干呼图勒 | Barûûn qagaan Hǒtl | 西白坡 |
| 巴荣额日格尼格 | Barûûn Erg'ng | 西碗橱 |
| 巴荣苏 | Barûûn Sûû | 西山沟 |
| 巴荣夏恩 | Barûûn Sang | 西仓 |
| 巴润敖包图 | Barûûn Ôbôôt | 西敖包地 |
| 巴润包格代 | Barûûn Bûûdai | 西麦田 |
| 巴润宝拉格 | Barûûn Bûlg | 西泉 |
| 巴润补力格 | Barûûn Bûlg | 西泉 |
| 巴润查干德尔苏 | Barûûn qagaan Drs | 西白芨芨滩 |
| 巴润查干尚德 | Barûûn qagaan Xangd | 西白湿地 |
| 巴润朝海 | Barûûn Qôhôi | 西石灰 |

| 巴润额日敦呼舒 | ᠪᠠᠷᠠᠭᠤᠨ ᠡᠷᠳᠡᠨᠢ ᠬᠦᠰᠦᠦ | Barûûn Erd'nii Hûxûû | 西宝山嘴 |
| 巴润恩格尔音吾素 | ᠪᠠᠷᠠᠭᠤᠨ ᠡᠩᠭᠡᠷ ᠤᠨ ᠤᠰᠤ | Barûûn enggriin Ûs | 西山坡水 |
| 巴润恩格哈布其拉 | ᠪᠠᠷᠠᠭᠤᠨ ᠡᠩᠭᠡᠷ ᠤᠨ ᠬᠠᠪᠴᠢᠯ | Barûûn enggriin Habql | 西山坡峡 |
| 巴润贡 | ᠪᠠᠷᠠᠭᠤᠨ ᠭᠦᠨ | Barûûn Gun | 西深谷 |
| 巴润贡呼都格 | ᠪᠠᠷᠠᠭᠤᠨ ᠭᠦᠨ ᠬᠤᠳᠳᠤᠭ | Barûûn gun Hûdg | 西深井 |
| 巴润哈布其拉 | ᠪᠠᠷᠠᠭᠤᠨ ᠬᠠᠪᠴᠢᠯ | Barûûn Habql | 西峡谷 |
| 巴润哈达呼舒 | ᠪᠠᠷᠠᠭᠤᠨ ᠬᠠᠳᠠᠨ ᠬᠦᠰᠦᠦ | Barûûn hadn Hûxûû | 西岩咀 |
| 巴润海拉麻 | ᠪᠠᠷᠠᠭᠤᠨ ᠬᠠᠢᠯᠠᠮ | Barûûn Halim | 西悬崖 |
| 巴润浑德伦 | ᠪᠠᠷᠠᠭᠤᠨ ᠬᠦᠨᠳᠡᠯᠡᠨ | Barûûn Hǒndln | 西山梁 |
| 巴润萨拉 | ᠪᠠᠷᠠᠭᠤᠨ ᠰᠠᠯᠠᠭ | Barûûn Salaa | 西分叉 |
| 巴润绍 | ᠪᠠᠷᠠᠭᠤᠨ ᠰᠠᠭᠤ | Barûûn Sûû | 西山谷 |
| 巴润苏亥 | ᠪᠠᠷᠠᠭᠤᠨ ᠰᠤᠬᠠᠢ | Barûûn Sûhai | 西红柳 |
| 巴润苏吉 | ᠪᠠᠷᠠᠭᠤᠨ ᠰᠠᠭᠤᠵᠤ | Barûûn Suuj | 西山坐 |
| 巴润苏善旦 | ᠪᠠᠷᠠᠭᠤᠨ ᠰᠠᠭᠤ ᠱᠠᠩᠳᠠ | Barûûn sûû Xangd | 西洼湿地 |
| 巴润推饶木 | ᠪᠠᠷᠠᠭᠤᠨ ᠲᠤᠭᠤᠷᠢᠮ | Barûûn Tôôrim | 西洼 |
| 巴润乌布日吾素 | ᠪᠠᠷᠠᠭᠤᠨ ᠥᠪᠥᠷ ᠤᠰᠤ | Barûûn ôbr Ûs | 西山湾营子 |
| 巴润乌兰呼都格 | ᠪᠠᠷᠠᠭᠤᠨ ᠤᠯᠠᠭᠠᠨ ᠬᠤᠳᠳᠤᠭ | Barûûn ûlaan Hûdg | 西红井 |
| 巴特亥 | ᠪᠠᠲᠤᠬᠠᠢ | Batûhai | 坚固的 |
| 巴特日敖包 | ᠪᠠᠭᠠᠲᠤᠷ ᠤᠪᠤᠭᠠ | Baatar Ôbôô | 人名(含义英雄)敖包 |
| 巴图 | ᠪᠠᠲᠤ | Bat | 坚固 |
| 巴图哈拉嘎 | ᠪᠠᠲᠤᠬᠠᠯᠠᠭᠠ | Bathaalg | 坚实峡口 |
| 巴雅尔图 | ᠪᠠᠶᠠᠷᠲᠤ | Bayart | 欢乐地 |
| 巴彦敖包 | ᠪᠠᠶᠠᠨ ᠤᠪᠤᠭᠠ | Bayn Ôbôô | 富饶敖包 |
| 巴彦敖日格勒 | ᠪᠠᠶᠠᠨ ᠤᠷᠭᠢᠯ | Bayn Ôrgil | 富饶山峰 |
| 巴彦宝拉格 | ᠪᠠᠶᠠᠨᠪᠤᠯᠠᠭ | Baynbûlg | 富泉 |
| 巴彦宝日 | ᠪᠠᠶᠠᠨ ᠪᠤᠷᠤ | Bayn Bôr | 富饶灰山 |
| 巴彦博日格 | ᠪᠠᠶᠠᠨ ᠪᠥᠭᠥᠷᠭᠡ | Bayn Bǒǒrg | 富饶的驼峰山 |

| 巴彦布拉克 | | Baynbûlg | 富泉 |
|---|---|---|---|
| 巴彦查干 | | Bayn Qagaan | 富饶白山 |
| 巴彦车勒 | | Bayn Qeel | 富饶深水 |
| 巴彦楚鲁 | | Bayn Qûlûû | 富饶山石 |
| 巴彦德力格尔 | | Bayn Delgr | 富饶繁茂 |
| 巴彦额格勒图 | | Bayn Eelit | 富饶温馨地 |
| 巴彦鄂博 | | Bayn Ôbôô | 富饶敖包 |
| 巴彦高毕 | | Bayn Gôbi | 富饶戈壁滩 |
| 巴彦高勒 | | Bayn Gôl | 富饶的河 |
| 巴彦郭勒 | | Bayn Gôl | 富饶的河 |
| 巴彦哈日 | | Bayn Har | 富饶的黑土 |
| 巴彦哈日阿图 | | Bayn Haraat | 视野宽广地 |
| 巴彦海日 | | Bayn Hir | 富饶半山坡 |
| 巴彦浩绕 | | Bayn Hôrôô | 富饶圈圄 |
| 巴彦洪格尔 | | Bayn HôngKôr | 富饶且可爱 |
| 巴彦呼都格 | | Bayn Hûdg | 富井 |
| 巴彦呼热 | | Bayn Huree | 富饶圈圄 |
| 巴彦呼日呼 | | Bayn Hûrh | 招财进宝 |
| 巴彦呼舒 | | Bayn Hûxûû | 富饶山角 |
| 巴彦花 | | Baynhûa | 富饶的山丘 |
| 巴彦吉拉嘎 | | Bayn Jalg | 富饶的山沟 |
| 巴彦毛都 | | Bayn Môd | 富饶树木 |
| 巴彦淖尔 | | Bayn Nûûr | 富饶海子 |
| 巴彦努如 | | Bayn Nûrûû | 富饶的山脊 |
| 巴彦桑 | | Baynsang | 富仓 |
| 巴彦塔拉 | | Bayntal | 富饶草原 |
| 巴彦陶拉盖音善达 | | Bayn tôlgaiin Xangd | 富饶山泉 |
| 巴彦图 | | Bayntu | 富有地 |

| 巴彦温都 | | Bayn ÔndÔr | 富饶的高地 |
|---|---|---|---|
| 巴彦温都尔 | | Bayn ÔndÔr | 富饶的高地 |
| 巴彦乌拉 | | Bayn Ûûl | 富山 |
| 巴彦乌兰 | | Bayn Ûlaan | 富饶红土地 |
| 巴彦乌苏 | | Bayn Ûs | 富饶的水 |
| 巴彦扎拉嘎 | | Bayn Jalag | 富饶的山谷 |
| 巴彦朱日和 | | Bayn Jurh | 富饶的心形山 |
| 巴音 | | Bayn | 富饶 |
| 巴音敖包 | | Bayn ÔbÔô | 富饶敖包 |
| 巴音包勒格 | | Bayn Bûlg | 富泉 |
| 巴音宝勒格 | | Baynbûlg | 富泉 |
| 巴音博格都 | | Bayn Bôgd | 富饶的圣山 |
| 巴音博日格 | | Bayn BÔÔrg | 富饶的圪台 |
| 巴音补力格 | | Bayn Bûlg | 富泉 |
| 巴音布拉格 | | Bayn Bûlg | 富泉 |
| 巴音查干 | | Bayn Qagaan | 富饶的白石山 |
| 巴音查干努阿玛乌素 | | Bayn qagaa'nai amn Ûs | 富白口子水 |
| 巴音察干 | | Bayn Qagaan | 富白 |
| 巴音朝克图音敖包 | | Baynqôgtiin ÔbÔô | 富敖包 |
| 巴音恩格 | | Bayn Enggr | 富饶山麓 |
| 巴音高勒 | | Bayn Gôl | 富河 |
| 巴音戈壁 | | Bayn Gôbi | 富饶戈壁滩 |
| 巴音沟 | | Bayn Gûû | 富沟 |
| 巴音哈尔 | | Bayn Har | 富饶的青山 |
| 巴音哈日 | | Bayn Har | 富饶的青山 |
| 巴音哈太 | | Bayn Haatai | 富饶山野 |
| 巴音海拉斯 | | Bayn Hails | 富饶柳林 |
| 巴音杭盖 | | Bayn Hanggai | 富饶原野 |

| 巴音呼热 | ᠪᠠᠶᠠᠨ ᠬᠦᠷᠢᠶ᠎ᠡ | Bayn Huree | 富饶圐圙 |
|---|---|---|---|
| 巴音呼绍 | ᠪᠠᠶᠠᠨ ᠬᠦᠵᠡᠭᠦᠦ | Bayn Hûxûû | 富饶山咀 |
| 巴音呼舒 | ᠪᠠᠶᠠᠨ ᠬᠦᠵᠡᠭᠦᠦ | Bayn Hûxûû | 富饶山咀 |
| 巴音花 | ᠪᠠᠶᠠᠨ ᠬᠤᠸᠠ | Bayn Hûa | 富饶山丘 |
| 巴音满都拉 | ᠪᠠᠶᠠᠨ ᠮᠠᠨᠳᠤᠯᠠ | Bayn Mandl | 富饶兴胜 |
| 巴音毛道 | ᠪᠠᠶᠠᠨ ᠮᠣᠳᠣ | Bayn Môd | 富饶树木 |
| 巴音淖日 | ᠪᠠᠶᠠᠨ ᠨᠠᠭᠤᠷ | Bayn Nûûr | 富饶海子 |
| 巴音前达门 | ᠪᠠᠶᠠᠨ ᠴᠢᠨᠳᠠᠮᠤᠨᠢ | Bayn Qndmûni | 富饶 如意宝 |
| 巴音赛罕 | ᠪᠠᠶᠠᠨ ᠰᠠᠶᠢᠬᠠᠨ | Bayn Saihn | 富饶美丽 |
| 巴音赛汉 | ᠪᠠᠶᠠᠨ ᠰᠠᠶᠢᠬᠠᠨ | Bayn Saihn | 富饶美丽 |
| 巴音塔拉 | ᠪᠠᠶᠠᠨᠲᠠᠯᠠ | Bayntal | 富饶草滩 |
| 巴音滩 | ᠪᠠᠶᠠᠨᠲᠠᠯᠠ | Bayntal | 富饶草原 |
| 巴音陶海 | ᠪᠠᠶᠠᠨ ᠲᠣᠬᠣᠢ | Bayn Tôhôi | 富湾 |
| 巴音陶拉盖 | ᠪᠠᠶᠠᠨ ᠲᠣᠯᠣᠭᠠᠢ | Bayn Tôlgai | 富饶山头 |
| 巴音图 | ᠪᠠᠶᠠᠨᠲᠤ | Bayntu | 富有地 |
| 巴音图格木 | ᠪᠠᠶᠠᠨ ᠲᠣᠬᠣᠮ | Bayn Tŏhŏm | 富饶盆地 |
| 巴音图和木 | ᠪᠠᠶᠠᠨ ᠲᠣᠬᠣᠮ | Bayn Tŏhŏm | 富饶盆地 |
| 巴音图呼木 | ᠪᠠᠶᠠᠨ ᠲᠣᠬᠣᠮ | Bayn Tŏhŏm | 富饶盆地 |
| 巴音乌拉 | ᠪᠠᠶᠠᠨ ᠠᠭᠤᠯᠠ | Bayn Ûûl | 富山 |
| 巴音勿拉 | ᠪᠠᠶᠠᠨ ᠠᠭᠤᠯᠠ | Bayn Ûûl | 富山 |
| 巴音希勒 | ᠪᠠᠶᠠᠨ ᠱᠢᠷᠢ | Bayn Xree | 富山梁 |
| 巴音希热 | ᠪᠠᠶᠠᠨ ᠱᠢᠷᠢ | Bayn Xree | 富山梁 |
| 巴音锡勒 | ᠪᠠᠶᠠᠨ ᠱᠢᠯ | Bayn Xl | 富山梁 |
| 巴音珠日和 | ᠪᠠᠶᠠᠨ ᠵᠢᠷᠦᠬᠡ | Bayn Jurh | 富饶的心形山 |
| 巴音珠日和音巴荣哈召 | ᠪᠠᠶᠠᠨ ᠵᠢᠷᠦᠬᠡᠢᠨ ᠪᠠᠷᠠᠭᠤᠨ ᠬᠠᠵᠠᠭᠤ | Bayn jurhiin barûûn Hajûû | 富心山西坡 |
| 巴云花敖包 | ᠪᠠᠶᠠᠨ ᠬᠤᠸᠠ ᠣᠪᠣᠭ᠎ᠠ | Bayn hûa Ôbôô | 富山敖包 |
| 巴栅(藏) | ᠪᠠᠽᠢᠷ | Bazr | 金刚 人名 * |
| 把安兔 | ᠪᠠᠭᠠᠨᠲᠤ | Bag'nt | 马桩地 |

| 把尔旦营子(藏汉) | | Baldn Ail | 人名(含义高贵)营子 |
| 把拉盖 | | Balgai | 镇 |
| 把什板申 | | Bagxiin Baixng | 先生房 |
| 把栅 | | Baixng | 房子 * |
| 把栅 | | Bayn Belqeer | 富饶草原 * |
| 把栅(藏或维) | | Bazar | 集市贸易 * |
| 坝彦 | | Bayn | 富饶 |
| 坝堰 | | Bayn | 富饶 |
| 白敖包(汉蒙) | | Qagaan Ôbôô | 白敖包 |
| 白达营子 | | Qagaan tataar Ail | 白达旦营子 |
| 白灵淖 | | Beil Nûûr | 贝勒(旧官职)湖 |
| 白乃庙(蒙汉) | | Bôin Sum | 白乃(人名)喇嘛庙 |
| 白脑包(汉蒙) | | Qagaan Ôbôô | 白敖包 |
| 白仁塔来 | | Baarin Tariya | 庄稼地 |
| 白新呼招 | | Baixng Hûxûû | 房子山咀 |
| 白新图 | | Baixngt | 房子地 |
| 白星图 | | Baixngt | 房子地 |
| 白兴高勒 | | Baixng Gôl | 房前河 |
| 白兴图 | | Baixngt | 房子地 |
| 白彦敖包 | | Bayn Ôbôô | 富饶敖包 |
| 白彦不浪 | | Bayn Bûlg | 富泉 |
| 白彦厂汗 | | Baynqagaan | 富饶的白石山 |
| 白彦厂汗 | | Bayn Qagaan | 富饶的白石山 |
| 白彦呼舒 | | Bayn Hûxûû | 富饶山咀 |
| 白彦花 | | Bayn Hûa | 富饶山丘 |
| 白彦塄 | | Bayarlangt | 喜悦地 |
| 白彦图 | | Baynt | 富有地 |
| 白彦西 | | Bayn Xree | 富饶台地 |

| 白音敖包 | | Bayn Ôbôô | 富饶敖包 |
|---|---|---|---|
| 白音不浪 | | Bayn Bûlg | 富泉 |
| 白音布力格 | | Bayn Bûlg | 富泉 |
| 白音察干 | | Bayn Qagaan | 富饶白石山 |
| 白音察干 | | Baynqagaan | 富饶白石山 |
| 白音朝格图 | | Bayn Qôgt | 富饶且精神抖擞 |
| 白音尔计 | | Bayn ôljei | 富饶福寿 |
| 白音光郎 | | Bayn Gôl | 富饶的河 |
| 白音哈拉 | | Bayn Har | 富饶黑山 |
| 白音花 | | Bayn Hûa | 富饶山丘 |
| 白音脑包 | | Bayn Ôbôô | 富饶敖包 |
| 白音淖 | | Bayn Nûûr | 富饶海子 |
| 白音太来 | | Baarin Tariya | 庄稼地 |
| 白音堂(蒙汉) | | Bayn Tang | 富饶膛子 |
| 白音特拉 | | Bayn Tal | 富饶草滩 |
| 白音希勒水库(蒙汉) | | Bayn xree Ûsan qohrom | 富山水库 |
| 白银不浪 | | Bayn Bûlg | 富泉 |
| 白银厂汉 | | Baynqagaan | 富饶白山峰 |
| 白银洞(蒙汉) | | Qagaan Yingt | 白碾坊地 |
| 白银哈而 | | Bayn Har | 富饶黑山 |
| 白银合套 | | Bayn Hôt | 富营子 |
| 白银陶勒盖 | | Bayn Tôlgai | 富饶山头 |
| 白云鄂博 | | Bayn Ôbôô | 富饶敖包山 |
| 白只户 | | Bayashûlang | 喜悦 |
| 百灵道 | | Beil Jam | 贝勒(旧官职)道 |
| 拜兴高勒 | | Baixng Gôl | 房子河 |
| 拜兴图 | | Baixngt | 房子地 |
| 班不袋沟 | | Bambadai Gûû | 坟丘沟 |

| 班第板升 | Bandiin Baixng | 小喇嘛房子 |
| 班定营子(蒙汉) | Bandiin Ail | 小喇嘛营子 |
| 板城 | Baixng | 房子 |
| 板定板升 | Bandiin Baixng | 小喇嘛房子 |
| 板定圐圙 | Bandiin Huree | 小喇嘛圐圙 |
| 板申 | Baixng | 房子 |
| 板申气 | Baixngq | 建房人(泥瓦匠) |
| 板申图 | Baixngt | 房子地 |
| 板升 | Baixng | 房子 |
| 板升气 | Baixngq | 建房人(泥瓦匠) |
| 板塔素 | Baltas | 大锤 |
| 半哈拉沟 | Bag har Gûû | 小黑沟 |
| 帮郎 | Bûlng | 角落　湾 |
| 帮浪沟 | Bûlgiin Gôl | 泉河 |
| 包恩巴图 | Bûmbat | 坟地 |
| 包尔汉图 | Bûrhant | 佛山 |
| 包尔呼舒 | Bôr Hûxûû | 青色山咀 |
| 包尔霍托勒 | Bôr Hŏtl | 紫山坡 |
| 包格音淖尔 | Bûgiin Nûûr | 鹿泡子 |
| 包和音德日斯 | Bûhiin Drs | 牤牛芨芨滩 |
| 包拉格 | Bûlg | 泉 |
| 包勒格 | Bûlg | 泉 |
| 包勒图 | Bûlt | 碌碡(石滚子)地 |
| 包勒希太音沃博勒卓 | Bûlxtaiin ŏbŏljee | 坟地冬营盘 |
| 包楞德日素 | Bûlng Drs | 芨芨湾 |
| 包冷 | Bûlng | 角落　湾 |
| 包龙 | Bûlng | 角落　湾 |
| 包龙德日苏 | Bûlng Drs | 芨芨湾 |

| 包饶勒敖包 | | Bûûral Ôbôô | 灰色敖包 |
|---|---|---|---|
| 包日 | | Bôr | 紫色 |
| 包日敖包 | | Bôr Ôbôô | 紫色敖包 |
| 包日察布 | | Bôr Qab | 紫色口子 |
| 包日大嘎 | | Bôr Daag | 白马驹 |
| 包日鄂日格 | | Bôr Erg | 灰土岗 |
| 包日高勒 | | Bôr Gôl | 紫河 |
| 包日浩特 | | Bôr Hôt | 紫城 |
| 包日红格日 | | Bôr Hôngkôr | 紫色洼地 |
| 包日呼吉尔 | | Bôr Hûjr | 盐碱滩 |
| 包日呼热 | | Bôr Huree | 灰色圐圙 |
| 包日呼少 | | Bôr Hûxûû | 紫色山角 |
| 包日呼绍音乌兰鄂日格 | | Bôr hûxûûgiin ûlaan Erg | 紫山角红土岗 |
| 包日呼舒 | | Bôr Hûxûû | 紫色山角 |
| 包日吉浑地 | | Bôrjiin Hŏndei | 包日吉(人名)膛子 |
| 包日勒吉音浩来 | | Bôreljiin Hôôlôi | 艾菊壕 |
| 包日毛日图 | | Bôr Môrit | 白马地 |
| 包日米勒金 | | Bôr Miljng | 白瘟牛 |
| 包日陶勒盖 | | Bôr Tôlgai | 紫色山头 |
| 包日陶勒盖淖日 | | Bôr tôlgaiin Nûûr | 灰山水泡 |
| 包日温都尔 | | Bôr ôndr | 紫色高地 |
| 包日温都日 | | Bôrŏndr | 紫色高地 |
| 包如拉套海音敖包 | | Bûûrl tôhôiin ôbôô | 灰色河湾敖包 |
| 包赛 | | | 待考 |
| 包扫格 | | Bôxôg | 门槛儿 |
| 包特格 | | Bôtg | 驼羔 |
| 包头 | | Bûgt | 鹿地 |
| 宝当图 | | Bûdngt | 山岚弥漫 |

| 宝德日根 | | Bûarga'n | 万年蒿 |
|---|---|---|---|
| 宝尔陶勒盖呼都格 | | Bôr tôlgaiin Hûdg | 紫山井 |
| 宝尔陶力盖 | | Bôr Tôlgai | 紫山头 |
| 宝格达 | | Bôgd | 圣 |
| 宝勒格 | | Bûlg | 泉 |
| 宝勒齐老图 | | Bôl Qûlûût | 石滚子地 |
| 宝勒图 | | Bûlt | 碌碡地 |
| 宝勒希图 | | Bûlxt | 坟地 |
| 宝楞 | | Bûlng | 角落　湾 |
| 宝冷 | | Bûlng | 角落　湾 |
| 宝力图 | | Bûlt | 碌碡地 |
| 宝力图 | | Burid | 绿洲 |
| 宝日敖包 | | Bôr Ôbôô | 紫色敖包 |
| 宝日板申 | | Bôr Baixng | 紫色房子 |
| 宝日布 | | Bôrib | 脚后跟 |
| 宝日嘎斯太 | | Bûrgastai | 柳条地 |
| 宝日罕陶勒盖 | | Bûrhn T Tôlgai ôlgai | 佛山 |
| 宝日浩来 | | Bôr Hôôlôi | 紫色山谷 |
| 宝日陶勒盖 | | Bôr Tôlgai | 紫色山头 |
| 宝日温都日 | | Bôr ôndr | 紫色高地 |
| 宝腾图 | | Bûdangt | 山岚弥漫 |
| 宝意音 | | Bôin | 人名 |
| 宝意音苏木 | | Bôin Sum | 喇嘛庙名 |
| 宝音图 | | Bûyant | 福地 |
| 宝音图音敖包音包其 | | Bûyntiin ôbôôn Bûûq | 福地敖包营盘 |
| 保岱 | | Bûûdai | 麦子 |
| 保旦尧 | | Burid | 绿洲 |

| 保尔朝鲁 | | Bôr Qûlûû | 紫色石头 |
|---|---|---|---|
| 保尔此老 | | Bôr Qûlûû | 紫色石头 |
| 保尔哈少 | | Bôr Hûxûû | 紫色山咀 |
| 保尔汗沟 | | Bûrhn Gûû | 佛沟 |
| 保尔号 | | Bôr Huu | 灰小子 |
| 保汉沟 | | Bûrhn Gûû | 佛沟 |
| 保号营 | | Bûhiin Ail | 忙牛营子 |
| 保力图 | | Bûlt | 碌碡地 |
| 保同壕 | | Bûtiin Gûû | 树丛沟 |
| 保同河(蒙汉) | | Bûtng Gôl | 坛子河 |
| 堡龙图 | | Bûlngt | 角落 |
| 北的克 | | | 待考 |
| 北格少(汉蒙) | | Ar Gaxûûn | 后碱滩 |
| 北鸡图 | | Biqgt | 文字地 |
| 北库伦(汉蒙) | | Ar Huree | 北圈圈 |
| 北力贡(藏) | | Bilgun | 聪慧 人名 |
| 北林达赖 | | Bilgiin Dalai | 智慧的海洋 |
| 北流图 | | Biluut | 磨石地 |
| 北淖(汉蒙) | | Hôit Nûûr | 北海子 |
| 北闪丹(汉蒙) | | Ar Xangd | 北湿地 |
| 北什轴(汉蒙) | | Hôit xar Jûû | 后黄召 |
| 北只图 | | Biqgt | 文字地 |
| 贝勒庙(满汉) | | Beil Sum | 贝勒(旧官名)庙 |
| 奔巴 | | Bûmb | 坟丘 |
| 奔巴台 | | Bûmbtai | 有坟丘 |
| 贲红 | | Bûngkn | 坟墓 |
| 本巴 | | Bûmb | 坟丘 |
| 本巴浩(蒙汉) | | Bûmb Hao | 坟丘壕 |

| 本巴台 | ᠪᠥᠮᠪᠲᠠᠢ | Bûmbtai | 有坟丘 |
| 本巴图 | ᠪᠥᠮᠪᠲᠦ | Bûmbt | 坟丘地 |
| 本坝 | ᠪᠥᠮᠪ | Bûmb | 坟丘 |
| 本坝沟 | ᠪᠥᠮᠪ ᠤᠨ ᠭᠣᠣᠯ | Bûmbiin Gôl | 坟丘河 |
| 本坝沟 | ᠪᠥᠮᠪ ᠭᠣᠣ | Bûmb Gûû | 坟丘沟 |
| 本本德日苏 | ᠪᠥᠮᠪᠨ ᠳᠡᠷᠡᠰᠦ | Bûmbn Drs | 坟丘茇茇 |
| 本卜 | ᠪᠥᠮᠪ | Bûmb | 坟地 |
| 本卜孔兑 | ᠪᠥᠮᠪᠲᠠᠢ ᠬᠥᠨᠳᠡᠢ | Bûmbtai Hǒndei | 坟丘膛子 |
| 本卜坤兑 | ᠪᠥᠮᠪ ᠤ ᠬᠥᠨᠳᠡᠢ | Bûmb'nai Hǒngdei | 坟丘膛子 |
| 本不来 | ᠪᠠᠮᠪᠠᠷᠠᠢ | Bambarai | 民歌衬词 |
| 本不台 | ᠪᠥᠮᠪᠲᠠᠢ | Bûmbtai | 坟丘地 |
| 本布点尔素 | ᠪᠥᠮᠪ ᠳᠡᠷᠡᠰᠦ | Bûmb Ders | 圣水茇茇 |
| 本布高日 | ᠪᠥᠮᠪᠭᠡᠷ(ᠪᠥᠮᠪᠭᠡᠷ) | Bûmbgr | 圆滚 |
| 本布黑 | ᠪᠥᠮᠪᠥᠬᠡᠢ | Bǒmbǒhei | 球形 |
| 本洪 | ᠪᠥᠩᠬᠥᠨ | Bûngkn | 坟墓 |
| 本滩尔 | ᠪᠠᠭᠲᠠᠯ | Bagtal | 小草甸 |
| 崩巴太 | ᠪᠥᠮᠪᠲᠠᠢ | Bûmbtai | 有坟丘 |
| 崩巴图 | ᠪᠥᠮᠪᠲᠦ | Bûmbt | 坟丘地 |
| 崩罕 | ᠪᠥᠩᠬᠠᠨ | Bûngkan | 坟墓 |
| 崩罕特 | ᠪᠥᠩᠬᠲᠦ | Bûnght | 坟地 |
| 崩红 | ᠪᠥᠩᠬᠥᠨ | Bûnghn | 坟墓 |
| 崩红拜头(蒙汉) | ᠪᠥᠩᠬᠥᠨ ᠪᠠᠢ ᠲᠣᠣ | Bunghn bai Tou | 坟地白头 |
| 崩红拜兴 | ᠪᠥᠩᠬᠥᠨ ᠪᠠᠶᠢᠰᠢᠩ | Bûnghn Baixng | 坟墓房 |
| 比流图意希日推日木 | ᠪᠢᠯᠠᠭᠤ ᠤᠨ ᠱᠠᠷ ᠢ ᠲᠣᠭᠣᠷᠢᠮ | Biluutiin xar Tôôrim | 磨石洼地 |
| 比图 | ᠪᠢᠲᠡᠭᠦ | Bituu | 封闭 |
| 必力布哈 | ᠪᠢᠯᠪᠠᠬᠠ | Bilbaha | 待考 |
| 必力黑 | ᠪᠡᠯᠬᠢ | Belhi | 鼓胀 |
| 必力黑 | ᠪᠢᠯᠬᠠ | Bilha | 满 |

| 必令板升 | Beiliin Baixng | 贝勒(旧官职)房 |
|---|---|---|
| 必流图 | Biluut | 磨石地 |
| 必鲁滚达来音敖包 | Bilgun dalaiin Ôbôô | 人名(含义智慧)敖包 |
| 必鲁图阿曼吾素 | Biluut amn Ûs | 磨石口子水 |
| 必其格图 | Biqgt | 文字地 |
| 必如图 | Bierûût | 牛犊地 |
| 必图 | Bituu | 封闭 |
| 必图浩饶 | Bituu Hôrôô | 封闭式棚圈 |
| 必图赛日 | Bituu Sair | 封闭沙砾 |
| 毕车齐 | Biqeeq | 笔帖式(书吏) |
| 毕格尔图 | Bigirt | 待考 |
| 毕克齐 | Biqeeq | 制墨者 |
| 毕克梯 | Bht | 文墨地 |
| 毕拉哈 | Bilha | 满溢 |
| 毕勒滚(藏) | Bilgun | 人名(含义聪慧) |
| 毕勒哈胡 | Bilhah | 满溢 |
| 毕力格 | Bilig | 才赋 |
| 毕力和 | Bilhah | 满溢 |
| 毕力克 | Bilig | 才赋 |
| 毕鲁图 | Biluut | 磨石地 |
| 毕鲁图音苏木 | Biluutiin Sum | 磨石地庙 |
| 毕其格图 | Biqgt | 文字地 |
| 毕其格音淖尔 | Biqgiin Nûûr | 文字湖 |
| 毕图 | Bituu | 封闭 |
| 边立盖 | Brh | 艰难 |
| 冰不浪(藏蒙) | Bimba Bûlg | 人名(含义土星)泉 |
| 兵州亥 | Biljûûhai | 麻雀 |
| 波勒圪沁 | Blgqin | 占卜者 |

| 波林岱 | ᠣᠣᠷᠢᠶᠠ | Blgtei | 吉祥地 |
| 波罗素太 | ᠪᠦᠷᠭᠠᠰᠤᠲᠠᠢ | Bûrgaastai | 有柳树 |
| 波罗台 | ᠪᠦᠯᠲᠠᠢ | Bûltai | 有碌磅 |
| 波罗图 | ᠪᠦᠯᠲᠦ | Bûlt | 碌磅地 |
| 波日音包拉格 | ᠪᠦᠭᠡᠷᠡᠶᠢᠨ ᠪᠤᠯᠠᠭ | Bŏŏriin Bûlg | 腰泉 |
| 玻尔 | ᠪᠦᠭᠡᠷᠡ | Bŏŏr | 腰子(肾) |
| 玻璃沟 | ᠪᠦᠭᠡᠷᠡᠶᠢᠨ ᠭᠣᠣ | Bŏŏriin Gûû | 肾状沟 |
| 玻璃沟 | ᠪᠦᠷᠢᠶ᠎ᠡ ᠭᠣᠣ | Buree Gûû | 号状沟 |
| 玻璃忽镜 | ᠪᠦᠷ ᠬᠤᠵᠢᠷ | Bôr Hûjr | 盐碱滩 |
| 伯尔克 | ᠪᠡᠷᠬᠡ | Brh | 艰难 |
| 勃尔和 | ᠪᠡᠷᠬᠡ | Brh | 艰难 |
| 勃勒其尔 | ᠪᠠᠯᠴᠢᠷ | Balqr | 幼小 |
| 勃勒音浑地 | ᠪᠡᠯ ᠦᠨ ᠬᠥᠨᠳᠡᠢ | Beliin Hŏndei | 半山腰谷 |
| 勃日 | ᠪᠦᠭᠡᠷᠡ | Bŏŏr | 腰子(肾) |
| 勃日和 | ᠪᠡᠷᠬᠡ | Brh | 艰难 |
| 博格吉博 | ᠪᠥᠭᠡᠵᠢ | Bŏgj | 戒指 |
| 博罗塔拉 | ᠪᠥᠷᠲᠠᠯᠠ | Bôrtal | 宽阔草原 |
| 博落他拉 | ᠪᠥᠷᠲᠠᠯᠠ | Bôrtal | 宽阔草原 |
| 博落脱儿 | ᠪᠥᠷᠲᠠᠯᠠ | Bôrtal | 宽阔草原 |
| 博热 | ᠪᠦᠭᠡᠷᠡ | Bŏŏr | 腰子(肾) |
| 博彦路 | ᠪᠤᠶᠠᠨ ᠵᠠᠮ | Bûyn Jam | 福路 |
| 卜尔圪素 | ᠪᠦᠷᠭᠠᠰᠤ | Bûrgaas | 柳条 |
| 卜圪素 | ᠪᠦᠷᠭᠠᠰᠤ | Bûrgaas | 柳条 |
| 卜合少 | ᠪᠦᠷ ᠬᠤᠰᠢᠭᠤ | Bôr Hûxûû | 紫山头 |
| 卜拉勿素 | ᠪᠠᠷᠠᠭᠤᠨ ᠡᠸᠦᠰ | Barûun Ûs | 西营子 |
| 卜塔亥 | ᠪᠥᠷᠲᠦᠬᠦᠢ | Bôrtôhôi | 河套 |
| 卜太 | | | 待考 |
| 补卜代 | ᠪᠥᠷᠯᠳᠡᠢ | Bôrldai | 紫红色 |

| 补盖 | ᠪᠤᠭ | Bûg | 鹿 |
|---|---|---|---|
| 补圪图 | ᠪᠤᠭᠲᠤ | Bûgt | 鹿地 |
| 补还岱 | ᠪᠤᠬᠠᠨᠳᠠᠢ | Bûhndai | 牤牛地 |
| 补还岱 | ᠪᠤᠬᠠᠨᠳᠠᠢ | Bûhndai | 人名 台吉 * |
| 补还沟 | ᠪᠤᠬᠠᠨ ᠭᠤᠤ | Bûhn Gûû | 牤牛沟 |
| 补克图 | ᠪᠤᠭᠲᠤ | Bûgt | 鹿地 |
| 补拉河(蒙汉) | ᠪᠤᠯᠠᠭ ᠭᠤᠤᠯ | Bûlg Gôl | 泉水河 |
| 补勒太 | ᠪᠤᠯᠠᠲᠠᠢ | Bûltai | 有碌碡 |
| 补力图 | ᠪᠤᠯᠲᠤ | Bûlt | 碌碡地 |
| 补力格 | ᠪᠤᠯᠠᠭ | Bûlg | 泉 |
| 补力太庙(蒙汉) | ᠪᠤᠯᠠᠲᠠᠢ ᠶᠢᠨ ᠰᠦᠮᠡ | Bûltaiin Sum | 喇嘛庙名 |
| 补力图 | ᠪᠤᠯᠲᠤ | Bôlt | 碌碡地 |
| 补龙 | ᠪᠤᠯᠤᠩ ᠤᠨ ᠲᠣᠬᠣᠢ | Bûlngiin Tôhôi | 旯旮弯 |
| 补龙湾(蒙汉) | ᠪᠤᠯᠤᠩ ᠲᠣᠬᠣᠢ | Bûlng Tôhôi | 角落湾 |
| 补隆 | ᠪᠤᠯᠤᠩ | Bûlng | 旮旯 |
| 补隆淖 | ᠪᠤᠯᠤᠩ ᠨᠠᠭᠤᠷ | Bûlng Nûûr | 河湾海子 |
| 不冻河(蒙汉) | ᠪᠦᠳᠦᠭᠦᠨ ᠭᠤᠤᠯ | Buduun Gôl | 大河 |
| 不拉沟 | ᠪᠤᠯᠠᠭ ᠤᠨ ᠭᠤᠤᠯ | Bûlgiin Gôl | 泉水河 |
| 不连沟 | ᠪᠦᠯᠢᠶᠡᠨ ᠭᠤᠤᠯ | Bǒlieen Gôl | 温泉河 |
| 不连沟 | ᠪᠦᠯᠢᠶᠡᠨ ᠭᠤᠤ | Bǒlieen Gûû | 暖沟 |
| 不连河(蒙汉) | ᠪᠦᠯᠢᠶᠡᠨ ᠭᠤᠤᠯ | Bǒlieen Gôl | 温泉河 |
| 布丹高勒 | ᠪᠤᠳᠠᠨ ᠭᠤᠤᠯ | Bûdaan Gôl | 米河 |
| 布敦 | ᠪᠦᠳᠦᠭᠦᠨ | Buduun | 巨大 |
| 布敦河(蒙汉) | ᠪᠦᠳᠦᠭᠦᠨ ᠭᠤᠤᠯ | Buduun Gôl | 大河 |
| 布敦花 | ᠪᠦᠳᠦᠭᠦᠨ ᠬᠤᠸᠠ | Buduun Hûa | 大山丘 |
| 布尔德 | ᠪᠤᠷᠢᠳ | Burid | 绿洲 |
| 布尔德音哈尔淖尔 | ᠪᠤᠷᠢᠳ ᠤᠨ ᠬᠠᠷ ᠨᠠᠭᠤᠷ | Burdiin har Nûûr | 绿洲海子 |
| 布尔嘎苏太 | ᠪᠤᠷᠭᠠᠰᠤᠲᠠᠢ | Bûrgaastai | 有柳条 |

| 布尔罕图 | | Bûrhant | 佛位 |
|---|---|---|---|
| 布哈 | | Bûh | 牤牛 |
| 布和台 | | Buhtei | 驼峰地 |
| 布和音阿木 | | Bûhiin Am | 牤牛山口 |
| 布和音呼都格 | | Bŏhiin Hûdg | 布和(人名)井 |
| 布红代 | | Bûhndai | 牤牛地 |
| 布拉嘎 | | Bûlg | 泉 |
| 布拉格 | | Bûlg | 泉 |
| 布拉格圪旦 | | Bûlgiin Dôb | 山泉土丘 |
| 布拉格哈日 | | Bûlgiin Har | 泉旁黑土 |
| 布拉格音阿玛 | | Bûlgiin Am | 泉口 |
| 布拉根哈玛尔 | | Bûlgiin Hamr | 泉水梁 |
| 布拉克 | | Bûlg | 泉 |
| 布拉希 | | Bûlx | 墓地 |
| 布郎 | | Bûlng | 角落　湾 |
| 布浪 | | Bûlg | 泉 |
| 布勒特黑 | | Bŏltgei | 凸出 |
| 布勒图 | | Bûlt | 碌碡地 |
| 布楞 | | Bûlng | 角落　湾 |
| 布连 | | Bŏlieen | 温泉 |
| 布连河(蒙汉) | | Bŏlieen Gôl | 温水河 |
| 布连营(蒙汉) | | Bŏlieen Ail | 温馨营子 |
| 布林泉(蒙汉) | | Bŏlieen Bûlg | 温泉 |
| 布龙苏海 | | Bûlng Sûhai | 山湾红柳 |
| 布龙特格 | | Burieen Teeg | 响沙堆 |
| 布仑德日苏 | | Bûlng Ders | 山湾芨芨 |
| 布仁图格 | | Bûrntg | 骆驼鼻桊与缰绳间的小皮绳 |
| 布日德勒 | | Bôr dl | 紫鬃 |

| 布日德音呼都格 | ᠪᠣᠷᠳᠢᠢᠨ ᠬᠤᠳᠤᠭ | Bordiin Hûdg | 绿洲井 |
| 布日都 | ᠪᠣᠷᠢᠳ | Burid | 绿洲 |
| 布日嘎斯太 | ᠪᠣᠷᠭᠠᠰᠲᠠᠢ | Bûrgaastai | 有柳条 |
| 布日嘎苏 | ᠪᠣᠷᠭᠠᠰ | Bûrgaas | 柳条 |
| 布日格德 | ᠪᠣᠷᠭᠤᠳ | Burgud | 鸷 鹰 |
| 布日古德 | ᠪᠣᠷᠭᠤᠳ | Burgud | 鸷 鹰 |
| 布日古德音阿玛 | ᠪᠣᠷᠭᠤᠳ ᠤᠨ ᠠᠮᠠ | Burgdiin Am | 鹰嘴山 |
| 布日罕图 | ᠪᠣᠷᠬᠠᠨᠲᠤ | Bûrhnt | 佛坛 |
| 布日克日图 | | | 待考 |
| 布施营(蒙汉) | ᠪᠦᠰᠲᠡᠢ | Bustei | 男儿营子 |
| 布图木吉 | ᠪᠦᠲᠦᠮᠵᠢ | Butmj | 成果 |
| 仓音达来 | ᠰᠠᠩ ᠤᠨ ᠳᠠᠯᠠᠢ | Sanggiin Dalai | 仓海 |
| 曹力干 | ᠬᠢᠬᠤᠯᠬᠠᠨ | Qihûlhan | 狭窄 |
| 曹四窑 | ᠵᠤᠰᠤᠯᠠᠩ | Jûslng | 夏营盘 |
| 草六不而 | ᠬᠥᠯᠪᠦᠦᠷ | Qûlbûûr | 牵绳 |
| 插汉库伦 | ᠴᠠᠭᠠᠨ ᠬᠦᠷᠢᠶ᠎ᠡ | Qagan Huree | 白圐圙 |
| 查布 | ᠴᠠᠪ | Qab | 峡口 |
| 查布格图 | ᠴᠠᠪᠭᠲᠤ | Qabgt | 枣地 |
| 查布其尔 | ᠴᠠᠪᠴᠢᠷ | Qabqr | 峭崖 |
| 查嘎庆 | ᠴᠠᠭᠠᠴᠢᠨ | Qagaaqn | 流民 |
| 查干阿拉格 | ᠴᠠᠭᠠᠨ ᠠᠯᠠᠭ | Qagaan Alg | 花白色 |
| 查干敖包 | ᠴᠠᠭᠠᠨ ᠣᠪᠣᠭ᠎ᠠ | Qagaan Ôbôô | 白敖包 |
| 查干八拜 | ᠴᠠᠭᠠᠨ ᠪᠠᠪᠠᠢ | Qagan Babai | 人名 * |
| 查干拜兴 | ᠴᠠᠭᠠᠨ ᠪᠠᠶᠢᠰᠢᠩ | Qagaan Baixng | 白房子 |
| 查干包力格 | ᠴᠠᠭᠠᠨ ᠪᠤᠯᠠᠭ | Qagaan Bûlg | 白泉 |
| 查干宝力格 | ᠴᠠᠭᠠᠨ ᠪᠤᠯᠠᠭ | Qagaan Bûlg | 白泉 |
| 查干宝陶高音敖包 | ᠴᠠᠭᠠᠨ ᠪᠣᠲᠣᠭᠣ ᠶᠢᠨ ᠣᠪᠣᠭ᠎ᠠ | Qagaan bôtgiin Ôbôô | 白驼羔敖包 |
| 查干本巴 | ᠴᠠᠭᠠᠨ ᠪᠤᠮᠪᠠ | Qagaan Bûmb | 白坟墓 |

| 查干崩洪 | | Qagaan Bûngkn | 白色坟丘 |
|---|---|---|---|
| 查干补力格 | | Qagaan Bûlg | 白泉 |
| 查干布拉格 | | Qagaan Bûlg | 白泉 |
| 查干查布 | | Qagaan Qab | 白色峡口 |
| 查干朝鲁 | | Qagaan Qûlûû | 白石头 |
| 查干朝鲁图 | | Qagaan Qûlûût | 白石头地 |
| 查干朝鲁希力 | | Qagaan qûlûû Xl | 白石头梁 |
| 查干楚鲁 | | Qagaan Qûlûû | 白石头 |
| 查干楚鲁特 | | Qagaan Qûlûût | 白石头地 |
| 查干达郎 | | Qagaan Dalng | 白堤坝 |
| 查干达楞 | | Qagaan Dalng | 白堤坝 |
| 查干道布 | | Qagaan Dôb | 白土包 |
| 查干德勒 | | Qagaan Dl | 白鬃 |
| 查干德日斯 | | Qagaan Drs | 白芨芨 |
| 查干德日苏 | | Qagaan Drs | 白芨芨 |
| 查干德日素 | | Qagaan Drs | 白芨芨 |
| 查干点尔苏 | | Qagaan Drs | 白芨芨 |
| 查干都贵 | | Qagaan Dûgai | 白圆山 |
| 查干额热格 | | Qagaan Erg | 白土岗 |
| 查干额日格 | | Qagaan Erg | 白土岗 |
| 查干鄂日格 | | Qagaan Erg | 白土岗 |
| 查干嘎恰 | | Qagaan Gaqaa | 白村 |
| 查干高勒 | | Qagaan Gôl | 白河 |
| 查干哈布其盖 | | Qagaan Habqgai | 白峡谷 |
| 查干哈达 | | Qagaan Had | 白岩 |
| 查干哈达苏木 | | Qagaan had Sum | 白石头庙 |
| 查干哈达音苏木 | | Qagaan hadiin Sum | 白石头庙 |
| 查干哈德音乌德 | | Qagaan hadiin Uud | 白岩口子 |

| 查干哈那 | | Qagaan Ha'n | 白墙 |
|---|---|---|---|
| 查干哈沙 | | Qagaan Haxaa | 白栅栏 |
| 查干哈沙图 | | Qagaan Haxaat | 白栅栏地 |
| 查干哈夏特 | | Qagaan Haxaat | 白栅栏地 |
| 查干好来 | | Qagaan Hôôlôi | 白山谷 |
| 查干好绕 | | Qagaan Hôrôô | 白棚圈 |
| 查干好热 | | Qagaan Hôrôô | 白棚圈 |
| 查干浩来 | | Qagaan Hôôlôi | 白山谷 |
| 查干浩饶 | | Qagaan Hôrôô | 白棚圈 |
| 查干浩饶图 | | Qagaan Hôrôôt | 白棚圈地 |
| 查干浩绕 | | Qagaan Hôrôô | 白棚圈 |
| 查干合少 | | Qagaan Hûxûû | 白山咀 |
| 查干黑沙图 | | Qagaan Haxaat | 白栅栏地 |
| 查干红格勒 | | Qagaan Hôngkil | 白膛子 |
| 查干呼都嘎 | | Qagaan Hûdg | 白井 |
| 查干呼都格 | | Qagaan Hûdg | 白井 |
| 查干呼绍 | | Qagaan Hûxûû | 白山咀 |
| 查干呼舒 | | Qagaan Hûxûû | 白山咀 |
| 查干呼舒音沃博勒卓 | | Qagaan hûxûûgiin ôbôljee | 白山咀冬营盘 |
| 查干呼特拉 | | Qagaan Hôtl | 白山坡 |
| 查干呼特勒 | | Qagaan Hôtl | 白山坡 |
| 查干胡都格 | | Qagaan Hûdg | 白井 |
| 查干胡舒 | | Qagaan Hûxûû | 白山咀 |
| 查干花 | | Qagaan Hûa | 白山岗 |
| 查干化 | | Qagaan Hûa | 白山岗 |
| 查干敖包 | | Qagaan Ôbôô | 白敖包 |
| 查干圐圙 | | Qagaan Huree | 白圐圙 |
| 查干满达拉 | | Qagaan Mandl | 白色气层 |

| 查干满都拉 | ᠴᠠᠭᠠᠨ ᠮᠠᠨᠳᠤᠯ | Qagaan Mandl | 白色气层 |
|---|---|---|---|
| 查干芒乃 | ᠴᠠᠭᠠᠨ ᠮᠠᠩᠨᠠᠢ | Qagaan Mang'nai | 白额 |
| 查干毛都 | ᠴᠠᠭᠠᠨ ᠮᠣᠳᠣ | Qagaan Môd | 白皮树 |
| 查干木台 | ᠴᠠᠭᠠᠨ ᠮᠣᠷᠢᠲᠠᠢ | Qagaan Môritai | 有白马 |
| 查干淖尔 | ᠴᠠᠭᠠᠨᠨᠠᠭᠤᠷ | Qagaan'nûûr | 白湖 |
| 查干淖日音都日不勒金 | ᠴᠠᠭᠠᠨ ᠨᠠᠭᠤᠷ ᠤᠨ ᠳᠥᠷᠪᠡᠯᠵᠢᠨ | Qagaan nûûriin Dǒrbljn | 方白海 |
| 查干淖日音呼都格 | ᠴᠠᠭᠠᠨ ᠨᠠᠭᠤᠷ ᠤᠨ ᠬᠤᠳᠳᠤᠭ | Qagaan nûûriin Hûdg | 白海子井 |
| 查干棚吉(蒙汉) | ᠴᠠᠭᠠᠨ ᠫᠧᠩᠵᠢ (ᠫᠧᠩᠵᠢ) | Qagaan Pǒngj | 白棚圈 |
| 查干闪丹 | ᠴᠠᠭᠠᠨ ᠱᠠᠩᠳᠠ | Qagaan Xangd | 小白泉　浅水滩 |
| 查干善达 | ᠴᠠᠭᠠᠨ ᠱᠠᠩᠳᠠ | Qagaan Xangd | 小白泉　浅水滩 |
| 查干善旦 | ᠴᠠᠭᠠᠨ ᠱᠠᠩᠳᠠ | Qagaan Xangd | 小白泉　浅水滩 |
| 查干尚德 | ᠴᠠᠭᠠᠨ ᠱᠠᠩᠳᠠ | Qagaan Xangd | 小白泉　浅水滩 |
| 查干绍热图 | ᠴᠠᠭᠠᠨ ᠰᠢᠷᠤᠲᠤ | Qagaan Xôrôôt | 白土地 |
| 查干绍仁 | ᠴᠠᠭᠠᠨ ᠰᠢᠷᠤᠨ | Qagaan Xôrông | 白色山尖 |
| 查干绍荣 | ᠴᠠᠭᠠᠨ ᠰᠢᠷᠤᠨ | Qagaan Xôrông | 白色山尖 |
| 查干陶勒盖 | ᠴᠠᠭᠠᠨ ᠲᠣᠯᠤᠭᠠᠢ | Qagaan Tôlgai | 白山头 |
| 查干陶勒盖吾素 | ᠴᠠᠭᠠᠨ ᠲᠣᠯᠤᠭᠠᠢ ᠤᠰᠤ | Qagaan tôlgai Ûs | 白山水 |
| 查干陶勒盖音乌苏 | ᠴᠠᠭᠠᠨ ᠲᠣᠯᠤᠭᠠᠢ ᠤᠨ ᠤᠰᠤ | Qagaan tôlgaiin Ûs | 白山水 |
| 查干套海 | ᠴᠠᠭᠠᠨ ᠲᠣᠬᠣᠢ | Qagaan Tôhôi | 白湾子 |
| 查干特格 | ᠴᠠᠭᠠᠨ ᠲᠡᠭ | Qagaan Teg | 白色公岩羊 |
| 查干推日么 | ᠴᠠᠭᠠᠨ ᠲᠥᠭᠥᠷᠢᠮ | Qagaan Tôôrim | 白色洼地 |
| 查干温都尔 | ᠴᠠᠭᠠᠨ ᠥᠨᠳᠦᠷ | Qagaan ǒndr | 白色高地 |
| 查干温多尔 | ᠴᠠᠭᠠᠨ ᠥᠨᠳᠦᠷ | Qagaan ǒndr | 白色高地 |
| 查干乌拉 | ᠴᠠᠭᠠᠨ ᠠᠭᠤᠯᠠ | Qagaan Ûûl | 白山 |
| 查干乌苏 | ᠴᠠᠭᠠᠨ ᠤᠰᠤ | Qagaan Ûs | 白水 |
| 查干乌素 | ᠴᠠᠭᠠᠨ ᠤᠰᠤ | Qagaan Ûs | 白水 |
| 查干乌珠日 | ᠴᠠᠭᠠᠨ ᠤᠵᠠᠭᠤᠷ | Qagaan Ujuur | 白山角 |

| 查干希热 | ᠴᠠᠭᠠᠨ ᠱᠢᠷᠡ | Qagaan Xree | 白色台地 |
|---|---|---|---|
| 查干牙马图 | ᠴᠠᠭᠠᠨ ᠶᠠᠮᠠᠲᠤ | Qagaan Yamaat | 白山羊地 |
| 查干雅马乃浩特格日 | ᠴᠠᠭᠠᠨ ᠶᠠᠮᠠᠨ ᠤ ᠬᠣᠲᠠᠭᠤᠷ | Qagaan yamaa'nai Hôtgôr | 白山羊盆地 |
| 查干昭 | ᠴᠠᠭᠠᠨ ᠵᠣᠣ | Qagaan Jôô | 白山坡 |
| 查干召 | ᠴᠠᠭᠠᠨ ᠵᠣᠣ | Qagaan Jûû | 白召 |
| 查干召哈图 | ᠴᠠᠭᠠᠨ ᠵᠣᠣᠲᠤ | Qagaan Jûûht | 白炉灶地 |
| 查干珠斯郎 | ᠴᠠᠭᠠᠨ ᠵᠣᠰᠠᠯᠠᠩ | Qagaan Jûslng | 白色夏营盘 |
| 查汉此老 | ᠴᠠᠭᠠᠨ ᠴᠢᠯᠠᠭᠤ | Qagaan Qûlûû | 白石头 |
| 查汗板升 | ᠴᠠᠭᠠᠨ ᠪᠠᠶᠢᠰᠢᠩ | Qagaan Baixng | 白房子 |
| 查汗不浪沟 | ᠴᠠᠭᠠᠨᠪᠤᠯᠠᠭ ᠭᠣᠣ | Qagaanbûlg Gûû | 白泉沟 |
| 查汗沟 | ᠴᠠᠭᠠᠨ ᠭᠣᠣ | Qagaan Gûû | 白沟 |
| 查汗井儿 | ᠴᠠᠭᠠᠨ ᠬᠤᠳᠤᠭ | Qagaan Hûdg | 白井 |
| 查合理 | ᠴᠠᠭᠠᠷ | Qahr | 护卫 |
| 查黑勒达格 | ᠴᠠᠬᠢᠯᠳᠠᠭ | Qahildg | 马莲 |
| 查黑力德格 | ᠴᠠᠬᠢᠯᠳᠠᠭ | Qahildg | 马莲 |
| 查斯太 | ᠴᠠᠰᠤᠲᠠᠢ | Qastai | 有雪 |
| 查湖日特 | ᠴᠠᠬᠢᠭᠤᠷᠲᠤ | Qahûûrt | 火石地 |
| 察卜诺 | ᠴᠠᠪ ᠨᠠᠭᠤᠷ | Qab Nûûr | 山谷海子 |
| 察干板升 | ᠴᠠᠭᠠᠨ ᠪᠠᠶᠢᠰᠢᠩ | Qagaan Baixng | 白房子 |
| 察干德日苏 | ᠴᠠᠭᠠᠨ ᠳᠡᠷᠡᠰᠤ | Qagaan Drs | 白芨芨 |
| 察干额尔果 | ᠴᠠᠭᠠᠨ ᠣᠷᠭᠣᠣ | Qagaan ŏrŏŏ | 白府邸 |
| 察干鄂尔戈 | ᠴᠠᠭᠠᠨ ᠣᠷᠭᠣᠣ | Qagaan ŏrŏŏ | 白府邸 |
| 察干呼热 | ᠴᠠᠭᠠᠨ ᠬᠦᠷᠢᠶᠡ | Qagaan Huree | 白圈圐 |
| 察干胡图克 | ᠴᠠᠭᠠᠨ ᠬᠤᠳᠤᠭ | Qagaan Hûdg | 白井 |
| 察干库特尔 | ᠴᠠᠭᠠᠨ ᠬᠦᠲᠦᠯ | Qagaan Hŏrŏtl | 白山坡 |
| 察干苏木图 | ᠴᠠᠭᠠᠨ ᠰᠦᠮᠡᠲᠦ | Qagaan Sumt | 白庙地 |
| 察干托罗亥 | ᠴᠠᠭᠠᠨ ᠲᠣᠯᠣᠭᠠᠢ | Qagaan Tôlgai | 白山头 |
| 察贡梁(蒙汉) | ᠴᠠᠭᠠᠨ ᠳᠠᠪᠠᠭ᠎ᠠ | Qagaan Dabaa | 白山梁 |

| 察哈尔 | ᠴᠠᠬᠠᠷ | Qahr | 护卫 |
| 察哈音图 | ᠴᠠᠬᠠᠨᠲᠣ | Qagaant | 白色地 |
| 察汉贲贲 | ᠴᠠᠭᠠᠨ ᠪᠦᠮᠪᠦ | Qagaan Bûmb | 白坟丘 |
| 察汉不浪 | ᠴᠠᠭᠠᠨ ᠪᠤᠯᠤᠩ | Qagaan Bûlng | 白角落　白湾 |
| 察汉沟 | ᠴᠠᠭᠠᠨ ᠭᠤᠤ | Qagaan Gûû | 白沟 |
| 察汉哈达 | ᠴᠠᠭᠠᠨ ᠬᠠᠳᠠ | Qagaan Had | 白岩石 |
| 察汉河 | ᠴᠠᠭᠠᠨ ᠭᠣᠣᠯ | Qagaan Gôl | 白河 |
| 察汉图拉海 | ᠴᠠᠭᠠᠨ ᠲᠣᠯᠣᠭᠠᠢ | Qagaan Tôlgai | 白山头 |
| 察汉锡林 | ᠴᠠᠭᠠᠨ ᠰᠢᠯᠢ | Qagaan Xl | 白山梁 |
| 察汉营(蒙汉) | ᠴᠠᠭᠠᠨ ᠠᠢᠯ | Qagaan Ail | 白营子 |
| 察汗奔红 | ᠴᠠᠭᠠᠨ ᠪᠤᠩᠬᠤᠨ | Qagaan Bûngkn | 白坟丘 |
| 察汗德力素 | ᠴᠠᠭᠠᠨ ᠳᠡᠷᠡᠰᠦ | Qagaan Drs | 白芨芨 |
| 察汗呼舒 | ᠴᠠᠭᠠᠨ ᠬᠤᠱᠤᠤ | Qagaan Hûxûû | 白山咀 |
| 察汗琥图克 | ᠴᠠᠭᠠᠨ ᠬᠤᠳᠳᠤᠭ | Qagaan Hûdg | 白井 |
| 察汗圐圙 | ᠴᠠᠭᠠᠨ ᠬᠦᠷᠢᠶ᠎ᠡ | Qagaan Huree | 白圐圙 |
| 察汗脑包 | ᠴᠠᠭᠠᠨ ᠣᠪᠣᠭ᠎ᠠ | Qagaan Ôbôô | 白敖包 |
| 察汗淖 | ᠴᠠᠭᠠᠨ ᠨᠠᠭᠤᠷ | Qagaan Nûûr | 白海子 |
| 察汗淖 | ᠴᠠᠭᠠᠨ ᠨᠠᠭᠤᠷ | Qagaan Nûûr | 白海子 |
| 察汗营(蒙汉) | ᠴᠠᠭᠠᠨ ᠶᠠᠩᠭᠤᠳ(ᠶᠠᠩᠭᠤᠳ) | Qagaan Yngt | 白磨坊地 |
| 察素忽洞 | ᠴᠠᠰᠤᠨ ᠬᠤᠳᠳᠤᠭ | Qasn Hûdg | 雪井 |
| 察素齐 | ᠴᠠᠭᠠᠰᠤᠴᠢ | Qaasq | 造纸匠 |
| 岔克沟 | ᠵᠠᠬ᠎ᠠ ᠶᠢᠨ ᠭᠣᠣᠯ | Jahiin Gôl | 边河 |
| 柴敖包 | ᠬᠣᠨᠢᠨ ᠤ ᠣᠪᠣᠭ᠎ᠠ | Hôgiin Ôbôô | 羊粪堆　垃圾堆 |
| 柴敖包 | ᠰᠠᠢᠨ ᠣᠪᠣᠭ᠎ᠠ | Sain Ôbôô | 好敖包 |
| 柴达木 | ᠴᠠᠢᠳᠠᠮ | Qaidm | 盐碱滩 |
| 昌图锡力 | ᠴᠠᠩᠲᠤ ᠰᠢᠯᠢ | Qangt Xl | 凝霜梁 |
| 厂圪洞 | ᠴᠠᠭᠠᠨ ᠬᠣᠲᠣᠯ | Qagaan Hôtl | 白山坡 |
| 厂汉 | ᠴᠠᠭᠠᠨ | Qagaan | 白色 |

| 厂汉板申 | | Qagaan Baixng | 白房子 |
|---|---|---|---|
| 厂汉本坝 | | Qagaan Bûmba | 白坟丘 |
| 厂汉不浪 | | Qagaan Bûlg | 白泉 |
| 厂汉此老 | | Qagaan Qûlûû | 白石头 |
| 厂汉大坝 | | Qagaan Dabaa | 白坝 |
| 厂汉沟 | | Qagaan Gûû | 白沟 |
| 厂汉沟 | | Qagaan Gôl | 白河 |
| 厂汉忽洞 | | Qagaan Hûdg | 白井 |
| 厂汉孔对 | | Qagaan Hŏndei | 白山谷 |
| 厂汉圐圙 | | Qagaan Huree | 白圐圙 |
| 厂汉库联 | | Qagaan Huree | 白圐圙 |
| 厂汉梁 | | Qagaan Dabaa | 白坝 |
| 厂汉门洞 | | Qagaan ŏndor | 白色高山 |
| 厂汉蒙洞 | | Qagaan Môd | 白皮树 |
| 厂汉脑包 | | Qagaan Ôbôô | 白敖包 |
| 厂汉什 | | | 待考 |
| 厂汉以力更 | | Qagaan Erg | 白土岗 |
| 厂汉营 | | Qahr Ail | 察哈尔营子 * |
| 厂汉营 | | Qagaa'nai Ail | 查干(人名)营子 * |
| 厂汗板升 | | Qagaan Baixng | 白房子 |
| 厂汗此老 | | Qagaanqûlûû | 白石头 |
| 厂汗沟 | | Qagaan Gûû | 白沟 |
| 厂汗哈达 | | Qagaan Had | 白岩石 |
| 厂汗圐圙 | | Qagaan Huree | 白圐圙 |
| 厂汗铁面图 | | Qagaan Tmeet | 白骆驼地 |
| 厂汗秃力亥 | | Qagaan Tôlgai | 白山头 |
| 厂汗席片 | | Qagaan Xibee | 白栅栏 |
| 厂汗以更 | | Qagaan Erg | 白土岗 |

| | | | |
|---|---|---|---|
| 厂合少 | | Qagaan Hûxûû | 白山角 |
| 厂克 | | Qǒnghǒl | 深水潭 |
| 厂圐圙 | | Qagaan Huree | 白色库伦 |
| 厂苦咯 | | Qagaan Huree | 白色库伦 |
| 厂库伦 | | Qagaan Huree | 白圐圙 |
| 厂沁 | | Qaqr | 大帐篷 |
| 厂沁儿沟 | | Qagaan Haxaa | 白栅栏 |
| 绰尔亥 | | Qôôrhai | 破的 |
| 超盖敖包 | | Qôg Ôbôô | 神气敖包 |
| 超格图布拉格 | | Qôgt Bûlg | 人名(含义神采)泉 |
| 超格图呼热 | | Qôgt Huree | 人名(含义神采)圐圙 |
| 超浩尔花 | | Qôôhôr Hûa | 花斑山头 |
| 超浩日 | | Qôôhôr | 花斑 |
| 超浩日哈嘎 | | Qôôhôr Hag | 花地衣 |
| 超浩日伊希格 | | Qôôhôr Yxg | 花山羊羔 |
| 超浩音布其 | | Qôhiôgiin Bûûq | 响声营子 |
| 超和尔 | | Qôôhôr | 花斑色 |
| 超勒嘎 | | Qôôlg | 窟窿 |
| 超木根希力 | | Qômqgiin Xl | 土墩梁 |
| 超日古图 | | Qôrôgt | 壶嘴地形 |
| 朝格查 | | Qôgq | 整体 |
| 朝格车 | | Qôgq | 整体 |
| 朝格德勒格尔 | | Qôgdlgr | 生机盎然 |
| 朝格都温 | | Qôg ǒndor | 威严的山峰 |
| 朝格其音阿达嘎 | | Qôgqiin Adag | 整体之末 |
| 朝格塔拉 | | Qôgtal | 神采滩 |
| 朝格温都 | | Qôg ǒndr | 威严的山峰 |
| 朝格温都尔 | | Qôg ǒndr | 威严的山峰 |

| 朝海音达巴 | ᠴᠣᠬᠣᠢᠢᠨ ᠳ᠋ᠠᠪᠠᠭ᠎ᠠ | Qôhôiin Dabaa | 石灰坝 |
|---|---|---|---|
| 朝海音呼都嘎 | ᠴᠣᠬᠣᠢᠢᠨ ᠬᠤᠳᠤᠭ | Qôhôiin Hûdg | 石灰井 |
| 朝号 | ᠴᠣᠩᠬᠣᠷ | QǒngKǒr | 洼地井 |
| 朝灰 | ᠴᠣᠬᠣᠢ | Qôhôi | 石灰 |
| 朝克文都 | ᠴᠣᠭ ᠦᠨᠳᠦᠷ | Qôg ŏndr | 威严的山峰 |
| 朝勒卜而 | ᠴᠢᠯᠠᠭᠤᠨ ᠪᠥᠯ | Qûlûûn Bûl | 碌碡 |
| 朝鲁 | ᠴᠢᠯᠠᠭᠤ | Qûlûû | 石头 |
| 朝鲁呼热 | ᠴᠢᠯᠠᠭᠤᠨ ᠬᠦᠷᠢᠶ᠎ᠡ | Qûlûûn Huree | 石头圈圐 |
| 朝鲁特淖日 | ᠴᠢᠯᠠᠭᠤᠲᠤ ᠨᠠᠭᠤᠷ | Qûlûût Nûûr | 石滩海子 |
| 朝鲁图 | ᠴᠢᠯᠠᠭᠤᠲᠤ | Qûlûût | 石头地 |
| 朝鲁温嘎其 | ᠴᠢᠯᠠᠭᠤᠨ ᠣᠩᠭᠤᠴᠠ | Qûlûûn Ônggôq | 石槽 |
| 朝鲁文格齐 | ᠴᠢᠯᠠᠭᠤᠨ ᠣᠩᠭᠤᠴᠠ | Qûlûûn Ônggôq | 石槽 |
| 朝鲁文格其 | ᠴᠢᠯᠠᠭᠤᠨ ᠣᠩᠭᠤᠴᠠ | Qûlûûn Ônggôq | 石槽 |
| 朝鲁翁高其 | ᠴᠢᠯᠠᠭᠤᠨ ᠣᠩᠭᠤᠴᠠ | Qûlûûn Ônggôq | 石槽 |
| 朝伦翁格其 | ᠴᠢᠯᠠᠭᠤᠨ ᠣᠩᠭᠤᠴᠠ | Qûlûûn Ônggôq | 石槽 |
| 朝瑙图 | ᠴᠢᠨᠤᠲᠤ | Qô'nt | 狼群滩 |
| 朝尼音沟 | ᠴᠢᠨᠤᠢᠨ ᠭᠤᠤ | Qô'niin Gûû | 狼窝沟 |
| 朝日格图 | ᠴᠣᠷᠭᠤᠲᠤ | Qôrgt | 嘴子地 |
| 朝日吉(藏) | ᠴᠣᠷᠵᠢ | Qôrj | 经圣 喇嘛职位称谓 |
| 朝日吉音苏木(藏蒙) | ᠴᠣᠷᠵᠢᠢᠨ ᠰᠤᠮ | Qôrjiin Sum | 经圣庙 |
| 朝头房 | ᠴᠣᠭᠲᠤᠢᠨ ᠭᠡᠷ | Qôgtiin Gr | 人名 营子 |
| 潮忽闹 | ᠴᠣᠬᠤᠷ ᠨᠠᠭᠤᠷ | Qôôhôr Nûûr | 花斑湖 |
| 潮瑙沟 | ᠴᠢᠨᠤᠢᠨ ᠭᠤᠤ | Qô'niin Gûû | 狼窝沟 |
| 潮嫩沟 | ᠴᠢᠨᠤᠢᠨ ᠭᠤᠤ | Qô'niin Gûû | 狼窝沟 |
| 车根达来 | ᠴᠡᠭᠡᠨ ᠳ᠋ᠠᠯᠠᠢ | Qegeen Dalai | 清澈海子 |
| 城呼热 | ᠰᠢᠨ᠎ᠡ ᠬᠦᠷᠢᠶ᠎ᠡ | Xi'n Huree | 新圈圐 |
| 城留尔 | ᠴᠡᠩᠭᠡᠯ | Qengkl | 欢乐 |
| 澄金库伦 | ᠳ᠋ᠦᠨᠵᠢᠨ ᠬᠦᠷᠢᠶ᠎ᠡ | Dnjin Huree | 小山丘圈圐 |

| 赤不汉契 | | Qabganq | 尼姑 |
|---|---|---|---|
| 冲格日格音呼都嘎 | | Qǒngkorgiin Hûdg | 深潭井 |
| 丑革林盖 | | | 待考 |
| 出古鲁根 | | Qûûlgaan | 会盟 |
| 出彦(藏) | | Qôin Baixng | 人名(含义佛法)房子 |
| 楚鲁图 | | Qûlûût | 石头地 |
| 楚鲁温格齐 | | Qûlûûn Ônggôq | 石槽 |
| 楚仑浩特音苏木 | | Qûlûûn hôtiin Sum | 石头居点庙 |
| 楚伦浩绕 | | Qûlûûn Hôrôô | 石头围圈 |
| 楚伦善达 | | Qûlûûn Xangd | 石头湿地 |
| 楚伦翁格其 | | Qûlûûn Ônggôq | 石槽 |
| 楚应 | | Qôin | 三角形 人名 |
| 川井 | | Qônj | 烽火台 |
| 此老 | | Qûlûût | 石头地 |
| 此老 | | Qûlûû | 石头 |
| 此老儿 | | Qûlûû | 石头 |
| 此老尔 | | Qûlûû | 石头 |
| 此老气 | | Qûlûûq | 石匠 |
| 此老太 | | Qûlûûtai | 有石头 |
| 此老图 | | Qûlûût | 石头地 |
| 此老图 | | Qûlûût | 石头地 |
| 此老文圪气 | | Qûlûûn Ônggôq | 石槽 |
| 此老窝(蒙汉) | | Qûlûûn Hôngkôr | 石头窝 |
| 存金沟 | | Sônggi'niin Jalg | 野葱谷 |
| 搭尔坝(藏) | | Darba | 解脱 人名 |
| 达巴代 | | Dabaatai | 有山坡 |
| 达巴乃呼都格 | | Dabaa'nai Hûdg | 大坝井 |
| 达巴图音高勒 | | Dabaatiin Gôl | 大坝河 |

| 达不拉西沟(蒙汉) | | Dablgaan barûûn Gôl | 波浪西河 |
|---|---|---|---|
| 达布呼尔 | | Dabhr | 双层 |
| 达布森浩来 | | Dabsûn Hôôlôi | 盐碱膛子 |
| 达布顺额日格 | | Dabsûn Erg | 盐池畔 |
| 达布顺淖尔 | | Dabsûn Nûûr | 盐海子 |
| 达布苏 | | Dabs | 盐 |
| 达布苏浩来 | | Dabsûn Hôôlôi | 盐碱壕 |
| 达布希拉图 | | Dabxlt | 跃进地 |
| 达布希勒图 | | Dabxlt | 跃进地 |
| 达岱 | | Dalai | 海洋 人名 |
| 达德盖 | | Jadgai | 山口子 |
| 达恩格音淖尔(藏蒙) | | Danggiin Nûûr | 人名 海子 |
| 达尔巴盖 | | Darbgai | 敞开状 |
| 达尔布盖 | | Darbgai | 敞开状 |
| 达尔罕 | | Darhn | 神圣 |
| 达尔罕壕 | | Darhdiin Hôtgr | 匠人洼 |
| 达尔罕茂明安 | | Darhnmûûminggan | 旗名 |
| 达尔罕努和 | | Darhn Nuh | 神圣孔洞 |
| 达尔架(藏) | | Darja | 昌隆 人名 |
| 达尔扎(藏) | | Darja | 繁荣发达 人名 |
| 达嘎 | | Daag | 马驹 |
| 达嘎 | | Heer Daag | 枣骝马驹 |
| 达嘎图 | | Daagt | 马驹地 |
| 达盖滩 | | Daagiin Tal | 马驹滩 |
| 达古特淖尔 | | Dûût Nûûr | 响声海子 |
| 达古图 | | Dûût | 响声地 |
| 达哈 | | Dah | 马掌 |
| 达哈尔忽洞 | | Dabhr Hûdg | 双井 |

| 达黑拉查干敖包 | ᠁ | Tahil qagaan Ôbôô | 祭祀白敖包 |
| 达呼拉 | ᠁ | Dahraa | 双层 |
| 达呼日 | ᠁ | Dabhr | 双层 |
| 达忽拉 | ᠁ | Dabhraa | 双层 |
| 达湖然阿达嘎 | ᠁ | Dahriin Adag | 双层山尾 |
| 达吉坝 | ᠁ | Jah Dabaa | 边界岭 |
| 达克 | ᠁ | Tahil | 祭祀 |
| 达克力 | ᠁ | Tahil | 祭祀 |
| 达克力图 | ᠁ | Tahilt | 祭祀地 |
| 达拉宾(藏) | ᠁ | Darbin | 人名 |
| 达拉达布拉格 | ᠁ | Dald Bûlg | 暗泉 |
| 达拉塔 | ᠁ | Dalngt | 圪楞 |
| 达拉特 | ᠁ | Dald | 蒙古部落名　旗名 |
| 达拉特坑(蒙汉) | ᠁ | Dald Hôtgôr | 部落名　洼 |
| 达拉特音呼都嘎 | ᠁ | Dalt Hûdg | 圪楞井 |
| 达拉图 | ᠁ | Dalt | 圪楞地 |
| 达拉图玛尼图 | ᠁ | Dalt Maa'nt | 圪楞诵经地 |
| 达拉图音黑日 | ᠁ | Daltiin Hir | 圪楞坡 |
| 达来 | ᠁ | Dalai | 海洋　人名 |
| 达来盖 | ᠁ | Darbgai | 张开的 |
| 达来盖 | ᠁ | Dargai | 宽敞的 |
| 达来井(蒙汉) | ᠁ | Dalai Hûdg | 海井 |
| 达来乌苏 | ᠁ | Dalai Ûs | 海水 |
| 达赖丹巴(藏) | ᠁ | Dalai Damba | 人名 |
| 达赖哈达 | ᠁ | Dalai Had | 人名(含义海洋)岩 |
| 达赖忽洞 | ᠁ | Dalai Hûdg | 人名(含义海洋)井 |
| 达赖营(蒙汉) | ᠁ | Dalai Ail | 人名(含义海洋)营子 |
| 达郎 | ᠁ | Dalang | 堤坝 |

| 达勒 | ᠳᠠᠯ | Dal | 肩胛骨 |
|---|---|---|---|
| 达楞苏海 | ᠳᠠᠯᠠᠩ ᠰᠤᠬᠠᠢ | Dalang Sûhai | 堤坝红柳 |
| 达力图 | ᠳᠠᠯᠲᠤ(ᠳᠠᠯᠲᠤ) | Dalt | 肩甲骨形山梁 |
| 达齐 | ᠳᠠᠭᠴᠢ | Daaq | 潮湿地 |
| 达其 | ᠳᠠᠭᠴᠢ | Daaq | 潮湿地 |
| 达日巴盖 | ᠳᠠᠷᠪᠠᠭᠠᠢ | Darbgai | 张开的 |
| 达日巴盖苏吉 | ᠳᠠᠷᠪᠠᠭᠠᠢ ᠰᠤᠤᠵᠢ(ᠰᠤᠤᠵᠢ) | Darbgai Suuj | 张开的山坐 |
| 达日布盖 | ᠳᠠᠷᠪᠠᠭᠠᠢ | Darbgai | 敞开状 |
| 达日盖 | ᠳᠠᠷᠭᠠᠢ | Dargai | 宽敞的 |
| 达日玛营(藏汉) | ᠳᠠᠷᠮ᠎ᠠ ᠶᠢᠨ ᠠᠶᠢᠯ | Darmagiin Ail | 人名(含义达摩)营子 |
| 达塔古日 | ᠲᠠᠲᠠᠭᠤᠷ | Tatûûr | 拉手 |
| 达图日 | ᠲᠠᠲᠠᠭᠤᠷ | Tatûûr | 拉手 |
| 达瓦图 | ᠳᠠᠪᠠᠭᠠᠲᠤ | Dabaat | 坝梁地 |
| 达瓦营(藏汉) | ᠳᠠᠸ᠎ᠠ ᠶᠢᠨ ᠠᠶᠢᠯ | Dawagiin Ail | 人名(含义月亮)营子 |
| 达希勒格 | ᠳᠠᠱᠢᠯᠭ | TaXlag | 器皿 |
| 达营子(蒙汉) | ᠳᠠᠯᠠᠢ ᠠᠶᠢᠯ | Dalai Ail | 人名(含义海洋)营子 |
| 打不亥 | ᠳᠠᠪᠬᠠᠢ | Dabhai | 蹄 掌 |
| 打不气窑(藏汉) | ᠳᠡᠮᠴᠢ ᠶᠢᠨ ᠶᠣᠣ | Demqiin Yao | 德木齐(喇嘛职位)窑 |
| 打不素壕来 | ᠳᠠᠪᠤᠰᠤᠨ ᠬᠣᠣᠯᠣᠢ | Dabsn Hôôlôi | 盐碱壕 |
| 打不素太 | ᠳᠠᠪᠤᠰᠤᠲᠠᠢ | Dabûstai | 有盐地 |
| 打圪坝 | ᠳᠠᠪᠠᠭ᠎ᠠ | Dabaa | 坝 |
| 打花 | ᠳᠠᠪᠬᠤᠷ | Dahûr | 双层梁 |
| 打花尔 | ᠳᠠᠪᠬᠤᠷ᠎ᠠ | Dahûra | 双层梁 |
| 打拉补盖 | ᠳᠠᠷᠪᠠᠭᠠᠢ | Darbgai | 敞开的 |
| 打拉盖壕 | ᠳᠠᠷᠭᠠᠢ | Dargai | 敞开的 |
| 打拉很 | ᠳᠠᠷᠬᠠᠨ | Darhn | 神圣 |
| 打拉基庙(藏汉) | ᠳᠠᠯᠵᠢ ᠶᠢᠨ ᠰᠦᠮ᠎ᠡ | Daljiin Sum | 斜坡庙 |
| 打楞太 | ᠳᠠᠯᠠᠨᠲᠠᠢ | Dalntai | 人名 |

| 汉语地名 | 蒙古文 | 拉丁转写 | 释义 |
|---|---|---|---|
| 打色令(藏) | | Daxrng | 天岁寿 人名 |
| 打石林(藏) | | Daxserng | 吉祥长命 人名 |
| 大敖包(汉蒙) | | Yh Ôbôô | 大敖包 |
| 大祆兑(汉蒙) | | Yh Nûûrt | 大海子地 |
| 大板 | | Dabaa | 山岭 |
| 大毕力克(汉蒙) | | Yh Bilig | 大才赋 |
| 大毕斜气(汉蒙) | | Yh Biqeeq | 大文书 |
| 大厂汉此老(汉蒙) | | Yh qagan Qûlûû | 大白石 |
| 大哈拉(汉蒙) | | Yh Har | 大黑山 |
| 大哈拉吾素(汉蒙) | | Yh har Ûs | 大黑水 |
| 大豪赖(汉蒙) | | Yh Hôôlai | 大山涧 |
| 大壕赖(汉蒙) | | Yh Hûûrai | 大旱 |
| 大黑兰杆杆(汉蒙) | | Yh har Gangg | 大黑沟壑 |
| 大黑沙图(汉蒙) | | Yh Haxaat | 大栅栏地 |
| 大黑沙土(汉蒙) | | Yh Haxaat | 大栅栏地 |
| 大葫芦头(汉蒙) | | Yh Hûlt | 大葫芦地 |
| 大甲赖(汉蒙) | | Yh Jalg | 大山谷 |
| 大克联(汉蒙) | | Yh Hir | 大山坡 |
| 大库连(汉蒙) | | Yh Huree | 大圆圈 |
| 大库伦(汉蒙) | | Yh Huree | 大圆圈 |
| 大喇嘛壕(汉藏) | | Yh lamiin Gûû | 大喇嘛壕 |
| 大喇嘛音苏木(汉藏蒙) | | Yh lamiin Sum | 大喇嘛庙 |
| 大喇嘛营(汉藏) | | Yh lamiin Hôt | 大喇嘛浩特 |
| 大腊北(汉蒙) | | Yh Labai | 大海螺 |
| 大林坝(蒙汉) | | Daliin Dabaa | 肩胛骨形坝 |
| 大麻迷图(汉蒙) | | Yh Maa'nit | 大诵经地 |
| 大毛忽洞(汉蒙) | | Yh mûû Hûdg | 大劣水井 |
| 大莫合吐(汉蒙) | | Yh Môgôit | 大蛇山 |

| 汉语名 | 蒙文 | 拉丁转写 | 含义 |
|---|---|---|---|
| 大纳林(汉蒙) | | Yh Narin | 大长谷 |
| 大纳令沟(汉蒙) | | Yh narin Gûû | 大细沟 |
| 大纳令河(汉蒙) | | Yh narin Gôl | 大细河 |
| 大脑包(汉蒙) | | Yh Ôbôô | 含义同汉语名称 |
| 大淖尔图(汉蒙) | | Yh Nart | 大阳光地 |
| 大七邓营(汉藏) | | Yh qdenggiin Ail | 大其登(人名含义长命)营子 |
| 大其 | | Daaq | 潮湿地 |
| 大腮忽洞(汉蒙) | | Yh sain Hûdg | 大好井 |
| 大赛忽洞(汉蒙) | | Yh sain Hûdg | 大好井 |
| 大赛乌素(汉蒙) | | Yh sain Ûs | 大好水 |
| 大沙岱 | | Taxûû Tai | 有斜坡 |
| 大设进(汉蒙) | | Da Xajing | 大陶瓷 |
| 大苏吉(汉蒙) | | Da Suuj | 大山坐 |
| 大苏吉(汉蒙) | | Yh Suuj | 大山坐 |
| 大苏计(汉蒙) | | Yh Suuj | 大山坐 |
| 大塔布坝(汉蒙) | | Yh tabn Dabaa | 大五道坝 |
| 大塔连吾素(汉蒙) | | Yh taliin Ûs | 大滩水 |
| 大土格木(汉蒙) | | Yh Tŏhŏm | 大洼 |
| 大窝图(汉蒙) | | Yh Ûrt | 大长地 |
| 大乌兰胡洞(汉蒙) | | Yh ûlaan Hûdg | 大红井 |
| 大乌尼(汉蒙) | | Yh û'ni | 大橼子 |
| 大乌日图布朗格 | | Yh ûrt Bûlg | 大长地泉 |
| 大以克(汉蒙) | | Yh Ehi | 大源头 |
| 大栽生沟(汉蒙) | | Da jaisngiin Gûû | 栽生(旧官职)沟 |
| 大珠莫太(汉蒙) | | Yh Jûrmt | 大义地 |
| 呆坝营(藏蒙) | | Nirbiin Hôt | 庙产管理员营子 |
| 代噶 | | Daag | 二岁马驹 |
| 岱尔斯 | | Drs | 茇茇 |

| 岱海 | ᠳᠠᠭᠠᠭᠢᠶᠢᠨ ᠨᠠᠭᠤᠷ | Daagiin Nûûr | 马驹海子 |
| 岱汉 | ᠳᠠᠭᠠᠭ | Daag | 二岁马驹 |
| 岱吉 | ᠲᠠᠢᠵᠢ | Taij | 蒙古贵族爵位 |
| 岱青 | ᠳᠠᠢᠴᠢᠨ | Daiqn | 善战　牢固 |
| 黛哈 | ᠳᠠᠭᠠᠭ | Daag | 二岁马驹 |
| 丹巴(藏) | ᠳᠠᠮᠪᠠ | Damba | 人名(含义坚固) |
| 丹岱(藏) | ᠳᠠᠨᠳᠠᠢ | Dandai | 人名(含义聚集) |
| 丹津营子(藏汉) | ᠳᠠᠨᠵᠢ ᠶᠢᠨ ᠠᠢᠯ | Danji'nai Ail | 人名(含义大师)营子 |
| 丹进营(藏汉) | ᠳᠠᠨᠵᠢᠨ(ᠳᠠᠨᠵᠢᠨ)ᠠᠢᠯ | Danjin Ail | 人名(含义大师)营子 |
| 单坝营(藏蒙) | ᠳᠠᠮᠪᠠ ᠶᠢᠨ ᠬᠣᠲᠠ | Dambagiin Hôt | 人名(含义坚固)营子 |
| 当哈尔 | ᠳᠠᠩᠬᠠᠷ | Danghar | 宽大的 |
| 当和 | ᠳᠠᠩᠬᠢ | Danghi | 娇气 |
| 当克新红克尔 | ᠳᠣᠭᠰᠢᠨ ᠬᠣᠩᠬᠣᠷ | Dôgxin Hôngkôr | 烈性黄马 |
| 当郎忽洞 | ᠳᠣᠯᠣᠭᠠᠨ ᠬᠤᠳᠤᠭ | Dôlôôn Hûdg | 七眼井 |
| 刀包吾素 | ᠳᠣᠪ ᠤᠰᠤ | Dôb Ûs | 山头水 |
| 刀不盖 | ᠳᠠᠷᠪᠠᠭᠠᠢ | Darbgai | 张开的 |
| 刀刀板 | ᠳᠣᠣᠷᠠᠳᠤ ᠪᠠᠢᠰᠢᠩ | Dôôd Baixng | 下(南边)房 |
| 刀刀板申 | ᠳᠣᠣᠷᠠᠳᠤ ᠪᠠᠢᠰᠢᠩ | Dôôd Baixng | 下(南边)房 |
| 刀刀板升 | ᠳᠣᠣᠷᠠᠳᠤ ᠪᠠᠢᠰᠢᠩ | Dôôd Baixng | 下(南边)房 |
| 刀刀布(藏) | ᠳᠣᠩᠷᠣᠪ | Dôngrôb | 人名(含义成就) |
| 刀拉忽洞 | ᠳᠣᠯᠣᠭᠠᠨ ᠬᠤᠳᠤᠭ | Dôlôôn Hûdg | 七眼井 |
| 刀拉胡洞 | ᠳᠣᠯᠣᠭᠠᠨ ᠬᠤᠳᠤᠭ | Dôlôôn Hûdg | 七眼井 |
| 刀拉母号 | ᠳᠣᠯᠣᠭᠠᠨ ᠮᠦᠬᠦᠷ | Dôlôôn Mûhûr | 七死胡同 |
| 刀力布(藏) | ᠳᠣᠩᠷᠣᠪ | Dôngrôb | 人名(含义成就) |
| 刀麻营 | ᠮᠣᠷᠢᠳ | Môrit | 牧马营子 |
| 岛拉板申 | ᠳᠣᠯᠣᠭᠠᠨ ᠪᠠᠢᠰᠢᠩ | Dôlôôn Baixng | 七间房 |
| 捣拉忽洞 | ᠳᠣᠯᠣᠭᠠᠨ ᠬᠤᠳᠤᠭ | Dôlôôn Hûdg | 七眼井 |
| 捣拉土木 | ᠳᠣᠯᠣᠭᠠᠨ ᠲᠦᠮᠡᠳ(ᠲᠦᠮᠡᠳ) | Dôlôôn Tumd | 七土默特(部落名) |

| 捣拉土牧 | | Dôlôôn Tumd | 七土默特(部落名) |
|---|---|---|---|
| 倒黑楞 | | Dôglng | 拐子 |
| 倒黑楞拐子 | | Dôglng | 拐子 |
| 倒拉板升 | | Dôlôôn Baixng | 七间房 |
| 倒拉忽洞 | | Dôlôôn Hûdg | 七眼井 |
| 倒拉苏 | | Dôlôôn Sûû | 七山腋 |
| 到拉亲陶勒盖 | | | 待考 |
| 道包 | | Dôb | 小土丘 |
| 道包乌苏 | | Dôb Ûs | 小土丘水 |
| 道本 | | Dôbôn | 小土丘 |
| 道崩 | | Dôbông | 小土丘 |
| 道布其格 | | Dôbqg | 小土丘 |
| 道布吾素 | | Dôb Ûs | 小土丘水 |
| 道布音德日森呼都嘎 | | Dôbiin drsn Hûdg | 小土丘芨芨井 |
| 道德阿玛 | | Dôôd Am | 下口子 |
| 道德额很乌苏 | | Dôôd ehiin Ûs | 下源头水 |
| 道德乌兰呼都嘎 | | Dôôd ûlaan Hûdg | 下(南边)红井 |
| 道尔计沟(藏蒙) | | Dôrjiin Gûû | 人名 沟 |
| 道拉班 | | Dôlôôn Baixng | 七间房 |
| 道兰呼都格 | | Dôlôôn Hûdg | 七眼井 |
| 道伦呼都格 | | Dôlôôn Hûdg | 七眼井 |
| 道日贝音布拉格(藏蒙) | | Dôrbiin Bûlg | 人名(含义气魄)泉 |
| 道日布宝力格(藏蒙) | | Dôrb Bûlg | 人名(含义成就)泉 |
| 道日布日罕图 | | Dôôr Bûrhnt | 下佛地 |
| 道日古音 | | Dôôr Guyen | 下浅地 |
| 道日哈达图 | | Dôôr Hadt | 下岩石 |
| 道日呼吉日图 | | Dôôr Hûjrt | 下碱地 |
| 道日苏吉 | | Dôôr Suuj | 下山坐 |

| 道日图霍布尔 | Dôôd Hŏðbŏr | 下松软地 |
|---|---|---|
| 道试 | Dôgxn | 凶猛 |
| 道兴 | Dôôxn | 低凹 |
| 得力图 | Drst | 茇茇滩 |
| 得令沟 | Dliin Gôl | 鬃河 |
| 德白古勒 | | 待考 |
| 德包图 | Dbeet | 慢平坡 |
| 德勃古勒 | | 待考 |
| 德布古勒 | | 待考 |
| 德布斯格 | Debsg | 台地　平顶山头 |
| 德德阿木吾素 | Deed amn Ûs | 上游口子水 |
| 德德希勒音苏木 | Dd xliin Sum | 喇嘛庙名 |
| 德尔斯呼都格 | Drs Hûdg | 茇茇井 |
| 德尔斯淖尔 | Drs Nûûr | 茇茇海子 |
| 德格都包勒图 | Deed Burid | 上绿洲 |
| 德勒 | Dl | 鬃 |
| 德勒德 | Dldee | 竖耳　大耳 |
| 德勒呼都格 | Dl Hûdg | 鬃井 |
| 德勒威 | Dlbig | 花冠 |
| 德勒音诺如 | Dliin Nûrûû | 鬃梁 |
| 德力敖包 | Dl Ôbôô | 鬃敖包 |
| 德力格敖包 | Dlgr Ôbôô | 兴盛敖包 |
| 德力格尔花 | Dlgrhûa | 茂盛山丘 |
| 德力格日乌素 | Dlgr Ûs | 茂盛的水 |
| 德力斯台 | Drstei | 有茇茇 |
| 德力素忽洞 | Drsn Hûdg | 茇茇井 |
| 德力勿素 | Dliin Ûs | 鬃水 |
| 德令沟 | Dliin Gûû | 鬃沟 |

| 德令山 | Dliin Ûûl | 鬃山 |
|---|---|---|
| 德热顺乌斯 | Drsen Ûs | 芨芨水 |
| 德日古音 | Deer Guyen | 上边浅水 |
| 德日森 | Drsn | 芨芨 |
| 德日森浩来 | Drsn Hôôlai | 芨芨峡 |
| 德日森呼都格 | Drsn Hûdg | 芨芨井 |
| 德日森浑德 | Drsn Hǒndei | 芨芨谷 |
| 德日森诺尔 | Drsn Nûûr | 芨芨海子 |
| 德日森吾素 | Drsn Ûs | 芨芨水滩 |
| 德日斯 | Drs | 芨芨 |
| 德日斯恩浩来 | Drsn Hôôlai | 芨芨壕 |
| 德日斯恩乌苏 | Drsn Ûs | 芨芨水 |
| 德日斯图 | Drst | 芨芨滩 |
| 德日斯图高 | Drst Gûû | 芨芨沟 |
| 德日斯音阿达格 | Dersiin Adag | 边缘芨芨 |
| 德日松乌布吉也 | Drsn ǒbǒljee | 芨芨滩冬营盘 |
| 德日苏浩来 | Drsn Hôôlai | 芨芨壕 |
| 德日苏呼都格 | Drsn Hûdg | 芨芨井 |
| 德日苏吉 | Deer Suuj | 上山坐 |
| 德日逊浩来 | Drsn Hôôlôi | 芨芨壕 |
| 德日逊呼都格 | Drsn Hûdg | 芨芨井 |
| 德日逊浑地 | Drsn Hǒndei | 芨芨谷 |
| 的力图 | Drst | 芨芨地 |
| 的力图 | Delt | 山榆 |
| 灯笼速太 | Drstei | 有芨芨 |
| 灯楼素 | Drs | 芨芨 |
| 灯炉素 | Drs | 芨芨 |
| 登恩吉 | Dnj | 小山丘 |

| 登格呼都格(藏蒙) | | Dngge Hûdg | 人名(含义力气)井 |
|---|---|---|---|
| 登格音呼都格 | | Dnggiin Hûdg | 灯井 |
| 登格音呼都格音塔拉 | | Dnggiinhûdgiin Tal | 灯井滩 |
| 登吉 | | Dnj | 小山丘 |
| 登吉音阿达格 | | Dnjiin Adg | 小山丘尾 |
| 登金呼热 | | Dnjin Huree | 小山丘圈圆 |
| 登京 | | Dnj | 小山丘 |
| 登娄苏太 | | Drstei | 有芨芨 |
| 邓金库连 | | Dnjiin Huree | 山丘圈圆 |
| 磴口 | | | 待考 |
| 点不色 | | Dbsg | 台地 |
| 点不市 | | Dbsg | 台地 |
| 点不寺 | | Dbsg | 台地 |
| 点儿素 | | Drs | 芨芨 |
| 点红岱 | | Deer Hŏndei | 上膛子 |
| 点力什太 | | Drstei | 有芨芨 |
| 点力素太 | | Drstei | 有芨芨 |
| 点力缩太 | | Drstei | 有芨芨 |
| 点力吾素 | | Drsn Ûs | 芨芨水 |
| 点素不浪 | | Drsn Bûlg | 芨芨泉 |
| 点素台哈玛尔 | | Drstei Hamr | 芨芨梁 |
| 店吾素(汉蒙) | | Dian Ûs | 店水 |
| 迭坝营(蒙汉) | | Dmq Ail | 德木齐(喇嘛职位)营子 |
| 迭卜 | | Dibuur | 簸箕 |
| 迭力素 | | Drs | 芨芨 |
| 顶贵特拉 | | Tnggr Tal | 天堂草原 |
| 顶木其沟(藏蒙) | | Dmqgiin Gûû | 人名(含义胜乐)沟 |
| 东阿得素(汉蒙) | | Juun Adis | 东祈福 |

| 汉名 | 蒙文 | 拉丁转写 | 释义 |
|---|---|---|---|
| 东敖包(汉蒙) | | Juun Ôbôô | 东敖包 |
| 东敖包图(汉蒙) | | Juun Ôbôôt | 东敖包地 |
| 东把栅(汉蒙) | | Juun Baixng | 东房子 * |
| 东玻璃(汉蒙) | | Juun Bŏŏr | 东肾形山 |
| 东查干木台(汉蒙) | | Juun qagaan Moritai | 东白马地 |
| 东厂汉营(汉蒙) | | Dong qahr Ail | 东(厂汉含义护卫)营子 |
| 东厂汗脑包(汉蒙) | | Juun qagaan Ôbôô | 东白敖包 |
| 东达布拉格 | | Dûnd Bûlg | 中泉 |
| 东达图 | | Dûmdd | 中部 |
| 东达吾素 | | Dûmd Ûs | 中水 |
| 东打花(汉蒙) | | Juun Dabhar | 东双叠 |
| 东大库连(汉蒙) | | Dûmd Huree | 中圐圙 |
| 东大脑包(汉蒙) | | Juun yh Ôbôô | 含义同汉语名称 |
| 东独贵坝(汉蒙) | | Juun Dûgûi | 东圆地 |
| 东干只忽洞(汉蒙) | | Juun ganq Hûdg | 东独眼井 |
| 东公楚鲁(汉蒙) | | Juun gun Qûlûû | 东宫(旧官府)石 |
| 东公(都乖)此老(汉蒙) | | Juun gunggiin Qûlûû | 东圆石 |
| 东哈达沟(汉蒙) | | Juun hadn Gûû | 东岩石沟 |
| 东哈拉(汉蒙) | | Juun Har | 东黑地 |
| 东壕堑(汉蒙) | | Juun Hûûqd | 东浩齐特(部落名) |
| 东黑沙图(汉蒙) | | Juun Haxaat | 东栅栏地 |
| 东黄合少(汉蒙) | | Juun hûa Hûxûû | 东山咀 |
| 东圐圙(汉蒙) | | Juun Huree | 东圐圙 |
| 东老龙朝鲁(汉蒙) | | Juun ôln Qûlûû | 东多石头地 |
| 东老龙忽洞(汉蒙) | | Juun ôln Hûdg | 东多井 |
| 东毛独亥(汉蒙) | | Juun mûû Tôhôi | 东赖湾 |
| 东毛圪沁(汉蒙) | | Juun Mŏrgqg | 东对持岩 |

| 东毛忽洞(汉蒙) | ᠵᠡᠭᠦᠨ ᠮᠠᠭᠤ ᠬᠤᠳᠤᠭ | Juun mûû Hûdg | 东赖井 |
|---|---|---|---|
| 东赛林忽洞(汉蒙) | ᠵᠡᠭᠦᠨ ᠰᠠᠶᠢᠷᠢᠨ ᠤ ᠬᠤᠳᠤᠭ | Juun sairiin Hûdg | 东砂砾井 |
| 东设进(汉蒙) | ᠵᠡᠭᠦᠨ ᠱᠠᠵᠢᠩ | Juun Xaajng | 东瓷地 |
| 东什拉乌素(汉蒙) | ᠵᠡᠭᠦᠨ ᠰᠢᠷ᠎ᠠ ᠤᠰᠤ | Juun xar Ûs | 东黄水泡子 |
| 东升 | ᠳᠦᠩᠱᠦᠦᠷ | Dûngxûûr | 亿 |
| 东十八台(汉蒙) | ᠵᠡᠭᠦᠨ ᠱᠠᠪᠠᠷᠲᠠᠢ | Juun Xabrtai | 东泥滩 |
| 东塔拉(汉蒙) | ᠵᠡᠭᠦᠨ ᠲᠠᠯ᠎ᠠ | Juun Tal | 东滩 |
| 东土格木(汉蒙) | ᠵᠡᠭᠦᠨ ᠲᠣᠬᠤᠮ | Juun Tŏhŏm | 东盆地 |
| 东乌兰哈页(汉蒙) | ᠵᠡᠭᠦᠨ ᠤᠯᠠᠭᠠᠨᠬᠠᠶᠠᠭ᠎ᠠ | Juun Ûlaanhayaa | 东红墙 |
| 东乌素(汉蒙) | ᠵᠡᠭᠦᠨ ᠤᠰᠤ | Juun Ûs | 东水 |
| 东乌素图(汉蒙) | ᠵᠡᠭᠦᠨ ᠤᠰᠤᠲᠤ | Juun Ûst | 东水地 |
| 东五速图(汉蒙) | ᠵᠡᠭᠦᠨ ᠤᠰᠤᠲᠤ | Juun Ûst | 东水地 |
| 东勿兰哈少(汉蒙) | ᠵᠡᠭᠦᠨ ᠤᠯᠠᠭᠠᠨ ᠬᠠᠰᠢᠶᠤᠤ | Dong ûlaan Hûxûû | 东红山嘴 |
| 东喜营子(蒙汉) | ᠳᠦᠰᠢ ᠶᠢᠨ ᠬᠣᠲᠠ | Duxiin Hôt | 人名　浩特 |
| 都噶尔音高勒(藏蒙) | ᠳᠦᠭᠷᠢ ᠶᠢᠨ ᠭᠣᠣᠯ | Dûgriin Gôl | 人名(含义佛母)河 |
| 都盖 | ᠳᠦᠭᠡᠢ | Dûgai | 圆 |
| 都古冷 | ᠳᠦᠭᠦᠷᠡᠩ | Duurng | 满 |
| 都贵拜兴 | ᠳᠦᠭᠡᠢ ᠪᠠᠶᠢᠰᠢᠩ | Dûgai Baixng | 圆房子 |
| 都和木 | ᠳᠣᠬᠤᠮ | Dŏhŏm | 盆地 |
| 都呼木 | ᠳᠣᠬᠤᠮ | Dŏhŏm | 盆地 |
| 都胡 | ᠳᠠᠬᠤ | Dûh | 后脑勺 |
| 都拉嘎 | ᠳᠤᠤᠯᠭ᠎ᠠ | Dûûlg | 头盔 |
| 都兰 | ᠳᠤᠯᠠᠭᠠᠨ | Dûlaan | 暖和 |
| 都勒巴(藏) | ᠳᠦᠯᠪᠠ | Dûlba | 人名 |
| 都青格日音阿玛 | ᠳᠦᠴᠢᠨ ᠭᠡᠷ ᠤᠨ ᠠᠮᠠ | Dŏqn griin Am | 四十家子口子 |
| 都热图 | ᠳᠣᠷᠣᠭᠠᠲᠤ | Dŏrŏŏt | 马镫地 |
| 都仁乌力吉 | ᠳᠦᠭᠦᠷᠡᠩ ᠦᠯᠵᠡᠢ | Duureg ŏljei | 满寿 |
| 都日本毛都 | ᠳᠦᠷᠪᠡᠨ ᠮᠣᠳᠤ | Dŏrben Môd | 四棵树 |

| 汉字 | 蒙文 | 拉丁转写 | 释义 |
|---|---|---|---|
| 都日播勒金毫绕 | | Dorbljin Hôrôô | 方圈 |
| 都日勒力金 | | Dǒrbljin | 方 |
| 都日布勒金浩若 | | Dǒrbljin Hôrôô | 方圈 |
| 都日布力吉 | | Dǒrbelj | 方 |
| 都日杰 | | | 待考 |
| 都日木音高勒 | | Durmiin Gôl | 规矩河 |
| 都荣敖包 | | Duureng Ôbôô | 福满敖包 |
| 都希 | | Dux | 平顶山 |
| 都希乌拉 | | Dux Ûûl | 平顶山 |
| 都新 | | Duxin | 平顶山 |
| 都兴 | | Doxin | 平顶山 |
| 都兴花 | | Tuxiin Hûa | 平顶山 |
| 斗林盖 | | Tôlgai | 山头 |
| 斗林盖 | | Duureng | 丰盛 丰满 |
| 斗林沁 | | Tǒlgqn | 樵夫 |
| 独贵 | | Dûgaì | 圆 |
| 独贡营子 | | Dûgaiin Ail | 人名(含义圆)营子 |
| 独立坝 | | Talbr | 场地 |
| 独利沟 | | Dûliin Gôl | 平地河 |
| 独龙图 | | Tûlûmt | 皮囊地 |
| 杜崩 | | Dôbông | 小山丘 |
| 杜岱营(鄂温克汉) | | Duldai Ail | 人名 营子 |
| 杜管营(藏蒙) | | Dûgr Ail | 人名(含义佛母)营子 |
| 杜贵 | | Dûgai | 圆 |
| 杜热图 | | Dǒreet | 马镫地 |
| 杜日本呼都格 | | Dǒrben Hûdg | 四眼井 |
| 杜日布力吉 | | Dǒrblj | 方 |
| 敦达都希 | | Dûmd Dux | 中砧子 |

| 敦达高勒 | Dûmd Gôl | 中河 |
|---|---|---|
| 敦达呼都格 | Dûmd Hûdg | 中井 |
| 敦达那尔图 | Dûmd Nart | 中阳光地 |
| 敦达善达 | Dûmd Xangd | 中湿地 |
| 敦达卫境 | Dûmd Ueijng | 中卫疆 |
| 敦达乌苏 | Dûmd Ûs | 中水 |
| 敦达乌素 | Dûmd Ûs | 中水 |
| 敦德阿木吾素 | Dûmd amn Ûs | 中口子水 |
| 敦德打呼尔 | Dûmd Dahûr | 中双层 |
| 敦德哈布其拉 | Dûmd Habql | 中峡 |
| 敦德呼都格 | Dûmd Hûdg | 中井 |
| 敦德吾素 | Dûmd Ûs | 中水井 |
| 敦图(汉蒙) | Dungt | 洞地 |
| 多尔博勒吉 | Dǒrblj | 方 |
| 多尔济(藏) | Dôrj | 人名 |
| 多罗板升 | Dôlôôn Baixng | 七间房 |
| 多罗庆 | Drsqn | 芨芨编织匠 |
| 多纳苏 | Jûû'nast | 百岁 * |
| 多纳苏 | Jûû'narst | 松树林 * |
| 俄尔峒河(蒙汉) | Erd'nii Gôl | 银河 |
| 额玻尔 | Eeebr | 阳面 |
| 额布德日亥 | Ebdrhei | 破烂的 |
| 额布尔 | Eebr | 阳面 |
| 额布根哈沙图 | ǒbgn Haxaat | 老栅栏 |
| 额尔德尼朝克图 | Erd'niiqôgt | 人名(含义精神抖擞) |
| 额尔登敖包 | Erd'nii Ôbôô | 宝敖包 |
| 额尔登布拉格 | Erd'nii Bûlg | 宝泉 |
| 额尔登朝克图 | Erde'niqôgt | 人名(含义精神抖擞) |

| 额尔登打呼尔 | Erd'nii Dahûr | 宝双层 |
|---|---|---|
| 额尔登呼舒 | Erd'nii Hûxûû | 宝山咀 |
| 额尔登塔拉 | Erd'ni Tal | 宝草滩 |
| 额尔敦敖包 | Erd'ni Ôbôô | 宝敖包 |
| 额尔敦敖包图 | Erd'ni Ôbôôt | 宝敖包地 |
| 额尔敦宝拉格 | Erd'ni Bûlg | 宝泉 |
| 额尔敦都呼木 | Erd'ni Dŏhŏm | 宝盆底 |
| 额尔敦高毕 | Erd'ni Gôbi | 宝贝戈壁滩 |
| 额尔敦呼热图 | Erd'ni Hureet | 宝圈圙地 |
| 额尔敦呼舒 | Erd'ni Hûxûû | 宝山咀 |
| 额尔古纳 | Ergu'na | 陡岩 * |
| 额尔齐德依 | Erqtei | 有强度 |
| 额尔通河(蒙汉) | Erd'ni Gôl | 银河 |
| 额古德 | Uud | 门 |
| 额古尔图 | Uurt | 窝儿地 |
| 额和布拉格 | Ehi Bûlg | 源泉 |
| 额尔敦乌拉 | Erd'ni Ûûl | 宝山 |
| 额和日 | Yhr | 孪生 |
| 额和音补力格 | Ehiin Bûlg | 源头泉 |
| 额和音查干 | Ergin Qagaan | 沟地白梁 |
| 额和音额日格 | Ehiin Erg | 源头土岗 |
| 额和音滚 | Ehiin Gun | 源头深水 |
| 额和音棍 | Ehiin Gun | 源头深水 |
| 额和音哈布其盖 | Ehiin Habqgai | 源头山峡 |
| 额和音哈沙图 | Ehiin Haxaat | 源头栅栏地 |
| 额和音呼都格 | Ehiin Hûdg | 源头井 |
| 额和音善旦 | Ehiin Xangd | 源头湿地 |
| 额和音沃日腾 | | 待考 |

| 额和音乌斯 | | Ehiin Ûs | 源头深水 |
|---|---|---|---|
| 额黑诺尔 | | Ehi Nûûr | 上淖尔 |
| 额黑吾素 | | Ehiin Ûs | 源头深水 |
| 额黑音呼都格 | | Ehiin Hûdg | 源头井 |
| 额黑音尚德 | | Ehiin Xangd | 源头湿地 |
| 额黑音乌素 | | Ehiin Ûs | 源头水 |
| 额很乌苏 | | Ehiin Ûs | 源头水 |
| 额很吾索 | | Ehiin Ûs | 源头水 |
| 额济纳(党项) | | Ej'nee | 黑水 * |
| 额乐生浑迪 | | Elsen Hǒndei | 沙漠壕 |
| 额勒波格乌素 | | Elbg Ûs | 水源丰富 |
| 额勒布格 | | Elbg | 丰富 |
| 额勒森呼都格 | | Elsen Hûdg | 沙地井 |
| 额勒斯台 | | Elestei | 沙漠地 |
| 额力苏和硕 | | Eles Hûxûû | 沙嘴子 |
| 额门古日本赛罕 | | ǒm'n gûrbn Saihn | 前三美丽 |
| 额门那尔图 | | ǒm 'n Nart | 前阳光地 |
| 额墨勒 | | Emeel | 鞍 |
| 额默根 | | Emgn | 老妇 |
| 额热格讷格 | | Erg'ng | 橱柜 |
| 额热根努图克 | | ErgiIn Nûtg | 岸边草场 |
| 额热哈尔干 | | | 待考 |
| 额热勒金 | | Ereeljn | 眼花缭乱 |
| 额热陶勒盖 | | Ereen Tôlgai | 花山头 |
| 额热希 | | Erse | 赤豆 |
| 额仁古勃 | | Ereen Hǒbee | 花河岸 |
| 额仁茫和 | | Ereen Mangh | 花纹沙漠 |
| 额仁诺尔 | | Ereen Nûûr | 雾气缭绕的海子 |

| 额日登呼舒 | ᠡᠷᠳᠡᠨᠢ ᠬᠤᠱᠤᠤ | Erd'ni Hûxûû | 宝山咀 |
| 额日格尼格音呼都格 | ᠡᠷᠭᠢᠨ ᠦ ᠬᠤᠳᠳᠤᠭ | Erg'negiin Hûdg | 碗橱井 |
| 额日格图 | ᠡᠷᠭᠢᠲᠦ | Ergt | 土岗地 |
| 额日根努塔格 | ᠡᠷᠭᠢ ᠶᠢᠨ ᠨᠤᠲᠤᠭ | ErgIin Nûtg | 岸边草场 |
| 额日根善旦 | ᠡᠷᠭᠢ ᠶᠢᠨ ᠱᠠᠩᠳᠠ | ErgIin Xangd | 岸边湿地 |
| 额日叶希 | ᠡᠷᠢᠶᠡᠰᠢ | Ereex | 花斑的 |
| 额如 | ᠡᠷᠡᠦ | Eruu | 下颚 |
| 额色给齐 | ᠡᠰᠡᠭᠡᠢᠴᠢ | Esgeiq | 毡匠 |
| 鄂博图 | ᠣᠪᠤᠭᠠᠲᠤ | Ôbôôt | 敖包地 |
| 鄂博图音阿木 | ᠣᠪᠤᠭᠠᠲᠤ ᠶᠢᠨ ᠠᠮᠠ | Ôbôôtiin Am | 敖包山口 |
| 鄂卜坪 | ᠨᠣᠮᠤᠭᠠᠨ | Nômgôn | 碧绿草原 * |
| 鄂卜坪(蒙汉) | ᠣᠪᠤᠭ᠎ᠠ ᠫᠢᠩ | Ôbôô Ping | 敖包村 * |
| 鄂布勒哲绍巴好 | ᠡᠪᠦᠯᠵᠢᠶᠡᠨ ᠱᠣᠪᠬᠤ | ŏbŏljeen Xôbh | 冬营盘山峰 |
| 鄂尔圪逊 | ᠡᠷᠭᠦᠰᠦᠨ | ŏrgsn | 供奉的 |
| 鄂尔格生 | ᠡᠷᠭᠡᠰᠦ | ŏrgees | 刺儿 |
| 鄂尔格逊 | ᠡᠷᠡᠭᠡᠰᠦᠨ | ŏrŏŏsn | 奇数 单数 |
| 鄂尔吉乎 | ᠦᠷᠡᠵᠢᠬᠦ | Urjh | 繁殖 |
| 鄂哈音本巴太 | ᠡᠬᠢᠶᠢᠨ ᠪᠤᠮᠪᠠᠲᠠᠢ | Ehiin Bûnbtai | 源头坟丘地 |
| 鄂和音乌布勒吉 | ᠡᠬᠢᠶᠢᠨ ᠡᠪᠦᠯᠵᠢᠶ᠎ᠡ | Ehiin ŏbŏljee | 源头冬营盘 |
| 鄂黑乌苏 | ᠡᠬᠢᠶᠢᠨ ᠤᠰᠤ | Ehiin Ûs | 源头水 |
| 鄂黑乌素 | ᠡᠬᠢᠶᠢᠨ ᠤᠰᠤ | Ehiin Ûs | 源头水 |
| 鄂黑音包拉格 | ᠡᠬᠢᠶᠢᠨ ᠪᠤᠯᠠᠭ | Ehiin Bûlg | 源头泉 |
| 鄂黑音本巴太 | ᠡᠬᠢᠶᠢᠨ ᠪᠤᠮᠪᠠᠲᠠᠢ | Ehiin Bûmbtai | 源头坟地 |
| 鄂黑音比流图 | ᠡᠬᠢᠶᠢᠨ ᠪᠢᠯᠢᠭᠦᠲᠦ | Ehiin Biluut | 源头磨石山 |
| 鄂黑音哈达图 | ᠡᠬᠢᠶᠢᠨ ᠬᠠᠳᠠᠲᠤ | Ehiin Hadt | 源头岩石地 |
| 鄂黑音呼都格 | ᠡᠬᠢᠶᠢᠨ ᠬᠤᠳᠳᠤᠭ | Ehiin Hûdg | 源头井 |
| 鄂黑音黄太 | | | 待考 |
| 鄂黑音伙勃日 | ᠡᠬᠢᠶᠢᠨ ᠬᠥᠪᠥᠷ | Ehiin Hŏŏbŏr | 源头松软地 |

| 鄂黑音善达 | ᠡᠭᠢᠢᠨ ᠱᠠᠩᠳ | Ehiin Xangd | 源头湿地 |
| 鄂黑音乌苏 | ᠡᠭᠢᠢᠨ ᠤᠰ | Ehiin Ûs | 源头水 |
| 鄂黑音乌素 | ᠡᠭᠢᠢᠨ ᠤᠰ | Ehiin Ûs | 源头水 |
| 鄂勒斯陶勒盖 | ᠡᠯᠡᠰ ᠲᠣᠯᠭᠠᠢ | Eles Tôlgai | 沙山 |
| 鄂伦琥图克 | ᠣᠯᠠᠨ ᠬᠤᠳᠤᠭ | Ôln Hûdg | 多井 |
| 鄂罗依琥图克 | ᠣᠷᠣᠢ ᠬᠤᠳᠤᠭ | Ôrôi Hûdg | 山顶井 |
| 鄂莫格图 | ᠡᠮᠡᠭᠲᠦ(ᠡᠮᠡᠭᠲᠦ) | Eeemegt | 耳环地 |
| 鄂木讷高勒 | ᠡᠮᠦᠨ᠎ᠡ(ᠡᠮᠦᠨ᠎ᠡ)ᠭᠣᠣᠯ | ŏm'n Gôl | 前河 |
| 鄂木其音花 | ᠡᠮᠴᠢ ᠶᠢᠨ ᠬᠠᠳᠠ | Emqiin Hûa | 大夫(医生)山头 |
| 鄂木钦乌素 | ᠡᠮᠴᠢ ᠶᠢᠨ ᠤᠰ | Emqiin Ûs | 大夫营子 |
| 鄂热音陶勒盖 | ᠡᠷᠢᠶᠡᠨ ᠲᠣᠯᠭᠠᠢ | Ereen Tôlgai | 花山头 |
| 鄂日登敖包 | ᠡᠷᠳᠡᠨᠢ ᠣᠪᠤᠭ᠎ᠠ | Erd'ni Ôbôô | 宝贝敖包 |
| 鄂日敦陶勒盖 | ᠡᠷᠳᠡᠨᠢ ᠲᠣᠯᠭᠠᠢ | Erd'ni Tôlgai | 宝山 |
| 鄂日格音鄂勃哲 | ᠡᠷᠭᠢ ᠶᠢᠨ ᠡᠪᠦᠯᠵᠢᠶ᠎ᠡ | Ergin ŏbŏljee | 岸边冬营盘 |
| 鄂日格音乌苏 | ᠡᠷᠭᠢ ᠶᠢᠨ ᠤᠰ | Ergin Ûs | 岸边水 |
| 鄂日也恩道布 | ᠡᠷᠢᠶᠡᠨ ᠳᠣᠪᠤ | Ereen Dôb | 花土丘 |
| 鄂茹 | ᠡᠷᠡᠦ | Eruu | 下颚 |
| 恩地 | | | 待考 |
| 恩圪来 | ᠡᠩᠭᠡᠷ | Enggr | 山前 |
| 恩格尔 | ᠡᠩᠭᠡᠷ | Enggr | 山前 |
| 恩格尔尚德 | ᠡᠩᠭᠡᠷ ᠱᠠᠩᠳ | Enggr Xangd | 山前水滩 |
| 恩格尔音塔本 | ᠡᠩᠭᠡᠷ ᠦᠨ ᠲᠠᠪᠤᠨ | Enggriin Tabn | 山前五 |
| 恩格哈必力格 | ᠡᠩᠭᠡᠷ ᠦᠨ ᠬᠠᠪᠢᠷᠭ᠎ᠠ | Enggriin Habirg | 山前肋 |
| 恩格圐圙 | ᠡᠩᠭᠡᠷ ᠦᠨ ᠬᠦᠷᠢᠶ᠎ᠡ | Enggriin Huree | 山前圐圙 |
| 恩格日 | ᠡᠩᠭᠡᠷ | Enggr | 山前 |
| 恩格日嘎顺 | ᠡᠩᠭᠡᠷ ᠭᠠᠰᠢᠭᠤᠨ | Enggr Gaxûûn | 山前碱滩 |
| 恩格日呼都格 | ᠡᠩᠭᠡᠷ ᠬᠤᠳᠤᠭ | Enggr Hûdg | 山前井 |
| 恩格日音宝龙 | ᠡᠩᠭᠡᠷ ᠦᠨ ᠪᠤᠯᠤᠩ | Enggriin Bûlng | 山前湾 |

| 恩格日音额布勒者 | | Enggriin ŏbŏljee | 山前冬营盘 |
|---|---|---|---|
| 恩格斯儿 | | Enggsg | 粉脂 |
| 恩格营子 | | Enggriin Ail | 山前营子 |
| 恩根特格 | | Ônggôn Teg | 神圣的公岩羊 |
| 恩和 | | Engk | 平安 |
| 恩和敖宝 | | Engkiin Ôbôô | 平安敖包 |
| 恩和宝勒格 | | Engk Bûlg | 平安泉 |
| 恩克斯克 | | Enggsg | 胭脂 |
| 尔德尼沟 | | Erd'ni Gûû | 宝沟 |
| 尔登达花 | | Erd'ni Dahûr | 宝双层 |
| 尔甲亥 | | Arjgai | 嶙峋 |
| 尔力格图 | | Ergit | 土岗地 |
| 尔林敖包 | | ŏlŏng Ôbôô | 莎草敖包 |
| 尔林川(蒙汉) | | ŏlŏng Tal | 莎草滩 |
| 尔林岱 | | | 待考 |
| 尔胜 | | Ar Gaxûûn | 后碱滩 |
| 尔驼庙(蒙汉) | | Bûûriin Sum | 喇嘛庙名 |
| 耳居图 | | ŏljeit | 吉祥地 |
| 耳林岱 | | | 待考 |
| 耳林滩 | | Ereen Tal | 花纹滩 |
| 耳沁尧(藏) | | Ôqr | 人名(含义金刚) |
| 二敖包(汉蒙) | | Hôyr Ôbôô | 两个敖包 |
| 二道脑包 | | Erd'ni Ôbôô | 宝敖包 |
| 二登图 | | Erd'nit | 宝地 |
| 二等泉(蒙汉) | | Erd'ni Bûlg | 银泉 |
| 二忽赛营子(汉蒙) | | Hôyr ûsn Ail | 二水营子 |
| 二吉淖 | | Eeej Nûûr | 母亲湖 |
| 二喇嘛(汉藏) | | Er Lam | 含义同汉语名称 |

| 二连 | ᠡᠷᠢᠶᠡᠨ | Ereen | 花斑 |
| 二龙什台 | ᠤᠯᠢᠶᠠᠰᠤᠲᠠᠢ | Ûliaastai | 杨树地 |
| 二苏计(汉蒙) | ᠬᠣᠶᠠᠷ ᠰᠥᠵᠢ | Hôyr Suuj | 两个山坐 |
| 二苏木房(汉蒙) | ᠬᠣᠶᠠᠷᠳᠤᠭᠠᠷ ᠰᠤᠮᠤ | Hôyrdûgaar Sûm | 含义同汉语名称 |
| 二塔圜圖 | ᠡᠷᠲᠡ ᠶᠢᠨ ᠬᠦᠷᠢᠶᠡ | Ertiin Huree | 早期圜圖 |
| 嘎查 | ᠭᠠᠴᠠᠭ᠎ᠠ | Gaqaa | 村子 |
| 嘎海图 | ᠭᠠᠬᠠᠢᠲᠤ | Gahait | 野猪地 |
| 嘎拉图 | ᠭᠠᠯᠲᠤ | Galt | 火山 |
| 嘎鲁阿玛 | ᠭᠠᠯᠠᠭᠤᠨ ᠠᠮᠠ | Galûûn Am | 燕子山口 |
| 嘎少 | ᠭᠠᠱᠢᠭᠤᠨ | Gaxûûn | 苦水 |
| 嘎少浩来 | ᠭᠠᠱᠢᠭᠤᠨ ᠬᠣᠭᠣᠯᠠᠢ | Gaxûûn Hôôlai | 苦水壕 |
| 嘎顺 | ᠭᠠᠱᠢᠭᠤᠨ | Gaxûûn | 苦 |
| 嘎顺 | ᠭᠠᠱᠢᠭᠤᠨ ᠤᠰᠤ | Gaxûûn Ûs | 苦水 |
| 嘎顺阿玛 | ᠭᠠᠱᠢᠭᠤᠨ ᠤ ᠠᠮᠠ | Gaxû'ûnai Am | 苦水口子 |
| 嘎顺浩来 | ᠭᠠᠱᠢᠭᠤᠨ ᠬᠣᠭᠣᠯᠠᠢ | Gaxûûn Hôôlôi | 苦水壕 |
| 嘎顺呼布 | ᠭᠠᠱᠢᠭᠤᠨ ᠬᠥᠪ | Gaxûûn Hob | 咸水深谷 |
| 嘎顺呼热拉 | ᠭᠠᠱᠢᠭᠤᠨ ᠬᠥᠷᠡᠯ | Gaxûûn Hûrl | 盐碱湖 |
| 嘎顺苏木 | ᠭᠠᠱᠢᠭᠤᠨ ᠰᠤᠮᠤ | Gaxûûn Sum | 苦庙 |
| 嘎休 | ᠭᠠᠱᠢᠭᠤᠨ | Gaxûûn | 咸水滩 |
| 嘎扎尔敦达查干陶勒盖 | ᠭᠠᠵᠠᠷ ᠳᠤᠮᠳᠠ ᠶᠢᠨ ᠴᠠᠭᠠᠨ ᠲᠣᠯᠣᠭᠠᠢ | Gajr dûmdiin qagaan Tôlgai | 中白山头 |
| 噶尔图营子(蒙汉) | ᠭᠡᠷᠲᠦ ᠠᠢᠯ | Grt Ail | 板房营子 |
| 甘草忽洞 | ᠭᠠᠩ ᠬᠤᠳᠳᠤᠭ | Ganq Hûdg | 孤井 |
| 甘珠尔查干楚鲁(藏蒙) | ᠭᠠᠨᠵᠤᠤᠷ ᠴᠠᠭᠠᠨ ᠴᠢᠯᠠᠭᠤ | Ganjûûr qagan Qûlûû | 甘珠尔(藏经)白石头 |
| 干草忽洞 | ᠭᠠᠩ ᠬᠤᠳᠳᠤᠭ | Ganq Hûdg | 孤井 |
| 干草胡洞 | ᠭᠠᠩ ᠬᠤᠳᠳᠤᠭ | Ganq Hûdg | 孤井 |
| 干查陶勒盖 | ᠭᠠᠩ ᠲᠣᠯᠣᠭᠠᠢ | Ganq Tôlgai | 孤山头 |
| 干其呼都格 | ᠭᠠᠩ ᠬᠤᠳᠳᠤᠭ | Ganq Hûdg | 孤井 |

| 干其花 | ᠭᠠᠩᠴᠢ ᠬᠤᠸᠠ | Ganq Hûa | 孤山丘 |
|---|---|---|---|
| 干其毛德 | ᠭᠠᠩᠴᠢ ᠮᠣᠳᠣ | Ganq Môd | 一棵树 |
| 干其毛都 | ᠭᠠᠩᠴᠢ ᠮᠣᠳᠣ | Ganq Môd | 一棵树 |
| 干只汉 | ᠭᠠᠩᠵᠢᠬᠠᠨ | Ganqhan | 独孤 |
| 干只汗毛都 | ᠭᠠᠩᠵᠢᠬᠠᠨ ᠮᠣᠳᠣ | Ganqhan Môd | 孤树 |
| 干只忽洞 | ᠭᠠᠩᠵᠢ ᠬᠤᠳᠳᠤᠭ | Ganq Hûdg | 一口井 |
| 干朱日哈达(藏蒙) | ᠭᠠᠨᠵᠤᠤᠷ ᠬᠠᠳᠠ | Ganjûûr Had | 甘珠尔(藏经)岩 |
| 冈给音呼都嘎 | ᠭᠠᠩᠭᠢᠢᠨ ᠤ ᠬᠤᠳᠳᠤᠭ | Ganggiin Hûdg | 山谷井 |
| 岗嘎 | ᠭᠠᠩᠭᠠ | Gangga | 深谷 |
| 岗嘎图 | ᠭᠠᠩᠭᠠᠲᠤ | Ganggt | 沟壑地 |
| 岗盖 | ᠭᠠᠩᠭᠠᠢ | Ganggai | 细瓷(碗) |
| 岗干屯(蒙汉) | ᠭᠠᠩᠭᠠᠨ ᠠᠢᠯ | Ganggn Ail | 百里香营子 |
| 岗岗 | ᠭᠠᠩᠭᠠ | Ganga | 沟壑 |
| 岗岗吾素 | ᠭᠠᠩᠭᠠ ᠤ ᠤᠰᠤ | Ganggiin Ûs | 沟壑水 |
| 岗岗营子(蒙汉) | ᠭᠠᠩᠭᠠ ᠤ ᠠᠢᠯ | Ganggiin Ail | 深谷营子 |
| 岗格 | ᠭᠠᠩᠭᠠ | Gangga | 深谷 |
| 高巴什营(藏汉) | ᠭᠣᠮᠪᠠᠱᠢ ᠤ ᠠᠢᠯ | Gômbraxiin Ail | 人名(含义吉祥)营子 |
| 高北音善达 | ᠭᠣᠪᠢ ᠤ ᠱᠠᠩᠳᠠ | Gôbiin Xangd | 戈壁滩湿地 |
| 高必淖尔 | ᠭᠣᠪᠢ ᠤ ᠨᠠᠭᠤᠷ | Gôbiin Nûûr | 戈壁滩海子 |
| 高格朝德勒 | ᠭᠣᠭᠴᠤᠤ ᠳᠡᠯ | Gôgqôô Del | 绳口鬃 |
| 高家敖包(汉蒙) | ᠭᠣᠤ ᠵᠢᠶᠠ ᠣᠪᠣᠭᠠ | Gaô Jia Ôbôô | 含义同汉语名称 |
| 高金海音努塔格(汉蒙) | ᠭᠣᠵᠢᠨᠬᠠᠢ ᠤ ᠨᠤᠲᠤᠭ | Gao jin Haigiin nûtûg | 人名 家乡 |
| 高勒 | ᠭᠣᠣᠯ | Gôl | 中心 河流 |
| 高勒敖包 | ᠭᠣᠣᠯ ᠣᠪᠣᠭᠠ | Gôl Ôbôô | 中心敖包 |
| 高勒德日斯 | ᠭᠣᠣᠯ ᠳᠡᠷᠡᠰᠦ | Gôl Drs | 河畔芨芨 |
| 高勒音阿玛 | ᠭᠣᠣᠯ ᠤᠨ ᠠᠮᠠ | Gôliin Am | 河口 |
| 高勒音崩浑 | ᠭᠣᠣᠯ ᠤᠨ ᠪᠤᠩᠬᠤᠨ | Gôliin Bûngkn | 河畔坟地 |
| 高勒音额黑 | ᠭᠣᠣᠯ ᠤᠨ ᠡᠬᠡ | Gôliin Ehi | 河源头 |

| 高力板 | ᠭᠣᠣᠯ ᠤᠨ ᠪᠠᠢᠱᠢᠩ | Gôliin Baixng | 河湾房 |
|---|---|---|---|
| 高图 | ᠭᠣᠣᠳᠤ | Gûût | 沟地 |
| 高位 | ᠭᠣᠪᠢ | Gôbi | 戈壁滩 |
| 高乌苏 | ᠭᠣᠣ ᠤᠰᠤ | Gûû Ûs | 沟水 |
| 高勿素 | ᠭᠣᠣ ᠤᠰᠤ | Gûû Ûs | 沟水 |
| 高腰海 | ᠭᠣᠶᠣᠣᠬᠠᠢ | Gôyôôhai | 槟榔 |
| 高腰海 | ᠭᠣᠶᠣᠣᠬᠠᠢ | Gôyôôhai | 槟榔 |
| 搞黑老气 | ᠭᠣᠯᠴᠢ | Gôlq | 公正 |
| 告独利 | ᠭᠣᠳᠤᠯᠢ | Gôdôl | 围猎前哨 |
| 郜北 | ᠭᠣᠪᠢ | Gôbi | 戈壁滩 |
| 戈壁音高勒 | ᠭᠣᠪᠢ ᠶᠢᠨ ᠭᠣᠣᠯ | Gôbiin Gôl | 戈壁河 |
| 圪报图 | | | 待考 |
| 圪奔(藏) | ᠭᠣᠮᠪᠦ | Gômb | 人名 |
| 圪笨沟 | ᠭᠣᠪᠢ ᠶᠢᠨ ᠭᠣᠣᠯ | Gôbiin Gôl | 戈壁河 |
| 圪卜素 | ᠪᠤᠷᠭᠠᠰᠤ | Bûrgaas | 柳条 |
| 圪臭敖包 | ᠬᠡᠴᠡᠭᠦᠦ ᠣᠪᠣᠭ᠎ᠠ | Hquu Ôbôô | 险峻敖包 |
| 圪臭沟 | ᠬᠡᠴᠡᠭᠦᠦ ᠭᠣᠣ | Hguu Gûû | 险要沟 |
| 圪臭壕(蒙汉) | ᠬᠡᠴᠡᠭᠦᠦ ᠬᠣᠳᠣᠭᠣᠷ | Hquu Hôtgôr | 险要洼地 |
| 圪顶盖 | ᠭᠡᠳᠦᠩ | Gdng | 仰首 |
| 圪洞坪 | ᠭᠡᠳᠡᠭᠡᠷ | Gdgr | 后仰状 |
| 圪尔旦营子(藏蒙) | ᠭᠠᠯᠳᠠᠨ ᠤ ᠠᠢᠯ | Galdngiin Ail | 人名 营子 |
| 圪力圪太(藏蒙) | ᠭᠡᠯᠢᠭ ᠲᠠᠢᠵᠢ | Glig Taij | 人名(含义圆满)台吉 |
| 圪力更(藏) | ᠭᠡᠯᠢᠭ | Glig | 圆满 人名 |
| 圪欠 | ᠭᠡᠭᠢ | Giqi | 母狗 |
| 圪塞沟 | | | 待考 |
| 圪蛇 | ᠬᠦᠰᠢᠶ᠎ᠡ | Huxye | 碑坊 |
| 圪蛇(藏) | ᠭᠡᠰᠬᠦᠢ | Gsgui | 喇嘛教掌堂师 |
| 圪什贵(藏) | ᠭᠡᠰᠬᠦᠢ | Gsgui | 喇嘛教掌堂师 |

| 圪斯贵(藏) | ᠭᠰᠭᠤᠢ | Gsgui | 喇嘛教掌堂师 |
|---|---|---|---|
| 圪速贵(藏) | ᠭᠰᠭᠤᠢ | Gsgui | 喇嘛教掌堂师 |
| 圪妥 | ᠬᠣᠲᠣᠯ | Hŏtl | 山坡 |
| 圪妥吾素 | ᠬᠣᠲᠣᠯ ᠤᠰᠤ | Hŏtl Ûs | 山坡水 |
| 圪妥吾素 | ᠭᠲ ᠤᠰᠤ | Gt Ûs | 圪洞水滩 |
| 圪妥吾素 | ᠬᠣᠲᠣᠯ ᠤᠰᠤ | Hŏtl Ûs | 山谷水滩 |
| 疙贲河槽(蒙汉) | ᠭᠠᠪᠵᠢ ᠭᠣᠣᠯ | Gbx Gôl | 喇嘛学位 河 |
| 哥朝鲁 | ᠭᠷ ᠴᠢᠯᠠᠭᠤ | Gr Qûlûû | 巨石 |
| 哥哥营 | ᠭᠡᠭᠡᠨ ᠠᠢᠯ | Ggeen Ail | 活佛营子 |
| 哥根桑 | ᠭᠡᠭᠡᠨ ᠰᠠᠩ | Ggeen Sang | 活佛庙 |
| 歌朝鲁 | ᠭᠷ ᠴᠢᠯᠠᠭᠤ | Gr Qûlûû | 巨石 |
| 格敖 | ᠭᠤᠤ | Gûû | 沟 |
| 格此老 | ᠭᠷ ᠴᠢᠯᠠᠭᠤ | Gr Qûlûû | 巨石 |
| 格得尔格 | ᠭᠡᠳᠡᠷᠭᠡ | Gdrg | 斜沟 |
| 格尔此老 | ᠭᠡᠷᠴᠢᠯᠠᠭᠤ | Grqûlûû | 巨石 |
| 格尔图 | ᠭᠡᠷᠲᠦ | Grt | 房地 |
| 格亥图 | ᠭᠠᠬᠠᠢᠲᠤ | Gahait | 野猪地 |
| 格化司台 | ᠬᠠᠪᠬᠠᠰᠲᠠᠢ | Habhaastai | 盖子地 |
| 格及格 | ᠭᠡᠵᠢᠭᠡ | Gjig | 发草(植) |
| 格吉格 | ᠭᠡᠵᠢᠭᠡ | Gjig | 发草(植) |
| 格吉格图 | ᠭᠡᠵᠢᠭᠡᠲᠦ | Qjgt | 发草(植)地 |
| 格拉塔嘎淖尔 | ᠭᠢᠯᠲᠠᠭᠠᠨᠠᠭᠤᠷ | Giltg'Nûûr | 云母 |
| 格勒班 | ᠭᠢᠯᠪᠠᠨ | Gialbaan | 闪电 |
| 格勒格音陶来 | ᠭᠢᠯᠭᠢᠢᠨ ᠲᠣᠣᠷᠠᠢ | Gilgiin Tôôrôi | 人名(含义圆满)胡杨 |
| 格楞敖包 | ᠭᠢᠯᠠᠩ ᠣᠪᠣᠭ | Glong Ôbôô | 喇嘛封号 敖包 |
| 格其音格 | ᠬᠢᠴᠢᠶᠡᠩᠭᠦ(ᠬᠢᠴᠢᠶᠡᠩᠭᠦ) | Hiqeengu | 谨慎 |
| 格钦 | ᠭᠡᠴᠢ | Gqee | 母狗 |
| 格邱 | ᠬᠡᠴᠡᠭᠦ | Hequu | 险要 |

| 格日朝鲁 | | Gr Qûlûû | 巨石 |
|---|---|---|---|
| 格日楚鲁 | | Gr Qûlûû | 巨石 |
| 格日哈达 | | Gr Had | 巨岩 |
| 格日合特 | | Gôrht | 小溪地 |
| 格日乐敖都 | | Grl Ôd | 明星 |
| 格日乐图雅 | | Grltûyaa | 光芒 |
| 格日勒敖登 | | Grl Ôdôn | 明星 |
| 格日勒廷准敖格钦 | | Grltiin juun Ôgqn | 人名(含义光明)东洼 |
| 格日勒图 | | Grlt | 人名(含义光明) |
| 格日图 | | Grt | 房地 |
| 格少 | | Gaxûûn | 苦　盐碱滩 |
| 格少庙 | | Gaxûûn Sum | 碱滩庙 |
| 格少以力更 | | Hûxûû Erg | 山咀岗 |
| 格顺苏木 | | Gaxûûn Sum | 碱滩庙 |
| 格斯尔 | | Gsr | 花蕊 |
| 格图营 | | Grt Ail | 板房营子 |
| 葛兰东道(蒙汉) | | Gôliin juun Jam | 河湾左道 |
| 各臭沟 | | Hequu Gûû | 险要山沟 |
| 各少 | | Gaxûûn | 苦　盐碱滩 |
| 给勒格尔 | | Gilgr | 光亮的 |
| 根皮音苏木音阿木(藏蒙) | | Gmpiin sumiin Am | 喇嘛庙名　口 |
| 工布(藏) | | Gômb | 人名 |
| 工高勒 | | Gun Gôl | 深河 |
| 弓沟 | | Gun Gûû | 深沟 |
| 公本善旦(藏蒙) | | Gômbôn Xangd | 人名　湿地 |
| 公布板升(藏蒙) | | Gômbiin Baixng | 人名　房子 |
| 公布圐圙(藏蒙) | | Gômbiin Huree | 人名　圐圙 |
| 公布营(藏蒙) | | Gômbiin Ail | 人名　营子 |

| 公盖营 | ᠭᠦᠩ ᠤᠨ ᠠᠢᠯ | Gunggiin Ail | 宫殿营子 |
|---|---|---|---|
| 公盖营子 | ᠭᠦᠩ ᠤᠨ ᠠᠢᠯ | Gunggiin Ail | 宫殿营子 |
| 公高拉 | ᠭᠦᠨ ᠭᠣᠤᠯ | Gun Gôl | 深河 |
| 公呼都格 | ᠭᠦᠨ ᠬᠤᠳᠳᠤᠭ | Gun Hûdg | 深井 |
| 公忽洞 | ᠭᠦᠨ ᠬᠤᠳᠳᠤᠭ | Gun Hûdg | 深井 |
| 公忽洞道(蒙汉) | ᠭᠦᠨ ᠬᠤᠳᠳᠤᠭ ᠵᠠᠮ | Gun hûdg Jam | 深井道 |
| 公积板 | ᠭᠦᠩ ᠤᠨ ᠪᠠᠢᠰᠢᠩ | Gungiin Baixng | 公爷房 |
| 公吉拉嘎 | ᠭᠦᠨ ᠵᠢᠯᠠᠭ | Gun Jalg | 深谷 |
| 公喇嘛 | ᠭᠦᠩ ᠯᠠᠮ | Gung Lam | 公喇嘛 |
| 公腊胡洞 | ᠭᠦᠩ ᠯᠠᠮ ᠤᠨ ᠬᠤᠳᠳᠤᠭ | Gung lamiin Hûdg | 公喇嘛井 |
| 公赛日 | ᠭᠦᠨ ᠰᠠᠢᠷ | Gun Sair | 多沙砾 |
| 公推日么 | ᠭᠦᠨ ᠲᠣᠣᠷᠢᠮ | Gun Tôôrim | 深洼地 |
| 公推日么音塔拉 | ᠭᠦᠨ ᠲᠣᠣᠷᠢᠮ ᠤᠨ ᠲᠠᠯ | Gun tôôrimiin Tal | 深洼滩 |
| 贡宝拉格 | ᠭᠦᠨ ᠪᠤᠯᠠᠭ | Gun Bûlg | 深泉 |
| 贡嘎顺 | ᠭᠦᠨ ᠭᠠᠰᠢᠭᠤᠨ | Gun Gaxûûn | 多碱滩 |
| 贡格尔 | ᠭᠦᠩᠭᠠᠷ | Gunggar | 佛龛 |
| 贡格尔敖包 | ᠭᠦᠩᠭᠠᠷ ᠣᠪᠣᠭ | Gunggar Ôbôô | 佛龛脑包 |
| 贡呼都嘎 | ᠭᠦᠨ ᠬᠤᠳᠳᠤᠭ | Gun Hûdg | 深井 |
| 贡呼都格 | ᠭᠦᠨ ᠬᠤᠳᠳᠤᠭ | Gun Hûdg | 深井 |
| 勾子板升(藏蒙) | ᠭᠡᠪᠦ ᠤᠨ ᠪᠠᠢᠰᠢᠩ | Gbhuiin Baixng | 格布辉(喇嘛职位)房子 |
| 沟子板(藏蒙) | ᠭᠡᠪᠦ ᠤᠨ ᠪᠠᠢᠰᠢᠩ | Gbhuiin Baixng | 格布辉(喇嘛职位)房子 |
| 估尔什(估尔哈) | ᠭᠣᠤᠷᠬ | Gôrh | 小溪 |
| 孤雁 | ᠭᠦᠶᠡᠨ | Guyen | 浅水 |
| 孤子板升 | ᠬᠠᠪᠠᠭᠠᠨᠴᠢᠨ ᠤ ᠪᠠᠢᠰᠢᠩ | Qabgnqiin Baixng | 尼姑房 |
| 古板乌素沟 | ᠭᠤᠷᠪᠠᠨ ᠤᠰᠤᠨ ᠭᠤᠤ | Gûrbn ûsan Gûû | 三水沟 |
| 古半忽洞 | ᠭᠤᠷᠪᠠᠨ ᠬᠤᠳᠳᠤᠭ | Gûrbn Hûdg | 三眼井 |
| 古本高勒 | ᠬᠥᠪᠥᠭᠡᠨ ᠭᠣᠤᠯ | Hŏbŏŏn Gôl | 岸河 |
| 古恩达来 | ᠭᠦᠨ ᠳᠠᠯᠠᠢ | Gun Dalai | 深海子 |

| 古恩吾素 | ᠭᠦᠨ ᠤᠰᠤ | Gun Ûs | 深水 |
| 古尔班巴音 | ᠭᠤᠷᠪᠠᠨ ᠪᠠᠶᠠᠨ | Gûrbn Bayn | 三富 |
| 古尔班呼都嘎 | ᠭᠤᠷᠪᠠᠨ ᠬᠤᠳᠤᠭ | Gûrbn Hûdg | 三眼井 |
| 古尔班呼都格 | ᠭᠤᠷᠪᠠᠨ ᠬᠤᠳᠤᠭ | Gûrbn Hûdg | 三眼井 |
| 古尔班棚(蒙汉) | ᠭᠤᠷᠪᠠᠨ ᠫᠧᠩ | Gûrbn Peng | 三个棚 |
| 古尔班赛罕 | ᠭᠤᠷᠪᠠᠨ ᠰᠠᠶᠢᠬᠠᠨ | Gûrbn Saihn | 三座明媚的山 |
| 古尔班尚德 | ᠭᠤᠷᠪᠠᠨ ᠱᠠᠩᠳᠠ | Gûrbn Xangd | 三个小泉眼 |
| 古尔班陶勒盖 | ᠭᠤᠷᠪᠠᠨ ᠲᠣᠯᠤᠭᠠᠢ | Gûrbn Tôlgai | 三峰 |
| 古尔班吾素 | ᠭᠤᠷᠪᠠᠨ ᠤᠰᠤ | Gûrbn Ûs | 三水沟 |
| 古尔半哈沙图 | ᠭᠤᠷᠪᠠᠨ ᠬᠠᠰᠢᠶᠠᠲᠤ | Gûrbn Haxaat | 三个栅栏地 |
| 古尔半呼都克 | ᠭᠤᠷᠪᠠᠨ ᠬᠤᠳᠤᠭ | Gûrbn Hûdg | 三眼井 |
| 古尔本套布 | ᠭᠤᠷᠪᠠᠨ ᠲᠣᠪᠣ | Gûrbn Tôb | 三个窝棚 |
| 古公太 | ᠭᠦᠨ ᠬᠦᠨᠳᠡᠢ | Guyen Hŏndei | 浅山谷 |
| 古红代 | ᠭᠦᠨ ᠬᠦᠨᠳᠡᠢ | Guyen Hŏndei | 浅山谷 |
| 古红岱 | ᠭᠤᠬᠢᠲᠠᠢ | Guhitei | 钓鱼地 |
| 古力半 | ᠭᠤᠷᠪᠠᠨ | Gûrbn | 三 |
| 古力半忽洞 | ᠭᠤᠷᠪᠠᠨ ᠬᠤᠳᠤᠭ | Gûrbn Hûdg | 三眼井 |
| 古力半毛都 | ᠭᠤᠷᠪᠠᠨ ᠮᠣᠳᠤ | Gûrbn Môd | 三棵树 |
| 古仁乃阿木 | ᠭᠤᠷᠤᠨ ᠠ ᠠᠮᠠ | Gur'nei Am | 溪水山口 |
| 古仁珠 | ᠭᠤᠷᠤᠨᠵᠤ | Gûr'njû | 木化石 |
| 古日班敖包 | ᠭᠤᠷᠪᠠᠨ ᠣᠪᠣᠭ | Gûrbn Ôbôô | 三个敖包 |
| 古日班哈沙图 | ᠭᠤᠷᠪᠠᠨ ᠬᠠᠰᠢᠶᠠᠲᠤ | Gûrbn Haxaat | 三个栅栏地 |
| 古日班呼都格 | ᠭᠤᠷᠪᠠᠨ ᠬᠤᠳᠤᠭ | Gûrbn Hûdg | 三眼井 |
| 古日班毛都 | ᠭᠤᠷᠪᠠᠨ ᠮᠣᠳᠤ | Gûrbn Môd | 三棵树 |
| 古日班温都尔 | ᠭᠤᠷᠪᠠᠨ ᠥᠨᠳᠥᠷ | Gûrbn ŏndr | 三高地 |
| 古日班温都日 | ᠭᠤᠷᠪᠠᠨ ᠥᠨᠳᠥᠷ | Gûrbn ŏndr | 三高地 |
| 古日本敖包 | ᠭᠤᠷᠪᠠᠨ ᠣᠪᠣᠭ | Gûrbn Ôbôô | 三敖包 |
| 古日本巴音 | ᠭᠤᠷᠪᠠᠨ ᠪᠠᠶᠠᠨ | Gûrbn Bayn | 三富 |

| 古日本查干乃额布勒者 | | Gûrbn Qagaa'nai ðbǒljee | 三座白山冬营盘 |
|---|---|---|---|
| 古日本花 | | Gûrbn Hûa | 三山丘 |
| 古日本赛罕 | | Gûrbn Saihn | 三座明媚的山 |
| 古日本善达 | | Gûrbn Xangd | 三湿地 |
| 古日本善旦 | | Gûrbn Xangd | 三湿地 |
| 古日本陶勒盖 | | Gûrbn Tôlgai | 三山头 |
| 古日本沃博勒卓 | | Gûrbn ðbǒljee | 三个冬营盘 |
| 古日本乌兰 | | Gûrbn Ûlaan | 三红 |
| 古舍 | | Hoxee | 碑 |
| 古彦忽洞 | | Gun Hûdg | 深井 |
| 谷力敖包 | | Gǒligr Ôbôô | 光秃山包 |
| 谷力半乌素 | | Gûrbn Ûs | 三水 |
| 固班日绍荣 | | Gûrbn Xôrông | 三个尖峰 |
| 固恩呼都嘎 | | Gun Hûdg | 深水井 |
| 固尔板格日哈达 | | Gûrbn gr Had | 三巨石 |
| 固尔巴勒齐 | | Gûrblj | 三角形 |
| 固尔班布拉格 | | Gûrbn Bûlg | 三泉 |
| 固尔班乌素 | | Gûrbn Ûs | 三水 |
| 固尔本阿尔班 | | Gûrbn Arb | 三个十 |
| 图古日格查干 | | Tǒgrig Qagaan | 白元山 |
| 固日班赛罕 | | Gûrbn Saihn | 三座明媚的山 |
| 固日本套布 | | Gûrbn Tôb | 三土窝棚 |
| 固日古勒吐 | | Gûrgûûlt | 野鸡地 |
| 故勒特格讷吐 | | Gǒltg'nt | 光滑地 |
| 官保圐圙（藏蒙） | | Gômbiin Huree | 人名 圐圙 |
| 官布音呼都格（藏蒙） | | Gômbiin Hûdg | 人名 井 |
| 官将 | | Gûrbn Gr | 三间房 |
| 贵勒森浩绕 | | Gulsn Hôrôô | 杏树园 |

| 贵勒斯 | | Gules | 杏树 |
|---|---|---|---|
| 贵勒斯太 | | Guilstei | 杏树地 |
| 滚达来 | | Gun Dali | 深海子 |
| 滚额布勒吉 | | Gun ŏbŏljee | 深谷冬营盘 |
| 滚额日根高勒 | | Guun ergIin Gôl | 深沟河 |
| 滚哈布其勒 | | Gun Habql | 深峡 |
| 滚呼都 | | Gun Hûdg | 深井 |
| 滚呼都格 | | Gun Hûdg | 深井 |
| 滚尚德 | | Gun Xangd | 深水滩 |
| 滚特古日格 | | Gun Tŏgrig | 环形深谷 |
| 滚吾素 | | Gun Ûs | 深水 |
| 棍呼都格 | | Gun Hûdg | 深井 |
| 棍乌苏 | | Gun Ûs | 深水 |
| 郭而奔脑包 | | Gûrbn Ôbôô | 三座敖包 |
| 郭尔罗斯 | | Gôrlôs | 江河 |
| 果尔班呼都格 | | Gûrbn Hûdg | 三眼井 |
| 哈阿图 | | At | 骟驼 |
| 哈巴塔盖音高勒 | | Habtgaiin Gôl | 平地河 |
| 哈北嘎 | | Habirg | 肋骨 |
| 哈比日嘎 | | Habirg | 肋骨 |
| 哈必尔嘎 | | Habirg | 肋骨 |
| 哈必力格 | | Habirg | 肋骨 |
| 哈卜沁 | | Habql | 山峡 |
| 哈卜泉 | | Habql | 山峡 |
| 哈卜石太 | | Habistai | 封皮地 |
| 哈卜斯太 | | Habistai | 封皮地 |
| 哈不乔尔 | | Habqûûr | 钳子 |
| 哈不沁 | | Habqig | 狭窄 扁 |

| 哈不沁 | Habql | 山峡 |
|---|---|---|
| 哈布哈斯太 | Habhaastai | 盖子地 |
| 哈布其 | Habq | 甲虫 |
| 哈布其盖 | Habqgai | 狭窄 扁 |
| 哈布其格音额布勒者 | Habqgiin ŏbŏljee | 人名 冬营盘 |
| 哈布其亥 | Habqgai | 狭窄 扁 |
| 哈布其拉 | Habql | 山峡 |
| 哈布其勒 | Habql | 山峡 |
| 哈布其勒阿玛 | Habql Am | 山峡口 |
| 哈布泉 | Habql | 山峡 |
| 哈布塔盖 | Habtgai | 扁 |
| 哈布塔盖音召 | Habtgaiin Jôô | 平地召 |
| 哈布太沟 | Habtai Gûû | 顺势山谷 |
| 哈布特盖音扎斯 | Habtgaiin Jsa | 平地庙仓 |
| 哈布特斯音阿玛 | Habtsiin Am | 板子山口 |
| 哈布图哈萨尔祭奠堂 | Habt hasriin Ônggôn | 人名 祭奠堂 |
| 哈达 | Had | 岩 |
| 哈达阿日善图音苏莫 | Had arxaantiin Sum | 喇嘛庙名 |
| 哈达不气 | Hatabq | 门框 |
| 哈达道 | Had Jam | 岩石道 |
| 哈达沟 | Hadn Gûû | 岩石沟 |
| 哈达沟 | Hadiin Gûû | 岩石沟 |
| 哈达沟门 | Hadn gûûgiin Am | 岩石沟口 |
| 哈达哈玛尔 | Hadn Hamr | 鼻梁岩 |
| 哈达浩少 | Hadn Hûxûû | 岩石山咀 |
| 哈达呼舒 | Hadn Hûxûû | 岩石山咀 |
| 哈达忽洞 | Hadn Hûdg | 岩石井 |
| 哈达胡勒 | Haden Huree | 岩石圐圙 |

| 哈达乃乌布勒卓 | | Hadnai ŏbŏljee | 岩石地冬营盘 |
|---|---|---|---|
| 哈达努图克 | | Hadn Nûtg | 岩石牧场 |
| 哈达绍荣 | | Hadn Xôrông | 岩石山峰 |
| 哈达图 | | Hadt | 岩石地 |
| 哈达图敖包 | | Hadt Ôbôô | 岩石敖包 |
| 哈达图沟 | | Hadt Gûû | 岩石沟 |
| 哈达图壕(蒙汉) | | Hadt Gûû | 岩石沟 |
| 哈达图陶勒盖 | | Hadt Tôlgai | 岩石山头 |
| 哈达图音阿木 | | Hadtiin Am | 岩石山口 |
| 哈达图音额布勒者 | | Hadtiin ŏbŏljee | 岩石地冬营盘 |
| 哈达兔 | | Hadt | 岩石地 |
| 哈达音阿玛 | | Hadiin Am | 岩石山口 |
| 哈丹和日木 | | Hadn Hrm | 石头墙 |
| 哈丹苏 | | Hadn Sûû | 岩石谷 |
| 哈单呼舒 | | Hadn Hûxûû | 岩石山咀 |
| 哈德门 | | Hadnml | 割草开路 |
| 哈登补力格 | | Hadn Bûlg | 岩石泉 |
| 哈登德毕斯格 | | Hadn Dbsg | 岩石台地 |
| 哈登恩格尔 | | Hadn Enggr | 岩石向阳处 |
| 哈登嘎绍 | | Hadn Hûxûût | 岩石山咀 |
| 哈登沟 | | Hadn Gûû | 岩石沟 |
| 哈登哈少 | | Hadn Hûxûû | 岩石山咀 |
| 哈登呼布 | | Hadn Hob | 岩石深渊 |
| 哈登呼都 | | Hadn Hûdg | 石头井 |
| 哈登呼都嘎 | | Hadn Hûdg | 石头井 |
| 哈登呼绍 | | Hadn Hûxûû | 岩石山咀 |
| 哈登胡舒 | | Hadn Hûxûû | 岩石山咀 |
| 哈登毛浩尔 | | Hadn Mûhr | 岩石死角 |

| 哈登乃阿日 | ᠬᠠᠳᠤᠨ ᠤ ᠠᠷ | Had'nai Ar | 岩石背 |
| 哈登善达 | ᠬᠠᠳᠤᠨ ᠱᠠᠩᠳᠠ | Hadn Xangd | 岩石湿地 |
| 哈登乌素 | ᠬᠠᠳᠤᠨ ᠤᠰᠤ | Hadn Ûs | 石间水 |
| 哈登吾素 | ᠬᠠᠳᠤᠨ ᠤᠰᠤ | Hadn Ûs | 石间水 |
| 哈敦乌苏 | ᠬᠠᠳᠤᠨ ᠤᠰᠤ | Hadn Ûs | 石间水 |
| 哈而嘎那 | ᠬᠠᠷᠠᠭᠠᠨᠠ | Harga'na | 锦鸡儿 |
| 哈尔查布 | ᠬᠠᠷ ᠵᠠᠪ | Har Qab | 黑山口 |
| 哈尔朝鲁 | ᠬᠠᠷ ᠴᠢᠯᠠᠭᠤ | Har Qûlûû | 黑石头 |
| 哈尔楚鲁 | ᠬᠠᠷ ᠴᠢᠯᠠᠭᠤ | Har Qûlûû | 黑石头 |
| 哈尔嘎那 | ᠬᠠᠷᠠᠭᠠᠨᠠ | Harga'na | 锦鸡儿 |
| 哈尔嘎台 | ᠬᠠᠷᠠᠭᠠᠲᠠᠢ | Haraatai | 有视野 |
| 哈尔沟 | ᠬᠠᠷ ᠭᠣᠣ | Har Gûû | 黑沟 |
| 哈尔哈木尔河 | ᠬᠠᠷ ᠬᠠᠮᠤᠷ ᠭᠣᠣᠯ | Har hamr Gôl | 黑梁沟 |
| 哈尔呼舒 | ᠬᠠᠷ ᠬᠦᠵᠡᠭᠦᠤ | Har Hûxûû | 黑山咀 |
| 哈尔淖尔 | ᠬᠠᠷ ᠨᠠᠭᠤᠷ | Har Nûûr | 清水海子 |
| 哈尔努登 | ᠬᠠᠷ ᠨᠢᠳᠤᠨ | Har Nudn | 黑眼圈 |
| 哈尔努都 | ᠬᠠᠷ ᠨᠢᠳᠤ | Har Nud | 黑眼圈 |
| 哈尔诺尔 | ᠬᠠᠷ ᠨᠠᠭᠤᠷ | Har Nûûr | 清水海子 |
| 哈尔陶勒盖 | ᠬᠠᠷ ᠲᠣᠯᠤᠭᠠᠢ | Har Tôlgai | 黑山头 |
| 哈尔套 | ᠬᠠᠷ ᠲᠣᠬᠣᠢ | Har Tôhôi | 黑山弯 |
| 哈尔图 | ᠬᠠᠷᠠᠭᠠᠨᠲᠤ | Hargant | 锦鸡儿地 |
| 哈尔图 | ᠬᠠᠷᠠᠭᠠᠲᠤ | Haraat | 视野地 |
| 哈尔乌拉 | ᠬᠠᠷ ᠠᠭᠤᠯᠠ | Har Ûûl | 清水 |
| 哈尔乌苏 | ᠬᠠᠷ ᠤᠰᠤ | Har Ûs | 清水 |
| 哈尔吾素 | ᠬᠠᠷ ᠤᠰᠤ | Har Ûs | 清水 |
| 哈凤井 | | | 待考 |
| 哈格音淖日 | ᠬᠠᠭ ᠤᠨ ᠨᠠᠭᠤᠷ | Hagiin Nûûr | 地衣海子 |
| 哈根淖 | ᠬᠠᠭ ᠤᠨ ᠨᠠᠭᠤᠷ | Hagiin Nûûr | 地衣海子 |

| 哈华斯 | | Habhaas | 盖子 |
|---|---|---|---|
| 哈吉 | | Haji | 镶边 |
| 哈吉嘎尔 | | Hajaar | 马嚼子 |
| 哈教 | | Hajûû | 旁侧 |
| 哈教日 | | Hajûûr | 夹子 |
| 哈金坝 | | Haljn Dabaa | 秃山坡 |
| 哈金布拉格 | | Haqn Bûlg | 奇泉 |
| 哈金沟 | | Haqn Gûû | 奇沟 |
| 哈拉板申 | | Har Baixng | 老房子 |
| 哈拉板升 | | Har Baixng | 老房子 |
| 哈拉朝鲁 | | Har Qûlûû | 黑石头 |
| 哈拉此老 | | Har Qûlûû | 黑石头 |
| 哈拉次老 | | Har Qûlûû | 黑石头 |
| 哈拉道保 | | Har Dôb | 黑土丘 |
| 哈拉嘎额日格 | | Haalgiin Erg | 门岗 |
| 哈拉盖 | | Halgai | 荨麻 |
| 哈拉盖布隆 | | Halgaiin Bûlng | 荨麻湾 |
| 哈拉盖图 | | Halgait | 荨麻地 |
| 哈拉圪纳 | | Harga'na | 锦鸡儿 |
| 哈拉更 | | Halgai | 荨麻 |
| 哈拉沟 | | Har Gûû | 黑沟 |
| 哈拉哈 | | Halh | 部落名称 漠北 |
| 哈拉海 | | Halgai | 荨麻 |
| 哈拉合少 | | Har Hûxûû | 黑山咀 |
| 哈拉忽洞 | | Har Hûdg | 清水井 |
| 哈拉斤 | | Haljn | 秃顶 |
| 哈拉金 | | Haljn | 秃顶 |
| 哈拉门独 | | Har Môd | 枯树 |

| 哈拉其 | ᠬᠠᠷᠠᠴᠢᠨ | Harqin | 部落名称 箭囊 |
| 哈拉沁 | ᠬᠠᠷᠠ | Harq | 视野 |
| 哈拉沁 | ᠬᠠᠷᠠᠴᠢᠨ | Harqn | 部落名称 箭囊 |
| 哈拉特尔 | ᠬᠠᠯᠲᠠᠷ | Haltr | 黑花脸 |
| 哈拉特尔瑙海图 | ᠬᠠᠯᠲᠠᠷ ᠨᠣᠬᠠᠢᠲᠤ | Haltr Nôhôit | 花狗地 |
| 哈拉特日音陶若木 | ᠬᠠᠯᠲᠠᠷ ᠤᠨ ᠲᠣᠭᠤᠷᠢᠮ | Haltriin Tôôrim | 人名洼 |
| 哈拉图 | ᠬᠠᠷᠠᠲᠤ | Haraat | 视野地 |
| 哈拉图 | ᠬᠠᠷᠠᠲᠤ | Harat | 黑山头 |
| 哈拉兔 | ᠬᠠᠷᠢᠶᠠᠲᠤ | Haryat | 属地 |
| 哈拉文境 | ᠬᠠᠷᠠ ᠦᠵᠦᠭᠦᠷ | Har Ujuur | 黑山角 |
| 哈拉吾素 | ᠬᠠᠷᠠ ᠤᠰᠤ | Har Ûs | 清水沟 |
| 哈拉勿苏 | ᠬᠠᠷᠠ ᠤᠰᠤ | Har Ûs | 清水沟 |
| 哈拉西力 | ᠬᠠᠷᠠ ᠰᠢᠯᠢ | Har Xl | 黑梁 |
| 哈拉宿力 | ᠬᠠᠷᠠ ᠰᠢᠷᠡᠭᠡ | Har Xree | 黑台地 |
| 哈剌挠尔 | ᠬᠠᠷᠠ ᠨᠠᠭᠤᠷ | Har Nûûr | 清水海子 |
| 哈腊沟 | ᠬᠠᠷᠠ ᠭᠤᠤ | Har Gûû | 黑沟 |
| 哈兰板申 | ᠬᠠᠷᠠ ᠪᠠᠢᠰᠢᠩ | Har Baixng | 老房子 |
| 哈兰不塔 | ᠬᠠᠷᠠ ᠪᠦᠲᠦ | Har Bût | 黑圪洞 |
| 哈朗 | | | 待考 |
| 哈乐 | ᠬᠠᠷᠠᠭᠤᠯ | Harûûl | 岗哨 |
| 哈力拜 | ᠠᠷᠪᠠᠢ | Arbai | 大麦 |
| 哈力恩格勒 | ᠬᠠᠷᠠ ᠡᠩᠭᠡᠷ | Har Enggr | 黑山前坡 |
| 哈力盖图 | ᠬᠠᠯᠠᠭᠠᠢᠲᠤ | Halgait | 荨麻地 |
| 哈林格尔 | ᠬᠣᠷᠢᠨ ᠭᠡᠷ | Hôrin Gr | 二十家子 |
| 哈留台 | ᠬᠠᠯᠢᠭᠤᠲᠠᠢ | Haliûtai | 有水獭 |
| 哈流图 | ᠬᠠᠯᠢᠭᠤᠲᠤ | Haliût | 水獭地 |
| 哈流图诺尔 | ᠬᠠᠯᠢᠭᠤᠲᠤ ᠨᠠᠭᠤᠷ | Haliût Nûûr | 水獭湖 |
| 哈芦忽洞 | ᠠᠷᠤ ᠬᠤᠳᠳᠤᠭ | Ar Hûdg | 后井 |

| 哈路忽洞 | | Ar Hûdg | 后井 |
|---|---|---|---|
| 哈马日布郎 | | Hamr Bûlng | 鼻梁湾 |
| 哈马日达巴 | | Hamr Dabaa | 鼻梁坝 |
| 哈玛额布勒者 | | Hamriin ðbðljee | 人名　东营盘 |
| 哈玛尔敖包 | | Hamriin Ôbôô | 鼻梁山 |
| 哈玛尔敖瑞 | | Hamriin Ôrôi | 鼻梁山顶 |
| 哈玛尔甲拉 | | Hamriin Jalg | 鼻梁山谷 |
| 哈玛尔套海 | | Hamriin Tôhôi | 鼻梁湾 |
| 哈玛尔湾(蒙汉) | | Hamriin Bûlng | 鼻梁湾 |
| 哈玛尔音恩格 | | Hamriin Enggr | 鼻梁腰 |
| 哈玛尔音赛日 | | Hamriin Sair | 沙滩梁 |
| 哈玛尔音山滩 | | Hamriin Xangd | 鼻梁山泉 |
| 哈玛日扎木 | | Hamr Jam | 鼻梁道 |
| 哈毛坝(蒙汉) | | Hamr Dabaa | 鼻梁坝 |
| 哈毛不浪 | | Hamr Bûlng | 鼻梁湾 |
| 哈模沟 | | Hamr Gûû | 鼻梁沟 |
| 哈木尔太 | | Hamrtai | 鼻梁地 |
| 哈木黑格图 | | Hamhagt | 扎蓬棵地 |
| 哈木呼 | | Hamh | 楼拢 |
| 哈木图 | | Hamt | 集体 |
| 哈木扎 | | Hamjaa | 协作 |
| 哈那哈达 | | Ha'n Had | 壁岩 |
| 哈那图 | | Ha'nt | 蒙古包包壁支架(哈那) |
| 哈那音高勒 | | Ha'niin Gôl | 哈那　河 |
| 哈那音克布 | | Ha'niin Hub | 哈那　深渊 |
| 哈那音乌拉 | | Ha'niin Ûûl | 哈那　山 |
| 哈纳 | | Ha'n | 哈那 |
| 哈纳 | | Harga'na | 锦鸡儿 |

| 哈纳沟 | | Harga'na Gûû | 锦鸡儿沟 |
|---|---|---|---|
| 哈能 | | Ha'n | 哈那 |
| 哈宁敖包 | | Ha'nan Ôbôô | 哈那 敖包 |
| 哈欠尧(蒙汉) | | Agûi Yao | 洞窑 |
| 哈热楚 | | Harq | 庶民 |
| 哈仁贵图 | | Harnggûit | 黑暗地 |
| 哈日 | | Har | 黑 |
| 哈日敖包 | | Har Ôbôô | 黑敖包 |
| 哈日敖包 | | Har Ôbôô | 黑敖包 |
| 哈日敖包图 | | Har Ôbôôt | 黑敖包地 |
| 哈日敖包希里 | | Har ôbôôn Xl | 黑山梁 |
| 哈日包勒希台 | | Har Bûlxtai | 黑坟地 |
| 哈日本巴 | | Har Bûmb | 黑坟丘 |
| 哈日布拉格 | | Har Bûlg | 黑泉 |
| 哈日布日格德乌拉 | | Har burged Ûûl | 黑鹰山 |
| 哈日查 | | Harq | 目光 视野 |
| 哈日查布 | | Har Qab | 黑岩缝 |
| 哈日朝鲁 | | Har Qûlûû | 黑石头 |
| 哈日车勒 | | Har Qeel | 黑山谷 |
| 哈日楚鲁 | | Har Qûlûû | 黑石头 |
| 哈日楚鲁太戈壁 | | Har qûlûûtai Gôbi | 墨玉戈壁滩 |
| 哈日楚伦 | | Har Qûlûûn | 黑石头 |
| 哈日德勒 | | Har Dl | 黑鬃 |
| 哈日德力素 | | Har Drs | 黑芨芨 |
| 哈日德林敖包 | | Har dliin Ôbôô | 黑马鬃山 |
| 哈日德日斯呼都嘎 | | Har drsn Hûdg | 黑芨芨滩井 |
| 哈日德日斯霍若格 | | Har dersiin Hoorg | 黑芨芨桥 |
| 哈日德日苏 | | Har Drs | 黑芨芨 |

| 哈日额日格 | ᠬᠠᠷ ᠡᠷᠭᠢ | Har Erg | 黑土岗 |
| 哈日鄂日格 | ᠬᠠᠷ ᠡᠷᠭᠢ | Har Erg | 黑土岗 |
| 哈日恩格日 | ᠬᠠᠷ ᠡᠩᠭᠡᠷ | Har Enggr | 黑山麗 |
| 哈日嘎拉图 | ᠬᠠᠷᠭᠠᠯᠲᠤ | Hargalt | 相逢地 |
| 哈日嘎那 | ᠬᠠᠷᠭᠠᠨ᠎ᠠ | Harga'na | 锦鸡儿 |
| 哈日嘎那音阿木 | ᠬᠠᠷᠭᠠᠨ᠎ᠠ ᠶᠢᠨ ᠠᠮᠠ | Harga'niin Am | 锦鸡儿山口 |
| 哈日嘎那音高勒 | ᠬᠠᠷᠭᠠᠨ᠎ᠠ ᠶᠢᠨ ᠭᠣᠣᠯ | Harga'niin Gôl | 锦鸡儿河 |
| 哈日嘎图 | ᠬᠠᠷᠠᠲᠤ | Haraat | 视野地 |
| 哈日盖廷高勒 | ᠬᠠᠷᠭᠠᠨᠲᠤ ᠶᠢᠨ ᠭᠣᠣᠯ | Harga'ntiin Gôl | 锦鸡儿河 |
| 哈日干嘎 | ᠬᠠᠷ ᠭᠠᠩᠭ᠎ᠠ | Har Gangga | 黑沟壑 |
| 哈日格那 | ᠬᠠᠷᠭᠠᠨ᠎ᠠ | Harga'na | 锦鸡儿 |
| 哈日沟 | ᠬᠠᠷ ᠭᠣᠣ | Har Gûû | 黑沟 |
| 哈日哈达 | ᠬᠠᠷ ᠬᠠᠳᠠ | Har Had | 黑岩石 |
| 哈日浩饶 | ᠬᠠᠷ ᠬᠣᠷᠣᠭ᠎ᠠ | Har Hôrôô | 黑围圈 |
| 哈日浩饶图 | ᠬᠠᠷ ᠬᠣᠷᠣᠭᠠᠲᠤ | Har Hôrôôt | 黑围圈地 |
| 哈日呼布 | ᠬᠠᠷ ᠬᠦᠪ | Har Hob | 深渊 |
| 哈日呼都格 | ᠬᠠᠷ ᠬᠤᠳᠤᠭ | Har Hûdg | 黑井 |
| 哈日呼吉日 | ᠬᠠᠷ ᠬᠤᠵᠢᠷ | Har Hûjr | 黑色盐碱滩 |
| 哈日呼少 | ᠬᠠᠷ ᠬᠤᠰᠤᠤ | Har Hûxûû | 黑山咀 |
| 哈日呼绍 | ᠬᠠᠷ ᠬᠤᠰᠤᠤ | Har Hûxûû | 黑山咀 |
| 哈日呼舒 | ᠬᠠᠷ ᠬᠤᠰᠤᠤ | Har Hûxûû | 黑山咀 |
| 哈日葫芦 | ᠬᠠᠷ ᠬᠤᠯᠤ | Har Hûl | 黑葫芦 |
| 哈日玛格图 | ᠬᠠᠷᠮᠠᠭᠲᠤ | Harmht | 白刺地 |
| 哈日毛日图 | ᠬᠠᠷ ᠮᠣᠷᠢᠲᠤ | Har Môrit | 黑马滩 |
| 哈日脑如 | ᠬᠠᠷ ᠨᠠᠭᠤᠷᠤᠤ | Har Nûrûû | 黑山脊 |
| 哈日淖尔 | ᠬᠠᠷ ᠨᠠᠭᠤᠷ | Har Nûur | 清水泡子 |
| 哈日淖日 | ᠬᠠᠷ ᠨᠠᠭᠤᠷ | Har Nûur | 清水泡子 |
| 哈日陶勒盖 | ᠬᠠᠷ ᠲᠣᠯᠣᠭᠠᠢ | Har Tôlgai | 黑山头 |

| 哈日特格 | | Har Teeg | 黑公岩羊 |
|---|---|---|---|
| 哈日乌苏 | | Har Ûs | 清水 |
| 哈日乌苏山 | | Har ûsan Ûûl | 清水山 |
| 哈日乌珠日 | | Har Ujuur | 黑尖山 |
| 哈日音阿日 | | Hariin Ar | 黑山北 |
| 哈沙图 | | Haxaat | 栅栏地 |
| 哈少忽洞 | | Haxaan Hûdg | 围圈井 |
| 哈少胡同 | | Hûxûûn Hûdg | 山嘴井 |
| 哈少吾素 | | Hûxûû Ûs | 山咀水流 |
| 哈少营 | | Haxaa Ail | 栅栏营子 |
| 哈斯格 | | Hasg | 车 |
| 哈素 | | Har Ûs | 清水 * |
| 哈塔布其 | | Hadbq | 门槛儿 |
| 哈太 | | Haatai | 牲畜前腿状地形 |
| 哈坦板升 | | Hadn Baixng | 石房子 |
| 哈坦和硕 | | Hadn Hûxûû | 岩石山咀 |
| 哈坦套布格 | | Hadn Dôbôg | 岩石山丘 |
| 哈特布其 | | Hadbq | 门槛儿 |
| 哈腾套海 | | Hadn Tôhôi | 岩石湾 |
| 哈下图苏木 | | Haxaat Sum | 喇嘛庙名 |
| 哈夏 | | Haxaa | 栅栏 |
| 哈夏图 | | Haxaat | 栅栏地 |
| 哈牙 | | Hayaa | 边缘 |
| 哈亚 | | Hayaa | 边缘 |
| 哈亚吉格德 | | Hayaa Jigd | 沙枣泉 |
| 哈彦忽洞 | | Hôyrhûdg | 两眼井 |
| 哈彦渠(蒙汉) | | Hôyr Sûbag | 两条渠 |
| 哈也色气(蒙藏) | | Hôyr Saq | 两个泥佛像 |

| 哈业敖包 | | Hôyr Ôbôô | 两个敖包 |
|---|---|---|---|
| 哈业胡同 | | Hôyr Hûdg | 两眼井 |
| 哈业脑包 | | Hôyr Ôbôô | 两个敖包 |
| 哈业色气 | | Hôyr Saqûl | 两个九眼勺 |
| 哈叶忽洞 | | Hôyr Hûdg | 两眼井 |
| 哈页忽洞 | | Hôyr Hûdg | 两眼井 |
| 哈伊尔脑包 | | Hôyr Ôbôô | 两个敖包 |
| 哈召 | | Hajûû | 旁侧 |
| 哈召洪德 | | | 待考 |
| 哈召呼都格 | | Hajûû Hûdg | 旁井 |
| 哈只盖 | | Hajgai | 斜坡 |
| 哈珠 | | Hajûû | 侧旁 |
| 哈珠音阿玛乌苏 | | Hajûûgin am Ûs | 旁侧吃水井 |
| 海必日根呼都格 | | Habirgn Hûdg | 月牙井 |
| 海岱 | | Haxaat | 栅栏地 |
| 海尔罕胡舒 | | Hairhn Hûxûû | 山岳山咀 |
| 海拉察克 | | Hairqg | 箱子 |
| 海拉森毛登高 | | Hailsn môdn Gûû | 榆树沟 |
| 海拉斯 | | Hails | 榆树 |
| 海拉苏 | | Hails | 榆树 |
| 海拉苏沟 | | Hails Gûû | 榆树沟 |
| 海兰泡(蒙汉) | | Har Nûûr | 清水泡 |
| 海勒斯太 | | Hailstai | 榆树地 |
| 海力更 | | Hilga'n | 针茅 |
| 海力素 | | Hails | 榆树 |
| 海良石 | | Hails | 榆树 |
| 海溜图 | | Haliûût | 水獭地 |
| 海留特音昭 | | Haliûtiin Jôô | 水獭滩 |

| 海留图 | | Haliûût | 水獭地 |
|---|---|---|---|
| 海流 | | Haliûût | 水獭地 |
| 海流 | | Hailstai | 有榆树 |
| 海流沟 | | Hails Gûû | 榆树沟 |
| 海流色太 | | Hailstai | 有榆树 |
| 海流树 | | Hails | 榆树 |
| 海流素太 | | Hailstai | 有榆树 |
| 海流速太 | | Hailstai | 有榆树 |
| 海流图 | | Haliûût | 旱獭地 |
| 海流图音额和 | | Haliûûtiin Ehi | 水獭河源 |
| 海柳 | | Hails | 榆树 |
| 海日恩格日 | | Hiar Enggr | 向阳坡 |
| 海日汗楚鲁 | | Hairhan Qûlûû | 山岳石 |
| 海日音苏莫 | | Hiariin Sum | 山梁庙 |
| 海日音苏莫 | | Hairiin Sum | 砂砾庙 |
| 海日音照黑斯图 | | Hiariin Jegst | 山坡菖蒲 |
| 海生不拉 | | Haqin Bûlg | 怪泉 |
| 海生不浪 | | Hailsan Bûlg | 柳树泉 |
| 海生不浪 | | Haqin Bûlg | 怪泉 |
| 海斯 | | Hais | 小铜锅 |
| 海苏湾(蒙汉) | | Hailsan Tôhôi | 榆树湾 |
| 韩盖淖 | | Hanggai Nûûr | 大海子 |
| 韩盖营 | | Hanggai Ail | 勒勒车营子 |
| 韩庆沟 | | Haqìn Gûû | 怪沟 |
| 韩勿拉 | | Han Ûûl | 附近最高的山 |
| 罕格那和本巴太 | | Hanggi'nh Bûmbtai | 鸣响甘露瓶 |
| 罕吉图 | | Hanjt | 火炕地 |
| 罕乌拉 | | Han Ûûl | 附近最高的山 |

| 汉吉图 | | Hanjt | 火炕地 |
|---|---|---|---|
| 汗乌拉 | | Han ûûl | 附近最高的山 |
| 杭盖 | | Hanggai | 水草肥美的草原 |
| 杭盖阿马 | | Hangai Am | 水草肥美的山口 |
| 杭盖戈壁 | | Hanggai Gôbi | 水草肥美的戈壁滩 |
| 杭锦 | | Hanggin | 噪音 |
| 毫赖 | | Hôôlôi | 膛子 |
| 毫赖不浪 | | Hûûrai Bûlg | 干泉 |
| 毫赖沟 | | Hôôlôi Gûû | 膛子 |
| 毫帽沟 | | | 待考 |
| 毫堑 | | Hûûqn | 旧营子 |
| 毫沁 | | Hûûqn | 旧营子 |
| 毫沁营 | | Hûûqn Ail | 旧营子 |
| 毫庆 | | Hûûqn | 旧居 |
| 豪来 | | Hôôlôi | 膛子 |
| 豪赖 | | Yh Hôôlôi | 大山涧 |
| 豪赖 | | Hôôlôi | 膛子 |
| 豪赖沟 | | Hôôlôi Gûû | 膛子 |
| 豪赖腮 | | Hûûrai Sûû | 山谷洼 |
| 豪赖苏 | | Hôôlôi Sûû | 山谷洼 |
| 豪其营陶勒盖 | | Hûqiin Tôlgai | 种绵羊山头 |
| 壕来 | | Hôôlôi | 膛子 |
| 壕赖 | | Hôôlôi | 膛子 |
| 壕赖不拉 | | Hûûrai Bûlg | 干泉 |
| 壕赖沟 | | Hûûrai Gôl | 干河 |
| 壕赖沟 | | Hûûrai Gûû | 干沟 |
| 壕赖圐圙 | | Hûûrai Huree | 空圐圙 |
| 壕赖山(蒙汉) | | Hôôlôi Ûûl | 谷地山 |

| 壕赖苏 | ᠬᠠᠭᠤᠷᠠᠢ ᠰᠤᠪᠤ | Hûûrai Sûû | 干山湾 |
|---|---|---|---|
| 壕堑 | ᠬᠠᠭᠤᠴᠢᠨ | Hûûqn | 故居 |
| 好奔洪浩尔 | ᠬᠣᠪᠤᠩ ᠬᠣᠩᠬᠣᠷ | Hôôbng Hôngkôr | 盆形洼 |
| 好布德勒 | ᠬᠤᠪᠳᠤᠯ | Hûbdl | 沟地 |
| 好尔趁 | ᠬᠣᠷᠴᠢᠨ | Hôrqn | 佩戴弓箭者 |
| 好来 | ᠬᠣᠭᠣᠯᠠᠢ | Hôôlôi | 膛子 |
| 好来德日苏 | ᠬᠣᠭᠣᠯᠠᠢ ᠳᠡᠷᠡᠰᠦ | Hôôlôi Drs | 山谷芨芨 |
| 好来沟 | ᠬᠣᠭᠣᠯᠠᠢ ᠭᠣᠣ | Hôôlôi Gûû | 山谷沟 |
| 好来呼都格 | ᠬᠣᠭᠣᠯᠠᠢ ᠬᠤᠳᠤᠭ | Hôôlôi Hûdg | 山谷井 |
| 好来淖尔 | ᠬᠣᠭᠣᠯᠠᠢ ᠨᠠᠭᠤᠷ | Hôôlôi Nûûr | 山谷海子 |
| 好勒包 | ᠬᠣᠯᠪᠣᠭ᠎ᠠ | Hôlbôô | 连山 |
| 好林高勒 | ᠬᠣᠭᠣᠯᠠᠨ ᠭᠣᠣᠯ | Hôôln Gôl | 饮食河 |
| 好群 | ᠬᠠᠭᠤᠴᠢᠨ | Hûûqn | 旧营子 |
| 好牙日呼都格 | ᠬᠣᠶᠠᠷᠬᠤᠳᠤᠭ | Hôyrhûdg | 两眼井 |
| 好也日呼都格 | ᠬᠣᠶᠠᠷ ᠬᠤᠳᠤᠭ | Hôyr Hûdg | 两眼井 |
| 好也日满哈 | ᠬᠣᠶᠠᠷ ᠮᠠᠩᠬ᠎ᠠ | Hôyr Mangh | 两座沙丘 |
| 好伊特推日木 | ᠬᠣᠶᠢᠲᠤ ᠲᠣᠭᠣᠷᠢᠮ | Hôit Tôôrim | 后洼 |
| 耗来沟 | ᠬᠣᠭᠣᠯᠠᠢ | Hôôlôi | 谷地沟 |
| 浩高勒图 | ᠬᠣᠭᠣᠯᠠᠢᠲᠤ(ᠬᠣᠭᠣᠯᠠᠢᠲᠤ) | Hôôlôit | 山谷地 |
| 浩来 | ᠬᠣᠭᠣᠯᠠᠢ | Hôôlôi | 膛子 |
| 浩来呼都格 | ᠬᠣᠭᠣᠯᠠᠢ ᠬᠤᠳᠤᠭ | Hôôlôi Hûdg | 山谷井 |
| 浩来浑迪 | ᠬᠣᠭᠣᠯᠠᠢ ᠬᠥᠨᠳᠡᠢ | Hôôlôi Hôndei | 山谷涧 |
| 浩来洁白 | ᠬᠣᠭᠣᠯᠠᠢ ᠵᠢᠪ | Hôôlôi Jab | 长谷 |
| 浩来赛乌素 | ᠬᠣᠭᠣᠯᠠᠢ ᠰᠠᠶᠢᠨ ᠤᠰᠤ | Hôôlôi sain Ûs | 山谷好水井 |
| 浩赖 | ᠬᠣᠭᠣᠯᠠᠢ | Hôôlôi | 膛子 |
| 浩勒包 | ᠬᠣᠯᠪᠣᠭ᠎ᠠ | Hôlbôô | 连山 |
| 浩勒包勒金 | ᠬᠣᠯᠪᠣᠯᠵᠢᠨ | Hôlbôljn | 连锁井 |
| 浩勒图音呼都嘎 | ᠬᠣᠭᠣᠯᠠᠢᠲᠤ ᠶᠢᠨ ᠬᠤᠳᠤᠭ | Hôôlôitiin Hûdg | 山谷地井 |

| | | | |
|---|---|---|---|
| 浩亮图 | ᠬᠣᠷᠣᠭᠳᠣ | Hôrôôt | 环形地 |
| 浩尼楚鲁河(蒙汉) | ᠬᠣᠨᠢᠨ ᠴᠢᠯᠠᠭᠤᠨ ᠭᠣᠣᠯ | Hô'nin qûlûûn Gôl | 羊石河 |
| 浩齐特 | ᠬᠠᠭᠣᠴᠢᠳ | Hûûqd | 蒙古部落名称 |
| 浩沁 | ᠬᠠᠭᠣᠴᠢᠨ | Hûûqn | 旧营子 |
| 浩沁塔宾格尔 | ᠬᠠᠭᠣᠴᠢᠨ ᠳᠠᠪᠢᠨ ᠭᠡᠷ | Hûûpn tabin Gr | 旧五十家 |
| 浩庆 | ᠬᠠᠭᠣᠴᠢᠨ | Hûûqn | 故旧 |
| 浩日嘎苏莫 | ᠬᠣᠷᠣᠭᠠ ᠰᠤᠮᠡ | Hôrg Sum | 喇嘛庙名 |
| 浩斯阿日布都嘎尔呼都嘎 | ᠬᠣᠰ ᠠᠷᠠᠪᠳᠤᠭᠠᠷ ᠬᠣᠳᠳᠤᠭ | Hôs Arabdûgaar Hûdg | 双十井 |
| 浩台(汉蒙) | ᠬᠣᠣᠲᠠᠢ | Hûûtai | 壶形 |
| 浩牙日呼都格 | ᠬᠣᠶᠠᠷ ᠬᠣᠳᠳᠤᠭ | Hôyr Hûdg | 两眼井 |
| 浩牙日陶勒盖 | ᠬᠣᠶᠠᠷ ᠲᠣᠯᠣᠭᠠᠢ | Hôyr Tôlgai | 两座山头 |
| 浩牙日图 | ᠬᠣᠶᠠᠷᠳᠣ | Hôyrt | 二号地 |
| 浩雅尔呼都格 | ᠬᠣᠶᠠᠷ ᠬᠣᠳᠳᠤᠭ | Hôyr Hûdg | 两眼井 |
| 浩雅尔毛都 | ᠬᠣᠶᠠᠷ ᠮᠣᠳᠣ | Hôyr Môd | 双树 |
| 浩雅尔陶高图 | ᠬᠣᠶᠠᠷ ᠲᠣᠭᠣᠭᠠᠳᠣ | Hôyr Tôgôôt | 二锅子 |
| 浩雅尔陶勒盖 | ᠬᠣᠶᠠᠷ ᠲᠣᠯᠣᠭᠠᠢ | Hôyr Tôlgai | 双峰 |
| 浩雅尔乌素 | ᠬᠣᠶᠠᠷ ᠤᠰᠤ | Hôyr Ûs | 泷水滩 |
| 浩雅尔音敖包 | ᠬᠣᠶᠠᠷ ᠤᠨ ᠣᠪᠣᠭ | Hôyriin Ôbôô | 二脑包 |
| 浩雅日敖包 | ᠬᠣᠶᠠᠷ ᠣᠪᠣᠭ | Hôyr Ôbôô | 双脑包 |
| 浩雅日敖包图 | ᠬᠣᠶᠠᠷ ᠣᠪᠣᠭᠳᠣ | Hôyr Ôbôôt | 双脑包地 |
| 浩雅日宝格达 | ᠬᠣᠶᠠᠷ ᠪᠣᠭᠳᠠ | Hôyr Bûgd | 双圣山 |
| 浩雅日格日 | ᠬᠣᠶᠠᠷ ᠭᠡᠷ | Hôyr Gr | 两顶蒙古包 |
| 浩雅日海拉苏 | ᠬᠣᠶᠠᠷ ᠬᠠᠢᠯᠠᠰᠣ | Hôyr Hails | 两棵柳树 |
| 浩雅日呼都格 | ᠬᠣᠶᠠᠷ ᠬᠣᠳᠳᠤᠭ | Hôyr Hûdg | 两眼井 |
| 浩尧尔阿木图 | ᠬᠣᠶᠠᠷ ᠠᠮᠠᠳᠣ | Hôyr Amt | 双口子 |
| 浩尧尔敖包 | ᠬᠣᠶᠠᠷ ᠣᠪᠣᠭ | Hôyr Ôbôô | 双脑包 |
| 浩尧尔呼都格 | ᠬᠣᠶᠠᠷ ᠬᠣᠳᠳᠤᠭ | Hôyr Hûdg | 两眼井 |
| 浩尧尔毛德 | ᠬᠣᠶᠠᠷ ᠮᠣᠳᠣ | Hôyr Môd | 两棵树 |

| | | | |
|---|---|---|---|
| 浩尧尔莫敦 | | Hôyr Môd | 两棵树 |
| 浩尧尔苏木 | | Hôyr Sum | 两座庙 |
| 浩尧尔乌达 | | Hôyr Ûd | 双柳 |
| 浩尧尔吾素 | | Hôyr Ûs | 二水营子 |
| 浩伊尔敖包 | | Hôyr Ôbôô | 双脑包 |
| 浩伊日毛都 | | Hôyr Môd | 双树 |
| 浩伊特高勒 | | Hôit Gôl | 后河 |
| 浩伊特哈日 | | Hôit Har | 后黑梁 |
| 浩意日吾素 | | Hôyr Ûs | 二水营子 |
| 浩约淖尔 | | Hôyr Nûûr | 二海子 |
| 合登宝勒格 | | Hadn Bûlg | 岩石泉 |
| 合毛太 | | Hamrtai | 鼻梁地 |
| 合日陶勒盖 | | Har Tôlgai | 黑山头 |
| 合少 | | Hûxûû | 山咀 |
| 合少营(蒙汉) | | Haxaan Hôt | 围城营子 |
| 合特 | | Hadiin Jalag | 岩石谷 |
| 合同 | | Hatn | 夫人 |
| 合同庙(蒙汉) | | Hôtônggiin Sum | 回回庙 |
| 合同庙(蒙汉) | | Hôtiin Sum | 城庙 |
| 合同营(蒙汉) | | Hatûû Ail | 坚实营子 |
| 合喜根淖尔 | | Hxgiin Nûûr | 吉祥海子 |
| 合页石(蒙汉) | | Hôyr Qûlûû | 双石 |
| 合伊尔花 | | Hôyr Hûa | 两个山头 |
| 何热哈达 | | Heree Had | 乌鸦岩 |
| 何日呼布 | | Heeriin Bûh | 野牤牛 |
| 何日苏台 | | Hrstei | 角碱莲 |
| 和布特 | | Hbtee | 卧佛山 |
| 和楚 | | Hquu | 险要地 |

| 和楚嘎查 | Hquu Gaqaa | 险峻嘎查 |
|---|---|---|
| 和和其 | Hŏhq | 青灰色 |
| 和林格尔 | Hôringgr | 二十家子 |
| 和齐音额布勒者 | Hqiin ŏbŏljee | 崖边冬营盘 |
| 和然努德 | Hreen Nud | 天门冬(植) |
| 和热 | Hree | 乌鸦 |
| 和热木 | Hrm | 边墙 |
| 和热木特 | Hrmt | 边墙地 |
| 和热木音呼都格 | Hrmiin Hûdg | 边墙井 |
| 和热图 | Hreet | 乌鸦地 |
| 和日木呼都格 | Hrmiin Hûdg | 边墙井 |
| 和日木图 | Hremt | 城墙地 |
| 和日木音呼都格 | Hrmiin Hûdg | 边墙井 |
| 和日木音善达 | Hrmiin Xangd | 边墙湿地 |
| 和日斯图 | Hrset | 沙狐地 |
| 和日音高勒 | Heeriin Gôl | 野地河 |
| 和斯格楚鲁 | Hsg Qûlûû | 石块儿 |
| 和伊 | Hei | 空气 |
| 河洛图 | Hôôlôit | 长谷地 |
| 河门吾素 | Amn Ûs | 吃水井 |
| 贺布特包日 | Hbtee Bôr | 紫色山梁 |
| 贺木和图 | Hmht | 香瓜地 |
| 贺庆吾素 | Hqiin Ûs | 悬崖水滩 |
| 贺日门吾素 | Hrm Ûs | 边墙水滩 |
| 贺日莫 | Hrm | 边墙 |
| 贺日莫音尚德 | Hrmiin Xangd | 边墙湿地 |
| 贺日斯台 | Hrstai | 角碱蓬 |
| 赫日生 | Grseng | 胸脂(动物的) |

| 鹤来皋 | | Hôôlôi Gûû | 壕堑沟 |
|---|---|---|---|
| 鹤鹿沟 | | Hôôlôi Jab | 壕堑谷 |
| 黑林达郎 | | Hiliin Dalng | 边界堤坝 |
| 黑 | | Hei | 空气 |
| 黑敖包(汉蒙) | | Har Ôbôô | 黑敖包 |
| 黑岱沟 | | Hadai Gôl | 哈代(人名)沟 |
| 黑鸡兔 | | Hûjrt | 盐碱地 |
| 黑拉乌素 | | Har Ûs | 清水 |
| 黑兰板升 | | Har Baixng | 黑房子 |
| 黑兰杆杆 | | Har Gangg | 黑沟壑 |
| 黑兰圪力更 | | Har Erg | 黑土岗 |
| 黑兰更更 | | Harerg | 黑沟 |
| 黑兰秃力亥 | | Har Tôlgai | 黑山头 |
| 黑兰土力亥 | | Har Tôlgai | 黑山头 |
| 黑浪壕 | | Hereen Gûû | 老鹳沟 |
| 黑老婆沟 | | Har emgn Gôl | 黑河 |
| 黑里河 | | Gôrh | 小溪 |
| 黑麻板 | | Hamr Baixng | 鼻梁房 |
| 黑麻板 | | Har ôlst Baixng | 黑蔴房 |
| 黑麻洼 | | Mlheit | 蛤蟆地 |
| 黑麻旭太 | | Mlheit | 蛤蟆地 |
| 黑脑包 | | Har Ôbôô | 黑脑包 |
| 黑尼池 | | Hô'niq | 羊倌(放羊人) |
| 黑日达嘎 | | Har Daag | 黑马驹 |
| 黑日呼绍 | | Har Hûxûû | 黑山嘴儿 |
| 黑日淖尔 | | Har Nûûr | 清水湖 |
| 黑日陶勒盖 | | Har Tôlgai | 黑山头 |
| 黑日特格 | | Har Teeg | 黑公岩羊 |

| 黑日乌素 | Har Ûs | 清水 |
|---|---|---|
| 黑日乌珠日 | Har Ujuur | 黑尖山 |
| 黑日音德日斯 | Hiariin Drs | 山坡芨芨 |
| 黑日音嘎顺 | Hiariin Gaxûûn | 梁上碱滩 |
| 黑日音棍 | Hiariin Gun | 山梁深谷 |
| 黑日音哈沙图 | Hiariin Haxaat | 山坡栅栏 |
| 黑日音乌苏 | Hiariin Ûs | 山梁水滩 |
| 黑森陶勒盖 | Huisn Tôlgai | 肚脐山 |
| 黑沙 | Haxaa Ail | 栅栏营子 |
| 黑沙 | Haxaat | 栅栏地 |
| 黑沙图 | Haxaat | 栅栏地 |
| 黑沙兔 | Haxaat | 栅栏地 |
| 黑蛇图 | Haxaat | 栅栏地 |
| 黑蛇图哈玛尔 | Haxaatiin Hamr | 栅栏梁 |
| 黑蛇兔 | Haxaat | 栅栏地 |
| 黑石林沟 | Har xliin Hŏndei | 黑梁山谷 |
| 黑石图 | Haxaat | 栅栏地 |
| 黑石吐 | Haxaat | 栅栏地 |
| 黑石兔 | Har Qûlûût | 黑石头地 |
| 黑石崖 | Haxaa | 栅栏 |
| 黑塔德乌素 | Hitd Ûs | 汉人营子 |
| 黑炭板 | Hdn Baixng | 数间房 |
| 亨格勒图 | Hôngkilt | 走廊地 |
| 红敖包 | Hun Ôbôô | 人形敖包 |
| 红代 | Hûntai | 天鹅地 |
| 红岱 | Hŏndei | 山谷 |
| 红德勒 | Hŏndl | 山梁 |
| 红格 | Hôngkôr | 洼地 |

| 红格尔 | ᠬᠣᠩᠭᠣᠷ | Hôngkôr | 黄红色 |
|---|---|---|---|
| 红格尔呼都格 | ᠬᠣᠩᠭᠣᠷ ᠬᠣᠳᠤᠭ | Hôngkôr Hôdag | 恋井 |
| 红格尔塔拉 | ᠬᠣᠩᠭᠣᠷ ᠲᠠᠯ | Hôngkôr Tal | 黄红色滩 |
| 红格尔图 | ᠬᠣᠩᠭᠢᠯᠲ | Hôngkilt | 走廊地 |
| 红格尔乌拉 | ᠬᠣᠩᠭᠣᠷ ᠠᠭᠤᠯᠠ | Hôngkôr Ûûl | 恋山 |
| 红格日贡 | ᠬᠣᠩᠭᠣᠷ ᠭᠤᠨ | Hôngkôr Gun | 黄红色深谷 |
| 红格图 | ᠬᠣᠩᠬᠣᠷᠲᠤ | Hôngkôrt | 凹陷地 |
| 洪德 | ᠬᠣᠨᠠ(ᠬᠣᠨᠠ) | Hûna | 鸿雁河 |
| 洪德楞 | ᠬᠥᠨᠳᠡᠯᠡᠨ | Hŏndln | 横梁 |
| 洪地高勒 | ᠬᠥᠨᠳᠡᠢ ᠭᠣᠣᠯ | Hŏndei Gôl | 山谷河 |
| 洪高勒 | ᠬᠣᠩᠭᠣᠯ | Hônggôl | 深沟 |
| 洪格尔 | ᠬᠣᠩᠭᠣᠷ | Hôngkôr | 黄红色 |
| 洪格尔敖包 | ᠬᠣᠩᠭᠣᠷ ᠣᠪᠣᠭ | Hônggôr Ôbôô | 恋情敖包 |
| 洪格尔宝拉格 | ᠬᠣᠩᠭᠣᠷ ᠪᠤᠯᠠᠭ | Hôngkôr Bûlg | 洼地泉 |
| 洪格日敖包 | ᠬᠣᠩᠭᠣᠷ ᠣᠪᠣᠭ | Hônggôr Ôbôô | 恋情敖包 |
| 洪黑 | ᠬᠣᠩᠭᠣᠷ | Hôngkôr | 凹地 |
| 鸿特音补隆 | ᠬᠤᠨᠲ ᠤᠨ ᠪᠤᠯᠤᠩ | Hûntiin Bûlng | 天鹅湾 |
| 后敖包(汉蒙) | ᠠᠷᠤ ᠣᠪᠣᠭ | Ar Ôbôô | 含义同汉语名称 |
| 后卜亥(汉蒙) | ᠠᠷᠤ ᠲᠣᠬᠣᠢ | Ar Tôhôi | 后湾 |
| 后补连梁(汉蒙) | ᠬᠣᠢᠲᠤ ᠪᠤᠯᠢᠶᠠᠨ ᠬᠢᠯ | Hôit bolieen Xl | 后温泉梁 |
| 后查干额日格(汉蒙) | ᠠᠷᠤ ᠴᠠᠭᠠᠨ ᠡᠷᠭᠢ | Ar qagaan Erg | 后白土岗 |
| 后达连沟(汉蒙) | ᠠᠷᠤ ᠳᠡᠯᠢ ᠶᠢᠨ ᠭᠣᠣᠯ | Ar deliin Gôl | 后马鬃河 |
| 后代子屯(汉蒙) | ᠬᠣᠢᠲᠤ ᠲᠠᠢᠵᠢ ᠶᠢᠨ ᠠᠢᠯ | Hôit taijiin Ail | 后台吉(蒙古贵族)营子 |
| 后德力素忽洞(汉蒙) | ᠠᠷᠤ ᠳᠡᠷᠡᠰᠦ ᠬᠣᠳᠤᠭ | Ar drs Hûdg | 后茭茭井 |
| 后尔驹沟(汉蒙) | ᠥᠯᠵᠡᠢ ᠶᠢᠨ ᠭᠣᠣᠯ | ŏljeiin Gôl | 人名(乌力吉含义寿)河 |
| 后哈卜泉(汉蒙) | ᠠᠷᠤ ᠬᠠᠪᠴᠢᠯ | Ar Habql | 后山峡 |
| 后哈卜斯太(汉蒙) | ᠠᠷᠤ ᠬᠠᠪᠢᠰᠲᠠᠢ | Ar Habistai | 后肋骨地 |
| 后哈达(汉蒙) | ᠬᠣᠢᠲᠤ ᠬᠠᠳᠠ | Hôit Hadt | 后石岩 |

| 后哈沙图(汉蒙) | | Ar Haxaat | 后圈 |
|---|---|---|---|
| 后壕赖(汉蒙) | | Ar Hûûrai | 后旱地 |
| 后红岱(汉蒙) | | Hôit Hŏndei | 后膛子 |
| 后吉拉 | | Hôgjl | 兴旺 发展 |
| 后康图沟(汉蒙) | | Hôit ganggat Gôl | 北沟壑河 |
| 后萨音吾素(汉蒙) | | Ar sain Ûs | 后好水井 |
| 后赛林忽洞(汉蒙) | | Hôit sain Hûdg | 后好水井 |
| 后席片(汉蒙) | | Hôit Xibee | 后栅栏 |
| 呼勃 | | Hŏb（kob） | 谷地或小水湖 |
| 呼博 | | Hŏb（kob） | 谷地或小水湖 |
| 呼布 | | Hŏb（kob） | 谷地或小水湖 |
| 呼布热 | | Hŏŏbŏr | 松软地 |
| 呼达尔呼音乌苏 | | Hûdrhiin Ûs | 后水滩 |
| 呼得木林 | | Hŏdlmŏr | 劳动 |
| 呼德勒 | | Hŏtl | 山坡 |
| 呼都格柴达木 | | Hûdg Qaidm | 空地井 |
| 呼都格善达 | | Hûdg Xangd | 泉眼井 |
| 呼尔敦高勒 | | Hûrdn Gôl | 激流河 |
| 呼格吉勒图 | | Hŏgjlt | 兴旺地 |
| 呼格吉勒图托亚 | | Hŏgjlt Tûyaa | 兴旺之光 |
| 呼格其 | | Hŏgq | 靛青(青霉菌) |
| 呼和阿玛 | | Hŏh Am | 青山口 |
| 呼和敖包 | | Hŏh Ôbôô | 青色敖包 |
| 呼和百兴 | | Hŏh Baixng | 蓝色房子 |
| 呼和宝力格 | | Hŏh Bôlag | 蓝泉 |
| 呼和察布 | | Hŏh Qab | 青山口 |
| 呼和超浩 | | Hŏh Qôhiô | 青悬崖 |
| 呼和朝鲁 | | Hŏh Qûlûû | 青色石头 |

| 呼和楚鲁图 | ᠬᠥᠬᠡ ᠴᠤᠯᠤᠤᠲᠤ | Hŏh Qûlûût | 青色石头地 |
|---|---|---|---|
| 呼和达巴 | ᠬᠥᠬᠡ ᠳᠠᠪᠠᠭ᠎ᠠ | Hŏh Dabaa | 青山坡 |
| 呼和达布苏 | ᠬᠥᠬᠡ ᠳᠠᠪᠤᠰᠤ | Hŏh Dabas | 青盐 |
| 呼和道本 | ᠬᠥᠬᠡ ᠳᠣᠪᠣᠩ | Hŏh Dôbông | 青色山包 |
| 呼和道布 | ᠬᠥᠬᠡ ᠳᠣᠪ | Hŏh Dôb | 青蓝色土丘 |
| 呼和道希 | ᠬᠥᠬᠡ ᠳᠣᠱᠢ | Hŏh Dôxi | 青蓝平顶山 |
| 呼和德尔斯 | ᠬᠥᠬᠡ ᠳᠡᠷᠡᠰᠤ | Hŏh Drs | 青芨芨 |
| 呼和德日苏 | ᠬᠥᠬᠡ ᠳᠡᠷᠡᠰᠤ | Hŏh Drs | 青芨芨 |
| 呼和额热格 | ᠬᠥᠬᠡ ᠡᠷᠭᠢ | Hŏh Erg | 青色土岗 |
| 呼和额日格 | ᠬᠥᠬᠡ ᠡᠷᠭᠢ | Hŏh Erg | 青色土岗 |
| 呼和额日格图 | ᠬᠥᠬᠡ ᠡᠷᠭᠢᠲᠤ | Hŏh Ergit | 青沟地 |
| 呼和额日根沃布力吉 | ᠬᠥᠬᠡ ᠡᠷᠭᠢ ᠶᠢᠨ ᠡᠪᠤᠯᠵᠢᠶ᠎ᠡ | Hŏh ergin ŏbŏjee | 青岗冬营盘 |
| 呼和鄂日格 | ᠬᠥᠬᠡ ᠡᠷᠭᠢ | Hŏh Erg | 青色土岗 |
| 呼和恩格尔 | ᠬᠥᠬᠡ ᠡᠩᠭᠡᠷ | Hŏh Enggr | 青色山麓 |
| 呼和放包 | ᠬᠥᠬᠡ ᠣᠪᠤᠭ᠎ᠠ | Hŏh Ôbôô | 蓝敖包 |
| 呼和哈达 | ᠬᠥᠬᠡ ᠬᠠᠳᠠ | Hŏh Had | 青色岩石 |
| 呼和哈达音呼都格 | ᠬᠥᠬᠡ ᠬᠠᠳᠠ ᠶᠢᠨ ᠬᠤᠳᠳᠤᠭ | Hŏh hadiin Hûdg | 青石井 |
| 呼和洪格勒 | ᠬᠥᠬᠡ ᠬᠣᠩᠭᠢᠯ | Hŏh Hôngkil | 青色走廊 |
| 呼和呼都嘎 | ᠬᠥᠬᠡ ᠬᠤᠳᠳᠤᠭ | Hŏh Hûdg | 青石井 |
| 呼和呼都格 | ᠬᠥᠬᠡ ᠬᠤᠳᠳᠤᠭ | Hŏh Hûdg | 青石井 |
| 呼和淖尔 | ᠬᠥᠬᠡ ᠨᠠᠭᠤᠷ | Hŏh Nûûr | 青水海子 |
| 呼和尚德 | ᠬᠥᠬᠡ ᠱᠠᠩᠳᠠ | Hŏh Xangd | 青水湿地 |
| 呼和陶勒盖 | ᠬᠥᠬᠡ ᠲᠣᠯᠤᠭᠠᠢ | Hŏh Tôlgai | 青色山头 |
| 呼和特格图 | ᠬᠥᠬᠡ ᠲᠡᠭᠡᠲᠤ | Hŏh Teegt | 青山岗 |
| 呼和提格 | ᠬᠥᠬᠡ ᠲᠡᠭ | Hŏh Teeg | 青圪塔 |
| 呼和温都尔 | ᠬᠥᠬᠡ ᠥᠨᠳᠤᠷ | Hŏh ŏndr | 青色高地 |
| 呼和乌素 | ᠬᠥᠬᠡ ᠤᠰᠤ | Hŏh Ûs | 清水井 |
| 呼和乌素善达 | ᠬᠥᠬᠡ ᠤᠰᠤ ᠶᠢᠨ ᠱᠠᠩᠳᠠ | Hŏh ûsiin Xangd | 青水湿地 |

| 呼和乌珠日 | | Hŏh Ujuur | 青山角 |
|---|---|---|---|
| 呼和音阿门吾素 | | Hŏhiin amn Ûs | 青山口子水 |
| 呼恒乌拉 | | Huuhn Ûûl | 女儿山 |
| 呼吉尔 | | Hûjr | 碱 |
| 呼吉尔布拉格 | | Hûjr Bûlg | 盐碱泉 |
| 呼吉尔布郎 | | Hûjr Bûlng | 盐碱湾 |
| 呼吉尔淖尔 | | Hûjr Nûûr | 盐碱湖 |
| 呼吉尔吐 | | Hûjrt | 盐碱地 |
| 呼吉尔乌素 | | Hûjr Ûs | 盐碱滩 |
| 呼吉日敖包 | | Hûjr Ôbôô | 碱地敖包 |
| 呼吉日诺尔 | | Hûjr Nûûr | 盐碱湖 |
| 呼吉日图 | | Hûjrt | 盐碱地 |
| 呼吉日图沟 | | Hûjrt | 盐碱沟 |
| 呼吉苏吉 | | Hujriin Suuj | 碱地山坡 |
| 呼拉嘎日 | | Hûlgar | 短耳 |
| 呼拉嘎日音阿玛乌素 | | Hûlgriin amn Ûs | 短耳口子水 |
| 呼拉盖尔 | | Hûlgar | 短耳 |
| 呼拉格日善达 | | Hûlgr Xangd | 短耳湿地 |
| 呼来哈布其勒 | | Hûûrai Habql | 干峡口 |
| 呼勒 | | Hol | 洼地　腿脚 |
| 呼勒德日斯 | | Hol Drs | 短茇茇 |
| 呼勒德日苏 | | Hol Drs | 短茇茇 |
| 呼勒德日素 | | Hol Drs | 短茇茇 |
| 呼勒格尔 | | Hûlgr | 短耳 |
| 呼勒散补力格 | | Hûlsn Bûlg | 芦苇泉 |
| 呼勒森呼都格 | | Hûlsn Hûdg | 芦苇井 |
| 呼勒森忽热 | | Hûlsn Huree | 芦苇圐圙 |
| 呼勒斯 | | Hûls | 芦苇 |

| 呼勒斯台 | ᠬᠤᠯᠤᠰᠤᠲᠠᠢ | Hûlstai | 有芦苇 |
| 呼勒斯台淖尔 | ᠬᠤᠯᠤᠰᠤᠲᠠᠢ ᠨᠠᠭᠤᠷ | Hûlstai Nûûr | 芦苇海子 |
| 呼勒斯太 | ᠬᠤᠯᠤᠰᠤᠲᠠᠢ | Hûlstai | 芦苇地 |
| 呼勒斯太庙 | ᠬᠤᠯᠤᠰᠤᠲᠠᠢ ᠰᠦᠮᠡ | Hûlstai Sum | 芦苇地庙 |
| 呼力嘎尔 | ᠬᠤᠯᠤᠭᠠᠷ | Hûlgr | 短耳 |
| 呼鲁斯太布拉格 | ᠬᠤᠯᠤᠰᠤᠲᠠᠢ ᠪᠤᠯᠠᠭ | Hûlstai Bûlg | 芦苇泉 |
| 呼鲁苏太 | ᠬᠤᠯᠤᠰᠤᠲᠠᠢ | Hûlstai | 有芦苇 |
| 呼木格 | | | 待考 |
| 呼热 | ᠬᠦᠷᠢᠶᠡ | Huree | 圐圙 |
| 呼热布郎 | ᠬᠦᠷᠢᠶᠡ ᠪᠤᠯᠤᠩ | Huree Bûlng | 圐圙湾 |
| 呼热德力苏 | ᠬᠦᠷᠢᠶᠡ ᠳᠡᠷᠡᠰᠦ | Huree Drs | 圐圙芨芨 |
| 呼热淖尔 | ᠬᠦᠷᠢᠶᠡ ᠨᠠᠭᠤᠷ | Huree Nûûr | 圐圙海子 |
| 呼热苏木 | ᠬᠦᠷᠢᠶᠡ ᠰᠦᠮᠡ | Huree Sum | 圐圙庙 |
| 呼热图 | ᠬᠦᠷᠢᠶᠡᠲᠦ | Hureet | 圐圙地 |
| 呼热音苏 | ᠬᠦᠷᠢᠶᠡ ᠶᠢᠨ ᠰᠤᠪᠠᠭ | Hureegin Sûû | 圐圙沟 |
| 呼仁 | ᠬᠦᠷᠢᠨ | Hurng | 棕色 |
| 呼仁阿吉日嘎 | ᠬᠦᠷᠢᠨ ᠠᠵᠢᠷᠭ᠎ᠠ | Hueng Ajrg | 棕色儿马 |
| 呼仁朝鲁 | ᠬᠦᠷᠢᠨ ᠴᠢᠯᠠᠭᠤ | Hurng Qûlûû | 棕色石头 |
| 呼仁德勒 | ᠬᠦᠷᠢᠨ ᠳᠡᠯ | Hurng Del | 棕色鬃 |
| 呼仁好热 | ᠬᠦᠷᠢᠨ ᠬᠤᠷᠤᠭᠤ | Hurng Hôrôô | 棕色圐圙 |
| 呼任阿吉日嘎 | ᠬᠦᠷᠢᠨ ᠠᠵᠢᠷᠭ᠎ᠠ | Hurng Ajirag | 棕色儿马 |
| 呼仍朝鲁 | ᠬᠦᠷᠢᠨ ᠴᠢᠯᠠᠭᠤ | Hurng Qûlûû | 棕色石头 |
| 呼仍陶勒盖 | ᠬᠦᠷᠢᠨ ᠲᠤᠯᠤᠭᠠᠢ | Hurng Tôlgai | 棕色山头 |
| 呼日艾赛日 | ᠬᠠᠭᠤᠷᠠᠢ ᠰᠠᠢᠷ | Hûûrai Sair | 干沙砾 |
| 呼日哈 | ᠬᠤᠷᠠᠬᠤ | Hûrah | 积聚 |
| 呼日拉音哈沙图 | ᠬᠤᠷᠠᠯ ᠤᠨ ᠬᠠᠱᠠᠭᠠᠲᠤ | Hûrliin Haxaat | 集会院 |
| 呼日拉音努图格 | ᠬᠤᠷᠠᠯ ᠤᠨ ᠨᠤᠲᠤᠭ | Hûrliin Nûtag | 集会之乡 |
| 呼日木图 | ᠬᠤᠷᠮᠤᠲᠦ | Hurmt | 玄武岩地 |

| 呼日木音善达 | | Hrmiin Xangd | 边墙湿地 |
|---|---|---|---|
| 呼日其格 | | Hŏŏrqg | 兴奋　心浮 |
| 呼日吾素 | | Hur Ûs | 凝冻水 |
| 呼日音呼都格 | | Huriin Hûdg | 凝冻井 |
| 呼日音苏莫 | | Huriin Sum | 凝冻庙 |
| 呼绍图 | | Hûxûût | 山咀 |
| 呼舍 | | Hŏxee | 碑 |
| 呼舍图 | | Hŏxeet | 石碑地 |
| 呼舒 | | Hûxûû | 山咀 |
| 呼舒毛都 | | Hûxûû Môd | 山咀儿树 |
| 呼舒善达 | | Hûxûû Xangd | 山咀水泉 |
| 呼舒陶勒盖 | | Hûxûû Tôlgai | 山头 |
| 呼舒吾素 | | Hûxûû Ûs | 山咀泡子 |
| 呼舒向德 | | Hûxûû Xangd | 山咀水泉 |
| 呼碎塔塔拉 | | Hûxûû Tataal | 山咀水渠 |
| 呼特(汉蒙) | | Guut | 母马地 |
| 呼特乐山德 | | Hŏtl Xangd | 山坡湿地 |
| 呼特勒 | | Hŏtl | 山坡 |
| 呼特勒敖包 | | Hŏtl Ôbôô | 山腰敖包 |
| 呼特勒呼都格 | | Hŏtl Hûdg | 山坡井 |
| 呼特勒善达 | | Hŏtl Xangd | 山坡湿地 |
| 呼特勒乌布勒哲 | | Hŏtl ŏbŏljee | 山坡冬营盘 |
| 呼特勒乌苏 | | Hŏtl Ûs | 山坡水 |
| 呼图勒呼都格 | | Hŏtl Hûdg | 山坡井 |
| 呼图勒乌苏 | | Hŏtl Ûs | 山坡水 |
| 呼图勒吾素 | | Hŏtl Ûs | 山坡水 |
| 呼希也 | | Hŏxee | 碑 |
| 呼伊斯 | | Huis | 脐　枢纽 |

| 呼珠 | | Hujuu | 脖颈 |
|---|---|---|---|
| 忽鸡沟 | | Hûjriin Gôl | 碱河 |
| 忽鸡图 | | Hûjrt | 盐碱地 |
| 忽吉哈玛尔 | | Hûjriin Hamr | 盐碱梁 |
| 忽吉日图 | | Hûjrt | 盐碱地 |
| 忽拉圪气 | | Hûragq | 牧羔人 |
| 忽拉圪气 | | Hûlgaiq | 擒贼人 * |
| 忽拉格气 | | Haraaq | 瞭望哨 * |
| 忽来报 | | Hôlbôô | 连山 |
| 忽勒斯太 | | Hûlstai | 芦苇地 |
| 忽力格进 | | Hûrgljin | 画眉草 |
| 忽力进 | | Hŏrjng | 羊砖 |
| 忽力进图 | | Hŏrjngt | 羊砖地 |
| 忽龙贝 | | Hôlbôô | 连山 |
| 忽日格气 | | Hûragq | 牧羊人 |
| 忽沙图 | | Hûxûût | 山角地 |
| 忽少 | | HûXûû | 山咀 |
| 忽少山(蒙汉) | | Hûxûûn Ûûl | 山咀 |
| 忽通图 | | Hûdûgt | 活佛 |
| 忽通兔 | | Hûdûgt | 活佛 |
| 忽寨 | | Hûjr | 碱 |
| 忽寨尔 | | Hûjr | 碱 |
| 胡洞沟门(蒙汉) | | Hûdgiin Gôl | 井河 |
| 胡吉尔善达 | | Hûjr Xangd | 碱滩 |
| 胡吉尔图 | | Hûjrt | 盐碱地 |
| 胡吉尔音宝拉格 | | Hûjriin Bûlg | 碱滩泉 |
| 胡吉尔音淖尔 | | Hûjriin Nûûr | 盐碱湖 |
| 胡吉仁艾勒 | | Hûjriin Ail | 碱滩营子 |

| 胡吉仁高勒 | | Hûjriin Gôl | 碱滩河 |
|---|---|---|---|
| 胡吉日图 | | Hûjrt | 盐碱地 |
| 胡济尔图 | | Hûjrt | 盐碱地 |
| 胡角吐 | | Hûjrt | 盐碱地 |
| 胡拉嘎日 | | Hûlgar | 短耳 |
| 胡拉斯台 | | Hûlstai | 有芦苇 |
| 胡勒斯太 | | Hûlstai | 有芦苇 |
| 胡勒斯特敖 | | Hûlst | 芦苇地 |
| 胡勒苏 | | Hûls | 芦苇 |
| 胡勒苏台淖尔 | | Hûlstai Nûûr | 芦苇湖 |
| 胡鲁斯太 | | Hûlstai | 芦苇地 |
| 胡舒 | | Hûxûû | 山角 |
| 胡素营(蒙汉) | | Hûsiin Ail | 桦树营子 |
| 胡同图 | | Hûdûgt | 井地 |
| 葫芦什太 | | Hûlstai | 芦苇地 |
| 葫芦石太 | | Hûlstai | 芦苇地 |
| 葫芦斯台浩特 | | Hûlstai Hôt | 芦苇营子 |
| 葫芦斯太 | | Hûlstai | 芦苇地 |
| 葫芦苏台 | | Hûlstai | 芦苇地 |
| 葫芦素淖尔 | | Hûls Nûûr | 芦苇湖 |
| 葫芦孙淖尔 | | Hûlsn Nûûr | 芦苇湖 |
| 葫芦头(汉蒙) | | Hûlt | 葫芦地 |
| 虎虎乌苏河(蒙汉) | | Hŏh ûsan Gôl | 清水河 |
| 虎拉哈气 | | Hûrgq(Hûrhaiq) | 人名 * |
| 虎拉害气 | | Hûrgq(Hûrhaiq) | 人名 * |
| 虎勒格尔 | | Hûlgr | 短耳 |
| 花 | | Hûa | 山丘 |
| 花敖包 | | Hûa Ôbôô | 黄土包 |

| 花包特格 | ᠬᠤᠸᠠ ᠪᠥᠲᠥᠭ | Hûa Bôtôg | 黄驼羔 |
|---|---|---|---|
| 花本浑 | ᠬᠤᠸᠠ ᠪᠦᠩᠬᠤᠨ | Hûa Bûngkn | 黄坟丘 |
| 花朝鲁 | ᠬᠤᠸᠠ ᠴᠢᠯᠠᠭᠤ | Hûa Qûlûû | 黄石头 |
| 花额热格 | ᠬᠤᠸᠠ ᠡᠷᠭᠢ | Hûa Erg | 黄土弯 |
| 花额日格 | ᠬᠤᠸᠠ ᠡᠷᠭᠢ | Hûa Erg | 黄土岗 |
| 花鄂日格 | ᠬᠤᠸᠠ ᠡᠷᠭᠢ | Hûa Erg | 黄土岗 |
| 花尔 | ᠬᠣᠶᠠᠷ ᠲᠣᠯᠤᠭᠠᠢ | Hôyr Tôlgai | 两座山头 |
| 花尔圪台 | ᠬᠠᠷᠭᠠᠨᠠᠲᠠᠢ | Harg'ntai | 有锦鸡儿 |
| 花圪台 | ᠬᠤᠸᠠᠷᠲᠠᠢ | Hûartai | 花儿滩 |
| 花圪台 | ᠬᠠᠭᠲᠠᠢ | Hagtai | 地衣 |
| 花圪台 | ᠬᠢᠶᠠᠭᠲᠠᠢ | Hiyagtai | 碱草地 |
| 花根塔拉 | ᠬᠤᠸᠠ ᠶᠢᠨ ᠲᠠᠯᠠ | Hûagiin Tal | 山梁平滩 |
| 花河 | ᠬᠤᠸᠠ ᠲᠣᠯᠤᠭᠠᠢ | Hûa Tôlgai | 山头 |
| 花呼都格 | ᠬᠤᠸᠠ ᠬᠤᠳᠳᠤᠭ | Hûa Hûdg | 梁上井 |
| 花呼绍 | ᠬᠤᠸᠠ ᠬᠤᠰᠢᠭᠤ | Hûa Hûxûû | 山咀 |
| 花呼硕 | ᠬᠤᠸᠠ ᠬᠤᠰᠢᠭᠤ | Hûa Hûxûû | 山咀 |
| 花里以力更 | ᠬᠤᠸᠠ ᠡᠷᠭᠢ | Hûa Erg | 黄土岗 |
| 花淖日 | ᠬᠤᠸᠠ ᠨᠠᠭᠤᠷ | Hûa Nûûr | 黄海子 |
| 花陶勒盖 | ᠬᠤᠸᠠ ᠲᠣᠯᠤᠭᠠᠢ | Hûa Tôlgai | 黄土岗 |
| 花特老亥 | ᠬᠤᠸᠠ ᠲᠣᠯᠤᠭᠠᠢ | Hûa Tôlgai | 黄土岗 |
| 华哈少 | ᠬᠤᠸᠠ ᠬᠤᠰᠢᠭᠤ | Hûa Hûxûû | 山咀 |
| 画匠毛都(汉蒙) | ᠬᠤᠸᠠᠵᠢᠶᠠᠩ ᠮᠣᠳᠤ | Hua jiang Mod | 画匠树 |
| 画匠吾素(汉蒙) | ᠬᠤᠸᠠᠵᠢᠶᠠᠩ ᠤᠰᠤ | Hua Jiang ûs | 画匠水 |
| 黄郭图 | ᠬᠣᠩᠬᠤᠲᠤ | Hôngkôt | 铃铛地 |
| 黄哈少 | ᠬᠤᠸᠠ ᠬᠤᠰᠢᠭᠤ | Hûa Hûxûû | 山咀 |
| 黄蒿沟 | ᠱᠠᠷᠢᠯᠵᠢ ᠶᠢᠨ ᠭᠣᠣᠯ | Xarljiin Gôl | 蒿沟 |
| 黄合少 | ᠬᠤᠸᠠ ᠬᠤᠰᠢᠭᠤ | Hûa Hûxûû | 黄土山咀 |
| 黄花 | ᠬᠣᠩᠬᠤᠷ | Hôngkôr | 凹地 |

| 黄花台 | | Hôngkôrtai | 洼地 |
|---|---|---|---|
| 黄花台吉 | | Hôngkôr Taij | 人名 台吉 |
| 黄花滩 | | Hôngkôr Tal | 洼地滩 |
| 黄花兔 | | Hôngkôrt | 洼地 |
| 黄羊木头 | | Hôyr Môd | 两棵树 |
| 灰吞合少 | | Huitn Hûxûû | 凉山咀 |
| 辉木尔 | | Hôimôr | 正北面 |
| 辉特嘎顺 | | Hôit Gaxûûn | 北碱滩 |
| 辉腾浩绕 | | Huitn Hôrôô | 凉圈 |
| 辉图那尔图 | | Hôit Nart | 北阳坡地 |
| 辉图斯呼勒 | | Hôit Sebhul | 后沼泽地 |
| 惠德斯 | | Huids | 冻牛粪 |
| 浑德仑高勒 | | Hŏndln Gôl | 横河 |
| 浑德伦 | | Hŏndln | 横梁 |
| 浑迪沙尔 | | Hŏndei Xar | 黄色山谷 |
| 浑地尚德 | | Hŏndei Xangd | 山谷湿地 |
| 浑格勒图 | | Hôngkilt | 走廊地 |
| 浑格林 | | Hŏnglig | 轻浮 |
| 浑哈达 | | Hun Had | 人形岩 |
| 浑浩日 | | Hôngkôr | 凹地 |
| 浑津 | | Hûnjn | 蒙古婚礼祝颂人 |
| 浑津沟 | | Hônjn Gûû | 天鹅沟 |
| 浑津桥(蒙汉) | | Hônjn Hŏŏrg | 祝颂桥 |
| 浑善达克沙漠(蒙汉) | | Hûln xarg daagiin Els | 黄飚马驹沙漠 |
| 浑善达克沙漠(蒙汉) | | Hŏndei xangdiin Els | 泉膛子沙漠 * |
| 混德勒 | | Hondln | 横山梁 |
| 豁儿臣 | | Hôrqn | 佩戴弓箭者 |

| 汉文 | 蒙文 | 拉丁 | 释义 |
|---|---|---|---|
| 火儿赤 | | Hôrqn | 佩戴弓箭者 |
| 伙德和热 | | Hŏdee Heree | 野滩乌鸦 |
| 获各琦 | | Hŏh Hŏgq | 青梅菌 |
| 霍布 | | Hŏb | 深渊 |
| 霍布尔 | | Hŏŏbŏr | 松软地 |
| 霍拉格气 | | Hûrgq | 牧羔人 |
| 霍林郭勒 | | Hôôln Gôl | 饮食河 |
| 霍热哈登呼舒 | | Huree hadn Hûxûû | 圈圙岩石咀 |
| 霍日格 | | Hŏŏrog | 桥梁 |
| 霍寨 | | Hûjr | 碱 |
| 鸡灯湾(蒙汉) | | Jadn Tôhôi | 箭湾 |
| 鸡登湾(蒙汉) | | Jadiin Tôhôi | 箭湾 |
| 鸡尔灯 | | Jeert | 黄洋地 |
| 鸡尔登 | | Jrtn | 快马 |
| 鸡圪拉 | | Jargl | 幸福 |
| 鸡图 | | Jeet | 沙枣 银柳 |
| 吉达音包勒格 | | Jadiin Bûlg | 长沟泉 |
| 吉尔嘎郎图 | | Jaraglangt | 幸福地 |
| 吉圪速太 | | Jegstei | 有菖蒲 |
| 吉格森淖尔 | | Jegsn Nûûr | 菖蒲海子 |
| 吉格斯台 | | Jegstei | 有菖蒲 |
| 吉格斯台浩特 | | Jegstei Hôt | 菖蒲营子 |
| 吉格斯太 | | Jegstei | 有菖蒲 |
| 吉格斯图 | | Jegst | 菖蒲地 |
| 吉格斯图音呼都嘎 | | Jegst Hûdg | 菖蒲井 |
| 吉贡查干呼图勒 | | Juun qagaan Hŏtl | 东白坡 |
| 吉贡额格尼格 | | Juun Erg'ng | 东弯子 |
| 吉呼郎图 | | Jibhlngt | 神采奕奕 |

| 吉呼龙图 | | Jibhûlangt | 神采奕奕 |
|---|---|---|---|
| 吉忽伦图 | | Jibhlngt | 神采奕奕 |
| 吉吉扣 | | | 待考 |
| 吉克苏台 | | Jegstei | 有菖蒲 |
| 吉拉图 | | Jalaat | 缨穗地 |
| 吉勒格努图格 | | Jalgiin Nûtag | 山谷草场 |
| 吉勒太花 | | Jltei Hûa | 长梁山 |
| 吉穆斯泰 | | Jmistei | 花果地 |
| 吉庆 | | Qaqr | 大帐篷 |
| 吉热木 | | Jirim | 马鞍肚带 |
| 吉仁敖包 | | Jariin Ôbôô | 敖包群 |
| 吉日嘎郎图布拉格 | | Jrgalangt Bûlg | 幸福泉 |
| 吉日格郎图 | | Jrgalangt | 幸福地 |
| 吉日格勒格 | | Jerglge | 海市蜃楼 |
| 吉日格勒格音哈布其勒 | | Jerglgegiin Habql | 霭气山峡 |
| 吉日格勒根 | | Jerglgeen | 海市蜃楼 |
| 吉若呼赉 | | Jûr Hûûrai | 山沟旱地 |
| 吉若木 | | Jûrm | 义气 |
| 吉斯黄郭尔 | | Js Hôngkôr | 红铜洼 |
| 吉斯木胡尔 | | Jesiin Mûhr | 红铜弯 |
| 吉斯音敖包 | | Jesiin Ôbôô | 红铜矿山 |
| 吉斯音布拉格 | | Iesiin Bûlg | 红铜泉 |
| 吉牙图 | | Jayaat | 有缘地　人名 |
| 吉雅图 | | Jayaat | 有缘地　人名 |
| 加不沙梁 | | Jabsr | 间隙 |
| 加拉庆 | | Jalgaaqn | 招聘员(旧官职) |
| 甲坝 | | Jab | 山谷 |
| 甲拉 | | Jaln | 参领(旧官职) |

| 甲拉 | | Jalg | 山谷 |
|---|---|---|---|
| 甲拉图 | | Jalaat | 缨穗地 |
| 甲赖 | | Jalg | 山谷 |
| 甲兰(满) | | Jaln Ail | 参领营子 |
| 甲兰板(满蒙) | | Jaln Baixng | 参领房 |
| 甲兰板升(满蒙) | | Jaln Baixng | 参领房 |
| 甲兰营子(满汉) | | Jaln Ail | 参领营子 |
| 甲浪沟(满蒙) | | Jalgiin Gôl | 山谷河 |
| 甲浪湾(满汉) | | Jaln Tôhôi | 参领湾 |
| 甲浪湾(蒙汉) | | Jalg Tôhôi | 山谷湾 |
| 甲浪营子(满汉) | | Jaln Ail | 参领营子 |
| 甲力汗营 | | Jalgiin Hôt | 山谷牧点 |
| 贾不寺 | | Jabsr | 缝隙 山峡 |
| 贾达盖 | | Jadgai | 敞口 敞地 |
| 贾拉圪图 | | Jalaat | 缨穗地 |
| 江岸 | | Janggn | 摇篮 |
| 江岸河(满汉) | | Janggn Gôl | 摇篮河 |
| 将生诺尔布(藏) | | Jangsng Nôrb | 旧官职 人名 |
| 交泥忽洞 | | Jôôgiin Hûdg | 山梁井 |
| 金巴地(藏汉) | | Jmba | 人名(含义布施)营子 |
| 金坝壕(藏蒙) | | Jmbagiin Gûû | 布施沟 金巴(人名) |
| 金报板申 | | Jinbôgiin Baixng | 人名 房 |
| 京斯台 | | Jngstei | 有顶戴 |
| 井卜什窑(蒙汉) | | Yrbs | 豹子 |
| 九苏木(汉蒙) | | Ysdugeer Sûm | 含义同汉语名称 |
| 旧什地 | | | 待考 |
| 巨力更 | | Jŏlg | 草坪 |
| 巨林功 | | Jŏlgen | 草坪 |

| 喀喇沁 | | Harqn | 看守 |
|---|---|---|---|
| 卡台基 | | Hiya Taij | 人名　爵位 |
| 开令河（蒙汉） | | Heeriin Gôl | 原野河 |
| 康板 | | Hangai Gôbi | 原野戈壁 |
| 康卜 | | Hŏŏbŏr | 暄松状 |
| 康卜尔 | | Hŏŏbŏr | 暄松状 |
| 康卜诺 | | Tabn Nûûr | 五海子 |
| 康图沟 | | Ganggat Gôl | 美丽河 |
| 柯布尔 | | Hŏŏbŏr | 暄松状 |
| 科布尔 | | Hoobur | 暄松状 |
| 可布尔 | | Hŏŏbŏr | 暄松状 |
| 可可沟 | | Hŏh Gôl | 青河 |
| 可可沟门 | | Hŏh gôliin Am | 青河口 |
| 可可吾素 | | Hŏh Ûs | 青水湖 |
| 可可西里 | | Hŏh Xl | 青山梁 |
| 可可以力更 | | Hŏh Erg | 青土岗 |
| 可口板 | | Hŏh Baixng | 青蓝房子 |
| 克里门哈玛尔 | | Hrmiin Hamr | 边墙梁 |
| 克里孟 | | Herm | 边墙 |
| 克力孟 | | Hrm | 边墙 |
| 克连沟 | | Hree Gôl | 乌鸦河 |
| 克略 | | Huree | 圐圙 |
| 克麻尔 | | | 待考 |
| 克什克腾 | | Hxgtn | 护卫军　旗名 |
| 空尺老 | | Hun Gûlûû | 人形石 |
| 孔督梁 | | Hundiin Nûrûû | 孔督(旧官职)梁 |
| 孔督林 | | Hŏdln | 横 |
| 孔督岭 | | Hŏdln | 横 |

| 孔督营(蒙汉) | | Hundiin Ail | 孔督(旧官职)营子 |
|---|---|---|---|
| 孔独林 | | Hŏndln | 横 |
| 孔读林 | | Hŏndln | 横 |
| 口圪庆 | | Hŏhgqn | 乙(天干) |
| 口肯板 | | Hŏh Baixng | 蓝房子 |
| 口肯板申 | | Huuhn Baixng | 女儿房 |
| 口肯板申 | | Hŏh Baixng | 蓝房子 |
| 口肯脑包 | | Hŏh Ôbôô | 青色敖包 |
| 圐圙 | | Huree | 圐圙 |
| 圐圙布隆 | | Huree Bûlng | 圐圙湾 |
| 圐圙德日苏 | | Huree Drs | 圐圙芨芨 |
| 圐圙沟 | | Huree Gûû | 圐圙沟 |
| 圐圙峁 | | Hureegiin Ôrôi | 圐圙梁 |
| 圐圙淖 | | Huree Nûûr | 圐圙海子 |
| 圐圙图 | | Hureet | 圐圙地 |
| 圐圙兔 | | Hureet | 圐圙地 |
| 库布特 | | Hŏbt | 深渊地 |
| 库布特沙巴尔太 | | Hŏbt Xabrtai | 深渊泥潭 |
| 库克板升 | | Hŏh Baixng | 青色房子 |
| 库克鄂尔戈 | | Hŏh Erg | 青色土岗 |
| 库库车勒 | | Hŏh Xl | 青山梁 |
| 库连兔 | | Hureet | 圐圙地 |
| 库列点儿素 | | Huree Drs | 圐圙芨芨 |
| 库伦 | | Huree | 圈 围子 |
| 库伦图 | | Hureet | 圐圙地 |
| 奎苏布拉克 | | Huis Bûlg | 肚脐泉 |
| 奎苏图 | | Huist | 肚脐形地 |
| 奎素 | | Huis | 肚脐 |

| 奎坦布拉克 | | Huitn Bûlg | 凉泉 |
|---|---|---|---|
| 奎坦浩拉依 | | Huitn Hôôlôi | 凉山谷 |
| 坤兑 | | Hǒndei | 山谷 |
| 坤兑沟 | | Hǒndei Gôl | 山谷河 |
| 坤兑岭 | | Hǒndln | 横山梁 |
| 坤兑滩(蒙汉) | | Hǒndei Tal | 山谷滩 |
| 坤头河(蒙汉) | | Hǒndln Gôl | 横向水渠 |
| 昆都岭 | | Hǒndln | 横梁 |
| 昆都仑 | | Hǒndln | 横梁 |
| 昆都伦沟 | | Hǒndln Gûû | 横沟 |
| 昆独伦河(蒙汉) | | Hǒndln Gôl | 横河 |
| 昆堆 | | Hǒndei | 山谷 |
| 阔里兔 | | Hureet | 圐圙 |
| 廓尔沁 | | Hôrqn | 佩戴弓箭者 |
| 拉布旦僧格音呼热(藏蒙) | | Rabdnsnggeegiin Huree | 人名(含义强壮狮子)圐圙 |
| 拉布亥(藏) | | Labhai | 紫菀 |
| 拉红岱 | | | 待考 |
| 喇麻营子(藏汉) | | Lamiin Ail | 喇嘛营子 |
| 喇嘛敖包(藏蒙) | | Lamiin Ôbôô | 喇嘛敖包 |
| 喇嘛板(藏蒙) | | Lamiin Baixng | 喇嘛房 |
| 喇嘛朝鲁(藏蒙) | | lam Qûlûû | 喇嘛石 |
| 喇嘛圐圙(藏蒙) | | Lamiin Huree | 喇嘛圐圙 |
| 喇嘛庙(藏汉) | | Lamiin Sum | 喇嘛庙 |
| 喇嘛湾(藏汉) | | Lamiin Tôhôi | 喇嘛湾 |
| 喇嘛勿拉(藏蒙) | | Lamiin Ûûl | 喇嘛山 |
| 喇嘛意推饶敏敖包(藏蒙) | | Lamiin tôôrimiin Ôbôô | 喇嘛洼地庙 |
| 腊卜 | | Lingb | 笛子 |

| 来其波(藏) | ᠯᠠᠢᠵᠪ | Laijb | 人名(含义大事业) |
|---|---|---|---|
| 赖青塔拉(藏蒙) | ᠯᠠᠢᠴᠢᠩᠲᠠᠯ | Laiqng Tal | 跳鬼巫师滩 |
| 兰不浪 | ᠤᠯᠠᠭᠠᠨ ᠪᠤᠯᠠᠭ | Ûlaan Bûlg | 红泉 |
| 兰灿(藏) | ᠷᠠᠨᠴᠠᠨ | Rnqn | 人名(含义木尊) |
| 烂迭卜(汉蒙) | ᠯᠠᠨ ᠳᠢᠪᠦᠷ | Lan Dibuur | 烂簸箕 |
| 朗布窝堡(藏蒙) | ᠯᠠᠩᠪᠢᠢᠨ ᠲᠥᠪ | Langbiin Tôb | 人名 窝棚 |
| 劳敖斯 | ᠯᠦᠰ | Lûs | 龙王 |
| 劳来特 | ᠨᠣᠢᠯᠲ | Nôilt | 灰菜(藜)地 |
| 老喇嘛盖(汉蒙) | ᠯᠣᠣ ᠯᠠᠮᠭᠠᠢ | Lôô Lambgai | 老喇嘛师傅 |
| 老来沟(藏蒙) | ᠯᠥᠷᠥᠢ ᠭᠦᠦ | Lôrôi Gûû | 人名(含义智慧者)沟 |
| 老龙不浪 | ᠥᠯᠥᠨᠪᠦᠯᠠᠭ | Ôlnbûlg | 多泉 |
| 老龙不浪(藏蒙) | ᠯᠥᠷᠥᠢ ᠪᠤᠯᠠᠭ | Lôrôi Bûlg | 人名(含义智慧者)泉 |
| 老龙呼都格 | ᠥᠯᠥᠨ ᠬᠤᠳᠤᠭ | Ôln Hûdg | 多井 |
| 老龙忽洞 | ᠥᠯᠥᠨ ᠬᠤᠳᠤᠭ | Ôln Hûdg | 多口井 |
| 老森哈布其勒 | ᠯᠠᠰᠢᠢᠨ ᠬᠠᠪᠴᠢᠯ | Laasiin Habql | 骡子峡 |
| 老斯图 | ᠯᠦᠰᠲ | Lûûst | 龙王地 |
| 李家圐圙 (汉蒙) | ᠯᠢ ᠵᠢᠶᠠ ᠬᠦᠷᠢᠶᠡ | Li jia Huree | 含义同汉语名称 |
| 里堡 | ᠯᠢᠩᠪ | Lingb | 笛子 |
| 里德日音阿玛(藏蒙) | ᠯᠢᠳᠷᠢᠢᠨ ᠠᠮᠠ | Lidriin Am | 人名 山口 |
| 里儿素 | ᠯᠦᠰ | Lûs | 海龙王 |
| 里素 | ᠯᠦᠰ | Lûs | 海龙王 |
| 连山脑包(汉蒙) | ᠯᠢᠶᠠᠨ ᠱᠠᠨ ᠥᠪᠥᠭ | Lian shan Ôbôô | 连山敖包 |
| 林坝 | | | 待考 |
| 刘喇嘛营子(汉蒙) | ᠯᠢᠦ ᠯᠠᠮ ᠢᠢᠨ ᠠᠢᠯ | Liu lamiin Ail | 刘喇嘛营子 |
| 六苏木(汉蒙) | ᠵᠢᠷᠭᠤᠳᠤᠭᠠᠷ ᠰᠤᠮ | Jûrgdûgaar Sûm | 含义同汉语名称 |
| 六爷浩饶(汉蒙) | ᠯᠢᠦ ᠶᠧ ᠢᠢᠨ ᠬᠥᠷᠥᠭ | Liu yegiin Hôrôô | 六爷圐圙 |
| 龙虎 | ᠯᠦᠩᠬᠤ | Lôngh | 瓶 |
| 鲁格 | | | 待考 |

| 伦浩音敖包 | | Lônghiin Ôbôô | 瓶子敖包 |
|---|---|---|---|
| 罗额尔济 | | Bôr Erg | 灰土坎儿 |
| 罗家土格木(汉蒙) | | Luo Jia Tǒhǒm | 罗家盆地 |
| 率哈图 | | Suiht | 姻缘地 |
| 麻盖 | | Môgôi | 蛇 |
| 麻盖圐圙 | | Môgôi Huree | 蛇盘圐圙 |
| 麻合理 | | Maha Lam | 麻罕(人名)喇嘛 |
| 麻花板 | | Maliin Haxaa Baixng | 牲畜圈 * |
| 麻花板 | | Mamiin Baixng | 喇嘛房 * |
| 麻花板 | | | 待考 |
| 麻花尧 | | Mangkn Ail | 沙地营子 |
| 麻迷图 | | Maa'nit | 诵经地 |
| 麻尼卜子 | | Maa'niin Hôngkôr | 诵经洼 |
| 马洞库连 | | Môdn Huree | 木头栅栏 |
| 马盖图 | | Môgôit | 蛇盘地 |
| 马留 | | Malûr | 野猫 |
| 马留尔 | | Malûr | 野猫 |
| 马尼特 | | Maa'nit | 诵经地 |
| 马尼挺陶勒盖 | | Maa'nitiin Tôlgai | 诵经山 |
| 马尼图 | | Maa'nit | 诵经地 |
| 马尼沃博勒卓 | | Maa'n ǒbǒljee | 玛尼 经冬营盘 |
| 马努拉图 | | Ma'nûûlt | 稻草人地 |
| 马努勒图 | | Ma'nûûlt | 稻草人地 |
| 玛恩哈 | | Mangh | 沙丘 |
| 玛格乃 | | Mang'nai | 前额 |
| 玛吉格音沃博勒者(藏蒙) | | Majgiin ǒbǒljee | 人名(含义斋戒)冬营盘 |
| 玛勒钦 | | Malqn | 牧人 |

| 玛尼图 | ᠮᠠᠨᠢᠲᠤ | Maa'nit | 玛尼经 |
|---|---|---|---|
| 玛尼图音呼都格 | ᠮᠠᠨᠢᠲᠤ ᠶᠢᠨ ᠬᠤᠳᠳᠤᠭ | Maa'ntiin Hûdg | 玛尼经井 |
| 玛尼音呼都格 | ᠮᠠᠨᠢ ᠶᠢᠨ ᠬᠤᠳᠳᠤᠭ | Maa'niin Hûdg | 玛尼经井 |
| 玛泥图 | ᠮᠠᠨᠢᠲᠤ | Maa'nit | 诵经地 |
| 玛其格音乌兰(藏蒙) | ᠮᠠᠴᠢᠭ ᠶᠢᠨ ᠤᠯᠠᠭᠠᠨ | Maqiin Ûlaan | 斋戒红山 |
| 玛日吉 | ᠮᠠᠷᠵᠢ | Marj | 碱性土 |
| 玛西那呼都格图 | ᠮᠠᠰᠢᠨ ᠬᠤᠳᠳᠤᠭᠲᠤ | Maxi'n Hûdgt | 机井地 |
| 买岱尔 | ᠮᠠᠶᠢᠳᠠᠷ | Maidr | 弥勒 |
| 买卖红都(汉蒙) | ᠮᠠᠶᠢᠮᠠᠢ ᠬᠤᠨᠳᠤ | Maimai Hô'nt | 买卖宿营 |
| 麦达尔桥(蒙汉) | ᠮᠠᠶᠢᠳᠠᠷ ᠬᠥᠭᠦᠷᠭᠡ | Maidr Hoorog | 弥勒桥 |
| 麦达尔召 | ᠮᠠᠶᠢᠳᠠᠷ ᠵᠤᠤ | Maidr Juu | 弥勒召 |
| 麦胡图 | ᠮᠠᠶᠢᠬᠠᠨᠲᠤ | Maihnt | 帐幕地 |
| 馒头(藏) | ᠮᠠᠨᠳᠠᠯ | Mandl | 曼荼罗 坛 |
| 满达 | ᠮᠠᠨᠳᠠ | Mand | 兴旺 |
| 满达拉 | ᠮᠠᠨᠳᠠᠯ(ᠮᠠᠨᠳᠠᠯ) | Mandl | 大气层 |
| 满德拉庙(蒙汉) | ᠮᠠᠨᠳᠠᠯ(ᠮᠠᠨᠳᠠᠯ) ᠰᠦᠮᠡ | Mandl Sum | 喇嘛庙名 |
| 满堤 | ᠮᠠᠨᠢᠲᠤ | Maa'nit | 诵经地 |
| 满都拉 | ᠮᠠᠨᠳᠠᠯ | Mandl | 兴盛 |
| 满都拉图 | ᠮᠠᠨᠳᠠᠯᠲᠤ(ᠮᠠᠨᠳᠠᠯᠲᠤ) | Mandlt | 兴盛地 |
| 满汗敖包 | ᠮᠠᠩᠬᠠᠨ ᠶᠢᠨ ᠤᠪᠤᠭ᠎ᠠ | Mangkiin Ôbôô | 沙地敖包 |
| 满沙(蒙汉) | ᠮᠠᠩᠬᠠᠨ ᠰᠠ | Mangk Sa | 沙漠 |
| 满替 | ᠮᠠᠨᠢᠲᠤ | Maa'nit | 诵经地 |
| 曼堤 | ᠮᠠᠨᠢᠲᠤ | Maa'nit | 诵经地 |
| 曼吉音德日斯 | ᠮᠠᠨᠵᠤ ᠶᠢᠨ ᠳᠡᠷᠢᠰᠦ | Manjiin Drs | 满人茭茭营子 |
| 蔓青甲坝 | ᠮᠠᠨᠵᠢ(ᠮᠠᠨᠵᠤ)ᠶᠢᠨ ᠵᠠᠪ | Manjiin Jab | 满人山谷 |
| 牤牛井 | ᠮᠠᠨᠢ ᠶᠢᠨ ᠬᠤᠳᠳᠤᠭ | Maa'niin Hûdg | 玛尼井 |
| 芒哈 | ᠮᠠᠩᠬᠠ | Mangk | 沙丘 |
| 忙哈图 | ᠮᠠᠩᠬᠠᠲᠤ | Mangkt | 沙丘地 |

| 蟒太营(蒙汉) | | Môdtai Ail | 树林营 |
|---|---|---|---|
| 毛安石路 | | | 待考 |
| 毛不拉 | | Mûû Bûlg | 劣泉 |
| 毛不浪 | | Mûûbûlg | 劣泉 |
| 毛达布苏 | | Mûû Dabs | 劣盐 |
| 毛达沟 | | Môdtai Gûû | 树林沟 |
| 毛达日布盖 | | Mûû Darbgai | 旱獭 |
| 毛达日布盖音呼都嘎 | | Mûû darbgaiin Hûdg | 旱獭井 |
| 毛打不苏 | | Mûû Dabas | 劣盐 |
| 毛打不素 | | Mûû Dabas | 劣盐 |
| 毛代 | | Môdtai | 树林地 |
| 毛岱 | | Môdtai | 树林地 |
| 毛道 | | Môd | 树木 |
| 毛道营子(蒙汉) | | Môdn Ail | 树林营子 |
| 毛得岭 | | Mûû Dl | 赖马鬃山 |
| 毛德勒 | | Mûû Dl | 赖马鬃山 |
| 毛登敖包 | | Môdn Ôbôô | 树林敖包 |
| 毛登浩饶图 | | Môdn Hôrôôt | 木栅栏地 |
| 毛都额布勒者 | | Môdn ôbôljee | 林地冬营盘 |
| 毛都汗浑地 | | Môdn Hôndei | 山林峡谷 |
| 毛都浑地 | | Môdn Hôndei | 山林峡谷 |
| 毛都坤兑 | | Môdn Hôndei | 山林峡谷 |
| 毛独亥 | | Mûû Tôhôi | 赖湾 |
| 毛敦敖包 | | Môdn Ôbôô | 树林敖包 |
| 毛敦额布勒者 | | Môdn ôbôljee | 林地冬营盘 |
| 毛敦额日格尼格 | | Môdn Erg'neg | 木橱柜 |
| 毛敦哈沙图 | | Môdn Haxaat | 木栅栏地 |
| 毛敦善达 | | Môdn Xangd | 树林泉 |

| 汉字 | 蒙文 | 拉丁转写 | 释义 |
|---|---|---|---|
| 毛敦沃博勒者 | | Môdn ǒbǒljee | 林地冬营盘 |
| 毛盖图 | | Môgôit | 盘蛇地 |
| 毛盖图音布郎 | | Môgôitiin Bûlng | 盘蛇湾 |
| 毛圪沁 | | Mǒrgqg | 对峙山峰 |
| 毛格道来 | | Mûhdl | 尽头 |
| 毛古勒吉尔 | | Môgôljr | 曲沟 |
| 毛谷尔图 | | Môgôit | 盘蛇地 |
| 毛哈日额日格 | | Mûhr Erg | 死角岗 |
| 毛浩日鄂日格 | | Mûhr Erg | 死角岗 |
| 毛和尔 | | Mûhr | 死角 |
| 毛呼都格 | | Mûû Hûdg | 赖井 |
| 毛呼尔吾素 | | Mûhr Ûs | 死角水 |
| 毛呼日额日格 | | Mûhr Erg | 死角岗 |
| 毛呼日鄂日格 | | Mûhr Erg | 死角岗 |
| 毛呼日苏布日嘎 | | Mûhr Sûbrg | 死角塔 |
| 毛忽洞 | | Mûû Hûdg | 赖井 |
| 毛忽路沟 | | Mûhr Gûû | 死角沟 |
| 毛忽庆 | | Mûû Hûjr | 赖碱滩 |
| 毛忽太沟(汉蒙) | | Mǒgti Gûû | 蘑菇沟 |
| 毛胡都格 | | Mûû Hôdag | 赖井 |
| 毛虎沟 | | Mûhr Gûû | 死角沟 |
| 毛扣营(蒙汉) | | Mûûhuugiin Ail | 赖小子营子 |
| 毛勒楚格 | | Môlqg | 肉赘 |
| 毛勒日 | | Môlôr | 水晶 |
| 毛明安 | | Mûûminggn | 部落名 |
| 毛挠亥 | | Mûû'nôhôi | 赖狗 |
| 毛脑亥 | | Mûû'nôhôi | 赖狗 |
| 毛其来 | | Mûû Qarai | 阴天 脸难看 |

| 毛仁楚鲁 | | Môrin Qûlûû | 马石 |
|---|---|---|---|
| 毛仁陶勒盖 | | Môrin Tôlgai | 马头山 |
| 毛日图 | | Môrit | 马群地 |
| 毛日图善达 | | Môrit Xangd | 马群泉 |
| 毛日图苏吉 | | Môrit Suuj | 马群山 |
| 毛瑞 | | Mûrai | 弯 歪 |
| 毛瑞毛都音阿玛 | | Mûrai môdiin Am | 歪脖树林口子 |
| 毛瑞图 | | Mûrait | 湾沟地 |
| 毛尚德 | | Mûû Xangd | 赖湿地 |
| 毛绍日 | | Mûû Xôr | 赖咸地 |
| 毛吾素 | | Mûû Ûs | 赖(劣)水 |
| 毛希盖 | | Mûxgai | 弯曲 歪 |
| 卯都 | | Môd | 树 |
| 卯都图 | | Môdt | 树木地 |
| 卯独沁 | | Môdqn | 木匠 |
| 峁尔圪庆 | | Mǒrgǒlqn | 香客 |
| 帽儿沟 | | Mûrai Gûû | 湾沟 |
| 帽尔 | | Mûhr | 秃 死角 |
| 梅力盖图 | | Mlheit | 蛤蟆地 |
| 梅力更 | | Mrgn | 贤达 |
| 梅林营子(蒙汉) | | Meirn Ail | 梅林(旧官职)营子 |
| 梅令沟 | | Meirn Gûû | 梅林(旧官职)沟 |
| 梅令山(蒙汉) | | Meirn Ûûl | 梅林(旧官职)山 |
| 美岱(藏) | | Maidar | 弥勒 |
| 美岱尔(藏) | | Maidr | 弥勒 |
| 美岱桥(藏汉) | | Maidr Hǒǒrg | 弥勒桥 |
| 美岱召(藏蒙) | | Maidr Jûû | 弥勒召 |
| 美丽河(蒙汉) | | Mûhr Gôl | 断河 |

| | | | |
|---|---|---|---|
| 门堤 | | | 待考 |
| 蒙独脑包 | | Mnd Ôbôô | 平安敖包 |
| 蒙圪气 | | Mǒnggoq | 银匠 |
| 蒙圪气沟 | | Mǒnggoq Gôl | 银匠河 |
| 蒙各气 | | Mǒnggoq | 银匠 |
| 蒙古寺 | | Mǒnggon Ûs | 银水 * |
| 蒙古寺 | | Munghiin Ûs | 圣水 * |
| 蒙古营子(蒙汉) | | Mônggôl Ail | 蒙古营子 |
| 蒙甲坝 | | Mǒnggonjab | 银子峡 |
| 猛独牧 | | Mûndag | 巨大 特 |
| 孟家打花(汉蒙) | | Mng Jia Dahûra | 孟家台阶 |
| 孟克特音善达 | | Mnggtiin Xangd | 痣记湿地 |
| 孟克图 | | Mnggt | 痣记地 |
| 孟克音敖包 | | Mûnghiin Ôbôô | 永恒敖包 |
| 米粮局 | | Miraljûûr | 雾气回荡飘扬状 * |
| 密密板 | | | 待考 |
| 明安坝 | | Minggn Dabaa | 千道岭 |
| 明安德 | | Minggt | 毛明安部落 |
| 明嘎德 | | Minggt | 毛明安部落 |
| 明盖花 | | Minggai Hûa | 千座山丘 |
| 明干扎布其尔 | | Minggan Qabqr | 千座峭崖 |
| 莫盖图 | | Môgôit | 盘蛇地 |
| 莫勒黑图 | | Mlheit | 蛤蟆地 |
| 莫勒金敖包 | | Mljn Ôbôô | 光秃敖包 |
| 莫龙图 | | Môrit | 马群地 |
| 莫日根 | | Mrgn | 聪明 贤达 |
| 莫日根沙拉敖瑞 | | Mrgn xar Ôrôi | 贤达黄山 |
| 莫日古庆 | | Mǒrgǒqg | 对峙山峰 |

| 莫日图 | | Môrit | 马群地 |
|---|---|---|---|
| 莫日图音尚德 | | Môrtiin Xangd | 马群水草滩 |
| 莫斯图 | | Moset | 冰雪地 |
| 莫信沟 | | Max Gûû | 人名(含义最 极)沟 |
| 墨子山(蒙汉) | | Mǒsǒn Ûûl | 冰山 |
| 默勒黑图 | | Mlheit | 蛤蟆地 |
| 谋厚 | | Mûhr | 秃 死胡同 |
| 母哈儿沟 | | Mûhr Gûû | 死沟 |
| 母哈日沟 | | Mûhr Gûû | 死沟 |
| 母哈日乌素沟 | | Mûhr Ûs | 弯沟水 |
| 母号滩 | | Mûhr Tal | 死角滩 |
| 母花依力更 | | Mûhr Erg | 死角岗 |
| 木栋艾拉 | | Môdn Ail | 树林营子 |
| 木盖图 | | Môgôit | 盘蛇地 |
| 木哈尔扎拉格 | | Mûhr Jalg | 死角山谷 |
| 木葫芦 | | Mûhr | 死湾子 |
| 木克清木 | | Mǒgqm | 弯腰驼背状 |
| 木力恩格勒 | | Môrin Enggr | 马群山阳坡湾 |
| 目花 | | Mûhr | 死湾子 |
| 牧仁 | | Mǒrn | 江河 |
| 牧森呼都格 | | Mǒsǒn Hûdg | 冰井 |
| 暮力沟 | | Mûrai Gûû | 弯沟 |
| 穆尔固沁沙拉乌素 | | Mǒrgǒqiin xar Ûs | 对峙的黄水泡子 |
| 穆海图 | | Môgait | 盘蛇地 |
| 那不打 | | Abiin Dabaa | 狩猎坡 |
| 那布其图 | | Nabqt | 树叶子地 |
| 那布庆布拉格 | | Nabqiin Bûlg | 叶子泉 |
| 那尔图 | | Nart | 阳光地 |

| 那林德日苏 | ᠨᠠᠷᠢᠨ ᠳᠡᠷᠡᠰᠦ | Nariin Drs | 细芨芨 |
|---|---|---|---|
| 那林加勒格 | ᠨᠠᠷᠢᠨ ᠵᠢᠯᠠᠭᠠ | Nariin Jalg | 细山谷 |
| 那林赛日 | ᠨᠠᠷᠢᠨ ᠰᠠᠢᠷ | Nariin Sair | 细沙砾 |
| 那林乌素 | ᠨᠠᠷᠢᠨ ᠤᠰᠤ | Nariin Ûs | 细水 |
| 那林扎拉格 | ᠨᠠᠷᠢᠨ ᠵᠢᠯᠠᠭᠠ | Nariin Jalag | 细山谷 |
| 那木嘎音花 | ᠨᠠᠮᠤᠭ ᠤᠨ ᠬᠥᠮᠦ | Namgiin Hûa | 沼泽山丘 |
| 那木岱 | ᠨᠠᠮᠤᠭ | Namdai | 凹地 |
| 那木尔查 | ᠨᠠᠮᠤᠷᠵᠠ | Namrjaa | 秋营盘 |
| 那木格 | ᠨᠠᠮᠤᠭ | Namg | 沼泽 |
| 那木架 | ᠨᠠᠮᠤᠷᠵᠠ | Namrjaa | 秋营盘 |
| 那木凯音乌素(藏蒙) | ᠨᠠᠮᠷᠠᠢ ᠤᠨ ᠤᠰᠤ | Namraigiin Ûs | 人名(含义虚空)水域 |
| 那木那 | ᠨᠠᠮᠨᠠ | Nam'na | 骑射 |
| 那木塔日 | ᠨᠠᠮᠲᠠᠷ | Namtr | 传记 |
| 那仁敖包 | ᠨᠠᠷᠢᠨ ᠣᠪᠣᠭᠠ | Nariin Ôbôô | 细长敖包山 |
| 那仁宝力格 | ᠨᠠᠷᠠᠨ ᠪᠤᠯᠠᠭ | Narn Bûlg | 太阳泉 |
| 那仁补力格 | ᠨᠠᠷᠠᠨ ᠪᠤᠯᠠᠭ | Narn Bûlg | 太阳泉 |
| 那仁布拉格 | ᠨᠠᠷᠠᠨᠪᠤᠯᠠᠭ | Narnbûlg | 太阳泉 |
| 那仁德尔斯 | ᠨᠠᠷᠢᠨ ᠳᠡᠷᠡᠰᠦ | Nariin Drs | 细芨芨 |
| 那仁恩格尔 | ᠨᠠᠷᠠᠨ ᠡᠩᠭᠡᠷ | Narn Enggr | 阳面 |
| 那仁高勒 | ᠨᠠᠷᠢᠨ ᠭᠣᠣᠯ | Narin Gol | 狭窄河 |
| 那仁格日勒 | ᠨᠠᠷᠠᠨ ᠭᠡᠷᠡᠯ | Narn Grl | 阳光 |
| 那仁郭勒 | ᠨᠠᠷᠠᠨ ᠭᠣᠣᠯ | Narn Gôl | 太阳河 |
| 那仁郭勒河 | ᠨᠠᠷᠠᠨ ᠭᠣᠣᠯ | Narn Gôl | 狭窄河 |
| 那仁呼都格 | ᠨᠠᠷᠠᠨ ᠬᠤᠳᠳᠤᠭ | Narn Hûdg | 太阳井 |
| 那仁乌拉 | ᠨᠠᠷᠠᠨᠠᠭᠤᠯᠠ | Narn ûûl | 太阳山 |
| 那日期太 | ᠨᠠᠷᠠᠰᠤᠲᠠᠢ | Narastaì | 有松树 |
| 那日图 | ᠨᠠᠷᠠᠲᠤ | Nart | 阳光地 |
| 那日图敖包 | ᠨᠠᠷᠠᠲᠤ ᠣᠪᠣᠭᠠ | Nart Ôbôô | 阳光地敖包 |

| 那日音 | ᠨᠠᠷᠢᠨ | Nariin | 细长 |
|---|---|---|---|
| 那日音海拉斯 | ᠨᠠᠷᠢᠨ ᠬᠠᠶᠢᠯᠠᠰᠤ | Nariin Hails | 细榆树 |
| 那日音呼都格 | ᠨᠠᠷᠢᠨ ᠬᠤᠳᠳᠤᠭ | Narn Hûdg | 太阳井 |
| 那什图 | ᠨᠠᠰᠤᠲᠠᠢ | Nast | 人名 长寿 |
| 那什兔 | ᠨᠠᠰᠤᠲᠠᠢ | Nast | 人名 长寿 |
| 那斯图营(蒙汉) | ᠨᠠᠰᠤᠲᠠᠢ ᠶᠢᠨ ᠠᠶᠢᠯ | Nastiin Ail | 人名(含义长寿)营子 |
| 那苏沟 | ᠨᠠᠷᠠᠰᠤᠨ ᠭᠣᠣ | Narsn Gûû | 松树沟 |
| 那速兔 | ᠨᠠᠰᠤᠲᠠᠢ | Nast | 人名 长寿 |
| 纳林高勒 | ᠨᠠᠷᠢᠨ ᠭᠣᠣᠯ | Nariin Gôl | 狭窄河 |
| 纳林沟 | ᠨᠠᠷᠢᠨ ᠭᠣᠣ | Nariin Gûû | 狭窄沟 |
| 纳令不浪 | ᠨᠠᠷᠢᠨ ᠪᠤᠯᠠᠭ | Nariin Bûlg | 细水泉 |
| 纳令圪堵 | ᠨᠠᠷᠢᠨ ᠬᠣᠲᠣᠯ | Nariin Hŏtl | 狭窄坡 |
| 纳令沟 | ᠨᠠᠷᠢᠨ ᠭᠣᠣ | Nariin Gûû | 狭窄沟 |
| 纳令沟 | ᠨᠠᠷᠢᠨ ᠭᠣᠣ | Nariin Gûû | 狭窄沟 |
| 纳令河(蒙汉) | ᠨᠠᠷᠢᠨ ᠭᠣᠣᠯ | Nariin Gôl | 狭窄河 |
| 纳牧 | ᠨᠠᠮᠤᠭ | Namg | 沼泽 |
| 纳太 | ᠨᠠᠷᠠ ᠲᠠᠢ | Nar Tai | 有阳光 |
| 乃林滩 | ᠨᠠᠶᠢᠷ ᠤᠨ ᠲᠠᠯ | Nairiin Tal | 盛会滩 |
| 乃马岱 | ᠨᠠᠶᠢᠮᠠᠲᠠᠢ | Naimtai | 八岁 |
| 乃门呼都格善达 | ᠨᠠᠶᠢᠮᠠᠨ ᠬᠤᠳᠳᠤᠭ ᠤᠨ ᠱᠠᠩᠳᠠ | Naimn hûdgiin Xangd | 八井湿地 |
| 乃莫板 | ᠨᠠᠶᠢᠮᠠᠨ ᠪᠠᠶᠢᠱᠢᠩ | Naimn Baixng | 八间房 |
| 乃莫板申 | ᠨᠠᠶᠢᠮᠠᠨ ᠪᠠᠶᠢᠱᠢᠩ | Naimn Baixng | 八间房 |
| 乃莫板升 | ᠨᠠᠶᠢᠮᠠᠨ ᠪᠠᠶᠢᠱᠢᠩ | Naimn Baixng | 八间房 |
| 乃莫营子 | ᠨᠠᠶᠢᠮᠠᠨ ᠠᠶᠢᠯ | Naimn Ail | 八营子 |
| 乃母和 | ᠨᠠᠮᠡᠬᠦ | Nmh | 增加 |
| 乃木开 | ᠨᠠᠮᠤᠭ | Namg | 沼泽 |
| 乃仁亥日 | ᠨᠠᠷᠢᠨ ᠬᠢᠷ | Nariin Hir | 细长梁 |
| 乃同 | ᠨᠠᠶᠢᠮᠠᠲᠤ | Naimt | 八号地 |

| 乃同营(藏汉) | ᠊᠊᠊᠊᠊(᠊᠊᠊᠊᠊) ᠊᠊᠊ | Naidn Ail | 人名(含义尊者)营子 |
|---|---|---|---|
| 乃音召 | ᠊᠊᠊ ᠊᠊ | Bayn Jûû | 富召 |
| 乃只盖 | ᠊᠊᠊᠊᠊ | Najgai | 消极 |
| 奈曼海拉苏 | ᠊᠊᠊᠊ ᠊᠊᠊᠊᠊᠊ | Naimn Hails | 八棵榆树 |
| 南此老气 | ᠊᠊᠊᠊᠊᠊ | Qûlûûq | 石匠 |
| 南的儿(藏) | ᠊᠊᠊᠊ (᠊᠊) | | 待考 |
| 南盖 | ᠊᠊᠊᠊ | Nanggi | 黏土 衣兜 |
| 南草林盖 | | | 待考 |
| 南格少(汉蒙) | ᠊᠊᠊ ᠊᠊᠊᠊᠊ | ǒmǒ'n Gaxûûn | 前碱滩 |
| 南吉板登(藏) | ᠊᠊᠊᠊᠊᠊ | Nanjwangdn | 人名 |
| 南京洼(藏汉) | ᠊᠊᠊ ᠊ ᠊᠊᠊ | Rinjmiin Tôhôi | 人名 (仁其莫含义珍宝)湾 |
| 南快布郎(藏蒙) | ᠊᠊᠊᠊ ᠊᠊ ᠊᠊᠊᠊ | Namkaiin Bûlng | 人名(含义虚空藏)湾 |
| 南淖(汉蒙) | ᠊᠊᠊ ᠊᠊᠊ | ǒm'n Nûûr | 南海子 |
| 南诺尔(汉蒙) | ᠊᠊᠊ ᠊᠊᠊ | ǒm'n Nûûr | 南海子 |
| 南闪丹(汉蒙) | ᠊᠊᠊ ᠊᠊᠊ | ǒm'n Xangd | 南湿地 |
| 南善丹尧(汉蒙) | ᠊᠊᠊ ᠊᠊᠊ ᠊᠊ ᠊᠊ | ǒm'n xangdiin Yao | 南湿地窑 |
| 南什轴(汉蒙) | ᠊᠊᠊᠊ ᠊᠊ ᠊᠊᠊(᠊᠊) | Ûrd Xan Sum | 前黄庙(喇嘛庙) |
| 挠八其 | ᠊᠊᠊᠊᠊ | Nûûbq | 隐秘 |
| 挠尔板升 | ᠊᠊᠊᠊ ᠊᠊᠊᠊ | Nûûr Baixng | 湖边房 |
| 挠上 | | | 待考 |
| 恼木七太 | ᠊᠊᠊᠊᠊ | Nômqtai | 禅师地 |
| 恼木气 | ᠊᠊᠊ | Nômq | 诵经人 |
| 脑包 | ᠊᠊᠊᠊ | Ôbôô | 敖包 |
| 脑包底(蒙汉) | ᠊᠊᠊᠊᠊ | Ôbôôtai | 有敖包 |
| 脑包沟 | ᠊᠊᠊ ᠊᠊ ᠊᠊ | Ôbôôgiin Gûû | 敖包沟 |
| 脑包山 | ᠊᠊᠊᠊ ᠊᠊᠊ | Ôbôôn Ûûl | 敖包山 |
| 脑包上村(蒙汉) | ᠊᠊᠊᠊ ᠊᠊᠊ | Ôbôôn Ail | 敖包营子 |
| 脑包图 | ᠊᠊᠊᠊᠊ | Ôbôôt | 敖包地 |

| 脑包洼 | ᠣᠪᠣᠭᠠᠨ ᠬᠣᠩᠬᠣᠷ | Ôbôôn Hôngkôr | 敖包洼 |
|---|---|---|---|
| 脑卜其 | ᠨᠦᠪᠴᠢ | Nûûbq | 隐藏帘 |
| 脑干闪丹 | ᠨᠣᠭᠣᠭᠠᠨ ᠱᠠᠩᠳᠠ | Nôgôôn Xangd | 青草湿地 |
| 脑干塔拉 | ᠨᠣᠭᠣᠭᠠᠨ ᠲᠠᠯᠠ | Nôgôôn Tal | 青草滩 |
| 脑干乌苏 | ᠨᠣᠭᠣᠭᠠᠨ ᠤᠰᠤ | Nôgôôn Ûs | 青草水滩 |
| 脑干希勒 | ᠨᠣᠭᠣᠭᠠᠨ ᠰᠢᠯᠢ | Nôgôôn Xl | 青草梁 |
| 脑干锡力 | ᠨᠣᠭᠣᠭᠠᠨ ᠰᠢᠯᠢ | Nôgôôn Xl | 青草梁 |
| 脑岗包拉格 | ᠨᠣᠭᠣᠭᠠᠨ ᠪᠤᠯᠠᠭ | Nôgôôn Bûlg | 青泉 |
| 脑高 | ᠨᠣᠭᠣᠭᠤ | Nôgôô | 青草 |
| 脑高代 | ᠨᠣᠭᠣᠭᠤᠳᠠᠢ | Nôgôôdai | 嫩草地　青草地 |
| 脑高岱 | ᠨᠣᠭᠣᠭᠤᠲᠠᠢ | Nôgôôtai | 嫩草地　青草地 |
| 脑格敖包 | ᠨᠣᠭᠣᠭᠠᠨ ᠣᠪᠣᠭᠤ | Nôgôôn Ôbôô | 绿色敖包 |
| 脑滚呼布 | ᠨᠣᠭᠣᠭᠠᠨ ᠬᠥᠪ | Nôgôôn Hob | 绿洲 |
| 脑海卜 | ᠨᠣᠭᠣᠭᠠᠨ ᠤᠰᠤ | Nôgôôn Ûs | 青水 |
| 脑亥 | ᠨᠣᠬᠠᠢ | Nôhôi | 狗 |
| 脑亥沟 | ᠨᠣᠬᠠᠢ ᠶᠢᠨ ᠭᠣᠤᠯ | Nôhôin Gôl | 犬河 |
| 脑木更 | ᠨᠣᠮᠣᠭᠠᠨ | Nômgn | 书圣 |
| 脑木更乌拉 | ᠨᠣᠮᠣᠭᠠᠨ ᠤᠤᠯᠠ | Nômgn Ûûl | 书圣山 |
| 脑木汗 | ᠨᠣᠮᠣᠬᠠᠨ | Nômhôn | 平静 |
| 脑木七太 | ᠨᠣᠮᠤᠴᠢᠲᠠᠢ | Nômqtai | 弓匠地 |
| 脑木气 | ᠨᠣᠮᠤᠴᠢ | Nômq | 弓匠 |
| 脑木图 | ᠨᠣᠮᠤᠲᠤ | Nômt | 弓子地 |
| 脑木图敖包 | ᠨᠣᠮᠤᠲᠤ ᠣᠪᠣᠭᠤ | Nômt Ôbôô | 弓子敖包 |
| 脑木图沟 | ᠨᠣᠮᠤᠲᠤ ᠶᠢᠨ ᠭᠣᠤ | Nômtiin Gûû | 弓子沟 |
| 脑木音花 | ᠨᠣᠮᠤ ᠶᠢᠨ ᠬᠤᠸᠠ | Nômiin Hûa | 弓子山 |
| 脑穆根 | ᠨᠣᠮᠤᠭᠠᠨ | Nômgan | 平静　碧绿草原 |
| 脑音毛都 | ᠨᠣᠶᠠᠨ ᠮᠣᠳᠤ | Nôyn Môd | 大树 |
| 脑音乌素 | ᠨᠣᠶᠠᠨ ᠤᠰᠤ | Nôyn Ûs | 大水滩 |

| 脑银桑 | Nôynsang | 官仓 |
|---|---|---|
| 脑云乌苏 | Nôyn Ûs | 官水 |
| 瑙干宝拉格 | Nôgôôn Bûlg | 青泉 |
| 瑙干车勒 | Nôgôôn Qeel | 青草深水 |
| 瑙干诺如 | Nôgôôn Nûrûû | 绿山脊 |
| 瑙干善达 | Nôgôôn Xangd | 青草湿地 |
| 瑙干锡力 | Nôgôôn Xl | 青草梁 |
| 瑙高布日德 | Nôgôôn Burd | 绿洲 |
| 瑙琨乌苏 | Nôgôôn Ûs | 青水 |
| 淖尔板升 | Nûûr Baixng | 湖边房 |
| 淖尔布隆 | Nûûr Bûlng | 海子弯 |
| 淖尔图 | Nûûrt | 海子地 |
| 淖尔音肖崩 | Nûûriin Xôbông | 海子尖山 |
| 淖高登(蒙汉) | Nôgôôn Deng | 绿灯 |
| 淖林哈玛尔 | Nûûriin Hamr | 淖尔梁 |
| 内马代 | Naimdai | 八岁或八面 |
| 尼玛(藏) | Nima | 太阳 人名 |
| 鸟尔素 | Nuures | 煤 |
| 鸟素 | Nuures | 煤 |
| 鸟素沟 | Nuursn Gûû | 煤沟 |
| 聂各图 | Niagt | 茂密 |
| 聂仁努如 | Nariin Nûrûû | 细长梁 |
| 牛牛营 | Nû'nûn Ail | 小男孩营子 |
| 农气梁 | Nuudelqn | 游牧者 |
| 弩衡格尔 | Nuhn Gr | 窑洞 |
| 努德勒 | Nuudl | 游牧 搬迁 |
| 努登梭梭林 | Nudn jagiin Ôi | 小梭梭林 |
| 努很朝鲁 | Nuhn Qûlûû | 孔石 |

| 努呼日勒 | | NôhÔrll | 友谊 |
|---|---|---|---|
| 努呼塔勒 | | Nuudl | 游牧　搬迁 |
| 努呼图 | | Huht | 洞地 |
| 努木齐 | | Nômq | 禅师 |
| 努其根花 | | Nuqgn Hûa | 秃山丘 |
| 努气 | | Nuuq | 游牧营子 |
| 努气补隆 | | Nuuq Bûlng | 游牧弯 |
| 努仁 | | Nûra | 悬崖 |
| 努日阿 | | Nûra | 悬崖 |
| 努如 | | Nûrûû | 山脊 |
| 努图克 | | Nûtg | 乡里 |
| 挪日图 | | Nart | 阳光地 |
| 诺尔 | | Nûûr | 海子 |
| 诺很 | | Nuhn | 窑洞 |
| 诺木果恩 | | Nômgôn | 平静　碧绿草原 |
| 诺木齐 | | Nômq | 诵经者 |
| 诺木齐太 | | Nômqtai | 弓匠地 |
| 欧特根高勒 | | ǒtgn Gôl | 浓水河 |
| 帕格玛(藏) | | Pagma | 人名(含义圣母) |
| 朋松营(藏汉) | | Pûngsgiin Ail | 人名(含义圆满)营子 |
| 朋松营子(藏汉) | | Pûngsgiin Ail | 人名(含义圆满)营子 |
| 彭顺营(藏汉) | | Pûngsgiin Ail | 人名(含义圆满)营子 |
| 棚吉太(汉蒙) | | Pongj Tai | 有棚圈 |
| 棚记图(汉蒙) | | Pongjt | 棚圈地 |
| 棚圈图(汉蒙) | | Pongjt | 棚圈地 |
| 蓬松营(藏蒙) | | Pûngsgiin Ail | 人名(含义圆满)营子 |
| 澎盖 | | | 待考 |
| 平地脑包(汉蒙) | | Pindi Ôbôô | 平地敖包 |

| 七卜 | ᠱᠥᠪᠦᠦ | Xûbûû | 鸟 |
|---|---|---|---|
| 七卜树 | ᠱᠥᠪᠦᠦᠴᠢ | Xûbûûq | 养鸟人 |
| 七邓营(藏蒙) | ᠴᠢᠳᠡᠩ ᠤᠨ ᠠᠢᠯ | Qidengiin Ail | 人名(含义长命)营子 |
| 七杆旗 | ᠱᠠᠪᠠᠭᠠᠨᠴᠢ | Qabganq | 尼姑 |
| 七苏木 | ᠳᠣᠯᠳᠣᠭᠠᠷ ᠰᠤᠮᠤ | Dôldûgar Sûm | 含义同汉语名称 |
| 七炭板 | ᠬᠠᠭᠣᠴᠢᠨ ᠪᠠᠶᠢᠰᠢᠩ | Hûûqn Baixng | 旧房子 |
| 齐格齐 | ᠴᠢᠭᠴᠢ | Qigq | 耿直 |
| 齐哈日格图呼都嘎 | ᠴᠠᠭᠠᠷᠢᠭᠲᠤ ᠶᠢᠨ ᠬᠤᠳᠳᠤᠭ | Qagrigtiin Hûdg | 环形井 |
| 齐老气 | ᠴᠢᠯᠠᠭᠣᠴᠢ | Qûlûûq | 石匠 |
| 齐齐尔 | ᠴᠠᠴᠠᠷ | Qaqar | 大帐篷 |
| 齐齐尔嘎太 | ᠴᠠᠴᠢᠷᠭᠠᠲᠠᠢ | Qaqirgaatai | 沙棘地 |
| 齐日格图音呼都嘎 | ᠴᠠᠷᠢᠭᠲᠤ(ᠵᠠᠷᠢᠭᠲᠤ)ᠶᠢᠨ ᠬᠤᠳᠳᠤᠭ | Qaraggtiin Hûdg | 防火道井 |
| 其甘 | ᠴᠡᠭᠡ | Qegee | 马奶 |
| 其格 | ᠴᠡᠭᠡ | Qegee | 马奶 |
| 其根达来 | ᠴᠡᠭᠡᠨ ᠳᠠᠯᠠᠢ | Qegeen Dalai | 清澈海子 |
| 其呼日图 | ᠴᠠᠬᠢᠭᠣᠷᠲᠤ | Qahiûrt | 火石山 |
| 其胡尔图 | ᠴᠠᠬᠢᠭᠣᠷᠲᠤ | Qahiûrt | 火石山 |
| 其老翁格车 | ᠴᠢᠯᠠᠭᠣᠨ ᠣᠩᠭᠣᠴᠠ | Qûlûûn Ônggôq | 石槽 |
| 其那日图 | ᠴᠠᠨᠠᠷᠲᠤ | Qa'nart | 优质 |
| 其日格 | ᠴᠠᠷᠢᠭ | Qarg | 防火道 |
| 奇塔特巴克希板升 | ᠬᠢᠲᠠᠳ ᠪᠠᠭᠰᠢ ᠶᠢᠨ ᠪᠠᠶᠢᠰᠢᠩ | Hiatd bagxiin Baixng | 汉族先生房 |
| 棋杆 | ᠴᠡᠭᠡ | Qegee | 马奶 |
| 旗下营 | ᠵᠠᠬᠢᠷᠠᠭᠠᠨ ᠠᠢᠯ | Jaxaan Ail | 值班营子 |
| 前厂汗此老 | ᠴᠠᠭᠠᠨ ᠴᠢᠯᠠᠭᠣ | Qagaan Qûlûû | 白石头 |
| 前达门 | ᠴᠢᠨᠳᠠᠮᠣᠨᠢ | Qindmû'ni | 如意宝 |
| 前格尔 | ᠴᠠᠴᠠᠷ | Qaqr | 大帐篷 |
| 前花圪台 | ᠬᠠᠷᠭᠠᠨᠠᠲᠠᠢ | Hargantai | 有锦鸡儿 |
| 钱达布(藏) | ᠴᠢᠩᠳᠠᠪ | Qingdab | 人名 |

| 钱德门敖包 | | Qindmû'ni Ôbôô | 如意敖包 |
|---|---|---|---|
| 墙盘呼热(汉蒙) | | Qang fang Huree | 厂房圈圈 |
| 乔圪齐 | | Qôg Ûqrl | 喜相逢 |
| 巧儿报(雀儿报) | | Qôbôô | 羊肠小道 人名 * |
| 巧儿报(雀儿报) | | Qôrbôg | 小鸡 * |
| 巧尔气(藏) | | Qôrj | 经圣 人名 |
| 巧尔什营子(藏蒙) | | Qôrjiin Ail | 人名　含义经圣)营子 |
| 巧什营(藏蒙) | | Qôrj Ail | 人名　含义经圣)营子 |
| 钦宝营(藏汉) | | Qnbûûgiin Ail | 人名(含义摩诃)营子 |
| 青格勒 | | Qenggl | 快乐 |
| 青格力格 | | Qengglig | 快乐的 |
| 青沟 | | Qenggl | 快乐 |
| 青克勒宝力格 | | Qenggl Bûlg | 欢乐泉 |
| 青石脑包(汉蒙) | | Hôh qûlûûn Ôbôô | 含义同汉语名称 |
| 青替呼舒 | | Qingtiin Hûxûû | 青土山咀 |
| 清大门 | | Qindmû'ni | 如意宝 |
| 庆勒勒(藏) | | Qimbl | 人名 |
| 庆达木 | | Qindmû'ni | 如意宝 |
| 庆格尔 | | Qengkr | 蓝色 |
| 穷克 | | Qongk | 挎包 |
| 曲力克 | | Qŏlee | 空地 |
| 全巴图 | | Qôr Bût | 灌木丛 |
| 雀毛沟 | | Xûgai môdiin Gûû | 树林沟 |
| 萨嘎拉嘎日 | | Saglgar | 枝叶横生 |
| 萨嘎萨嘎尔 | | Sagsgar | 枝枝杈杈 |
| 萨格拉嘎日 | | Saglagar | 枝叶横生 |
| 萨格音淖尔 | | Sagiin Nûûr | 垃圾海子 |
| 萨胡拉克 | | Sahûlg | 茂密状 |

| 萨拉 | | Salaa | 岔路 枝杈 |
|---|---|---|---|
| 萨拉达布庙(藏汉) | | Xaldb Sum | 喇嘛庙名 |
| 萨拉高勒 | | Salaa Gôl | 河流分支 |
| 萨拉河 | | Salaa Gôl | 河流分支 |
| 萨拉呼都格 | | Salaa Hûdg | 岔口井 |
| 萨拉莫萨格 | | Sarimsg | 大蒜 |
| 萨拉乃干其毛都 | | Salaa'nai ganq Môd | 岔口独树 |
| 萨拉齐 | | Saalqn | 挤奶者 |
| 萨拉庆 | | Saalqn | 挤奶者 |
| 萨拉音沃博勒吉 | | Salaagiin ŏbŏjee | 岔口冬营盘 |
| 萨力勤 | | Saalqn | 挤奶者 |
| 萨木巴日音嘎顺 | | Sambriin Gaxûûn | 人名 碱滩 |
| 萨木岱音苏木(藏蒙) | | Samtaiin Sum | 禅坐庙 |
| 萨齐(梵语，也作擦擦) | | Saq | 喇嘛教镇妖物 |
| 萨其(梵语，也作擦擦) | | Saq | 喇嘛教镇妖物 |
| 萨气(梵语，也作擦擦) | | Saq | 喇嘛教镇妖物 |
| 萨日哈拉 | | | 待考 |
| 萨日图 | | Sart | 月亮地 |
| 萨如拉 | | Sarûûl | 明亮 |
| 萨如勒 | | Sarûûl | 明亮 |
| 萨如勒庙(蒙汉) | | Sarûûl Sum | 光明庙 |
| 萨如勒塔拉 | | Sarûûltal | 辽阔草原 |
| 萨音呼都格 | | Sain Hûdg | 好水井 |
| 萨音吾素 | | Sain Ûs | 好水井 |
| 腮堡路壕 | | Sain Bûlg | 好泉子 |
| 腮大坝 | | Sain Dabaa | 好岭 |
| 腮汗沟 | | Saihn Gûû | 美丽沟 |
| 腮忽洞 | | Sairiin Hûdg | 沙砾井 |

| 腮忽洞 | | Sain Hûdg | 好井 |
|---|---|---|---|
| 腮扣 | | Sair Hûdg | 沙砾井 |
| 腮林阿达格 | | Sairiin Adg | 沙砾末端 |
| 腮林忽洞 | | Sairiin Hûdg | 沙砾井 |
| 腮乌素 | | Sain Ûs | 好水井 |
| 塞日音呼都格 | | Sairiin Hûdg | 沙砾井 |
| 赛当郎 | | Sain Dôlôô | 好七 |
| 赛恩乌苏 | | Sain Ûs | 好水井 |
| 赛罕 | | Saihn | 美丽 |
| 赛汉布仁 | | Saihn Bǒrin | 完美 |
| 赛汉塔拉 | | Saihntal | 美丽草原 |
| 赛汉乌力吉 | | Saihn ǒljei | 福寿 |
| 赛汉锡力 | | Saihn Xl | 美丽山梁 |
| 赛汗街(蒙汉) | | Saihn Jeel | 美街 |
| 赛汗塔拉 | | Saihntal | 美丽草原 |
| 赛呼都格 | | Sain Hûdg | 好水井 |
| 赛忽洞 | | Sain Hûdg | 好水井 |
| 赛林呼都格 | | Sairiin Hûdg | 沙砾井 |
| 赛林忽洞 | | Sairiin Hûdg | 沙砾井 |
| 赛其庙(藏汉) | | Saq Sum | 泥佛像庙 |
| 赛仁呼都格 | | Sairiin Hûdg | 沙砾井 |
| 赛日 | | Sair | 沙砾 |
| 赛日音布拉格 | | Sair Bûlg | 沙砾泉 |
| 赛日音敦达乌素 | | Sairiin dûmd Ûs | 沙砾中水井 |
| 赛日音呼都格 | | Sairiin Hûdg | 沙砾井 |
| 赛日音吾素 | | Sairiin Ûs | 沙砾水 |
| 赛苏计 | | Ssin Suuj | 好山坐 |
| 赛乌苏 | | Sain Ûs | 好水井 |

| 赛乌素 | | Sain Ûs | 好水井 |
|---|---|---|---|
| 赛音 | | Saihn | 美丽 |
| 赛音达不苏淖日 | | Sain dabsiin Nûûr | 好盐海子 |
| 赛音呼都嘎 | | Saihn Hûdg | 好水井 |
| 赛音呼都格 | | Sain Hûdg | 好水井 |
| 赛音胡都格 | | Sain Hûdg | 好井 |
| 赛音绍日 | | Sain Xǒr | 好盐 |
| 赛音乌斯 | | Sain Ûs | 好水 |
| 赛音乌素 | | Sain ûs | 好水 |
| 赛音锡力 | | Sain Xl | 好山梁 |
| 三抱湾(藏蒙) | | Sambûûgiin Erigee | 人名(含义善良)湾 |
| 三波罗 | | Sambr | 黑板 |
| 三达庆沟 | | Sain daiqn Gûû | 人名 沟 |
| 三岱沟(藏蒙) | | Sundai Gûû | 人名 沟 |
| 三盖(藏) | | Sangjei | 喇嘛教活佛名 人名 |
| 三喇嘛营(汉藏蒙) | | Gûrbdûgaar lamiin Hôt | 含义同汉语名称 |
| 三两 | | Salaa | 岔口 |
| 三苏木(汉蒙) | | Gûrbdûgaar Sûm | 第十三苏木 |
| 三滩 | | Xangd | 湿地 |
| 三腾营(蒙汉) | | Samtn'nai Hôt | 萨木腾(人名)营 |
| 三图营(蒙汉) | | Sangtiin Hôt | 焚香营子 |
| 三音哈克 | | | 待考 |
| 三营图 | | Saint | 好地 |
| 伞盖 | | Sanggiin Gr | 仓房 |
| 散布日哈达 | | Sambr Had | 板岩 |
| 散图 | | Sangt | 焚香地 |
| 散图敖包 | | Sangtiin Ôbôô | 焚香敖包 |
| 桑宝拉格 | | Sangbûlg | 仓泉 |

| 桑达来 | ᠰᠠᠩᠳᠠᠯᠠᠢ | Sangdalai | 仓海 |
| 桑德 | ᠱᠠᠩᠳ | Xangd | 湿地 |
| 桑都勒 | ᠰᠠᠩᠳᠦᠯ | Sangdûl | 焚香 |
| 桑干达来 | ᠰᠠᠩ ᠳᠠᠯᠠᠢ | Sang Dalai | 仓海 |
| 桑根达来 | ᠰᠠᠩ ᠤᠨ ᠳᠠᠯᠠᠢ | Sanggiin Dalai | 仓海 |
| 桑根达来音阿达格 | ᠰᠠᠩ ᠤᠨ ᠳᠠᠯᠠᠢ ᠶᠢᠨ ᠠᠳᠠᠭ | Sanggiin dalain Adag | 仓海尽头 |
| 桑贵补隆(藏蒙) | ᠰᠠᠩᠭᠦᠢ ᠶᠢᠨ ᠪᠤᠯᠤᠩ | Sanggûiin Bûlng | 人名(含义密)湾 |
| 桑钦营(蒙汉) | ᠰᠠᠩᠴᠢᠨ ᠠᠢᠯ | Sangqn Ail | 焚香营子 |
| 桑散 | ᠰᠠᠩᠰᠠᠨ | Sangsn | 仓房 |
| 桑塔 | ᠰᠠᠩᠲᠠ | Sangt | 焚香地 |
| 扫木图 | ᠰᠤᠮᠤᠲᠤ | Sûmt | 箭地 |
| 色灯沟 | ᠱᠠᠩᠳᠢ ᠶᠢᠨ ᠭᠣᠣᠯ | Xangdiin Gôl | 泉水河 |
| 色尔登 | ᠰᠡᠷᠳᠡᠩ | SErdng | 嶙峋 |
| 色尔腾山(蒙汉) | ᠰᠡᠷᠳᠡᠩ ᠠᠭᠤᠯᠠ | SErdng Ûûl | 嶙峋山 |
| 色核桃沟 | ᠰᠤᠨᠳᠤ ᠭᠤᠤ | Sûgt Gûû | 细长沟 |
| 色化 | ᠰᠤᠤᠬᠤᠸᠠ | Sûhûa | 野生牧草名 |
| 色拉哈达 | ᠱᠠᠷ ᠬᠠᠳᠠ | Xar Had | 黄岩石 |
| 色楞湾 | ᠰᠡᠷᠦᠦᠨ ᠲᠣᠬᠣᠢ | Sruun Tôhôi | 清凉湾 |
| 色令板(藏蒙) | ᠰᠠᠩᠭᠢᠢᠨ(ᠰᠡᠩᠭᠢᠢᠨ) ᠤᠨ ᠪᠠᠶᠢᠰᠢᠩ | Srnggiin Baixng | 人名(含义岁寿)房 |
| 色令板升(藏蒙) | ᠰᠡᠩᠭᠢᠢᠨ ᠤᠨ ᠪᠠᠶᠢᠰᠢᠩ | Srnggiin Baixng | 人名(含义岁寿)房 |
| 色气 | ᠴᠠᠴᠠᠷ | Qaqr | 大帐篷 |
| 色气口子(蒙汉) | | | 待考 |
| 色气湾 | ᠰᠠᠶᠢᠷ ᠤᠨ ᠲᠣᠬᠣᠢ | Sairiin Tôhôi | 沙砾湾 |
| 色庆沟 | ᠰᠡᠴᠡᠨ ᠭᠤᠤ | Sqn Gûû | 人名(含义聪明)沟 |
| 色日 | ᠰᠡᠭᠡᠷ | Seer | 胸椎 |
| 色日本 | ᠰᠡᠷᠪᠡᠩ | Srbng | 嶙峋 |
| 色日腾山(蒙汉) | ᠰᠡᠷᠳᠡᠩ ᠠᠭᠤᠯᠠ | Srteng Ûûl | 高耸的山 |
| 森吉图 | ᠰᠡᠩᠵᠢᠲᠦ | Senjt | 提手地 |

| 僧吉图 | ᠰᠡᠨᠵᠢᠲᠦ | Senjt | 提手地 |
| 杀胡口(蒙汉) | ᠱᠠᠭᠤᠷᠬᠠᠢ ᠬᠠᠭᠠᠯᠭ | Xuurhei Haalg | 杀胡人关 |
| 杀虎口(蒙汉) | ᠱᠠᠭᠤᠷᠬᠠᠢ ᠬᠠᠭᠠᠯᠭ | Xuurhei Haalg | 雄关 |
| 沙敖包 | ᠡᠯᠡᠰᠦᠨ ᠣᠪᠣᠭ᠎ᠠ | Elsn Ôbôô | 沙地敖包 |
| 沙巴尔太 | ᠱᠠᠪᠠᠷᠲᠠᠢ | Xabrtai | 泥滩 |
| 沙巴嘎 | ᠱᠠᠪᠠᠭ | Xabg | 油蒿 |
| 沙比那尔 | ᠱᠠᠪᠢᠨᠠᠷ | Xabi'nar | 众徒弟 |
| 沙冰年 | ᠱᠠᠪᠢᠨᠠᠷ | Xabi'nar | 众徒弟 |
| 沙兵崖 | ᠱᠠᠪᠢᠨᠠᠷ | Xabinar | 众徒弟 |
| 沙布其 | | | 待考 |
| 沙德盖 | ᠰᠠᠭᠠᠳᠠᠭ | Saadg | 箭壶 箭囊 |
| 沙德格 | ᠰᠠᠭᠠᠳᠠᠭ | Saadg | 箭壶 箭囊 |
| 沙尔查宾淖尔 | ᠱᠠᠷ ᠴᠠᠪ ᠤᠨ ᠨᠠᠭᠤᠷ | Xar qabiin Nûûr | 黄色山口湖 |
| 沙尔查布淖日 | ᠱᠠᠷ ᠴᠠᠪ ᠤᠨ ᠨᠠᠭᠤᠷ | Xar qabiin Nûûr | 黄色山口湖 |
| 沙尔淖尔 | ᠱᠠᠷ ᠨᠠᠭᠤᠷ | Xar Nûûr | 黄海子 |
| 沙尔沁 | ᠰᠠᠭᠠᠯᠢᠭᠴᠢᠨ | Saalqn | 挤奶者 |
| 沙家营(蒙汉) | ᠱᠠᠵᠢᠨᠲᠤ ᠠᠢᠯ | Xajnt Ail | 宗教地营子 |
| 沙金套海 | ᠱᠠᠵᠢᠨ ᠲᠣᠬᠣᠢ | Xajn Tôhôi | 宗教湾 |
| 沙金图 | ᠱᠠᠵᠢᠨᠲᠦ | Xajnt | 宗教地 |
| 沙井岛 | ᠱᠠᠵᠢᠨᠲᠦ | Xajnt | 宗教地 |
| 沙拉 | ᠱᠠᠷ | Sar | 月亮 |
| 沙拉额墨根 | ᠱᠠᠷ ᠡᠷᠭᠢ | Xar Erg | 黄土岗 |
| 沙拉尔岱 | ᠱᠠᠷᠯᠳᠠᠢ | Xarldai | 黄地杂毛 |
| 沙拉湖滩 | ᠱᠠᠷ ᠨᠠᠭᠤᠷ ᠲᠠᠯ | Xar nûûr Tal | 黄海子滩 |
| 沙拉毛道 | ᠱᠠᠷᠮᠣᠳᠤ | Xrmt | 黄树 |
| 沙拉诺亥图 | ᠱᠠᠷ ᠨᠣᠬᠠᠢᠲᠤ | Xar Nôhôit | 黄狗地 |
| 沙拉乌素 | ᠱᠠᠷ ᠤᠰᠤ | Xar Ûs | 黄海子 |
| 沙勒 | ᠱᠠᠯᠪᠠ | Xalba | 泥泞 |

| 沙林沁 | | Saalqn | 挤奶者 |
|---|---|---|---|
| 沙茂营(蒙汉) | | Samûûgiin Ail | 人名(含义天母)营子 |
| 沙那赛音呼都格 | | Xi'ne Sain Hûdg | 新井 |
| 沙日恩格日 | | Xar Enggr | 黄色山麓 |
| 沙日呼 | | Xarhuu | 黄毛小子 |
| 沙日陶日木 | | Xar Tôôrim | 黄色洼地 |
| 沙图沟 | | Xat Gûû | 梯形沟 |
| 沙兔沟 | | Xat Gûû | 梯形沟 |
| 沙驼格 | | Xatd | 梯形地 |
| 莎林沁 | | Saalqn | 挤奶者 |
| 莎木佳 | | Samûrj | 松柏茂盛状 |
| 筛力滩(蒙汉) | | Sair Tal | 沙砾滩 |
| 山保岱 | | | 待考 |
| 山达来 | | Sanggiin Dalai | 仓海 |
| 山达音花 | | Xangdiin Hua | 山丘湿地 |
| 山盖(藏) | | Sangjei | 人名 |
| 山盖脑包 | | Sanggiin Ôbôô | 庙仓敖包 |
| 山格架(藏) | | Xagja | 手势　人名 |
| 山探 | | Xangd | 湿地 |
| 闪丹 | | Xangd | 湿地 |
| 闪丹渠 | | Xangd Sûbg | 泉水渠 |
| 闪丹苏木 | | Xangd Sum | 喇嘛庙名 |
| 闪旦梁 | | Xangd Dabaa | 湿地岭 |
| 善达 | | Xangd | 湿地 |
| 善岱 | | Xangd | 湿地 |
| 善丹 | | Xangd | 湿地 |
| 善丹尧(蒙汉) | | Xangd Ail | 小泉营子 |
| 善丹窑(蒙汉) | | Xangdiin Ail | 小泉营子 |

| 善旦窑(蒙汉) | ᠬᠢᠷ | Xangdiin Ail | 小泉营子 |
| 善友板 | | Xar Baixng | 黄房子 |
| 善友板升 | | Xar Baixng | 黄房子 |
| 善友喇嘛 | | Saihn Lam | 俏喇嘛 |
| 商布拉格 | | Xang Bûlg | 浅水滩 |
| 商都 | | Xangd | 上都 |
| 上达赖(汉蒙) | | Deer Dalai | 上海子 |
| 上高台(汉蒙) | | Deer Gôgôd | 上韭菜滩 |
| 上圪奔(汉蒙) | | Deer Hôbee | 上岸边 |
| 上海 | | Xangha | 两分状马鬃山谷 |
| 上喇嘛盖(汉藏) | | Deer Lambgai | 上喇嘛师傅 |
| 上恼亥(汉蒙) | | Deer Nôhôi | 上狗滩 |
| 上脑包(汉蒙) | | Deer Ôbôô | 上敖包 |
| 上色拉(汉蒙) | | Deer Salaa | 上岔口 |
| 上秃亥(汉蒙) | | Deer Tôhôi | 上湾 |
| 上温布壕(汉藏蒙) | | Deer ômbô Gôl | 人名(含义庙仓副管)河 |
| 尚楚鲁 | | Xô Qûlûû | 骰子石 |
| 尚德 | | Xangd | 湿地 |
| 尚德赛呼都格 | | Xangd Sain Hûdg | 小泉井 |
| 尚德音哈日敖包 | | Xangdiin Har Ôbôô | 湿地黑敖包 |
| 尚德音哈希拉嘎 | | Xangdiin Haxlg | 浅水滩围栏 |
| 尚德音希热 | | Xangdiin Xree | 湿地梁 |
| 少日 | | Xôr | 盐碱 |
| 少日布格 | | Xôrbôg | 鮈咸 |
| 绍巴哈乌兰 | | Xôbôh Ûlaan | 红色尖山 |
| 绍卜亥 | | Sûbg | 水渠 |
| 绍卜亥 | | Xôô Bûg | 梅花鹿 |
| 绍布格尔 | | Xôbgôr | 尖顶 |

| 绍布图 | | Xûbûût | 飞禽地 |
|---|---|---|---|
| 绍代洪呼日 | | Xûûdai HôngKôr | 口袋形凹地 |
| 绍道 | | | 待考 |
| 绍尔 | | Xôr | 盐碱 |
| 绍仁给乌德 | | Xôrôngiin Uud | 尖山口 |
| 绍仁陶勒盖 | | Xôrông Tôlgai | 尖山头 |
| 绍日 | | Xôr | 盐碱 |
| 绍日布格 | | Xôrbôg | 駒咸 |
| 绍日根图 | | Xûûrgant | 风雪地 |
| 绍荣 | | Xôrông | 尖山 |
| 舌必崖 | | Xabhai | 污泥 |
| 佘太 | | Xatar | 象棋 |
| 蛇令窑 | | Sruun Tôhôi | 清凉湾 |
| 舍必崖 | | Xabr'nûûr | 污泥海子 |
| 舍必崖 | | Xabi'nar | 众徒弟 |
| 设必崖 | | Xabahai | 众徒弟 |
| 设进 | | Xaajng | 陶瓷 |
| 涉圪洞 | | | 待考 |
| 申吉图 | | Senjt | 提手地 |
| 什八尔太 | | Xabrtai | 泥泞地 |
| 什八台 | | Xabrtai | 污泥地 |
| 什报气 | | Xûbûûq | 养鸟人 |
| 什兵地 | | Xabrtai | 泥泞地 |
| 什卜太 | | Xabrtai | 泥泞地 |
| 什不更 | | Xubg | 锥子 |
| 什不哈气 | | Qabganq | 尼姑 |
| 什达岱 | | | 待考 |
| 什格 | | Seg | 残骸 |

| 什拉 | ᠱᠠᠷ | Xl | 山梁 |
|---|---|---|---|
| 什拉 | ᠰᠠᠯᠠᠠ | Salaa | 岔口 |
| 什拉沟 | ᠱᠠᠷ ᠭᠣᠣ | Xar Gûû | 荒沟 |
| 什拉哈达 | ᠱᠠᠷ ᠬᠠᠳᠠ | Xar Had | 黄岩石 |
| 什拉门更 | ᠱᠠᠷ ᠮᠥᠷᠨ | Xar Mǒrn | 黄色河 |
| 什拉滩 | ᠱᠠᠷ ᠲᠠᠯ | Xar Tal | 荒滩 |
| 什拉图 | ᠱᠠᠷᠲᠤ | Xart | 黄色地 |
| 什拉文格 | ᠱᠠᠷ ᠡᠩᠭᠡᠷ | Xar Enggr | 黄色山麓 |
| 什拉乌素 | ᠱᠠᠷ ᠤᠰᠤ | Xar Ûs | 黄水泡子 |
| 什拉乌素壕 | ᠱᠠᠷ ᠤᠰᠤ ᠭᠣᠣ | Xar ûs Gûû | 黄水沟 |
| 什兰代 | ᠱᠠᠷᠯᠠᠳᠠᠢ | Xarldai | 黄地杂毛 |
| 什兰特拉 | ᠱᠠᠷ ᠲᠠᠯ | Xar Tal | 黄滩 |
| 什力登 | ᠰᠡᠷᠳᠡᠩ | Serdng | 高耸地 |
| 什力邓 | ᠰᠠᠷᠢᠶᠠᠭ | Sariag | 峻峰 |
| 什力圪图 | ᠱᠦᠷᠡᠲᠦ | Xreet | 平顶梁 |
| 什力圪兔 | ᠱᠦᠷᠡᠲᠦ | Xreet | 平顶梁 |
| 什尼板申 | ᠱᠢᠨ᠎ᠡ ᠪᠠᠶᠢᠱᠢᠩ | Xi'n Baixng | 新房子 |
| 什尼板升 | ᠱᠢᠨ᠎ᠡ ᠪᠠᠶᠢᠱᠢᠩ | Xi'n Baixng | 新房子 |
| 什轴 | ᠱᠠᠷ ᠵᠣᠣ | Xar Jûû | 黄召 |
| 升力邓 | ᠰᠡᠷᠳᠡᠩ | Serdng | 高耸地 |
| 生盖营(藏汉) | ᠰᠡᠩᠭᠡᠭᠡᠢᠢᠨ ᠤ ᠠᠶᠢᠯ | Senggegiin Ail | 人名(含义狮子)营子 |
| 生基图 | ᠰᠡᠨᠵᠲᠦ | Senjt | 提手环儿 |
| 生吉图 | ᠰᠡᠨᠵᠲᠦ | Senjt | 提手环儿 |
| 省肯尧(藏蒙) | ᠰᠡᠩᠭᠡᠭᠡᠢᠢᠨ ᠤ ᠠᠶᠢᠯ | Senggegiin Ail | 人名(含义狮子)营子 |
| 十八尔太 | ᠱᠠᠪᠠᠷᠲᠠᠢ | Xabrtai | 泥泞地 |
| 十八台 | ᠱᠠᠪᠠᠷᠲᠠᠢ | Xabrtai | 泥泞地 |
| 十二苏木(汉蒙) | ᠠᠷᠪᠠᠨ ᠬᠣᠶᠠᠷᠳᠤᠭᠠᠷ ᠰᠤᠮᠤ | Arbn hôyrdûgaar Sûm | 含义同汉语名称 |
| 十二吐 | ᠰᠡᠭᠡᠷᠲᠦ | Seert | 胸椎形山梁 |

| 汉语地名 | 蒙古文 | 音译 | 含义 |
|---|---|---|---|
| 十里圐圙（汉蒙） | ᠱᠢ ᠯᠢ ᠬᠦᠷᠢᠶ᠎ᠡ | Shi Li Huree | 含义同汉语名称 |
| 石敖包 | ᠴᠢᠯᠠᠭᠤᠨ ᠣᠪᠣᠭ᠎ᠠ | Qûlûûn Ôbôô | 石头敖包 |
| 石宝 | ᠬᠠᠪᠠᠷ ᠬᠦᠷᠢᠶ᠎ᠡ | Xabar Huree | 土圐圙 |
| 石报图 | ᠬᠥᠪᠥᠭᠦᠲᠦ | Xûbûût | 飞禽地 |
| 石卜太 | ᠬᠥᠪᠥᠭᠦᠲᠡᠢ | Xûbûûtai | 有飞禽 |
| 石拐 | ᠬᠥᠭᠠᠢ | Xûgai | 森林 |
| 石哈河（蒙汉） | ᠬᠠᠪᠴᠢᠭᠤ ᠭᠣᠤᠯ | Xahûû Gôl | 狭窄河 |
| 石灰图 | ᠰᠤᠬᠠᠶᠢᠲᠤ | Qôhôit | 石灰地 |
| 石拉敖瑞 | ᠰᠢᠷ᠎ᠠ ᠣᠷᠣᠢ | Xar Ôrôi | 黄色高地 |
| 石拉巴尔洞 | | | 待考 |
| 石兰岱 | ᠰᠢᠷᠠᠯᠳᠠᠢ | Xarldai | 黄地杂毛 |
| 石兰哈达 | ᠰᠢᠷ᠎ᠠ ᠬᠠᠳᠠ | Xar Had | 黄岩 |
| 石兰计 | ᠰᠢᠷᠠᠯᠵᠢ | Xarlj | 黄蒿 |
| 石烂哈达 | ᠰᠢᠷ᠎ᠠ ᠬᠠᠳᠠ | Xar Had | 黄岩 |
| 石楞沟 | ᠬᠥᠷᠥᠩᠭᠢ ᠶᠢᠨ ᠭᠣᠣ | Xôrônggiin Gûû | 尖石沟 |
| 石塔汗 | ᠢᠳᠤᠭᠠᠨ | Ydûûn | 巫婆 |
| 舒鲁苏 | ᠴᠢᠯᠪᠦᠰᠦ | Xulbus | 猞猁 |
| 双此老（汉蒙） | ᠬᠣᠶᠠᠷ ᠴᠢᠯᠠᠭᠤ | Hôyr Qûlûû | 双石头 |
| 双此老（汉蒙） | ᠬᠣᠰ ᠴᠢᠯᠠᠭᠤ | Hôs Qûlûû | 双石头 |
| 双脑包（汉蒙） | ᠬᠣᠰ ᠣᠪᠣᠭ᠎ᠠ | Hôs Ôbôô | 双敖包 |
| 水圪洞 | ᠰᠤᠶᠢᠬᠲᠤ | Suiht | 坠子地 |
| 斯古德尔图 | ᠰᠡᠭᠦᠳᠡᠷᠲᠦ | Suudrt | 阴影地 |
| 斯呼乐 | ᠰᠡᠪᠬᠡᠭᠦᠯ | Sebhuul | 沼泽地 憩息地 * |
| 斯呼勒 | ᠰᠡᠪᠬᠡᠭᠦᠯ | Sebhuul | 沼泽地 憩息地 * |
| 斯吉古日音呼都格 | ᠵᠢᠭᠤᠷ ᠶᠢᠨ ᠬᠤᠳᠤᠭ | Sejuuriin Hûdg | 边缘井 |
| 斯热格图 | ᠰᠡᠷᠡᠭᠡᠲᠦ | Sereet | 叉形地 颈椎地 |
| 斯珠尔 | ᠵᠢᠭᠤᠷ | Sejuur | 边缘 |
| 四龙煤矿（蒙汉） | ᠰᠤᠷᠲᠤ ᠤᠤᠷᠬᠠᠢ | Surt Ûûrhai | 大矿 |

| 松都拉 | ᠰᠦᠨᠳᠦᠦᠯᠠ | Sûndûûla | 低洼地 |
|---|---|---|---|
| 叟吉 | ᠰᠣᠵᠢ | Suuj | 胯骨 |
| 苏巴格音高勒 | ᠰᠣᠪᠠᠭ ᠤᠨ ᠭᠣᠣᠯ | Sûbgiin Gôl | 渠河 |
| 苏宝沃嘎 | ᠰᠣᠪᠣᠷᠠᠭ | Sûbrg | 塔 |
| 苏堡尔盖 | ᠰᠣᠪᠣᠷᠠᠭ | Sûbrg | 塔 |
| 苏波罗盖 | ᠰᠣᠪᠣᠷᠠᠭ | Sûbrg | 塔 |
| 苏博 | ᠰᠣᠪᠣᠨ | Subee | 腰侧(浮肋) |
| 苏卜盖 | ᠰᠣᠪᠣᠷᠠᠭ | Sûbrg | 塔 |
| 苏不勒达嘎 | | | 待考 |
| 苏布腊盖 | ᠰᠣᠪᠣᠷᠠᠭ | Sûbrg | 塔 |
| 苏布日嘎 | ᠰᠣᠪᠣᠷᠠᠭ | Sûbrg | 塔 |
| 苏布日格 | ᠰᠣᠪᠣᠷᠠᠭ | Sûbrg | 塔 |
| 苏布提高勒 | ᠰᠣᠪᠣᠨ ᠦ ᠲᠦ ᠭᠣᠣᠯ | Subeetiin Gôl | 腰侧地河 |
| 苏达拉音呼都格 | ᠰᠣᠳᠠ ᠤᠨ ᠬᠣᠳᠳᠣᠭ | Sûdliin Hûdg | 脉井 |
| 苏达拉音呼仁 | ᠰᠣᠣᠳᠠ ᠤᠨ ᠬᠦᠷᠧᠩ | Sûûdliin Hurng | 棕黑色坐骑(杆子吗) |
| 苏德日图 | ᠰᠣᠣᠳᠣᠷᠲᠣ | Suudrt | 阴影地 |
| 苏独仑 | ᠰᠣᠳᠠ ᠤᠨ ᠬᠣᠳᠳᠣᠭ | Sûdliin Hûdg | 脉井 |
| 苏盖 | ᠰᠣᠪᠣᠷᠠᠭ | Sûbrg | 塔 |
| 苏盖营(蒙汉) | ᠰᠣᠣᠪ ᠤᠨ ᠠ ᠠᠶᠢᠯ | Sûûgiin Ail | 山湾营子 |
| 苏古德日图 | ᠰᠣᠣᠳᠣᠷᠲᠣ | Suudrt | 遮阴地 |
| 苏海呼都格 | ᠰᠣᠬᠠᠢ ᠬᠣᠳᠳᠣᠭ | Sûhai Hûdg | 红柳井 |
| 苏海图 | ᠰᠣᠬᠠᠢᠲᠣ | Sûhait | 红柳地 |
| 苏亥 | ᠰᠣᠬᠠᠢ | Sûhai | 红柳 |
| 苏和 | ᠰᠣᠬᠡ | Suh | 斧子 |
| 苏和特 | ᠰᠣᠬᠡᠲᠣ | Suht | 斧子地 |
| 苏吉 | ᠰᠣᠵᠢ(ᠰᠣᠪᠵᠢ) | Suuj | 胯骨 |
| 苏吉高勒 | ᠰᠣᠵᠢ(ᠰᠣᠪᠵᠢ)ᠶᠢᠨ ᠭᠣᠣᠯ | Suujiin Gôl | 胯骨河 |
| 苏吉音哈雅 | ᠰᠣᠪᠵᠢ ᠤᠨ ᠬᠠᠶᠠᠭ | Suujiin Hayaa | 胯骨壁 |

| 苏吉音浑迪 | | Suujiin Hŏndei | 胯骨形山谷 |
|---|---|---|---|
| 苏吉音乌拉 | | Suujiin Ûûl | 胯骨山 |
| 苏集 | | Suuj | 胯骨 |
| 苏计 | | Suuj | 胯骨 |
| 苏计坝 | | Suujiin Dabaa | 胯骨岭 |
| 苏计不浪 | | Suujiin Bûlg | 胯骨山泉 |
| 苏计沟 | | Suujiin Gûû | 胯骨山沟 |
| 苏计井(蒙汉) | | Suuj Hûdg | 胯骨井 |
| 苏计脑包 | | Suujiin Ôbôô | 胯骨敖包 |
| 苏计营盘(蒙汉) | | Suujiin Bûûq | 胯骨宿营地 |
| 苏记 | | Suuj | 胯骨 |
| 苏勒 | | Suul | 尾巴 |
| 苏勒脑包 | | Suul Ôbôô | 末尾敖包 |
| 苏勒陶勒盖 | | Suul Tôlgai | 末尾山头 |
| 苏力图 | | Surt | 威风地 |
| 苏利 | | Sûli | 沙鞭(沙竹) |
| 苏鲁嘎 | | Soliôô | 交换 |
| 苏鲁滩(蒙汉) | | Surgiin Tal | 畜群滩 |
| 苏木查干敖包 | | Sûm qagaan Ôbôô | 苏木白色敖包 |
| 苏木加力盖 | | Sûman Jalg | 箭形山谷 |
| 苏木加力格 | | Sûman Jala | 箭缨 |
| 苏木井(蒙汉) | | Sumt Hûdg | 庙井 |
| 苏木沁 | | Sumqn | 建庙人 |
| 苏木图 | | Sumt | 庙地 |
| 苏木图音德布斯格 | | Sumtiin Dbsg | 庙地台地 |
| 苏尼特 | | Su'nid | 蒙古部落名称 |
| 苏尼特花 | | Su'nid Hûa | 苏尼特(部落名)山丘 |
| 苏任吾素 | | Surn Ûs | 逆流水 |

| 苏日古拉图 | | Xûrgûlt | 钻洞地 |
|---|---|---|---|
| 苏日坪（蒙汉） | | Sur Tal | 威力草滩 |
| 苏日图 | | Surt | 威风地 |
| 苏日图音呼都嘎 | | Surtiin Hûdg | 人名（含义威）井 |
| 苏音干其毛都 | | Sûûgiin ganq Môd | 腋窝（山湾）独树 |
| 苏音呼都格 | | SûûgIin Hûdg | 腋窝（山湾）井 |
| 素日图 | | Surt | 威风地 |
| 速力图 | | Surt | 威风地 |
| 绥和图 | | Sûiht | 艾蒿地 |
| 孙都拉 | | Sôndôl | 低洼地 |
| 孙都日 | | Sungdr | 耸立的 |
| 孙独利 | | Sôndôl | 低洼地 |
| 索尔图 | | Surt | 威风地 |
| 索伦格图 | | Sôlônggôt | 彩虹地 |
| 锁号 | | Suh | 斧子 |
| 他黑拉查干敖包 | | Tahildg qagaan Ôbôô | 祭典白敖包 |
| 塔班嘎顺 | | Tabn Gaxûûn | 五盐地 |
| 塔班胡如 | | Tabn Hûrûû | 五指山 |
| 塔班毛都 | | Tabn Môd | 五棵树 |
| 塔班沙拉 | | Tabn Salaa | 五岔 |
| 塔奔果多力 | | Tabn Gôdôli | 五鸣镝（响箭） |
| 塔本敖包 | | Tabn Ôbôô | 五座敖包 |
| 塔本朝鲁 | | Tabn Qûlûû | 五块石头 |
| 塔本呼都格 | | Tabn Hûdg | 五眼井 |
| 塔本呼都格音苏木 | | Tabn hûdgiin Sum | 五井庙 |
| 塔本毛都 | | Tabn Môd | 五棵树 |
| 塔本陶勒盖 | | Tabn Tôlgai | 五个山头 |
| 塔并格尔 | | Tabn Gr | 五家子 |

| 塔布敖包 | | Tabn Ôbôô | 五座敖包 |
|---|---|---|---|
| 塔布坝 | | Tabn Dabaa | 五道岭 |
| 塔布板 | | Tabn Baixng | 五间房 |
| 塔布板申 | | Tabn Baixng | 五间房 |
| 塔布板升 | | Tabn Baixng | 五间房 |
| 塔布恩板升 | | Tabn Baixng | 五间房 |
| 塔布盖 | | Tabgai | 蹄掌 |
| 塔布忽洞 | | Tabn Hûdg | 五眼井 |
| 塔布毛都苏木 | | Tabn môdiin Sum | 五棵树庙 |
| 塔布崇 | | Tabn Môd | 五棵树 |
| 塔布赛 | | Tabn Sain | 五好 |
| 塔布特 | | Tabt | 五号地 |
| 塔布秃力亥 | | Tabn Tôlgai | 五个山头 |
| 塔布宿亥 | | Tabn Sûhai | 五颗红柳 |
| 塔布子(蒙汉) | | Tabn Gr | 五间房 |
| 塔步坝 | | Tabn Dabaa | 五道岭 |
| 塔尔拜(藏) | | Tôrbai | 人名(含义解脱) |
| 塔尔布盖 | | Darbgi | 旱獭 |
| 塔尔布音赛日 | | Tarbaigiin Sair | 人名 沙砾 |
| 塔尔号 | | Tôrh | 绊 |
| 塔格拉斯太 | | Taglaastai | 盖子地 |
| 塔哈其 | | Tahiaaq | 祭奠者 |
| 塔黑林吾素 | | Tahiliin Ûs | 祭奠水 |
| 塔黑玛拉 | | Tahiml | 祭品 |
| 塔虎城(蒙汉) | | Tagiin Hôt | 英雄沟 |
| 塔拉白 | | Talbai | 场地 |
| 塔拉本布太 | | Tal Bûmbtai | 草滩坟地 |
| 塔拉布拉格 | | Tal Bûlg | 滩地泉 |

| 塔拉布拉克 | ᠲᠠᠯ ᠪᠤᠯᠠᠭ | Tal Bûlg | 滩地泉 |
|---|---|---|---|
| 塔拉查干 | ᠲᠠᠯ ᠴᠠᠭᠠᠨ | Tal Qagaan | 白草滩 |
| 塔拉沟 | ᠲᠠᠷᠢᠶᠠᠨ ᠭᠤᠤᠯ | Tariaan Gôl | 田间河渠 |
| 塔拉哈达 | ᠲᠠᠯ ᠬᠠᠳᠠ | Tal Had | 草滩岩 |
| 塔拉浩饶 | ᠲᠠᠯ ᠬᠤᠷᠤᠭᠠ | Tal Hôrôô | 草滩围圈 |
| 塔拉呼都格 | ᠲᠠᠯ ᠬᠤᠳᠤᠭ | Tal Hûdg | 草滩井 |
| 塔拉忽洞 | ᠲᠠᠯ ᠬᠤᠳᠤᠭ | Tal Hûdg | 草滩井 |
| 塔拉赛罕 | ᠲᠠᠯ ᠰᠠᠶᠢᠬᠠᠨ | Tal Saihn | 美丽草滩 |
| 塔拉赛汉 | ᠲᠠᠯ ᠰᠠᠶᠢᠬᠠᠨ | Tal Saihn | 美丽草滩 |
| 塔拉赛汗 | ᠲᠠᠯ ᠰᠠᠶᠢᠬᠠᠨ | Tal Saihn | 美丽草滩 |
| 塔拉乌苏 | ᠲᠠᠯ ᠤᠨ ᠤᠰᠤ | Taliin Ûs | 滩地水 |
| 塔拉吾素 | ᠲᠠᠯ ᠤᠨ ᠤᠰᠤ | Taliin Ûs | 滩地水 |
| 塔拉音呼都嘎 | ᠲᠠᠯ ᠤᠨ ᠬᠤᠳᠤᠭ | Taliin Hûdg | 滩地井 |
| 塔拉音呼都格 | ᠲᠠᠯ ᠤᠨ ᠬᠤᠳᠤᠭ | Taliin Hûdg | 草滩井 |
| 塔拉音珠斯郎 | ᠲᠠᠯ ᠤᠨ ᠵᠤᠰᠤᠯᠠᠩ | Taliin Jûslng | 草滩夏营盘 |
| 塔连吾素 | ᠲᠠᠯ ᠤᠨ ᠤᠰᠤ | Taliin Ûs | 滩地水 |
| 塔林白兴 | ᠲᠠᠯ ᠤᠨ ᠪᠠᠶᠢᠰᠢᠩ | Taliin Baixng | 平地房子 |
| 塔林拜兴 | ᠲᠠᠯ ᠤᠨ ᠪᠠᠶᠢᠰᠢᠩ | Taliin Baixng | 草滩房子 |
| 塔令宫 | ᠲᠠᠯ ᠤᠨ ᠭᠤᠨ | Taliin Gun | 草滩深处 |
| 塔木嘎图 | ᠲᠠᠮᠠᠭᠠᠲᠤ | Tamgt | 印房地 |
| 塔日更敖包 | ᠲᠠᠷᠭᠤᠨ ᠤᠪᠤᠭᠠ | Targn Ôbôô | 大敖包 |
| 塔日木勒 | ᠲᠠᠷᠢᠮᠠᠯ | Tariml | 种植物 |
| 塔日牙 | ᠲᠠᠷᠢᠶᠠ | Tariaa | 庄稼 |
| 塔日牙高勒 | ᠲᠠᠷᠢᠶᠠ ᠭᠤᠤᠯ | Tariaa Gôl | 庄稼河 |
| 塔日牙楞 | ᠲᠠᠷᠢᠶᠠᠯᠠᠩ | Tariaalng | 农业 |
| 塔日彦呼都嘎 | ᠲᠠᠷᠢᠶᠠᠨ ᠬᠤᠳᠤᠭ | Tariaan Hûdg | 田间井 |
| 塔日彦吾素 | ᠲᠠᠷᠢᠶᠠᠨ ᠤᠰᠤ | Tariaan Ûs | 田间水 |
| 塔萨日亥 | ᠲᠠᠰᠤᠷᠬᠠᠢ | Tasrhai | 断隔的 |

| 塔沙 | | Taxaa | 山坐 胯骨 |
|---|---|---|---|
| 塔树希热 | | Taxûû Xree | 斜坡台地 |
| 塔斯尔亥 | | Tasrhai | 断隔的 |
| 塔斯海 | | Tasrhai | 断隔的 |
| 塔斯日海敖包 | | Tasrhai Ôbôô | 断隔 敖包 |
| 塔寺 | | Tasrhai | 断隔的 |
| 塔苏阿 | | Tasra | 断开 |
| 塔苏热海 | | Tasrhai | 断隔的 |
| 塔套尔 | | Tatûûr | 拉绳 防护提 |
| 塔图日 | | Tatûûr | 拉绳 防护提 |
| 塔土日 | | Tatûûr | 拉绳 防护提 |
| 塔文阿拉达音呼都格 | | Tabn aldiin Hûdg | 五庹井 |
| 塔秀 | | Taxûû | 邪 |
| 台阁斗 | | Tagit | 野马地 |
| 台阁牧 | | Taig Môd | 原始林 |
| 台格木 | | Tahim | 腿弯儿 拐角 |
| 台基 | | Taij | 台吉(蒙古贵族) |
| 台基庙(蒙汉) | | Taijiin Sum | 台吉(蒙古贵族)庙 |
| 台吉 | | Taij | 旧时蒙古贵族 |
| 台吉艾勒 | | Taijiin Ail | 台吉(蒙古贵族)营子 |
| 台吉敖包 | | Taijiin Ôbôô | 台吉(蒙古贵族)敖包 |
| 台吉营子(蒙汉) | | Taijiin Ail | 台吉(蒙古贵族)营子 |
| 台几 | | Taij | 台吉(蒙古贵族) |
| 台计 | | Taij | 台吉(蒙古贵族) |
| 苔本乌兰 | | Tabn Ûlaan | 五红山 |
| 太恩格尔 | | Tai Enggr | 太山麓 |
| 唐贡梁(藏) | | Tanggd Lam | 唐古特(西藏)喇嘛 |
| 淌不浪 | | Tal Bûlg | 草滩泉 |

| 桃花湾(蒙汉) | ᠲᠣᠬᠣᠢ | Tôhôi | 河湾 |
|---|---|---|---|
| 桃花营子(蒙汉) | ᠲᠣᠬᠣᠢ ᠶᠢᠨ ᠠᠶᠢᠯ | Tôhôgiiin Ail | 河湾营子 |
| 桃来 | ᠲᠠᠤᠯᠠᠢ | Tûûlai | 兔子 |
| 桃树脑包 | ᠲᠣᠰᠤᠲᠠᠢ ᠶᠢᠨ ᠣᠪᠣᠭ᠎ᠠ | Tôstiin Ôbôô | 油地敖包 |
| 陶卜窑(蒙汉) | ᠲᠣᠪ ᠶᠣᠣ | Tob Yao | 中心窑 |
| 陶高红格尔 | ᠲᠣᠭᠣᠣ(ᠲᠣᠭᠣᠭᠠᠢ) ᠬᠣᠩᠬᠣᠷ | Tôgôô Hôngkôr | 锅形凹地 |
| 陶高红格日 | ᠲᠣᠭᠣᠣ(ᠲᠣᠭᠣᠭᠠᠢ) ᠬᠣᠩᠬᠣᠷ | Tôgôô Hôngkôr | 锅形凹地 |
| 陶高图 | ᠲᠣᠭᠣᠭᠠᠲᠤ | Tôgôôt | 锅地 |
| 陶高图苏莫 | ᠲᠣᠭᠣᠭᠠᠲᠤ ᠰᠥᠮ᠎ᠡ | Tôgôôt Sum | 喇嘛庙名 |
| 陶格陶勒音高勒 | ᠲᠣᠭᠲᠣᠭᠣᠯ ᠤᠨ ᠭᠣᠣᠯ | Tôgtôôliin Gôl | 积水河 |
| 陶海 | ᠲᠣᠬᠣᠢ | Tôhôi | 河湾 |
| 陶海阿玛 | ᠲᠣᠬᠣᠢ ᠠᠮᠠ | Tôhôi Am | 河湾口子 |
| 陶海阿玛音乌素 | ᠲᠣᠬᠣᠢ ᠠᠮᠠ ᠶᠢᠨ ᠤᠰᠤ | Tôhôi amiin Ûs | 河湾口子水 |
| 陶来不浪 | ᠲᠣᠯᠢ ᠪᠤᠯᠠᠭ | Tôli Bûlg | 镜子泉 |
| 陶来沟 | ᠲᠠᠤᠯᠠᠢ ᠭᠣᠣᠯ | Tûûlai Gôl | 兔子沟 |
| 陶来口子 | ᠲᠠᠤᠯᠠᠢ ᠠᠮᠠ | Tûûlai Am | 兔子口 |
| 陶劳布 | ᠲᠣᠯᠪᠣ | Tôlôb | 斑点 |
| 陶勒盖乌苏 | ᠲᠣᠯᠣᠭᠠᠢ ᠤᠰᠤ | Tôlgai Ûs | 源头水 |
| 陶勒盖音包其 | ᠲᠣᠯᠣᠭᠠᠢ ᠶᠢᠨ ᠪᠠᠭᠤᠴᠠ | Tôlgaigiin Bûûq | 山头宿营地 |
| 陶勒盖音高勒 | ᠲᠣᠯᠣᠭᠠᠢ ᠶᠢᠨ ᠭᠣᠣᠯ | Tôlgaigiin Gôl | 山头河 |
| 陶勒盖音善达 | ᠲᠣᠯᠣᠭᠠᠢ ᠶᠢᠨ ᠱᠠᠩᠳᠠ | Tôlgaiin Xangd | 山头湿地 |
| 陶力 | ᠲᠣᠯᠢ | Tôli | 镜子 |
| 陶那图 | ᠲᠣᠭᠣᠨᠣᠲᠤ | Tôô'nt | 天窗地 |
| 陶瑞 | ᠲᠣᠣᠷᠠᠢ | Tôôrôi | 胡杨 |
| 陶思浩 | ᠲᠣᠰᠣ ᠭᠡᠷ | Tôsôh Gr | 迎客房 |
| 陶斯嘎图 | ᠲᠣᠭᠣᠰᠣᠭᠠᠲᠤ | Tôôsôgt | 砖头地 |
| 陶斯格 | ᠲᠣᠭᠣᠰᠣᠭ᠎ᠠ(ᠲᠣᠭᠣᠰᠬ᠎ᠠ) | Tôôsôg | 砖头 |
| 陶斯格图 | ᠲᠣᠭᠣᠰᠣᠭᠠᠲᠤ | Tôôsôgt | 砖头地 |

| 陶松呼都嘎 | | Tôsôn Hûdg | 油井 |
|---|---|---|---|
| 讨卜气 | | Tôbq | 扣子 |
| 讨不气 | | Tôbq | 扣子 |
| 讨尔号 | | Tôrôh | 绊 |
| 讨尔号庙营 | | Tôrôh sumiin Ail | 喇嘛庙营子 |
| 讨尔浩 | | Tôrôh | 绊 |
| 讨号板 | | Tôhôiin Baixng | 河湾房 |
| 讨号板升 | | Tôhôi Baixng | 湾地房 |
| 讨号图 | | Tôhôit | 河湾地 |
| 讨合气 | | Tôgôôq | 厨师 |
| 讨思号 | | Tôôsg | 砖头 |
| 讨思浩 | | Tôsh Gr | 迎客房 |
| 讨速号 | | Tôsh | 迎接 |
| 讨速浩 | | Tôsh Gr | 迎客房 |
| 讨速浩 | | Tôsh Gr | 迎客房 |
| 套海 | | Tôhôi | 山湾 |
| 特布乌拉 | | Tabn Ûûl | 五座山 |
| 特格 | | Teeg | 公岩羊 |
| 特格音阿日 | | Teegiin Ar | 公岩羊山后 |
| 特克 | | Teeg | 公岩羊 |
| 特拉不拉 | | Tal Bûlg | 草滩泉 |
| 特拉忽洞 | | Tal Hûdg | 草滩井 |
| 特门库珠 | | Tmeen Hujuu | 骆驼脖子 |
| 特莫图 | | Tmeet | 骆驼地 |
| 特莫图音呼都嘎 | | Tmeetiin Hûdg | 骆驼地井 |
| 特墨尔 | | Tumr | 铁 |
| 特默恩楚鲁 | | Tmeen Qûlûû | 骆驼石 |
| 特默哈夏图 | | Tmeen Haxaat | 骆驼圈 |

| 特默图 | ᠲᠡᠮᠡᠭᠡᠲᠦ | Tmeet | 骆驼地 |
|---|---|---|---|
| 特热格特 | ᠲᠡᠷᠭᠡᠲᠦ | Trgt | 车地 |
| 特热格特音阿曼吾素 | ᠲᠡᠷᠭᠡᠲᠦ ᠶᠢᠨ ᠠᠮᠠᠨ ᠤᠰᠤ | Trgtiin amn Ûs | 车地口子水 |
| 特热格特音查干淖尔 | ᠲᠡᠷᠭᠡᠲᠦ ᠶᠢᠨ ᠴᠠᠭᠠᠨ ᠨᠠᠭᠤᠷ | Trgtiin qagaan Nûûr | 车地白海子 |
| 特热格特音高勒 | ᠲᠡᠷᠭᠡᠲᠦ ᠶᠢᠨ ᠭᠣᠣᠯ | Trgtiin Gôl | 车地河 |
| 特日格图 | ᠲᠡᠷᠭᠡᠲᠦ | Trgt | 车地 |
| 特沙亥 | ᠲᠡᠰᠭ | Tsg | 优若藜(植物名) |
| 特斯戈 | ᠲᠡᠰᠭ(ᠲᠡᠰᠭ) | Tsg | 优若藜(植物名) |
| 特斯格 | ᠲᠡᠰᠭ | Tsg | 优若藜(植物名) |
| 腾格尔淖尔特莫哈达 | ᠲᠩᠷᠢ ᠨᠠᠭᠤᠷ ᠲᠡᠮᠡᠭᠡᠨ ᠬᠠᠳᠠ | Tnggr nûûr 7meen Had | 天池骆驼岩 |
| 腾格淖尔 | ᠲᠩᠷᠢ ᠨᠠᠭᠤᠷ | Tnggr Nûûr | 天池 |
| 腾格日淖尔 | ᠲᠩᠷᠢ ᠨᠠᠭᠤᠷ | Tnggr Nûûr | 天池 |
| 天力木图 | ᠲᠡᠭᠡᠷᠮᠡᠲᠦ | Teeremt | 磨盘地 |
| 天面此老 | ᠲᠡᠮᠡᠭᠡᠨ ᠴᠢᠯᠠᠭᠤ | Tmeen Qûlûû | 骆驼石 |
| 添力圪兔 | ᠲᠡᠷᠭᠡᠲᠦ | Trgt | 车地 |
| 添漫梁(蒙汉) | ᠲᠡᠭᠡᠷᠮᠡ ᠶᠢᠨ ᠳᠠᠪᠠᠭ | Teermiin Xl | 磨盘梁 |
| 铁旦板 | ᠵᠠᠳᠠᠭᠠᠢ ᠲᠡᠮᠦᠷ ᠪᠠᠶᠢᠰᠢᠩ | Jadgai temer Baixng | 敞铁房 |
| 铁盖脑包 | ᠲᠡᠭ ᠦᠨ ᠣᠪᠣᠭ | Teegiin Ôbôô | 圪塔敖包 |
| 铁帽 | ᠲᠡᠮᠦᠷ | Tumr | 铁 |
| 铁帽尔 | ᠲᠡᠮᠦᠷ | Tumr | 铁 |
| 铁门更 | ᠲᠠᠮᠠᠭᠠᠨ ᠭᠡᠷ | Tamgn Gr | 印房子 |
| 铁面忽洞 | ᠲᠡᠮᠡᠭᠡᠨ ᠬᠤᠳᠳᠤᠭ | Tmeen Hûdg | 骆驼井 |
| 铁沙盖 | ᠲᠡᠰᠭ | Tsg | 优若藜(植物名) |
| 同德盖 | ᠲᠣᠭᠲᠠᠭᠠᠷ | Tuntgr | 圆鼓的 |
| 同特格日 | ᠲᠣᠭᠲᠠᠭᠠᠷ | TuntgGr | 圆鼓的 |
| 童目导尔(麻子) | | | 待考 |
| 头旦桥尔 | | | 待考 |

| 秃亥湾(蒙汉) | | Tôhôi | 河湾 |
| 秃力亥 | | Tôlgai | 山头 |
| 秃力麻六号(蒙汉) | | Dûlmaa liu Hao | 度母六号 |
| 图布栋营(蒙汉) | | Tubd'nei Ail | 图布登(人名)营子 |
| 图布新 | | Tubxn | 人名 |
| 图圪令沟 | | Tûgliin Gûû | 牛犊沟 |
| 图古日格 | | Tôgrig | 圆 |
| 图和木 | | Tôhŏm | 盆地 |
| 图和木音苏莫 | | Tôhŏmiin Sum | 盆地庙 |
| 图呼木 | | Tôhŏm | 盆地 |
| 图拉嘎图 | | Tûlgt | 火撑子地 |
| 图赖 | | Tûûlai | 兔子 |
| 图赖 | | Tôôrôi | 胡杨 |
| 图利 | | Tôli | 镜子 |
| 图林亥 | | Tulnglei | 烧焦地 |
| 图门 | | Tumn | 万 |
| 图门路 | | Tumn Jam | 万路 |
| 图门乌勒吉 | | Tumen ŏljei | 万寿 |
| 图日音淖尔 | | Tôbôrgiin Nûûr | 废墟海子 |
| 图舍图 | | Tuxeet | 蒙古部落名称 有靠撑 |
| 土敖包 | | Xôrôô Ôbôô | 土堆 |
| 土不禅 | | Tubxn | 平安 |
| 土不胜 | | Tubxn | 平安 |
| 土格木 | | Tôhŏm | 盆地 |
| 土格牧 | | Tôhŏm | 盆地 |
| 土贵乌拉 | | Tûgiin Ûûl | 旗山 |
| 土合气 | | Tûgq | 旗手 |
| 土黑麻淖 | | Tôhŏm Nûûr | 盆地海子 |

| 土默特 | | Tumd | 蒙古部落名称 |
|---|---|---|---|
| 土牧尔台 | | Tumrtei | 铁矿地 |
| 土牧尔营(蒙汉) | | Tumriin Ail | 人名(含义铁)营子 |
| 土斜图 | | Tuxeet | 蒙古部落名称 有靠撑 |
| 推喇嘛苏木 | | Tuin lamiin Sum | 贵族出身喇嘛之庙 |
| 推喇嘛音 | | Toi Lam | 尊贵喇嘛 |
| 推莫尔图 | | Tuimrt | 野火地 |
| 推默日图 | | Tuimrt | 野火地 |
| 推木日吐 | | Tuimrt | 野火地 |
| 推饶木 | | Tôôrim | 洼地 |
| 推日木 | | Tôôrim | 洼地 |
| 蜕木尔图 | | Tuimrt | 野火地 |
| 屯特格日 | | Tuntgr | 圆鼓状 |
| 托郭图 | | Tôgôôt | 锅形凹地 |
| 托亥板升 | | Tôhôi Baixng | 河湾房 |
| 托克托 | | Tôgtôh | 固定 |
| 托色乎 | | Tôsh | 迎接 |
| 托思和(讨思浩) | | Tôsh | 迎接 |
| 妥色火 | | Tôsh | 迎接 |
| 妥妥岱 | | Tôgtôh | 人名 |
| 瓦窑圪沁 | | Ayagqn | 碗匠 |
| 瓦窑沟敖包(汉蒙) | | Wa yao gou Ôbôô | 瓦窑沟敖包 |
| 外贲卜台 | | Ar Bûmbtai | 北坟丘 |
| 湾尔图 | | Ûrt Nûûr | 长海子 |
| 王毕斜气 | | Wang Biqeeq | 王爷笔帖式(书吏) |
| 王毕写齐 | | Wanggiin Biqeeq | 王爷秘书 |
| 王不拉特 | | Wang Bûld | 人名 |
| 王戴四圪 | | | 待考 |

| | | | |
|---|---|---|---|
| 王根淖尔 | ᠊᠊᠊᠊ | Wanggiin Nûur | 王爷海子 |
| 王庆呼都格(藏蒙) | ᠊᠊᠊᠊ | Wangq'nai Hûdg | 人名(含义掌权人)井 |
| 王庆营(藏汉) | ᠊᠊᠊᠊ | Wangqn Ail | 人名(含义掌权人)营子 |
| 王音敖包 | ᠊᠊᠊᠊ | Wanggiin Ôbôô | 王爷敖包 |
| 王音敖日敦 | ᠊᠊᠊᠊ | Wanggiin Ôrdn | 王府 |
| 威俊 | ᠊᠊᠊᠊ | ǒjng | 野猫 |
| 维格图 | ᠊᠊᠊᠊ | Ergt | 土岗地 |
| 卫井 | ᠊᠊᠊᠊ | Wei Jng | 褴褛 |
| 卫拉特 | ᠊᠊᠊᠊ | Ôird | 蒙古部落名称 |
| 温布壕 | ᠊᠊᠊᠊ | Ômb Gôl | 人名(含义庙仓副管)河 |
| 温德而庙 | ᠊᠊᠊᠊ | ǒndr Sum | 高庙 |
| 温都尔 | ᠊᠊᠊᠊ | ǒndr | 高 |
| 温都尔额勒苏 | ᠊᠊᠊᠊ | ǒndr Eles | 高沙丘 |
| 温都尔哈巴尔扎 | ᠊᠊᠊᠊ | ǒndr Habrjaa | 高地春营盘 |
| 温都尔呼特勒 | ᠊᠊᠊᠊ | ǒndr Hǒtl | 高山坡 |
| 温都尔花 | ᠊᠊᠊᠊ | ǒndr Hûa | 高山丘 |
| 温都尔毛道 | ᠊᠊᠊᠊ | ǒndr Môd | 高树 |
| 温都尔陶勒盖 | ᠊᠊᠊᠊ | ǒndr Tôlgai | 高山头 |
| 温都尔沃博勒者 | ᠊᠊᠊᠊ | ǒndr ǒbǒljee | 高地冬营盘 |
| 温都哈玛尔 | ᠊᠊᠊᠊ | ǒndr Hamr | 高峰 |
| 温都花 | ᠊᠊᠊᠊ | ǒndr Hua | 高山丘 |
| 温都日额勒斯 | ᠊᠊᠊᠊ | ǒndr Eles | 高沙丘 |
| 温都日浩饶图 | ᠊᠊᠊᠊ | ǒndr Hôrôôt | 高围圈地 |
| 温都日珠斯冷 | ᠊᠊᠊᠊ | ǒndr Jûslang | 高地夏营盘 |
| 温独不令 | ᠊᠊᠊᠊ | ǒndr Bûlng | 高地角落 |
| 温圪旗 | ᠊᠊᠊᠊ | Ônggôq | 水槽　船 |
| 温根 | ᠊᠊᠊᠊ | Ônggôn | 神圣　墓地 |
| 温根哈布其拉 | ᠊᠊᠊᠊ | Ônggôn Habql | 神圣山峡 |

| 温更 | ᠥᠩᠭᠥᠨ | Ônggôn | 神圣墓地 |
|---|---|---|---|
| 温浩尔 | ᠥᠩᠬᠠᠷ | Ûngkar | 凹形 |
| 温其格音乌兰 | ᠥᠩᠴᠢᠭᠡ ᠶᠢᠨ ᠤᠯᠠᠭᠠᠨ | ǒnqgiin Ûlaan | 角落红 |
| 温习圪图 | ᠥᠩᠴᠥᠭᠲᠦ | ǒnqogt | 角落地 |
| 文都花 | ᠥᠨᠳᠦᠷ ᠬᠤᠸᠠ | ǒndr Hûa | 高山丘 |
| 文都苏 | ᠥᠨᠳᠦᠰᠦ | ǒnds | 根 |
| 文圪气 | ᠥᠩᠭᠡᠯᠢᠭ | ǒngglqg | 心包 |
| 文公淖尔 | ᠥᠩᠭᠥᠨ ᠨᠠᠭᠤᠷ | Ônggôn Nûur | 神圣海子 |
| 文公淖日 | ᠥᠩᠭᠥᠨ ᠨᠠᠭᠤᠷ | Ônggôn Nûur | 神圣海子 |
| 文共沟 | ᠥᠩᠭᠥᠨ ᠭᠣᠤᠯ | Ônggôn Gôl | 墓地河 |
| 翁克日 | ᠥᠩᠬᠦᠷ | Ûngkûr | 凹形 |
| 翁牛特 | ᠥᠩᠨᠢᠭᠤᠳ | Ông'niûûd | 圣山 * |
| 窝尔沁壕（蒙汉） | ᠦᠬᠡᠷᠴᠢᠨ ᠭᠣᠤᠯ | Uhrqn Gôl | 牛倌河 |
| 窝图 | ᠤᠷᠲᠤ | Ûrt | 长 |
| 沃博毛都 | ᠥᠪᠥᠷ ᠮᠣᠳᠤ | ǒbǒr Môd | 南边树林 |
| 沃博日孙都拉 | ᠥᠪᠥᠷ ᠰᠣᠩᠳᠤᠤᠯᠠ | ǒbǒr Sôndôôla | 南低洼地 |
| 沃布根宝拉格 | ᠥᠪᠦᠭᠡᠨ ᠪᠤᠯᠠᠭ | ǒbgn Bûlg | 老头泉 |
| 沃德 | ᠥᠭᠡᠳᠡ | ǒǒd | 朝上 兴旺 迎面 逆 |
| 沃尔宁贵 | ᠥᠷᠨᠢᠭᠦᠢ | ǒr'ninggui | 兴旺 |
| 沃尔特音扎木 | ᠥᠷᠲᠡᠭᠡᠨ ᠶᠢᠨ ᠵᠠᠮ | ǒrteen Jam | 驿道 |
| 沃力格图 | ᠥᠯᠦᠭᠡᠢᠲᠦ | ǒlgeit | 摇篮地 |
| 沃力给图 | ᠥᠯᠦᠭᠡᠢᠲᠦ | ǒlgeit | 摇篮地 |
| 沃力吉图 | ᠥᠯᠵᠡᠢᠲᠦ | ǒljeit | 吉祥地 |
| 沃门浑德伦 | ᠥᠮᠦᠨ᠎ᠡ ᠬᠥᠨᠳᠡᠯᠡᠨ | ǒm'n Hǒndln | 前横沟 |
| 沃木包尚仁 | ᠥᠮᠪᠦᠦ ᠱᠣᠷᠤᠩ | Ômbôô Xôrông | 温布（人名）尖峰 |
| 沃图壕 | ᠬᠡᠭᠦᠷ ᠭᠣᠤ | Huurt Gûû | 坟沟 |
| 沃土哈玛尔 | ᠤᠷᠲᠤ ᠬᠠᠮᠠᠷ | Ûrt Hamr | 大山梁 |
| 乌把什板升 | ᠦ ᠪᠠᠱᠢ ᠶᠢᠨ ᠪᠠᠶᠢᠱᠢᠩ | Uu bagxiin Baixng | 吴先生房 |

| 乌勒力其尔 | | Ûû Belqr | 源头汇合处 |
| 乌勒日本巴太 | | ŏbŏr Bûmbtai | 南坟丘地 |
| 乌不日陶来图 | | ŏbŏr Tûûlait | 南兔子地 |
| 乌布尔哈毕日嘎 | | ŏbŏr Habirg | 南山肋 |
| 乌布尔特斯格 | | ŏbŏr Tsg | 南优若藜 |
| 乌布拉格 | | Ûû Bûlg | 源泉 |
| 乌布拉格 | | UuBûlg | 源泉 |
| 乌布勒满达 | | ŏbŏr Mand | 前升腾 |
| 乌布楞 | | Ûû Bûlg | 源泉 |
| 乌布楞 | | ÛûBûlng | 源头角落 |
| 乌布利乌斯 | | ŏbriin Ûs | 南边水 |
| 乌布日公 | | ŏbŏr Gun | 南渊 |
| 乌布日呼都格 | | ŏbŏr Hûdg | 南井 |
| 乌布日善达 | | ŏbŏr Xangd | 南湿地 |
| 乌布日陶来图 | | ŏbŏr Tûûlait | 南兔子地 |
| 乌布日乌兰呼都格 | | ŏbŏr ûlaan Hûdg | 南红井 |
| 乌布日音吾素 | | ûbriin Ûs | 南边水 |
| 乌德 | | Uud | 门 |
| 乌德沟 | | Uudn Gûû | 门前沟 |
| 乌德呼都格 | | Uudiin Hûdg | 门前井 |
| 乌德希热 | | Uudiin Xree | 门前台地 |
| 乌德音阿玛 | | Uudiin Am | 门前山口子 |
| 乌尔宁贵 | | Ur'ninggui | 兴旺状 |
| 乌尔图 | | Uurt | 巢穴地 |
| 乌尔图不浪 | | Ûrt Bûlg | 长泉 |
| 乌尔图高勒 | | Ûrt Gôl | 长河 |
| 乌尔图淖尔 | | Ûrid Nûûr | 前海子 |
| 乌嘎拉金 | | Ûgljn | 公盘羊 图案 |

| 乌根高勒 | ᠣᠣᠭᠢ ᠶᠢᠨ ᠭᠣᠣᠯ | Ûûgiin Gôl | 源头河 |
|---|---|---|---|
| 乌合尔努图克 | | Uhr Nûtag | 放牛草场 |
| 乌和日楚鲁 | | Uhr Qûlûû | 卧牛石 |
| 乌和日呼都格 | | Uhr Hûdg | 饮牛井 |
| 乌和图音高勒 | | | 待考 |
| 乌忽特勒 | | Ûû Hŏtl | 原山坡 |
| 乌胡那 | | Ûh'n | 公山羊 |
| 乌花淖尔 | | Hûa Nûûr | 黄海子 |
| 乌鸡 | | Ûûljr | 汇合地 |
| 乌吉敖包 | | Ujuur Ôbôô | 尽头敖包 |
| 乌吉尔 | | Ujuur | 尽头 |
| 乌加河 | | Ujuur Gôl | 尽头河 |
| 乌克忽洞 | | Uhr Hûdg | 饮牛井 |
| 乌拉 | | Ûûl | 山 |
| 乌拉巴尔 | | Ûlbr | 微红 |
| 乌拉布和 | | Ûlaanbûh | 红牤牛 |
| 乌拉道本 | | Ûûl Dôbông | 山丘 |
| 乌拉地 | | Ûlaa | 微红 |
| 乌拉哈乌拉 | | Ûlhaa Ûûl | 微红色山 * |
| 乌拉山(蒙汉) | | Mû'ni Ûûl | 阴山 |
| 乌拉太 | | Ûûltai | 山地 |
| 乌拉忒 | | Ûrid | 能工巧匠们 * |
| 乌拉特 | | Ûrad | 蒙古部落名称 * |
| 乌拉音吾素 | | Ûûliin Ûs | 山水 |
| 乌赉玛 | | Ûlaim | 发红 |
| 乌兰 | | Ûlaan | 红色 |
| 乌兰敖包 | | Ûlaan Ôbôô | 红敖包 |
| 乌兰巴图 | | Ûlaanbat | 人名 |

| 乌兰白兴 | | Ûlaan Baixng | 红房子 |
|---|---|---|---|
| 乌兰板 | | Ûlaan Baixng | 红房子 |
| 乌兰板申 | | Ûlaan Baixng | 红房子 |
| 乌兰宝力格 | | Ûlaan Bûlg | 红泉 |
| 乌兰必流图 | | Ûlaan Biluut | 红磨石地 |
| 乌兰卜 | | Ûlaan Erg | 红土岗 |
| 乌兰不浪 | | Ûlaan Bûlg | 红泉 |
| 乌兰布拉克 | | Ûlaan Bûlg | 红泉 |
| 乌兰察布 | | Ûlaanqab | 盟名 红色山凹 |
| 乌兰察布 | | Ûlaan Qab | 红山口 |
| 乌兰察布淖尔布日德 | | Ûlaanqab nûûr Burid | 红山口湖泊绿洲 |
| 乌兰朝鲁图 | | Ûlaan Qûlûût | 红石地 |
| 乌兰楚鲁 | | Ûlaan Qûlûû | 红石头 |
| 乌兰此老 | | Ûlaan Qûlûû | 红石头 |
| 乌兰达巴 | | Ûlaan Dabaa | 红岭 |
| 乌兰达楞 | | Ûlaan Dalng | 红坝 |
| 乌兰道本 | | Ûlaan Dôbông | 红山丘 |
| 乌兰德勒 | | Ûlaan Dl | 红鬃 |
| 乌兰额热戈 | | Ûlaan Erg | 红土岗 |
| 乌兰鄂日格 | | Ûlaan Erg | 红土岗 |
| 乌兰岗嘎 | | Ûlaan Gangg | 红岗 |
| 乌兰岗岗 | | Ûlaan Gangg | 红岗 |
| 乌兰岗根 | | Ûlaan Gangga | 红岗 |
| 乌兰高 | | Ûlaan Gûû | 红沟 |
| 乌兰格日勒 | | Ûlaangrl | 红光 |
| 乌兰滚 | | Ûlaan Gun | 红深谷 |
| 乌兰哈布其乐 | | Ûlaan Habql | 红山峡 |
| 乌兰哈达 | | Ûlaan Had | 红岩 |

| 乌兰哈而 | ᠤᠯᠠᠭᠠᠨ ᠬᠠᠷ | Ûlaan Har | 红色黑山 |
|---|---|---|---|
| 乌兰哈少 | ᠤᠯᠠᠭᠠᠨ ᠬᠠᠰᠤᠤ | Ûlaan Hûxûû | 红山嘴 |
| 乌兰哈页 | ᠤᠯᠠᠭᠠᠨᠬᠠᠶᠠᠭᠠ | Ûlaanhayaa | 红墙壁 |
| 乌兰壕来 | ᠤᠯᠠᠭᠠᠨ ᠬᠣᠣᠯᠣᠢ | Ûlaan Hôôlôi | 红山谷 |
| 乌兰浩来 | ᠤᠯᠠᠭᠠᠨ ᠬᠣᠣᠯᠣᠢ | Ûlaan Hôôlôi | 红山谷 |
| 乌兰河(蒙汉) | ᠤᠯᠠᠭᠠᠨ ᠭᠣᠣᠯ | Ûlaan Gôl | 红河 |
| 乌兰呼布 | ᠤᠯᠠᠭᠠᠨ ᠬᠣᠪ | Ûlaan Hob | 红色深渊 |
| 乌兰呼都格 | ᠤᠯᠠᠭᠠᠨ ᠬᠤᠳᠤᠭ | Ûlaan Hûdg | 红井 |
| 乌兰呼少 | ᠤᠯᠠᠭᠠᠨ ᠬᠠᠰᠤᠤ | Ûlaan Hûxûû | 红山嘴 |
| 乌兰呼绍 | ᠤᠯᠠᠭᠠᠨ ᠬᠠᠰᠤᠤ | Ûlaan Hûxûû | 红山嘴 |
| 乌兰呼舒 | ᠤᠯᠠᠭᠠᠨ ᠬᠠᠰᠤᠤ | Ûlaan Hûxûû | 红山嘴 |
| 乌兰呼特勒 | ᠤᠯᠠᠭᠠᠨ ᠬᠣᠲᠣᠯ | Ûlaan Hŏtl | 红山坡 |
| 乌兰忽洞 | ᠤᠯᠠᠭᠠᠨ ᠬᠤᠳᠤᠭ | Ûlaan Hûdg | 红土井 |
| 乌兰忽都格 | ᠤᠯᠠᠭᠠᠨ ᠬᠤᠳᠤᠭ | Ûlaan Hûdg | 红土井 |
| 乌兰忽少 | ᠤᠯᠠᠭᠠᠨ ᠬᠠᠰᠤᠤ | Ûlaan Hûxûû | 红山嘴 |
| 乌兰胡都格 | ᠤᠯᠠᠭᠠᠨ ᠬᠤᠳᠤᠭ | Ûlaan Hûdg | 红土井 |
| 乌兰花 | ᠤᠯᠠᠭᠠᠨᠬᠤᠸᠠ | Ûlaanhûa | 红山丘 |
| 乌兰计 | ᠤᠯᠠᠯᠵᠢ | Ûllj | 茅草 |
| 乌兰井(蒙汉) | ᠤᠯᠠᠭᠠᠨ ᠬᠤᠳᠤᠭ | Ûlaan Hûdg | 红土井 |
| 乌兰毛日 | ᠤᠯᠠᠭᠠᠨ ᠮᠣᠷᠢ | Ûlaan Môri | 红马 |
| 乌兰牧场(蒙汉) | ᠤᠯᠠᠭᠠᠨ ᠮᠠᠯᠵᠢᠯ ᠤᠨ ᠲᠠᠯᠪᠠᠢ | Ûlaan maljliin Talbai | 乌兰(红色)牧场 |
| 乌兰淖尔 | ᠤᠯᠠᠭᠠᠨ ᠨᠠᠭᠤᠷ | Ûlaan Nûûr | 红海子 |
| 乌兰淖尔音布郎 | ᠤᠯᠠᠭᠠᠨ ᠨᠠᠭᠤᠷ ᠤᠨ ᠪᠤᠯᠤᠩ | Ûlaan nûûriin Bûlng | 红海湾 |
| 乌兰淖日 | ᠤᠯᠠᠭᠠᠨ ᠨᠠᠭᠤᠷ | Ûlaan Nûûr | 红海子 |
| 乌兰努如 | ᠤᠯᠠᠭᠠᠨ ᠨᠢᠷᠤᠭᠤ | Ûlaan Nûrûû | 红山梁 |
| 乌兰齐和 | ᠤᠯᠠᠭᠠᠨ ᠴᠢᠬᠢ | Ûlaan Qh | 红耳 |
| 乌兰善达 | ᠤᠯᠠᠭᠠᠨ ᠱᠠᠩᠳᠠ | Ûlaan Xangd | 红水泉 |

| 乌兰尚德 | | Ûlaan Xangd | 红水泉 |
|---|---|---|---|
| 乌兰绍仁 | | Ûlaan Xôrông | 红尖山 |
| 乌兰苏格 | | Ûlaan Xûgûm | 红线条 |
| 乌兰苏格木 | | Ûlaan Xûgûm | 红线条 |
| 乌兰苏海 | | Ûlaan Sûhai | 红柳 |
| 乌兰苏亥 | | Ûlaan Sûhai | 红柳 |
| 乌兰苏木 | | Ûlaan Sum | 红庙 |
| 乌兰苏木音高勒 | | Ûlaan sumiin Gôl | 红庙河 |
| 乌兰素木 | | Ûlaan Sum | 红庙 |
| 乌兰陶亥 | | Ûlaan Tôhôi | 红湾 |
| 乌兰陶勒盖 | | Ûlaan Tôlgai | 红山头 |
| 乌兰特格 | | Ûlaan Teeg | 红岩羊　红圪塔 |
| 乌兰提格 | | Ûlaan Teeg | 红岩羊　红圪塔 |
| 乌兰秃亥 | | Ûlaan Tôhôi | 红土湾 |
| 乌兰图拉盖 | | Ûlaan Tôlgai | 红山头 |
| 乌兰托罗亥 | | Ûlaan Tôlgai | 红山头 |
| 乌兰温都尔 | | Ûlaan ŏndr | 红高地 |
| 乌兰温都日 | | Ûlaan ŏndr | 红色高地 |
| 乌兰乌素 | | Ûlaan Ûs | 红水 |
| 乌兰乌珠尔 | | Ûlaan Ujuur | 红尖山　红山角 |
| 乌兰乌珠日 | | Ûlaan Ujuur | 红尖山　红山角 |
| 乌兰吾素 | | Ûlaan Ûs | 红水 |
| 乌兰勿苏 | | Ûlaan Ûs | 红水 |
| 乌兰希拉 | | Ûlaan Xar | 红黄 |
| 乌兰希里 | | Ûlaan Xl | 红山梁 |
| 乌兰希热 | | Ûlaan Xree | 红台地 |
| 乌兰夏尔勒金 | | Ûlaanxarljn | 红蒿地 |
| 乌兰向德 | | Ûlann Xangd | 红水泉 |

| 乌兰心 | | Ûlaan Xang | 红土垄 |
|---|---|---|---|
| 乌兰窑(蒙汉) | | Ûlaan Yao | 红窑 |
| 乌兰以力更 | | Ûlaan Erg | 红土岗 |
| 乌勒盖图 | | ŏlgeit | 摇篮地 |
| 乌勒吉图 | | ŏljeit | 吉祥地 |
| 乌勒吉图音希日陶勒盖 | | ŏljeitiin Xar Tôlgai | 吉祥黄山头 |
| 乌勒计沟 | | ŏljeiin Gûû | 人名(含义吉祥)沟 |
| 乌勒扎尔 | | Ûûljr | 汇合地 |
| 乌冷吐 | | ŏlŏngt | 莎草 |
| 乌里雅斯台 | | Ûliaastai | 杨树地 |
| 乌里雅斯太 | | Ûliaastai | 杨树地 |
| 乌力布格 | | ŏrbŏŏ | 胎发 |
| 乌力嘎尔 | | ŏligr | 翘起 |
| 乌力给图 | | ŏlgeit | 摇篮地 |
| 乌力根套海 | | ŏrgn Tôhôi | 宽山湾 |
| 乌力桂庙 | | Ôrgôiin Sum | 喇嘛庙名 |
| 乌力胡硕 | | Uhr Hûxûû | 牛鼻山 |
| 乌力吉 | | ŏljei | 人名(含义吉祥) |
| 乌力吉图 | | ŏljeit | 吉祥地 |
| 乌力吉图敖包 | | ŏljeit Ôbôô | 吉祥敖包 |
| 乌力吉图和日 | | ŏljeit Heer | 吉祥枣红马 |
| 乌力吉图庙(蒙汉) | | ŏljeit Sum | 吉祥庙 |
| 乌力吉吐 | | ŏljeit | 吉祥地 |
| 乌力吉屯(蒙汉) | | ŏljeiin Ail | 人名(含义吉祥)营子 |
| 乌力吉乌素 | | ŏljei Ûs | 吉祥水 |
| 乌力吉扎格 | | ŏljei Jag | 吉祥梭梭 |
| 乌力毛都 | | ŏroot Môd | 宅院树 |
| 乌力木吉 | | Ulemj | 甚多 |

| 乌力图 | | Ôôlit | 锛子地 猫头鹰地 * |
|---|---|---|---|
| 乌力雅斯图 | | Ûliaast | 杨树地 |
| 乌力雅苏台 | | Ûliaastai | 有杨树 |
| 乌良什太 | | Ûliaastai | 有杨树 |
| 乌良石太 | | Ûliaastai | 有杨树 |
| 乌良太 | | ôlngtei | 莎草地 |
| 乌梁苏沟门 | | Ûliaas gûûgin Am | 杨树沟口 |
| 乌梁素海 | | Ûliaastai Nûûr | 杨树海子 |
| 乌梁素太 | | Ûliaastai | 有杨树 |
| 乌梁速太 | | Ûliaastai | 有杨树 |
| 乌梁苏 | | Ûliaas | 杨树 |
| 乌林吐 | | ôlngt | 莎草滩 |
| 乌林西北 | | Uhriin Xbee | 牛蒡草 |
| 乌林锡伯 | | Uhriin Xbee | 牛蒡草 |
| 乌令图 | | ôlongt | 莎草地 |
| 乌门察布其尔 | | ômô'n Qabqr | 南峭崖 |
| 乌门嘎顺 | | ômô'n Gaxûûn | 南盐碱滩 |
| 乌门拉嘎 | | ômô'n Lag | 前污垢 |
| 乌门乌兰 | | ômô'n Ûlaan | 前红山 |
| 乌门乌兰呼都格 | | ômô'n ûlaan Hûdg | 南红井 |
| 乌门亚力盖 | | ûmô'n Yrgai | 前黑果枸子滩 |
| 乌木克 | | ômg | 依靠 |
| 乌木纳朝鲁图 | | ômô'n Qûlûût | 南石头地 |
| 乌木纳陶来图 | | ômô'n Tûûlait | 南兔子地 |
| 乌纳格其 | | U'ngq | 猎狐人 |
| 乌纳格图 | | U'ngt | 狐狸滩 |
| 乌讷格其 | | U'ngq | 猎狐人 |
| 乌讷格太 | | U'ngtei | 有狐狸 |

| 乌讷格特乌拉 | U'ngt Ûûl | 狐狸山 |
|---|---|---|
| 乌讷格图 | U'ngt | 狐狸滩 |
| 乌讷克台 | U'ngtei | 有狐狸 |
| 乌尼圪其 | Unegq | 猎狐者 |
| 乌尼格图 | U'ngt | 狐狸地 |
| 乌尼格图乌兰 | U'ngt Ûlaan | 红狐狸山 |
| 乌尼格图音扎德盖 | U'ngtiin Jadgai | 狐狸滩 |
| 乌尼河 | Ôniin Gôl | 豁口河 |
| 乌尼特 | U'nid | 永远 永恒 |
| 乌尼乌素 | U'ni Ûs | 长流水 |
| 乌尼亚海 | Û'niyahai | 烟雾缭绕 |
| 乌尼业其敖包 | U'nieeq Ôbôô | 乳牛敖包 |
| 乌泥 | U'ngq | 猎狐者 |
| 乌捏图 | U'niyeet | 乳牛地 |
| 乌努格尺 | U'ngq | 猎狐者 |
| 乌努格其 | U'ngq | 猎狐者 |
| 乌努格图 | U'ngt | 狐狸地 |
| 乌努根塔塔拉 | U'ngn Tataal | 狐狸水渠 |
| 乌努根塔塔林呼都格 | U'ngn tataaliin Hûdg | 狐狸水渠井 |
| 乌其格吐 | ûqt | 诺言地 |
| 乌仁 | Ûrn | 精美 巧 |
| 乌仁都喜 | Ûrn Dox | 秀美砧山 |
| 乌仁图雅 | Uuriin Tûyaa | 朝霞 |
| 乌日柴哈 | Uur Qaih | 黎明 破晓 |
| 乌日都恩和代 | Ûrid Engktei | 前太平庄 |
| 乌日都哈日哈达 | Ûrid har Had | 前乌岩 |
| 乌日都哈日乌苏 | Ûrid har Ûs | 前黑水泡 |
| 乌日都好腰苏莫 | Ûrid Hôyrsûm | 前二苏木 |

| 乌日都淖尔 | ᠤᠷᠳᠤ ᠨᠠᠭᠤᠷ | Urd Nûûr | 南海子 |
| 乌日都赛音呼都嘎 | ᠤᠷᠢᠳᠤ ᠰᠠᠶᠢᠨᠬᠤᠳᠤᠭ | Ûrid SainHûdg | 前好水井 |
| 乌日都索根 | ᠤᠷᠢᠳᠤ ᠰᠥᠭᠡᠭ | Ûrid Sŏŏg | 前榆树丛 |
| 乌日都塔林 | ᠤᠷᠢᠳᠤ ᠳᠠᠯᠢᠩ | Ûrid Dalng | 前山脊梁 |
| 乌日都乌呼热呼舒 | ᠤᠷᠢᠳᠤ ᠤᠬᠤᠷᠬᠤᠱᠤᠤ | Ûrid Uhrhûxûû | 前卧牛山嘴 |
| 乌日都乌那嘎 | ᠤᠷᠢᠳᠤ ᠤᠨᠠᠭ᠎ᠠ | Ûrid Û'ng | 前马驹滩 |
| 乌日都章棍塔拉 | ᠤᠷᠢᠳᠤ ᠵᠠᠩᠭᠤᠨ ᠤᠨ ᠲᠠᠯ᠎ᠠ | Ûrid janggûn Tal | 前苍耳滩 |
| 乌日格代音沃博勒者 | ᠥᠷᠥᠭᠡᠳᠡᠢᠨ ᠤᠨ ᠥᠪᠤᠯᠵᠡᠭᠡ | ŏrŏŏdain ŏbljee | 府邸冬营地 |
| 乌日格斯图套海 | ᠥᠷᠭᠡᠰᠲᠦ ᠲᠣᠬᠣᠢ | ŏrgst Tôhôi | 棘刺湾 |
| 乌日格吐毛都 | ᠤᠤᠷᠲᠤ ᠮᠣᠳᠤ | Uurt Môd | 鸟巢树 |
| 乌日格希拉胡 | ᠤᠷᠤᠭᠰᠢᠯᠠᠬᠤ | Ûrgxlh | 前进 |
| 乌日格音夏日 | ᠥᠷᠭᠢᠶᠡᠨ ᠤ ᠰᠢᠷ᠎ᠠ | Ûrgiin Xar | 黄膘杆子马 |
| 乌日葛格日 | ᠥᠷᠭᠡᠭᠡ ᠶᠢᠨ ᠭᠡᠷ | ŏrgee Gr | 宅院 |
| 乌日根 | ᠥᠷᠭᠡᠨ | ŏrgon | 宽阔 |
| 乌日根高勒 | ᠥᠷᠭᠡᠨ ᠭᠣᠤᠯ | ŏrgn Gôl | 宽河 |
| 乌日根呼格吉勒 | ᠥᠷᠭᠡᠨ ᠬᠥᠭᠵᠢᠯ | ŏrgn Hŏogjl | 广兴 |
| 乌日根乃阿门 | ᠥᠷᠭᠡᠨ ᠤ ᠠᠮᠠᠨ ᠤᠰᠤᠨ ᠪᠥᠭᠡ | ŏrg'nei amn ûsn Bûûq | 人名(含义宽阔)口水营子 |
| 乌日根乃沃博勒者 | ᠥᠷᠭᠡᠨ ᠤ ᠥᠪᠤᠯᠵᠡᠭᠡ | Urg'nei ŏbŏljee | 人名(含义宽阔)冬营盘 |
| 乌日根塔拉 | ᠥᠷᠭᠡᠨ ᠲᠠᠯ᠎ᠠ | ŏrgn Tal | 宽阔草滩 |
| 乌日根塔拉嘎查 | ᠥᠷᠭᠡᠨ ᠲᠠᠯ᠎ᠠ ᠶᠢᠨ ᠭᠠᠴᠠᠭ᠎ᠠ | ŏrgntal Gaqaa | 平川营子 |
| 乌日根温都日勒 | ᠥᠷᠭᠡᠨ ᠤᠨᠳᠤᠷᠤᠯ | ŏrgn Ûndrl | 开阔喷泉 |
| 乌日根乌拉 | ᠥᠷᠭᠡᠨ ᠠᠭᠤᠯᠠ | ŏrgn Ûûl | 宽山 |
| 乌日古勒吉音棚(蒙汉) | ᠤᠷᠤᠭᠤᠯᠵᠢᠨ ᠤ ᠫᠧᠩ | Urguljiin Png | 连串棚 |
| 乌日贵 | ᠥᠯᠥᠭᠡᠢ | ŏlgei | 摇篮 |
| 乌日和 | ᠥᠷᠬᠡ | ŏrh | 蒙古包天窗 |
| 乌日和其 | ᠥᠷᠬᠡᠴᠢ | ŏrhq | 户主 |
| 乌日吉勒 | ᠤᠷᠵᠢᠯ | Urjl | 繁殖 |
| 乌日金 | ᠤᠷᠵᠢᠨ | Urjn | 繁殖 |

| 乌日克 | ǒrgn Gôl | 宽河 |
|---|---|---|
| 乌日尼勒特 | ǒr'nilt | 兴旺 |
| 乌日尼图 | ǒr'nilt | 兴旺地 |
| 乌日青 | Urqng | 繁殖 |
| 乌日萨音德日斯 | Ûrûshaagiin Drs | 河流滩芨芨 |
| 乌日塔敖格钦 | Ûrt Ôgqn | 长圪洞 |
| 乌日塔包日勒吉 | Ûrt Bôrlj | 长艾菊 |
| 乌日塔额勒斯 | Ûrt Eles | 长条沙梁 |
| 乌日塔河(蒙汉) | Ûrt Gôl | 长河 |
| 乌日特 | ǒrtee | 驿站 |
| 乌日特白音花 | ǒrtoo bayn Hûa | 驿站富饶山丘 |
| 乌日特补力格 | ǒrtee Bûlg | 驿站泉 |
| 乌日特呼都格 | ǒrtee Hûdg | 驿站井 |
| 乌日特乌布力吉 | Ûrt ǒbǒljee | 长冬营盘 |
| 乌日廷塔拉 | Ûrtiin Tal | 长滩地 |
| 乌日图 | Ûrt | 长形 |
| 乌日图布朗格 | Ûrt Bûlg | 长泉 |
| 乌日图鄂日格 | Ûrt Erg | 长土岗 |
| 乌日图高勒 | Ûrt Gôl | 长河 |
| 乌日图高勒门 | Ûrt gôliin Am | 长河口 |
| 乌日图高勒庙(蒙汉) | Ûrt gôl Sum | 长河庙 |
| 乌日图霍勒 | Ûrt Hol | 长山麓 |
| 乌日图涝坝(蒙汉) | Ûrt lao ba | 长涝坝 |
| 乌日图莫日格 | Ûrt Morgoo | 对峙长山峰 |
| 乌日图那木格音布郎 | Ûrt namgiin Bûlng | 长沼泽湾 |
| 乌日图塔拉 | Ûrt Tal | 长滩地 |
| 乌日图希日格 | Ûrt Xree | 长山梁 |
| 乌日图伊和 | Ûrtiin Ehi | 长河源 |

| 乌日图音敖包 | ᠤᠷᠲᠦ ᠶᠢᠨ ᠣᠪᠣᠭ᠎ᠠ | Ûrtiin Ôbôô | 人名(含义长)脑包 |
|---|---|---|---|
| 乌日图音郭勒 | ᠤᠷᠲᠦ ᠶᠢᠨ ᠭᠣᠣᠯ | Ûrtiin Gôl | 长河 |
| 乌日图音塔拉 | ᠤᠷᠲᠦ ᠶᠢᠨ ᠲᠠᠯ᠎ᠠ | Ûrtiin Tal | 人名(含义长)河滩 |
| 乌日图扎拉嘎 | ᠤᠷᠲᠦ ᠵᠠᠯᠠᠭ᠎ᠠ | Ûrt Jalg | 长山谷 |
| 乌日吐茫哈 | ᠤᠷᠢᠲᠤ ᠮᠠᠩᠬ᠎ᠠ | Ûrit Mangh | 前沙梁 |
| 乌日吐毛都 | ᠤᠷᠲᠦ ᠮᠣᠳᠣ | Ûrt Môd | 高树 |
| 乌日吐淖如 | ᠤᠷᠲᠦ ᠨᠢᠷᠤᠭᠤ | Ûrt Nûrûû | 长梁 |
| 乌日希勒图 | ᠥᠷᠦᠰᠢᠶᠡᠯᠲᠦ | ǒrxieelt | 慈悲地 |
| 乌日喜业勒图 | ᠥᠷᠦᠰᠢᠶᠡᠯᠲᠦ | ǒrxieelt | 慈悲地 |
| 乌日雅图 | ᠵᠠᠷᠯᠢᠭᠲᠤ | Ûriyat | 号令地 |
| 乌日音图雅 | ᠦᠷ ᠦᠨ ᠲᠤᠶᠠᠭ᠎ᠠ | Uuriin Tûyaa | 黎明 晨光 |
| 乌日音图亚 | ᠦᠷ ᠦᠨ ᠲᠤᠶᠠᠭ᠎ᠠ | Uuriin Tûyaa | 黎明 晨光 |
| 乌如 | ᠤᠷᠤᠭᠤ | Ûrûû | 下坡 不走运 |
| 乌如根塔拉 | ᠤᠷᠤᠭᠤᠨ ᠲᠠᠯ᠎ᠠ | ǒrgn Tal | 广阔草滩 |
| 乌赛音呼都格 | ᠣᠨ ᠰᠠᠶᠢᠨ ᠬᠤᠳᠳᠤᠭ | Ôô sain Hûdg | 特好井 |
| 乌色拉沟 | ᠤᠰᠤᠯᠠᠬᠤ ᠭᠤᠤ | Ûslh Gûû | 支流沟 |
| 乌色浪 | ᠤᠰᠤᠯᠠᠩ | Ûslng | 饮水地 |
| 乌森高吉嘎尔 | ᠤᠰᠤᠨ ᠭᠣᠣᠵᠢᠭᠤᠷ | Ûsn Gôôjûûr | 水龙头 |
| 乌森哈雅 | ᠤᠰᠤᠨ ᠬᠠᠶᠠᠭ᠎ᠠ | Ûsn Hayaa | 水墙 |
| 乌森图如分场(蒙汉) | ᠤᠰᠤᠨ ᠲᠦᠷᠦᠭᠦ ᠬᠤᠪᠢᠶᠠᠷᠢ ᠲᠠᠯᠪᠠᠢ | Ûsn turuu hûbaar Talbai | 水源分场 |
| 乌森义和 | ᠤᠰᠤᠨ ᠡᠬᠢ | Ûsan Ehi | 水源 |
| 乌申 | ᠤᠤᠰᠤᠨ | Uuxn | 套儿(打猎用具) |
| 乌顺艾勒 | ᠤᠰᠤᠨ ᠠᠶᠢᠯ | Ûsn Ail | 靠水营子 |
| 乌顺浩雅日格日 | ᠤᠰᠤᠨ ᠬᠣᠶᠠᠷ ᠭᠡᠷ | Ûsn hôyr Gr | 靠水两家子 |
| 乌顺恒日格 | ᠤᠰᠤᠨ ᠬᠡᠩᠭᠡᠷᠭᠡ | Ûsn Hnggrg | 水鼓 |
| 乌顺温都日 | ᠤᠰᠤᠨ ᠥᠨᠳᠦᠷ | Ûsan ǒndr | 高地水 |
| 乌斯嘎 | ᠤᠰᠤᠭ᠎ᠠ | Ûshhal | 温和 |
| 乌斯格 | ᠤᠰᠤᠭ | Usg | 碑文 |

| 乌松嘎查 | | Ûsn Gaqaa | 水乡 |
|---|---|---|---|
| 乌松塔拉河(蒙汉) | | Ûsan taliin Gôl | 水滩河 |
| 乌苏 | | Ûs | 水 |
| 乌苏艾里 | | Ûsn Ail | 水滩营子 |
| 乌苏别嘎其 | | Ûs Baigaaq | 存水滩 |
| 乌苏查干 | | Ûs Qagaan | 白水滩 |
| 乌苏达音乌拉 | | Ûstiin Ûûl | 水滩山 |
| 乌苏额黑 | | Ûsn Ehi | 水源 |
| 乌苏恩陶勒盖 | | Ûsn Tôlgai | 水边山丘 |
| 乌苏恒日格 | | Ûsn Hnggrg | 水鼓 |
| 乌苏拉沟(蒙汉) | | Ûsn Salaa | 支流沟 |
| 乌苏乃包其 | | Ûsn Bûûq | 水乡宿营地 |
| 乌苏乃额和 | | Ûs'nai Ehi | 水源 |
| 乌苏荣贵 | | Usrnggui | 跃进 |
| 乌苏台沟 | | Ûstai Gûû | 水沟 |
| 乌苏台洼(蒙汉) | | Ûstai Ail | 水洼营子 |
| 乌苏台扎拉嘎 | | Ûstai Jalg | 水沟 |
| 乌苏陶勒盖 | | Ûsa Tôlgai | 水旁山头 |
| 乌苏图 | | Uhr Suult | 牛尾滩 |
| 乌苏图查干 | | Ûstqagaan | 水滩白山 |
| 乌苏图查干浩特 | | Ûst qagaan Hôt | 白水营子 |
| 乌苏温都尔 | | Ûsn ǒndr | 水滩高山 |
| 乌苏伊很 | | Ûsn Ehi | 上游 |
| 乌苏音萨拉 | | Ûsn Salaa | 支流 |
| 乌苏音陶勒盖 | | Ûsiin Tôlgai | 水滩敖包 |
| 乌素 | | Ûs | 水 |
| 乌素查干高吉格尔 | | Ûsn qagaan Gôjgôr | 白水尖峰 |
| 乌素柴达木 | | Ûsn Qaidam | 水滩空旷地 |

| 乌素沟 | ᠤᠰᠤᠨ ᠭᠣᠤᠯ | Ûsn Gôl | 水沟 |
| 乌素壕(蒙汉) | ᠤᠰᠤᠨ ᠭᠦᠦ | Ûsn Gûû | 水沟 |
| 乌素加巴 | ᠤᠰᠤᠨ ᠵᠠᠪ | Ûsn Jab | 水谷 |
| 乌素加汗 | ᠤᠰᠤᠨ ᠵᠠᠯᠭ᠎ᠠ | Ûsn Jalg | 水沟 |
| 乌素沙巴尔太 | ᠤᠰᠤ ᠱᠠᠪᠠᠷᠲᠠᠢ | Ûs Xabrtai | 泥水地 |
| 乌素什八太 | ᠤᠰᠤ ᠱᠠᠪᠠᠷᠲᠠᠢ | Ûs Xabrtai | 泥水地 |
| 乌素什巴尔太 | ᠤᠰᠤ ᠱᠠᠪᠠᠷᠲᠠᠢ | Ûs Xabrtai | 泥水地 |
| 乌素图 | ᠤᠰᠤᠲᠤ | Ûst | 水乡 |
| 乌素图阿日勒 | ᠤᠰᠤᠲᠤ ᠠᠷᠠᠯ | Ûst Arl | 水中岛 |
| 乌素图高勒 | ᠤᠰᠤᠲᠤ ᠭᠣᠤᠯ | Ûst Gôl | 长流河 |
| 乌素扎巴 | ᠤᠰᠤᠨ ᠵᠠᠪ | Ûsn Jab | 水谷 |
| 乌素长汗 | ᠤᠰᠤᠨ ᠴᠠᠷᠭ᠎ᠠ | Ûsn Qarg | 水滩防火道 |
| 乌塔台 | ᠤᠲᠠᠭᠠᠲᠠᠢ | Ôtaatai | 烟雾缭绕 |
| 乌陶亥音浩来 | ᠤᠤ ᠲᠣᠬᠣᠢ ᠶᠢᠨ ᠬᠥᠨᠳᠡᠢ | Ûû tôhôiin Hôôlôi | 原湾山谷 |
| 乌西尔格(汉蒙) | ᠤᠤ ᠰᠢᠷᠬᠡᠭ | Uu Xrhg | 五颗粒 |
| 乌希格 | ᠠᠭᠤᠱᠢᠭᠢ | Ûûxg | 肺子 |
| 乌协力台 | ᠦᠭ ᠱᠠᠷᠠᠯᠳᠠᠢ | Ûg Xarldai | 原黄蒿地 |
| 乌雪特 | ᠥᠰᠢᠶᠡᠲᠦ | ŏxeet | 仇地 |
| 乌逊图路 | ᠤᠰᠤᠨ ᠲᠤᠷᠠᠭᠤ | Ûsn Turuu | 源头水 |
| 乌雅 | ᠤᠶᠠᠭ᠎ᠠ | Ûyaa | 桩子 |
| 乌雅头站 | ᠤᠶᠠᠭᠠᠲᠤ ᠥᠷᠲᠡᠭᠡ | Ûyaat ŏrtee | 拴马驿站 |
| 乌依达 | ᠤᠢᠢᠳᠤᠨ | Ûid | 狭窄 |
| 乌依特 | ᠤᠶᠢᠲᠤ | Uyet | 节肢 |
| 乌义日吐 | ᠤᠶᠢᠷᠲᠤ | Uyert | 洪水地 |
| 乌珠尔呼都嘎 | ᠤᠵᠤᠭᠤᠷ ᠬᠤᠳᠳᠤᠭ | Ujuur Hûdg | 地头井 |
| 乌珠尔呼都格 | ᠤᠵᠤᠭᠤᠷ ᠤᠨ ᠬᠤᠳᠳᠤᠭ | Ujuuriin Hûdg | 尽头井 |
| 乌珠尔舒布特 | ᠤᠵᠤᠭᠤᠷ ᠱᠤᠪᠤᠭᠤᠲᠤ | Ujuur Xûbûût | 顶端鸟山 |
| 乌珠尔扎格 | ᠤᠵᠤᠭᠤᠷ ᠵᠠᠭ | Ujuur Jag | 梭梭尽头 |

| 乌珠花 | | Ujuur Hûa | 头道山丘 |
|---|---|---|---|
| 乌珠林沟 | | Ujuuriin Gôl | 尽头河 |
| 乌珠木图 | | Ujemt | 葡萄地 |
| 乌珠穆沁 | | Ujemqn | 旗名 蒙古部落名 |
| 乌珠日 | | Ujuur | 尽头 |
| 乌珠日敖包 | | Ujuur Ôbôô | 尽头敖包 |
| 乌珠日嘎顺 | | Ujuuriin Gaxûûn | 尽头盐碱地 |
| 乌珠日哈日敖包 | | Ujuur har Ôbôô | 尽头黑敖包 |
| 乌珠日呼都格 | | Ujuur Hûdg | 上游井 |
| 乌珠日花 | | Ujuur Hûa | 头道山丘 |
| 乌珠日色日丙 | | Ujuur Srbng | 尽头嶙峋的山 |
| 乌珠日绍布图 | | Ujuur Xûbûût | 尽头鸟山 |
| 乌珠日陶来 | | Ujuur Tôôrai | 山角胡杨 |
| 乌珠日陶力 | | Ujuur Tôli | 尽头镜子湖 |
| 乌珠日乌苏 | | Ujuur Ûs | 山角水滩 |
| 乌珠日希讷乌素 | | Ujuur x'n Ûs | 尽头新水 |
| 吾素呼热 | | Us Huree | 水圀圀 |
| 吾素图 | | Ûst | 水乡 |
| 吾台吐 | | Ûtaatai | 烟雾地 |
| 吴坝 | | Uu Bagx | 吴先生 吴老师 |
| 吴坝沟 | | Ûbagiin Gôl | 丘陵河 |
| 吴坝梁（蒙汉） | | Ûbagiin Xl | 丘陵梁 |
| 吴坝西 | | Ûbax | 墓 |
| 吴拉忒 | | Ûrd | 能工巧匠们 * |
| 吴朋圪堆 | | Ôbôôn Tôlgai | 敖包圪堆 |
| 吴四圪堵 | | Usgt Hol | 古碑山麓 |
| 梧桐不浪 | | Uudn Bûlg | 口子泉 |
| 五把什 | | Ûbax | 受戒人 |

| 五当沟 | Bûdngt | 雾地 |
|---|---|---|
| 五当沟 | Uudn Gûû | 门沟 |
| 五当沟 | Ûdn Gûû | 柳树沟 |
| 五当召 | Ûdn Jûû | 柳树召 |
| 五犊垓 | Ûût | 袋子 |
| 五忽图 | Uhrt | 放牛地 |
| 五胡都格(汉蒙) | Uu Hûdg | 五口井 |
| 五金岱 | Ujngtei | 有沉淀物 |
| 五井湖洞 | Ujuur Hûdg | 顶端井 |
| 五九 | Ujuur | 山角 |
| 五克此老 | Uhr Qûlûû | 卧牛石 |
| 五克兔尔沟梁 | Ôgtr gôliin Xl | 短河梁 |
| 五库托伦 | Uhr Turuu | 头牛山 |
| 五喇嘛沟(汉藏蒙) | Tabn lamiin Gûû | 五喇嘛沟 |
| 五良速太 | Ûliaastai | 有杨树 |
| 五良太 | Ûliaastai | 有杨树 |
| 五路 | Ôrgûûd | 蒙古部落名 * |
| 五路 | Tabn Jam | 土默特五部 * |
| 五路 | Ulu Taij | 人名 * |
| 五素十八台 | Ûsn Xabrtai | 泥水 |
| 五素图路 | Ûsn Turuu | 源头水 |
| 五速太沟 | Ûstai Gûû | 水地沟 |
| 五速图 | Ûst | 水乡 |
| 五速兔 | Ûst | 水乡 |
| 五塔尔 | Ôtr | 倒场 |
| 伍把什 | Ûbax | 人名 * |
| 伍把什营(蒙汉) | Ûbaxiin Ail | 受戒营子 |
| 武当沟 | Ûdiin Gôl | 柳树河 |

| 武当梁(蒙汉) | Ûdiin Xl | 柳树梁 |
| 武汗 | Ûh'n | 公山羊 |
| 武兰淖 | Ûlaan Nûûr | 红海子 |
| 武松秃路 | Ûsn Turuu | 源头水 |
| 勿布林 | ŏbŏr Jalg | 南山谷 |
| 勿拉汉 | Ûlaan Han | 红色罕山 |
| 勿兰哈少 | Ûlaan Hûxûû | 红山嘴 |
| 勿土营子(蒙汉) | Ûdiin Ail | 柳树营子 |
| 悟恫不浪 | Uudn Bûlg | 口子泉 |
| 西阿布哈(汉蒙) | Barûûn Abha | 西荠菜 |
| 西阿超(汉蒙) | Barûûn alag Qôôhôr | 西花滩 |
| 西阿得素(汉蒙) | Barûûn Adis | 西赐福 |
| 西敖包(汉蒙) | Barûûn Ôbôô | 西敖包 |
| 西把栅儿(汉蒙) | Barûûn Baixng | 西房子 |
| 西白河 | Xbeen Gôl | 牛蒡河 |
| 西白音查干(汉蒙) | Barûûn bayn Qagaan | 西富饶的白山 |
| 西白音乌兰(汉蒙) | Barûûn bayn Ûlaan | 西富饶的红山 |
| 西白音扎拉嘎(汉蒙) | Barûûn bayn ûlaan Jalg | 西富饶山谷 |
| 西包尔好交(汉蒙) | Barûûn bôr Hûjr | 西土盐滩 |
| 西报马吐(汉蒙) | Barûûn Bûmt | 西富翁地 |
| 西伯图(汉蒙) | Xbeet | 栅栏地 |
| 西补盖(汉蒙) | Barûûn Bûg | 西域鹿 |
| 西不浪(汉蒙) | Barûûn Bûlg | 西泉 |
| 西簿吐 | Xbeet | 牛蒡草地 |
| 西打花(汉蒙) | Barûûn Dahûr | 西双层 |
| 西圪其(汉蒙) | Barûûn Gaq | 西险路 |
| 西哈拉塔日(汉蒙) | Barûûn Haltr | 西花斑梁 |
| 西哈拉乌苏(汉蒙) | Barûûn har Ûs | 西黑水 |

| 西哈吐气(汉蒙) | | Barûûn Hatûûq | 西坚硬地 |
| 西海斯改(汉蒙) | | Barûûn Haishai | 西栅栏 |
| 西好力特高(汉蒙) | | Barûûn Hôltôg | 西豁口 |
| 西湖布日阿木(汉蒙) | | Barûûn hôðbriin Am | 西暄软地口 |
| 西灰同 | | Xûgait | 森林地 |
| 西贾圪楞兔(汉蒙) | | Barûûn Jarglangt | 西幸福地 |
| 西库伦(汉蒙) | | Barûûn Huree | 西圐圙 |
| 西拉敖包锡勒 | | Xar ôbôôn Xl | 黄敖包梁 |
| 西拉才登 | | Xar Qaidm | 黄空旷地 |
| 西拉查布 | | Xar Qab | 黄山缝 |
| 西涝 | | Qûlûû | 石头 |
| 西涝坝 | | Qûlûû Dalang | 石头坝 |
| 西勒 | | Xl | 山梁 |
| 西勒呼都格 | | Xl Hûdg | 梁上井 |
| 西里车站(蒙汉) | | Xl ôrtee | 车站名 |
| 西圐圙(汉蒙) | | Barûûn Huree | 西圐圙 |
| 西玛林础达 | | Barûûn Malqd | 西牧人营子 |
| 西满斗(汉蒙) | | Barûûn Mand | 西兴盛营子 |
| 西毛敦艾里(汉蒙) | | Barûûn môdn Ail | 西树林营子 |
| 西毛忽洞(汉蒙) | | Barûûn mûû Hûdg | 西赖井 |
| 西明嘎(汉蒙) | | Barûûn Miang | 西千喜 |
| 西那格 | | X'inag | 勺子 |
| 西纳嘎 | | X'nag | 勺子 |
| 西乃力 | | X'n Ail | 新营子 |
| 西乃林沟(汉蒙) | | Barûûn nariin Gûû | 西细沟 |
| 西奈林塔拉(汉蒙) | | Barûûn narin Tal | 西窄滩 |
| 西脑包(汉蒙) | | Barûûn Ôbôô | 西敖包 |
| 西淖(汉蒙) | | Barûûn Nûûr | 西海子 |

| | | | |
|---|---|---|---|
| 西尼呼都格 | ᠰᠢᠨ᠎ᠡ ᠬᠣᠳᠳᠣᠭ | Xin Hûdg | 新井 |
| 西尼奇 | ᠰᠢᠨᠡᠬᠡ | X'nq | 新鲜 |
| 西尼气 | ᠰᠢᠨᠡᠬᠡ | X'nq | 新鲜 |
| 西尼乌素 | ᠰᠢᠨ᠎ᠡ ᠤᠰᠤ | X'n Ûs | 新水 |
| 西乜木歹(汉蒙) | ᠪᠠᠷᠠᠭᠤᠨ ᠨᠠᠢᠮᠠᠲᠠᠢ | Barûun Naimtai | 西八号 |
| 西热 | ᠰᠢᠷᠡᠭᠡ | Xree | 桌子 |
| 西热图 | ᠰᠢᠷᠡᠭᠡᠲᠦ | Xreet | 桌子山 |
| 西热图淖尔 | ᠰᠢᠷᠡᠭᠡᠲᠦ ᠨᠠᠭᠤᠷ | Xreet Nûûr | 平顶山海子 |
| 西日道卜 | ᠰᠢᠷ᠎ᠠ ᠳᠣᠪᠤ | Xar Dôb | 黄土圪瘩 |
| 西日德日苏 | ᠰᠢᠷ᠎ᠠ ᠳᠡᠷᠡᠰᠤ | Xar Drs | 黄茇茇 |
| 西日嘎 | ᠰᠢᠷᠠᠭᠠ | Xarg | 黄彪马 |
| 西日嘎大日苏 | ᠰᠢᠷᠠᠭᠠ ᠳᠡᠷᠡᠰᠤ | Xarg Drs | 黄茇茇滩 |
| 西日花 | ᠰᠢᠷ᠎ᠠ ᠬᠤᠸ᠎ᠠ | Xar Hûa | 黄土梁 |
| 西日里奇 | ᠰᠢᠷᠠᠯᠵᠢ | Xarlj | 黄蒿 |
| 西日莫林其格 | ᠰᠢᠷᠠᠮᠠᠯ ᠤᠨ ᠴᠢᠭ | Xarmliin Qg | 火山岩滩 |
| 西日木林沃博勒者 | ᠰᠢᠷᠠᠮᠠᠯ ᠤᠨ ᠡᠪᠦᠯᠵᠢᠶ᠎ᠡ | Xarmaliin ŏbŏjee | 火山岩冬营盘 |
| 西日淖尔 | ᠰᠢᠷ᠎ᠠ ᠨᠠᠭᠤᠷ | Xar Nûûr | 黄海子 |
| 西日奇肯 | ᠰᠢᠷᠠᠬᠢᠨ | Xarqegeen | 青黄色 |
| 西萨拉(汉蒙) | ᠪᠠᠷᠠᠭᠤᠨ ᠰᠠᠯᠠᠭ᠎ᠠ | Barûun Salaa | 西岔口 |
| 西散都(汉蒙) | ᠪᠠᠷᠠᠭᠤᠨ ᠰᠦᠨᠳᠦᠦ | Barûun Sûndûû | 西棘剌地 |
| 西沙力好来(汉蒙) | ᠪᠠᠷᠠᠭᠤᠨ ᠰᠢᠷ᠎ᠠ ᠬᠤᠲᠤᠯ | Barûun xar Hôôlôi | 西黄壕 |
| 西什拉(汉蒙) | ᠪᠠᠷᠠᠭᠤᠨ ᠰᠠᠯᠠᠭ᠎ᠠ | Barûun Salaa | 西岔口 |
| 西土库连(汉蒙) | ᠪᠠᠷᠠᠭᠤᠨ ᠲᠤᠭᠤᠷᠢᠭ | Barûun Tŏgŏrgeen | 西圆地 |
| 西托乃高勒 | ᠱᠦᠲᠡᠭᠡᠨ ᠦ ᠭᠣᠣᠯ | Xutee'nei Gôl | 神祇河 |
| 西瓦尔图 | ᠱᠠᠪᠠᠷᠲᠤ | Xabrt | 泥滩 |
| 西乌不浪(汉蒙) | ᠪᠠᠷᠠᠭᠤᠨ ᠤᠤ ᠪᠤᠯᠠᠭ | Barûun Ûû Bûlg | 西源头泉 |
| 西乌登(汉蒙) | ᠪᠠᠷᠠᠭᠤᠨ ᠡᠭᠦᠳᠡ | Barûun Uud | 西门 |
| 西乌兰楚鲁(汉蒙) | ᠪᠠᠷᠠᠭᠤᠨ ᠤᠯᠠᠭᠠᠨ ᠴᠢᠯᠠᠭᠤ | Barûun ûlaan Qûlûû | 西红石 |

| 西哲里木(汉蒙) | Barûûn Jirim | 西肚带 |
|---|---|---|
| 希巴尔登 | Xabrdng | 陷泥 |
| 希巴日呼热 | Xabr Huree | 泥土圈圈 |
| 希伯花 | Xbee Hûa | 牛蒡梁 |
| 希伯日吐 | Xabrt | 泥滩 |
| 希勃呼都格 | Xbee Hûdg | 牛蒡草井 |
| 希勃图 | Xbeet | 牛蒡地 |
| 希勃图哈沙 | Xbeet Haxaa | 牛蒡栅栏 |
| 希勃图乌兰 | Xbeet Ûlaan | 红牛蒡地 |
| 希勃音淖尔 | Xbeegiin Nûûr | 牛蒡海子 |
| 希博 | Xbee | 栅栏 牛蒡 |
| 希博布郎 | Xbee Bûlng | 牛蒡湾 |
| 希博格图 | Xbeet | 牛蒡地 |
| 希博图 | Xbeet | 牛蒡地 |
| 希博图音沃博勒者 | Xbeetiin ŏbŏljee | 牛蒡冬营地 |
| 希卜尔都肯 | Xabr Tŏhŏm | 泥泞洼 |
| 希尔哈 | Xarh | 伤 |
| 希拉哈达 | Xar Had | 黄岩石 |
| 希拉哈达苏木 | Xar had Sum | 喇嘛庙名 |
| 希拉莫林庙 | Xarmŏrn Sum | 喇嘛庙名 |
| 希拉莫日高勒 | Xarmŏrn Gôl | 黄江(河) |
| 希拉莫日苏木 | Xarmŏrn Sum | 喇嘛庙名 |
| 希拉穆仁 | Xarmŏrn | 黄江(河) |
| 希拉绍荣 | Xar Xôrông | 黄色尖峰 |
| 希兰哈达 | Xar Had | 黄岩石 |
| 希乐图 | Xreet | 平顶山 |
| 希勒 | Xree | 平顶山 |
| 希勒河(蒙汉) | Xbee'nei Gôl | 牛蒡河 |

| 希勒吾素 | | Xree Ûs | 台地水 |
|---|---|---|---|
| 希纳布拉格 | | X'n Bûlg | 新泉子 |
| 希纳呼都格 | | X'n Hûdg | 新井子 |
| 希讷郭勒 | | X'n Gôl | 新河 |
| 希讷乌素 | | X'n Ûs | 新水 |
| 希尼布拉格 | | X'n Bûlg | 新泉子 |
| 希尼淖尔 | | X'n Nûûr | 新海子 |
| 希尼吾素 | | X'n Ûs | 新水 |
| 希热 | | Xree | 台地 |
| 希热阿仁呼都嘎 | | Xree ariin Hûdg | 平顶梁后井 |
| 希热德日苏 | | Xree Drs | 台地芨芨 |
| 希热塔布嘎 | | Xree Tabg | 台地圪埮 |
| 希热图哈日敖包 | | Xreet har Ôbôô | 台地黑敖包 |
| 希热音阿木吾素 | | Xreegiin amn Ûs | 台地口子水 |
| 希日布拉嘎 | | Xar Bûlg | 黄水泉 |
| 希日查布 | | Xar Qab | 黄色山缝 |
| 希日朝鲁 | | Xar Qûlûû | 黄石头 |
| 希日朝鲁苏木 | | Xar qûlûûn Sum | 喇嘛庙名 |
| 希日楚鲁 | | Xar Qûlûû | 黄石头 |
| 希日鄂日格 | | Xar Erg | 黄土岗 |
| 希日嘎 | | Xarg | 黄骝马 |
| 希日嘎沁 | | Xargqn | 母黄羊 |
| 希日格呼都格 | | Xree Hûdg | 台地井 |
| 希日格廷淖日 | | Xreetiin Nûûr | 平顶山海子 |
| 希日哈达 | | Xar Had | 黄岩石 |
| 希日哈达音高勒 | | Xar hadiin Gôl | 黄岩石河 |
| 希日哈达音贡 | | Xar hadiin Gun | 黄岩石深处 |
| 希日海 | | Xarhai | 淡黄色 |

| 希日好来淖日 | | Xar hôôlôiin Nûûr | 黄山谷海子 |
|---|---|---|---|
| 希日浩来 | | Xar Hôôlôi | 黄山谷 |
| 希日呼 | | Xarhuu | 人名 |
| 希日呼泊 | | Xar Hŏbee | 黄沿边 |
| 希日呼都格 | | Xar Hûdg | 黄井 |
| 希日呼恩地 | | Xar Hŏndei | 黄山涧 |
| 希日花 | | Xar Hûa | 黄山丘 |
| 希日吉鲁格 | | Xar Julg | 黄草坪 |
| 希日勒吉图音包其 | | Xarljtiin Bûûq | 黄蒿营子 |
| 希日穆仁 | | Xarmŏrn | 黄江(河) |
| 希日脑海图 | | Xar Nôhôit | 黄狗地 |
| 希日脑亥图 | | Xar Nôhôit | 黄狗地 |
| 希日淖尔 | | Xar Nûûr | 黄海子 |
| 希日善德 | | Xar Xangd | 黄湿地 |
| 希日塔拉 | | Xar Tal | 黄土滩 |
| 希日陶海 | | Xar Tôhôi | 黄土湾 |
| 希日陶勒盖 | | Xar Tôlgai | 黄山头 |
| 希日廷呼都格 | | Xreetiin Hûdg | 台地井 |
| 希日图 | | Xreegt | 胡草滩 |
| 希日推日么 | | Xar Tôôrim | 黄洼地 |
| 希日音高勒 | | Xariin Gôl | 黄地河 |
| 希日音约饶勒 | | Xariin Yrôôl | 黄土底子 |
| 希日扎格 | | Xar Jag | 黄梭梭 |
| 希荣 | | Xuruun | 猛烈 |
| 希腾海 | | Xatnghai | 烧焦物 |
| 希腾亥 | | Xatnghai | 烧焦物 |
| 昔尼乌素 | | X'n Ûs | 新水 |
| 锡布格 | | Xubg | 锥子 |

| 锡喇哈达 | | Xar Had | 黄岩 |
|---|---|---|---|
| 锡喇穆楞 | | Xar Mǒrn | 黄江 |
| 锡勒 | | Xree | 台地 |
| 锡勒 | | Xl | 山梁 |
| 锡力化 | | Xliin Hûa | 山梁 |
| 锡连敖包 | | Xliin Ôbôô | 山梁敖包 |
| 锡林浩大嘎 | | Xliin Hûdg | 梁上井 |
| 锡林呼都嘎 | | Xliin Hûdg | 梁上井 |
| 锡林努如 | | Xliin Nûrûû | 山脊梁 |
| 锡林努图克 | | Xliin Nûtg | 梁上牧场 |
| 锡林其日格 | | Xliin Qarg | 梁上防火道 |
| 锡林陶来 | | Xliin Tôôrôi | 梁上胡杨 |
| 锡林陶来音布拉格 | | Xliin tôôrôiin Bûlg | 梁上胡杨泉 |
| 锡林乌素 | | Xliin Ûs | 梁上泉水 |
| 锡尼 | | X'n | 新 |
| 锡尼板升 | | X'n Baixng | 新房子 |
| 锡尼乌素 | | X'n Ûs | 新水 |
| 席边河 | | Xbeen Gôl | 牛蒡河 |
| 席边图 | | Xbeet | 牛蒡地 |
| 席片 | | Xbee | 栅栏 |
| 下达赖(汉蒙) | | Dôôr Dalai | 下海子 |
| 下毫庆苏木(汉蒙) | | Dôôr hûûqn Sum | 下旧庙 |
| 下金土(汉蒙) | | Dôôr Xaajngt | 下陶瓷地 |
| 下喇嘛盖(汉蒙) | | Dôôr Lambgai | 下喇嘛师傅 |
| 下麻屯(汉藏蒙) | | Dôôr nimaagiin Ail | 人名(尼玛含义太阳)下营子 |
| 下脑包(汉蒙) | | Dôôr Ôbôô | 下敖包 |
| 下脑亥(汉蒙) | | Dôôr Nôhôi | 下狗营子 |

| 下热他拉(汉蒙) | ᠳᠣᠣᠷᠠᠨ ᠱᠠᠷ᠎ᠠ ᠲᠠᠯ᠎ᠠ | Dôôr xar Tal | 下黄滩 |
| 下色拉营(汉蒙) | ᠳᠣᠣᠷᠠᠨ ᠰᠠᠯᠠᠭᠠ ᠠᠢᠯ | Dôôr salaa Ail | 下岔口营子 |
| 下铁沙盖(汉蒙) | ᠳᠣᠣᠷᠠᠨ ᠲᠡᠰᠡᠭ | Dôôr Tsg | 下优若藜(植物名) |
| 下勿兰忽洞(汉蒙) | ᠳᠣᠣᠷᠠᠨ ᠤᠯᠠᠭᠠᠨ ᠬᠤᠳᠳᠤᠭ | Dôôr ûlaan Hûdg | 下红井子 |
| 夏巴尔扎得盖 | ᠱᠠᠪᠠᠷ ᠵᠠᠳᠠᠭᠠᠢ | Xabar Jadgai | 泥泞敞地 |
| 夏布嘎 | ᠱᠠᠪᠠᠭ | Xabg | 油蒿 |
| 夏布格 | ᠱᠠᠪᠠᠭ | Xabg | 油蒿 |
| 夏拉呼里 | ᠱᠠᠷ᠎ᠠ ᠬᠦᠯ | Xar Hǒl | 黄山脚 |
| 夏那嘎 | ᠱᠠᠨᠠᠭ᠎ᠠ | Xa'ng | 勺子 |
| 夏日查布 | ᠱᠠᠷ᠎ᠠ ᠴᠠᠪ | Xar Qab | 黄山缝 |
| 夏日达郎 | ᠱᠠᠷ᠎ᠠ ᠳᠠᠯᠠᠩ | Xar Dalang | 黄堤坝 |
| 夏日嘎勒吉 | ᠱᠠᠷᠠᠭᠠᠯᠵᠢ | Xarglj | 蒿草 |
| 夏日高勒 | ᠱᠠᠷ᠎ᠠ ᠭᠣᠣᠯ | Xar Gôl | 黄水河 |
| 夏日哈达 | ᠱᠠᠷ᠎ᠠ ᠬᠠᠳᠠ | Xar Had | 黄岩石 |
| 夏日呼都格 | ᠱᠠᠷ᠎ᠠ ᠬᠤᠳᠳᠤᠭ | Xar Hûdg | 黄水井 |
| 夏日花 | ᠱᠠᠷ᠎ᠠ ᠬᠤᠸᠠ | Xar Hûa | 黄山丘 |
| 相特 | ᠱᠣᠩᠲᠤ | Xôngt | 桩子地 |
| 肖崩陶勒盖 | ᠱᠣᠪᠣᠩ ᠲᠣᠯᠤᠭᠠᠢ | Xôbông Tôlgai | 尖山头 |
| 硝特(汉蒙) | ᠱᠤᠤᠲᠤ | Xûût | 盐碱地 |
| 小袄兑(汉蒙) | ᠪᠠᠭ᠎ᠠ ᠨᠠᠭᠤᠷᠲᠤ | Bag Nûûrt | 小海子地 |
| 小把什(汉蒙) | ᠪᠠᠭ᠎ᠠ ᠪᠠᠶᠢᠱᠢᠩ | Bag Baixng | 小房子 |
| 小板申气(汉蒙) | ᠪᠠᠭ᠎ᠠ ᠪᠠᠶᠢᠱᠢᠩᠴᠢ | Bag Baixngq | 小瓦匠 |
| 小板召营(汉蒙) | ᠪᠠᠭ᠎ᠠ ᠪᠠᠶᠢᠱᠢᠩ ᠵᠤᠤ ᠠᠢᠯ | Bag baixng jûû Ail | 小房召营子 |
| 小宝力图(汉蒙) | ᠪᠠᠭ᠎ᠠ ᠪᠦᠯᠲᠦ | Bag Bûlt | 小碌碡地 |
| 小并气 | | | 待考 |
| 小布盖齐(汉蒙) | ᠪᠠᠭ᠎ᠠ ᠪᠦᠬᠡᠴᠢ | Bag Bǒhq | 小摔跤手 |
| 小布谷(汉蒙) | ᠪᠠᠭ᠎ᠠ ᠰᠤᠪᠠᠭ | Bag Sûbg | 小水渠 |
| 小公乌素(汉蒙) | ᠪᠠᠭ᠎ᠠ ᠭᠦᠨ ᠤᠰᠤ | Bag gun Ûs | 小深水滩 |

| 汉语名 | 蒙文 | 拼音 | 释义 |
|---|---|---|---|
| 小孩子音沃博勒者(汉蒙) |  | Xiao Hai zhiin ŏbŏljee | 依人名命名的冬营盘 |
| 小坤兑(汉蒙) |  | Bag Hŏndei | 小膛地 |
| 小脑包(汉蒙) |  | Bag Ôbôô | 小敖包 |
| 小诺尔图(汉蒙) |  | Bag Nûûrt | 小海子地 |
| 小日布格音吾素(汉蒙) |  | Bag Xôrbgiin Ûs | 小咸水泡子 |
| 小苏吉(汉蒙) |  | Xiao Suuj | 小山坐 |
| 小塔寺(汉蒙) |  | Bag Tasrhaī | 断隔的 |
| 小文公(汉蒙) |  | Bag Ônggôn | 小墓地 |
| 小窝图(汉蒙) |  | Bag Xûbûût | 小鸟地 |
| 小乌尼(汉蒙) |  | Bag Û'ni | 小椽子 |
| 协力气 |  | Xreeq | 制桌子的人 |
| 新巴彦布拉克 |  | Baynbûlg | 富泉 |
| 新宝力格 |  | X'nbûlg | 新泉 |
| 新德利 |  | Sôndûûla | 低湿地 |
| 新呼都格 |  | X'n Hûdg | 新井 |
| 新呼热 |  | X'n Huree | 新圐圙 |
| 新圐圙 |  | X'n Huree | 新圐圙 |
| 新纳浩饶 |  | X'n Hôrôô | 新围圈 |
| 新纳呼都格 |  | X'n Hûdg | 新井 |
| 新尼淖尔 |  | X'n Nûûr | 新海子 |
| 新尼乌素 |  | X'n Ûs | 新水 |
| 新什地 |  | X'nqûûd | 新来者 |
| 新乌素 |  | X'n Ûs | 新水 |
| 新乌素音阿德格 |  | X'n ûsiin Adg | 新水尽头 |
| 新吾素 |  | X'n Ûs | 新水 |
| 兴安 |  | Hingga | 鼻梁骨 |
| 兴嘎 |  | Hinggn | 鼻梁骨 |
| 宿德 |  | Xud | 牙 |

| 宿黑蟆 | ᠱᠷᠮᠨ | Xrmn | 淡黄色 |
|---|---|---|---|
| 宿尼板申 | | X'n Baixng | 新房子 |
| 宿尼板升 | | X'n Baixng | 新房子 |
| 宿泥不浪 | | X'nbûlg | 新泉 |
| 蓿荄沟 | | Sûhai Gôl | 红柳河 |
| 蓿亥 | | Sûhai | 红柳 |
| 蓿尼板 | | X'n Baixng | 新房子 |
| 玄梁忽洞 | | Xliin Hûdg | 山梁井 |
| 鸦圪台 | | Yargait | 黑果枸子地 |
| 牙代营 | | Yadai Ail | 人名　营子 |
| 牙日哈图 | | Yargûit | 白头翁地 |
| 牙图 | | Yatg | 沙半鸡 |
| 牙逊哈沙图 | | Yasn Haxaat | 骨圈 |
| 雅达牧 | | Yadmg | 贫穷 |
| 雅达暮 | | Yadmg | 贫穷 |
| 雅干额日格 | | Yagaan Erg | 粉色土岗 |
| 雅日盖 | | Yargai | 黑果枸子 |
| 雅斯图 | | Yast | 骨头地 |
| 杨登沟 | | Yôndôn Gûû | 人名(含义学识)沟 |
| 杨纳森 | | Yang Nasn | 人名 |
| 杨斯音苏莫 | | Yangsiin Sum | 喇嘛庙名 |
| 养大库连(藏蒙) | | Yôndn Huree | 人名(含义学识)圈圐 |
| 夭闹口子 | | Ô'niin Am | 豁口子 |
| 野马 | | Yamaa | 山羊 |
| 野马图 | | Yamaat | 山羊地 |
| 业老图 | | Yôlt | 狗鹫地 |
| 叶坝沟 | | Ybe Gôl | 涌水河 |
| 叶带 | | Yadai | 人名 |

| 伊勃勒 | ᠢᠪᠡᠯ | Ybeel | 恩佑 |
|---|---|---|---|
| 伊德 | ᠢᠳ | Yd | 力气 |
| 伊德木 | ᠢᠳᠮ | Ydm | 无名指 |
| 伊尔盖图 | ᠢᠷᠭᠠᠢᠲᠤ | YArgûit | 白头翁地 |
| 伊尔莫格 | ᠢᠷᠮᠡᠭ | Yrmg | 边沿 |
| 伊和敖包 | ᠶᠡᠬᠡ ᠣᠪᠣᠭ | Yh Ôbôô | 大敖包 |
| 伊和敖恩更 | ᠶᠡᠬᠡ ᠣᠩᠭᠣᠨ | Yh Ônggôn | 大墓 |
| 伊和敖日其格 | ᠶᠡᠬᠡ ᠣᠷᠵᠢᠭ | Yh Ôôrqg | 大孤山 |
| 伊和波日 | ᠶᠡᠬᠡ ᠪᠥᠭᠡᠷ | Yh Bôôr | 大腰子(肾) |
| 伊和布格太 | ᠶᠡᠬᠡ ᠪᠥᠭᠡᠲᠡᠢ | Yh Bôôtei | 有大萨满 |
| 伊和高勒 | ᠶᠡᠬᠡ ᠭᠣᠣᠯ | Yh Gôl | 大河 |
| 伊和古特勒 | ᠶᠡᠬᠡ ᠬᠥᠲᠡᠯ | Yh Hôtl | 大坡 |
| 伊和哈尔淖尔 | ᠶᠡᠬᠡ ᠬᠠᠷ ᠨᠠᠭᠤᠷ | Yh har Nûûr | 大黑海子 |
| 伊和哈日扎 | ᠶᠡᠬᠡ ᠬᠠᠷᠵᠠ(ᠬᠠᠷᠵᠠ) | Yh Harj | 河流不冻之处 |
| 伊和浩来 | ᠶᠡᠬᠡ ᠬᠥᠨᠳᠡᠢ | Yh Hôôlôi | 大山谷 |
| 伊和黑 | ᠶᠡᠬᠡ ᠬᠡᠢ | Yh Hei | 大气层 |
| 伊和淖尔 | ᠶᠡᠬᠡ ᠨᠠᠭᠤᠷ | Yh Nûûr | 大海子 |
| 伊和日 | ᠶᠡᠬᠡᠷ | Yhr | 孪生 |
| 伊和日敖包 | ᠶᠡᠬᠡᠷ ᠣᠪᠣᠭ | Yhr Ôbôô | 双敖包 |
| 伊和日哈点 | ᠶᠡᠬᠡᠷ ᠬᠠᠳ | Yhr Had | 双岩石 |
| 伊和日音阿日 | ᠶᠡᠬᠡᠷ ᠤᠨ ᠠᠷ | Yhriin Ar | 双山背 |
| 伊和陶勒盖 | ᠶᠡᠬᠡ ᠲᠣᠯᠣᠭᠠᠢ | Yh Tôlgai | 大山头 |
| 伊和图门 | ᠶᠡᠬᠡ ᠲᠦᠮᠡᠨ | Yh Tumn | 大万户 |
| 伊和沃博勒卓 | ᠶᠡᠬᠡ ᠥᠪᠥᠯᠵᠡᠨ | Yh ôbôljee | 大冬营盘 |
| 伊和乌兰乌拉 | ᠶᠡᠬᠡ ᠤᠯᠠᠭᠠᠨ ᠠᠭᠤᠯᠠ | Yh ûlaan Ûûl | 大红山 |
| 伊和乌日其格 | ᠶᠡᠬᠡ ᠣᠷᠵᠢᠭ | Yh Ôôrqg | 大孤山 |
| 伊和吾素 | ᠶᠡᠬᠡ ᠤᠰᠤ | Yh Ûs | 大水 |
| 伊拉勒特 | ᠢᠯᠠᠯᠲᠠ | Yallt | 胜利 |

| 伊拉勒廷呼都嘎 | | Yalltiin Hûdg | 胜利井 |
| 伊勒 | | Yl | 明晰 |
| 伊里图 | | Ylit | 鹿羔 |
| 伊马图音查布 | | Ymaatiin Qab | 山羊膛子 |
| 伊日盖图 | | Yrgait | 枸子地 |
| 伊日木格 | | Yrmg | 边沿 |
| 伊森毛都 | | YUsn Môd | 九棵树 |
| 伊特格勒图 | | Ytglt | 信誉地 |
| 依和诺而 | | Yh Nûûr | 大海子 |
| 依核淖尔 | | Yh Nûûr | 大海子 |
| 依肯板 | | Yh Baixng | 大房子 |
| 依肯哈卜泉 | | Ehiin Habql | 源头山峡 |
| 以克 | | Ehi | 源头 |
| 以肯忽洞 | | Yh Hûdg | 大井 |
| 银赤老 | | YnggIin Qûlûû | 碾子石 |
| 英特 | | Yngt | 磨房地 |
| 英土 | | Yngt | 磨房地 |
| 营图 | | Yngt | 磨房地 |
| 优么音乌布勒哲 | | Yumiin ŏbŏljee | 人名(含义佛母)冬营盘 |
| 榆树淖 | | Ûd môdiin Nûûr | 柳树海子 |
| 雨施格气 | | Esgeiq | 毡匠 |
| 岳落沟 | | Yôliin Gûû | 狗鹫沟 |
| 云社堡 | | Yungxybu | 蒙古部落名称 |
| 栽生 | | Jaisng | 旧官职 |
| 栽生沟 | | Jaisng Gûû | 栽生(旧官职)沟 |
| 泽落沟 | | Qûlûûn Gûû | 石头沟 |
| 扎巴太沟 | | Jabrtai Gûû | 灌风沟 |
| 扎布 | | Jab | 山谷口 |

| 扎达盖 | ᠵᠠᠳᠠᠭᠠᠢ | Jadgai | 敞开的 |
| 扎达盖高勒 | ᠵᠠᠳᠠᠭᠠᠢ ᠭᠣᠣᠯ | Jadgai Gôl | 敞河 |
| 扎尔嘎郎图音高勒 | ᠵᠢᠷᠭᠠᠯᠠᠩᠲᠤ ᠶᠢᠨ ᠭᠣᠣᠯ | Jarglangtiin Gôl | 幸福河 |
| 扎干图 | ᠵᠠᠭᠠᠨᠲᠤ | Jaa'nt | 大象地 |
| 扎格拉格敖包 | ᠵᠠᠭᠠᠯᠠᠭ ᠣᠪᠣᠭ᠎ᠠ | Jaaglh Ôbôô | 分界敖包 |
| 扎格乌素 | ᠵᠠᠭ ᠤᠰᠤ | Jag Ûs | 梭梭水 |
| 扎格音呼都格 | ᠵᠠᠭ ᠤᠨ ᠬᠤᠳᠳᠤᠭ | Jagiin Hûdg | 梭梭井 |
| 扎更忽桶图 | ᠵᠠᠭ ᠤᠨ ᠬᠤᠳᠳᠤᠭᠲᠤ | Jagiin Hûdgt | 梭梭井地 |
| 扎哈苏台 | ᠵᠠᠭᠠᠰᠤᠲᠠᠢ | Jagastai | 有鱼 |
| 扎哈陶勒盖 | ᠵᠠᠬ᠎ᠠ ᠲᠣᠯᠣᠭᠠᠢ | Jah Tôlgai | 边缘山头 |
| 扎海音滚 | ᠵᠠᠬ᠎ᠠ ᠶᠢᠨ ᠭᠦᠨ | Jahiin Gun | 边缘深处 |
| 扎黑吾素 | ᠵᠠᠬ᠎ᠠ ᠶᠢᠨ ᠤᠰᠤ | Jahiin Ûs | 边缘水 |
| 扎很乌素 | ᠵᠠᠬ᠎ᠠ ᠶᠢᠨ ᠤᠰᠤ | Jahiin Ûs | 边缘水 |
| 扎吉古日 | ᠵᠠᠵᠢᠭᠤᠷ | Jajûûr | 内腮 |
| 扎拉 | ᠵᠠᠷᠠᠭ᠎ᠠ | Jaraa | 刺猬 |
| 扎拉嘎 | ᠵᠢᠯᠠᠭ᠎ᠠ | Jalg | 山涧 |
| 扎拉图 | ᠵᠢᠯᠠᠭᠠᠲᠤ | Jalaat | 缨穗地 |
| 扎兰板升 | ᠵᠠᠯᠠᠨ ᠪᠠᠢᠰᠢᠩ | Jaln Baixng | 参领(旧官职)房 |
| 扎兰果勒 | ᠵᠠᠯᠠᠨ ᠭᠣᠣᠯ | Jaln Gôl | 参领(旧官职)河 |
| 扎兰沙拉乌苏 | ᠵᠠᠯᠠᠨ ᠰᠢᠷ᠎ᠠ ᠤᠰᠤ | Jala xar Ûs | 参领(旧官职)黄海子 |
| 扎鲁特 | ᠵᠠᠷᠠᠭᠤᠳ | Jarûûd | 部落名 旗名 * |
| 扎玛音好来 | ᠵᠠᠮ᠎ᠠ ᠶᠢᠨ ᠬᠣᠭᠣᠯᠠᠢ | Jamiin Hôôlôi | 路边山谷 |
| 扎玛音呼都格 | ᠵᠠᠮ᠎ᠠ ᠶᠢᠨ ᠬᠤᠳᠳᠤᠭ | Jamiin Hûdg | 路旁井 |
| 扎玛音绍仁 | ᠵᠠᠮ᠎ᠠ ᠶᠢᠨ ᠰᠢᠷᠣᠩ | Jamiin Xôrông | 路边尖峰 |
| 扎玛音乌布勒哲 | ᠵᠠᠮ᠎ᠠ ᠶᠢᠨ ᠡᠪᠦᠯᠵᠢᠶ᠎ᠡ | Jamiin ǒbǒljee | 路边冬营盘 |
| 扎玛音下巴太浩也日敖包 | ᠵᠠᠮ᠎ᠠ ᠶᠢᠨ ᠰᠢᠪᠠᠭᠲᠠᠢ ᠬᠣᠶᠠᠷ ᠣᠪᠣᠭ᠎ᠠ | Jamiin xabgtai hôyr Ôbôô | 路边蒿草地两座敖包 |
| 扎敏沃日腾 | ᠵᠠᠮ᠎ᠠ ᠶᠢᠨ ᠣᠷᠳᠤᠨ | Jamiin Ôrdn | 路边宫殿 |
| 扎木图 | ᠵᠠᠮᠲᠤ | Jamt | 有路 |

| 扎木音吉尔嘎郎 | ᠵᠠᠮ ᠤᠨ ᠵᠢᠷᠭᠠᠯᠠᠩ | Jamiin Jarglang | 路途幸福 |
|---|---|---|---|
| 扎木音吉尔嘎郎图 | ᠵᠠᠮ ᠤᠨ ᠵᠢᠷᠭᠠᠯᠠᠩᠲᠤ | Jamiin Jargalangt | 路途幸福地 |
| 扎木音淖尔 | ᠵᠠᠮ ᠤᠨ ᠨᠠᠭᠤᠷ | Jamiin Nûûr | 路边海子 |
| 扎木音陶拉盖呼都格 | ᠵᠠᠮ ᠤᠨ ᠲᠣᠯᠣᠭᠠᠢ ᠬᠤᠳᠳᠤᠭ | Jamiin tôlgai Hûdg | 路端井 |
| 扎木音陶勒盖音呼都格 | ᠵᠠᠮ ᠤᠨ ᠲᠣᠯᠣᠭᠠᠢ ᠶᠢᠨ ᠬᠤᠳᠳᠤᠭ | Jamiin tôlgaiin Hûdg | 路端井 |
| 扎木音吾素 | ᠵᠠᠮ ᠤᠨ ᠤᠰᠤ | Jamiin Ûs | 路旁水 |
| 扎南呼舒 | ᠵᠠᠭᠠᠨ ᠤ ᠬᠤᠰᠢᠭᠤ | Jaa'nai Hûxûû | 象嘴山 |
| 扎然善德 | ᠵᠠᠷᠠᠨ ᠱᠠᠩᠳᠠ | Jarn Xangd | 湿地海子 |
| 扎仁呼来 | ᠵᠠᠷᠠᠨ ᠬᠥᠭᠡᠯᠡᠢ | Jarn Hôôlôi | 湿地山谷 |
| 栅梢圐圙(汉蒙) | ᠱᠠᠭᠠᠤ ᠬᠦᠷᠢᠶ᠎ᠡ | Zha Shao Huree | 栅梢圐圙 |
| 斋日玛格 | ᠵᠠᠢᠷᠮᠠᠭ | Jairmg | 冰花 |
| 张毛忽洞 | ᠵᠠᠮ ᠤᠨ ᠬᠤᠳᠳᠤᠭ | Jamiin Hûdg | 路旁井 |
| 张毛旭利 | ᠵᠠᠮ ᠤᠨ ᠬᠦᠷᠢᠶ᠎ᠡ | Jamiin Xree | 路边台地 |
| 张木乌素 | ᠵᠠᠮ ᠤᠨ ᠤᠰᠤ | Jamiin Ûs | 路旁水 |
| 张中库连(汉蒙) | ᠵᠢᠶᠠᠩ ᠵᠦᠨ ᠬᠦᠷᠢᠶ᠎ᠡ | Jiang jûn Huree | 将军圐圙 |
| 章盖沟 | ᠵᠠᠩᠭᠢ ᠶᠢᠨ ᠭᠤᠤ | Janggiin Gûû | 章盖(旧官职)沟 |
| 章盖忽通图 | ᠵᠠᠩᠭᠢ ᠶᠢᠨ ᠬᠤᠲᠤᠭᠲᠤ | Janggiin Hûdûgt | 章盖(旧官职)活佛 |
| 章盖太 | ᠵᠠᠩᠭᠤᠲᠠᠢ | Jangûûtai | 有苍耳 |
| 章盖营子(蒙汉) | ᠵᠠᠩᠭᠢ ᠠᠢᠯ | Janggi Ail | 章盖(旧官职)营子 |
| 章古图 | ᠵᠠᠩᠭᠤᠲᠤ | Janggûût | 苍耳地 |
| 章京营子(汉蒙) | ᠵᠠᠩᠭᠢ ᠶᠢᠨ ᠠᠢᠯ | Janggiin Ail | 章盖(旧官职)营子 |
| 章毛勿素 | ᠵᠠᠮ ᠤᠨ ᠤᠰᠤ | Jamiin Ûs | 路旁水 |
| 掌不树梁(蒙汉) | ᠵᠠᠪᠰᠠᠷ ᠳᠠᠪᠠᠭ᠎ᠠ | Jabsr Dabaa | 山间坝 |
| 昭底 | ᠰᠠᠩ ᠤᠨ ᠲᠣᠬᠣᠢ | Sanggiin Tôhôi | 仓湾 |
| 昭化 | ᠵᠤᠤᠬ᠎ᠠ | Jûûh | 灶 |
| 昭饶 | ᠵᠢᠷᠤᠭ᠎ᠠ | Jôrôô | 大走(马步) |
| 昭乌达 | ᠵᠠᠭᠤ ᠤᠳ | Jûû Ûd | 百柳 |
| 沼潭 | ᠵᠤᠤ ᠶᠢᠨ ᠲᠠᠯ | Jôôgiin Tal | 坨子滩 |

| 召上 | Jôô Deer | 坨子上 |
|---|---|---|
| 召苏 | Jôôs | 钱 |
| 哲里木 | Jirim | 马鞍肚带 |
| 哲日根台 | Jeergntei | 麻黄地 |
| 哲日根图音查干敖包 | Jeergntiin qagaan Ôbôô | 麻黄地白敖包 |
| 正刀不盖(汉蒙) | Zheng Darbgai | 郑(姓)开阔地 |
| 中卜圪素(汉蒙) | Dûmd Bûrgaas | 中柳 |
| 中不浪(汉蒙) | Dûmd Bûlg | 中泉 |
| 中厂沁(汉蒙) | Dûmd Qaqr | 中大帐篷 |
| 中圪太 | Janggûûtai | 有苍耳 |
| 中格尔井 | Jnggr Hûdg | 红嘴鸟井 |
| 中哈达(汉蒙) | Dûmd Had | 中岩 |
| 中呼都克(汉蒙) | Dûmd Hûdg | 中井 |
| 中坤兑(汉蒙) | Dûmd Hŏndei | 中山谷 |
| 钟图 | Jangûût | 苍耳地 |
| 朱尔圪代 | Jûrgtai | 有画 |
| 朱尔圪岱 | Jûrgtai | 有画 |
| 朱尔圪沁 | Jûrgqin | 画家 |
| 朱尔格岱 | Jûrgaadai | 六岁 |
| 朱尔沟 | Jurhiin Gûû | 心状山沟 |
| 朱尔克 | Jurhiin Gûû | 心状山 |
| 朱根岱 | Julgtei | 有草坪 |
| 朱拉沟 | Jalgiin Gôl | 山谷河 |
| 朱日查 | | 待考 |
| 朱日和 | Jurh | 心脏 |
| 朱日和音呼舒 | Jurhiin Hûxûû | 心形山嘴 |
| 朱升拉 | | 待考 |
| 朱斯木勒 | Jûsml | 夏营地 |

| 汉译 | 蒙文 | 拉丁转写 | 释义 |
|---|---|---|---|
| 珠尔汗白彦 | | Jûrgaan Bayn | 六富 |
| 珠给 | | Jugei | 蜜蜂 |
| 珠拉沁 | | Jûrgin | 画匠 |
| 珠勒格布日嘎素 | | Julg Bûrgaas | 草坪柳条 |
| 珠勒格太 | | Julgtei | 有草坪 |
| 珠勒特 | | Jôlt | 幸运地 |
| 珠莫太 | | Jûrmt | 义士 |
| 珠日海 | | Jûrhai | 易术　卦卜 |
| 珠日和 | | Jurh | 心脏形山 |
| 珠斯郎 | | Jûslng | 夏营盘 |
| 珠斯玛勒 | | Jûsmal | 夏营地 |
| 珠苏音古尔班敖包 | | Jusiin gûrbn Ôbôô | 貌异的三座敖包 |
| 竹拉沁 | | Jûagqn | 画匠 |
| 主根岱 | | Julgtei | 有草坪 |
| 主谷太 | | Julgtei | 有草坪 |
| 主力汗白彦 | | Jûrgaan Bayn | 六富翁 |
| 祝拉沁 | | Jûrgqn | 画家 |
| 祝拉庆 | | Jûrgqn | 画家 |
| 祝乐沁 | | Jûrgqn | 画家 |
| 祝乐庆 | | Jûrgqn | 画家 |
| 转达沟 | | Jûngd Gûû | 转达(旧时官职)沟 |
| 准阿达嘎 | | Juun Adg | 东部尽头 |
| 准阿玛音乌素 | | Juun amiin Ûs | 东口子水 |
| 准敖包图 | | Juun Ôbôôt | 东敖包地 |
| 准敖日格乎 | | Juun Ôrgih | 东喷涌 |
| 准敖日很 | | Juun Ôrhôn | 东栖息 |
| 准包格代 | | Juun Bôgtai | 东鹿地 |
| 准补力格 | | Juun Bûlg | 东泉 |

| 准查干浩热图 | ᠵᠡᠭᠦᠨ ᠴᠠᠭᠠᠨ ᠬᠦᠷᠢᠶᠡᠲᠦ | Juun qagaan Hôrôôt | 东白围圈地 |
|---|---|---|---|
| 准查干呼都格 | ᠵᠡᠭᠦᠨ ᠴᠠᠭᠠᠨ ᠬᠤᠳᠳᠤᠭ | Juun qagaan Hûdg | 东白井 |
| 准查干尚德 | ᠵᠡᠭᠦᠨ ᠴᠠᠭᠠᠨ ᠱᠠᠩᠳᠠ | Juun qagaan Xangd | 东白色湿地 |
| 准朝海 | ᠵᠡᠭᠦᠨ ᠴᠣᠬᠠᠢ | Juun Qôhôi | 东石灰 |
| 准额和 | ᠵᠡᠭᠦᠨ ᠡᠬᠡ | Juun Ehi | 东源头 |
| 准额日登呼舒 | ᠵᠡᠭᠦᠨ ᠡᠷᠳᠡᠨᠢ ᠬᠤᠰᠢᠭᠤ | Juun Erd'ni Hûxûû | 东宝山头 |
| 准鄂黑 | ᠵᠡᠭᠦᠨ ᠡᠬᠡ | Juun Ehi | 东源头 |
| 准恩格哈布其拉 | ᠵᠡᠭᠦᠨ ᠡᠩᠭᠡᠷ ᠦᠨ ᠬᠠᠪᠴᠢᠯ | Juun enggriin Habql | 东坡峡 |
| 准嘎顺 | ᠵᠡᠭᠦᠨ ᠭᠠᠰᠢᠭᠤᠨ | Juun Gaxûûn | 东盐碱地 |
| 准贡 | ᠵᠡᠭᠦᠨ ᠭᠦᠨ | Juun Gun | 东深处 |
| 准贡呼都嘎 | ᠵᠡᠭᠦᠨ ᠭᠦᠨ ᠬᠤᠳᠳᠤᠭ | Juun gun Hûdg | 东深井 |
| 准滚呼都格 | ᠵᠡᠭᠦᠨ ᠭᠦᠨ ᠬᠤᠳᠳᠤᠭ | Juun gun Hûdg | 东深井 |
| 准哈达呼舒 | ᠵᠡᠭᠦᠨ ᠬᠠᠳᠠᠨ ᠬᠤᠰᠢᠭᠤ | Juun hadn Hûxûû | 东岩石山咀 |
| 准哈拉图 | ᠵᠡᠭᠦᠨ ᠬᠠᠷᠠᠭᠠᠲᠤ | Juun Haraat | 东视野地 |
| 准哈玛尔 | ᠵᠡᠭᠦᠨ ᠬᠠᠮᠠᠷ | Juun Hamr | 东梁 |
| 准海力木 | ᠵᠡᠭᠦᠨ ᠬᠠᠯᠢᠮ | Juun Halim | 东悬崖 |
| 准好来 | ᠵᠡᠭᠦᠨ ᠬᠣᠭᠣᠯᠠᠢ | Juun Hôôlôi | 东膛子 |
| 准浩来 | ᠵᠡᠭᠦᠨ ᠬᠣᠭᠣᠯᠠᠢ | Juun Hôôlôi | 东膛子 |
| 准呼吉尔 | ᠵᠡᠭᠦᠨ ᠬᠤᠵᠢᠷ | Juun Hûjr | 东碱滩 |
| 准忽吉日图 | ᠵᠡᠭᠦᠨ ᠬᠤᠵᠢᠷᠲᠤ | Juun Hûjrt | 东碱地 |
| 准玛尼图 | ᠵᠡᠭᠦᠨ ᠮᠠᠨᠢᠲᠤ | Juun Maa'nt | 东念珠地 |
| 准萨拉 | ᠵᠡᠭᠦᠨ ᠰᠠᠯᠠᠭ᠎ᠠ | Juun Salaa | 东岔口 |
| 准斯呼勒 | ᠵᠡᠭᠦᠨ ᠰᠢᠬᠤᠯ | Juun Sbhul | 东沼泽地 |
| 准苏 | ᠵᠡᠭᠦᠨ ᠰᠤᠤ | Juun Sûû | 东山腋 |
| 准索伦嘎 | ᠵᠡᠭᠦᠨ ᠰᠣᠯᠣᠩᠭ᠎ᠠ | Juun Sôlôngô | 东彩虹 |
| 准塔图日 | ᠵᠡᠭᠦᠨ ᠲᠠᠲᠠᠭᠤᠷ | Juun Tatûûr | 东防护堤 |
| 准推饶术 | ᠵᠡᠭᠦᠨ ᠲᠣᠭᠤᠷᠢᠮ | Juun Tôôrim | 东盆地 |
| 准乌布日吾素 | ᠵᠡᠭᠦᠨ ᠡᠪᠦᠷ ᠤᠰᠤ | Juun ôbôr Ûs | 东南水 |

| 准乌兰额热格 | ᠵᠡᠭᠦᠨ ᠤᠯᠠᠭᠠᠨ ᠡᠷᠭᠢ | Juun ûlaan Erg | 东红土岗 |
| 准乌兰呼都格 | ᠵᠡᠭᠦᠨ ᠤᠯᠠᠭᠠᠨ ᠬᠤᠳᠳᠤᠭ | Juun ûlaan Hûdg | 东红井 |
| 准希勒吾素 | ᠵᠡᠭᠦᠨ ᠰᠢᠷᠡᠭᠡ ᠤᠰᠤ | Juun xree Ûs | 东台地水 |
| 准希日哈达 | ᠵᠡᠭᠦᠨ ᠰᠢᠷᠠ ᠬᠠᠳᠠ | Juun xar Had | 东黄色岩石 |
| 准夏日勒吉 | ᠵᠡᠭᠦᠨ ᠰᠢᠷᠠᠯᠵᠢ | Juun Xarlj | 东黄蒿 |
| 卓伦 | ᠵᠦᠭᠡᠯᠡᠨ | Jŏŏlen | 松软 |
| 卓日海钦都宫 | ᠵᠢᠷᠤᠬᠠᠶᠢᠴᠢ ᠶᠢᠨ ᠳᠤᠭᠠᠩ | Jûrhaiqiin Dûgng | 历法殿(喇嘛教) |
| 卓素图 | ᠵᠤᠰᠤᠲᠤ | Jûst | 赭石沟 |
| 卓资山(蒙汉) | ᠵᠤᠰᠤᠲᠤ | Jûst | 夏营山 |

# 政区建制大事年表

## 旧石器时代

据考古发现，旧石器时代古人类就在乌兰察布地区繁衍生息。在今卓资县梨花镇孔兑沟，发现古人类建造的石器制造场 1 处；在今呼和浩特市东北郊保合少乡大窑村，发现古人类遗址 1 处，考古界称之为"大窑文化"；在今武川县原大青山乡二道洼村东北山梁，发现古人类采石场 1 处。

## 新石器时代

新石器时代，乌兰察布地区的主要山川、河流、湖泊附近大多有人类居住。在乌兰察布地区已发现的新石器时代遗址有 200 余处。

## 公元前 475—前 221 年

魏国在今包头市东北古城湾古城置稒阳邑，西汉改置稒阳县，东汉废。

△ 赵国在今呼和浩特市东南二十家子古城置原阳邑。

△ 赵武灵王在今凉城县六苏木镇双古城东南约 2 公里处置沃阳县，并修筑双古城，东汉末废，北魏复置，北齐又废。

## 约公元前 453 年

赵国在今兴和县张皋镇大同窑村南约 200 米处沙河沟地建延陵城（又称琦川城）。秦始皇时期在此置延陵县，属代郡，东汉末废。

## 公元前 352—前 298 年

在今山西省右玉县南置雁门郡，约公元 743 年（唐天宝二年）改代州为雁门郡，公元 758 年（唐乾元元年）又复改雁门郡为代州。辖境包括今乌兰察布地区东南部分地区。

△ 在今河北省蔚县置代郡，辖境包括今兴和县南部、察右前旗东部、丰镇市东北部。

## 公元前 307 年（赵武灵王十九年）

在今托县境东北古城村古城置云中郡，秦沿袭，新莽时期改称受降郡，东汉恢复原名。北魏道武帝拓跋珪在盛乐(今和林县土城子)置云中郡，后移治今托县东北古城，隋初废。公元 742—755 年（约唐天宝年间）曾一度改云州为云中郡，乾元元年（公元 758 年）又复为云州。

## 公元前 300 年以前

乌兰察布地区有危方、鬼方、猃狁、荤粥、翟、狄、昆夷、戎等游牧人群繁衍生息。
△ 乌兰察布地区是最早出现围墙和城郭的区域之一。新石器时代晚期后段，远古人群由"穴居野地，冬穴夏巢"发展到了筑屋定居，渐渐形成了聚落、村庄。

## 公元前 221—前 206 年

在今兴和县店子镇后河北岸南湾古城置且如县，亦作沮洳县，也称不拘城，东汉后期废于战乱。
△ 秦以战国时代云中城（今托县东北古城）置云中县，为云中郡治。新莽时期改称远服县，东汉恢复原名。建安中（公元 196—219 年），移治今山西省大同市一带。公元581 年(隋开皇元年)，杨坚以"云中"一名讳其父杨忠之名为由改云中县为云内县。
△ 秦时在今黄河北岸乌拉特前旗境置成平县，为九原郡治，秦末废后属地归匈奴。西汉元朔二年(前 127 年)，复置，并更名为五原县，为五原郡治。新莽时期，又改称成平县，东汉建安时废。隋开皇五年（公元 585 年），再置九原县。

## 公元前 214 年（秦始皇三十三年）

在今乌拉特前旗原哈业胡同乡三顶帐房村西置九原郡（一说在今包头市西麻池古城），秦末废。

## 约公元前 206 年（汉高祖元年）

在今和林县原公喇嘛乡古力半村置安陶县，属定襄郡。新莽时期改称迎符县。东汉末废。

　　△　在今和林县原黑老窑乡古城窑村置武进县，属定襄郡。新莽时期改称伐蛮县，东汉恢复原名。定襄郡移治后改属云中郡。东汉建安二十年(公元 215 年)废。

　　△　在今和林县盛乐镇土城村置盛乐县（也称成乐县或石卢城），属定襄郡。定襄郡移治后并入云中郡，东汉末废。

　　△　西汉初，在今卓资县梨花镇三道营南约 4 公里处的土城子村北置武要县；新莽时期改称厌胡县；东汉初废。

## 公元前206—前196 年

在今武川县（一说在今和林县塔布秃村）置武皋县，新莽时期改称固阴县，东汉废。

　　△　在今呼和浩特市赛罕区黄合少镇城墙村古城置定襄县（一说治今和林格尔县原公喇嘛乡），属定襄郡。新莽时期改称着武县。唐贞观十四年（公元 640 年），移治今山西省大同市北。

　　△　在今清水河县原小缸房乡城咀子山（一说在清水河县上城湾古城）置桐过县，属定襄郡。新莽时期改称椅桐县。定襄郡移治后并入云中郡，东汉末废。

　　△　匈奴占领地区分为左、中、右三部分，土默特平原、乌兰察布丘陵地带为其中部，匈奴最高政权——中部单于庭就设在后来的四子部落旗境内。

　　△　在今清水河县城北古城坡（一说在清水河县窑沟乡下城湾一带）置骆县，新莽时期改称遮要县，东汉末废。

　　△　在今清水河县县城北（一说在今和林县新店子乡榆林城）置武成县。新莽时期改称桓就县，东汉恢复原名。东汉建安二十年(公元 215 年)废。

## 约公元前206—前22 年

在今土默特右旗原苏波盖乡东老藏营村北置咸阳县。新莽时期改称贲武县，东汉恢复原名。东汉末废。

　　△　在今呼和浩特市东南置襄阴县，后废。

　　△　在今土默川平原置都武县，新莽时期改称通德县，东汉初废。

　　△　在今清水河县喇嘛湾镇缘胡山东南黄河东岸拐上村东山坡处置桢陵县，新莽时期改称桢陆县，约公元 40 年（东汉建武十六年）改置箕陵县。

　　△　在今凉城县岱海东南（一说在丰镇市）置疆阴县（也作强阴县），东汉末废。

　　△　在今乌拉山以南、黄河以北置五原县，新莽时期改称填河亭县，东汉建安时期废。

　　△　在今乌拉特前旗境黄河北岸故九原城西置成宜县，新莽时期改称艾虏县，东汉

末废。

　　△ 在今包头市麻池镇古城置临沃县。新莽时期改称振武县，东汉恢复原名。东汉末废。

　　△ 在今乌拉特前旗公庙沟口古城置西安阳县。新莽时期改称鄣安县，东汉恢复原名。东汉末废。

　　△ 在今乌拉特前旗境黄河北（一说在鄂尔多斯市东北榆树壕古城）置曼柏县，新莽时期改称延柏县，东汉复置。东汉末废。

　　△ 在今乌拉特前旗西小召镇东土城古城置广牧县，东汉末废。

　　△ 在今乌拉特前旗境置武都县，东汉末废。

　　△ 在今乌拉特前旗东南三顶帐房古城置宜梁县，属五原郡；东汉末废。

　　△ 在今卓资县境西北置武皋县，东汉废。

　　△ 在今乌拉特前旗境内置莫䵣县，属五原郡，东汉末废。

　　△ 在今乌拉特前旗东北乌梁素海东岸置河目县，属五原郡，东汉末废。

　　△ 在今乌拉特前旗、包头市至准格尔旗一带置浦泽县，属五原郡，后废。

　　△ 在今托县哈拉板申村西置常德县，属云中郡；新莽时期改称阳寿县；东汉初废。

　　△ 在今呼和浩特市东北大黑河西岸置陶陵（林）县，为云中郡东部都尉治，东汉末废。

　　△ 在今土默特右旗水涧沟门附近置犊和县（一说在今固阳县东南），东汉初废。

　　△ 在今呼和浩特市东南二十家子古城(一说八拜古城)置原阳县，属云中郡；东汉末废。

## 公元前 200 年(西汉高祖七年)

在今呼和浩特市东北塔布陀罗海古城（一说今卓资县西北三道营村）置武泉县，属云中郡。新莽时期改称顺泉县，东汉恢复原名。东汉末废。

## 公元前 196 年（西汉高祖十一年）

析云中郡东北部在今和林县西北土城子置定襄郡；新莽时期改称得降郡；东汉建武十年(公元 34 年)，移治今山西省右玉县南，并入云中郡；约东汉灵帝中平五年(188 年)废。公元 605 年（隋大业元年）在今和林县土城子古城再置定襄郡，隋末唐初废。

## 公元前 127 年（西汉元朔二年）

在今巴彦淖尔市磴口县西北原哈腾套海苏木驻地西南 4 公里处麻迷图庙古城(一说在今鄂尔多斯市杭锦旗东北什拉召附近)，以九原郡西部地域置朔方郡。新莽时期改称沟搜郡。同时，置朔方县，属朔方郡，为朔方郡治；新莽时改称武符县，东汉恢复原名；东汉末废。4世纪上半叶，后赵复置朔方县；4世纪下叶废。

△ 以原九原郡东部地域置五原郡。新莽时期改称获降郡，东汉恢复原名。东汉末废弃。隋大业三年（公元607年），改设在今河套地区的丰州为五原郡，隋末废。

### 公元前104年（西汉武帝太初元年）

在今乌拉特中旗原新呼热苏木置受降城。

### 公元前96年（西汉太始元年）

在今呼和浩特市区塔布陀罗海古城（一说在今武川县境）置北舆县，东汉末废。

### 约公元188年（东汉灵帝中平五年）

匈奴西部单于庭设在今乌拉特前旗。

### 公元219年（东汉建安二十四年）

在今兴和县民族团结乡土城子，拓跋力微兴建长川城。此后，长川城成为鲜卑拓跋部落大联盟的活动中心，也是北魏历代皇帝经常巡幸的战略要城。

### 公元235年（三国魏青龙三年）

鲜卑首领轲比能重新统一漠南地区，今乌兰察布地区归其所辖。

### 公元258年（三国魏甘露三年）

鲜卑拓跋力微部迁于定襄之盛乐（今和林县土城子古城）。

### 公元386年（北魏登国元年）

鲜卑族拓跋珪恢复代国政权，建立北魏王朝，定都今托克托县东北古城，后移都盛乐古城（今和林县土城子），公元398年又迁都平城（今山西大同市），隋初废。

### 公元386—534年（十六国北魏年间）

在今丰镇市境西饮马河上游置旋鸿县，属梁(凉)城郡，北齐年间(公元551—577年)废。

△ 在今清水河县北堡乡尖山村置尖山县，属朔州神武郡，后废。

△ 在今清水河县原杨家窑乡境内置树颓县，属朔州神武郡，后废。

△ 在今包头市西北置广宁郡，约北魏孝明帝孝昌二年(公元526年)废。

△ 在今凉城县岱海北7里处置梁（凉）城郡，北魏孝昌年间（公元525—527年）废。据考古，岱海西北岸榆树坡村一带的古城名曰梁城，"凉城"一名源于此。

△ 在今凉城县境西南置参合县，属梁(凉)城郡，北齐年间（公元551—577年）废。

△ 在今托县东北古城村置延民县，属云中郡，为云中郡治，后废。

△ 在今呼和浩特市北郊原攸攸板乡坝口子村筑白道城，因而，坝口子村一代称白道岭，今土默川时称白道川。

△ 在今兴和县西北后河源一带兴建牛川城。

△ 在今四子王旗乌兰花镇土城子古城置抚冥镇，为北魏六镇之一，北魏正光年间（公元530—523年）被起义军攻克。

### 公元400—600年（5—6世纪）

敕勒人（亦称丁零或高车）游牧于大青山以南土默特平原，因而，今土默特平原时称敕勒川。

### 公元424年（北魏始光元年）

在今和林县土城子（即盛乐园区）置朔州，公元585年（隋开皇五年）改置云州，不久废。

### 公元424—451年（北魏太武帝年间）

在今磴口县布隆淖东北巴拉亥附近置沃野镇（一说在五原县东北），为北魏六镇之一。北魏孝文帝太和十年（公元486年），镇戍官兵迁于西汉朔方县(今杭锦旗西北黄河南岸)；公元504年后，又移于今乌拉特前旗原苏独仑乡根场古城。"六镇起义"首先爆发于此；孝昌元年（公元525年），被起义军攻克；北周时期（公元557—581年）废。

△ 在今武川县西乌兰不浪东土城梁古城（一说在今武川县原二份子乡二份子古城）置武川镇，又名"黑城"，为北魏六镇之一；北魏正光五年（公元524年），被起义军攻克。

北魏武泰元年（公元 528 年），武川镇改为神武郡。

## 公元 432 年（北魏延和元年）

在今土默特右旗西、包头市东置石门县，属广宁郡；北魏孝昌二年(约公元526年)废。

△ 在今土默特左旗境内置中川县，属广宁郡，北魏孝昌年间（公元 525—527 年）废。北魏延和年间（公元 432—434 年），在今兴和县台基庙东北置柔玄镇，为北魏六镇之一；北魏正光年间（公元 520—524 年），被起义军攻克。

## 公元 433 年（北魏延和二年）

在今固阳县西南梅令山古城置怀朔镇（一说在今固阳县城关镇东北原百灵淖尔乡城库伦古城），原名"失载"，为北魏六镇之一，北魏孝昌元年（公元 525 年），被起义军攻克后改怀朔镇，置朔州，也称北朔州。

## 公元 551—579 年

在今和林县原大红城乡人民政府驻地东北约两公里处置紫河镇，后废。唐代再置紫河镇。

## 公元 552 年（西魏元钦元年）

突厥灭柔然，以漠北为中心建立突厥国，今乌兰察布地区北部区域属之。

## 公元 583 年（隋开皇三年）

在今和林县土城子古城置榆林总管府，后改为云州总管府。随大业元年（公元 605 年），改置定襄郡。隋末唐初废。

△ 在今托县县城北置阳寿县，隋开皇十八（公元 598）年更名为金河县，隋末废。唐天宝四年（公元 745 年），再置金河县，并移治今和林格尔县西北土城子，唐末废。契丹神册年间（公元 916—921 年），改金河县为振武县，金代改置振武镇。

## 公元 584 年（隋开皇四年）

在今土默特右旗境置油云县，属云州管辖，隋开皇二十年（公元 600 年）并入金河县。

## 公元 585 年（隋开皇五年）

在今河套地区升北周永丰镇置丰州，隋大业三年(公元 607 年)改为五原郡，后废。

## 公元 587 年（隋开皇七年）

在今兴和县城关镇南 25 公里处的白家营村东南 2.5 公里处置榆林城，后废。明宣德年间（1426—1435 年）复置榆林县，明正统年间（1436—1449 年）毁废。

## 公元 591 年（隋开皇十一年）

在今乌拉特前旗西小召镇境置安化县，属五原郡。

## 公元 605 年（隋大业元年）

在今和林县境西北土城子置大利县（一说在今清水河县境），属定襄郡，为定襄郡治。隋末废。

## 约公元 609 年（隋大业五年）

在今乌拉特前旗境东北乌梁素海东南岸阿拉奔古城筑大同城，唐代称"永济栅、永清栅"。

## 公元 618—907 年（唐代）

在今和林县土城子古城置云中都护府、单于都护府、安北都护府、云中都督府。

## 公元 630 年（唐贞观四年）

在今包头市区以西乌拉特前旗东，以突厥降户置丰州。唐天宝、至德年间(公元 742—757 年)，曾一度改为九原郡。唐乾元元年(公元 758 年)复为丰州。唐末以后地属党项。

## 公元 664 年（唐麟德元年）

在今乌拉特前旗境西北析永丰县置丰安县，唐天宝末年（公元 755 年）废。

## 公元 708 年（唐景龙二年）

在今托县西南置振武军，属关内道；唐天宝四年(公元 745 年)，移治金河县(今和林县西北土城子)；后又移治今山西省朔州市。

△ 在今乌拉特前旗境置阴山县。

△ 在乌兰察布地区筑中、东、西 3 座受降城。

## 公元 749 年（唐天宝八年）

在今乌拉特中旗西南、乌拉特后旗东南阴山南麓置横塞军，唐天宝十二年（公元 753 年）废。

## 公元 754 年（唐天宝十三年）

在今乌拉特前旗境东北乌梁素海东南岸阿拉奔古城北，古大同城东北 1.5 公里处置大安军；次年改名天德军；唐至德二年（公元 757 年），又改称镇北都护府；唐乾元元年（公元 758 年），移治西受降城（今乌拉特中旗西南乌加河北岸）。唐元和八年（公元 813 年），西受降城被河水冲毁后复治古大同城。现已淹没于乌梁素海。契丹神册五年（公元 920 年），改天德军为应天军，后迁到今呼和浩特市东郊保合少镇白塔村。

## 公元 907—937 年（契丹辽太祖、太宗年间）

在今托县县城东北西白塔古城置柔服县，为云内州治；约金代明昌元年（1190 年）废为镇。蒙古汗国至元四年（1267 年）归入云内州。

## 公元 960 年（辽应历十年）

在白塔村置丰州。金大定元年（1161 年），在白塔村再置丰州。蒙古汗国至元四年（1267 年）在白塔村又设丰州。因而大青山以南平原也称丰州滩或丰州川。明洪武六年（1373 年）9 月，废除丰州。明宣德元年（1426 年）复置，明正统中废。

## 公元 960—1132 年（北宋太祖建隆元年至绍兴二年）

在今清水河县原窑沟乡下城弯古城置宁边州镇西军，属西南招讨司，金代沿袭。金海陵王正隆三年（1158年），在此置宁边州、宁边县；蒙古汗国至元四年（1267年）并入武州和东胜州。

## 公元 916 年（契丹神册元年）

辽太祖率军亲征党项族，擒获了振武节度使李嗣本，将胜州城（黄河西岸十二连城）百姓强行迁移到黄河东岸，在今托县大皇城安置，并命名为东胜州。

△ 11月，在今托县县城东北白塔古城置代北云朔招讨司，约辽道宋清宁元年（1055年）升为云内州。金为西京路云内州。蒙古汗国至元四年（1267年）降为下州。明洪武三年（1370年）再设云内州，明洪武五年（1372年）废。

## 公元 960—1125 年（北宋建隆元年至宣和七年）

在今托县东北白塔古城置开远军和武兴军，由西南路招讨司统辖。

△ 在今呼和浩特市东白塔村西南五路村置富民县；金因之；蒙古汗国至元四年（1267年）废，入丰州。

△ 在今托县境置宁人县（又作宁仁县），金代废。

## 1019 年（辽圣宗开泰八年）

在今凉城县岱海东北麦胡图镇淤泥滩城卜子村置德州，治宣德县，金代废。

△ 在今凉城县岱海东北麦胡图镇淤泥滩城卜子村置宣德县；金大定八年（1168年），改名为宣宁；元代沿袭；明洪武二十六年（1393年）废，后改置宣德卫。

## 1038—1226 年（西夏年间）

西夏在今乌拉特中旗西南狼山隘口处置黑山威福军司。蒙古汗国太祖四年（1209年），改置兀剌海路；明初废。

## 1115 年（金太祖收国元年）

在今托县大黑河北岸置裕民县；金皇统元年（1141年），废为曷董馆；金大定二十九年（1189年），再置县，并更名为云川县，属云内州。蒙古太祖十六至二十二年（1221—1227年），废云川县，置录事司。蒙古汗国至元四年（1267年）撤销。

△ 金王朝初期，在今呼和浩特市郊设置宁化镇。

## 1115—1234 年（金代）

在今托县大荒城置东胜县，为东胜州治；蒙古至元四年（1267）年废。

## 1149 年（金海陵王天德元年）

升原唐代天德军节度使为天德总管府（今呼和浩特市东白塔村），置西南路招讨司。

## 1178 年（金大定十八年）

在今四子王旗吉生太镇城卜子古城升天山榷场置净州，并置天山县。元大德元年（1297年），净州升为净州路。约明洪武十五年（1382 年），废除净州路与天山县。

## 1192 年（金明昌三年）

在今察右前旗巴音塔拉镇土城子村以丰州春市场置集宁县；元成宗年间（1295—1307年），升为集宁路；明洪武年间（1368—1398 年)废。

△ 以原头下州地置抚州，治柔远县，即今河北省张北县喀喇巴尔哈孙古城。此古城也称"燕子城"，女真语称"吉甫鲁湾城"。抚州属西京路，辖境相当今河北省张北县以西、乌兰察布市集宁区以东地区。领 4 县，在乌兰察布地区的有：柔远县、集宁县、威宁县。蒙古宪宗四年(1254 年)，复置抚州；蒙古中统三年(1262 年)，升为隆兴府；元初，城破州废。

## 1193 年（金明昌四年）

约在今兴和县北、商都县东南一带以泥泺（失八儿秃）置丰利县，元代废。

## 1197 年（金承安二年）

在今兴和县原民族团结乡台基庙村南 1 公里处的城卜子古城置威宁县，属抚州。元初，在其废址上重建，并更名为咸宁县，隶宣德府。明洪武年间（1368—1398 年)废。

## 1266 年（蒙古汗国至元三年）

在今察右前旗境西北平地泉镇原三号地乡苏集村南(一说在大土城村)置平地县，属大同路。明洪武年间(1368—1398 年)废。

## 1279—1368 年（元朝时期）

在今四子王旗原红格尔苏木置砂井总管府，领砂井一县，为砂井总管府治，明初废。

△ 在今和林县榆林城村北置平地县，隶大同路。明洪武年间（1368—1398 年)废除。

## 1305 年（元大德九年）

在今达茂旗鄂伦苏木古城以黑水新城置静安路，领静安一县。静安县为静安路治。元延祐五年（1318 年），静安路、静安县更名为德宁路、德宁县。明洪武年间（1368—1398年)废。

## 1308 年（元至大元年）

隆兴路降为源州(今河北张北县)，隶中都留守司。元皇庆元年(1312 年)罢留守司，同时复置隆兴路并更名为兴和路，直属中书省，辖四县一州，乌兰察布地区东南部归其管辖。明洪武三年(1370 年)，改兴和路为兴和府，属北平布政使司管辖。

## 1370 年（明洪武三年）

在今托县大皇城再设东胜州；翌年，改东胜州为东胜卫；明洪武六年（1373 年）9 月废除。明洪武二十五年（1392 年），复置，又改称东胜左卫，并筑东胜城。当时陶克陶乎台吉在此驻牧并任百户长，故人们称东胜城为托克托城。

△ 明朝为安置归附明朝的脱火赤及其部众，在今河套黄河东段土默特旗一带置忙忽军民千户所，隶属绥德卫。

△ 为安置归附的蒙古宗王扎木赤，在今卓资县境置官山军民千户所，不久废。

## 1371 年（明太祖洪武四年）

在今托县县城置东胜卫，隶属大同都卫，后改隶山西布政使司。明洪武二十五年（1392年），分置左、右、中、前、后五卫；次年，废中、前、后三卫。原东胜卫改为东胜左卫；原东胜左卫改为镇虏卫，后废。明英宗正统三年（1438 年）曾复置，不久再废。

9 月，在今托县县城附近置失宝赤千户所、五花城千户所、斡鲁忽奴千户所、燕只斤千户所、瓮吉剌千户所，隶属东胜卫。

## 1374 年（明洪武七年）

3 月　为安置归附的蒙古不颜朵儿只部众，在今卓资县三道营古城置官山卫，隶大同都卫。不久，不颜朵儿只北迁，卫废。

是年　明王朝在今商都县境内置察罕脑儿卫。

## 1393 年（明洪武二十六年）

废凉城县淤泥滩古城宣宁县，改置宣德卫。

△ 在今和林县大红城置云川卫，属山西行都司。明建文四年（1402 年）内迁。

△ 在今和林县东南新店子置玉林卫（也作榆林卫），明永乐元年（1403 年）内迁。

△ 在今托县城东之黑城（一说今和林县大红城乡）置镇虏卫，明永乐元年（1403 年）内迁。

## 1403 年（明永乐元年）

玉林卫、东胜左卫、东胜右卫、镇虏卫，以及东胜中、前、后卫，内迁。明正统三年（1438 年），曾复置，不久再废。

## 1426 年（明宣德元年）

玉林卫、镇虏卫、云川卫复还旧治。明正统十四年（1449 年）再次内迁。

## 1510 年（明正德五年）

达延汗统一蒙古诸部，重新划分左右翼各三万户，乌兰察布地区大部区域属其右翼土默特万户辖地。

## 1565 年（明嘉靖四十四年）

在今土默特右旗萨拉齐以东筑大板升城。

## 1575 年（明万历三年）

库库和屯城（今呼和浩特市旧城）建成，明朝皇帝赐名"归化"。库库和屯又称"三娘子城"，民间百姓叫作"岢化城"。因建召庙甚多，素有"召城"之称。

## 1632 年（后金天聪六年）

5 月 后金皇太极进击察哈尔林丹汗部，林丹汗败走青海，皇太极驻跸归化城。从此，乌兰察布地区均由满族人控制。

## 1636 年（后金崇德元年）

后金王朝编土默特 3300 余丁为左、右两翼，设置土默特左、右翼两个都统旗。

△ 四子部归附后金，后金王朝将四子部编为四子部落札萨克旗。清顺治六年（1649年），全旗户丁迁徙到清政府所赐大青山以北锡拉木伦河流域锡拉查干淖尔一带草原（今四子王旗辖域）驻牧。1950 年 4 月 1 日，四子王旗人民政府成立，隶属乌兰察布盟人民自治政府。

## 1723—1795 年（清雍正、乾隆年间）

清政府先后在土默特地区设置归化城、清水河、和林格尔、托克托、萨拉齐五厅，并设归绥道管辖上述五厅，均隶山西省，从而拉开了旗县并存、蒙汉分治的序幕。

## 1642 年（清崇德七年）

1627 年，苏尼特部分为左、右两翼；1634 年，归附后金。1642 年（后金崇德七年），设置左、右两翼苏尼特札萨克旗，为锡林郭勒盟会盟旗之一。

## 1648 年（清顺治五年）

清王朝将乌拉特部编为东公旗（喇公旗）、中公旗（巴公旗）、西公旗（克公旗）三个镇国公旗。次年，乌拉特三旗由呼伦贝尔草原迁徙于清廷赐地——木纳山、狼山一带驻牧，均属乌兰察布盟会盟旗。

## 1653 年（清顺治十年）

喀尔喀右翼部归附清王朝，清政府设置喀尔喀右翼札萨克旗，赐塔尔浑河一带草原为喀尔喀右翼旗驻牧地，为乌兰察布盟会盟旗之一。旗札萨克驻今达茂旗境北，清康熙年间旗府迁至今百灵庙镇。

## 1662—1722 年（清康熙年间）

在今和林县政府驻地设置驿站，并派驻 20 户随军家属居住于此，故称该驿站为和林格尔（二十家子）驿站，和林县名源于此。

## 1664 年（清康熙三年）

1633 年，茂明安部归附后金王朝，并由呼伦贝尔草原西迁至大青山北艾不盖河源一带游牧。1664 年，清政府设置茂明安札萨克旗，札萨克驻地牧彻特里（今固阳县境东北）。从此，茂明安旗为乌兰察布盟会盟旗之一。

## 1670 年（清康熙九年）

四子部落旗，茂明安旗，喀尔喀右翼旗，乌拉特东公、中公、西公三旗，共四部六个札萨克旗会盟于今四子王旗东八号乡乌兰察布（原称）河畔，乌兰察布盟名称源于此。

## 1675 年（清康熙十四年）

在今乌兰察布市辖域东南部设置察哈尔正黄、正红、镶蓝、镶红 4 个总管旗，即察哈尔右翼四旗。

## 1708 年（清康熙四十七年）

喀尔喀右翼旗札萨克詹达固密被降袭札萨克多罗达尔罕贝勒，从此，喀尔喀右翼旗称为达尔罕贝勒旗，简称达尔罕旗。

## 1723 年（清雍正元年）

在今呼和浩特市旧城设置归化城厅理事同知，人称归化城理事同知厅，后升为直隶厅，置抚民理事同知。

## 1728 年（清雍正六年）

在今和林格尔设置理事通判，人称和林格尔理事通判厅。

## 1734 年（清雍正十二年）

清王朝在今兴和县境设丰川卫，在今丰镇市境设镇宁所，隶属大同府管辖。清乾隆十五年（1750 年），丰川卫、镇宁所合并为丰镇厅，今丰镇市名称由此而来。清光绪十年（1884 年），丰镇厅升为直隶厅。

△ 在今凉城县西南田家镇置宁朔卫，在今凉城县境设置怀远所。

## 1734 年（清雍正十二年）

设置归化、萨拉齐、托克托、和林格尔、清水河、善岱、昆独仑 7 个协理通判厅。不久裁撤善岱、昆独仑二协理通判，保留归、萨、托、和、清五厅。清光绪十年(1884 年)，改理事通判厅为抚民通判厅。

## 1741 年（清乾隆六年）

在今呼和浩特市旧城设置山西省派出机构归绥兵备道。

## 1750 年（清乾隆十五年）

宁朔卫、怀远所合并设置宁远厅，古宁远县名称由此而来。清光绪十年（1884 年），宁远厅升为直隶厅。

## 1756 年（清乾隆二十一）

清王朝在今达茂旗东南召河一带设置归化城土默特札萨克旗（喇嘛旗），归属乌兰察布盟。乾隆二十五年（1760 年），喇嘛扎布因“违例妄行”被革去札萨克职，归化城土默特札萨克旗随之裁撤。

## 1760 年（清乾隆二十五年）

乌拉特东公旗旗府西迁至今乌拉特前旗巴音花镇境内。

## 约 1880 年（清光绪六年）

今集宁形成聚落，最早称查干哈达，后称老哇嘴（老凹嘴、老鸹嘴、老鸦嘴、老窝嘴、狼窝嘴）、赵家店、马市儿、平地泉。2003 年末，在此设置集宁区。

## 1882 年（清光绪八年）

丰镇厅、宁远厅设立丰宁押荒局，实行"移民实边"政策。清光绪二十八年（1902 年），改丰宁押荒局为丰宁垦务局。次年 5 月，丰宁垦务局分为丰镇、宁远两个垦务分局。清光绪三十一年（1905 年）3 月裁撤。

△ 丰镇厅设东路垦务公司。

## 1884 年（清光绪十年）

丰镇、宁远二厅升为直隶厅，与归、萨、托、和、清五厅合称口外七厅。

## 1902 年（清光绪二十八年）

设立包头市垦务分局。光绪三十一年（1905 年），改设为垦务总局。

## 1903 年（清光绪二十九年）

镶蓝旗八苏木之德义村及九、十、十一、十二苏木划入陶林境。

△ 析萨拉齐厅西境置五原厅。

△ 在今察右中旗科布尔镇置陶林厅。初设抚民通判，加理事衔，后改为陶林抚民通判厅。民国元年（1912 年）改陶林抚民通判厅为陶林县。1949 年 12 月，陶林县划归集宁专员公署管辖。1954 年 3 月撤销陶林县建制。

△ 置武川直隶厅，民国元年（1912 年）改厅为县，四年，县府由归化城迁到今武川县可可以力更镇。

△ 在今兴和县二道河镇设置兴和抚民同知厅。

## 1907 年（清光绪三十三年）

6月 设立乌盟垦务总局，下设垦务分局，专办四子王、达尔罕、茂明安三旗垦务。

## 1912 年（民国元年）

各地抚民通判厅均改为县。

## 1913 年（民国二年）

3月 在今呼和浩特市置归绥道，同年11月废，改为归绥观察使公署。
△ 设置绥远特别行政区。
△ 归化、绥远两城合并置归绥县，直属绥远特别行政区管辖。

## 1914 年（民国三年）

6月 设置察哈尔特别行政区，统领锡林郭勒盟10旗、察哈尔12旗群和多伦、沽源、张北、丰镇、凉城、兴和、陶林七县。后又划入商都、宝昌、康保、集宁四县。

7月6日 置兴和道，与察哈尔特别区同时并存，道尹驻今河北省张北县政府驻地（兴和城），管辖张北、沽源、多伦、丰镇、凉城、兴和、陶林、商都、集宁、康保、宝昌十一县。1928年废除。

是年，改宁县远为凉城县，先后隶属察哈尔特别行政区、绥远省、和林专署、集宁专署、平地泉行政区、乌兰察布盟（市）管辖。

## 1915 年（民国四年）

1月 绥东4县余荒地亩总局在丰镇市成立，5月撤销。
△ 绥远垦务总局在武川县设置地亩局。
△ 商都垦务行局兼设治局成立，六年更名为商都招垦设治局，七年撤销商都招垦设治局，改为县制。1945年（民国三十四年）8月22，商都县实行军事管制，改商都县为商都市。一个月后，撤销军事管制，改市为县。民国三十六年（1925年）初，商都与化德县合并成立商化联合县；9月，商化联合县又纳入康保成立了商化康联合县；12月，联合县建制撤销。中华人民共和国之初，商都县归察哈尔省，1951年末，划归河北省张家口专区管辖。1958年10月，商都、张北、尚义、康保、沽源合并成立张北县，1960年1

月，商都和尚义从张北县划出成立商都县。1961 年 5 月 1 日，尚义县从商都县划出，商都县恢复了原来的建制。1962 年 7 月，商都县划归乌盟管辖。

### 1919 年（民国八年）

析茂明安旗南部、东公旗（乌拉特前旗）东部地区设立固阳设治局，1926 年（民国十五年）固阳设治局改设为固阳县。抗日战争初期，侵华日军曾成立伪固阳县公署。

### 1920 年（民国九年）

11 月 丰镇垦务局移驻今集宁区，次年 10 月，析丰镇、凉城、兴和三县部分地区在今集宁设置平地泉设治局（后又易名为集宁招垦设治局）。1924 年（民国三十五年）2 月 15 日，集宁县成立（二等县）。抗日战争期间建立伪集宁县公署。抗战胜利后，国民党和共产党都曾建立集宁县政权机构。1949 年 12 月，撤销集宁市建制，设置集宁县城关区，1951 年 8 月，集宁县城关区改为平地泉镇（县级），1956 年 4 月 10 日，撤销平地泉镇，成立集宁市，2003 年末，撤销集宁市建制，改设县级集宁区，为乌兰察布市政府所在地。

是年 设立勘放五当召膳召地地亩局。

### 1923 年（民国十二年）

置包头设治局。1926 年（民国十五年）包头设治局改设为包头县，1938 年（民国二十七年）11 月撤销包头县，设置包头市。

### 1925 年（民国十四年）

在今乌拉特前旗境内乌拉山北部置大佘太设治局，民国二十年（1931 年）改为安北设治局。民国二十六年（1937 年）10 月，在大佘太成立伪安北县公署。抗日战争胜利后，仍延续安北县建制。1958 年 4 月 25 日撤销安北县，属地并入乌拉特前旗。

### 1928 年（民国十七年）

9 月 17 日 察哈尔、绥远特别行政区改为行省，乌兰察布地区丰镇、凉城、兴和、陶林、集宁 5 县划归绥远省，正黄旗、正红旗、镶红旗、镶兰旗归察哈尔省。

## 1934年（民国二十三年）

3月13日 析河北省康保县一区、四区和商都县五区、十区设置化德设治局。民国二十五年（1936年），化德设治局易名为新明设治局，是年5月，新明设治局改为德化市。5月12日 蒙古军政府在嘉卜寺成立。民国二十六年（1937年），日寇二次占领德化，将德化市改名为德化县。1945年恢复化德县名称。1949年（民国三十八年）元月23日，化德县二次获得解放，中共化德县委、化德县人民政府成立。

4月23 成立百灵庙蒙古地方自治政务委员会。

是年，合并土默特左、右两翼都统旗，设置土默特特别旗。

## 1935年（民国二十四年）

年底，百灵庙蒙政会将察哈尔部改建为察哈尔盟，盟公署设在今河北省张北县城，辖域包括今乌兰察布市商都、德化二县。

## 1936年（民国二十五年）

1月 察哈尔右翼四旗正式改隶绥远省。

10月27日 伪蒙疆巴彦塔拉盟公署在归绥成立，辖厚和、包头二市，归绥、武川、固阳、陶林、凉城、丰镇、集宁、兴和、萨拉齐、托克托、清水河、和林12县，察哈尔右翼正黄、正红、镶红、镶兰和土默特五旗。

11月22日 伪察南自治政府、伪晋北自治政府、伪蒙古联盟自治政府联合组成蒙疆联合委员会。

是年，伪蒙疆联合自治政府成立，管辖察南、晋北两个政厅和乌兰察布、察哈尔、巴音塔拉、锡林郭勒、伊克昭五盟，民国三十四（1945年）年撤销。

## 1937年（民国二十六年）

年初，组建凉（城）和（林）清（水河）县，隶属晋绥边区。

7月 清水河县划归清平云联合县。

9月12日 陶林县划分3个区，即陶武区、陶山区、陶北区。

9月21日 侵华日军建立伪集宁县公署。

11月 侵华日军伪丰镇县公署成立。

9月22日 侵华日军侵占凉城县，国民党县政府解体。1939年（民国二十八年）11

月，成立伪凉城县协和公署，并迁治于新堂（今凉城县城）。抗日战争胜利后，恢复凉城县，先后隶属绥远省、和林专署、集宁专署、乌盟（市）至今。

10月16日　侵华日军侵占萨拉齐县，成立伪县公署。

10月　侵华日军在今武川县成立伪县公署。

冬季　日伪萨拉齐县公署成立。

是年　成立伪固阳县公署，隶属巴彦塔拉盟管辖。

11月　绥南专署在和林、清水河、山西省右玉县部分地区成立中共和右清工作委员会，属晋绥边区特委领导。民国二十九年（1940年）4月，成立和右清抗日民主县政府，同年11月撤销。

是年，成立伪固阳县公署，隶属于伪蒙疆政府巴彦塔拉盟管辖。民国二十八年（1939年）元月，组建包（头）固（阳）工作委员会，同年7—8月，固阳抗日民主县政府成立。1950年3月23日，成立固阳县人民政府，先后隶属绥中专署、萨县专署、集宁专署、乌盟管辖。1958年5月，固阳县划归包头市管辖。同年7月，固阳县改为固阳区。1961年9月，复改县。1963年2月，固阳县又划归乌盟管辖。1971年，再次划归包头市管辖。

## 1937—1945年（民国二十六至三十四年）

中共绥中专署在今丰镇市、集宁区、察右前旗部分地区建立抗日民主县政府。

△中共绥南专署在今丰镇市、凉城县部分地区建立丰凉抗日民主县政府。

△中共绥南专署在今清水河县和山西省平鲁、左云县部分地区成立清平云抗日民主联合县政府。

△中共绥东区委依察哈尔正红旗、正黄二旗、集宁县、陶林县、商都县部分地区设置陶集县，县政府驻今察右后旗红格尔图。

## 1938年（民国二十七年）

元月　侵华日军在托县成立伪县公署。

年末　德王在百灵庙设伪乌盟公署。

是年，抗日根据地总动员委员会晋察绥边区工作委员会、晋绥游击区行署驻绥办事处、绥蒙政府皆设置武川县。

△八路军大青山支队在今丰镇、集宁、凉城、和林、清水河、托克托、归绥县等地区建立丰集、归凉、托和清、丰凉、和林、清水河、托克托、凉城抗日民主县政府，并成立绥南专员公署。自此，上述地区俗称绥南地区。

△八路军大青山支队挺进绥远后建立归武、陶林、武川、集宁、丰集抗日民主县政

府，并成立绥中专员公署。自此，上述地区俗称绥中地区。

　　△ 绥西专署在萨县、固阳县部分地区建立抗日民主县政府。

　　△ 八路军大青山支队挺进绥远后，建立武归、萨固、萨托、萨县、固阳、武固抗日民主县政府，并设绥西专员公署。1949 年 11 月，建立包头专区；次年 9 月，改称绥西专区；11 月，又改称萨县专区。1952 年 11 月，撤销绥西专区，所属各县、旗均划归集宁专区。

　　△ 绥西专署在萨拉齐县、固阳县部分地区建立萨固抗日民主县政府。

　　△ 绥中专署在今武川县境西部地区建立武西抗日民主县政府，1949 年撤销。

## 1939 年（民国二十八年）

12 月　绥西专署在萨拉齐县、托县部分地区建立萨托抗日民主县政府。

　　是年　在大佘太成立伪安北县公署，隶伪巴彦塔拉盟。

　　△ 日本侵略者设立大青山煤炭（石拐煤矿）株式会社。1945 年，国民党绥远省政府在大发窑设置石拐沟炭矿管理所，同时组织煤炭职业公会、同业公会。1949 年，撤销炭矿管理所，并设立石拐煤炭产销管理委员会。1951 年 7 月，撤销乌盟五当召直属区人民政府及煤炭产销管理委员会。

　　△ 中共绥远省委决定，将武川县一分为四，设立武川、归武、武固、武归四县。

　　△ 绥中专署在归绥县（今呼和浩特市）北郊、武川县部分地区建立抗日民主县政府。

　　△ 八路军大青山支队在今兴和、丰镇、凉城、和林、清水河、托克托、归绥县等地建立兴丰、归凉、托和清抗日民主县政府，并成立绥东专员公署。自此，上述地区俗称绥东地区。

　　△ 绥东专署以今兴和县、丰镇市部分地区建立兴丰抗日民主县政府。

　　△ 在今凉城县、呼和浩特市东南部地区建立归凉抗日民主县政府。

　　△ 绥中专署在今武川、固阳县部分地区建立武固抗日民主县政府。

　　△ 绥东专署以今凉城、和林、清水河、托县部分地区建立凉和清抗日民主县政府。1941 年 6 月，凉和清县改为托和清县。

　　△ 秋季，固阳抗日民主县政府成立，抗日战争胜利后恢复固阳县建制。

## 1940 年（民国二十九年）

3 月　萨托抗日民主县政府分设为萨县、托县两个抗日民主县政府。萨县抗日民主政府驻地一前晌村（今土默特左旗境西北），属绥西专署领导。

4 月　绥南专署在今和林县、清水河县、山西省右玉县部分地区成立和右清抗日民主县政府，同年11月撤销。

是年 伪蒙疆政府在今达茂旗希拉穆仁（召河）设置政教合一的希勒图旗，归属乌兰察布盟，民国三十四年（1945年）撤销。

△ 在绥西陕坝成立乌拉特后旗流亡政府。1950年，乌拉特后旗人民政府成立。1952年10月15日，并入乌拉特中后联合旗。1970年10月，划出乌拉特中后联合旗西部8个人民公杜、2个公私合营牧场另设潮格旗。1981年10月，潮格旗更名为乌拉特后旗。

## 1941 年（民国三十年）

4月 在晋绥游击区行署驻绥办事处基础上成立绥察行署。下设绥西、绥中、绥南、绥东4个专员公署。

## 1942 年（民国三十一年）

绥远省实行新县制，在今乌拉特前旗改安北设治局为安北县。

## 1945 年（民国三十四年）

3月 成立清水河县民主政府。

6月 中共商都县工作委员会和商都县民主政府成立。

7月28日 中共丰（镇）兴（和）联合县委、县人民政府在亮马台成立。

7月 重新组建绥南地委、专署，驻凉城县新堂。辖归凉、丰凉、清水河、和林等县。

9月 国民党建立集宁县政权。

9月6日 国民党兴和县临时政府成立。

9月10日 中共陶集县委和县人民政府成立。下设3个区：一区红格尔图；二区土牧尔台；三区甲力汗。

9月 析武川县东部设置的武东县，属绥中地区，归绥蒙人民政府管辖。1958年5月撤销，原辖域分别划归察右中旗、四子王旗和武川县。

11月8日 成立中共萨拉齐县委和县人民政府。

12月 在今卓资山地区设置龙胜县，县府驻卓资山镇。龙胜县四界东至原十八台乡，南及原大榆树、羊圈湾二乡，西达原三道营乡，北到原白银厂汗乡。1946年9月5日，贺龙部队撤出龙胜县，国民党部队占领龙胜县并恢复旧制。1948年9月28日，绥远省人民政府恢复龙胜县。1952年5月1日，龙胜县更名为卓资县。

12月 集宁市人民政府成立。

冬，中共绥蒙区委建立集宁市政府。

△ 恢复包头县并保留包头市建制，实行市、县并存建制。

## 1946 年（民国三十五年）

3 月 绥蒙人民政府成立绥东蒙旗办事处，管理察哈尔右翼四旗政务，同年 9 月撤销。

春季 和林县将 12 个乡合并为 9 个乡。一区 4 个乡，二区 3 个乡，三区 2 个乡。

4 月 察哈尔盟政府在明安旗多恩海拉汗正式成立，7 月，察哈尔省政府将察哈尔盟划为自治区。

7 月底 成立苏尼特右旗民主政府。

△ 建立国民党集宁县政权。

## 1947 年（民国三十六年）

秋季，绥东四旗（察哈尔右翼四旗）相继建立了人民政府。

## 1948 年（民国三十七年）

9 月 丰镇城区设立丰镇市，县境农村仍设丰镇县。翌年 9 月撤销丰镇市。1990 年 11 月 15 日，丰镇撤县设市（县级），直属内蒙古自治区人民政府，由乌兰察布盟管理。

10 月 23 日，成立萨拉齐县人民政府。此后，萨拉齐县先后属包头专署、萨县专署、集宁专署、平地泉行政区人民政府领导。1958 年 4 月，撤销萨拉齐县建制，原辖地域分别划归固阳县和土默特特别旗。

## 1948 年（民国三十七年）

6 月 商化康联合县设置中共驻格化司台区委和区政府。

8 月 在苏尼特右旗赛罕乌力吉苏木阿拉塔图高勒（原道日木嘎查）成立苏尼特右旗临时政府。

9 月 25 日 中共绥蒙区党委、绥蒙政府进驻丰镇城，同时改丰镇县为丰镇市，同月撤销丰镇市，恢复丰镇县。

9 月 托县人民政府成立。11 月 15 日，国民党恢复托县县政府建制。

△ 托和清县改称和林县，隶绥南专署。

10 月 5 日 集宁最后获得解放，恢复县、市人民政府。

10 月 24 日 成立中共萨县县委、萨县人民政府。

## 1949 年

元月 在苏尼特右旗成立西部联合旗，旗府驻陶高图庙，6 月 1 日，旗政府迁移到温都尔庙。7 月，正式成立苏尼特右旗人民政府。

元月 10 日 复置中共商都县委、商都县人民政府，隶属察哈尔省察北专署领导。

元月 11 日 建立绥东四旗民主自治政府。

△ 察哈尔正黄、正红、镶红、镶蓝四旗政府分别设在巴音特拉（现察右前旗）、印山湾（现卓资县八苏木乡）、印堂子（现卓资县印堂子乡）、蓝旗村（现卓资县六苏木乡）成立。

3 月 15 日 绥蒙人民政府成立绥东四旗办事处，管理察哈尔右翼四旗政务，翌年初撤销。

春 托县民仁乡（小燕山营）沙沟子等 22 村、民乐乡黄河南二道拐等 26 村分别划归清水河县和准格尔旗。

6 月 13 日 撤销丰镇市，改设为丰镇县城关镇。

9 月 武川县划归萨县专区管辖。

9 月 15 日 化德县第三区划归商都县，为商都县第十区。

10 月 托县划属绥南专员公署管辖。

12 月 撤销集宁市建制，改建集宁县城关区。

△ 成立中国共产党清水河县政府，侨居偏关水泉堡，建国后迁回清水河县。先后隶属萨县专区、集宁专署、平地泉行政区、乌兰察布盟管辖；1995 年末，划归呼和浩特市。

△ 年末 兴和县人民政府成立，先后隶属察哈尔特别行政区、绥远省、集宁专署、平地泉行政区、乌兰察布盟（市）管辖。

△ 撤销陶集县建制。

△ 凉城县的义丰、保安、大榆树、三道营、庆丰、前德胜、福生庄等 26 个行政村划归龙胜县。

年末，和林县人民政府成立，先后隶属绥南专署、萨县专署、平地泉行政区、乌兰察布盟行署；1995 年，末划归呼和浩特市。

## 1950 年

年初，察哈尔右翼镶蓝旗和镶红旗合并，成立镶蓝镶红联合旗，旗政府驻今卓资山镇。隶属平地泉行政区管辖，1954 年 3 月撤销。

1 月 6 日 丰镇县所辖第六区（张皋区）划归兴和县。

1月20日 撤销绥东四旗办事处，以察哈尔正红旗建立中心旗（地级），管辖察哈尔正红、正黄、镶红、镶蓝旗。

2月 以包头县设置包头市（地级）。

3月23日 成立固阳县人民政府，先后属绥中专署、萨县专署、集宁专署、平地泉行政区和乌盟管辖。1958年5月，固阳县划归包头市，同年7月，固阳县改为固阳区，1961年9月，复改县。1963年2月，再次划归乌兰察布盟管辖。1971年，复归包头市管辖。

3月25日 武川县原第一、第二、第三、第四、第五区划归武东县管辖。

△ 武川县原第二区所辖乌兰花镇划归四子王旗管辖。

3月 托县人民政府正式成立，先后隶属和林专署、包头专署、绥中专署、萨拉齐专署、集宁专署、平地泉行政区、乌兰察布盟领导；1970年10月，划归呼和浩特市管辖。

△ 土默特旗人民政府成立，办公地点设在呼和浩特市旧城议事厅巷。

春，和林县南一间房、二道河村划归清水河县，十八家子村划归山西省右玉县。

4月1日 乌盟人民自治政府在四子王旗乌兰花镇成立，辖原乌兰察布盟6旗。

△ 四子部落旗人民政府成立，隶属乌盟人民自治政府，旗政府驻查干补力格，1952年迁至乌兰花镇。从此，四子部落旗改称四子王旗。

4月7日 乌拉特西公、中公、东公3旗更名为乌拉特前旗、乌拉特中旗、乌拉特后旗。

△ 武川县西河子划归四子王旗、大滩划归武东县、旗下营划归龙胜县（卓资县）。

4月 中共安北县委、县人民政府在新安镇成立。

6月1日 建立茂明安旗人民政府，政府驻希拉朝鲁庙。

7月18日 乌拉特中旗人民政府在本巴台庙成立。翌年11月，东迁至海流图。1952年10月15日，乌拉特中旗、乌拉特后旗合并为乌拉特中后联合旗。1970年10月，划出西部8个人民公社、两个合营牧场另设潮格旗。1981年9月，乌拉特中后联合旗更名乌拉特中旗。

7月21日 乌拉特后旗人民政府在城圐圙成立。

7月 撤销五当召地亩（天赋）办事处，设置五当召直属区，划归乌兰察布盟，次年改称石拐沟矿区，区政府由五当召迁至大发窑。1954年1月，包头煤炭筹备处成立。1956年末，石拐沟矿区划归包头市管辖。

8月9日 达尔罕旗、茂明安旗合并为达尔罕茂明安联合旗。

8月11日 乌盟自治政府易名为乌盟自治区人民政府。

8月 撤销绥南专区。

△ 固阳县划归绥中专员公署管辖。

△ 各旗、县人民政府派出的区政府始称区公所。

△ 各村名始称行政村人民政府。

截止9月9日 乌盟共设24各区（努图克）。

9月15日 化德县三区划归商都县（今大黑沙图镇）。

△ 在今四子王旗乌兰花镇设置县级乌兰花直属区。

10月1日 乌盟自治区人民政府由乌兰花迁至包头市昆都仑召，同年12月10日迁驻包头市内，次年11月1日 由包头市迁驻今固阳县城关镇。

△ 各旗县市所辖区的名称郡安数字排列，牧业区的区均称为奴图克。

△ 撤销集宁县建制，原辖行政区域分别划归集宁市、察右前旗、察右后旗和兴和县。

12月8日 石拐沟矿区划归乌盟自治区人民政府领导，同时撤销五当召区。

12月27日 固阳县划归萨县专员公署管辖。

△ 撤销和林专区，辖区分别划归集宁专区、包头专区。

△ 托县民乐乡黄河北的韩二窑等24村划归伊克昭盟准格尔旗。

△ 原属察哈尔省的化德县（三区除外）划归察哈尔盟。

## 1951 年

集宁县城关区改为平地泉镇（县级）。

△ 商都镶黄旗古希庙香火地划归化德县。

△ 托县划归和林格尔专员公署管辖。

1951到1952年，乌盟改革旧政权体制，将牧区41个苏木改称嘎查，嘎查以上建立13个努图克。在农业区废除保甲制度，全盟撤销了3个乡、一个镇、55个保、436个甲，建立了81个行政村、727个自然村。

## 1952 年

5月26日 撤销集宁区专员公署，其原辖各县及平地泉镇由绥远省政府直接领导。

5月29日 包头县第一区边墙壕、沙霸子两个自然村划归乌拉特中旗管辖。

7月1日 撤销乌兰花直属区建制，原辖域并入四子王旗。

8月9日 设置乌兰花镇。

8月9日 四子王旗原有6个区调整为8个区1个镇。

10月 达尔罕旗、茂明安旗合并为达尔罕茂明安联合旗，旗政府设在百灵庙镇，归属乌盟管辖，辖牧区1、2、3努图克（查干敖包、巴音敖包、新宝力格），农业区4、5、6区（西河、乌克忽洞、大苏吉）。1996年划归包头市。

11月15日 商都县划归河北省张家口专区管辖。

12月8日 兴和县城关区人民政府成立。

△ 乌拉特后旗第一区（巴音温都尔努图克）划出5个嘎查设潮海努图克。

## 1953 年

1 月 乌盟各旗、区重新调整所辖努图克、区：达茂旗 3 个努图克、3 个农业区；四子王旗 5 个努图克、3 个农业区；乌拉特中后联合旗 5 个努图克、3 个农业区；乌拉特前旗 2 个努图克、2 个农业区。

3 月 4 日 武东县第三区 9 个行政村划归四子王旗领导。

3 月 乌拉特中后联合旗的阿斯冷沟区划给石拐矿区，阿贵图划归安北县。

3 月 乌拉特前旗第一怒图克划归石拐沟矿区。

4 月 29 日 四子王旗增设一个农业区。

4 月 丰镇县官村划归察右前旗、麦胡图划给凉城县，凉城县的马家库联划归丰镇县。

6—7 月 石拐沟矿区改村建乡，共建 11 个乡、1 个嘎查。

7 月 10 日—25 日 镶蓝镶红联合旗改村建乡，原 15 个行政村，改为 15 个乡。

8 月 伊克昭盟杭锦旗、达拉特旗所辖的 3 个嘎查，478 户蒙古族居民划归安北县。

9 月 撤销包头县，改设包头市郊区。

秋，安北县将 31 个行政村改划为 34 乡，2 个乡级镇。

## 1954 年

1 月 17 日 固阳县划归乌盟，固阳县人民政府改为固阳县人民委员会。

2 月 兴和县的王三元、小河子、戈家村、杨树营、坝顶、大梁沟、吕家地等村划归正黄旗，正黄旗的艮子川乡、十四苏木乡及马家湾、仓万梁、三岔口、赵家山、石贲沟、庙沟、窝沟、涝利海等村划归兴和县。

3 月 3 日 土默特旗召河区划归达茂旗。

3 月 5 日 托县划归平地泉行政区。

3 月 6 日 撤销集宁专员公署，设置平地泉行政区。

3 月 17 日 撤销陶林县建制，将其原辖区域划归镶蓝镶红联合旗，并改称察右中旗，归平地泉行政区管辖，1958 年划归乌盟。旗人民政府由卓资山迁至科布尔。

△ 调整察右中旗行政区域：以原镶蓝镶红联合旗第一区及原陶林县西半部的 5 个区为基础，并划入原镶蓝镶红联合旗第三区的辖山子、大南沟二乡及十一苏木的东西营子村和卓资县北部的金盆、转经召、三道沟三乡及东胜乡的一半地区。

△ 以原中心旗改建察右后旗，归平地泉行政区管辖，1958 年划归乌盟。1955 年旗人民政府由集宁迁至土牧尔台。1971 年 3 月，察右后旗革委会从土牧尔台镇迁往白音察干镇。

△ 调整察右后旗行政区域：以原中心旗第一区和第三区大房子乡为基础，并划入原正黄旗第一区、原陶林县红格尔图、土牧尔台二区、集宁县第七区和第三区高家地、三苏

木房子、刘五村等三个村。

△ 以原正黄旗改建察右前旗，归平地泉行政区管辖，1958 年划归乌盟。旗人民政府由八苏木迁至官村，并将官村改称土贵乌拉镇。

△ 调整察右前旗行政区域：以原正黄旗二、三、四区、原中心旗二区大部分地区为基础，并划入集宁市第五区土城子、李莫二乡，第六区大坝沟、正沟、北窑、贾家地四乡，馒头沟的一道沟、朱家自然村和卓资县的八音沟、大卜沟二乡及金城洼乡的大部分自然村和兴和县第四区皂火口乡的王三元、小河子、嘎家村、杨树营等自然村及第三区鄂卜平小队、坝顶、洞沟和掌西乡的大梁沟、占家地等自然村。

△ 原中心旗第三区沙帽营、马莲滩、霸王河 3 个乡划归集宁县；二家坎、布联营、南房子、此老文克齐 4 个乡及二区印堂子乡划归卓资县；原镶蓝镶红联合旗第二区划归凉城县、第三区阿贵沟、河子二乡及十一苏木大部划归卓资县。原正黄旗第二区的营子川、伯楞营子二乡及马家湾、仓房梁、三岔口、赵家山、石贲沟、好来沟、庙沟、老利海等自然村划归兴和县；第三区木东脑包和楼子庙的各一半地区划归集宁县。

3 月 土默特旗二、三区 121 个村并入和林县。和林县的小西坪、班定板、一间房 3 个村划归土默特旗。

3 月 兴和县 86 个乡缩编为 35 个乡。

△ 平地泉镇划归平地泉行政区。

△ 土默特旗第六区划归萨拉齐县。萨拉齐县黄河南岸的德顺营乡、德胜太乡划归伊克昭盟达拉特旗。

6 月 乌兰察布蒙古族自治区改设为乌盟自治区。

△ 乌拉特前旗第二努图克划归乌拉特中后联合旗；中后旗南部靠近乌拉特前旗的一个区划归乌拉特前旗。

8 月 6 日 乌拉特中后联合旗台梁区划给乌拉特前旗。

10 月 杭锦后旗乌兰敖包努图克的建国、团结二乡；狼山县的长寿、石兰计二乡；五原县的池丑罗、院江湾、刘蛇、乌镇四乡；达拉特后旗的胜利、同义隆、河宝湾、柳树泉子四乡；安北县的十六号、西羊场二乡；乌拉特前旗第二努图克（千里庙）的 7 个嘎查；固阳县的双盛美、民丰二乡划归乌拉特中后联合旗。

10 月 安北县乌梁素海及退水渠以东乌加河以北 2 区、14 乡；乌拉特中后联合旗的 1 个乡（嘎查）；石拐矿区的两个自然村划入乌拉特前旗。

12 月 察右中旗北山湾村划归卓资县；丰镇县南营子、双胜堂、东坊、李家坊四个村划归察右前旗；察右前旗欧家营子村划归丰镇县；卓资县小水沟乡的一个 7 户人家的自然村划归丰镇县。

12 月 兴和县田家窑村划归河北省尚义县。

是年 包头县石拐镇划归乌盟石拐沟矿区。

△ 察右前旗乌兰哈达区划归察右后旗，原中心旗老圈沟区划归察右前旗。

△ 土默特旗第六区划归萨拉齐县。

是年，丰镇县第三区（官村）全部和二区的 12 个自然村，集宁县第四、五区的全部和六区的谢家沟等 4 个行政村及另 5 个自然村划归正黄旗，至此，正黄旗共辖 4 个区，253 个自然村。

△ 托县 6 个区调整为 5 区 1 镇，建 46 个乡，4 个居民委员会。

武东县的 9 个行政村划归四子王旗。

截止年底，乌盟辖四子王旗、达茂旗、乌拉特中后联合旗、乌拉特前旗和石拐矿区，全盟共有 14 个牧业区、15 个农业区、1 个镇、69 个嘎查、104 个乡。

## 1955 年

1 月 10 日　伊克昭盟准格尔旗黄河北岸的第一区、第十四区的十四个乡划归萨拉齐县。

1 月 25 日　察右后旗新民区划归苏尼特右旗旗。

2 月 12 日　兴和县杨合洼乡田家窑村划归河北省尚义县。

3 月 5 日　乌盟自治区人民政府改为乌盟人民政府，隶属内蒙古自治区人民政府。

4 月 1 日　托县五区的口肯板申、郭家营、塔布子、乃莫板申和力兔等 5 个自然村划归土默特旗。

5 月 4 日　四子王旗红召、阴公山二乡划归武东县。

5 月 15 日　乌盟人民委员会设置县级白云脑包办事处。

6 月 8 日　乌拉特前旗南牌乡、达拉亥乡的东圪巴、贾燕窑子、南营子自然村划归包头市；包头市土黑麻淖乡、全巴图乡的二规矩、住福窑子、锁子圪旦自然村划归乌拉特前旗。

9 月　改乌盟人民政府为乌盟人民委员会。

9 月　托县羊头营村划入和林县。

10 月 26 日　凉城县人民政府改称凉城县人民委员会。

12 月 15 日　成立百灵庙镇人民政府。

是年　托县原 50 个乡调整为 43 个乡。

## 1956 年

2 月 23 日　乌拉特中后联合旗乌盖努图克建设乡划归杭锦后旗。

2 月 23 日　察右后旗土牧尔台区东方乡的黄合少、刘家沟二村划归西苏旗。

3 月 7　在苏尼特右旗境北设置二连镇，隶属苏尼特右旗。1957 年升格为准县级二连浩特镇，隶属锡林郭勒盟。1966 年 11 月撤镇设市，1969 划归乌盟管辖，1980 年有划归锡林郭勒盟。1985 年，升格为准地级市，为内蒙古自治区计划单列市。

4 月 10 日 平地泉镇改设为集宁市，并将集宁县榆树湾乡的 9 个村、那日森高勒乡的 5 个村及边墙乡的小贲红、陈家村等 17 个村划归集宁市。

4 月 5 日 察右中旗珠莫尔区前进乡、勇士乡北至宿亥沟，南至大脑包沟，东至小弓沟，西至十股地区域划归卓资县。

5 月 土默特旗林坝乡划归和林县。

6 月 15 日 乌拉特前旗撤区并乡，6 个区并为 4 个区，39 个乡合并为 15 乡、4 个苏木、两个镇。

7 月 1 日 建乌拉特中后联合旗海流图公私合营牧场。

8 月 9 日 和林县崞县窑乡的 13 号、8 号、20 号、16 号、17 号 5 个村划归清水河县。

9 月 20 日 土默特旗台阁牧、攸攸板、坝口子、白塔、罗家营、讨思浩、毫沁营、哈拉沁、布塔气、榆林子保合少、什字、陶卜齐、大窑子、巧儿报、喇嘛营等 17 个乡和桃花板乡的勾子板村划归呼和浩特市。

9 月 21 日 察右中旗四合村划归武东县。

9 月 25 日 固阳县调整区划，43 个乡划为 20 个乡、1 个镇。

9 月 萨拉齐县撤区划乡，调整为 44 个乡、4 个乡级镇、1 个县级镇。

秋，达茂旗新宝力格成立全旗第一个牧业合作社，时称呼格吉勒图牧业社。

10 月 乌拉特中后联合旗 19 个小乡合并为 12 个大乡。

11 月 萨拉齐县人民政府改为萨拉齐县人民委员会。

12 月 乌盟撤销区公所、努图克，实行大乡制，合并嘎查改建苏木。调整后固阳县 34 个乡 1 个镇；乌拉特前旗 15 个乡两个镇；乌拉特中后联合旗 13 个乡 1 个镇；达茂旗 8 个乡 1 个镇；四子王旗 22 个乡 1 个镇。全盟共计 92 个乡 6 个镇。

是年 土默特旗大林坝、小林坝、姑子板三个村划归和林县。

△ 达茂旗撤区划乡改建苏木，撤销四、五、七三个区，保留六区，改称大苏吉区，原区属十五个小乡改为库烈点尔素、南卜子、打草滩、西营盘、萨音胡洞、小文公、红山子、乌克忽洞八个大乡。牧区撤销原来的三个努图克，改建查干哈达、查干敖包、巴音花、巴音敖包、新宝力格、希拉穆仁六个苏木。

△ 乌拉特后旗潮海努图克改称潮格温都尔苏木，同时设置宝音图苏木。

## 1957 年

2 月 化德县撤区设乡、镇，全县划为 1 镇 33 乡。三区、六区作为派出机构暂保留。

4 月 8 日 设立苏尼特右旗赛汉塔拉镇。

4 月 兴和县撤区并乡，设为 20 个乡，90 个高级社。

6月20日 苏尼特右旗撤销新民区下属两个乡，成立新民区人民委员会。

7月 察右中旗撤销科布尔区、三道沟区、塔步忽洞区、二号地区。全旗60个乡镇合并为30个乡、1个镇。

11月18日 撤销集宁县建制，其所辖大土城、大十号、希拉居力格、六号渠、益元兴、老平地泉、白海子、苏集（除联合农业社外）、9个乡划归集宁市；大西沟、大六号、贲红、高茂、曹不罕、高玉梁、黄羊城7个乡划归察右后旗；胜家营、玫瑰营、黄茂营、全胜局、方沟、活雅尔脑包、张隆通沟、九股泉、西河子、大联盟营、苏集乡的联合农业社等13个乡1个社划归察右前旗。

11月 托县羊头营子村划归和林县。

## 1958 年

1月 武川县的二里半、点素不浪、腮忽洞等乡划归达茂旗，达茂旗的红山子乡划归武川县。

2月24日 撤销乌盟驻白云脑包办事处，设立白云脑包镇，1958年3月改设为县级镇，并更名为白云鄂博。5月白云鄂博镇划归包头市管辖，8月改称包头市白云鄂博矿区。

3月10日 乌盟所辖乌拉特中旗、乌拉特后旗、乌拉特前旗划归巴彦淖尔盟，固阳县划归包头市。

3月26日 察右后旗将原32个乡镇基层单位调整划分为22个乡镇。

△ 莎拉齐县将原49个乡镇基层单位调整划分为26个乡镇。

3月28日 集宁市将原11个乡调整划分为6个乡。

3月29日 和林县将原35个乡镇基层单位调整划分为18个乡镇。

3月 托县将20个乡调整为11个乡，1个镇。

4月2日 凉城县将原45个乡镇基层单位调整划分为30个乡镇。

△ 兴和县将原36个乡镇基层单位调整划分为21个乡镇。

△ 托县将原21个乡镇基层单位调整划分为12个乡镇。

△ 乌盟行署由固阳县迁到集宁市。

4月，兴和县将原36个乡镇合并为21个乡镇，同时撤销第五、第六、第七三个区。

4月8日 卓资县经调整划分乡镇调划为20个乡镇。

4月14日 清水河县经调整划分乡镇调划为12个乡镇。

4月17日 察右前旗经调整划分乡镇调划为19个乡镇。

4月22日 撤销安北县建制，所属区域并入乌拉特前旗。

△ 撤销莎拉齐县建制，所属区域划归土默特旗。

△ 土默特旗的五十家子、美岱、五路、朱亥、讨速号、

羊盖板、八拜、毫沁营八个乡划归呼和浩特市。

△ 撤销武东县建制,武东县原辖忽鸡图、英兔、后哈卜泉、活佛滩、高家沟、东梁底六个乡划归四子王旗;大滩、义合隆、上阳坡、头号、广益隆、麻迷图、大井、上西河、库伦图、二元井、乌土沟、蒙古寺、速力兔十三个乡划归察右中旗;大同营、福兴号、吉庆营、巨宝庄、东河子、旗下营六个乡划归卓资县;西河子、厂汗此老乡划归武川县。

△ 莎拉齐县西部的杨圪楞、鄂尔圪逊、沙尔沁大巴拉盖四个乡镇划归包头市。

△ 乌拉特前旗东南部的哈叶胡同、乌兰计、黑柳子三个乡划归包头市。

4月 撤销乌盟一级政权建制,乌盟人民委员会改为乌盟行政公署(以下简称行署),成为内蒙古自治区人民委员会的派出机关。同时,撤销平地泉行政区,原辖区域划归乌盟。

5月15日 白云鄂博镇划归包头市。

6月9日 四子王旗海青花、三井泉二乡(包括原海青花、三井泉、大西、土城、明乐五个小乡)划归察右后旗。

7月25日 商都县45个乡、1个镇调整划分为19个乡、1个镇。

7月29日 四子王旗撤销小白林地乡,原辖域划归白音脑包苏木。

9月11日 武川县王家村乡并入中后和乡。

9月14日 托县12个乡镇、73个高级农业生产合作社合并为4个人民公社。

9月27日 乌盟2498个农业社组成246个人民公社,全盟实现了人民公社化。

秋 凉城县联乡、并社,成立了12个人民公社。

10月1日 撤销石拐矿区厂汉沟、白草沟二乡,成立国庆人民公社。

10月31日 萨拉齐县调整乡镇,35个乡、6个镇合并为12个乡镇。

10月31日 土默特旗小乡并大乡,建立萨拉齐、发彦申、将军尧、双龙、善岱、陶思浩、耳沁窑、察素齐、乌兰、北什轴、毕克齐、百什户12个人民公社。

10月 乌拉特中后联合旗撤销石哈河、乌加河两个管理区,组建石哈河、乌加河、乌镇、石兰计4个人民公社1个镇公社;牧区9个苏木组建成63个牧业社。

11月1日 察右前旗19个农村人民公社合并为8个。

11月6日 达茂旗小乡并大乡,建立乌兰胡洞、打草滩、锡拉木楞苏木、乌克忽洞、莎音胡洞、文公6个农区人民公社和24个牧区人民公社。

11月11日 兴和县小乡并大乡,建立9个人民公社。

11月12日 武川县所辖太平乡、二里半乡的巨丰社、点素不浪乡划归达茂旗。达茂旗所辖红山子乡和希拉木楞苏木的公忽洞部分草滩划归武川县。

11月22日 丰镇县小乡并大乡,建立新城湾、太平庄、三义泉、十八台、隆盛庄、麻迷图、官屯堡、永善庄、浑源窑、巨宝庄、黑土台等13个人民公社和城关1个镇。

11月22日 凉城县小乡并大乡,建立12个人民公社。

11月 丰镇县23个农村人民公社调整为13个。

12 月 16 日 察右后旗小乡并大乡，建立五星、乌兰哈达、当郎忽洞、白音查汉、本红、锡力等 8 个人民公社。

是年 达茂旗牧区成立查干敖包、查干哈达、乌兰图格（希拉穆仁）、新宝力格、巴音敖包、巴音花公社。农区 12 个小乡、94 个小社合并成立乌兰忽洞、乌克忽洞、萨音忽洞、小文公人民公社。另外设一个公私合营牧场（红旗牧场），一个镇（百灵庙镇）。

△ 卓资县成立钢铁公社。

△ 土默特特别旗划归乌盟。1960 年 2 月改属呼和浩特市，1963 年再次划归乌盟。1965 年 3 月，土默特特别旗分设为土默特右旗和土默特左旗，1969 年元月二旗正式分署办公。

## 1959 年

1 月 6 日 武川县小乡并大乡，建立 12 个人民公社。

1 月 30 日 四子王旗沙眼忽洞乡并入大黑河乡，吉生太乡并入供济堂乡。

2 月 2 日 集宁市撤销原白海子乡、那日若森格勒乡建制，原辖区域除金星、红益、明星三个农业生产合作社外全部划归平地泉乡；撤销原大土城、庆德孟乡建制，原辖区域和金星、红益、明星三个农业生产合作社划归希拉居力和乡。

2 月 26 日，卓资县小乡并大乡，建立 10 个人民公社。红召乡、东河子乡合并为红召乡；撤销梅力盖图乡、八苏木乡、下营子乡、六苏木乡建制，并入卓资山镇；印堂子乡、白脑包乡合并为印堂子乡；三道营乡、土城子乡合并为三道营乡；安保乡、花山子乡合并为安保乡。

△ 察右中旗将原 31 个乡镇基层单位调整划分为 21 乡镇。

4 月 14 日 四子王旗小乡并大乡，建立乌兰、巨巾号、活佛滩、西河子、库伦图、大黑河、吉生态 7 个农区人民公社和查干补力格、红格尔、白音朝克图、脑木更、白银脑包、查干脑包、乌兰哈达 7 个牧区人民公社。

7 月 21 日 集宁市 44 个居民委员会合并为 22 个。

8 月 17 日 和林县小乡并大乡，建立舍必崖、大红城、公喇嘛、黑老窑、新店子、城关 6 个人民公社。

8 月 21 日 托县小乡并大乡，建立乃只盖、古城、黑城、满坪 4 个人民公社。

是年，清水河县小乡并大乡，建立城关、喇嘛湾、五良太、暖泉、韭菜庄、窑沟 6 个人民公社。

## 1960 年

1 月 商都、尚义二县从张北县划出，合并成立商都县。

1月27日 察右后旗人民委员会由土木尔台镇迁至白银厂汉。

2月1日 土默特特别旗划归呼和浩特市。

5月15日 苏尼特右旗呼格吉勒托亚、格日勒敖都牧业大队划入二连浩特市，时称郊区人民公社。

6月15日 化德县与商都镶黄旗合并，称商都镶黄旗，旗人民政府驻化德县城关镇。

10月31日 土默特旗撤销小乡，调整行政区划。

10月 苏尼特右旗赛汉塔拉浩特改为一级政权镇。挂赛汉塔拉镇和赛汉塔拉人民公社两块牌子。

11月 土默特旗桃花人民公社划归呼和浩特市区。

## 1961 年

2月26日 卓资县撤销伏虎乡、义和乡建制，与旗下营镇合并为旗下营镇。

5月 尚义县从商都县划出，恢复商都、尚义县原建制。

12月29日 集宁市两个人民公社调整为 8 个人民公社。

12月23日 苏尼特右旗 8 个苏木调整合并为 5 个人民公社。

## 1962 年

1月 兴和县 9 个人民公社调整为 20 个基层人民公社。

2月26日 卓资县撤销哈达图乡、勇前乡建制，合并为哈达图乡。

4月1日 河北省商都县划归内蒙古自治区乌盟。

4月 托县 8 个人民公社调整为 11 个（包括城市公社）人民公社。

4月11日 达茂旗农村牧区调整为 19 个人民公社。

9月22日 四子王旗将原农区 27 个乡镇调划为 9 乡 1 镇。

是年，卓资县钢铁人民公社更名为旗下营人民公社。

△ 乌盟将原 126 个人民公社调整为 273 个人民公社、2062 个生产大队、12926 个生产队。

## 1963 年

2月21日 呼和浩特市所辖土默特特别旗、包头市所辖固阳县再次回归乌盟。

2月25日 在满都拉成立中共达茂旗边境牧区工作委员会，与中共达茂旗旗委同级，管辖巴音花、满都拉、巴音塔拉 3 个努图格。

4月13日 恢复化德县建制。

## 1964 年

6 月 15 日　集宁市平地泉、三号地、三岔口 3 个人民公社和马莲渠 2 个大队、白海子人民公社的 7 个大队划归察右前旗；大土城、煤窑、三成局 3 个公社的共 27 个大队划归察右后旗。

6 月 23 日　乌盟调整乡镇、缩小城镇郊区：保留集宁市、丰镇城关镇、固阳县城关镇、达茂旗百灵庙镇、察右中旗科布尔镇、商都县城关镇、卓资县卓资山镇、旗下营镇、四子王旗乌兰花镇、武川县可可以力更镇；保留丰镇县隆盛庄镇新设隆盛庄乡、保留土默特旗莎拉齐镇新设莎拉齐乡、保留凉城县城关镇（新堂镇）新设香火地乡、保留察右前旗土贵乌拉镇新设土贵乌拉乡、保留托县城关镇新设中滩乡、保留兴和县城关镇新设北关乡、保留清水河县城关镇新设八楞湾乡、保留和林县城关镇新设章盖营乡、保留察右后旗土牧尔台镇新设土牧尔台乡；撤销察右前旗玫瑰营镇改设为乡，撤销凉城县田家镇改设为乡，撤销兴和县张皋镇改设为乡，撤销土默特旗毕克齐、善岱、陶思浩、双隆 4 镇改设为 4 乡。

7 月 1 日　呼和浩特市所属的沙尔营、沙尔沁、白庙和台阁牧 4 个人民公社划归土默特特别旗；桃花公社的前毛道、连家营、密密板村以南的 5 个大队分别划归沙尔沁、沙尔营 2 个人民公社；集宁市所属的平地泉、三号地、三岔口 3 个人民公社和马莲渠人民公社的 2 个大队，白海子人民公社的 7 个大队划归察右前旗；大土城、煤窑、三成局 3 个人民公社划归察右后旗。

## 1965 年

3 月　撤销土默特特别旗建制，设置土默特左旗、土默特右旗。以原土默特旗陶思浩公社以东的 18 个人民公社和察素齐镇为土默特左旗行政区域，以原土默特特别旗公山湾人民公社以西的 19 个人民公社和萨拉齐镇为土默特右旗行政区域。

8 月　察右中旗科布尔人民公社分设为科布尔镇和得胜人民公社；巴音人民公社分设为巴音、乌素图人民公社，广益隆人民公社分设为广益隆、华山子人民公社。

## 1967 年

2 月 25 日　卓资县马盖图人民公社山顶生产大队和六苏木人民公社小苏计生产大队划归卓资山镇。

10 月 18 日　乌盟革委会成立。文化大革命运动期间，乌盟行署已不存在，其职能为乌盟革委会所取代。

## 1968 年

3 月 3 日 凉城县革委会成立。与此同时各旗县市相继成立革委会。

## 1969 年

元月，土默特左旗、土默特右旗正式分开办公。
9 月 11 日 苏尼特右旗、化德县、二连浩特市由锡林郭勒盟划归乌盟。

## 1971 年

7 月 1 日 乌盟土默特右旗、固阳县划归包头市，托县、土默特左旗划归呼和浩特市。
4 月 28 日 成立察右后旗白音察干镇。
8 月 24 日 卓资县旗下营乡、旗下营镇合并为旗下营人民公社。

## 1974 年

3 月 7 日 察右前旗木栋艾拉人民公社划归兴和县。

## 1975 年

2 月 察右中旗铁沙盖人民公社分设为铁沙盖、义发泉俩个人民公社。

## 1978 年

10 月 1 日 乌盟革委会消失，恢复乌盟行署。

## 1980 年

5 月 8 日 苏尼特右旗、二连浩特市划回锡林郭勒盟。

## 1981 年

乌盟各地人民公社革委会，改称公社管理委员会。

## 1983 年

6 月 6 日 卓资县旗下营乡改为旗下营镇。

## 1984 年

4 月 乌盟完成改社建乡工作，将原有的 285 个人民公社、2378 个生产大队，改建为 242 个乡、25 个苏木、18 个镇和 2233 个村民委员会、157 个嘎查以及六个办事处、152 个居民委员会。

5 月 9 日 兴和县张皋人民公社恢复张皋镇建制。

5 月 20 日 撤销察右前旗平地泉乡，设置平地泉镇。

5 月 21 日 凉城县曹碾公社改设为曹碾满族乡。

是年，乌盟全面铺开撤社建乡工作，改变"政社合一"的人民公社体制，改公社管理委员会为苏木、乡、镇人民政府，大队改为行政村，生产队改为自然村。

## 1985 年

2 月 16 日 察右后旗土牧尔台乡并入土牧尔台镇。

## 1990 年

11 月 15 日 撤销丰镇县，设置县级丰镇市，直属内蒙古自治区人民政府，由乌兰察布市管理。

11 月 28 日 察右后旗恢复土牧尔台乡建制。

## 1996 年

1 月 1 日 武川县、达茂旗分别划归呼和浩特市和包头市管辖。

## 1999 年

12 月 29 日 撤销凉城县麦胡图乡，设置麦胡图镇。

## 2001 年

4 月 察右前旗原三成局乡整建制划归黄家村乡，乡政府驻地黄家村；原弓沟乡整建制划归玫瑰营镇，镇政府驻地玫瑰营。

7月 察右前旗三号地乡并入平地泉镇，固尔班乡并入三岔口乡；小淖尔、巴音塔拉二乡合并设置巴音塔拉镇；撤销白海子乡，设置白海子镇；老圈沟乡并入呼和乌素乡；新风乡并入乌拉哈乡；礼拜寺乡并入赛汉塔拉乡；大土城、三成局二乡并入煤窑乡；弓沟乡并入黄家村乡；撤销白海子乡，设置白海子镇。

△ 察右中旗蒙古寺乡并入大滩乡；广昌隆乡并入黄羊城乡；撤销布连河、铁沙盖二乡合并设置铁沙盖镇；乌素图乡改置为乌素图镇；七苏木乡并入乌兰苏木；二号地乡并入米粮局乡；塔布乡并入土城子乡；华山子乡并入广益隆乡。

△ 察右后旗红格尔图乡改设为红格尔图镇；大六号乡改设为大六号镇；霞江河、贲红二乡合并置贲红镇；白音察干乡并入白音察干镇；土牧尔台乡并入土牧尔台镇；吉棍特拉乡并入当郎忽洞苏木；胜利、锡勒二乡合并设置锡勒苏木；察汗淖尔、韩勿拉二乡合并设置韩勿拉苏木；三井泉乡并入八号地乡；将霞江河乡的霞江河村委会、贲红乡的共联村委会划入石夭沟乡。

△ 四子王旗三元井、朝克温都二乡并入库伦图乡；太平庄乡并入大黑河乡；吉庆乡并入供济堂乡。

△ 凉城县三庆、多纳苏、永兴三乡合并设置永兴镇；十三号乡并入天成乡；刘家窑乡并入六苏木乡；东十号乡并入厢黄地乡；北水泉乡并入厂汉营乡；厢黄地乡的旧堂、三营两个村委会划入城关镇。

△ 卓资县三道营、保安二乡合并设置梨花镇；十八台乡改设为设十八台镇；哈达图、白银厂汉、马盖图三乡合并设置巴音锡勒镇；羊圈湾乡并入印堂子乡；碌碡坪乡并入旗下营镇；马盖图乡的头号、东滩、大海、温都花、五星5个村委会和六苏木乡的苏计村委会、中营子村委会的城卜子、坝沟子两个村民小组，六苏木村委会的南夭子村民小组并入卓资山镇。

△ 商都县城关镇更名为商都镇；四台坊子、大黑沙土二乡合并设置大黑沙土镇；二道洼、屯垦队二乡合并设置屯垦队镇；小海子、高勿素二乡合并设置小海子镇；范家村乡并入十八顷镇；西井子乡改置西井子镇；八股地乡并入大库伦乡；章毛乌素乡并入格化司台乡；十大顷乡并入三虎地乡。

△ 化德县城关镇更名为长顺镇；二道河乡并入公腊忽洞乡；土城子乡并入朝阳镇；撤销达盖滩乡，达盖滩乡的黑沙图、毕力克、达盖滩、德胜4个村民委员会划入七号镇，小西沟、解放、新民3个村民委员会划入六十莱顷乡。

△ 兴和县南湾、店子、白家营三乡合并设置店子镇；二台子、三瑞里二乡合并设置二台子镇；壕欠、高庙子二乡合并设置壕欠镇；赛乌素、钦宝营二乡合并设置赛乌素镇；鄂卜坪、木栋二乡合并设置鄂尔栋乡；石湾子乡并入台基庙乡。

△ 丰镇市城关镇改设为北城区街道办事处；新城湾、粒峨村二乡合并设置新城湾镇；黑土台、新五号二乡合并设置黑土台镇；巨宝庄、新营子二乡合并设置巨宝庄镇；柏宝庄

乡并入隆盛庄镇；红砂坝、九龙湾二乡合并设置红砂坝镇；麻迷图、三义泉二乡合并设置三义泉镇；大庄科乡并入元山子乡；对九沟乡并入浑元窑乡。

是年，卓资县东河子乡并入红召乡；碌碡坪乡并入旗下营镇、三道营乡改为梨花镇；撤销马盖图乡，原辖域分别划归哈达图乡、十八台镇、卓资山镇；白银厂汉、哈达图二乡合并为巴音锡勒镇；十八台乡改为十八台镇。至此卓资县由原 20 个乡（镇）建制改为 9 乡 5 镇。

是年，乌盟调整全盟居委会，由 204 个调整为 177 个，减少了 27 个，占总数的 13.2%。

## 2002 年

11 月 四子王旗乌兰牧场和江岸开发区合并设置江岸苏木。苏木政府驻地设在原开发区驻地白新图。

## 2003 年

12 月 1 日 撤销乌兰察布盟，设立乌兰察布市；撤销集宁市，设置县级集宁区。乌兰察布市辖四子王旗、察右前旗、察右中旗、察右后旗三旗和化德、商都、兴和、卓资、凉城五县、集宁一区，同时代内蒙古自治区人民政府管理丰镇市。

## 2004 年

4 月 26 日 察右前旗白海子镇和黄家村乡整建制划归集宁区管辖。

## 2006 年

3 月 凉城县 11 乡、3 镇调整为 2 乡、5 镇。城关镇、三苏木乡整建制和厢黄地乡的马坊滩、安子山、西厢、弓沟沿、杏树贝、井沟子、九股泉、小召、圪臭沟、自营 10 个村合并设立岱海镇；六苏木、双古城乡整建制和十九号乡的新窑子、拉贵沟、庙卜子 3 个村合并设立六苏木镇；崞县夭乡、程家营乡整建制和厢黄地乡的小坝滩、坝底、东十号、沙乎 4 个村合并设立蛮汉镇；后营乡建制和十九号乡的十五号村并入天成乡；厂汉营乡整建制和十九号乡的十七号、十九号、大洼 3 个村并入曹碾满族乡。凉城县乡镇行政区划调整后，辖岱海镇、六苏木镇、麦胡图镇、永兴镇、蛮汉镇、天成乡、曹碾满族乡。

8 月 丰镇市 6 乡、6 镇调整为 2 乡、5 镇、1 个街道办事处；撤销新城湾镇，将其五台洼、四城洼、毛鱼沟、新城湾、东园、二号沟、铺路、沟门 8 个村划入市区设立南城区办事处；粒峨、寿阳营两个村并入黑土台镇；马家库联乡整建制并入巨宝庄镇；永善庄乡整建制并入隆盛庄镇；黑圪塔洼乡整建制并入官屯堡乡；元山子乡整建制并入浑源窑乡。

丰镇市乡镇行政区划调整后，辖巨宝庄镇、隆盛庄镇、黑土台镇、三义泉镇、红沙坝镇、官屯堡乡、浑源窑乡和南城区、旧城区、新城区、工业区、北城区街道办事处。

△ 兴和县8乡、6镇调整为2乡、5镇；五一乡整建制并入赛乌素镇；五股泉、曹四窑二乡整建制并入大库联乡；台基庙乡整建制并入民族团结乡；鄂尔栋乡和二台子镇的三十八号、四十八号、九十二号、南圐圙、四铺、大五号、庆云、三瑞里、脑包、十五号、四十号11个村合并设立鄂尔栋镇；壕堑镇和二台子镇的东十号、西官、八十三号、南官、曹四夭、二十三号、二台子、四美号8个村并入城关镇；大同窑乡整建制并入张皋镇。兴和县乡镇行政区划调整后，辖赛乌素镇、鄂尔栋镇、城关镇、张皋镇、店子镇、大库联乡、民族团结乡。

△ 察右中旗2苏木、14乡、3镇调整为2苏木、3乡、5镇；金盆乡整建制和得胜乡的羊山沟村、大滩乡的点红岱村并入乌兰苏木；元山子乡的永和庆、元山子、六间房、东壕堑、阿令朝、大马库伦、东方红、乳泉8个村和得胜乡的得胜、南口、西壕堑、义圣和、厂汉营、南水泉、大营子、大东沟、华丰9个村并入科布尔镇；土城子乡、义发泉乡整建制并入铁沙盖镇(不包括九股泉村)；铁沙盖镇的九股泉村并入乌素图镇；米粮局乡、黄羊城乡整建制和头号乡的德太炉村合并设立黄羊城镇；广义隆乡、五号乡二乡合并设立广益隆镇；头号乡的头号、石烂哈达、小坝子、白道梁、韩庆沟、财务营、兴隆泉、土城子、庙村、巴圪那、口圪庆11个村并入大滩乡。三道沟乡整建制和元山子乡的海流图村并入宏盘乡。察右中旗苏木乡镇行政区划调整后，辖乌兰哈页苏木、库伦苏木、科布尔镇、铁砂盖镇、黄羊城镇、广益隆镇、乌素图镇、大滩乡、宏盘乡、巴彦乡。

△ 集宁区2乡、1镇调整为1乡、1镇；黄家村乡的大十号、大三号、三股泉、四股泉、师家村、三成局、六号渠、合义永、新湾9个村并入马莲渠乡；黄家村乡的七苏木、南洼、黄家村、哈伊尔脑包、小东号、大河湾6个村并入白海子镇。集宁区乡镇行政区划调整后，辖马莲渠乡、白海子镇和桥西、新华、桥东、新体路、工业区、福利区、虎山、新区街道办事处。

△ 四子王旗11苏木、11乡、1镇调整为4苏木、2乡、5镇；乌兰花乡整建制和巨巾号乡的巨巾号、阿力善图、大南坡3个村并入乌兰花镇；吉生太、大井坡二乡整建制和巨巾号乡的温都花、海卜子两个村合并设吉生太镇；西河子、大黑河二乡整建制并入东八号乡；库伦图乡改设为库伦图镇；供济堂乡改设为供济堂镇；活福滩乡整建制和巨巾号乡的小东营、大清河、麻黄洼3个村并入忽鸡图乡；白音朝克图、乌兰哈达二苏木合并设置白音朝克图镇；白音花苏木整建制和巴音敖包苏木的补力格嘎查并入红格尔苏木；卫境苏木整建制和巴音敖包苏木的达赖、夏布格两个嘎查、脑木更苏木的江岸嘎查并入江岸苏木；查干敖包苏木的白音补力格、白音乌拉、敖包图3个嘎查并入查干补力格苏木；吉尔嘎郎图苏木整建制和查干敖包苏木的山达来嘎查并入脑木更苏木。四子王旗苏木乡镇行政区划调整后，辖乌兰花镇、吉生太镇、库伦图镇、供济堂镇、白音朝克图镇、红格尔苏木、江

岸苏木、查干补力格苏木、脑木更苏木、东八号乡、忽鸡图乡。

　　△ 卓资县9乡、5镇调整为2乡、5镇；巴音锡勒镇的和平村划入卓资山镇；后房子乡整建制和印堂子乡的羊圈湾、马莲坝两个村并入大榆树乡；复兴乡整建制并入旗下营镇；福生庄乡的丰恒、东壕赖、中壕赖、福胜4个村并入梨花镇；八苏木乡、梅力盖图乡整建制和印堂子乡的财神梁、白脑包、五犊亥3个村并入十八台镇；六苏木乡整建制和巴音锡勒镇的和平村、福生庄乡的南山顶村、印堂子乡的印堂子、广兴城、岱青、奎元4个村并入卓资山镇。卓资县乡镇行政区划调整后，辖巴彦希勒镇、旗下营镇、梨花镇、十八台镇、卓资山镇、大榆树乡、红召乡。

　　△ 化德县7乡、3镇调整为2乡、3镇；撤销德善乡、白土卜子乡、白音特拉乡；德善乡的德善、向阳、三道沟、德义、刀拉胡洞、德胜6个村、白土卜子乡的和平、昔尼乌素2个村、白音特拉乡的民建、永红、白音特拉、农场、民生、卜拉乌素、兴无7个村和朝阳镇的新富、二登图两个村、德包图乡的三胜、录义两个村并入长顺镇；白土卜子乡的尔力格图、太平、大恒城、建国、永乐、二道沟、白土卜子7个村、白音特拉乡的赛不冷村并入朝阳镇；撤销六十顷乡，六十顷乡的小西沟、新民、色庆沟、十顷地、大西沟、白头6个村并入七号镇；六支箭乡整建制和六十顷乡的丰满、二台、通顺、八十顷、南顺5个村、白音特拉乡的毡毛沟村并入德包图乡；德善乡的农建、莫龙图、和胜、前进4个村并入公腊胡洞乡。化德县乡镇行政区划调整后，辖长顺镇、朝阳镇、七号镇、德包图乡、公腊胡洞乡。

　　△ 察右后旗5苏木、4乡、5镇调整为2苏木、1乡、4镇；撤销韩勿拉苏木，韩勿拉苏木的察汗淖、后洼、宿黑蟆、格少4个村并入当郎忽洞苏木；撤销哈彦忽洞苏木，哈彦忽洞苏木的顶木其沟嘎查和韩勿拉苏木的巴音高勒、亢家村、后房、石灰图4个嘎查、村并入乌兰哈达苏木；锡勒苏木整建制和韩勿拉苏木的哈拉沟嘎查和石窑沟乡的红格尔图、苏计不浪、石窑沟、赵家房、石层坝5个嘎查、村合并设立锡勒乡；哈彦忽洞苏木牧业、大井子、西泉子、建设4个嘎查、村、贲红镇的芦家村、大九号、建和、红胜、红丰5个村、石窑沟乡的大丹岱、霞江河两个村并入白音察干镇；八号地乡整建制和阿贵图乡的长胜湾村并入土牧尔台镇；阿贵图乡的王丙、向阳、生产、喇嘛圆圈4个村并入红格尔图镇（撤销阿贵图乡）；大六号镇、石门口二乡整建制（划入白音察干镇的5个村除外）并入贲红镇。察哈尔右翼后旗苏木乡镇行政区划调整后，辖当郎忽洞苏木、乌兰哈达苏木、锡勒乡、白音察干镇、土牧尔台镇、红格尔图镇、贲红镇。

　　△ 商都县9乡、6镇调整为3乡、6镇；商都镇、三虎地乡、西坊子乡合并设立七台镇；大拉子乡整建制和格化司台乡的元宝山、大西沟、七号地、芦草沟、牌楼、新建6个村并入西井子镇；大南坊子乡整建制并入屯垦队镇；格化司台乡的三喇嘛营子、一卜树、赛书记、章毛乌素、太平堡、南沟子、郭明7个村（划入卯都乡的1个村除外）并入大库伦乡；三面井乡整建制并入玻璃忽镜乡；大库伦乡的泉子沟村并入卯都。商都县乡镇行政

区划调整后，辖七台镇、西井子镇、屯垦队镇、小海子镇、十八顷镇、大黑沙土镇、大库伦乡、玻璃忽镜乡、卯都乡。

10 月 察右前旗 8 乡、4 镇调整为 3 乡、5 镇；土贵乌拉、呼和乌素二乡整建制并入土贵乌拉镇；三岔口乡的沙渠、吉丰、民生、浩齐德、富河、布宏岱、三股泉 7 个村并入平地泉镇；高宏店乡并入玫瑰营镇(赵家、富贵、泉脑、麻盖、章毛村除外)；撤销赛汉塔拉乡，将赛汉塔拉乡的红富、赛汉塔拉、水泉、大喇嘛营、谷力脑包、碱滩、南店、礼拜寺、脑包沟、哈毕格 10 村并入巴音塔拉镇；煤窑乡整建制并入三岔口乡；巴音塔拉镇的西营子、小淖尔、大淖尔、查干、南窑、岱青、井子沟 7 个村并入黄茂营乡；赛汉塔拉乡的六苏木、沙泉两个村、玫瑰营镇的赵家村、富贵村、泉脑、麻盖、章毛 5 个村、平地泉镇的四号卜村合并设立黄旗海镇。察哈尔右翼前旗乡镇行政区划调整后，辖土贵乌拉镇、平地泉镇、玫瑰营镇、巴音塔拉镇、黄旗海镇、山岔口乡、黄茂营乡、乌拉哈乌拉乡。

## 2010 年

9 月 26 日 察右前旗平地泉镇的来家地村民委员会、贾家地自然村、古营盘自然村和三号地自然村共 14 平方公里区域划归集宁区管辖。

## 2012 年

3 月，察右前旗从土贵乌拉镇和平地泉镇各划出 153.51 和 121.99 平方公里区域设立老圈沟乡；察右中旗从铁沙盖镇划出 224 平方公里区域设立土城子乡；察右后旗从贲红镇划出 217 平方公里区域设立大六号镇；四子王旗从江岸苏木划出 1960 平方公里区域设立巴音敖包苏木，从东八号乡划出 200 平方公里区域设立大黑河乡；卓资县从旗下营镇划出 217 平方公里区域设立复兴乡；凉城县从曹碾满族自治乡划出 502 平方公里区域设立厂汉营乡；商都县从七台镇和西井子镇各划出 182 和 56 平方公里区域设立三大顷乡；兴和县从张皋镇和城关镇各划出 193 和 151 平方公里区域设立大同夭乡，从大库联乡和民族团结乡各划出 179 和 97 平方公里区域设立五股泉乡；化德县从长顺镇和七号镇、德包图乡各划出 145 和 141、131 平方公里区域设立白音特拉乡；丰镇市从浑源窑乡划出 309 平方公里区域设元山子乡。

## 2015 年

4 月 6 日 原归凉城县管辖的驼盘、陈三千卜子、王顺沟、大苏计、小草沟、宋家沟、福胜、黄旗沟八个自然村划归卓资县管理。

# 地名索引

　　《乌兰察布地名考》共收集了8000多个地名，其中，简要介绍了古代地名，认真细致地考证了近现代苏木、乡、镇和旗、县级以上政区名称，同时胪列了嘎查、村民委员会名称。为了方便读者查阅、检索和阅读方便，我们编制了《地名索引》。此《地名索引》由地名和地名所在页码组成，并按汉语拼音字母顺序进行了纵向排列（第四、五两章中的地名，均按汉语拼音字母顺序排列，故没有列入）。读者只要从《地名索引》中查到预想了解的地名，就可以得知该地名所在张页。简便易行，能够引导读者查知有关地名，了解该地名的有关信息。

# 参考书目

中国地名委员会.地名工作文件选编.1984.

廖兆骏.绥远志.1937.

内蒙古地方志编制委员会.内蒙古旧志整理.1984.

内蒙古旗县情大全编纂委员会.内蒙古旗县大全.1992.

王仲奋.中国名寺志典.1991.

绥远省通志馆.绥远通志稿.呼和浩特:内蒙古人民出版社,2005.

李树基等.巴什村史.察素齐:土默特旗印刷厂.1995.

金海.乌兰察布方土.2004.

有关地区人民政府.地名志.1980年代.

朱暄.绥远志稿.集宁:中共乌兰察布市委机关印刷厂.2011.

清水河厅志.台北正大印刷厂.1969.

和林厅志.台北正大印刷厂.1969.

五原厅志.台北正大印刷厂.1969.

穆彰阿.大清一统志.上海:古籍出版社,1784.

金海等.清代蒙古志.呼和浩特:内蒙古人民出版社,2013.

中国历史地图集.地图出版社,1996.

薛国屏.中国古今地名对照表.上海:辞书出版社,2010.

中国地名词源.上海:辞书出版社,1990.

庞启等.内蒙古地名.呼和浩特:内蒙古人民出版社,2006.

蒙汉对照内蒙古地名编委会.蒙汉地名对照手册.2005.

张蒙.蒙古地名译名手册.1993.

殷子楠,孙秀东.刘东等.中国少数民族地名蒙古语音译手册.1993.

东汉经学家.说文解字.东汉年间.

臧励酥.中国古今地名大词典.1931.

内蒙古大辞典编辑委员会.内蒙古大辞典.呼和浩特:内蒙古人民出版社,1991.

刘均仁.中国地名大辞典.2005.

崔乃夫主编.中华人民共和国地名大词典.1999.

中国社会科学院历史研究所史地研究室.中国历史地名大辞典.2005.

罗亚蒙等.中国历史文化名城大辞典.1998.

政协凉城县委员会.凉城古今地名词典.北京:中国文联出版社,2012.

李逸友.内蒙古历史名城.呼和浩特:内蒙古人民出版社,1993.

政协凉城县委员会.凉城古今地名考.2012.

察右后旗地名编委会.察右后旗地名考.2011.

道·孟和.西域历代蒙古语地名研究.2013.

内蒙古历史地理编写组.内蒙古历史地理.呼和浩特：内蒙古大学出版社，1988.

武殿林.察哈尔史迹.2004.

吉格木德.察哈尔史略.2008.

纳森等.察哈尔绥远历史沿革考录.2010.

纳森等.察哈尔正黄旗苏木考录.2010.

孟涛.健步集宁.2012.

那木斯赉.清代蒙古蒙旗由来与划分.1984.

李瑞.中国少数民族概况.1984.

纳森等.察哈尔民俗文化.1988.

郦道元、史念林.水经注.北京：华夏出版社，2006.

张明林，山海经.沈阳：辽海出版社，2014.

高银表.中国山脉丛书·中国大青山.呼和浩特：内蒙古人民出版社，1999.

刘俊.阴山古道.呼和浩特：内蒙古出版集团.2010.

玟瑜著.万事由来.2012.

顾颉刚、史年海.中国疆域沿革史.1999.

田山茂（日本）.清代蒙古社会制度.1988.

忒莫勒.口北三厅志·北部边疆卷三.哈尔滨：黑龙江教育出版社，2014.

内蒙古民政厅.内蒙古自治区行政区划简册.呼和浩特：内蒙古出版集团，2011.

乌兰察布盟档案馆.乌兰察布盟行政区划沿革.中共乌兰察布盟委机关印刷厂.1983.

呼和浩特城镇乡村编委会.呼和浩特城镇乡村.呼和浩特：2003.

内蒙古旗县情大全编制委员会.内蒙古旗县情大全.1992.

中华人民共和国大典编委会.中华人民共和国大典.人民出版社，1994.

晓克.土默特史.呼和浩特：内蒙古教育出版社，2008.

乔吉.黄金史校注.呼和浩特：内蒙古人民出版社，1983.

道润梯步.蒙古秘史新译简注.1978.

阿·马·波兹德涅耶夫.蒙古及蒙古人.呼和浩特：内蒙古人民出版社，1983.

蒙古学百科全书编委会.蒙古学百科全书.2010.

张穆.蒙古游牧记.1991.

萨囊彻辰.蒙古源流.呼和浩特：内蒙古人民出版社，1980.

蒙古族简史编写组.蒙古族简史.呼和浩特：内蒙古人民出版社，1985.

苏西恒.拓跋珪传.呼和浩特：内蒙古人民出版社，2008.

满都麦.四子部落通史.2010.

伊克昭盟蒙古民族通史编委会.蒙古民族通史.1990.

宋謙.元史.明朝.

脱脱.金史.元朝.

魏收.魏书.554.

政协乌兰察布市委员会.乌兰察布史.北京:中国文联出版社,2012.

刘俊.乌兰察布宗教沿革及寺庙堂观.集宁:中国乌兰察布市委机关印刷厂.2012.

满都麦,莫德尔图.乌兰察布寺庙.呼和浩特:内蒙古文化出版社,1998.

荣祥等.土默特沿革.察素齐:土默特旗印刷厂.1981.

张万寿、武耀.凉城通史.北京:中国文联出版社,2012.

岱海考古.内蒙古科学出版社,2000.

金巴扎布等.察哈尔蒙古族史话.丰镇:丰镇县印刷厂.1989.

额尔登泰,乌云达赉、阿萨拉图.蒙古秘史词汇选编.1980.

内蒙古文史资料委员会.蒙古近现代王公录.呼和浩特:新华印刷厂.1988.

吴欣.草原第一都——盛乐.呼和浩特:内蒙古出版集团.2008.

# 后　记

　　历经五个春秋，伏案两千多个日日夜夜，乌兰察布地区地名文化研究专著《乌兰察布地名考》终于和大家见面了。《乌兰察布地名考》的出版发行是乌兰察布市档案文献编纂研究工作和地名文化研究工作的一项重大突破，填补了乌兰察布地区地名文化研究的一项空白，其出版发行对于乌兰察布地区地域文化研究、地方史研究，特别是民族文化研究具有十分重要的意义。

　　我们在编著《乌兰察布地名考》的过程中，得到了各级领导、专家学者们和社会各界的高度重视、热情支持和倾力相助。中共乌兰察布市委、市人民政府、市政协、市文化研究促进会高度重视、亲切关怀，为编纂研究工作创造条件、提供保障；乌兰察布市文化研究促进会会长刘俊同志为《乌兰察布地名考》作序；副会长石良贤同志亲自参与《乌兰察布地名考》评审工作；内蒙古自治区民政厅区划处、内蒙古蒙古语地名文化研究会在地名文化研究方针政策、方式方法方面给予指导；内蒙古自治区档案局、档案馆、内蒙古自治区档案学会给予档案文献编纂研究方面的专业指导，在地名考证研究经费方面给予支持并提供大量资料；乌兰察布市档案局把《乌兰察布地名考》的编著工作作为市档案馆编研工作一项重要任务全力支持，在办公经费十分困难的情况下，想方设法为编著工作创造条件，提供方便，确保了编著工作的顺利进行；呼和浩特市、包头市、巴彦淖尔市、土默特左旗、苏尼特右旗、二连浩特市、乌兰察布市等地民政局、地方志编写办公室等部门在《乌兰察布地名考》的评审把关、资料提供等方面也给予大力支持；国家图书馆，中国第一、第二历史档案馆，辽宁省档案馆，内蒙古图书馆，乌兰察布市图书馆，乌兰察布市博物院，内蒙古大学、内蒙古师范大学、内蒙古农业大学等高校图书馆，呼和浩特市、巴彦淖尔市档案馆，固阳县、土默特左旗、苏尼特右旗、集宁区、四子王旗、察右中旗、察右前旗、察右后旗、凉城县、卓资县、商都县、兴和县、化德县、丰镇市等地档案馆也为编著工作提供了大量翔实珍贵的资料。另外，一些地名文化研究专家和地名文化研究爱好者也从不同角度支持和协助《乌兰察布地名考》的编著工作。在此，对为《乌兰察布地名考》的编著工作给予鼎力相助的各级领导机关、各级领导和为编著工作付出了辛勤劳动的同志们表示诚挚的感谢。

　　《乌兰察布地名考》时间跨度大，涉及面广，可供参考借鉴的历史资料极度匮乏，加上我们编研人员水平有限，难免有不妥甚至谬误之处，我们谨向读者朋友们表示歉意，同时真诚地希望各位读者提出批评意见。

《乌兰察布地名考》编纂委员会

2019 年秋